In der Klappe links:
Übersicht über die in diesem Buch beschriebenen Routen

itelfoto: »The Wave« in der Paria Wilderness, ➤ Seite 466

REISE KNOW-HOW

Dr. Hans-R. Grundmann GmbH
Verlagsgruppe Reise Know-How

Hans-R. Grundmann

USA
DER GANZE WESTEN

Arizona
California
Colorado
Idaho
Montana
Nevada
New Mexico
Oregon
Utah
Washington State
Wyoming

+ Abstecher nach
Texas und South Dakota

Hans-R. Grundmann

USA - DER GANZE WESTEN

15. komplett überarbeitete
und erweiterte **Auflage 2007**

mit separater Planungskarte
für die US-Weststaaten

ist erschienen im

REISE KNOW-HOW Verlag

ISBN 978-3-89662-232-7

Gestaltung

Umschlag: Carsten C. Blind/Asperg, Hans-R. Grundmann
Satz und Layout: Hans-R. Grundmann
Fotos: siehe Verzeichnis Seite 741
Kartographie: Elsner & Schichor, Karlsruhe
Illustrationen: Alexander Brandt, München

Druck

W. Zertani, Druckerei und Verlag, Bremen

Dieses Buch ist in jeder Buchhandlung
in Deutschland, Österreich und der Schweiz erhältlich.
Die Bezugsadressen für den Buchhandel sind

- Prolit Gmbh, 35463 Fernwald
- AVA Buch 2000, CH-8910 Affoltern
- Mohr Morawa GmbH, A-1230 Wien
- Barsortimente

Wer im lokalen Buchhandel Reise Know-How-Bücher nicht findet,
kann diesen und andere Titel der Reihe auch im Buchshop des
Verlages im Internet bestellen: **www.reisebuch.de**

Zur Konzeption dieses Reiseführers

Dieses Buch wendet sich in erster Linie an Leser, die Amerikas Westen **auf eigene Faust** entdecken und erleben möchten. Es beruht auf jahrelanger Reiseerfahrung des Autors und stellt praktische Fragen, wie sie sich bei Reisevorbereitung und unterwegs ergeben, in den Vordergrund.

Neben vielen wichtigen Informationen zum Reiseland USA ist breiter Raum zunächst **Überlegungen** gewidmet, die man noch **vor der eigentlichen Planung** anstellt oder anstellen sollte. Damit die Reise wunschgemäß verläuft und »bringt«, was man erwartet, sollten persönliche Ansprüche und Reiserealität so weit wie möglich übereinstimmen.

Alle in diesem Zusammenhang bedenkenswerten Aspekte werden im Kapitel 1 des Allgemeinen Teils behandelt. Dazu gehören auch Themen, denen Reiseführer oft keine besondere Aufmerksamkeit schenken, wie etwa dem Reisen mit Kindern.

Sind Jahreszeit, Zeitraum und Art des Reisens (mit **Wohnmobil**, **Pkw und Motel oder im Zelt**, **Greyhound/alternativer Bus** u.a.) bestimmt, findet der Leser in den Kapiteln 2 und 3 des ersten Teils alle Informationen zur optimalen Durchführung seiner nun konkreten Reisepläne und außerdem **zahlreiche Tipps und Hinweise zur Vermeidung von unnötigen Ausgaben, Zeitverlust und Ärger**.

Der Reiseteil bietet – ausgehend von **9 Startrouten** ab Los Angeles, San Francisco, Seattle und Las Vegas und **4 Basis-Rundstrecken** (je zwei im Südwesten und Nordwesten) – **ein dichtes Netz von Routen**, die sich **im Baukastensystem** auch anders als hier beschrieben zusammensetzen lassen, siehe die Routenübersicht in der Umschlagklappe vorne. **Weit über 1000 textbegleitende Internetadressen** ermöglichen einen raschen Zugriff auf zusätzliche Informationen.

Weiter erleichtert wird die Reiseplanung dadurch, daß Sehenswürdigkeiten, Streckenabschnitte und Quartiere (**mit rund 400 spezifischen Unterkunftsempfehlungen und über 500 ausgewählten Campinghinweisen**) nicht nur allgemein erläutert bzw. aufgelistet, sondern – wo immer möglich – mit **Wertungen** versehen sind. Details zu **Konzeption und Aufbau des Reiseteils** stehen **auf den Seiten 230ff**.

Nicht unmittelbar die Reisepraxis betreffende **Daten und Wissenswertes zu den USA**, dem Land und seinen Menschen, weiteren Angaben zu Informationsmöglichkeiten vor Ort wie (ergänzend zu den Angaben im laufenden Text) im Internet sowie ein **Kurzlexikon** mit 500 nützlichen Begriffen und ein **Index** finden sich im abschließenden Anhang.

Die **Karten** im Buch und die separate **Gesamtüberbersicht mit Karten von 18 Nationalparks auf der Rückseite** sind auf den Text abgestimmt.

Eine gute Reise wünscht Ihnen

Hans-R. Grundmann

Teil 1: PLANUNG, VORBEREITUNG UND DURCHFÜHRUNG einer Reise durch den Westen der USA

TEIL 2: REISEN IM WESTEN DER USA

Sonderthemen rund ums Reisen in Amerika und einstimmende Essays

(*) Die mit Sternchen gekennzeichneten Essays wurden dem RKH-Band "Please wait to be seated ..." (Hans Löwenkamp) entnommen, ISBN-Nr. 3-89662-198-X, €12,50, *➤ Seite 762.*

Planung,
Vorbereitung
und Durchführung
einer Reise durch den
Westen der USA

1. REISEPLANUNG

Erste Überlegungen

Mit der Rückkehr des Dollarkurses auf ein Niveau, das sich um $1,30 für den Euro eingependelt zu haben scheint, ist auch die Nachfrage nach USA-Reisen wieder gestiegen. Der 11. September 2001, der den USA-Tourismus 2002 und 2003 einbrechen ließ, ist zwar nicht vergessen, schreckt aber auch nicht mehr ab. Eher dessen Folgen, wie die formale Komplizierung der Einreise (➤ Seiten 86/87) und die Politik des Präsidenten *George W. Bush*.

Anders als bei Reisen im vertrauten Europa steht vor der Entscheidung für den Flug nach Amerika manche Frage, die vorab im Detail bedacht und geklärt werden sollte:

Wichtige Aspekte

Nach der »Einkreisung« dessen, was man in den USA sehen und erleben möchte, betrifft das zunächst die bestgeeignete Reiseform, also **Transportmittel** und – damit eng verbunden – die Art der **Übernachtung unterwegs**. Wichtig ist auch die Berücksichtigung der **Witterungsbedingungen**. Dieser Aspekt wird trotz der im US-Westen ziemlich differierenden Klimazonen nur zu leicht nachrangig behandelt. Die Bestimmung des passenden Zielflughafens ist der letzte Schritt.

Vorplanung

In den folgenden Abschnitten werden alle wichtigen Punkte erörtert, die der Leser vor dem Einstieg in eine konkrete USA-Reiseplanung wissen und bedenken sollte.

Mit ihrer Kenntnis, den Informationen und Hinweisen im Allgemeinen Teil und den Anregungen in den Reisekapiteln gelingt die optimale Planung der eigenen Reise.

Dollarkurs und Reisekosten (Stand: März 2007)

Im November 2006 durchbrach der Kurswert des Euro erstmals nach fast zwei Jahren wieder die Marke von $1,30 (0,77 Euro je Dollar). Allgemeine Expertenmeinung ist, daß im Lauf des Jahres 2007 der Dollar durchaus noch weiter absteigen wird. Aber das sagen Experten schon seit über 3 Jahren voraus, dennoch rührte sich der Dollarwert lange kaum vom Fleck.

Wer jetzt in die USA reist bzw. eine Reise für die nächsten Monate plant, darf aber mit plus/minus $1,30 pro Euro kalkulieren. Mit Glück kommt es sogar besser. Ein wieder ernsthaft steigender Dollar ist eher unwahrscheinlich.

Tatsächlich entspricht der aktuelle Kurs einer erheblichen Aufwertung des Euro in wenigen Jahren. In den USA gekaufte Waren und Dienstleistungen wurden für Eurobesitzer seit Anfang 2002 um 20%-30% billiger. Das typische Paar *Levis Jeans* – nach wie vor für ca. $27 und weniger in den *Outlet Malls* zu haben – kostet Anfang 2007 um die €22 nach bis zu €35 vor 3 Jahren (jeweils plus *Sales Tax*). Und immer noch niedrig für uns sind die **Benzinpreise**. Ein Liter Normalbenzin gibt es in den USA zur Zeit ab ca. €0,45, also zu etwas über einem Drittel der Kosten bei uns (*Regular Gas* kostete im März 2007 zwischen $2,20 und $3,00 pro Gallone=3,8 Liter; im US-Westen im Schnitt $2,65).

Trotzdem sind die USA kein billiges Reiseland. Denn in den letzten Jahren waren die Inflationsraten in den USA deutlich höher als bei uns, nicht zuletzt im touristischen Sektor. Erhebliche **Preiserhöhungen** gab es (in $) z.B. bei der Campmobilmiete, bei Hotel- und Moteltarifen (das aber stark saison- und ortsabhängig), ganz besonders auch bei Campingplatzgebühren und bei Eintrittspreisen für Vergnügungsparks, beliebte Museen, Aquarien u.a.m. Das gilt leider auch für die Verpflegungskosten:

Im **normalen Supermarkt** der großen Ketten wie *Safeway, Vons* oder *Albertsons* etc.) zahlt man ohne Kundenkarte heute für das Gros der Produkte etwas bis viel höhere Preise als in Deutschland. Aber auch mit Karte sind die meisten Lebensmittel teurer als bei uns. Speziell Obst und Gemüse werden – außer zur regionalen Erntezeit – häufig »in Gold aufgewogen«. Etwas preiswerter, aber nach unseren Maßstäben durchaus nicht billig, kauft man in den Supermarktabteilungen der Kaufhäuser **K-Mart, Wal Mart** und **Target**.

Vergleichsweise viel Geld kosten auch **Alkoholika**, angefangen bei den »besseren« Biersorten über Wein (identische kalifornische Marken sind teilweise preiswerter im deutschen Supermarkt als in den USA) bis zum *hard liquor* wie Wodka, Bacardi und Wiskey. Beim Bier sind insbesondere die *Sixpacks* teuer. Wer sich Kartons mit 15-30 Dosen/Flaschen zulegt, kommt billiger weg.

Als langfristig nachwirkende Konsequenz des 11. September 2001 schlagen bei den **Flugtarifen** erhöhte Sicherheitsgebühren zu Buche. Je nach Ziel, Airline und Saison zahlt man inkl. Sicherheitsgebühren im Sommer leicht €1.000 und mehr fürs Ticket retour in der *Economy Class* an die Westküste.

Das Preisgefüge bei den **Mietwagen** (außer bei Campmobilen) sank indessen in Euro. Bei mindestens einwöchigen Mieten sind *Rental Cars* in den USA bei Vorausbuchung vom Ausland aus **sagenhaft günstig**. Man kann 2007 in **Kalifornien** schon ab €165 pro Woche ein kleines Auto mieten. Für €200 gibt es bereits die Typklasse »Full Size«, was mindestens unserer oberen Mittelklasse entspricht. Und wer etwas höher sitzen und mehr Platz haben möchte, bucht ein geräumige ***Sports Utility Vehicle*** (SUV) ebenso für Wochentarife ab unter €200 die Woche. Cabrios und Minivans findet man für unter €300/Woche. Dabei sind unbegrenzte Meilen, Vollkasko, aufgestockte Haftpflicht und alle Steuern eingeschlossen (jeweils bei Buchung bei heimischen Veranstaltern oder auch direkt bei den Vermietern vor der Reise).

Die **Campermiete** blieb dagegen, Eurostärke hin oder her, nach wie vor ein teurer Spaß. Nur wer geschickt vergleicht und die **Raten in der Vor- und Nachsaison** in Betracht zieht und/oder **Sondertarife** nutzt (was immer mit allerhand Rechnerei bei den nicht eben transparenten Preistabellen vieler Anbieter verbunden ist), kann den hohen Kosten halbwegs Paroli bieten. Bei mittleren Ansprüchen an die Unterbringung sind Reisen im Pkw und Motelübernachtung im allgemeinen billiger, da ja auch gestiegene Campingplatzgebühren und happiger Benzindurst dieser Fahrzeuge zu Buche schlagen.

Eine Alternative sind ggf. Camper von Vermietern, die es bei Großveranstaltern nicht gibt, etwa **ältere Modelle** und einfach ausgestattete Fahrzeuge, wie sie in Deutschland z.B. **Adventure Travel** vermittelt (www.usareisen.com).

Bei den **Hotel-/Moteltarifen** ist die Realität in Kleinstädten und auf dem Land nicht so kostspielig wie manche Kataloge signalisieren, die vorwiegend Häuser ab der oberen Mittelklasse listen. Man kann durchaus im Schnitt für $50-$60/Nacht und Zimmer (in der Vor- und Nachsaison in manchen Regionen sogar darunter) einigermaßen akzeptabel unterkommen, sofern es nicht im Juli/ August in der Nähe von Nationalparks und an beliebten Touristenrouten sein muß. Auch wenn das meist kein gutes Frühstück beinhaltet (oft immerhin Kaffee und *Donuts*), sind viele Zimmer kein schlechter Deal, den man bei uns in der – ohnehin kaum vorhandenen – Preisklasse €40-€50 kaum fände.

Hostels sind im übrigen nicht nur für junge Leute eine Möglichkeit. Im Mehrbettzimmer bezahlt man ungefähr $15-$25/Person, selten mehr, was vor allem in Großstädten lohnt. Auf dem Land ist der Abstand zum einfachen Motel gering. Hochpreisige **Cityhotels** bucht man nach wie vor besser von hier aus im Internet oder bei Reisebüros vor; sie sind vor Ort im Zweifel teurer.

Nach wie vor nicht schaden kann es, **Zelt und Schlafsack** einzupacken, selbst wenn man eigentlich ein Bett für die Nacht vorzieht. Dank eines Gepäcklimits von 46 kg/Person ist das zumindest zu zweit bei Flügen in die USA kein sonderliches Problem. Wenn es dann mal mit der Quartiersuche gar nicht klappt, findet sich immer noch ein Campingplatz. Und an manchem Schönwetterabend ist das vielleicht sogar die attraktivste Alternative für die Nacht.

Die **Kosten unterwegs** hält in Grenzen, wer als **Automieter** auf Selbstverpflegung und *Fast Food* setzt. Zumal in Amerka nichts übers **Picknick** geht. *Picnic Tables* stehen unverfehlbar in Stadtparks, an Aussichtspunkten, an oft wunderschönen Stellen in *National* und *State Parks* und besitzen fast immer auch einen Grillrost. Und wenn es doch mal ein **Restaurant** sein soll, warum nicht mittags statt abends? Dieselben Gerichte gibt es als **Lunch** meist viel (25%-33%) billiger als zur Dinnerzeit.

Camper (im Zelt wie Campmobil) können bei den **Campgebühren** substanziell sparen. Es ist möglich, im Schnitt um die $15 auszugeben, aber – speziell im Wohnmobil - auch leicht über $30. Macht in 3 Wochen locker $300 Differenz.

Eine **Rundreise im Auto oder Wohnmobil** verursacht in den USA zwar niedrigere **Benzinkosten** als bei uns, absolut kommen bei ein paar tausend Urlaubsmeilen denoch leicht beachtliche Beträge zusammen. Wer es aktuell genau wissen möchte, kann sich über lokale und regionale Benzinpreise im Internet informieren unter www.<u>losangeles</u>gasprices.com usw., wobei der unterstrichene Teil einfach ausgetauscht wird, etwa durch »vegas «, »denver« etc.

Alles in allem gilt: Die **Ausgaben vor Ort** lassen sich bei einer individuellen Reise im Jahr 2007 für alle Reiseformen niedriger halten als bei gleichem Verhalten in Westeuropa; Selbstverpflegung kommt jedoch teurer als in Deutschland. Auch das Essengehen mit Bier- wie Weinkonsum in »richtigen« Restaurants mit Alkohollizenz ist alles in allem (15% Trinkgeld) eher teurer als in vergleichbaren Lokalen bei uns, aber billiger als in der Schweiz, Italien, Frankreich oder England. *Fast Food* und Essengehen in sog. (oft alkoholfreien) *Family Restaurants* wie *Denny's* o.ä. kostet dagegen weniger als bei uns.

Einen **Ausgleich** für ggf. hohe Unterwegskosten bieten **Einkäufe**. Weder ***Jeans*** noch andere Textilien oder Sportschuhe sind in den letzten Jahren spürbar teurer geworden, in Euro also billiger. Das gilt auch für Camping- und Autozubehör und andere Gebrauchsgüter, die in Mittelamerika und Asien billig gefertigt werden. Die Preise dafür liegen – speziell in den Outlet Malls – vielfach weit unter dem Niveau bei uns. Wer hier »zuschlagen« möchte, sollte auf dem Hinflug genügend Platz im Koffer und »Luft« unter dem Gewichtslimit lassen.

1.1 Reiseziel Westen der USA

Bevorzugte Ziele

Die Hauptattraktionen des amerikanischen Westens bedürfen kaum der Hervorhebung. Denn daß sich **die schönsten Nationalparks** und einige der interessantesten US-Cities in den Weststaaten befinden, ist allgemein bekannt. Wer eine Reise dorthin plant, besitzt meistens schon eine ziemlich genaue Vorstellung der Ziele, die besucht werden sollen. **San Francisco, Los Angeles, Las Vegas, *Grand Canyon, Yosemite*** und ***Yellowstone Park*** und das ***Monument Valley*** – um nur die wichtigsten zu nennen – stehen durchweg ganz oben auf der Wunschliste. Danach folgen weitere Nationalparks vor allem in Kalifornien, Utah, Arizona und Colorado und Cities wie San Diego, Denver oder Seattle.

Abseits der Hauptpfade

So sehenswert und unverzichtbar die bekannten spektakulären Ziele auch sein mögen, durch sie allein wird der Reiz des US-Westens nur unvollständig beschrieben. Neben ihnen gibt es eine Fülle weit weniger bekannter, ebenfalls attraktiver Landschaften. Außerdem glasklare Seen und Flüsse, wildromantische Küsten, Naturwunder, historische Stätten und andere außergewöhnliche Orte. **Sie machen auch das Reisen zwischen den *Highlights* und abseits der üblichen touristischen Pfade zum Erlebnis**.

Die kolossalen klimatischen und topographischen Gegensätze auf manchmal kürzester Distanz tun ein Übriges für unvergeßliche Reiseeindrücke.

Burr Trail, einsame Strecke zwischen Lake Powell und Boulder (an Straße #12) im südwestlichen Utah. Hier im Abstieg durch Ausläufer des Capitol Reef National Park

Aktivitäten

Nun besteht das Reisen ja nicht nur aus Hinfliegen und *Sightseeing*, sondern auch aus Aktivitäten, die nebenbei oder sogar überwiegend betrieben werden können. Gerade der Westen der USA bietet in dieser Beziehung Möglichkeiten, die man in ähnlicher Breite anderswo kaum findet. Schon gar nicht zum Null- oder geringen Pauschaltarif wie in den USA manchmal der Fall, ➤ Abschnitte 1.1.2+3 und 1.1.5. Wo Kosten anfallen, sind diese beim Dollarkurs Anfang 2007 wieder einigermaßen erträglich.

Übersicht

Neben einer Übersicht über die Geographie einschließlich einiger Anmerkungen zu Vegetationszonen und Tierwelt vermitteln die folgenden Abschnitte ein ziemlich vollständiges Bild davon, was man von einer Reise in den US-Westen erwarten darf und in Städten und freier Natur unternehmen kann. Im Vordergrund steht dabei die ganze Palette möglicher **Urlaubsaktivitäten**, **Abenteuer** und **Ferienspaß**. Aber auch die kulturelle Komponente kommt nicht zu kurz. Einzelheiten ergeben sich aus den Reisekapiteln.

1.1.1 Bevölkerung, Geographie und Natur der Weststaaten unter touristischem Blickwinkel

Fläche

Die 48 Staaten der kontinentalen USA bedecken (ohne Alaska) eine Fläche von rund 8,1 Mio. km^2 und sind damit über 22 mal so groß wie Deutschland. Davon entfallen auf die 11 Weststaaten (➤ Umschlagklappen) mit 3,075 Mio km^2 knapp 38%. Sie entsprechen damit fast exakt der gesamten Größe aller Staaten der EU vor der Osterweiterung .

Bevölkerung und ihre Verteilung

Von den mittlerweile etwa 300 Mio. Amerikanern leben aber nur ungefähr **70 Mio. im Westen**, und von diesen wiederum gute zwei Drittel in einem kaum mehr als 200 km breiten Streifen entlang der Pazifikküste. Die Bevölkerung auf dieser Fläche von maximal 400.000 km^2 ist dabei äußerst unterschiedlich verteilt. Die Metropolen Seattle, Portland, San Francisco, Los Angeles und San Diego samt Umfeld beherbergen allein rund 35 Mio. Einwohner und wachsen unaufhörlich weiter; nur um die 10 Mio. leben in kleineren Städten und ländlichen Gebieten des – im weitesten Sinne – Küstenbereichs.

Küste/Cities

Binnenland

Die restlichen rund 23 Mio. Einwohner der Weststaaten teilen sich eine Fläche von ca. 2,7 Mio. km^2, wohingegen in der EU (vor 2004) auf 3,2 Mio km^2 375 Mio. Menschen leben. Selbst dieser recht plastische Vergleich drückt kaum aus, wie dünn die riesengroße Region zwischen den Gebirgen der Sierra Nevada und Kaskaden und den Prärien des mittleren Westens wirklich besiedelt ist. Denn über die Hälfte dieser 23 Mio. konzentriert sich auf nur sechs Ballungsgebiete mit zusammen nicht einmal 10.000 km^2 Fläche, nämlich auf Las Vegas/Nevada, Phoenix/Tucson in Arizona, Albuquerque/Santa Fe in New Mexico, Denver/Colorado und Salt Lake City/Utah. Dass in Amerikas Westen die Natur abseits der großen Städte weitgehend »in Ordnung« blieb und sich ökologische Schäden in engen lokalen Grenzen halten, ist nicht zuletzt darauf zurückzuführen.

Geographie

Die **ungleichgewichtige Besiedelung**, obwohl in der heutigen Entwicklung stärker durch andere, vornehmlich wirtschaftliche Faktoren beeinflusst, war zunächst die Folge der geographischen und klimatischen Gegebenheiten. Zwar umfassen die Territorien von Montana, Wyoming, Colorado und New Mexico im Osten auch Teile der Prärien des (touristisch weitgehend uninteressanten)

Kriminalität in den USA: Gefahr für Touristen?

Mordfälle an Urlaubern in Florida und – weniger auffällig – Kalifornien brachten das Problem »Gewaltkriminalität in den USA« bei uns zeitweise in die Schlagzeilen. Tragische Vorkommnisse sind naturgemäß auch in Zukunft nicht auszuschließen.

Bedeutet dies, dass individuelle USA-Reisen mit Aufenthalten in den Big Cities oder auch in einsamen Regionen des US-Westens, eine mit hohen Risiken verbundene Angelegenheit darstellen?

Für eine objektive Beurteilung der Situation muss differenziert werden: Die große Mehrheit der – zur Zeit abnehmenden – Gewaltverbrechen findet in Ballungsgebieten statt, und dort überwiegend in bestimmten Bezirken. Zwischen Täter und Opfer besteht meistens eine irgendwie geartete Beziehung. Zufallsopfer sind – relativ betrachtet – eher die Ausnahme. Am Extrembeispiel Florida lässt sich zeigen, wie gering selbst dort das Risiko ist, als Tourist einem Mord zum Opfer zu fallen: Etwa 30 Mio. Besuchern pro Jahr stehen 30-50 Morde jährlich an außerhalb des Staates ansässigen Personen gegenüber, sicher nicht in allen Fällen harmlose Touristen. Aber selbst dies unterstellt, ist das statistische Risiko, als Urlauber zu den Opfern zu gehören 1 : 750.000. Es entspricht – unter Berücksichtigung der durchschnittlichen Aufenthaltsdauer in Florida von nur einer Woche – ungefähr der Wahrscheinlichkeit, dass der in Deutschland lebende Leser dieser Zeilen im Laufe der nächsten 2 Tage tödlich im Straßenverkehr verunglückt.

Wichtiger als solche, eher abstrakten Berechnungen ist aber folgendes: ***die meisten Gewaltverbrechen****, auch die weniger spektakulären ohne tödlichen Ausgang,* **sind mit Situationen verbunden, in die ein Tourist normalerweise gar nicht erst kommt bzw. die er bei umsichtigem Verhalten vermeiden kann***. Wer etwa sein Auto in Problemviertel (die erkennt man schon rein äußerlich ganz gut auch ohne besondere USA-Erfahrung) steuert oder dort sogar zu Fuß auf Entdeckungstour geht, nimmt eine vielfach höhere persönliche Gefährdung in Kauf als beim Bummel durch San Franciscos Chinatown. Im Grunde genügt gesunder Menschenverstand, um das eigene Risiko weit unter die trotz allem niedrige statistische Gefährdungsrate zu senken.*

Reisen im Westen der USA *ist im übrigen für die meisten Touristen überwiegend verbunden mit Fahrten durch dünnbesiedelte Gebiete (➤ folgende Seiten), den Besuch von Nationalparks und Übernachtungen in Kleinstädten und Dörfern oder auf Campingplätzen. Alles von Gewaltkriminalität so gut wie nicht belastete Orte. Und die touristischen Anziehungspunkte in den Großstädten von Disneyland bis zur Golden Gate Bridge sind heute dank starker Bewachung weniger denn je bekannt für Mord und Totschlag. Wenngleich man dort Kamera und Geldtasche dennoch fest im Griff haben und das Auto möglichst nicht zu abseits parken sollte. Also kaum anders als in einigen deutschen Großstädten und vielen populären Reiseländern.*

mittleren Westens, aber insgesamt sind die Weststaaten geprägt durch in Nord-Süd-Richtung verzweigte Gebirgszüge und die Ebenen zwischen ihnen.

Rocky Mountains

Jedermann kennt die Rocky Mountains. Die Bezeichnung bezieht sich auf die östliche Ausbuchtung der **Kordillerenkette,** die sich durch ganz Nord- und Südamerika von Alaska bis hinunter nach Feuerland zieht. Die ***Rockies*** laufen – von Canada kommend – in breiter Linie über das westliche Montana und Wyoming mitten durch Colorado, Neu-Mexiko und den Südwesten von Texas (***Big Bend National Park***) nach Mexiko. Nur im Norden (***Glacier*** *und* ***Grand Teton National Parks***) zeigen sie ein uns von den Alpen her vertrautes Bild. Trotz auch weiter beachtlicher Höhen bis über 4000 m wirken sie im zentralen Bereich weniger schroff und spektakulär (etwa im ***Rocky Mountain National Park***), gewinnen aber in den ariden südlichen Zonen an Attraktivität.

Intermontane Hochebenen

Man darf sich die Rocky Mountains nicht als ein durchgehendes Gebirge vorstellen; sie bestehen in Wirklichkeit aus einer ganzen Reihe von – oft nicht einmal direkt miteinander verbundenen – Teilformationen mit unterschiedlichsten Bezeichnungen. Viele von ihnen liegen nicht innerhalb einer Linie, sondern parallel zur Hauptkordillere (***Bighorn Mountains*** in Wyoming, ***Bitterroot*** und ***Sawtooth Mountains*** in Idaho, ***Wasatch Mountains*** in Utah und ***San Juan Mountains*** in Colorado). Dazwischen befinden sich sog. **intermontane Hochebenen**, durchweg trockene, sommerheiße Gebiete, die wegen ihres geringen landwirtschaftlichen Wertes menschenleer blieben. Typische Beispiele dafür sind das zentrale Wyoming, das ***Big Basin*** Nevadas und das ***Great Plateau***, das im südlichen Utah, im nördlichen Arizona und in New Mexico angesiedelt ist und vom Colorado River durchschnitten wird.

Das Große Plateau

Das Große Plateau erinnert in der Realität nur selten an eine Ebene im Wortsinn. Es handelt sich um ein zusammenhängendes Gebiet auf vornehmlich 1.500 m-2.000 m Höhe, das unterschiedlichste Teilareale aufweist. Je nach klimatischen und topologischen Bedingungen findet man dort vegetationsarme Halbwüsten fast ohne Baum und Strauch, kahle Felslandschaften und dicht bewaldete Bergregionen.

Die Mehrheit der Spitzen-Nationalparks (***Grand Canyon, Zion, Bryce Canyon, Arches, Mesa Verde, Grand Staircase-Escalante***), das Freizeitdorado ***Lake Powell*** und das ***Monument Valley***, aber auch die größten Indianerreservate (***Navajo*** und ***Hopi***) liegen im Bereich dieser Hochebene. Sie wird nach Süden abgeschlossen durch gestaffelte, überraschend grüne, kaum erschlossene Gebirgsformationen zwischen Grand Canyon und Las Cruces/New Mexico im ungewöhnlichen West-Ost-Verlauf.

Wüsten im Südwesten

Dahinter erstrecken sich die tiefer gelegenen, im Hochsommer unerträglich heißen Wüstengebiete des Südwestens mit stellenweise dichtem Kakteenbewuchs. Sie reichen bis zum südkalifornischen Küstengebirge.

Westliche Kordilleren

Das pazifische Gebirgssystem bildet den westlichen Arm der nordamerikanischen Kordilleren. Es ist geteilt in die **Kaskaden** mit latenter vulkanischer Aktivität vom *Mount Baker* an der kanadischen Grenze bis zum *Lassen Volcano* (*National Park*) im Hinterland Nordkaliforniens, an die sich die **Sierra Nevada** (*Yosemite* und *Sequoia/Kings Canyon National Parks*) anschließt, und die sogenannten ***Coastal Ranges*** entlang der Pazifikküste. Letztere bestehen aus zahlreichen miteinander verbundenen Gebirgen mittlerer Höhe bis zu ca. 2000 m von den ***Olympic Mountains*** (*National Park*) in der Nordwestecke Washingtons bis zu den ***San Ysidro Mountains*** an der mexikanischen Grenze.

Nationalforste

Unermessliche **Wälder** bedecken die Kordilleren sowohl im Küstenbereich als auch besonders in den Gebirgen der Rocky Mountains. Für ihren Erhalt und die Rehabilitierung des Bestandes, der zeitweise durch ungezügelte Ausbeutung bedroht war, sorgt der ***National Forest Service***. Er unterhält in den von ihm verwalteten über 1 Mio. km^2 Gebirgswald mehrere tausend (!) überwiegend großartig in die Natur eingebettete **Campingplätze**, ➢ Seite 195f.

Kalifornische Ebene

Zwischen den beiden pazifischen Gebirgszügen befindet sich auf den 1.600 km zwischen Los Angeles und Portland/Oregon ein Streifen meist kargen bis wüstenartigen Landes wechselnder Breite (bis zu 100 km), das dank ausgeklügelter Bewässerung zu den ertragreichsten Obst- und Gemüseanbaugebieten der USA entwickelt wurde. Touristisch ist in diesem Bereich mit einer Handvoll Ausnahmen (z.B. Sacramento) nur wenig »zu holen«.

Unter dem Mesa Arch bei Sonnenaufgang (Island-in-the-Sky-District des Canyonlands National Park im Bereich des Großen Plateaus)

Das Große Becken/ Big Basin

Das ausgedehnteste der intermontanen Plateaus (ca. 500.000 km^2) liegt zwischen den Bergen der Kaskaden bzw. der Sierra Nevada und den westlichen Höhenzügen der Rocky Mountains. Es bedeckt nahezu das gesamte Staatsgebiet Nevadas, den Südosten Oregons, den Südwesten Idahos, einen breiten Weststreifen Utahs (mit dem Großen Salzsee) und Südostkalifornien samt dem tief in die Umgebung eingeschnittenen ***Death Valley***. Trotz der Unterschiede, welche die Bezeichnungen für die geographischen Teilregionen signalisieren (u.a. ***Columbia River Basin*** im östlichen Washington State, ***Great Basin*** im zentralen Nevada, ***Great Salt Desert*** in Utah und ***California Desert***), gilt im Prinzip überall die gleiche Kennzeichnung: trockene und vegetationsarme Hochflächen, die von Ebenen, isolierten Gebirgen und nur nach Niederschlägen Wasser führenden Flusstälern unterbrochen werden.

Wüsten in Nevada und Kalifornien

Innerhalb dieses riesigen Gebietes (voller militärischer Sperrzonen für Waffenerprobung und Wüstenmanöver) gibt es neben dem Death Valley und dem Great Salt Lake eine Reihe sehenswerter Anlaufpunkte wie den ***Great Basin National Park***, die ***Little Sahara Desert***, den ***Sand Mountain***, die restaurierte ***Calico Ghost Town*** und echte Geisterstädte. Touristisch ein wichtiger Aspekt, denn bei Reisen zu den Nationalparks im zentralen Westen mit Ausgangspunkt San Francisco oder Los Angeles/San Diego sind lange Fahrten durch die kalifornische Wüste oder das *Great Basin* nicht zu vermeiden.

Ebenen in Oregon und Washington

Sicherlich überraschend für viele Reisende setzt sich nach einer Unterbrechung durch die Blue Mountains, die im zentralen Osten Oregons Kaskaden und Bitterroot Mountains (Rocky Mountains Bereich) verbinden, die durch Trockenheit und hohe sommerliche Temperaturen gekennzeichnete Tafellandschaft bis nach Canada fort. Das ***Columbia River Basin*** bzw. ***Plateau*** unterliegt aber dank der dort möglichen Bewässerung (ein System von Staudämmen von Canada bis nach Oregon sorgt für nie versiegende Wasservorräte) im Gegensatz zum *Great Basin* einer intensiven landwirtschaftlichen Nutzung.

Weizenfelder bestimmen das Bild im Nordosten Oregons und im benachbarten Washington. Enorme Plantagen östlich der Kaskaden machen diesen Staat zum zweitgrößten Obstlieferanten der USA nach Kalifornien und noch vor Florida.

Tierwelt

Die einst vielfältige und zahlreiche Fauna Nordamerikas wurde vor allem in der Pionierzeit über alle Maßen dezimiert. Bekanntestes Beispiel der rücksichtslosen Ausrottung sind die **Büffel,** die vor Eintreffen des Weißen Mannes zu Millionen die Prärien bevölkerten. Bemühungen der Naturschützer und des *National Park Service* in jüngerer Vergangenheit haben jedoch Wirkung gezeigt. In einer Reihe von Freigehegen (in den *Badlands, Yellowstone* und *Grand Teton National Parks,* in der *Bison Range*/ Montana sowie im *Custer State Park* der *Black Hills* von Süddakota) hat sich der Bestand an mächtigen **Präriebisons** auf mehrere tausend erhöht.

Weststaaten der USA
Landschaftliche
Gliederung
CANADA
WASHINGTON
Mt. Olympic
Seattle
Spokane
Mt. Rainier
Columbia
River
Basin
Portland
Columbia
Cascade Mountains
Coast Ranges
Bitterroot
Sawtooth
Boise
Snake River
OREGON
IDAHO
MONTANA
Fort Peck Lake
Missouri
Rocky Mountains
Bighorn
Great Basin
UTAH
Great Salt Lake
Salt Lake City
Wasatch
WYOMING
COLORADO
Denver
Sierra Nevada
San Joaquin Valley
San Francisco
NEVADA
Great Plateau
Lake Powell
San Juan
Sangre de
Mt. Whitney 4421 m
Death Valley
Las Vegas
Grand Canyon
CALIFORNIA
Los Angeles
California Desert
Mogollon Mountains
NEW MEXICO
Albuquerque
Colorado
San Diego
Phoenix
Arizona Desert
ARIZONA
Tucson
Rio Grande
El Paso
TEXAS
Pazifischer Ozean
MEXICO
N
Big Bend N.P.

Buffalos im Yellowstone National Park

Weitere vom Aussterben bedrohte Tierarten konnten nicht nur vorm Verschwinden gerettet werden, ihre Bestände haben sich sogar wieder erholt. Die bekanntesten Fälle betreffen die **Fischotter**, die sich an bestimmten Stellen an der Pazifikküste (*Point Lobos*, Carmel u.a.) wieder in erklecklicher Zahl tummeln, und das Wappentier der USA, den **Weißkopf-Seeadler**.

Kaktuszaunkönig im Saguaro Nat'l Park

Neben Arten, die auch in Europa beheimatet sind (vor allem **Rotwild**), sieht man auf Reisen im Westen der USA, speziell in den Nationalforsten und -parks eine Reihe von ungewohnten Tieren. In erster Linie sind dies Erdhörnchen (***Ground Squirrel***), Verwandte der in Amerika ebenfalls häufigen Eichhörnchen und die Waschbären (***Racoons***) mit der »Banditenmaske« über den Augen. Sie gebärden sich auf der Suche nach Essbarem bisweilen als aufdringliche Campingplatz-Gäste. Hier und dort bekommt man ***Prairie Dog Towns*** zu Gesicht, wo die squirrelähnlichen Präriehunde vor ihren Erdlöchern stehen, und in einsamen Gebirgsregionen den ***Cougar*** (oder ***Mountain Lion***), eine nicht ungefährliche Puma-Abart.

Maskierter Bandit Racoon, ein häufiger Gast auf Campingplätzen

Seehundfelsen vor Santa Cruz/Kalifornien

Angelsportler werden von den fischreichen Gewässern an Küste und im Binnenland be-geistert sein. Unzählige glasklare Gewässer beheimaten alle möglichen **Forellenarten**, die bei uns lange aus Flüssen und Seen verschwunden waren. **Seehunde** und **Seelöwen** gibt es überall am Pazifik nördlich von Santa Barbara und sogar in der Bucht von San Francisco in großer Zahl.

Bären

Der als Fotomotiv überaus gesuchte Bär jedoch, gleich ob **Grizzly**, **Braun- oder Schwarzbär**, macht sich meistens rar. Trotz einschlägiger Warnungen und Belehrungen über das geeignete Verhalten für den Fall des Auftauchens von Meister Petz in einigen Nationalparks (*Glacier, Yellowstone, Yosemite, Rocky Mountain u.a.*) sieht man auch dort Bären eher selten. Dabei sind die Bestände immerhin so groß, dass Bären mit Ausnahme der *Grizzlies* und *Kodiak* Bären (Alaska) nicht als bedrohte Tierart gelten. Neben ihrer ohnehin ausgeprägten Scheu ist ein Grund für die »Abwesenheit« von Bären, dass sie bei Gewöhnung an den Aufenthalt in von Menschen frequentierten Gebieten (Anziehung durch Essensgerüche der Campingplätze) als latente Gefahr angesehen werden. Die verantwortlichen Forst- und Parkranger sorgen in solchen Fällen für die Verfrachtung allzu zivilisationsnaher Exemplare in entlegene Regionen. Größere Chancen – oder ein höheres Risiko, wie man's nimmt – Bären zu begegnen, hat man auf Wanderungen ins Hinterland der genannten Nationalparks.

Bär auf der der Suche nach Delikatessen auf einem Campingplatz im Yosemite National Park

Basisinfos zu allen ***National*** und ***State Parks*** und vielen ***National Forests*** findet man im **Internet** unter www.llbean.com/parksearch

Umfassende Park-Infos auch über kommerzielle Anbieter (Hotels, Touren, Restaurants, Aktivitäten etc.): www.AmericanParkNetwork.com

Offizielle Website des National Park Service: www.nps.gov

1.1.2 Nationalparks, Nationalforste und State Parks

Begriffe

Wie selbstverständlich war einleitend und im vorhergehenden Abschnitt ohne weitere Erklärungen immer wieder die Rede von den amerikanischen Nationalparks. Denn davon hat natürlich jeder Amerikatourist eine Vorstellung. Ebensowenig erscheint der Begriff ***National Forest*** sonderlich erklärungsbedürftig, es handelt sich – wie der Begriff es andeutet – um Wälder unter Verwaltung einer nationalen Forstbehörde. Unübersehbar sind die ***State Parks***, gelegentlich einzelstaatliche Pendants zu den ***National Parks***, oft aber nichts weiter als öffentliche Strände oder Picknick- und Campingplätze. Es ist für die Planung der eigenen Reise ganz nützlich zu wissen, was sich hinter diesen Begriffen im einzelnen verbirgt unf welche kleinen Unterschiede existieren.

Die Idee hinter den National Parks

Die Schaffung der amerikanischen Nationalparks basiert auf dem Gedanken, außergewöhnliche Landschaften, Naturwunder und bedeutsame historische Stätten vor Zerstörung und kommerzieller Ausbeutung zu bewahren und gleichzeitig den Bürgern des Landes den (kontrollierten) Zugang zu ermöglichen. Als erster und bis heute berühmtester von allen wurde der *Yellowstone* bereits 1872 zum Nationalpark erklärt. Aber erst seit 1916 existiert der ***National Park Service***, der seither die Nationalpark-Idee in wirklich vorbildlicher und weltweit nachgeahmter Weise in die Praxis umgesetzt hat.

Dem *Park Service* unterstehen aber nicht nur die 55 als solche deklarierten Nationalparks (davon 28 in den elf Weststaaten und 5 weitere in unmittelbar angrenzenden Regionen in Südwest-Texas bzw. den Dakotas, 2 auf Hawaii, 9 in Alaska und nur 11 in den östlichen US-Staaten), sondern zusätzlich eine Vielzahl von ***National Monuments, National Historic Sites, National Recreation Areas*** **und** ***National Lake- and Seashores***, ➢ letzte Seite des Buches und hintere Umschlagklappe.

System und Organisation

Die meisten Nationalparks umfassen größere Gebiete, in denen die Besucher neben herausragenden natürlichen Sehenswürdigkeiten einsames Hinterland finden. Sie sind Besichtigungs- und Ferienziel zugleich. In manchen Parks lassen sich ohne weiteres nicht nur Tage, sondern Wochen abwechslungsreich gestalten. In den strenger thematisch (Flora und Fauna, Geologie, Siedlungs- und vorkolumbische Geschichte, bisweilen auch von jedem etwas) ausgerichteten ***National Monuments*** und ***Historic Sites*** oder auch ***Historic Parks*** ist die jeweilige Attraktion oft einziges, zumindest

National Monuments

aber stark vorrangiges Besuchsmotiv. Die Abgrenzung zwischen den *Parks* und *Monuments* und anderen ist fließend. Unter den Nationalmonumenten gibt es einige, die alle Merkmale eines Parks zeigen und aufregender sind als mancher von ihnen, so z.B. im Westen das Kakteengebiet *Organ Pipe,* die vulkanischen Monumente *Mt. St. Helens* und *Craters of the Moon* und das *Dinosaur Nat'l Monument* rund um die Schluchten des Green und Yampa River im Grenzbereich zwischen Colorado und Utah.

National Recreation Areas

Der Begriff »Nationale Erholungsgebiete« bezieht sich vornehmlich auf Landschaften, die für Aktivferien und *Family Fun* geeignet sind und wegen ihrer Attraktivität ohne die Kontrolle des Staates lange ein Opfer privater Spekulation geworden wären. *National Recreation Areas* entstanden mehrheitlich um die größten Stauseen des Landes. Ausnahmen sind im Westen z.B. die *Oregon Dunes* und der *Hells Canyon*.

National Lake- and Seashores

Die **Nationalküsten** an den Ozeanen bzw. an den Großen Seen dienen ebenfalls Erholung und Freizeit. In ihnen wird der Naturschutz meist stärker betont. An der Westküste gibt es in dieser Kategorie nur die großartige *Point Reyes National Seashore* nördlich von San Francisco.

Verkehrsmäßige Anbindung der Parks

Die weitaus meisten Parks und Monumente lassen sich ohne ein eigenes Fahrzeug nur schlecht erreichen, da sie **abseits der Busnetze und des Schienensystems** liegen. Zubringerbusse, die zwischen den wichtigeren Parks bzw. Monumenten und den nächsten größeren Ortschaften verkehren, sind bei geringer Frequenz recht teuer. Auch *Greyhound Ameripass*-Inhaber (➤ Seite 129) werden bei anderen Linien zur Kasse gebeten; nur gelegentlich gibt's einen Discount auf den Normaltarif.

Eintritt

Die überwiegende Zahl der Einrichtungen des Nationalpark-Systems kostet **Eintritt**, und zwar **bis zu $25 für die private (!) Wagenladung** (Pkw bis Kleinbus). Die Mehrheit der Nationalparks und -monumente erheben $3-$10 Eintritt. Radfahrer, Wanderer oder Busreisende müssen $1-$10 pro Person entrichten.

Dieses originelle Schild steht an der Südeinfahrt in den Sequoia Park

Bisherige Jahrespässe

Wer mehrere Nationalparks mit Pkw, Campmobil oder Motorrad besuchte, war mit dem ein Jahr lang gültigen ***National Parks Pass*** ($50!) jahrzehntelang besser bedient, als jedes Mal extra Eintritt zu bezahlen. $15 mehr kostete der ***Golden Eagle Pass*** mit Zutrittsrechten zu weiteren von Bundesbehörden verwalteten gebührenpflichtigen Einrichtungen (*Fee Areas*).

Wichtig ab 2007

Mit Beginn des Jahres 2007 wurde das Jahrespass-System verschiedener Organisationen komplett neu geordnet. Ausländische Touristen, die ab 2007 in den USA eine begrenzte Zeit auf Reisen unterwegs sind, müssen nun folgendes wissen:

Die seit vielen Jahren etablierten oben genannten Jahrespässe des *National Park Service* und anderer Organisationen wurden ersetzt durch einen einzigen Pass, den ***America the Beautiful Annual Pass***, faktisch dem Nachfolger des *Golden Eagle Pass*, der nun **für alle Einrichtungen des Nationalparksystems und alle *Federal Recreational Lands*** gilt. Ohne diesen offiziell auch als ***»Interagency Annual Pass«*** bezeichneten Plasikausweis **im Scheckkartenformat** sollte niemand mehr unterwegs sein, der mehr als nur ein paar Tage seiner Reise den Naturschönheiten der USA widmen möchte; denn der Pass macht sich in kurzer Zeit bezahlt und erspart mit Sicherheit Frustrationserlebnisse unterwegs.

Typische Zahlstation im Nat'l Forest am Ausgangspunkt für Wanderungen. Hier noch mit Tresor für Bargeldumschläge. Links sind die Jahrespässe angegeben, deren Besitz die Nutzung gebührenfrei stellt. U.a. war das der Golden Eagle Pass, seit 2007 ***Interagency Pass***.

Der ***National Forest Service***, der die riesigen Nationalforste der USA verwaltet (➤ übernächste Seite), das ***Bureau of Land Management***, eine für viele andere Ländereien (speziell Wüstengebiete) verantwortliche Organisation, das ***Corps of Engineers***, die Pioniereinheit der US-Armee, und weitere Bundesbehörden **erheben mittlerweile Gebühren** auf den von ihnen betreuten Arealen. Wer also wandern oder zu heißen Quellen laufen, wer einen Picknickplatz benutzen, sein Schlauchboot zu Wasser lassen oder mit dem Quad (ATV=*All Terrain Vehicle*) durch die Wüste brausen will, wird seit 2006 ziemlich lückenlos zur Kasse gebeten. Schon mangels Nähe zur Zivilisation stehen aber keine Minitresore zum Einwurf von Bargeldumschlägen mehr in der Wildnis (das nur an *Campgrounds*), sondern an in Frage kommenden Parkplätzen/Ausgangspunkten für Wanderungen etc. unübersehbare **Gebührentafeln** mit Hinweisen, wo Parkausweise zu erstehen sind (selten unter $5/Tag bzw. Einmalnutzung und oft genug meilenweit weit weg) samt Strafandrohung für Gebührenpreller. Früher teilweise existierende Zahlautomaten an frequentierten Stellen wurden – soweit ersichtlich – abgeschafft.

Der *America the Beautiful Annual Pass* kostet nunmehr $80 und ist wie gehabt ein Jahr lang vom Monat der Austellung an gültig. Man kann ihn in allen Einrichtungen des Systems kaufen, am besten beim ersten Besuch eines Nationalparks oder in einem Büro der anderen *Agencies*, die man unweigerlich irgendwo passiert. Der Pass kann auch im Internet erworben werden (www.store.usgs.gov/pass oder www.recreation.gov/recpass.jsp). Mit dem Pass erhält man einen sog. ***Hangtag***, der am Innenspiegel des Autos befestigt wird, wenn man eine nicht personell besetzte Einrichtung nutzt (vor allem *Picnic Areas* und Parkplätze von Freizeiteinrichtungen und *Trailheads*).

Unter den beiden genannten Adressen erfährt man dazu weitere Einzelheiten. Einen Fragenkatalog samt Antworten gibt es unter www.store.usgs.gov/pass/annual.html.

Hinweise

Besitzer eines *Golden Eagle Pass*, der im Jahr 2006 gekauft wurde, können diesen bis zum Ablaufmonat 2007 nutzen wie den neuen *Interagency Pass*.

Eine Unsitte war es, noch nicht abgelaufene Pässe im Internet zu verhökern. Deren Nutzung durch Dritte ist aber illegal und auch unangemessen. Inhaber werden immer öfter – etwa bei der Einfahrt in einen Park – per Ausweiskontrolle (Übereinstimmung von Unterschriften) und Befragen überprüft. Besser Hände weg!

Information

Im Eintritt eingeschlossen ist überall ein Faltblatt mit Karte des Parks/Monuments und Basisinformationen zu Geschichte, Entstehung und spezifischen Einzelheiten. Nie fehlen ***Visitor Center***, die fast immer eindrucksvoll durch Schaubilder und Ausstellungen mit den Eigenarten des Parks vertraut machen. In den stärker besuchten Parks gehören Filme oder Dia-Shows zum Standardprogramm der Besucherzentren. **Informationsmaterial in deutscher und anderen wichtigen Sprachen** gibt es in den von Ausländern häufig frequentierten Parks.

Ranger

Wo Campingplätze existieren (in der Mehrheit der Nationalparkeinrichtungen, ➤ Seite 195), werden während der Saison durchweg Abendprogramme (*Campfire Programs*) mit Lichtbildervorträgen oder Filmen angeboten. Zuständig dafür sind die ***Parkranger***, sowohl Aufsichtspersonen mit Polizeibefugnis als auch Spezialisten für Natur und Geschichte ihres Einsatzbereichs. Tagsüber leiten sie Wanderungen und andere Unternehmungen, denen sich Parkbesucher häufig kostenlos, aber neuerdings mehr und mehr gegen Beitrag anschließen können.

Saison

Manche Nationalparks und -monumente weisen während der **Hauptsaison** von Anfang Juli bis Ende August **extrem hohe Besucherzahlen** auf. In den Monaten Mai/Juni und September/ Oktober war in den letzten Jahren etwas weniger Betrieb als noch Mitte der 1990er-Jahre, als speziell die Parks im Südwesten »fest in deutsche und Schweizer Hand« gerieten. Amerikaner sieht man in der ***Off-Season*** überwiegend im Rentenalter. Auf Übernachtungen in Unterkünften **in** den Parks sollte man ohne eine Reservierung zwischen Mai und September nicht spekulieren. Sie sind lange im voraus ausgebucht, ➤ Seite 137f. Beim Campen ist die Situation meist nicht so problematisch, ➤ Seite 195.

National Forests

Landschaftliche Attraktivität und unberührte Natur findet man ebenso in den **Nationalforsten**. Sie stehen den Nationalparks in dieser Beziehung oft in nichts nach. In vielen Fällen setzen sich typische landschaftliche Merkmale der *National Parks* oder *Monuments* in den umgebenden ***National Forests*** fort. Für ihren Besuch wird kein Eintritt erhoben.

Sie sind vor allem in der Hochsaison Geheimtip für alle, die sich gerne auch abseits der Haupt-Besucherströme halten möchten. Die meisten Straßen durch Nationalforste erfreuen fast immer mit schöner Streckenführung und geringer Verkehrsdichte, soweit sie nicht gleichzeitig als Zufahrt zu bekannteren touristischen Zielen wie den Nationalparks dienen. Die riesigen Wälder im Westen verfügen außerdem über zahlreiche hervorragend angelegte **Campingplätze** (➤ Seiten 19 und 195f).

State Parks

Nun befinden sich ungewöhnliche geologische Formationen, historisch interessante Stätten und sehenswerte Landschaften außer auf Bundesland auch auf sonstigem Grundbesitz, vor allem der Einzelstaaten. Alle US-Staaten verfügen über einen ***State Park Service***, der auf staatlichen Ländereien ***Parks***, ***Historical Sites*** und ***Monuments***, ***Beaches*** und ***Recreational Areas*** ins Leben gerufen hat und verwaltet. Die Parallelität geht in einigen Bundesstaaten so weit, dass ein Teil dieser Einrichtungen sich von der nationalen »Konkurrenz« kaum unterscheidet.

Camping und Day Use

Obwohl der *State-Park*-Gedanke eine recht unterschiedliche Auslegung erfährt, signalisieren *State Parks* generell das Vorhandensein einer gepflegten öffentlichen Anlage mit ***Picnic Area*** und in vielen Fällen großzügig und komfortabel angelegten ***Campingplätzen*** (➤ Seite 195).

Oft sind Badestrände, Bootsanleger und Angelstellen vorhanden. Sofern es sich nicht um reine Rastplätze oder nur kleine Strandzugänge handelt, kosten *State Parks* bis zu $8 **Eintritt** auch für den sog. ***Day Use***, die »Tagsüber-Nutzung«. *State Parks* werden im Reiseteil ihrer großen Bedeutung entsprechend gewürdigt.

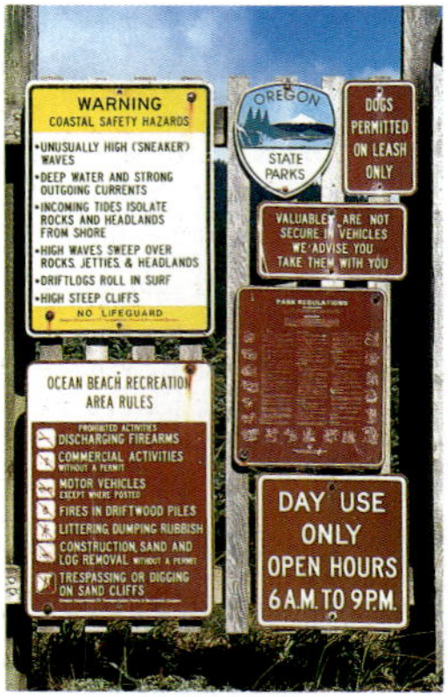

America the Beautiful von Wolfgang Haertel

Die USA bieten Möglichkeiten, die es in Mitteleuropa schon lange nicht mehr gibt. Riesige Wald- und Gebirgslandschaften, als ***National Forests*** ausgewiesen, bieten Gelegenheit, abseits touristischen Trubels Ruhe in oft wunderschöner Natur zu genießen. Ihre Attraktivität steht der von Nationalparks oft kaum nach, auch wenn es dort vielleicht nicht ganz so spektakuläre Naturwunder gibt. Dafür wird die Nutzung weitaus großzügiger gehandhabt. Neben offiziellen ***Campgrounds***, die je nach Lage an den Wochenenden auch schon mal voll werden können, ist sogenanntes ***dispersed camping*** erlaubt. Man darf prinzipiell überall in ***National Forests*** **kostenfrei campieren**, wo es nicht ausdrücklich untersagt ist. Der *Forest Service* unterstellt, dass Besucher sich verantwortungsbewusst und umweltgerecht verhalten:

Gecampt werden sollte nur auf harten, trockenen Böden, um Wiesen und Vegetation zu schonen. Jeder Lagerplatz muss mindestens 30 m von Flüssen, Bächen oder Seen entfernt sein, um eine versehentliche Verunreinigung der Gewässer auszuschließen. Dass man keine Abfälle hinterlässt, ist ohnehin selbstverständlich. Verbuddeln gilt als schlechte Alternative, denn Tiere graben den Müll über kurz oder lang wieder aus.

Nur eine bestimmte Abfallsorte, die der amerikanische Sprachgebrauch dezent als »*human waste*« bezeichnet, darf – mindestens 15-20 cm tief – unter der Erde deponiert werden. Ihr Transport in Rucksack und Kofferraum wäre auch wohl nicht jedermanns Sache und kaum durchsetzbar, obwohl einige Öko-Autoren selbst das allen Ernstes empfehlen.

Wer darüberhinaus beim Abbrennen des Lagerfeuers noch die wichtigsten Sicherheitsregeln beachtet, ist in Amerikas Wildnis ein gern gesehener Gast. Die ***Forest Ranger*** verweisen immer wieder auf das griffige Motto »***Take only pictures, leave only footprints***« und ergänzen gerne: Wer außer Fotos auch noch das eine oder andere Fundstück – wie Kronenkorken, Bierdosen und Chipstüten – mitnimmt, das ein Vorgänger liegenließ, darf sich als moralischer Sieger fühlen. Statt $12 bis $24 auf einem *Campground* auszugeben, kann man derart Mutter Natur direkt belohnen als Dankeschön fürs kostenlose Quartier.

Um sicherzustellen, dass jeder Besucher die Regeln des gesunden Menschenverstandes kennt, ist in manchen Forsten die Ausstellung eines – oft kostenlosen – Scheins zur Nutzung Bedingung, vor allem gilt dies in designierten *Wilderness Areas*. Solche ***Permits*** sind formlos in *Ranger Stations* erhältlich, Belehrung und Merkblatt inklusive. Dabei geht es zwar in erster Linie um die Pädagogik, aber – und nebenbei – auch um Kontrolle.

Ähnliches gilt für **andere *Public Lands***, die nicht als *National Forest* ausgewiesen sind und auch sonst keinem besonderen Schutzstatus unterliegen. Die Nutzung solcher vom ***Bureau of Land Management*** (➤ Seite 197) verwalteten Gebiete steht jedem Bürger der USA und auch dem ausländischen Besucher unter bestimmten Auflagen ohne ein besonderes *Permit* frei (➤ *Interagency Pass*). Wie in den Wäldern findet man dort manchen hübschen *Campground* und darf sich auch selbst ein ruhiges Plätzchen suchen.

Amerikas Natur unreglementiert und ohne die Begleiterscheinungen des Massentourismus zu genießen, kann den besonderen Reiz einer Reise durch den US-Westen ausmachen.

1.1.3 Naturerlebnis und Abenteuer

Aktivitäten

Die vorstehenden Abschnitte unterstreichen, dass eine Reise in den Westen der USA, führt sie nicht ausschließlich in die großen Cities, immer auch Naturerlebnis bedeutet. Für die Mehrheit der Touristen ist das ohnehin ein Hauptreisemotiv. Dabei sollte der rasche Blick durch Auto- oder Busfenster, das förmliche Vorbeigleiten Amerikas, ohne wirkliche Eindrücke zu hinterlassen, nicht die Reiserealität bestimmen. Auch die häufig zu beobachtende Tendenz, Sehenswürdigkeiten überwiegend von vorgeschriebenen Pfaden und Aussichtspunkten nur kurz zu bewundern und dann zum nächsten Ziel des vollgepackten Programms zu hetzen, sollte vermieden werden. Besser ist, sich etwas weniger vorzunehmen, dafür dann aber Zeit zu haben. Für ein intensiveres Reiseerlebnis bietet Amerika zahlreiche Möglichkeiten.

Vorbuchung

Dazu bedarf es in den meisten Fällen keiner Vorbuchung und langfristiger Anmeldung. Was hier beschrieben wird, kann oft ad hoc und individuell nach Lust und Laune ins Reiseprogramm eingebaut werden, vorausgesetzt die Zeit reicht. Es macht aber Sinn, schon bei der Planung zu überlegen, welche Aktivitäten die eigene Reise besonders bereichern würden. Aus dem Reiseteil geht hervor, wo was möglich ist, und auch die folgenden Erläuterungen geben bereits manchen Hinweis.

Wandern/ Hiking

Eine natürliche Ergänzung des Besuchs in Einrichtungen des Nationalparksystem, in vielen *State Parks* und manchen *City* oder *County* (Landkreis) *Parks* sind **Wanderungen**. Auf Wegen von komfortabel mit Lehrpfadcharakter bis zu kaum gekennzeichneten Wildnispfaden über Stock und Stein findet man unzählige ***Hiking Trails***. Ihre Ausgangspunkte sind gut ausgeschildert. Sofern man in kostenpflichtigen Parks nicht ohnehin eine genaue Karte mit entsprechenden Markierungen erhält, informieren Tafeln an den ***Trail Heads*** über Verlauf, Dauer, Schwierigkeitsgrad usw. In den größeren Landschaftsparks existieren neben kurzen Wanderwegen auch ***Trails*** für **Mehrtagestrips** mit kleinen, oft kostenfreien Campingplätzen (***Walk-in*** oder ***Wilderness Campgrounds***) in regelmäßigen Abständen.

Aus dem *Hiking* wird dann ein ***Backpacking***, da man für derartige Unternehmungen nicht ohne Rucksack, den *Backpack*, auskommt.

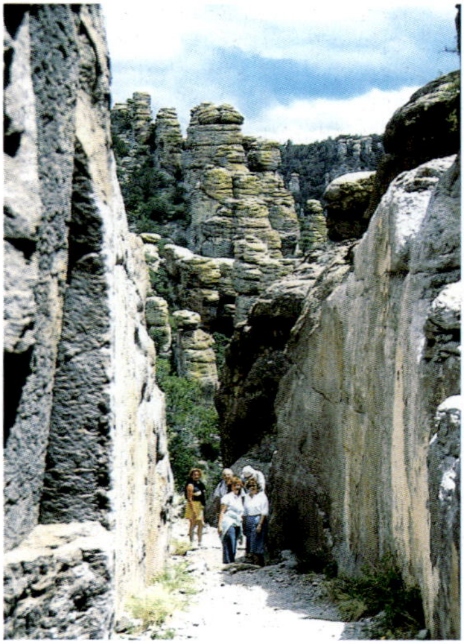

Auf dem Echo Park Trail im Chiricahua National Monument/Arizona

Wander-erlaubnis

Für Übenacht-Wanderungen benötigt man in der Regel ein ***Wilderness*** oder ***Backcountry-Permit***. Die Erlaubnisscheine werden in den Büros der Parks und der ebenfalls von ***Long-Distance Hiking Trails*** durchzogenen Nationalforste in der Regel kostenlos ausgestellt. Sie dienen vor allem der Ökologie, indem in besonders beliebten Gebieten nur eine begrenzte Zahl von Interessenten pro Tag zugelassen wird. ***Backpacking*** ist in Nordamerika bei jung und alt eine erstaunlich populäre Aktivität, die zeigt, dass durchaus nicht allen Amerikanern der Sinn nur nach Komforturlaub und kommerziellen Vergnügungen steht.

Long Distance Trails

Als Krönung des *Backpacking* gilt die Bewältigung zusammenhängender Wanderrouten über Tausende von Kilometern, und sei es stückchenweise. Einer der großartigsten Wege dieser Art ist der ***Pacific Crest National Scenic Trail*** von der kanadischen Grenze nach Mexiko durch die Nationalparks der Kaskaden und der Sierra Nevada. Im Bereich der Parks *Yosemite* und *Sequoia/Kings Canyon* läuft auf weitgehend identischen Wegen der wunderbare ***John Muir Trail***. Ebenfalls sehr reizvoll sind ***Oregon's Coastal Trails***, Wege entlang der dramatischen Oregon-Küste, die überwiegend aneinander anschließen.

Bei Interesse an ausgedehnten Wandertouren ist der ***Sierra Club***, 85 2nd Street, San Francisco, California 94105-3441, ✆ (415) 977-5500, eine *Non-profit* Organisation, die sich dem *Outdoor Living* verschrieben hat, eine gute Adresse; www.sierraclub.com. In den meisten Buchläden und in den Besucherzentren der größeren Nationalparks findet man spezielle Wanderführer; viele Hinweise gibt es auch im ***Internet*** **auf den Nationalpark-Seiten,** **➤ Seite 25**.

Im Reiseteil dieses Buches finden sich über 200 Wanderempfehlungen; dabei handelt es sich in erster Linie um Kurz- bis Tageswanderungen.

Wer detaillierte Informationen auch zu längeren Wandertouren sucht und sich darüberhinaus intensiver mit **Natur und Ökologie** in Nationalparks und Wildnisgebieten des US-Südwestens befassen möchte, findet dazu den ultimativen **Natur und Wanderführer** bei Reise Know-How, ➤ Werbeseiten hinten (2. Auflage 5/2005).

Radfahren/ Biking

Radfahren kam in Amerika in den 1980er-Jahren wieder zu Ehren. Keine größere Stadt, in der es heute nicht Fahrradverleihstationen gibt (*Bicycling, Rent-a-Bike* in den gelben Seiten der Telefonbücher). Auch in einigen Nationalparks kann man Fahrräder mieten. Nicht selten lassen sich Städte und Parks besser mit dem Fahrrad als per Auto erkunden, obwohl selten Radwege vorhanden sind (Ausnahme: *Yosemite National Park*) und mehr Aufmerksamkeit im Verkehr angebracht ist als hierzulande. Auf jeden Fall ist das Fahrrad eine gute Ergänzung zu Bus- und Zugreisen oder zum Trampen. **Zum Reisen durch den US-Westen ganz per Rad ➢ Seite 65**.

Mountain Biking

Wo das *Mountain Bike* erfunden wurde, gibt es zahlreiche ***Mountain Bike Trails*** durch fantastische Landschaften, vor allem in Kalifornien, Utah und Colorado. Orte wie Moab/Utah oder Durango/Colorado sind die populärsten Treffpunkte für MTB-Fahrer und bieten großartige Reviere (*Bike-Rentals* dort). Möchten Sie mehr über *Mountain Biking* und/oder Radwandern in den USA wissen, sollten Sie zum Reise Know-How Titel ***Bikebuch USA/ Canada*** greifen.

Bike-Verleihstation in Springdale vor den Toren des Zion National Park

Reiten/ Horseback Riding

Von vielen Veranstaltern werden Reitferien in den USA als Pauschalreisen angeboten, meistens in Verbindung mit Ranch-aufenthalten. Naturgemäß ist das ein teures Vergnügen. Wer zwischendurch mal Lust zum Reiten hat, findet in und um Nationalparks sowie an allen Hauptreiserouten regelmäßig Möglichkeiten zur Teilnahme an Ausritten in die Umgebung. Auch ohne Voranmeldung kann man häufig noch an begleiteten Tagesausflügen teilnehmen. Leihpferde für individuelle Unternehmungen (nicht nur) für den geübten Reiter lassen sich leicht auftreiben.

Die überall vorhandenen **Informationsbüros** (➢ Seite 82) helfen dabei gerne. Die Stundensätze liegen im allgemeinen unter den Tarifen in Europa und beginnen bei etwa $15.

Backroads/ Hinterlandstraßen

Weniger sportlich als die bislang beschriebenen Aktivitäten sind (Auto-)Fahrten über sogenannte ***Backroads*** durch das Hinterland (= ***Backcountry***, aber auch der deutsche Begriff ist gebräuchlich) dichter besiedelter Gebiete. Vergleichbares gibtes in Mitteleuropa nicht, da Siedlungsstruktur und Bevölkerungsdichte bei uns derartige »Entwicklungsnischen« kaum übrig gelassen haben. Es handelt sich bei den *Backroads* um kleine, aber in der Regel uneingeschränkt befahrbare Straßen abseits von Durchgangs- und Verbindungsrouten. In abgelegenen Ebenen der intermontanen Plateaus (➢ Abschnitt 1.1.1, Seite 18) können derartige Straßen ziemlich langweilig sein. Es gibt aber Gebiete, in denen gerade sie durch landschaftliche Kleinode führen, die in keinem Reiseführer verzeichnet sind. Auf ihnen findet man überraschend idyllisch gelegene Dörfer, in denen die Zeit stehengeblieben zu sein scheint, und das *Good old America* der Kinderbücher.

Die Amerikaner selbst haben ihre liebenswerten *Backroads* lange wiederentdeckt und darüber detaillierte Bücher verfasst. In großen Buchhandlungen stößt man darauf. Sie sind ansprechend gemacht mit hübschen Zeichnungen und vielen Geheimtips für versteckte Landgasthäuser (***Country Inns***) und ***Bed & Breakfast Places***. Sehr schöne *Backroads* gibt es z.B. in Nordkalifornien im ***Humboldt*** und ***Trinity County***, im ***Calaveras County*** nordwestlich des *Yosemite National Park* und im **Süden Kaliforniens** zwischen Riverside, Palm Springs, der Pazifikküste und San Diego.

Stauseen/ Reservoirs

Stauseen, in den USA ***Reservoirs*** genannt, besitzen für die städtische Wasserversorgung und für die Landwirtschaft in den Trockengebieten des Westens mit ihren langen Perioden ohne Niederschlag erhebliche Bedeutung. So befinden sich u.a. im Umfeld von Los Angeles und San Francisco wie auch **in den Ausläufern der Sierra Nevada und Kaskaden** ganze Reservoir-Batterien. Bei genauem Hinsehen erkennt man auf Landkarten, dass die Mehrzahl aller Seen nennenswerter Größe in irgendeiner Ecke den typischen kleinen Balken zur Kennzeichnung der Lage des Staudamms aufweist.

Mit wenigen Ausnahmen stehen die *Reservoirs* der Öffentlichkeit für **Wassersport** und Fischfang offen. Viele eignen sich hervorragend fürs **Windsurfing**. Bei sommerlicher Fahrt durch heiße Regionen bieten die meisten Stauseen gute Gelegenheit zur Abkühlung, es sei denn, der Wasserstand ist im Spätsommer oder nach Trockenperioden zu stark abgesunken. Fast immer befinden sich Campingplätze an ihnen, auch wenn sie mal nicht im Campingführer verzeichnet sind.

Kanus/ Canoes

Kanus sind nach weitverbreiteter Vorstellung eine Domäne Canadas, genauso wie klare Flüsse und Seen inmitten unverdorbener Natur. Wohl dank der geschickten Imagewerbung der Kanadier erscheint es weniger naheliegend, dieselben Begriffe (auch) mit den USA in Verbindung zu bringen.

Leihkanu auf dem Flathead Lake in Montana in der Abendsonne

Dabei treffen sie zumindest auf die Gebirgsregionen im US-Nordwesten ebenso zu. Das Kanu ist dort ähnlich beliebt für Wasserwanderungen und Angeltouren wie beim nördlichen Nachbarn, speziell auf Seen und Flüssen von Nationalparks und Wildnisarealen. **Kanutouren** als Pauschalprogramm wie in Canada werden für die USA indessen kaum angeboten. Sich vor Ort ein Kanu leihen, um ein paar Stunden, einen Tag oder auch länger die Grenzen der Zivilisation hinter sich zu lassen, kann man aber auch gut im US-Nordwesten, z.B. im *Grand Teton* oder *Glacier National Park,* auf den Stauseen des Snake und Columbia River oder in der *Sawtooth Wilderness*/Idaho.

Autoschläuche/ Inner Tubing

Großer Beliebtheit erfreut sich das *Inner Tubing,* ein bei uns unbekanntes Vergnügen, sieht man davon ab, dass in früheren Zeiten auch hierzulande Kinder und Jugendliche mit alten Autoschläuchen auf Teichen und Seen herumpaddelten. Die Amerikaner, jung und alt, benutzen Schläuche (*inner tubes*) aus LKW-Reifen und daraus entwickelte Schwimmringe mit Boden, um sich auf Flüssen und Bächen durch die Landschaft treiben zu lassen. Die dafür besonders geeigneten Gewässer zeichnen sich meist durch geringe Tiefen, gelegentliche Stromschnellen ohne ernste Gefahrenstufen und – im Sommer – angenehme Wassertemperaturen aus. Das Problem der »Einbahnstraße« Fluss lösen die *Rental Companies,* die Schläuche und kleine Schlauchboote verleihen und ihre Kunden per Bus zum Ausgangspunkt befördern. Genießer führen ***Container-Tubes*** mit eingehängter *Coolbox* für Getränke mit. Fürs *Inner Tubing* wie geschaffene glasklare Flüsse sind zum Beispiel der **Truckee River** (Lake Tahoe/Kalifornien) und der *Deschutes River* (Lava Lands Bereich/Oregon).

Hausboote

Als bequeme Variante des Urlaubs auf dem Wasser gelten Hausbootferien. Mit dem ***Lake Powell*** (Arizona/Utah), dem ***Lake Mead*** (Nevada/Arizona), weiteren Stauseen des Colorado River (Südkalifornien/Arizona) und denen der ***Whiskeytown Shasta-Trinity National Recreation Area*** (Nordkalifornien) besitzt der US-Westen landschaftlich und klimatisch fantastische Hausboot-Reviere (siehe auch im Reiseteil unter den genannten Seen). Auf ihnen warten ganze Armadas von Leihbooten auf zahlungskräftige Kundschaft, die sich das schwimmende Einfamilienhaus samt *Speedboat*, Wasserski, Angelausrüstung u.a.m. bis zu $5.000 pro Woche kosten lässt. Im Gegensatz zu europäischen Revieren fehlt allerdings die Aussicht auf Landgang durch historische Städtchen mit alten Gassen und gemütlichen Kneipen.

Hausbootferien in der Hauptsaison sollte man langfristig vorbuchen. Reist man jedoch bis Ende Mai (*Memorial Day*) oder ab September (nach *Labor Day*), kann man ***Houseboats*** jederzeit auch direkt vor Ort mieten, meist ab drei (Fr-So) oder vier Tagen (Mo-Do) Mindestmietdauer. Dabei sieht man dann gleich, wie die Schiffe und vor allem das Revier beschaffen sind, und hat nebenbei die Chance, eine günstigere Miete zu realisieren als den selbst in der *off-season* immer noch exorbitant hohen Tagespreis der ofiziellen Liste.

Wer es eher mal zwischendurch auf einen gemütlichen Tag auf dem Wasser abgesehen hat, findet *Outboarder* getriebene Plattformen auf Pontons mit Sonnendach, Gasgrill und Badeleiter zu relativ erschwinglicheren, trotzdem nicht geringen Mietpreisen. Normale Motorboote verschiedener Klassen gibt es auch.

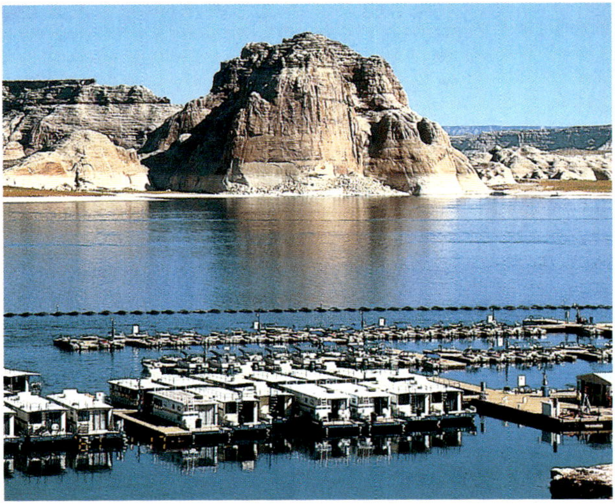

Hausboote bei Wahweap auf dem riesigen Lake Powell: 150 km (Luftlinie) aufgestauter Colorado River zwischen Wüste und Felsen. Eine besseres Hausboot-revier in grandioser Landschaft gibt es nicht.

Schlauchboote auf Wildwasser/ White Water Rafting

Eine der ganz großen Spezialitäten nordamerikanischen Ferienabenteuers ist das *Whitewater Rafting*. Die Wildwassertrips erfreuen sich enormer Popularität; und so gibt es denn kaum einen nennenswerten Fluss, der nicht von den Booten kommerzieller ***Rafting Companies*** befahren würde. Viel Publizität erfuhren bei uns die Touren über die Stromschnellen des Colorado durch den Grand Canyon. Diese wie andere beliebte Trips (z.B. durch die Canyons des *Dinosaur Park* auf dem **Green River** oder die *Canyonlands* auf dem oberen **Colorado River**) werden als Pauschalarrangement auch in Deutschland und der Schweiz angeboten. Wer es darauf abgesehen hat, sollte besser vorbuchen, da die Nachfrage in den USA ebenfalls groß ist. Trips mit geringerem Bekanntheitsgrad bieten indessen nicht notwendigerweise weniger Spaß und Aufregung; und der Einstieg vor Ort ist oft noch kurzfristig möglich.

River Rafter vor dem Start durch den Hells Canyon of the Snake River/Idaho

Reviere/ Buchung

Zum Ausprobieren des ***River Rafting*** auf Wildwasser gibt es unterwegs im Westen viele Möglichkeiten für Halb- und Eintagestrips. Dabei sind alle Schwierigkeitsgrade zu haben: vom harmlosen Dahingleiten z.B. durch die Natur des *Grand Teton Park* auf dem gemütlichen Teil des Snake River bis zur Gefahrenstufe III auf demselben Fluss ein paar Meilen südlich durch dessen pittoresken Canyon. Auf entsprechende Angebote stößt man in jeder Touristeninformation (➤ Seite 82).

Für schnelle Entschlüsse genügt in aller Regel die telefonische Voranmeldung, häufig kann man auch in letzter Minute noch auf einem freien Platz unterkommen. Die Kosten beginnen bei ca. $50 für den Halbtagsausflug (2-3 Std. auf dem Wasser und 30 min bis 1 Stunde Busfahrt zum Ausgangspunkt und den Rücktransport) und etwa $80 für einen ganzen Tag. Auf besonders attraktive *River Trips* wird im Reiseteil an vielen geeigneten Stellen hingewiesen.

Angeln/ Fishing

In Anbetracht der unzähligen klaren Gewässer, Stauseen und endlosen Meeresküsten mit unerhörtem Fischreichtum ist es kein Wunder, dass Angeln in ganz Nordamerika so eine Art Obsession darstellt. Auch ausländische Touristen dürfen in den USA ihr Anglerglück versuchen. Dazu müssen sie nicht an teuren

Fishing Trips teilnehmen. Ergiebige Reviere gibt es im Westen außerhalb der Wüstengebiete allerorten. Angelgerät ist relativ preiswert, und die obligatorischen **Angelscheine** lassen sich noch im kleinsten Dorf beschaffen. Dazu braucht man keine bestandene Sportfischerprüfung und polizeiliches Führungszeugnis wie bei uns. Allerdings wird in jedem Bundesstaat eine neue (kostenpflichtige) ***Fishing License*** fällig.

Goldwaschen/ Gold Panning

Neben den historischen **Goldrauschregionen** im Yukon Territory, in Alaska und Kalifornien gilt ein breiter Streifen von Mexico bis in den hohen Norden als ***Goldcountry***. Kurze und längere von Goldfunden ausgelöste Boomperioden gab es in allen Weststaaten. Und so stößt man auch außerhalb der bekannteren Goldgebiete Kaliforniens, Nevadas und Colorados auf verlassene Minen und verrottetes Gerät in durchwühltem Gelände. Bis heute sind noch viele ***Claims*** gesteckt.

Goldsuche und Goldwaschen ist heute allgemeiner Freizeitsport. Von der klassischen Waschpfanne bis zu verfeinerten High-Tech-Gerätschaften setzen Amateurprospektoren alles ein, womit man Sand und Gestein noch Spuren von Gold entlocken könnte. Geübte behalten leicht Goldplättchen in der Pfanne, wenn es sich beim sorgfältig durchzuspülenden Sand tatsächlich um ***Pay Dirt*** handelt. In echten alten und künstlichen Goldrauschstädtchen garantieren geübte Helfer, dass beim ***Gold Panning*** mit präpariertem Inhalt etwas hängenbleibt. Mit einigen Dollar pro Waschpfannenfüllung ist man dabei. Es gibt aber auch Leute, die allein auf sich gestellt in der Wildnis nennenswerte Dollarbeträge erarbeiten. Handbücher über das **1x1 des Goldwaschens** mit Lageplänen der bekannten Fundstätten, gesetzlichen Vorschriften und Adressen von Firmen, die geeignete Ausrüstung vertreiben, findet man in Buchhandlungen. Als Einführung unübertroffen sind die leicht verständlichen und preiswerten Bücher von *Garnet Basque* ***Goldpanner's Manual*** und ***Methods of Placer Mining*** unübertroffen. Es gibt sie noch bei www.amazon.ca (Canada).

Zum Glück kümmert sich das ***Gold Miners Headquarter*** um den Freizeitschürfer mit vielen Handbuch-, Kurs- und Kartenangeboten sowie Links zu Geräteherstellern : www.goldminershq.com

Bestens erhaltene Sumpter Valley Groß-Gold Dredge (Schürf- und Rüttelmaschine) bei Baker City/Oregon

Geisterstädte/ Ghost Towns

Goldsuche und lange verlassene *Ghost Towns,* besser: deren Relikte, stehen in engem Zusammenhang. Zahlreiche Städte entstanden zu Zeiten der Gold- und Silber-Boomjahre von der Mitte des vorigen bis zu den Anfängen des 20. Jahrhunderts. Nach vergeblicher Suche oder rascher Erschöpfung zunächst vielversprechender Funde wurden sie wieder aufgegeben. Nicht nur die Häuser, sondern oft auch Inventar, Schürfgeräte und Planwagen ließen die abziehenden Prospektoren zurück. Vieles davon blieb in den Halbwüsten Nevadas, Arizonas und anderer Trockengebiete erstaunlich gut erhalten, soweit es nicht demontiert wurde. Es gibt 'zig echte *Ghost Towns,* viele davon gar nicht weit weg von den Straßen, aber nur selten findet man Hinweisschilder. Den Weg zu ihnen und ihrer Historie weisen spezielle Führer mit Titeln wie ***Old Ghost Towns of the West*** u.ä.

Museale »Ghost« Towns

Man muss aber schon besonderen Sinn für die Geschichte des US-Westens mitbringen, um den Geisterstädten und ihren im Wüstenwind knarrenden Türgerippen viel abzugewinnen. Aufschlussreicher sind restaurierte *Ghost Towns* wie **Goldfield** bei Apache Junction östlich von Phoenix und **Bodie** (*State Historical Site*) nördlich des Mono Lake in Kalifornien.

Kommerziell betriebene Ghost Town Goldfield bei Apache Junction/ Arizona mit Steakhouse/ Saloon und alter Goldmine

Heiße Quellen/ Hot Springs

Ganz im Gegensatz zum Wüstensand steht das heiße Wasser von Mineralquellen. Manche Ortsnamen (z.B. Desert Hot Springs) weisen explizit auf die heißen Quellen hin, denen die Gründung der Siedlung zu danken ist. Auf jeder Route durch den Westen stößt man gelegentlich auf »schön« eingezäunte, oft zu großen Anlagen ausgebaute private wie öffentliche **Heißwasserpools**, die von nahen *Hot Springs* gespeist werden. Ihre Benutzung kostet ein paar Dollar Eintritt. Im Reiseteil erfährt der Leser, welche von ihnen empfehlenswert sind.

»Wilde« Hot Springs

Ohne Hinweisschilder und deutliche Kennzeichnung in den Karten gibt es darüberhinaus zahllose heiße Quellen irgend-wo in den Bergen und Wäldern oder mitten in der Wüste, die über **natürliche Pools** verfügen. Die oft wunderbar gelegenen Badetümpel

Bonneville Hot Springs beim gleichnamigen Campground an der Straße #12 in Idaho

ohne Beton und Einfriedung können eine willkommene Gratiszugabe zur Amerikareise sein, auch wenn das Auffinden solcher Pools bisweilen ein wenig Spürsinn, ein paar hundert Meter Fußmarsch und Kletterei erfordert. Wie für alles steht Spezialliteratur mit Angaben zum Wo? und Wie? von ***Natural Hot Springs*** in den Regalen von Buchläden.

ATVs/ ORVs

Dünen-Buggies, umgerüstete alte Volkswagen, jagen bis heute vereinzelt durch Wüste und freies Gelände. Mehrheitlich aber sind es vierrädrige sog ***All Terrain Vehicles*** (ATV), auch **ORVs** (***Off-Road Vehicles***) genannt (bei uns als ***Quads*** bezeichnet). Sie wiegen nicht viel und sind simpel in der Handhabung; zudem verfügen sie dank geringer Untersetzung und Grobprofilen auf den Ballonreifen über ein sagenhaftes Steigvermögen. Ein Festfahren ist fast unmöglich, und wenn, dann kann meist eine Person die Maschine ohne weiteres wieder aus dem Sand oder Matsch ziehen. **ORV-Fahren bringt einen Mordsspaß**. Und daher sind oft schon die Kleinsten dabei.

Wo Krach und Flurschäden noch nicht zu Verboten geführt haben, kann man ORVs zu hohen Stunden- und Tagessätzen auch mieten (oder kaufen: die Dinger kosten neu ungefähr ab $4.000). Beliebte ORV-Areale findet man an der Westküste in den Dünen bei der ***Pismo State Beach*** (San Luis Obispo/Kalifornien), in der ***Oregon Dunes National Recreation Area*** und bei **Tillamook** (nördliches Oregon), landeinwärts vor allem in bestimmten **Wüstenregionen** in Südkalifornien und in Arizona, Nevada, Neu-Mexiko und Utah, ➤ Reiseteil.

Sonstiges

Die aufgezählten Aktivitäten sind nur die auffälligsten und populärsten. Auch ausgefallenere Urlaubswünsche lassen sich in den USA realisieren. Ob es sich um Heißluftballonflüge (***Ballooning***) Drachenfliegen (***Hanggliding***) oder Überlebenstraining (***Survival***) und anderes mehr handelt, nichts ist unmöglich. Hinweise gibt's in allen Informationsbüro und in den Gelben Seiten der Telefonbücher.

Wermutstropfen bei soviel Spaß gibt es natürlich auch:

Kosten

Die Kosten für alle **Aktivitäten**, die **unter fachmännischer Anleitung** stattfinden oder geliehenes Gerät voraussetzen, sind selbst bei wieder günstigerem Dollarkurs nie niedrig. Man muss im touristischen Bereich in vielen Fällen mit einem fiktiven »Wechselkurs« von um die €1= $2 kalkulieren; erst dann entsprechen die Preise in etwa dem Niveau bei uns.

Insekten allerorten

Wenn man vom Naturerlebnis in Amerika spricht, dann darf ein kleines Problem, das in der Fremdenverkehrswerbung gerne übergangen wird, nicht verschwiegen werden. In weiten Teilen Nordamerikas einschließlich der Weststaaten ist die ***Insektenplage*** *ein arges Kreuz. Wenn es nicht die* ***Mücken*** *oder* ***Wespen*** *sind, dann die* ***Black Flies, Horse Flies*** *oder die sogenannten* ***No-See-Ems****, fast unsichtbare Kleinfliegen.* ***Irgend etwas sticht oder beißt immer****. Nicht umsonst verbarrikadieren die Amerikaner ihre Häuser und Wohnmobile aufs sorgfältigste mit feinmaschigen Insektennetzen. Auf Wanderungen, im Kanu, am Lagerfeuer und in weniger insektensicheren Zelten oder Campern helfen nur Dauerbehandlung mit (amerikanischem!) Insektenschutz und hochgeschlossene Kleidung.*

1.1.4 Kommerzparks und Zuschauervergnügen

Das Kontrastprogramm zum Ferienerlebnis in freier Natur bieten die zahlreichen kommerziellen Anlagen für Urlaubs-, Feierabend- und Wochenendspaß im Umfeld großer Städte und an den Hauptschlagadern des Tourismus.

Eintritt und Discounts

Im Gegensatz zum *Outdoor*-Vergnügen kosten (fast) alle hier beschriebenen Attraktionen **Eintritt**. Und zwar nicht zu knapp, soweit der Spaß privatwirtschaftlich organisiert ist. Spitze bei der Preisgestaltung ist traditionell ***Disneyland*** in Los Angeles mit satten $53 für den Tagespass für alle Besucher ab 10 Jahren. Eine auf den Tag bezogene Ermäßigung gibt es dort nur beim Kauf eines Mehrtagestickets. Sonst sind ***Discounts*** üblich. Amerikaner zahlen an der Kasse von ***Amusementparks*** und anderer Sehenswürdigkeiten in Privathand selten den vollen Preis, da sie sich ***Discount Coupons*** besorgen. Die gibt's überall: frei verteilt in den ***Visitor Informations***, bei der Autovermietung oder im Hotel, auf den ersten und letzten Seiten von Straßenatlanten und Campingführern, zum Ausschneiden in der Tageszeitung und sogar zum *Download* im Internet. Die Abschläge vom Basispreis können bis zu 25% betragen.

»Senioren«/ Studenten

Ermäßigte Eintrittspreise gibt es fast immer auch für **Senioren** (in den USA gilt man meist ab Alter 60 als ***»Senior«***, manchmal schon ab 55) und **Studenten**, sofern Sie einen ISIC-Ausweis vorlegen können (*International Student Identity Card*). Das gilt auch für Museen und Eintrittsgelder für alles Mögliche.

Amusement Parks

Kaum eine nordamerikanische City verfügt nicht über zumindest einen *Amusement Park*. Es handelt sich dabei um fest installierte Jahrmärkte in meistens parkähnlicher Anlage mit Karussells, Achterbahnen, Riesenrädern etc., Restaurants, Souvenirshops und Showbühnen. Allerhand sonstige Attraktionen ergänzen üblicherweise die größeren Komplexe und sorgen für ein eigenes, sehr amerikanisches Gepräge: Das Jahrmarktvergnügen wird in diesen Fällen mit Zirkusakrobatik, Zoobesuch, »deutschem« Oktoberfest, Delphin-Show, Wildwest-Szenen, historischen Eisenbahnen und sonstwas kombiniert. Der Besuch der *Amusement Parks* ist – wie gesagt – nicht billig und auch nicht immer so spaßig und amüsant wie die jeweilige Werbung glauben machen möchte. Die Ausgabe eines *»all-inclusive«* Tagespasses zum Fixpreis ist allgemein üblich. Für welche Parks sich die hohe Ausgabe lohnt, und wo weniger, erfährt der Leser im Reiseteil.

Shopping Malls

Selbst Einkaufszentren erhalten in Amerika mehr und mehr Amusementparkcharakter. Das Wort ***Mall*** kennzeichnet das überdachte *Shopping Center*. Die neuesten und größten Komplexe dieser Art beeindrucken oft schon durch ihre Architektur. Integrierte Entertainmentkomponenten mit Programm und Unterhaltung bis in die Abendstunden sowie zahlreiche Restaurants sorgen für totales ***Shoppertainment***.

Outlet Malls/ Preiswerte Markentextilien

Eine Variante der »normalen« Einkaufszentren sind ***Outlet Malls***, die mehr und mehr konventionellen Einkaufszentren ähneln. ***Factory Stores*** bieten dort Ware »direkt ab Hersteller«. Die **Preise für Markenartikel** aller Art, vor allem Textilien sind dort oft erstaunlich niedrig, ➤ auch Seite 142.

Die Werbung für *Outlet Malls* ist unübersehbar; die meisten liegen an Autobahnen und Ausfallstraßen. Eine der schönsten *Outlet Malls* findet man in **Viejas bei San Diego**. Die größten *Outlet Malls* überhaupt werden von der ***Mills Corporation*** betrieben. Die Firma hat im US-Westen drei riesige Center im Großraum Los Angeles, weitere in Tempe bei Phoenix, im Denver-Vorort Lakewood, in Reno, drei im Raum San Francisco.

Aqua Marine Parks

Die maritime Variante der Amusementparks sind die *Aquaparks*, im Westen insbesondere ***Seaworld*** in San Diego und ***Six Flags Discovery Kingdom*** in Vallejo bei San Francisco. Hauptattraktion sind unglaubliche Dressurakte mit Delphinen, Killerwalen, Robben und Seelöwen. Sie werden ergänzt durch Wasserskiakrobatik, Turmspringkünste, Perlentauchen, Fallschirmspringen und allerhand mehr. Man bekommt also einiges geboten und kann einen halben bis ganzen Tag gut ausfüllen, muss dafür aber auch tief ins Portemonnaie fassen.

Planschparks/

Auch in den Weststaaten haben sich Anlagen für den großen »Wasserspaß«, die ihren Ausgang in Florida nahmen, mit Bezeichnungen wie ***Wet'n Wild, Splish Splash*** oder ***Raging Waters*** ausgebreitet.-

Planschpark »Wild Island« in Sparks bei Reno/Nevada

Wasserspaß

Wichtigster Bestandteil der Planschparks sind die riesengroßen Wasserrutschen mit langen Kurven und Spiralen. Dazu gibt es in den größeren Komplexen Kampfpools mit Wasserkanonen, Wellenbäder und den nassen Kinderspielplatz. Besonders Kinder werden begeistert sein. Indessen sind auch hier die Eintrittspreise gepfeffert, i.e. kaum unter $20 bis teilweise über $35, egal wie lange man bleibt. Erst bei Ankunft am späten Nachmittag, meist ab zwei Stunden vor Schluss, gelten reduzierte Tarife. Man sollte sich dieses Vergnügen für einen Tag aufsparen, an dem es nicht so voll ist.

Old West Towns

Von den diversen **künstlichen Wildwestdörfern** im Südwesten der USA entsprechen vor allem ***Old Tucson*** (Arizona) und ***Buckskin Joe's Town*** (bei Canon City/Colorado) so ziemlich der aus Film und Fernsehen bekannten Szenerie. Höhepunkt jeder kommerziellen *Western Town* sind die ***Gunfights*** bzw. ***Shootouts***, die zu festgesetzten Zeiten während der Saison meist mehrmals täglich stattfinden. Auch wenn man als Ausländer dem Cowboy-Kauderwelsch und damit dem Sinn der Handlung selten recht folgen kann, so wird doch – wenn die Bösewichter letztendlich niedergestreckt im Staub liegen oder gar am Galgen enden – jedermann klar, dass im Wilden Westen am Ende immer Recht und Gesetz den Sieg davontrugen.

Ansonsten kann man in diesen Anlagen (kostenpflichtig) all das aktiv nachvollziehen, was ein pralles Cowboyleben so ausmacht: im Planwagen durch die Stadt und die Umgebung rollen, im Sattel seine Reitkünste ausprobieren, auf der historischen Dampfeisenbahn eine Runde drehen, das elektrische Klavier in Gang setzen und natürlich einen Drink im Saloon nehmen. Damit die Lieben daheim das später alles glauben, fehlt nie der ***Old Tyme Fotoshop***, wo man den Touristen zunächst mit zeitgenössischer Garderobe und passender Bewaffnung eindrucksvoll als Cowboy, Bürgerkriegsoffizier, Sheriff, Bankräuber oder Indianerhäuptling ausstaffiert, bevor man ihn auf antikem Fotopapier vor geeignetem Hintergrund ablichtet. Für die Damen sind die Alternativen begrenzter: Zugeknöpft anständige Bürgersfrau, indianische *Squaw* oder verruchtes *Can-Can-Girl*.

Echte West Towns

Tatsächlich existieren auch echte Städtchen und Straßenzüge, die wie aus dem Bilderbuch des Wilden Westens aussehen.Sie überstanden in mehr oder minder restaurierter Form und vielleicht um einige originalgetreue Nachbauten ergänzt die Jahre im Rahmen eines funktionierenden Gemeinwesens. Davon gibt es eine ganze Menge, und nicht wenige besitzen trotz der unvermeidlichen »Touristifizierung« durchaus ihren Reiz, so etwa **Virginia City** (Nevada), **Nevada City** und **Virginia City** (beide Montana), **Deadwood** (South Dakota), **Cripple Creek** und **Black Hawk/Central City** (alle Colorado) und das dank *Wyatt Earp* bekannte **Tombstone** (Arizona), siehe im einzelnen den Reiseteil. Sehenswerte Sonderfälle dieser Art sind die ***Old Town* von Sacramento** (Kalifornien), die an alter Stelle neu entstand, und der ***Columbia State Historic Park*** nördlich des *Yosemite*, ein Relikt des kalifornischen Goldrausches.

Für einen Besuch solcher Wildwest-Städtchen braucht man **keinen Eintritt** zu bezahlen, sondern kann einfach durch die Straßen bummeln oder einen Drink in einem urigen Saloon nehmen. Dort ist die Chance besonders groß, abends auf eine Kneipe mit ***Live Music*** (meist *Country Western*) zu stoßen.

Wild-West Theater

Eine typische Spezialität des US-Westens sind in den von Touristen stark frequentierten Orten (außer den oben bereits genannten z.B. auch in Jackson/Wyoming, Durango/Colorado oder in Old Tucson/Arizona) ***Wild West Theater***, die in der Touristensaison mit tollen Melodramen (*Buffalo Bill meets Frankenstein*), *Can-Can* und anderen Shows aufwarten.

»Alte« Western-Stadt in der Nähe des Zion Parks. Deutsche Besucher sind willkommen, wie man sieht

Chuckwagon Diner/Supper

Aus den populären Touristenzielen **in den Cowboy-Staaten nicht wegzudenken** sind die sog. ***Chuckwagon Diner*** oder ***Supper***, die auf echten oder eigens für diesen Zweck geschaffenen ***Ranches*** etwas außerhalb der Ortschaften angeboten werden – im Sommer meist allabendlich. Unter freiem Himmel oder – bei kühler Witterung und Regen – in einfachen Hallen oder Zelten sitzen die Gäste an langen Tischen und verzehren auf Blechtellern ihre Portion Bohnen mit Steak oder gegrilltem Huhn, für die meist gebührend (am besten am Planwagen, dem *Chuckwagon*) angestanden werden muss.

Als *Beverages* gibt's bunten Sprudel und Kaffee; **Alkohol ist allgemein verpönt** – zumal viele Kinder teilnehmen. Nach dem Essen steigt die große ***Western-Show*** mit (sprachlich) schwer verständlicher Cowboy-Blödelei und *Country-Music*. Amerikaner amüsieren sich dabei prächtig. Die Preise inklusive Essen bewegen sich im Bereich ab $15 bis $20. Angebote für *Cowboy-/Chuckwagon Suppers* findet man in den lokalen Touristenbüros, auf dem Campingplatz und in den Motels.

1

Sonntagsvormittagsrodeo auf dem Lande (Sonoita/Arizona)

Rodeo

Es gibt kaum einen Flecken in den Prärie- und Weststaaten der USA von Montana bis Texas, der nicht einmal im Jahr sein Rodeo veranstaltet. Rodeo besteht aus einer Reihe von verschiedenen Wettbewerben, die auf typischen Cowboyfertigkeiten wie Zureiten, Lassowerfen usw. basieren. Wo und wann Rodeos stattfinden, kann man in jedem Staat dem ***Calendar of Events*** entnehmen, dem Veranstaltungskalender.

Dabei muss es kein großes Rodeo wie das ***Pendleton Round-up*** sein (Nordost-Oregon), um als Zuschauer Spaß zu haben. Im Gegenteil, die **Dorf- und Kleinstadtrodeos** mit Amateuren und Jugendlichen, wo man für nur wenige Dollar Eintritt oder auch schon mal gratis nah am Gatter stehen darf, vermitteln oft mehr echte Atmosphäre als die überregional bekannten Veranstaltungen. Und was auf dem Lande im Sattel gezeigt wird, kann sich oft genug durchaus sehen lassen und messen mit den Leistungen der Profis, die auf den *Rodeo Events* Woche für Woche in einer anderen Stadt ihre Show abziehen.

Großbildkino IMAX und OMNIMAX

Häufig in Verbindung mit Planetarien und Raumfahrtmuseen, aber auch als separate Anlagen (z.B. beim *Grand Canyon* in Tusayan oder vorm *Zion Park*), gibt es heute in vielen Städten ***Imax-/Omnimax*** Filmtheater. Überdimensionale Leinwände und *Surround Sound* vermitteln den Zuschauern das Gefühl, Teil des Geschehens zu sein. Dabei werden keine Spielfilme gezeigt, sondern dramatische Naturereignisse und Abenteuer. Eine weiterentwickelte Omnimax-Technik ist ***Circle Vision***, wobei sich das Publikum in Position der Kameras befindet.

Spielkasinos

Kommerzielles Vergnügen bieten auch die **Spielerparadiese Nevadas** am **Lake Tahoe**, in **Reno** und **Las Vegas**. Die Spielkasinos muss man gesehen haben, um glauben zu können, dass sie wirklich so existieren, wie man das lange von Kino und Fernsehen her kennt. Dabei hat Nevada das einstige US-Kasinomonopol lange verloren. Neben der »alten« Konkurrenz in Atlantic City an der Ostküste schossen seit Anfang der 1990er-Jahre Spielkasinos in den gesamten USA wie Pilze aus dem Boden. In ***Riverboats*** auf dem Mississippi und in alten **Wildwest-Städtchen** wie *Deadwood* in South Dakota und *Black Hawk, Central City, Cripple Creek* (alle Colorado) wird jetzt wieder wie in guten alten Zeiten um Dollars gepokert. ***Black Jack* Tische** und ***Slot Machines***, einarmige Banditen, stehen seither auch in vielen **Indianerreservaten** (besonders zahlreich in New Mexico), die sich auf ihre Souveränität besannen und an der Gesetzgebung des jeweiligen Staates vorbei auf ihren Ländereien das Glücksspiel als Einnahmequelle und »Tourismus-Förderinstrument« ganz legal einführten. Während diese Entwicklung Las Vegas unberührt ließ, da dort immer bombastischere neue Kasino- und Entertainmentpaläste Besucher nach wie vor magisch anziehen, gingen die Spielumsätze anderswo in Nevada stark zurück.

Überdimensionaler (stationärer) Raddampfer »Colorado Belle« als Spielkasino auf dem Colorado River in ***Laughlin****, einem bei uns kaum bekannten Spielerparadies im südlichsten Zipfel von Nevada. Laughlin erfreut sich von Spätherbst bis Frühjahr besonderer Beliebtheit bei Rentnern, die auf der Arizona-Seite des Flusses bei Bullhead City oder am Lake Mojave oberhalb der Stadt campen, tagsüber dort fischen oder mit Speedboats den aufgestauten Fluss 'rauf und 'runter jagen und abends die »Vorzüge« Nevadas genießen. Neben der Aussicht, vielleicht einen Jackpot zu knacken, sind das vor allem die Niedrigpreise in den Kasino-Cafeterias* (➤ Kapitel 4.4).

1.1.5 Kunst, Kultur und Geschichte

Bei derartig vielen Möglichkeiten zu Aktivitäten in freier Natur und zum fröhlichen Mitmachen oder Zuschauen, wie in den beiden vorangegangenen Kapiteln beschrieben, er-scheint der Hinweis angebracht, dass **Nordamerikas Kulturangebot** mit *Disneyland*, *Amusement Parks* und dem wiederbelebten Wilden Westen noch nicht ganz ausgereizt ist.

Kultur sogar mitten in der Wüste (Yucca Valley/ California)

Tatsächlich existiert in den großen Städten ein durchaus anspruchsvolles und breit gefächertes Kulturleben. Dabei soll hier nicht die Rede sein von Veranstaltungen, Konzerten, Opernfestivals usw., die im Zweifel immer dann stattfinden, wenn man sich als potentiell dafür interessierter Tourist ganz woanders aufhält. Und wofür man selbst bei rechtzeitigem Auftauchen nur selten Eintrittskarten bekommt. Stätten, die kontinuierlich und erreichbar Kultur auf einem Niveau bieten, das über dem der *Amusement Parks* liegt, sind in erster Linie die Museen:

Museen

Museen von **A** wie ***Arts*** bis **Z** wie ***Zuni*** *Indian Culture* finden sich oft noch in erstaunlich kleinen Städten; hinzu kommen die Ausstellungen in den Besucherzentren der *National*- und *State Parks* zu den jeweiligen historischen oder naturkundlichen Phänomenen. Man wird unterwegs feststellen, dass die Amerikaner der Pflege ihres kurzen geschichtlichen, des kulturellen und natürlichen Erbes erhebliche Mühe und Aufmerksamkeit widmen. **Erstklassige Museen** verschiedenster Prägung gibt es insbesondere in Los Angeles, San Diego, San Francisco, Denver, Santa Fe, Phoenix und Tucson. Selbst an Orten, in denen man es kaum erwarten würde, stößt man gelegentlich auf Sammlungen mit hohem Niveau.

Im folgenden sind die **wichtigen Museumstypen** mit Betonung ihrer Besonderheiten kurz charakterisiert. Details findet der Leser in den Reisekapiteln.

Kunstmuseen

Es ist kaum zu glauben, was sich in Amerika im Laufe der Jahrhunderte an Schätzen aus allen Erdteilen angesammelt hat. Die Kunst der Alten Welt über das Mittelalter bis zum Europa der Gegenwart ist dabei bestens vertreten. Die Großstädte verfügen allesamt über Kunstmuseen mit bemerkenswerten Kollektionen. Die Erklärung für diesen – in Anbetracht der Gründungsdaten der meisten Häuser – überraschenden Umstand sind private Sammler, die ihr Dollarvermögen für den Kauf von Kunstwerken einsetzten und später alles dem Staat oder einer Stiftung vermachten. Bekanntestes Beispiel dieser Art sind das ***Getty Center*** und ***Museum*** in Los Angeles, die neben der Sammlung des Stifters über ein Kapital von über $2 Mrd. verfügen, dessen Zinserträge für Unterhalt und Zukauf zur Verfügung stehen, ➤ Seite 245f.

Keine City, die auf sich hält, besitzt nicht zumindesten ein ***Museum of Art***. Oft teilen sich mehrere Museen die Präsentation der alten und neueren Kunstwerke. Beim ***Museum of American Art*** ist die Linie klar. Es ist auf *Americana* (gängige Bezeichnung für Werke amerikanischer Künstler) aus der Frühzeit der weißen Besiedelung des Kontinents bis zu *Warhol, Rauschenberg, Oldenbourg* u.a. spezialisiert. Ein ***Museum of Contemporary Art*** besitzt Kollektionen internationaler Gegenwartskunst. In Europa gelegentlich belächelt wird die ***Western Art***, deren bekannteste Vertreter (*Moran, Bierstadt, Russell* u.a.) in keinem Kunstmuseum der USA fehlen. Im Westen gibt es imponierende Spezialmuseen dieser Kunstrichtung, die sich durch nahezu fotografischen Realismus auszeichnet (in Cody/Wyoming, Great Falls/Montana und sogar im kleinen Klamath Falls/Oregon).

Geschichtsmuseen

Jeder Bundesstaat der USA besitzt in seiner Hauptstadt ein ***Museum of History***, das die Geschichte der jeweiligen Region von den Anfängen der weißen Besiedelung bis heute mehr oder weniger gekonnt beleuchtet. Nicht überall, aber in den letzten Jahren mit zunehmender Tendenz widmet man dort auch den Indianern angemessen Raum, siehe den folgenden Absatz. Darüberhinaus gibt es aufschlussreiche **Regionalmuseen** (so in ehemaligen Goldrauschgebieten). Im Reiseteil wird auf die besten Museen hingewiesen und auch gesagt, wo Mittelmaß überwiegt.

Ebenfalls den historischen Museen zuzuordnen sind die **maritimen Museen** in San Diego, San Francisco und Astoria (Oregon) mit nostalgischen Schiffen am Kai.

»Star of India«, Maritime Museum San Diego

Indianische Kultur

Die vergangene wie gegenwärtige Kultur der Ureinwohner Nordamerikas wird in unterschiedlicher Weise gewürdigt. In eigenen **Museen der Indianer** im Bereich ihrer Reservate (z.B. *Navajo/Hopi* in Arizona, *Pueblo* Indianer in Albuquerque und Santa Fe/New Mexico, *Blackfoot* in Browning/Montana), in spezifischen Abteilungen einiger historisch-naturkundlicher Museen (Seattle, Denver, Cody, Tucson, Heard Museum in Phoenix) und in Ausstellungen in Besucherzentren des *National* und *State Park* Systems (*Grand Teton*/Wyoming, *Mesa Verde*/Colorado und *Cliff Dwelling*-Monumente in Arizona wie New Mexico). Sehr sorgfältig gehen die Amerikaner heute mit Felszeichnungen und anderen Trägern präkolumbischer Kulturen um. ***Indian Petroglyphs*** oder ***Pictographs*** findet man in vielen Parks und *Historical Sites* am Wege; wirklich interessant sind aber nur wenige.

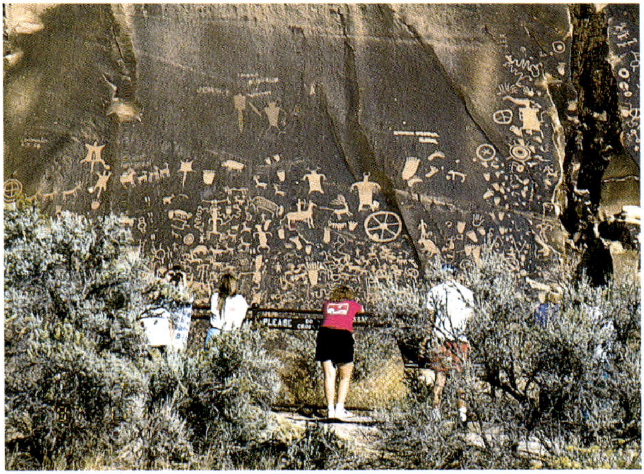

Präkolumbische Petroglyphen am Newspaper Rock in Utah, einer der besten Stätten ihrer Art.

Flugzeuge: Museen und Open-air Exhibits

Die amerikanischen Erfolge in der **Luft- und Raumfahrt** werden in City-Museen (San Diego, Los Angeles, Seattle) und ***Open-air Exhibits*** der *US Air Force* und der NASA gebührend gefeiert. Eine der weltweit größten und interessantesten Ausstellungen von Kriegsflugzeugen steht im ***Pima Air Museum*** bei Tucson/Arizona in unmittelbarer Nachbarschaft zu riesigen Arealen, auf denen Tausende ausgemusterter Militärmaschinen eingemottet wurden. Auch die Museen der ***Castle*** und ***Ellsworth Air Force Base*** bei Merced/California (Yosemite Park Nähe) bzw. Rapid City/South Dakota können sich sehen lassen. In ihrer Art einmalig sind das ***Titan-II Museum*** (stillgelegtes, aber voll intaktes Abschusssilo einer einst mit Atomsprengköpfen bewehrten Interkontinentalrakete südlich von Tucson) und ***Atomic Museum*** in Albuquerque/New Mexico, das die Atombomben von Hiroshima bis zu den Sprengköpfen unserer Tage samt Trägerwaffen zeigt.

Space Center

Die Weltraumbehörde NASA beweist der Öffentlichkeit gerne in **Raumfahrtzentren** (*Space Centers*) mit einer Kombination aus Museum und ***Rocket Garden*** (Raketenaustellung von der deutschen V 2 bis hin zur Saturn V), wieviel Ruhm und Nutzen die vielen investierten Steuermilliarden doch den USA und ihren Bürgern gebracht haben. Die wichtigsten *Space Center* findet man zwar in Cape Canaveral/Florida, Huntsvilla/ Alabama, einstige Wirkungsstätte Wernher von Brauns, und Houston/Texas), aber auch der Westen besitzt in Alamogordo/New Mexico mit dem ***Museum of Space History*** eine Art Space Center. Eine ansehnliche Raumfahrt-Sonderabteilung befindet sich im ***Los Angeles Museum of Science & Industry***. Zu allen derartigen Museen gehört regelmäßig ein IMAX-Kino (➤ oben), in dem u.a. die – durchweg brillant gemachten – NASA-Weltraumfilme laufen.

Automuseen

Zwar stehen in den Ausstellungshallen manches ***Museum of Transport*** auch einige nostalgische Flugzeuge, aber vorzugsweise konzentriert sich dieser Museumstyp auf Kutschen, Auto und Eisenbahn. Gute (oft private) Automuseen existieren in fast allen Staaten. **Unübertroffen** ist das ***National Automobile Museum*** in Reno/Nevada, aber gleich dahinter liegen auch schon die ***Auto Collection*** des ***Imperial Palace Casino*** in Las Vegas und das ***Petersen Automotive Museum*** im Los Angeles.

Alte Eisenbahnen/ Railroads

Im Mittelpunkt von **Eisenbahnmuseen** (im Westen kaum zu überbieten sind das *Railroad Museum* in Golden/Colorado und m.E. das ***Golden Spike National Monument*** in Utah) steht oft ein funktionsfähiger alter Zug aus der Gründerzeit des späten 19. Jahrhunderts, als viele Eisenbahnlinien mit oft nur kurzen Schienensträngen völlig unabhängig voneinander existierten. Die meisten von ihnen wurden Opfer des Strukturwandels und demontiert, aber ein paar blieben samt ihrer Strecken im Original erhalten. Auf einer Fahrt in den nostalgischen Waggons mit der Dampflok davor fühlt man sich wie in die Zeit des Wilden Westens zurückversetzt. Die mit Abstand besten dieser *Railroads* sind die ***Durango-Silverton*** und ***Cumbres-Toltec*** Bahnen in Colorado, ➤ in den Kapiteln 4.2 und 4.3.

Naturkunde und naturhistorische Museen

Auch Naturkundemuseen zu Flora und Fauna Nordamerikas bzw. der Weststaaten sind recht verbreitet. Umfassend behandeln das Thema vor allem die ***Museen of Natural History*** in Denver, Los Angeles, San Francisco und San Diego. Unter den thematisch etwas enger abgegrenzten Museen ist das ***Arizona Sonora Desert Museum*** bei Tucson **einsame Spitze**. Gleich dahinter rangieren die naturkundlichen Ausstellungen in den Besucherzentren verschiedener Nationalparks, welche die jeweiligen Besonderheiten des Parks oft ausgezeichnet dokumentieren und erläutern.

Aquarien

Insbesondere an der Pazifikküste gibt es **großartige Aquarien**. Einige sind in *Aqua Marine Parks* (*Seaworld*/San Diego) oder in Naturkundemuseen integriert (San Francisco), aber die besten von ihnen wirken ganz separat als Publikumsmagneten in Monterey und Long Beach/Kalifornien, Seattle und Newport/Oregon.

Publikumsmagnet Long Beach Aquarium

Science Center

Ein edukativer Museumstyp, der heute in kaum einer amerikanischen City fehlt, sind die *Science Center*: Anliegen der technischen Museen ist es, den Besuchern Naturwissenschaft und Technik durch kurzweilige oder lustige Experimente, an denen sie selbst teilnehmen oder die sie auslösen, verständlich zu machen. Die *Science Center* in den Weststaaten wenden sich vor allem an Jugendliche, obwohl in einigen von ihnen die Zielgruppe »Kinder unter 10« bereits eine wichtige Rolle spielt (speziell in Seattle und Portland).

Museen für Kinder

Für die gibt es gelegentlich sogar eigene Kindermuseen (u.a. in Las Vegas) oder Kinder-Abteilungen (z.B. im Heard Museum/Phoenix) in der Erkenntnis, dass zwar vieles in konventionellen Museen auch für Kinder interessant ist/sein müsste, aber in erster Linie für den erwachsenen, mindestens jugendlichen Besucher präsentiert wird. Bei allen Unterschieden zeichnet sich ein ***Children's Museum*** ähnlich wie ein *Science Center* durch ***Hands-on Exhibits*** aus, die zum Anfassen und Ausprobieren animieren sollen. *Hands-on* steht als Gegensatz zum *Hands-off* (nicht berühren) in konventionellen Museen.

Planetarien und Lasershows

Wieder zu Ehren sind in vielen Städten die Planetarien gekommen. Zogen die Vorträge über Sternenhimmel und Astronomie einst kaum noch Publikum in die Kuppelsäle, so ist es heute manchmal schwer, Tickets für eine ***Lasershow*** zu erhalten, dreidimensionalen farbenprächtigen Projektionen unter den Rundgewölben. Zu den Klängen von klassischer oder Rockmusik verändern sich in der Dunkelheit per Laserstrahl kreierte Farben und Formen pausenlos in atemberaubendem Tempo. Den Besuch einer *Lasershow* sollte man sich nicht entgehen lassen. In welchen Städten das möglich ist, steht im Reiseteil.

Architektur

Neben den Museen besitzen **Bauwerke, Brückenkonstruktionen**, bestimmte **Parks** und Zentren des ***City Life*** einen hohen Attraktionsgrad. Zu den genannten Punkten im einzelnen:

Hochhäuser

Die amerikanische Hochhausarchitektur von ihren Anfängen (*Frank Lloyd Wright*) bis zur Postmoderne unserer Tage rechtfertigt schon fast allein eine Reise nach Amerika. Zwar erreicht keine Weststaaten-City eine ähnliche Hochhaus-Bebauungsdichte und -menge wie etwa Chicago oder New York, aber die Ballung und Originalität der ***Highriser*** insbesondere der neuesten Generation in Los Angeles, San Francisco, Denver und Seattle (in geringerer Zahl in Portland, San Diego, Salt Lake City und Phoenix) macht die Zentren dieser Städte auch und teilweise sogar vor allem unter diesem Aspekt sehenswert.

Moderne Architektur des Art Museum in Albuquerque und konventionelle Cowboyskulpturen auf dem Vorplatz

Kunst am Bau

Zur Auflockerung der oft sterilen City-Landschaft aus Beton und Glas setzt man in Amerika in einem hierzulande unbekannten Maß die schönen Künste ein. Sei es durch die Gestaltung von Vorplätzen, Hallen und Miniparks zwischen Hochhäusern, durch das Aufstellen eigens angefertigter Kunstwerke oder durch überdimensionale **Wamdbilder**, den *Murals*. Auch mancher Park zeigt sich durch Skulpturen verschönt; gelegentlich gibt es separat oder in Verbindung mit einem Museum ***Sculpture Gardens*** (z.B. Los Angeles *County Museum of Arts, de Young Museum* in San Francisco und in Denvers *Greenwood Plaza Park)*.

Neue Fashion Show Mall in Las Vegas mit UFO-artigem Vordach

Baustile

Interessante Architektur beschränkt sich auch in Amerika natürlich nicht nur auf Hochhäuser. Auf bemerkenswerte Beispiele moderner, ausdrucksstarker Architektur bei unterschiedlichsten Objekten vom Einfamilienhaus bis zur *Shopping Mall* stößt man allerorten.

Adobe

Ein eigener, den Pueblo Indianern abgeguckter ***Adobe*-Baustil** ist in New Mexico und Arizona verbreitet. Er findet sich in abgewandelter mit ehemals spanischen Vorbildern vermischter Form auch in weiten Bereichen Kaliforniens (*Pueblo de los Angeles/Old Town San Diego*/Santa Barbara etc.). Weiter als bei uns ist amerikanische Architektur, was **Energiesparhäuser** angeht; das gilt insbesondere für die passive Nutzung von Solarenergie.

Brücken

Wer einen Sinn für Architektur mit nach Amerika bringt, der wird auch an den Brücken seine helle Freude haben. Die fantastische ***Golden Gate Bridge*** in San Francisco ist nur das bekannteste Beispiel unter den zahllosen phänomenalen Konstruktionen vom nostalgischen Eisen- und Holzgerüstbau (**alte Eisenbahnbrücken!**) bis hin zu modernen Pylonen- und Pontonbrücken über Canyons, Flüsse und Meeresarme. Bisweilen sind auch die mehrstöckigen **Freewaykreuzungen** architektonische, zumindest aber statische Meisterwerke.

City Life Komplexe

Eine amerikanische Großstadt ohne mindestens einen sanierten und zum Kneipen-, Restaurant- und ***Entertainmentcenter*** umfunktionierten alten Lagerhaus-, Fabrik- oder Bahnhofskomplex ist nicht vorstellbar. Und wenn man eigens »alte« Schuppen neu bauen musste, um sie dann von innen umso schicker aufzupeppen! Gelegentlich wird auch gleich ein ganzes Viertel von Grund auf umgekrempelt (z.B. ***Old Towns*** in Portland und in Seattle). Die dabei versprühte Kreativität kann sich oft sehen lassen.

Landungsboote als Rundfahrtvehikel sind in Seattle und San Diego nicht mehr wegzudenken: sie fahren einen Teil der Tour durchs Wasser

City Parks

Amerikanische *City Parks* wurden nicht geschaffen, um den Bürgern Spazierwege im Grünen zu bieten. Parks sind Freiräume, in denen die Städter ihren Bewegungsdrang austoben können und sollen. Und so verfügen die meisten Parks bis ins kleinste Dorf über alle Voraussetzungen zu sportlicher Betätigung in der Freizeit (»*Recreational Activity*«). Meistens ohne Gebühren kann man dort Tennis, Basket- und Volleyball spielen, Picknicktische und Grillroste nutzen, die Kinder auf Spielplätze schicken und den Rasen nach Belieben betreten.

Arboreta

Mancher City Park umfasst explizit oder auch unausgesprochen ein ***Arboretum***, ein kunstvoll angelegtes Waldgelände mit heimischem und exotischem Baumbestand. Besuchenswerte ***Arboreta*** findet man in **Seattle** und **Portland**.

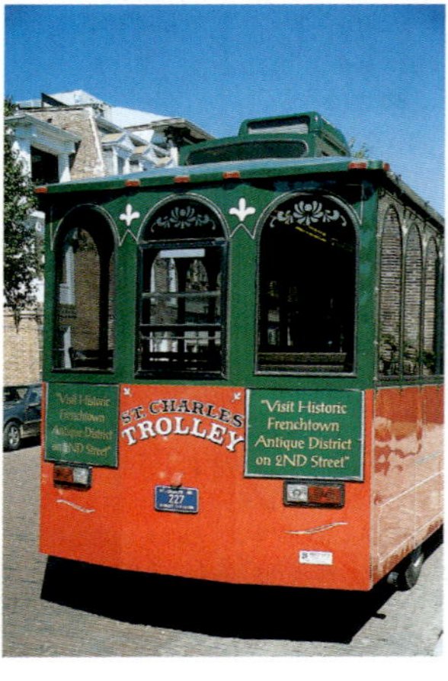

Rundfahrtvehikel

Auch bei an sich individueller Reise ist es oft keine schlechte Idee, sich zur Orientierung und ggf. zum »Vorsortieren« der später noch näher in Augenschein zu nehmenden Ziele einer Stadtrundfahrt anzuschließen. Gemeint ist hier nicht die übliche Bustour, die in 3 Stunden mit und ohne Zwischenbesichtigungen alles abfährt (weitgehend monopolisiert durch *Gray Line Tours* und recht teuer), sondern der in vielen US-Städten vorhandene ***Tourist-Trolley***. Das ist ein offener **Bus** – meist im *Old-Time-Look* – mit oder ohne Anhänger, der auf touristisch sinnreichen Rundkursen fürs *Sightseeing* eingesetzt ist. Dabei dürfen die Passagiere beliebig unterbrechen und mit dem Tagesticket in den nächsten *Trolley* wieder zusteigen (sog. ***hop-on-hop-off*** *System*).

1.2 Die unabhängige Amerikareise

1.2.1 Individuell oder pauschal reisen?

Soweit nicht Verwandtenbesuch oder Geschäfte das Hauptmotiv für den Flug nach Amerika sind, gehören USA-Reisende entweder zu den

- **Pauschaltouristen**, die gleichzeitig mit dem Flug ein festes Programm buchen, oder sind
- **Individualurlauber**, die Amerika auf eigene Faust erkunden möchten und ihre Reise vom Moment der Ankunft in Amerika weitgehend selbst gestalten.

Pauschalreisen

An verschiedenartigsten Pauschalprogrammen von relativ preisgünstigen Gruppenreisen für junge Leute im Kleinbus mit eigenhändigem Zeltaufbau (*Suntrek*) bis zu superteuren Helikopter-Skiferien besteht für die USA kein Mangel. Pauschalangebote bieten vor allem bei Wünschen, die sich individuell vor Ort nicht so ohne weiteres oder zumindest nicht kurzfristig realisieren lassen, den Vorzug einer von vornherein gesicherten und problemlosen Reiseabwicklung.

Wer im Schlauchboot die Stromschnellen des Colorado River durch den Grand Canyon bezwingen möchte oder es während der (dafür geltenden) Hauptsaison im September/Oktober auf Ranchurlaub in Arizona abgesehen hat, sollte unbedingt die Offerten heimischer Veranstalter wahrnehmen und sein Wunschprogramm frühzeitig reservieren.

Busreisen

Das Gros der Angebote bezieht sich indessen auf **Rundreisen im Bus mit Hotelübernachtung**. Soweit aus den Prospekten ersichtlich, werden auf den meisten derartigen Touren enorme Strecken bewältigt. Außer an Besichtigungstagen, die vollständig für Stadt- und Nationalparkaufenthalte vorgesehen sind, muss man oft mit täglich sieben, acht und mehr reinen Fahrstunden rechnen. Der schon dadurch sehr dichte Zeitplan erlaubt nur selten Besseres als das »Abhaken« der wichtigsten Sehenswürdigkeiten und ein wohl auch nicht immer für alle Teilnehmer befriedigendes Reiseerlebnis. Wegen der mit Busreisen überwiegend verbundenen höheren Hotelkategorie und der Reiseleitung sind diese nichtsdestoweniger recht kostspielig.

Festgelegte Pkw-Rundreisen

Zu den ebenfalls von allen Veranstaltern angebotenen Pauschalprogrammen gehören **Pkw-Rundreisen mit reservierten Unterkünften** auf einer fest vorgegebenen Route. Sie wirken zwar individueller als Busreisen, lassen aber für unterwegs aufkommende Änderungswünsche und -notwendigkeiten, etwa bei ungünstigen Wetterbedingungen, so gut wie gar keinen Spielraum.

Durch die Vorabfestlegung der Tagesetappen wird ein großer Teil der an sich mit dem Mietwagen verbundenen Flexibilität ohne Not von vornherein aufgegeben.

Individuell reisen

Bei Reiseplänen für den US-Westen sollte daher und in Anbetracht der bereits skizzierten Vielfalt an Gestaltungsmöglichkeiten immer überlegt werden, ob nicht eine individuelle, mit ein bisschen Initiative und Engagement vorbereitete Reise den persönlichen Vorstellungen viel eher entsprechen würde als jedes vorgefertigte Programm. Auch wer über keine besonderen **Englischkenntnisse** verfügt, wird im allgemeinen gut durchkommen. Denn die touristische Infrastruktur der USA, speziell in den Weststaaten, macht das unabhängige Reisen einfacher als in den meisten Ländern Europas.

Vorteile

Ohne bereits hier detailliert auf Kosten eingehen zu wollen, sei angemerkt, dass eine Busreise für zwei Personen im allgemeinen teurer kommt als dieselbe unabhängig durchgeführte Reise mit einem Pkw bei Übernachtung in ungefähr gleichwertigen Hotels – die man dann allerdings selbst reservieren muss, dafür aber auch selbst aussuchen kann. Ein gar nicht hoch genug zu bewertender **Vorteil der Individualreise** ist, dass Reiserouten, Reisezeiten und Zwischenaufenthalte frei bestimmt und jederzeit nach Inspiration, Lust und Laune geändert und den klimatischen Gegebenheiten angepasst werden können.

Moderner amerikanischer Tourbus

1.2.2 Die Wahl des richtigen Transportmittels

Vorüberlegungen

Präferenz Auto

Im letzten Absatz klang bereits an, was hier noch weiter betont und begründet werden soll: Für eine individuelle USA-Reise gibt es zum gemieteten (oder ggf. auch eigenen, ➤ Seite 156) Fahrzeug keine echte Alternative. Neben der hohen Flexibilität bei der Reisegestaltung ist für diese Einschätzung vor allem von Bedeutung, dass **die meisten Sehenswürdigkeiten und Naturschönheiten abseits der Städte sich ohne Auto gar nicht oder nur unter Schwierigkeiten erreichen lassen.**

Übernachtung

Ohne die vom fahrbaren Untersatz in den USA viel mehr als bei uns abhängige Bewegungsfreiheit wird die **Lösung der täglichen Übernachtungsfrage** obendrein oft mühsam und leicht kostspieliger als erwünscht sein, gleich, ob man Hotel, Motel, Jugendherberge oder einen Campingplatz sucht.

Wunderbares Plätzchen im Lodgepole Campground des Sequoia National Park: Picknicktisch, Feuerstelle mit Grill und bärensicherer Kasten für Eßbares (über dem – hier noch – Wildbach Kaweah River)

Camping erwägen

Apropos Camping: Für die Reise durch den Westen der USA sollte das Campen auch in Betracht ziehen, wer damit sonst wenig im Sinn hat. Camping in Amerika und im überbevölkerten Westeuropa sind kaum miteinander vergleichbar, ➤ im Detail ab Seite 192. Am Lagerfeuer in der Sierra Nevada oder in einer sternklaren Nacht am Seeufer wird kaum jemand mit dem Hotelzimmer tauschen mögen, gleichgültig ob er im Camper schläft oder sich mit dem Zelt begnügt.

Motel, aber das Zelt im Kofferraum

Es muss ja auch nicht die totale Entscheidung fürs Campen sein. Wer in Städten, bei ungünstiger Witterung oder im Falle besonders attraktiver Hotels aus gutem Grund das bequeme Zimmer vorzieht, eröffnet sich mit Zelt und Schlafsack im Kofferraum (ggf. im Rucksack) unterwegs zusätzliche Möglichkeiten. Die sonst noch nötige Ausrüstung (in den USA in jedem Kaufhaus wie *K-Mart, Wal Mart,* ***Target*** etc. ertaunlich preiswert zu erstehende Utensilien wie *Coolbox,* ein bisschen Geschirr und Besteck, ggf. Campingkocher) hat für Selbstverpflegung und Picknick sowieso meist an Bord, wer mit dem Auto fährt. Selbst bei an sich klarer Präferenz fürs Hotel kann die Campingausrüstung im Kofferraum nicht schaden, die mitzunehmen zwar Umstände macht, aber bei **46 kg Freigepäck/Person auf den meisten Transatlantikflügen** keine Probleme bereitet. Man hat damit sein Ausweichquartier dabei, falls es mal mit der Unterkunft nicht klappt oder dort, wo man gern länger verweilen würde, ein bequemes Bett weder vorhanden ist noch überhaupt in die Landschaft passt.

Zunächst aber zu den Alternativen separat:

Miet-Pkw und Zelt

Kostenvorteil

Unter dem Aspekt der **Kostenminimierung** ist die Kombination Pkw und Zelt-Camping ab zwei Personen im Auto selbst dann unschlagbar, wenn ab und zu mal ein Motel aufgesucht wird, ➤ Übersicht Seite 85 und eine Liste der für eine solche Reise nützlichen Utensilien zum Mitnehmen, Seite 124.

Nachteile

Die grundsätzlichen **Nachteile** des Zeltens müssen hier nicht erörtert werden; bekanntermaßen handelt es sich in erster Linie um Komfortmängel, speziell bei Regen. In Amerikas Westen sind außerdem die **Höhenlagen vieler Reiseziele ein ungemütlicher Aspekt**. Mitten im Sommer können in 2.000 m Höhe selbst bei tagsüber angenehmen Temperaturen Nachtfröste eintreten. Und bis Mai/ab September wird es nach Sonnenuntergang über 1000 m Höhe immer empfindlich kühl.

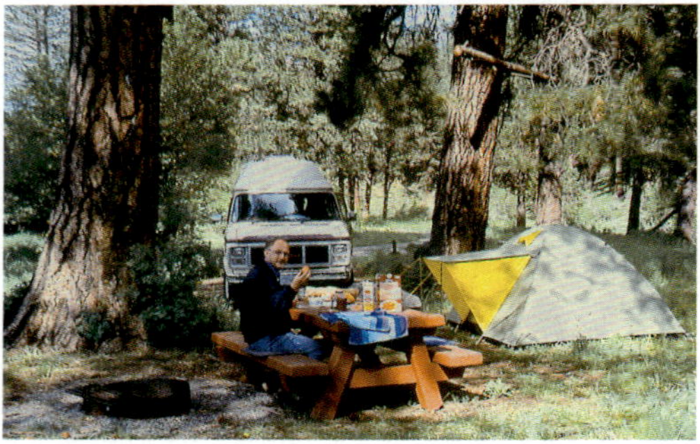

Mit Van und Zelt gratis im National Forest (Idaho)

Campmobil

Vorzüge

Unbilden der Witterung lassen Campmobilfahrer dagegen kalt. Sie sitzen trocken und warm. Der für Campfahrzeuge typische Komfort (Küche, Wohn- und Schlafzimmer in einem, Toilette und ggf. Dusche), der bis zu eigenem Generator, Mikrowelle und Satelliten-TV reichen kann, bedarf keiner Aufzählung.

Die Handhabung von Campmobilen erfordert auf normalen Straßen keine besondere Übung, lediglich eine kurze Eingewöhnungszeit, soweit man sich mit einem Modell begnügt, das nicht wesentlich über 20 Fuß (6 m) Länge aufweist. Für 2-3 Personen bietet diese Größe immer ausreichend Platz, eine sinnvolle Innenaufteilung vorausgesetzt auch für Eltern mit zwei kleineren Kindern. Neben der eingebauten Bequemlichkeit ist ein entscheidender Vorteil des Campers gegenüber anderen Reisealternativen der Entfall des nervigen täglichen Kofferpackens und immer wieder neuen Verstauens der Siebensachen, gegenüber dem Zelt auch noch des Auf- und Abbaus.

Nachteile

Nun besitzen Camper auch ihre spezifischen Nachteile. Obwohl oben und in Veranstalterprospekten die Handhabung der Fahrzeuge durchaus zu Recht als einfach dargestellt wird, sind die erheblichen Ausmaße der großen Modelle (**über 23 Fuß**) mit enormen Hecküberhängen nicht immer unproblematisch. Abgesehen davon, dass man mit Ausnahme von – kaum noch verfügbaren – 17-19 Fuß *Van* Campern mit keinem Campmobil im Stadtverkehr Freude hat, wird es bei großen Modellen auch beim Rangieren auf Campingplätzen, Parken vorm Supermarkt und auf kleineren, oft reizvollen Straßen schon mal schweißtreibend eng. Verfahren sollte man sich lieber nur selten, denn ein geeigneter Wendeplatz kommt meist gerade dann nicht in Sicht, wenn man ihn dringend benötigt. So richtig stressfrei fährt sich ein *Full-Size Motorhome* nur geradeaus auf gut ausgebauten verkehrsarmen Straßen und Autobahnen.

Technik und Wartung

Ein Reisemobil ist auch **nicht in jeder Beziehung bequem**. Damit alles funktioniert, sind Schläuche und Kabel zu entrollen, festzumachen und wieder einzupacken. Frischwasser- und Abwassertanks wollen kontrolliert, aufgefüllt bzw. abgelassen werden, um sicherzustellen, dass unterwegs oder auf nicht so gut versorgten Plätzen der eingebaute und schließlich mitbezahlte Komfort genossen werden kann. Auch die Strom- und Gasversorgung an Bord bedarf gelegentlicher Kontrolle. Und nicht nur die **technische Checkliste**, ebenfalls der **Einkaufszettel** wird besser sauber abgearbeitet. Einmal am Campingplatz voll angeschlossen, darf nichts fehlen. Denn dann noch einmal wieder los ...?

Kosten

Leider gelten von Mai bis September allgemein **sehr hohe Miettarife**, die vor allem in der Hochsaison zu Urlaubskosten erheblich über denen einer Reise mit Pkw und Hotelübernachtung (Mittelklasse) führen können, ➢ Seiten 13, 85 und 123.

Fazit

Ohne Kostenüberlegung ist der Camper das optimale Fahrzeug für eine Rundreise durch den Westen der USA, ➢ Seiten 111f, **wobei man *Van Camper/Super Van*, ggf. *Motorhome* bis 22/23 Fuß, größeren Modellen vorziehen sollte.**

Abwägung

Die Entscheidung für den Camper ist letztlich eine Frage der Abwägung: Wieviel Mehrkosten sind mir die Campervorteile gegenüber anderen Alternativen wert?

Motorhome (30/31 Fuß) und Van Camper (19 Fuß)

Camper oder Pkw/Zelt?

Kostenvergleich

Bei der persönlichen **Bewertung des Campers** kommt es – wie gesagt – darauf an, wie man dessen Vor- und Nachteile im Verhältnis zu den hohen Mietkosten gewichtet. Manche Leute reduzieren die Kosten, indem sie ein größeres Fahrzeug durch zwei Parteien teilen. Das macht ökonomisch Sinn, da die Groß-Camper gar nicht so wesentlich teurer als kleinere Modelle sind, führt aber sicher nicht immer nur zu ungetrübter Ferienfreude. Potentielle Campermieter, die vor den Kosten zurückschrecken, sollten zunächst intensiv **Preise vergleichen** und ggf. ein Ausweichen in die Nebensaison erwägen, ➢ Seite 13.

Mietwagen und Zelt

Die zweifelsfrei **sparsamste Alternative** (siehe oben) ist ein **Pkw mit Zeltausrüstung,** die man mitbringt (Transatlantik-Gepäcklimit 46 kg/Person) und ggf. in den USA zu geringen Kosten komplettiert. Wer es bequemer haben möchte, mietet einen **Minivan** mit 7 Plätzen, der bis zu 4 Personen mit Campinggepäck reichlich Platz bietet (inkl. Vollkasko bei deutschen Veranstaltern ab ca. €300 pro Woche). Wie oben erwähnt, muss man nicht unbedingt jede Nacht auf dem Zeltplatz verbringen, sondern kann bei Gelegenheit und schlechtem Wetter im Motel übernachten und dennoch preiswert reisen.

Supercampground Lone Pine auf der Ostseite der Sierra Nevada »unter« dem höchsten Berg der USA, dem Mount Whitney. Rechts Grill plus mit Holz zu befeuernde Herdplatte

Miet-Pkw und Hotel/Motel

Sondersituation USA

Sofern man nicht überwiegend in besonders teuren Quartieren absteigt, dürfte eine Pkw-Rundreise selbst bei ausschließlicher Übernachtung im H/Motel in den Monaten Mai-Oktober weniger als eine Reise per Campmobil kosten, ➢ Seiten 85 und 123. Nachteilig und zu bedenken ist dabei nur Folgendes: Hierzulande kann man in Dörfern und Städten nach Ankunft einen Bummel machen und schon mal ein für den Abend in Frage kommendes Restaurant oder die Kneipenszene »ausgucken«. In den USA ist das mit Ausnahme weniger touristischer Brennpunkte selten möglich. Spätestens nach Einbruch der Dunkelheit sind die Zentren

Nostalgisches ***Gold Hill Hotel*** *bei Virginia City/ Nevada an der Endstation einer alten Minenbahn. Dazu gute Küche, uriger Saloon und es spukt sogar ein Hausgeist; DZ ab $45; Reservierung: ✆ (775) 847-0111*

vieler Orte (sofern überhaupt vorhanden!) faktisch wie ausgestorben, bisweilen gefährlich. Los ist vielleicht noch ein bisschen in der nächsten *Shopping Mall* (bis maximal 21 Uhr), später in verstreut liegenden Lokalen oder (nur in größeren Städten) in einem der Restaurant- und Kneipenkomplexe, wie auf Seite 53 erläutert.

Wobei diese Nachteile im Frühjahr und Herbst, wenn es recht früh dunkel wird, noch stärker zu Buche schlagen.

Abends im Motel/ Hotel

Erreichen lässt sich alles ohnehin nur mit dem Auto. Als Übernachter wird man oft irgendwo in der Nähe seiner Unterkunft landen, z.B. in einem der Kettenrestaurants an den Ausfallstraßen, und sich danach mangels besserer Zerstreuungsmöglichkeiten vorm Fernseher wiederfinden. Die (nicht überall vorhandene) Alternative zu Unter- bis Mittelklasse-Motels sind **teure, höherklassige Hotels**, die *Coffee Shop*, Restaurant und Bar, häufiger einen *Indoor-Pool* und ein bisschen Abendunterhaltung unter einem Dach bieten.

Bessere Hotels

Wer überwiegend solche Häuser bucht und diesen Hoteltyp mag, reist in den USA – trotz (im Vergleich zur bereits guten Mittelklasse) deutlich höherer Kosten – eher günstiger als bei identischem Verhalten in Europa. **Die oben geäußerte Skepsis gegenüber längeren Reisen mit Pkw und Hotelübernachtung gilt nicht für diese Variante**. Im Gegenteil: bei »richtiger« Routen- und Quartierwahl lassen sich wunderbar abwechslungsreiche und angenehme Wochen gerade im Westen der USA verbringen. Voraussetzung ist allerdings, dass die Höhe der Kosten bei gutem Gegenwert keine besondere Rolle spielt.

Kontakte

Kontakte zu anderen Reisenden ergeben sich in Motels und Hotels (ohne Service-Einrichtungen) seltener, weil der einzelne Gast ziemlich isoliert ist. Junge Leute und alle, die in ***Hostels*** oder anderen **alternativen Quartieren** absteigen, ➤ Seite 189f, haben es da leichter.

Flugzeug und Mietwagen

Rundflug-Tickets

Kaum an der Kombination Pkw und Hotel/Motel kommt vorbei, wer eine Rundreise durch die USA plant und bei begrenzter Zeit weit auseinanderliegende Ziele besuchen möchte. Dafür und für Reisen, die schwerpunktmäßig in mehrere Cities gehen soll, sind die ***Coupon-Tickets*** amerikanischer Airlines am besten geeignet, ➤ Seite 127.

Wichtige Gesichts-punkte

Ein typischer Reisewunsch im Westen der USA betrifft den Besuch der Nationalparks des Großen Plateaus einschließlich des *Grand Canyon*, der Großstädte Kaliforniens und des recht weit nördlich liegenden *Yellowstone National Park*. Derart weit auseinanderliegende Reiseziele per Auto miteinander zu verbinden, erfordert erhebliche Fahrleistungen durch zum Teil unattraktive Wüstengebiete und viel Benzin. Erheblich einfacher ist es da, im Rahmen einer längeren Reise mehrere Städte anzufliegen und von dort kleinere Rundreisen zu starten.

Kombinierte Trips Pkw/Motel und Campmobil

Eine schöne Möglichkeit ist z.B., zwei kürzere Trips per Pkw/Hotel ab San Francisco (in die Nationalparks der Sierra Nevada und zurück über Morro Bay und Monterey entlang der Pazifikküste auf dem Highway #1) und Salt Lake City (zu den *Grand Teton/Yellowstone National Parks*) zu unternehmen, und dann – etwa ab Las Vegas – noch eine Woche Camperreise anzuschließen. In der Hochsaison ist das bei zwei Personen nicht oder unwesentlich teurer, dafür entspannter als eine durchgehende 4-Wochen-Tour im Wohnmobil.

*Mit den Zubringerflugzeugen sogenannter **Commuter Airlines** geht es von den Groß-Flughäfen (hier Las Vegas) zu Kleinstädten und Nationalparks. Während Einzeltickets für Kurzstrecken unverhältnismäßig teuer sind, erlauben Coupon-Tickets meist auch die Nutzung der Maschinen der »Commuter-Töchter« der landesweit operierenden Airlines.*

Bus und Eisenbahn

Eignung

Die starke Favorisierung des Autos für die Amerikareise weist bereits darauf hin, dass andere Verkehrsmittel weniger geeignet erscheinen. Tatsächlich ist das **öffentliche Verkehrssystem** in den USA bei weitem nicht so flächendeckend angelegt wie in Europa und **in den Weststaaten ganz besonders dünn**. Dort, wo Bus oder Eisenbahn existieren, liegt die Verkehrsfrequenz extrem niedrig. Für Ausländer einzig diskutabel sind in Anbetracht relativ hoher Preise für Einzeltickets die jeweiligen Netzkarten der Monopol-Buslinie ***Greyhound*** und des Passagier-Schienenverbundes **Amtrak**. Zu den technisch-organisatorischen Details ➤ Seiten 129 ff.

Greyhound: Vor- und Nachteile

Alleinreisende finden – abgesehen vom Trampen, siehe unten – keine preiswertere Form des Reisens in den USA als den ***Greyhound-Ameripass***, selbst wenn noch zusätzliche Tickets für Regionalbusse hinzukommen. Wer die USA per Bus entdecken will, muss bereit und in der Lage sein, allerhand **Unannehmlichkeiten** in Kauf zu nehmen. Dazu gehört u.a. die Fähigkeit, lange Stunden in bisweilen vollbesetzten, unter- oder überklimatisierten Bussen in nicht immer bequemen Sitzen zu ertragen.

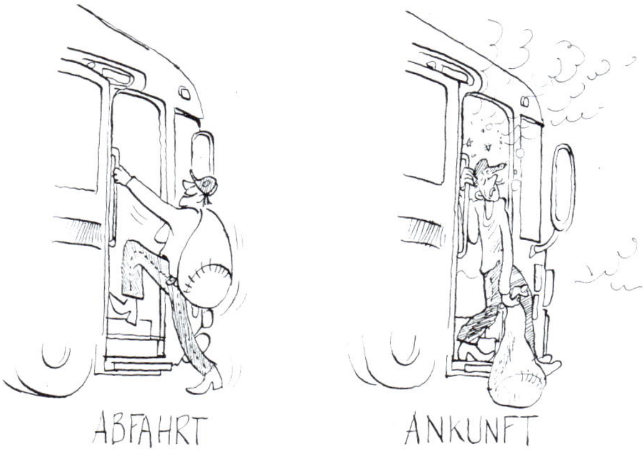

Bei Langstrecken ist oft keine direkte Fahrt ohne Umsteigen möglich. Dann sind Wartezeiten durchaus schon mal morgens zwischen zwei und sechs Uhr fällig. Wenn man Pech hat, auch in Busbahnhöfen in eher kritischen Stadtteilen.

Übernachtung

Haltestellen gibt es nur in Ortschaften von bestimmter Größe an aufwärts. Das hat den Vorteil schneller Reisezeiten mit wenigen Zwischenstopps, bietet aber dem Passagier kaum eine Möglichkeit zu spontanen Entschlüssen. Abseits gelegene Nationalparks (das sind fast alle) und andere lohnenswerte Ziele mit dem Bus zu erreichen, stößt durchweg auf Schwierigkeiten. Wegen des ebenfalls überwiegend unzureichend ausgebauten, teilweise überhaupt nicht vorhandenen Nahverkehrs ist **Camping für Busreisende schwer realisierbar**; es sei denn unter Inkaufnahme kilometerweiter Fußmärsche oder hoher Taxikosten. Frustration wird nicht ausbleiben, wenn bei abendlicher Ankunft das einzige Hostel kein Bett mehr frei hat, und das Stadthotel in der Nähe der *Greyhound Station* $80 für ein schäbiges Zimmer fordert.

Unterwegs-Kontakte

Andererseits ist festzuhalten, dass man im Auto viel isolierter fährt als im Bus, und manch einer gerade deshalb den *Greyhound* mit seinen Kontaktmöglichkeiten vorzieht. Wen dieser Aspekt interessiert, muss aber wissen, dass *Greyhound* heute im wesentlichen ein Transportmittel für Bürger der Unterschicht und Randgruppen ist. Denn wer es sich irgend leisten kann, fliegt oder benutzt sein eigenes oder gemietetes Auto.

Im *Greyhound* durch Amerika reisen bedeutet daher u.a., Seiten des Landes kennenzulernen, die dem Auto-Urlauber weitgehend verborgen bleiben.

Eisenbahn/ Amtrak

Das *Amtrak*-Netz im Westen (➤ Abbildung Seite 135) ist überaus weitmaschig. Die meisten Staaten sind nur noch von einem oder zwei Schienensträngen durchzogen, auf denen Personenverkehr – oft nur einmal (!) täglich oder weniger je Fahrtrichtung – abgewickelt wird. Wyoming lässt sich mit der Eisenbahn überhaupt nicht mehr erreichen, und damit auch nicht der *Yellowstone* Park in der äußersten Nordwestecke des Staates. Genausowenig wie die Mehrheit der Nationalparks und anderer Sehenswürdigkeiten. Die Benutzung der Eisenbahn in den Weststaaten macht nur Sinn für echte Fans.

Green Tortoise/ Adventurebus

Für junge Leute und Junggebliebene eine **sehr bedenkenswerte Alternative** zu Greyhound und *Amtrak* bieten auf einigen Routen (Seattle–San Francisco/SFO–Boston) und für Rundfahrten die Firmen ***Green Tortoise*** und ***Adventurebus***. Anstelle der Sitzbänke sind in den Bussen Matratzen-Etagen installiert (damit kein Übernachtungsproblem!) und im vorderen Bereich ist eine Art Cafeteria eingerichtet, ➤ Seiten 131/164.

Trampen und Auto-Transport

Der Vollständigkeit halber seien an dieser Stelle auch bereits die beiden Fortbewegungsmöglichkeiten erwähnt, die sich nicht vorbuchen lassen:

Trampen, in den USA als ***Hitchhiking*** bezeichnet, ist nur für eine kleine Minderheit eine bedenkenswerte Möglichkeit. Was dabei zu beachten ist, findet sich im Abschnitt 3.3.6.

Das ***Auto Drive-Away***, der Transport von Fahrzeugen von A nach B, für die sich auch der Tourist als Gelegenheitsfahrer bewerben kann und bei »Anstellung« lediglich die Benzinkosten trägt, kommt ebenfalls nur für relativ wenige USA-Reisende in Frage; und dann eher in Ergänzung anderer Transportmittel, ➤ Seite 163; www.autodriveaway.com.

Per Fahrrad durch Amerika von Ulf Knittel

Auch eine **Radtour** wäre eine Möglichkeit, speziell gilt das für die **Weststaaten**. Man muss dafür durchaus nicht drahteselbesessen sein. Vom Sattel aus kann man Amerika wirklich er-fahren und seine traumhaften Landschaften in vollen Zügen genießen. Radfahren heißt **langsam, aber intensiv reisen**, Kontakte knüpfen und (vielleicht) ein bisschen mehr Abenteuer erleben als bei anderen Reiseformen.

Grundsätzlich muss man unterscheiden zwischen Touren entlang der Westküste und im Inland. In der Weite des Westens braucht man unbedingt eine besonders gute Kondition. Denn die Tagesetappen sollten weit über 100 km liegen, sonst kommt man nicht genug voran. In dieser Beziehung weniger anspruchsvoll ist ein Trip entlang der Küste (***Highway #1***). Steigungen und Serpentinen, die das Herz von Radsportlern höher schlagen lassen, gibt es dort aber auch und Campingplätze mit separaten ***Hike & Bike Sites*** (für Radler und Wanderer) abseits des Autotourismus. Außerdem trifft man dort auf viele Gleichgesinnte.

Radwege sind in Amerika rar. Dennoch liegt Radfahren auch in den USA voll im Trend. In fast allen Städten existieren ***Bike Clubs***, bei denen man wertvolle Tips erhalten oder auch mal mit auf Tour gehen kann. **Fahrradläden** findet man zumindest in größeren Ortschaften.

Selbst Pannen »weitab vom Schuss« bilden kaum ein Problem, denn Amerikaner sind sehr hilfsbereit (umso mehr, je einsamer die Gegend ist) und nehmen einen »trampenden« Radfahrer ohne weiteres mit bis in die nächste Stadt.

Wer erwägt, Amerika mit dem Fahrrad zu entdecken, dem kann man nur zuraten. Ein Höchstmaß an Freiheit und Unabhängigkeit warten, und ganz nebenbei ist **Radfahren** auch noch **die billigste Art zu reisen**.

Mit dem Fahrrad am Rand des Grand Canyon

1.2.3 Amerikareise mit Kindern

Sollte man mit Kindern, womöglich mit ganz kleinen, eine Reise nach bzw. durch Amerika unternehmen? Der Autor selbst kann nur von positiven Erfahrungen berichten.

Flugtarife für Kinder

Zunächst zum Flug: wer **Kleinkinder** im Alter von unter 2 Jahren mitnimmt, zahlt ohne Anspruch auf einen Sitzplatz – je nach Airline – 10%-15% des Erwachsenen-Tarifs oder einen geringen Fixbetrag. Empfehlenswert ist der Kleinkindtarif in Anbetracht der Flugdauer zu Zielen im US-Westen kaum, da die Eltern mit ihrem Sprössling auf dem Schoß 10-11 Stunden Flug durchhalten müssen. Mit Glück erwischt man vielleicht eine weniger ausgebuchte Maschine und hat einen freien Platz neben sich. Aber darauf lässt sich nicht gut spekulieren, am wenigsten zwischen Mai und September und generell nicht auf Wochenendflügen. Möchten die Eltern vermeiden, eventuell völlig erschöpft und entnervt anzukommen, bleibt nichts weiter übrig, als den Tarif 2-11 Jahre mit Sitzplatzanspruch auch fürs Baby zu bezahlen.

Kinder zwischen 2 und 11 Jahren kosten je nach Airline 50% bis 75% des jeweiligen vollen Tarifs. Eine Airline mit den günstigsten Tarifen für Vollzahler ist daher nicht notwendigerweise auch die preiswerteste für eine Familie mit Kindern. Ein Flug z.B., der für Vollzahler €100/Person mehr kostet, aber 50% Kinderrabatt bietet, kann für Eltern mit 2 Kindern gegenüber einem billigeren Flug mit nur 25% Kinderermäßigung die bessere Alternative sein.

Der Flug: Non-Stop oder direkt?

Mit **Kleinkindern** sollte man darauf achten, dass die Maschine non-stop zum Ziel fliegt. Das ungenaue Wort Direktflug impliziert oft, dass zwischengelandet wird. In manchen Fällen heißt das: raus aus dem Flugzeug und – nach bisweilen gar nicht kurzer Wartezeit – wieder rein. Auch die identische Flugnummer von Frankfurt zum Ziel sagt nicht unbedingt, dass nicht zwischengelandet wird.

Umsteigen

Mit etwas größeren Kindern – etwa ab 5 Jahren – hat andererseits eine Zwischenlandung mit Umsteigen in den USA auch ihr Gutes, sofern der Aufenthalt nicht über zwei Stunden beträgt und alles glattläuft. Denn die Zeit im Flugzeug ist zunächst nicht so lang wie an die Westküste, und man vertritt sich ein wenig die Beine vor dem dann nur noch relativ kurzen Anschlussflug. Da Pass- und Zollkontrolle am Umsteige-Airport stattfinden, gibt's am eigentlichen Ziel keinen Stress mehr damit. Ohnehin läuft in Flughäfen im Inland wie Pittsburgh, Cincinnati, Atlanta oder Dallas, wo die Zahl der internationalen Ankünfte nicht so groß ist wie in den Küstenstädten, die Immigrationsprozedur häufig entspannter ab.

Reisekosten

Abgesehen von den Kosten fürs **Flugticket** und **Eintrittsgelder** für (leider immer teurer werdende) *Amusementparks* etc. erhöhen Kinder die Amerika-Reisekosten nicht proportional, sofern die Familie per Auto unterwegs ist. Denn der **Leihwagen** bzw. **-camper**

Die Wahrheit über Wohnmobilferien mit Kindern

Sie planen eine USA-Rundreise im Camper? Mit ihren Kindern, bevor sie ins schulpflichtige Alter kommen und nur noch zur Hauptsaison gereist werden kann? Das ist eine gute Idee, und die Kinder werden bestimmt viel Spaß haben. Nur Ihre Überzeugung, dass durchschnittlich 150 Meilen am Tag locker zu schaffen sein müssten, die sollten Sie schnell vergessen. In Wahrheit dürfen Sie froh sein um jeden Kilometer, den Sie sich von der Mietstation entfernen:

Zunächst einmal wollen Sie in den Ferien doch nicht mit den Hühnern aufstehen. Vor 8 Uhr aus dem Bett kommt also nicht in Frage. Und abends auf dem Campingplatz liegt ja einiges an: Einchecken, Auto klarmachen, Abendessen, vielleicht Lagerfeuer und Gutenacht-Geschichte, Zähneputzen und spätestens um 21 Uhr ins Bett mit den Kindern. Das klappt alles nur bei Ankunft spätestens um 18 Uhr. Folglich sind noch 10 Stunden täglich für die eigentliche Reise übrig minus:

Morgenwäsche, Anziehen, Frühstück	60 min
Abwaschen, Camper startklar machen, Wasser auffüllen	30 min
Abschied von Platznachbarn/Kinder einfangen etc.	20 min
Zur Dumping Station fahren, Abwasser ablassen inkl. Wartezeit (mindestens 1 Wohnmobil vor Ihnen)	15 min
Endlich losfahren:	
Pinkelpausen in summa (knapp gerechnet)	30 min
Einkauf Supermarkt	60 min
Ausprobieren Spielgeräte und Kaugummiautomaten	15 min
Tanken, Öl und Luftdruck checken, Scheiben reinigen, Kaffee, Popcorn und Cola besorgen, zu Hause anrufen	30 min
Mittagssnack im Fast Food Lokal oder Picknick	30 min
Eltern Beine vertreten/Kinder 2x Spielplatz, Besuch von Kleintierzoos, kommerziellen Kinderfallen u.a.	60 min
Zusatzeinkäufe wegen Sonderwünschen der Familienmitglieder (Postkarten, Briefmarken, T-Shirts etc. pp.)	30 min
Nachmittagskaffee oder Eisessen	30 min
Anhalten bei der Touristinfo, Material einsammeln und studieren, Erkundigungen einziehen	30 min
Kartenstudium unterwegs, Campingplatz aus dem Führer suchen, günstigste Zufahrt erfragen, verfahren	30 min
Sonstige Zeiten (wie Warten in der Bank, Gasauffüllen, kleine Reparaturen, Verkehrsstau) im Schnitt mindestens	30 min
Summe	500 min

Von den 10 Stunden bleiben also ohne hier noch gar nicht berücksichtigte Unwägbarkeiten wie Werkstattaufenthalte, Arztbesuche etc. und eher knappe Zeitansätze ganze 100 Minuten pro Tag. Rechnet man davon je die Hälfte für den Besuch von Sehenswürdigkeiten und Fahrt bei 80 km/h, dann ginge es durchschnittlich 60 km täglich voran. In 20 Tagen z.B. entspräche das immerhin einer schönen Rundtour von San Francisco zum Yosemite Nationalpark und zurück durch die Sierra Nevada.

Das genügt Ihnen nicht? Na ja, wenn Sie morgens um 5 Uhr aufstehen, dann klappt es vielleicht mit den 150 mi/Tag und ein paar Fotostopps. Aber sagen Sie am Ende nicht, das hätten Sie sich anders vorgestellt!

kostet einen festen Tagessatz unabhängig von der Belegung. Das Gros der **Hotelzimmer** verfügt über zwei Doppelbetten, wobei der Übernachtungspreis nur geringfügig mit der Anzahl der Personen im Zimmer steigt (➤ Seite 179). In vielen Fällen braucht für Kinder (bis zum Jugendlichenalter, variiert im Einzelfall) im Zimmer der Eltern überhaupt kein Aufschlag gezahlt werden. Auch auf die **Campingkosten** haben zusätzliche Personen nur einen unwesentlichen (bei Privatplätzen) bis gar keinen Einfluss (staatliche Plätze). Das Eintrittsgeld in **Nationalparks** gilt weitgehend unabhängig von der Besetzung immer für die Wagenladung, wenn diese 6 Personen ist nicht übersteigt.

Unterwegs

Soweit zu den Kosten. Dass die Attraktion vieler Sehenswürdigkeiten und möglicher Aktivitäten in Amerika (siehe die vorhergehenden Abschnitte 1.1.2 bis 1.1.5) auch für Kinder groß ist, bedarf keiner besonderen Erläuterung. Egal, welche Reiseroute die Eltern sich zurechtgelegt haben (sofern der Nachwuchs noch nicht mitentscheiden kann), an praktisch jeder Strecke gibt es auch für die Kinder genug zu sehen und zu erleben, dazu sowieso die überall gleichen, bei den meisten Kindern überaus beliebten *Fast Food Restaurants*, Supermärkte und *Shopping Malls*.

Camping

Sofern gecampt wird, was der Autor bei einer Reise mit Kindern im US-Westen noch stärker als sowieso schon empfehlen würde, bieten amerikanische Campingplätze von Anlage, Einrichtungen und Gelände her mehr als ihre europäischen Pendants. Kommerziell geführte Plätze wie auch viele *State Parks* verfügen über *Children's Playgrounds;* viele *Campgrounds* in den *National Forests* und anderswo sind für sich allein schon von Gelände und/oder Anlage her Abenteuerspielplätze (➤ Seite 195).

Hier ein Kletterfelsen mit unterschiedlich schwierigen Aufstiegen in Mammoth Lakes/California südöstlich vom Yosemite Nat'l Park. Eine volle Stunde Klettern kostet $15. Eltern, Freunde oder Helfer sorgen für die Sicherung.

Spielplätze

Möglichkeiten zum Austoben finden sich im übrigen nicht nur auf Campingplätzen. Selbst in kleinen Orten gibt es **Stadtparks**, die sich zum Ballspielen und überhaupt für körperliche Aktivitäten immer eignen. Meistens verfügen sie auch über einen Kinderspielplatz; gerade in den letzten Jahren entstanden viele neue, vorbildliche Anlagen. Sehr praktisch an langen Fahrtagen sind die kompakten (und meist sauberen!) **Kinderspielplätze der *Fast Food* Ketten** *Burger King, McDonald's, Carl's Junior* u.a. Kleine Kinder lieben diese Plätze (besonders, wenn sie mit Plastikball-Wannen, Rutschen und Kletternetzen ausgestattet sind), die im harten Konkurrenzkampf immer attraktiver werden. An ihnen führt mit Kindern zwischen 3 und 8 Jahren kaum ein Weg vorbei, auch wenn damit der Verzehr der jeweiligen *Fast Food* fast unausweichlich wird. Immerhin aber lassen sich bei *McDonald's & Co* die ohnehin anliegende Zwischenmahlzeit, »Pinkelpausen« und die Notwendigkeit, den Bewegungsdrang der Kinder zu kanalisieren, sinnvoll miteinander verbinden.

Derartig attraktive Spielanlagen sind bei McDonald`s in den USA keine Ausnahme, sondern in allen größeren und vielen kleinen Orten zu finden

Krankheit

Eigentlich gibt es auf Reisen mit Kindern nur eine, lediglich eventuelle Problematik: In den USA ist es schwieriger als bei uns, im Krankheitsfall einen Arzt zu finden, wenn man sich auf der Durchreise befindet und niemanden kennt außer das Hotelpersonal oder den Zeltplatznachbarn, ernste Notfälle ausgenommen. Da man sich voraussichtlich nicht ganz selten weiter weg von der Zivilisation und damit vom nächsten Hospital entfernt, als in Europa normalerweise überhaupt möglich ist, sollte man auf Eventualfälle bei einem Urlaub mit Kindern gut vorbereitet sein.

Eine ordentliche Reiseapotheke und ein gut sortierter **Erste-Hilfe-Kasten** können nicht schaden, ➤ auch Seite 124. Wenn die Kinder aber an sich gesund sind, birgt eine Amerikareise ganz sicher keine unkalkulierbaren Risiken.

Als Frau allein mit Kindern im Camper unterwegs

Ein Beitrag von Hilde Spanger

Als ich gemeinsam mit meinen beiden Söhnen – damals 11 und 14 Jahre alt – unsere erste von bisher drei Touren durch den Westen der USA plante, war die Reaktion im Freundes- und Verwandtenkreis neben ungläubiger Bewunderung fast überall Skepsis. Dass ich, eine Autofahrerin aus Notwendigkeit und nicht aus Leidenschaft, ohne die geringsten technischen Kenntnisse ein solches Abenteuer wagen wollte und mir eine Tour von über 5.000 Kilometern in vier Wochen ohne (erwachsenen) männlichen »Beistand« zutraute, schien zumindest nicht selbstverständlich.

Um es gleich vorweg zu sagen – tatsächlich ist so ein Unternehmen überhaupt kein Problem, auch wenn kein zweiter Fahrer zur Verfügung steht. Ganz wichtig für das Gelingen unserer Reisen, denke ich, war die jedes Mal ziemlich intensive Vorbereitung. Darüber, wo wir starten wollten, welche Hotels uns für die erste Nacht und die letzten Tage als geeignet erschienen und welcher Wohnmobiltyp uns zusagte, darüber hatten wir uns schon allerhand Gedanken gemacht, diskutiert und Kataloge gewälzt, bevor wir letztlich buchten.

Beim Wohnmobil war für uns (neben den Kosten) ganz wichtig, dass der dritte Passagier nahe bei Fahrer und Beifahrer sitzen konnte und wir uns auch während der Fahrt alle gut miteinander verständigen konnten.

Der entscheidende Teil der Planung war die Reiseroute. Unsere Vorstellungen von dem, was wir sehen wollten, mussten wir – mit der Straßenkarte vor Augen und der zur Verfügung stehenden Zeit – in einen realisierbaren Plan umsetzen. Ein wesentlicher Aspekt dabei war, dass die Tagesetappen immer bei Tageslicht geschafft werden sollten.

Praktisch haben wir Strecken von 50 km bis 450 km pro Tag bewältigt und dafür fast immer länger gebraucht als veranschlagt. Denn für Fahrpausen, für Einkäufe und Essengehen hatten wir regelmäßig zu wenig Zeit vorgesehen. Trotzdem gelang es uns, den ursprünglichen Reiseplan einigermaßen einzuhalten, und so wussten wir von vornherein, wo wir jeweils die Nacht unterkommen wollten. Das im voraus bekannte Tagesziel gab mir Sicherheit auch dann, wenn es mal etwas später wurde. Obwohl wir auf unserer ersten Fahrt die meisten ins Auge gefassten Campingplätze auf gut Glück ansteuerten (also nicht reserviert hatten, was großenteils auch gar nicht möglich war), sind wir nie abgewiesen worden, nicht einmal im *Yellowstone Park*. Bei den nächsten Reisen hatte ich dann aber die *Campgrounds* im *Grand Canyon* und *Yosemite Park* (➤ Seite 201) lange im voraus reserviert. Unsere Detailplanung war unterwegs eine große praktische Hilfe – obwohl wir uns durchaus nicht immer genau daran hielten – und hat uns den Kopf frei gehalten wie auch mehr Zeit gelassen für die Dinge, die wir in Amerika erleben wollten.

Wie eingangs erwähnt, hatten wir das Wohnmobil für alle Reisen von Deutschland aus gebucht, auf den ersten beiden Fahrten einen kleineren 19 Fuß-Van Camper (5,70 m), auf der dritten ein *Motorhome* mit 22 Fuß (ca. 6,50 m). Für amerikanische Verhältnisse handelt es sich beim *Van Camper* um einen sehr kleinen Wagen, und beim *Motorhome* um die kleinste verfügbare Kategorie.

Für uns waren sie gerade richtig. Ich konnte beide gut handhaben, obwohl mich angesichts der Ausmaße »unserer« Camper jedesmal fast (wieder) der Schlag traf. Solche Ungetüme sicher über viele tausend Meilen zu steuern, schien mir auf den ersten Blick fast unmöglich. Meine Kinder machten mir aber Mut: »Gemeinsam schaffen wir das!« Und so war es auch. Man/frau kommt nach kurzer Gewöhnung mit diesen Campmobilen ganz gut zurecht, aber es ist angenehm, wenn in bestimmten Situationen – Rückwärtsfahren, Wenden, Einparken und Überholen – jemand da ist, der mitgucken kann. Mit ganz kleinen Kindern, die das noch nicht leisten können, hat man es vor allem mit dem großen *Motorhome* schwerer.

Zunächst jagte mir nicht nur die Größe unseres Autos einen Schrecken ein, auch die erste engere Kurve hatte es gleich in sich: Obwohl ich alles gut verstaut hatte, wie ich glaubte, flogen Bücher und alles mögliche mit großem Getöse wild durchs Auto. Ich sah schon auf den ersten Metern das Ende der Reise gekommen. Von da an achteten wir mehr auf Sicherheit als auf Ordnung, und es klappte besser. Aber ganz lösen konnten wir das Problem nie: immer mal wieder schossen in Kurven oder bei starkem Bremsen ein Buch, die Zahnpastatube und andere Gegenstände durch den Wagen. Ganz besonders misslich sind bei der Abfahrt übersehene, bereits geöffnete Getränkedosen oder Milchtüten, wie wir leidvoll erfahren mussten.

Zu fahren waren die Camper im Grunde einfach, alle hatten ein Automatikgetriebe, so dass ich mich auf das Wesentliche konzentrieren konnte. In die Technik wurde ich bei der Übernahme gut eingewiesen. Auch in der Betriebsanleitung stand zum Vergewissern noch einmal, wo welcher Ölstab zu finden ist und wie das Wasser aufgefüllt/entsorgt werden muss.

Gefeit vor Pannen waren wir natürlich nicht. Den kochenden Motor an einer starken Steigung (ich hatte vergessen, die Klimaanlage abzudrehen) gab es ebenso wie einen (unverschuldeten) Getriebeschaden im *Yosemite Park*. Das erste Gefühl in so einer Situation ist Panik. Als ich dann auch noch den Ersatzwagen, der gebracht wurde (statt eines *Van Camper* ein ausgewachsenes *Motorhome*, das viel höher und breiter ist), bei einem *McDonald's Drive-in* unters Dach setzte, war die Stimmung nicht mehr die beste.

Die Autorin mit Freunden beim Picknick am Kings Creek im Lassen Volcanic National Park

Aber selbst in solchen Situationen kam Hilfe immer rasch – ob es sich um den Ranger im *Yosemite* handelte, um fachkundigen Rat auf dem Parkplatz bei kochendem Motor oder um hilfsbereite Männer, die unser Auto von dem McDonald'schen Dach befreiten.

Letztendlich konnten wir selbst solchen Problemen etwas Positives abgewinnen, wie etwa bei dem Getriebeschaden, als wir drei Tage ohne fahrbaren Untersatz waren. Die Zeit nach dem ersten Schrecken haben wir ganz einfach genossen: wir hatten Zeit zum Wandern, Schlauchboot fahren, Schwimmen und faulenzen. Unsere besondere »Mutter-mit-2-Kindern-Konstellation« hat solche Probleme nicht erschwert, im Gegenteil: jeder wusste, dass er seinen Anteil am Gelingen der Reise zu leisten hatte und dass Meckern oder Unzufriedenheit nicht angesagt war. Zum Glück hatten meine Söhne darauf bestanden, ein kleines Zelt mitzunehmen, so waren wir beim Übernachten vom Wagen teilweise unabhängig. Wir haben das Zelt bei allen Reisen immer dann aufgebaut, wenn wir länger als eine Nacht auf einem Platz blieben.

Dass nicht nur Frauen mit einem Wohnmobil Missgeschicke passieren, erfuhren wir bei der Rückgabe des Fahrzeugs. Männliche »Rückkehrer« tauschten sich wie selbstverständlich über abgefahrene Seitenspiegel, Beulen in Kotflügeln und über im Wege stehende Bäume aus.

Grundsätzlich hat mir das Fahren auf Amerikas Straßen im wesentlichen kaum Probleme gemacht, obwohl entgegen verbreiteter Vorstellung nicht alle Straßen gut ausgebaut sind. Vor allem auf entlegeneren Strecken mussten wir so manches Schlagloch umfahren, zwar ohne Schaden für den den Wagen, manchmal aber mit einigem Herzklopfen. Ich erinnere mich zum Beispiel an die Fahrt von *Mesa Verde Park* zum *Canyon de Chelly*, wo es mitten im einsamen Navajo-Reservat über einen Gebirgszug ging – auf einer Straße, die auf der Karte ganz »normal« aussah, uns aber 15 mi (rund 3 Stunden!) zittern ließ, bevor wir wieder sicheren Asphalt erreichten. Dort wäre Hilfe weit gewesen. Wir bemühten uns von da an, kleinere, verdächtig aussehende Abkürzungen zu meiden und lieber auf Nummer Sicher zu gehen. Andererseits besitzen in der Erinnerung derartige, letztlich gut bewältigte Abenteuer ihren besonderen Reiz.

Alle anderen Routen waren problemlos, wobei sich auch kurvenreiche Gebirgsstrecken selbst mit dem großen Camper ohne Schwierigkeiten befahren ließen. Die Bemerkung meines jüngeren Sohnes »Wir sind immer die ersten, nie fährt jemand vor uns,« macht aber deutlich, dass ich mit dem Gaspedal vorsichtig umging. Von drängelnden potentiellen Überholern hab` ich mich nie beirren lassen. Im übrigen ist der Verkehr vor allem abseits der großen Städte eher ruhig. Selbst lange Fahrten durch Regionen, die wir nicht so interessant fanden, wenn ich dann manchmal über sieben Stunden am Tag am Steuer saß, empfand ich erstaunlicherweise nicht als übermäßig anstrengend.

Was das Campen betrifft, so hatte ich vor den USA-Reisen überhaupt keine Campingerfahrung. Zu Beginn unserer Reisen hatte ich daher geglaubt, so eine Campingtour sei am besten zu meistern, wenn man sich einmal in der Woche in einer »ordentlichen« Unterkunft, im Motel also, von den Anstrengungen des Campens erholen kann. Diese Möglichkeit haben wir auf unseren drei Reisen insgesamt nur zweimal genutzt, als wir wegen einbrechender Dunkelheit nicht mehr weiterfahren wollten. Ansonsten haben wir »richtige« Betten nicht vermisst, ganz im Gegenteil, wir sind große Fans amerikanischer Campingplätze geworden.

Auch wenn die sanitären Verhältnisse manchmal nicht so ganz toll waren, haben uns die Campanlagen in den *National* und *State Parks* am besten gefallen. Selbst auf Plätzen, an denen ein Schild »*Campground full*« stand, gelang es uns mehrfach, doch noch unterzukommen. Den Rangern fiel es möglicherweise leichter, im Fall einer Mutter mit Kindern eine Ausnahme zu machen.

Das authentischere Campingvergnügen hatten wir mit dem kleinen Fahrzeug, da sich – notgedrungen – das Leben auf den Campingplätzen dann wirklich im Freien abspielen musste. Der Innenraum ist eng, das Auf- und Abbauen beispielsweise des Tisches war lästig. Selbst bei weniger gutem Wetter kocht und isst man dann lieber draußen. Das *Motorhome* war zwar gemütlicher, aber fast schon zu luxuriös für eine Campingtour. Der große Kühlschrank, der den Kauf einer Ice-Box für Getränke überflüssig machte, war jedoch angenehm. Und meinen Söhnen gefiel besonders der großzügige Platz zum Schlafen im Alkoven über dem Fahrerhaus.

Die Stellplätze auf den meisten *Campgrounds* in den *National Parks* oder *National Forests* waren meistens so groß, dass man von den Nachbarn kaum etwas bemerkte und wir uns mitten in der oft grandiosen Natur sogar einsam vorkamen. Die größte Herausforderung war für uns jedesmal wieder, ein schönes Lagerfeuer zu entfachen und uns in der Kunst des Grillens zu üben. Der Reiz, ein saftiges Steak essen zu können, war groß, und so haben wir, wann immer möglich, die Gelegenheit ausgiebig genutzt. Grillroste an der Feuerstelle oder auch separat gibt es auf fast allen Campingplätzen, sie waren aber manchmal ziemlich ramponiert, so dass wir uns einen eigenen kleinen Grillrost zulegten.

Ich wagte es leider nicht, irgendwo »wild« zu campen, was meine Jungen bedauerten, die gerne noch etwas mehr Abenteuer erlebt hätten.

Neben den vielen wunderschönen Plätzen in den *National Parks*, die für uns des öfteren auch Ausgangspunkt für Wanderungen waren, haben wir auch immer wieder kommerziell geführte Campingplätze genutzt. Sie sind in der Regel nicht besonders schön und teurer, aber in manchen Fällen günstiger gelegen als der nächste landschaftlich attraktivere Platz. Außerdem ist der kleine Luxus vieler Privatplätze oft willkommen (Pool, Duschen) und ab und zu ganz praktisch (Münz-Waschautomaten). Mit dem Besuch solcher *Campgrounds* kamen wir zwischendurch wieder zu sauberer Kleidung, obwohl in Amerika – zur Freude der Kinder – meine Maßstäbe dieser Art schnell ins Wanken gerieten und ich Marmeladen- oder Ketchup-Flecken auf T-Shirts gut ertragen konnte.

Überhaupt habe ich auf unseren Campingtouren gelernt, viel gelassener zu sein.

1.3 Die konkrete Planung der eigenen Reise

1.3.1 Generelle Gesichtspunkte

Wichtige Aspekte

Ist einmal der Entschluss gefasst, eine Reise in die USA zu unternehmen, sollte man überlegen, welche Sehenswürdigkeiten und/oder Ferienaktivitäten in erster Linie reizen. Damit werden **geographische Eckpunkte** gesetzt, die als Basis für eine erste Planung nützlich sind, auch wenn die Gesamtheit der Wünsche vielleicht den vorgegebenen zeitlichen Rahmen sprengt. Berücksichtigt man außerdem klimatische Bedingungen und setzt die eigenen terminlichen Möglichkeiten in Relation dazu und eventuell auch noch zur amerikanischen Feriensaison, fallen oft schon einige der zunächst vorgesehenen Ziele heraus. Es ergibt sich eventuell rasch ein durchführbarer, den persönlichen Vorstellungen weitgehend entsprechender Reiseplan.

Weniger komplizierte Quintessenz: Bevor man Reisetermine, -ziele und -routen festlegt, sollte man die voraussichtlichen klimatischen Bedingungen kennen und auch wissen, wann die Amerikaner selbst unterwegs sind.

Dimensionen der USA

Vor Reiseantritt kann gar nicht genug darauf hingewiesen werden, dass man sich nicht zuviel vornehmen sollte. Denn immer nur ein Teil all dessen, was sehenswert und attraktiv erscheint, kann im Rahmen eines einzigen Aufenthaltes – auch wenn er zwei Monate und länger dauert – besichtigt und wirklich genossen werden. Als Europäer macht man sich selbst mit der Karte der USA vor Augen nur schwer einen Begriff von der immensen Größe des Landes und den Entfernungen (➢ ab Seite 15).

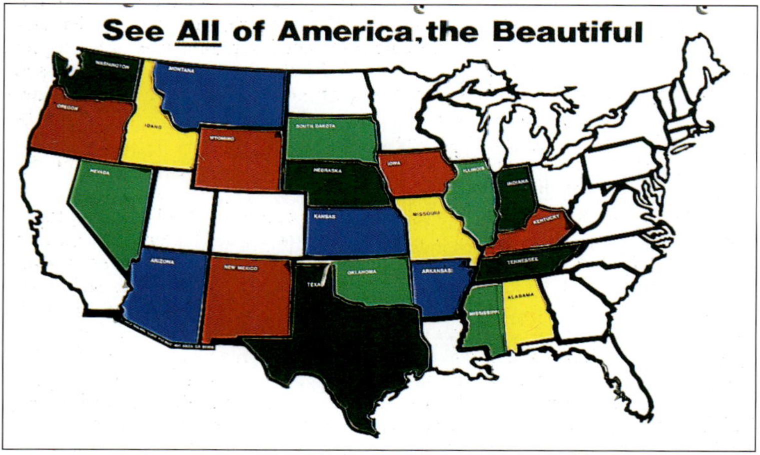

Amerikaner markieren auf ihren Campmobilen gerne die »abgehakten« Staaten

Fahrleistung

Bei einer Reise im PKW oder mit dem Camper sind 200 mi (bzw. 320 km) pro Tag das absolute Maximum dessen, was man sich – Ruhetage nicht mitgerechnet – im Schnitt zumuten sollte. Das sind bei einem 3-Wochen Urlaub mit 18 Unterwegstagen an die 6.000 km; weniger wäre besser. Für optimal hält der Autor eine **Planung**, die rein rechnerisch (Kartenentfernungen) in 3 Wochen 3.500 km nicht überschreitet. Daraus werden im Endeffekt zwar leicht bis zu 4.500 km (zur Begründung ➢ Seite 81, Stichwort »Distanzen«) und mehr, aber dennoch dürfte Spielraum bleiben, etwa für ein ungeplantes Verweilen an besonders schönen Orten, die Teilnahme an reizvollen Aktivitäten oder Veranstaltungen und den spontanen Entschluss zum Umweg.

Bei Reisen mit Bus oder Eisenbahn gilt, dass unter Berücksichtigung lokalen Transports für An- und Abfahrt zur Station und Wartezeiten mehr als vier Stunden täglicher Fahrtzeit im Reisedurchschnitt zuviel wären.

Länge der Tage

Ein Punkt, der bei Reiseplänen früher oder später im Jahr oft vergessen wird, ist die Länge der Tage. Bedingt durch die südliche Lage der USA (Los Angeles befindet sich auf nordafrikanischer Breite) **geht die Sonne früh unter**. Im Südwesten setzt die Dämmerung im September bereits gegen 18 Uhr ein. Letztlich bleibt weniger Zeit für Besichtigungen und andere Unternehmungen als im späten Frühjahr und im Sommer.

1.3.2 Reisezeiten der Amerikaner

Feriensaison in den USA

Die Ferienmonate der Amerikaner sind insofern ein wesentlicher Gesichtspunkt der eigenen Reiseplanung, als dann die bekanntesten Nationalparks, populäre Urlaubsgebiete etwa an der Pazifikküste und typische Brennpunkte des Tourismus wie zum Beispiel *Disneyland* in Los Angeles, *Fisherman's Wharf* in San Francisco oder das *Mount Rushmore Monument* oft von mehr Touristen besucht werden als manchem lieb sein dürfte. D.h., Parkplatzprobleme, ausgebuchte und teure Unterkünfte, vor Mittag schon besetzte Campingplätze und eben viel Betrieb bestimmen dann die Situation in manchen Orten und Parks.

Auswirkung der Saison

Nun ist der Zeitraum, auf den diese Kennzeichnung voll zutrifft, glücklicherweise relativ kurz, obwohl in den Vereinigten Staaten offiziell rund drei Monate von ***Memorial Day*** (letzter Montag im Mai) **bis *Labor Day*** (erster Montag im September) als **Hauptsaison** gelten. Sie entspricht traditionell den Universitätsferien zwischen zwei akademischen Jahren. Auch die Sommerferien der Schulen fallen mit unterschiedlicher Länge in diese Periode. Erfahrungsgemäß beginnt der **intern-amerikanische Ferienboom** aber erst richtigEnde Juni, nimmt in der zweiten Augusthälfte schon spürbar ab und endet mit dem ***Labor Day*** schlagartig.

Wochenende

Lediglich an Wochenenden ist von *Memorial Day Weekend* bis zum *Labor Day Weekend* überall mit viel Betrieb zu rechnen.

Denn wegen der aus unserer Sicht unsozialen Urlaubsregelungen in den USA (nur wenige berufstätige Amerikaner haben oder nehmen sich mehr als 2-3 Wochen Ferien pro Jahr, viele nicht einmal das) spielt das *Weekend* eine weit größere Rolle als bei uns. Die Bereitschaft, für den **Wochenendspaß** lange Strecken zu fahren, Ausgaben und Anstrengungen auf sich zu nehmen, ist deutlich ausgeprägter als unter Europäern. Im **Südwesten** sind die Wochenenden auch im April/Mai und nach dem *Labor Day* bis Ende Oktober bei gutem Wetter noch Ausflugstage.

Hochsaison – alles voll?

»Also wissen Sie«, sagt mir am Telefon der Leser, »Ihr Buch hat uns ja sonst gut gefallen, aber was Sie da über die Motels schreiben, das stimmt nicht. Wir waren im Juli unterwegs, und alles war knüppeldicke voll.« Wie ich behaupten könne, es gäbe selbst im Sommer im allgemeinen keine übermäßigen Probleme, ein Zimmer zu finden (➤ Seite 176), sei ihm unverständlich. Das möge ich doch in Folgeauflagen ändern.

Das ist indessen nicht nötig, denn die Feststellung stimmt im Grundsatz nach wie vor. Es kam nämlich heraus, dass dieser Leser nur durch Kalifornien gereist war und zwar von einem touristischen Highlight zum nächsten, und das auch noch ohne Hotelführer. Die 800-Reservierungsnummern für die großen Motelketten hatte er nicht benutzt, die Möglichkeiten des Internet ebenfalls nicht.

Tatsächlich sind im Einzugsbereich der Ballungsgebiete Los Angeles, San Diego und San Fancisco Bay (das sind 70% der Fläche Kaliforniens) alle attraktiven Ziele an **Sommerwochenenden** stark gebucht. Die populärsten wie Monterey/Carmel oder die Umgebung des *Yosemite Park* oder Lake Tahoe **in der Ferienzeit** auch an Wochentagen. Wer dort nicht spätestens bis 16 Uhr sein Zimmer sichert (im Fall *Yosemite* und Umgebung möglichst mehrere Tage oder länger im voraus), hat schlechte Karten. Wirklich mittel- oder langfristig ausgebucht sind aber meist nur bekannt gute und zugleich preiswürdige Häuser und Unterkünfte wie Resort-Hotels mit allen Schikanen für Urlaubsspaß.

Wer die **Wochenendproblematik** beachtet und freitags/samstags die Touristenmagnete meidet, wird auch im Sommer im allgemeinen »auf Sicht« ohne größere Probleme ein Nachtquartier finden, vorausgesetzt, dass

- eine gewisse örtliche Flexibilität vorhanden ist
- die Suche nicht erst nach 18 Uhr beginnt
- keine engen Präferenzen bezüglich Preis und/oder Qualität existieren

Weiß man schon, wo übernachtet werden soll, kann eine telefonische oder Internetreservierung nicht schaden. Oft führt bereits der erste Kontakt zum Erfolg. Man sieht aber natürlich erst vor Ort, ob die getroffene Wahl glücklich war. Selbst die schönen Fotos und Beschreibungen, die man auf dem Laptop zu sehen bekommt, entsprechen oft nicht so ganz den realen Verhältnissen vor Ort. Denn die gammligen Ecken im Badezimmer werden ja nicht gerade ins Netz gestellt. **Samstagsbuchungen** bereits ein paar Tage vorher sind nicht nur in der Hochsaison eine gute Idee. Denn man weiß ja nie, ob nicht lokale Ereignisse selbst im Mai schon mal für ausgebuchte Zimmer sorgen.

Absolute Hochsaison

Man hat auf jeden Fall mehr von der Reise und vermeidet obendrein die Hochsaisonpreise bei Flügen und ggf. Campermiete, wenn es gelingt, sie außerhalb der absoluten Spitzenzeiten zu legen, also vor Mitte Juni und nach *Labor Day* (= ab September). Andererseits ist festzuhalten, dass von der Saison weniger spürt, wer Top-Sehenswürdigkeiten möglichst an Werktagen ansteuert und sich sonst eher abseits der touristischen Hauptpfade hält (siehe die entsprechenden Streckenbeschreibungen).

Im übrigen gilt in Amerika eine andere Definition von »voll« oder »überlaufen«. Europäische Verhältnisse wie am Mittelmeer, der deutschen Ostseeküste und beliebten anderen Urlaubszielen und die dazugehörigen ferienbedingten Verkehrsstaus existieren im-Westen der USA so gut wie nicht, sieht man vom Sonderfall *Yosemite National Park* und Wochenend-Rückreiseverkehr in Richtung der großen Cities ab.

1

1.3.3 Klima in den Weststaaten

Saison und Klima

Reisen außerhalb der beiden Monate Juli/August sind im besonders attraktiven Südwesten gleichzeitig auch klimatisch empfehlenswerter, dagegen gibt es andere Regionen, für die der Hochsommer eindeutig die beste Reisezeit ist. Im Mai oder Oktober darf man etwa im *Yellowstone* Nationalpark nicht auf gutes Wetter hoffen, vielmehr ist mit **Kälte** und Sperrung der Pässe wegen **Schnee** zu rechnen. Selbst die Monate Juni und September können dort witterungsmäßig kritisch sein. Kurz: Wer Yellowstone »im Auge« hat, findet die besten Bedingungen vor Ort im Juli und August vor. Das Beispiel zeigt, dass durchaus nicht alle Reisevorhaben sich mit Aussicht auf leidlich gutes Wetter beliebig – sagen wir – zwischen April und Oktober realisieren lassen.

Klimazonen

Zur Kenntlichmachung der Klimazonen und ihrer touristischen Auswirkung kann die geographische Unterteilung des Abschnitts 1.1.1 (➤ Seite 18ff), herangezogen werden:

Höhenlagen

Für **unliebsame Überraschungen** gut sind grundsätzlich alle Hochlagen der **Rocky Mountains** von der kanadischen Grenze bis hinunter in den Süden Colorados und der Kaskaden. Das bedeutet Schnee und Eis oft bis Mitte Juni, gelegentlich noch später, und wiederum ab Mitte September.

An sich überwiegende Schönwetterperioden in den Sommermonaten können schon mal recht unstabil ausfallen und durch ausgesprochen ungemütliche Regentage in Folge unterbrochen werden. Bei der Erörterung der Campingbedingungen wurde bereits darauf hingewiesen, dass in Höhen ab 2.000 m auch tagsüber hochsommerliche Temperaturen **Nachtfröste** nicht ausschließen. Im Camper sind Minusgrade zwar ein geringeres Problem, aber nördlich der Linie Denver/San Francisco hat man bei Reisen vor Mitte Juni und ab spätem September schon hier und dort das Risiko verschneiter Passhöhen.

Hochebene

Die intermontanen Plateaus sind hingegen **Gutwettergebiete.** Im Norden (Wyoming/Montana) überwiegt der Einfluss des kanadischen Kontinentalklimas mit warmen, periodisch sogar sehr heißen Sommern, aber auch frühen Wintereinbrüchen. Das wegen seiner Nationalparks der Sonderklasse hochinteressante Große Plateau (➤ Seite 18) unterliegt tendenziell dem Südwestklima, das aber durch die Höhenlage abgemildert wird. **Beste Reisezeiten** sind dort **Juni** und **September**. Mai und Oktober gelten mit vielen Sonnentagen ebenfalls als gute Reisemonate, allerdings mit der Einschränkung oftmals noch/schon recht niedriger Tagestemperaturen bei teilweise scharfen Nachtfrösten. Regenperioden auf den Hochebenen sind meist nur von kurzer Dauer.

Big Basin/ Wüsten

Anders sieht es aus im *Big Basin* Bereich von der südkalifornischen Wüste bis hinauf ins zentrale Oregon. Die **Hitze im Juli/ August** liegt ohne Klimaanlage oft jenseits des Erträglichen (bekanntlich extrem im Death Valley bis 50°C). Dafür lässt sich dort **von April bis Juni und ab September angenehm reisen**.

Columbia Plateau

Niederschläge in diesen Trockengebieten beschränken sich im allgemeinen auf kurze und heftige Gewitterschauer. Weiter nördlich auf dem *Columbia Plateau,* westlich der Blue Mountains (Pendleton/Oregon) und im **zentralen Washington** gilt Ähnliches, jedoch mit dem Unterschied nicht ganz so hoher Temperaturen vor allem in Frühjahr und Spätherbst.

Diese winterliche Szene entstand Mitte Juni im Zion National Park an einem hochsommerlich warmen Tag im Juni – zumindest, bis am frühen Nachmittag ein Unwetter einsetzte. Es hagelte und schneite, und nach einer guten Stunde lagen die Temperaturen nahe am Gefrierpunkt. Der Virgin River entwickelte sich vom anmutigen Flüßchen zum reißenden Strom. Die hier zu sehenden Wasserfälle schießen aus vorher knochentrockenen Canyons, die zum Teil zum Wanderweg-System des Parks gehören. Die Nacht blieb eiskalt. Aber der nächste Morgen brachte einen neuen strahlenden Tag.

Typischer Seenebel vor der kalifornischen Küste. Innerhalb kürzester Zeit zieht er oft landeinwärts

Westküste

Entlang des pazifischen Küstenstreifens von Monterey bis zur Olympic Halbinsel herrscht ein **frisches Meeresklima**, das auch im Sommer kühle Tage, Regen und Nebel mit sich bringen kann. Diese Art Küstenklima setzt sich bei höheren Temperaturen nach Süden fort bis etwa Santa Barbara. Vergleichsweise bessere Aussichten auf angenehme, sonnige Tage hat man im September. **Südlich von Santa Barbara** setzt sich das im Sommer heiße, im Winter milde südkalifornische, dem mediterranen weitgehend vergleichbare Klima durch.

Hinterland Westküste/ Kaskaden und Sierra Nevada

Die Tiefebenen zwischen dem Küstengebirge und den Kaskaden bzw. der Sierra Nevada zeigen **dem *Big Basin*** (➤ links) **ähnliche klimatische Bedingungen**. Die Sierra Nevada, Hochgebirge wie die Rocky Mountains, unterscheidet sich von diesen durch stabilere Witterungsbedingungen. Von Juni (in tieferen Lagen auch früher) bis Ende September sind die Aussichten auf klares, sonniges Wetter im allgemeinen sehr gut. In der Höhe muss ganzjährig mit niedrigen Nachttemperaturen gerechnet werden. **Die Pässe schneien dort oft schon Anfang Oktober zu**, gelegentlich sogar im September, **ein wichtiger Aspekt für Reisepläne, die den Besuch des *Yosemite* Park einschließen.**

Der »tiefe« Südwesten

Der klimatische (!) Südwesten der USA lässt sich in etwa korrekt definieren als Südkalifornien unterhalb der Verbindung Los Angeles–Las Vegas (ohne den Küstenstreifen) plus das südliche Arizona und New Mexico auf der Linie Las Vegas/Phoenix/El Paso, eventuell unter Einschluss der tiefergelegenen Gebiete von New Mexico weiter nördlich und östlich und Südwest-Texas bis nach San Antonio/Texas. Während des Sommers herrschen in diesem Gebiet absolute Trockenheit und höchste Temperaturen bis über 40°C. Immer noch ziemlich heiß, aber gerade erträglich sind die Monate Juni und September, **beste Reisemonate Mai und Oktober**. Mit Niederschlägen eher zu rechnen ist im April und November, durchaus akzeptable, aber nicht völlig unkritische Reisezeiten. Dezember, Januar und Februar bieten auch im südlichsten Bereich des US-Westens gelegentlich Überraschungen wie Minustemperaturen und Schnee, aber insgesamt eher unseren Vorstellungen entsprechende frühlingsartige Wetterbedingungen.

1.3.4 Weiterführende Reiseinformationen und -literatur

Karten

Für eine erste vorbereitende Planung der Nordamerikareise genügen die Karten dieses Reiseführers. Empfehlenswert für eine intensivere Routen-Vorabplanung und unterwegs sehr brauchbar ist der jährlich neue ***Rand McNally*** **Straßenatlas USA/Canada/Mexico**. Den *Rand McNally* gibt es hierzulande in geographischen Buchhandlungen und in Globetrott-Shops im Original oder auch als **Hallwag USA-Atlas** mit deutschsprachigen Erläuterungen. In den USA kostet er ganze $14, als Sonderdruck für Kaufhausketten wie ***Wal Mart***, ***K-Mart*** und ***Target*** $7, sofern vorrätig. Es gibt auch noch eine auf DIN4-Format verkleinerte ***Rand Mc Nally Roadatlas*** **Deluxe Version** mit mehr Stadt- und Umgebungsplänen, Airportübersichten, Hotel- und Restaurantadressen – ideal **für Cityhopper**.

Internet

Internet User planen unter www.mapquest.com die ganz persönliche Route am Bildschirm und lassen sich das Ergebnis samt Entfernungen ausdruckenund sich auch noch Hotels/Restaurants en route empfehlen. Hilfreich für Leute, die sich nicht mit simplen Kartenansichten zufrieden geben, ist *google earth*.

Kauf hier

Sich bereits hier für teures Geld Karten anzuschaffen, lohnt im übrigen kaum. Denn fast alle Staaten verteilen **Straßenkarten gratis** oder gegen eine geringe Gebühr, ➤ *Visitor Center*, Seite 82.

Automobil Club

Teilweise ausführlicher als die ***Official Highway Maps*** der Einzelstaaten sind die Karten des amerikanischen Automobilclubs AAA (»***Triple A***«) die auch Mitgliedern europäischer Clubs **kostenlos** überlassen werden. Darüberhinaus hat der AAA gratis nach Staaten untergliederte sog. ***Tourbooks***, Reiseführer mit Betonung kommerzieller Attraktionen und viel Werbung, aber unterwegs als zusätzliche Informationsquelle für alle nützlich, die Englisch verstehen (aktuelle Öffnungszeiten, Eintrittspreise und ggf. Ermäßigungen für AAA-Mitglieder).

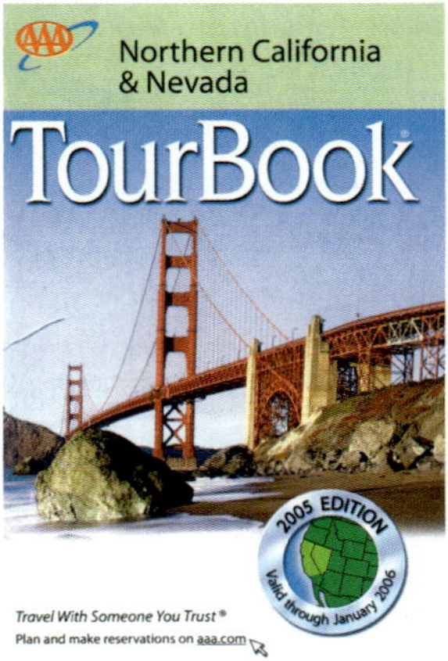

Tourbooks enthalten ein umfangreiches und übersichtliches ***up-to-date*** **Motel-/Hotelverzeichnis** für Häuser ab unterer Mittelklasse. Für den Preisbereich ab ca. $60/Zimmer und Nacht sind die AAA-Führer für die Weststaaten fast komplett.

Außerdem gibt es beim AAA auch noch ***Campbooks***. Sie enthalten zwar nicht alle Campingplätze, leisten aber in Ergänzung der Campingempfehlungen dieses Buches für eine Reise bis zu sechs Wochen mehr als ausreichende Dienste.

Karten, *Tour*- und *Campbooks* kann man sich auch schon **vor der Reise** beim heimischen Club besorgen, muss dafür aber im Gegensatz zur Beschaffung in den USA bezahlen. Beim ADAC geht das im Internet: www.adac.de/ReiseService oder unter ✆ **089/76764319**.

AAA

Büros des AAA gibt es in allen größeren Orten, in den Cities mehrere davon. Ihre Adressen kennt jeder Polizist und Taxifahrer; sie lassen sich auch erfragen unter der **gebührenfreien Nummer 1-800-222-4357** (AAA-HELP). Größere Filialen unterhalten neben dem Mitgliederbüro einen eigenen ***Bookshop***, in dem Reisebücher und allerhand Produkte rund ums Reisen preiswerter als üblich zu haben sind.

AAA Card/ Discounts

Gegen Vorlage des heimischen Mitgliedsausweises (der im Fall ADAC in der unteren rechten Ecke die AAA-Farben zeigt) bzw. der AAA-Karte ***Show Your Card & Save*** gibt es alle gewünschten Unterlagen. Letztere erhalten Mitglieder bei ihrem Automobilclub in der Heimat ohne Kosten. Sie sichert bei Vorlage in ganz Nordamerika Gleichbehandlung des Touristen mit AAA-Mitgliedern bei der Erlangung von *Discounts* und Sondertarifen in Motels, Parks etc.

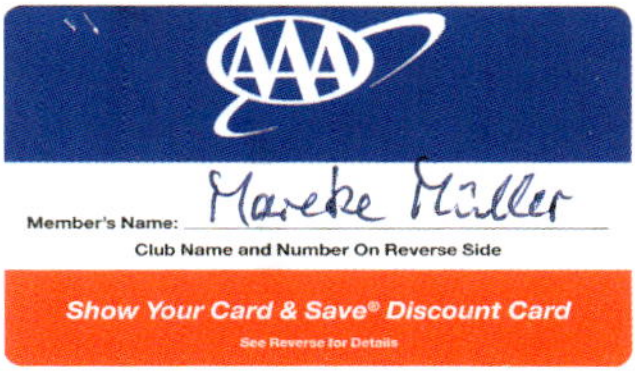

Distanzen

In den meisten Straßenkarten findet man **Entfernungstabellen** und häufig Grafiken mit Meilen und Fahrtzeitangaben zwischen den wichtigsten Städten (auch in den AAA-*Tourbooks* und im *Rand McNally*). Weder die in derartigen Übersichten angegebenen Meilen noch die Zeiten sollte man auf die eigene Planung anwenden, da grundsätzlich die kürzeste Verbindung und eine selten realisierbare Durchschnittsgeschwindigkeit zugrundegelegt werden.

Distanzkalkulation

Zur Berechnung der voraussichtlich auf einer bestimmten Route zurückzulegenden Entfernung ist ein **Zuschlag von mindestens 20%** auf die Kartenangaben ermittelte Gesamtdistanz notwendig. Die Mehrkilometer für Umwege, Stadtverkehr, Abstecher zu Sehenswürdigkeiten, Anfahrten zu Campingplätzen, gelegentliches Verfahren usw. werden in vielen Fällen sogar über diesem Pro

Indianer

Wer sich für Indianer, ihre Geschichte und ihr Leben heute interessiert, sei auf das Sonderkapitel im Anhang verwiesen.

Leichtere, aber nichtsdestoweniger informative und gleichzeitig spannende Kost sind die **Krimis** des Autors *Toni Hillerman*, die bei und unter Navajos spielen. Mehrere davon sind bereits in deutscher Übersetzung als Goldmann-Taschenbuch erschienen sind. Besonders lesenswert sind u.a. die Titel ***Labyrinth der Geister***, ***Geistertänzer*** und ***Dunkle Kanäle***.

Let`s go USA

Für junge Leute mit guten Englischkenntnissen, die mit unterschiedlichen Verkehrsmitteln unterwegs sind und auf den Dollar sehen, gibt es kaum Besseres als ***Let's go USA***. Das Buch wird jährlich neu aufgelegt und kostete für 2006 in den USA $25; etwas preiswerter ist mit $17,50 die Teilausgabe ***Let's go USA Southwest***. Die Gesamtausgabe *Let's go USA and Canada* ist kurzfristig auch bei uns über www.amazon.de erhältlich. Die Bücher sind Fundgruben für günstige Unterkünfte, preiswerte Restaurants, populäre Kneipen, billige Mietwagen und Details zum öffentlichen Nahverkehr. In der Bewertung von Sehenswürdigkeiten und Nationalparks orientieren sie sich aber an der Optik junger Amerikaner unter 30. Als Reiseführer für Autofahrer sind die *Let's Go*-Bände wenig geeignet, weil Streckenbeschreibungen fehlen.

Book Shops

In größeren ***Book Stores/Shops*** der USA gibt es ein breit gefächertes Angebot an Reise- und Sachbüchern zu allen erdenklichen touristischen und regionalen Themen von der Geologie, Flora und Fauna über Bike- und Kanurouten bis zu lokalen Joggingpfaden. Wer eine Reise mit Hotel-/Motelübernachtung plant und nicht zu sehr auf den Dollar schaut, könnte – in Ergänzung zu diesem Buch – einen der Spezialführer zu ***Country-*** und ***Bed & Breakfast Inns*** kaufen, die viele Kleinode auch abseits der hier beschriebenen Routen enthalten.

Amerikanische **Literatur** lässt sich zu fairen Preisen auch bei www.amazon.de oder bei der größten Buchhandelskette der USA unter www.barnesandnoble.com ordern.

Visitor Information

Bei »Grenzübertritten« auf Hauptverkehrsstraßen nicht zu verfehlen sind die oft aufwendigen ***Visitors*** oder ***Tourist Information Center*** der Bundesstaaten. Besucher erhalten dort neben der jeweiligen Straßenkarte (fast) jede gewünschte touristisch relevante Information, u.a. den aktuellen Veranstaltungskalender. Zur Selbstbedienung liegt immer eine Fülle von Material der regionalen Tourismusindustrie bereit. ***Visitor Center***, oft betrieben von der lokalen ***Chamber of Commerce*** (Handelskammer), gibt es noch in kleinsten Ortschaften.

Nationalparks

Visitor Center existieren in ähnlicher Funktion wie beschrieben auch in den *National Parks*. Die als Auskunftspersonal eingesetzten ***Ranger*** (➤ Seite 26) sind in der Regel sehr gut informiert und hilfreich bei der Besuchsplanung des Touristen. Gelegentlich stößt man sogar auf Fremdsprachenkenntnisse, selbst deutschsprachige Broschüren hier und dort.

Lokales Holzfäller Museum, zugleich Besucherinformation in Forks beim Olympic National Park in Washington State

Internet

Eine unerschöpfliche Informationsquelle ist das **Internet**. Die ***Tourist Information Offices*** der Staaten sind alle dort vertreten ebenso wie die meisten Städte; die wichtigsten Adressen stehen im Anhang hinten. Eine **komplette Übersicht** zu allen Staaten und sämtlichen irgendwie nennenswerten Ortschaften findet man u.a. unter www.reiseinfo-usa.de.

Unter www.reisebuch.de/nordamerika/reiseinfos/travel-websites.html kann man sich direkt auf fast alle in diesem Buch genannten Internetadressen »durchklicken«

Camping im Death Valley, hier auf dem Campground Texas Spring ohne Komfort kostet $14, egal, ob im Camper oder Zelt

1.3.5 Zu erwartende Kosten

Um einen Eindruck von den ungefähren Kosten einer individuellen Amerikareise zu haben, sind im folgenden einige Beispiele zusammengestellt. Dabei wurde ein Wechselkurs von $1,30 pro Euro (ca. €0,77/$) zugrundegelegt – Stand März 2007.

Tagessatz bei Selbstverpflegung

Bei **Selbstversorgung** ist ein Tagessatz von ca. **$30** für **Alleinreisende** die absolute Untergrenze, worin kleine Eintrittsgelder und Nebenkosten sowie gelegentliche *Fast Food* Hamburger eingeschlossen sind, nicht aber Alkoholika, Kneipen- und Restaurantbesuche; auch keine lokalen Transportkosten.

Zwei Personen können bei scharfer Kalkulation mit ca. **$50** pro Tag auskommen. (Diese Zahlen sind nicht haltbar bei starker Nutzung von *Cafeterias* und *Coffee-Shops*).

Unterkunft

Übernachtungskosten können **$0 für Wildniscamping** oder **Gratiscampgrounds** bis **$250 und mehr im Cityhotel** betragen.

1. Beim **Campen** kann man (schwerer in Kalifornien) durchaus **mit $15 bis $20** Durchschnittskosten pro Auto/Zelt oder Camper auskommen (➤ Foto und Legende oben); im Fall höherer Komfortansprüche wird man eher um $30 oder mehr pro Nacht kalkulieren müssen, ➤ Campingkapitel Seite 195ff.
2. **Außerhalb der Saison in den preiswertesten Motels** etc. oder auch in der Hochsaison bei konsequenter Übernachtung in Billigquartieren (*AYH-Hostels*, internationale *Hostel*s, *Discount-Motels* o.ä., ➤ Seite 189ff) lässt sich ein Durchschnittspreis für **zwei Personen** (ohne Frühstück) von **$45** realisieren.

3. **Eine Person** reist relativ teurer und sollte **auch besser nicht unter $35** einplanen, sofern es nicht gelingt, grundsätzlich in Jugendherbergen und anderen *Hostels* unterzukommen.
4. Bei Reisen in der **Hauptsaison** und **Motel-/Hotelübernachtung** sollte man (ohne Neigung zu Billigquartieren, siehe vorstehenden Absatz) **im Durchschnitt nicht unter $70+ *tax*** pro Nacht kalkulieren (also mindestens €55 fürs DZ ohne Frühstück). Die Untergrenze erreicht aber nur, wer unterwegs aufpasst. Je nach Route und Zielen kann es im Einzelfall teurer werden, aber **im Schnitt über $100+*tax*** (also ab ca. €80/Nacht) ausgeben wird nur, wer zur oberen Mittelklasse neigt und überwiegend in touristisch stark besuchten Regionen nächtigt. **Bis Mitte Juni und nach *Labor Day*** (der 1. Montag im September) können bei konsequenter Aufmerksamkeit plus/minus **$55+*tax*** ausreichen, wenngleich ggf. mit Zugeständnissen an die Qualität der Unterbringung. Alle drei Zahlen sind bei längeren Aufenthalten in großen Städten nach oben zu korrigieren; mit gewissen Komfortabstrichen lassen sie sich aber sogar dort realisieren; dazu Genaueres ab Seite 178.

Prämissen der Kalkulation

Für die erläuterten Übernachtungsalternativen zeigt die nebenstehende Tabelle die in etwa zu erwartenden **Basis-Gesamtkosten einer Reise in der Nebensaison** (bis Mitte Juni oder nach *Labor Day*). €800 für Flugkosten (inkl. Sicherheits- und Airportgebühren) sind dabei ein Mittelwert, der sich eventuell unterbieten lässt, aber auch höher sein kann. Zu den Transportkosten und den dabei gemachten Annahmen ➤ die entsprechenden Abschnitte im Kapitel 2, Seite 122f.

Es sei noch einmal betont, dass für (verstärkten) Alkoholgenuss, Restaurant-, Kneipen-, Kino- und Theaterbesuche, Nachtleben, Mitbringsel usw. keine Ausgaben berücksichtigt wurden. Sie sind individuell zu addieren.

Benzin, Motels, Fast Food, Restaurants ..., alles da, was das Herz des Reisenden begehrt: Hier vor einer stark frequentierten Autobahn-Ausfahrt

Zu erwartende Gesamtkosten eines 3-Wochen-Urlaubs im Westen der USA für zwei Personen in €uro außerhalb der Hauptsaison (vor Mitte Juni/nach *Labor Day*) unter den auf den vorhergehenden Seiten beschriebenen Voraussetzungen und Annahmen; Transportkosten ➤ Seiten 122f, aber hier Zahlen Zwischensaison, und Seiten 156ff.

(**Stand 2007**, US$1 verrechnet mit €0,77 bzw. €1=$1,30)	Discovery Pass/Billigunterkünfte[3]	Mietwagen (*Economy*), und Zelt	Mietwagen (*Midsize*) und Motel	Campermiete (*Van*)	Sonderfall: 3 Monate im eigenen *Van*
(1) 2 Flugtickets an die Westküste (ab) je €600 (inkl. Gebühren)	1.200	1.200	1.200	1.200	1.200
(2) Greyhoundpass plus Zusatztransportkosten,ca. (Abschnitt 2.5.6, ➤ Seite 130, aber nur 3 Wochen)	1.058	-	-	-	-
(3) 3 Wochen Miete, Vers.+ Benzin (➤ Seiten 130 und 122)	-	880	973	-	-
(4) 3 Wochen Campermiete, alle Kosten inkl. Benzin[6]	-	-	-	2.616	-
(5) Wertverlust, Reparaturen und Zulassung/Versi`ung eines gebrauchten *Van Camper* (Kaufpreis zwischen $6.000 und $9.000)	-	-	-	-	4.000[4]
Benzin für 15.000 Kilometer (18l/100km, Preis €0,55/l)	-	(bei Vergleich mit Kosten Tabelle Seite 130 beachten, dass dort Dollar stehen, hier umgerechnet in Euro! Hier nur 3 Wochen)		-	1.485
(6) Übernachtungskosten einschl. 2 Tage Motel bei Wagenmiete/Zelt[2] und Camper (➤ Seite 123)	809[3]	410	1.000[6]	545	-
(7) Camping (€10 pro Nacht etwas billiger) für 85 Tage, plus 5 Tage Motel (je $70 bzw. €54) bei Kauf/Verkauf	-	-	-	-	1.120
(8) Lauf. Ausgaben $50/Tag; bei Motelübernachtern $70/Tag	810	810	1.132	810	2.423[5]
Mögliche Reisekosten insgesamt[1] in €:	**3.877**	**3.300**	**4.305**	**5.171**	**10.228**

[1] Die **Zahlen geben nur einen** im Vergleich realistischen **Anhaltspunkt**. Effektiv können sie – abhängig von Reisegestaltung und Wechselkurs – nach unten oder oben abweichen (**»richtige« Restaurants, Extra-Alkoholika und Mitbringsel fehlen in der Rechnung**).

[2] Camping wurde hier mit umgerechnet €12,50 ($16) pro Nacht kalkuliert (x 18 plus **€**185 für 2 Nächte Hotel)

[3] Hier sind jeweils $45/Tag (x 18=$810 = €624 + €185 (2 Nächte) in der City angesetzt als realisierbares Beispiel für kleinere Reisebudgets

[4] Das Beispiel ist weniger repräsentativ als die anderen: Diese Position kann im Einzelfall noch höher, aber durchaus niedriger ausfallen. Bei Kauf mit Rückkaufgarantie muss man in etwa von dieser Größenordnung ausgehen. Bei unabhängigem Vorgehen wird es (vielleicht) billiger, aber dafür schlechter im voraus kalkulierbar, siehe dazu Seite 156. Bis 3 Monate ist daher ggf. Miete Pkw/Zelt+Motel günstiger.

[5] Pro Tag wurden bei Langzeitaufenthalt machbare $35/Tag kalkuliert (x 90 Tage = $3.150 = €2.423).

[6] Annahme: Camper €30/Tag weniger als in der Hauptsaison, also €2.522-€540+€634; bei Pkw/Motel €301 Ersparnis gegenüber Hochsaison

2 REISEVORBEREITUNG UND -ORGANISATION

2.1 Einreise in die USA, Canada & Mexico

Einreise in die USA ohne Visum

Schon Ende der 1980er-Jahre wurde der Visumzwang für Deutsche und andere Westeuropäer aufgehoben. **Voraussetzung einer Einreise ohne Visum** ist, dass der Aufenthalt in den USA

- besuchsweise erfolgt,
- nicht länger als **maximal 90 Tage** dauert und
- ein **Ticket mit reserviertem Rückflug** innerhalb dieser Frist vorgelegt werden kann.

Wer diese Bedingungen erfüllt, braucht **für den Flug in die USA** nur seinen **Reisepass** einzustecken, der – im Fall westeuropäischer Staatsbürger – noch mindestens 3 Monate Restgültigkeit haben und **seit Oktober 2004 maschinenlesbar** sein muss.

Seit 26. Oktober 2005 müssen ab diesem Datum ausgestellte Reisepässe, und nur diese (!), zusätzlich biometrische Daten enthalten. Es handelt sich (noch) um **kein Erfordernis für alle**.

Die visafreie Einreise gilt auch für die **Einreise auf dem Landweg** von Mexiko und Canada aus, kostet aber beim Grenzübertritt eine Gebühr in Höhe von $7. Auch dabei muss das Rückflugticket zur Hand sein, das dem ***Immigration Officer*** beweist, dass die Absicht besteht, nicht nur die USA, sondern **Nordamerika** (inklusive Mexico!) innerhalb der vorgegebenen 90 Tage wieder zu verlassen; außerdem erfolgt u.U. eine Befragung über Reisepläne und dafür vorhandene Geldmittel.

Formblatt zur Vorlage beim Einchecken

Für die **Vorabprüfung der Erfüllung der Einreisevorausetzungen** macht die amerikanische Einwanderungsbehörde die Fluggesellschaften mit verantwortlich. Diese sind verpflichtet, ggf Hilfestellung beim Ausfüllen der Vordrucke zu leisten (➤ unten).

Um das Einchecken am Airport zu beschleunigen, wird den Passagieren seit Ende 2005 bereits bei der Buchung vom Reisebüro ein Vordruck mitgegeben, der mit allen wesentlichen Personendaten ausgefüllt und mit dem Pass am Schalter vorgelegt werden muss. Im Vordruck muss auch eine USA-Adresse angegeben sein, ggf. des ersten Hotels oder Autovermieters. Wer das Formblatt nicht erhalten hat, kann es im Internet herunterladen unter www.drv.de/download/APISformblatt.pdf, ➤ Abbildung.

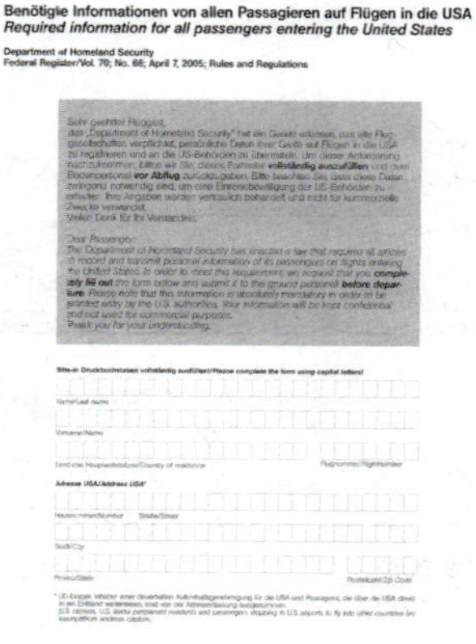
Benötigte Informationen von allen Passagieren auf Flügen in die USA
Required information for all passengers entering the United States

Department of Homeland Security
Federal Register/Vol. 70; No. 66; April 7, 2005; Rules and Regulations

Die Angaben im Formblatt werden mit dem Pass verglichen und dann an das sog. *Department of Homeland Security* in die USA gemailt. Erst nach dem o.k. dieser Behörde für alle Passagiere erhält der Flug Starterlaubnis in Richtung USA – oder auch nicht

Kontroll-Prozedur

Obwohl also jeder USA-Tourist noch vor Besteigen des Flugzeugs überprüft wird, erfolgt eine weitere Kontrolle am Immigrations-Schalter im Ankunftsairport. Und zwar werden **seit Oktober 2004 biometrische Daten erfasst** (digitale Zeigefingerabdrücke und Foto, dauert ca. 15 sec), um später sicherzustellen, dass der/die Ausreisende wirklich der-/dieselbe wie bei Einreise ist, bzw. die Person, die im Pass steht. Ein **Passlesegerät** gibt Auskunft über vorherige Einreisen und dabei eventuell gespeicherte negative Kontakte mit der amerikanischen Obrigkeit. Ohne vorherigen Eintrag in einer »schwarzen Liste« erhält der Ankömmling in der Regel den Einreisestempel für volle 90 Tage. Oft erkundigt sich der Beamte im Flughafen oder an der Grenze auch noch nach Reiseabsichten des Touristen, seiner Berufstätigkeit etc.

Fazit neue Anforderungen

Für alle Inhaber von maschinenlesbaren weinroten Pässen hat sich auch nach dem 26.10. 2004 nichts geändert. Lediglich »alte« grüne Pässe sind nicht mehr zulässig, da in ihnen relativ leicht die Fotos ausgetauscht werden können. Das gilt auch für Kinder.

Die Kontrolle am Airport dauert heute nicht spürbar länger als auch schon vor 9/11 und den danach eingeführten Bestimmungen. Sie ist auch nichr im Ablauf komplizierter.

Visum-erfordernis

Wer zunächst kein Rückflugticket kaufen bzw. (bei vorhandenem Ticket) keinen Rückflug fest buchen möchte, braucht auf jeden Fall ein Visum, denn sonst akzeptiert keine Airline den Passagier. Man erhält ein Visum indessen nur bei (plausibel zu erläuternden) Reiseplänen, die 90 Tage übersteigen.

Funktion des Visums

Beim Visum, von den Amerikanern ***Visa*** genannt, handelt es sich um eine Art »Unbedenklichkeitsbescheinigung«, welche dem Antragsteller nach einem (heute wieder) persönlichen Interview vom zuständigen Konsulat in den Pass geklebt wird.

Antrag auf Erteilung

Die Prozedur der **Visa-Beschaffung** ist im folgenden beschrieben. **Sie gilt auch für USA-Reisen unter 90 Tagen Dauer von bei uns lebenden Bürgern jener Staaten, die nicht ausdrücklich von der Visapflicht ausgenommen sind**.

Das Visum wird gegen eine zur Zeit auf **€85** festgelegte **Gebühr** von den US-Generalkonsulaten in **Berlin** (Neue Bundesländer und Norddeutschland), **München** (Bayern) und **Frankfurt** (alle anderen Bundesländer) erteilt. Alle Details zur **Gebührenzahlung** finden sich unter der Webseite: www.roskosmeier.de/index3.php

Antragsformulare gibt's

Antrags-formulare

- **als Faxabruf** unter der Nummer **0190 85005802** (€1,86/min)
- im **Internet** zum Herunterladen: www.usembassy.de/visa

Neben dem Visa-Antrag müssen heute alle **Männer im Alter zwischen 16 und 45 Jahren** zusätzlich das **Formular DS 157** ausfüllen.

Telefonauskunft dazu, i.e. Ansagen unter © **0190/85005800** (€1,86/min). Bei weiteren Fragen wählt man © **0190/850055**.

Dieselbe Nummer gilt für die Terminvereinbarung für das nach dem 11. September 2001 als obligatorisch eingeführte **persönliche Interview**. Anruf möglich Mo-Fr 7-20 Uhr.

Der ausgefüllte Antrag, ggf. Formular DS 157, farbiges Passfoto, Reisepass und ggf. weitere Unterlagen sind – unter Beifügung eines frankierten größeren Rückumschlags (€1,44) – an das zuständige Konsulat zu senden (**nicht als Einschreiben**):

Konsularabteilung der US-Botschaft in Berlin
(zuständig für norddeutsche und neue Bundesländer)
Clayalle 170, 14195 Berlin

GeneralkonsulatMünchen
(zuständig für Bayern)
Königinstr. 5, 80539 München

Generalkonsulat Frankfurt
(zuständig für alle anderen Bundesländer)
Siesmayerstr. 21, 60323 Frankfurt

Botschaft der Vereinigten Staaten in der Schweiz
Jubiläumsstraße 95, 3005 Bern,
Info: © **0900 87 8472** (2,50 SFr/min),
Internet: http://bern.usembassy.gov

Botschaft der Vereinigten Staaten in Österreich:
Visa Section: Parkring 12, 1010 Wien
Info: © **0900-510300** (€2,16/min),
Internet: http://vienna.usembassy.gov

Verschärfte Regelungen nach dem 11. September

Seit den Ereignissen des 11. September erteilen die USA die Visa nicht mehr einfach nach Sichtung der Unterlagen, sondern laden alle Antragsteller zum persönlichen Interview ein. Verweigern wird man das Visum bei finanziell abgesicherten Plänen nur aus Gründen, die in der Person des Antragstellers liegen (Vorstrafen oder Probleme mit US-Behörden bei vorherigen Besuchen) und in Fällen, in denen der Visumantrag nicht plausibel erscheint.

Bearbeitungsdauer

Die **Bearbeitungsfrist** bzw. Wartezeit bis zum Interviewtermin beträgt, so heißt es, in Deutschland bis zu **6 Wochen**. Danach erhält man das Visa per Post oder gar nicht.

Aufenthaltsdauer in den USA

Das erteilte Visum berechtigt zu beliebig vielen Einreisen (*multiple entries*) in die USA innerhalb des gewährten Zeitrahmens.

Letzte Instanz bei der Einreise ist der ***US Immigration Officer*** auf amerikanischem Boden. Er vergibt bei Visainhabern die jeweils gewünschte Zeit, allen anderen 90 Tage, aber ggf. auch weniger. Er kann die Einreise im Extremfall verweigern.

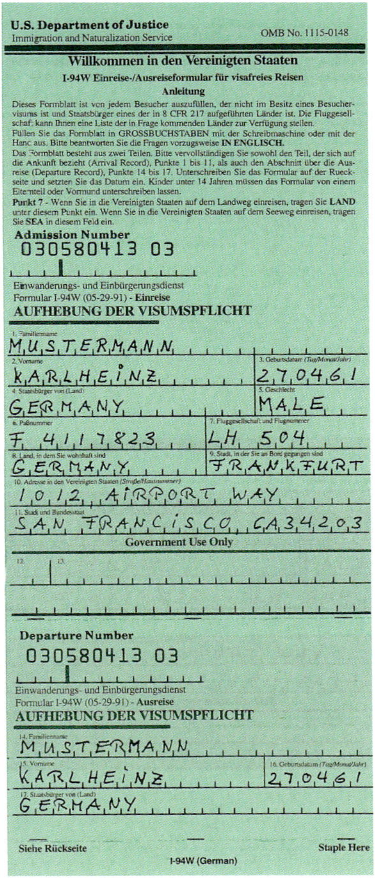

U.S. Department of Justice
Immigration and Naturalization Service
OMB No. 1115-0148

Willkommen in den Vereinigten Staaten

I-94W Einreise-/Ausreiseformular für visafreies Reisen

Anleitung

Dieses Formblatt ist von jedem Besucher auszufüllen, der nicht im Besitz eines Besuchervisums ist und Staatsbürger eines der in 8 CFR 217 aufgeführten Länder ist. Die Fluggesellschaft kann Ihnen eine Liste der in Frage kommenden Länder zur Verfügung stellen.
Füllen Sie das Formblatt in GROSSBUCHSTABEN mit der Schreibmaschine oder mit der Hand aus. Bitte beantworten Sie die Fragen vorzugsweise **IN ENGLISCH.**
Das Formblatt besteht aus zwei Teilen. Bitte vervollständigen Sie sowohl den Teil, der sich auf die Ankunft bezieht (Arrival Record), Punkte 1 bis 11, als auch den Abschnitt über die Ausreise (Departure Record), Punkte 14 bis 17. Unterschreiben Sie das Formular auf der Rueckseite und setzten Sie das Datum ein. Kinder unter 14 Jahren müssen das Formular von einem Elternteil oder Vormund unterschreiben lassen.
Punkt 7 - Wenn Sie in die Vereinigten Staaten auf dem Landweg einreisen, tragen Sie **LAND** unter diesem Punkt ein. Wenn Sie in die Vereinigten Staaten auf dem Seeweg einreisen, tragen Sie **SEA** in diesem Feld ein.

Admission Number
030580413 03

Einwanderungs- und Einbürgerungsdienst
Formular I-94W (05-29-91) - **Einreise**
AUFHEBUNG DER VISUMSPFLICHT

1. Familienname: MUSTERMANN
2. Vorname: KARLHEINZ
3. Geburtsdatum *(Tag/Monat/Jahr)*: 270461
4. Staatsbürger von (Land): GERMANY
5. Geschlecht: MALE
6. Paßnummer: F 4117823
7. Fluggesellschaft und Flugnummer: LH 504
8. Land, in dem Sie wohnhaft sind: GERMANY
9. Stadt, in der Sie an Bord gegangen sind: FRANKFURT
10. Adresse in den Vereinigten Staaten *(Straße/Hausnummer)*: 1012 AIRPORT WAY
11. Stadt und Bundesstaat: SAN FRANCISCO CA34203

Government Use Only

12. 13.

Departure Number
030580413 03

Einwanderungs- und Einbürgerungsdienst
Formular I-94W (05-29-91) - **Ausreise**
AUFHEBUNG DER VISUMSPFLICHT

14. Familienname: MUSTERMANN
15. Vorname: KARLHEINZ
16. Geburtsdatum *(Tag/Monat/Jahr)*: 270461
17. Staatsbürger von (Land): GERMANY

Siehe Rückseite **Staple Here**

I-94W (German)

Departure Record

Alle US-Touristen müssen vor der Einreise ein – für Visainhaber (weiß) und Reisende ohne Visum (grün) etwas unterschiedliches – **Einreiseformular** ausfüllen. Der untere Abschnitt des Formulars, der sog. ***Departure Record***, wird mit Ein- und spätestem Ausreisedatum versehen in den Pass gelegt. Bei Ausreise wird der *Departure Record* wieder entnommen.

Wenn im Rahmen der genehmigten USA-Aufenthaltsdauer ein vorübergehender **Grenzübertritt nach Canada** oder **Mexico** erfolgt, kann das Papier im Pass verbleiben. Man muss aber bei der Ausreise auf die Rückkehrabsicht hinweisen, um die Entnahme zu verhindern.

Einreise nach Canada

Für die Reise nach **Canada** benötigt man nur den (noch mindestens sechs Monate) gültigen **Reisepass**. Die maximale Aufenthaltsdauer beträgt **sechs Monate**; ein **Visum ist nicht erforderlich**. Aus Übersee einfliegende Touristen mit Rückflugticket erhalten problemlos den Sichtvermerk für eine **Aufenthaltsdauer bis zu 6 Monaten**. Meist stellen die Einwanderungsbeamten keine detaillierten Fragen und geben sich mit einer kurzen Auskunft zu Zweck/Dauer der Reise zufrieden. Oft wird auf Fragen ganz verzichtet. **In den USA gemietete Fahrzeuge** dürfen überwiegend auch in Canada ohne weiteres bewegt werden.

Einreise nach Mexico

Wer von den USA aus weiter nach **Mexico** reisen oder einen Abstecher dorthin machen möchte, braucht dazu ebenfalls keine besondere Vorausplanung. Die Einreisegenehmigung wird an jeder Grenzstation erteilt. Mit **Mietwagen** darf man nur nach Absprache mit dem Vermieter die Grenze überschreiten. Einige Verleihfirmen untersagen den Grenzübertritt ganz, andere gestatten ihn gegen Zusatzkosten und Auflagen. (Ausnahmen kennt z.B. *Adventure Travel*, ➤ Seite 115).

Mit einem eigenem Fahrzeug macht das keine Schwierigkeiten, vorausgesetzt, man kauft eine *Mexico Insurance*, ➤ Seite 159.

2.2 Versicherungen

Krankenversicherung

Eine USA-Reise ohne ausreichenden Krankenversicherungsschutz anzutreten, wäre ziemlich leichtsinnig. Denn ärztliche Behandlungs- und Krankenhauskosten sind in Amerika sehr hoch. Nur einige private Krankenversicherer bieten ihren Versicherten weltweiten Vollschutz. Wer nicht mit der Erstattung von in Übersee angefallenen Behandlungskosten rechnen kann – das sind vor allem die in gesetzlichen Kassen Versicherten – ist dringend der Abschluss einer eigenen **Auslandskrankenversicherung** anzuraten.

Die Veranstalter von Auslandsreisen legen ihren Buchungsunterlagen meist **Überweisungsformulare** für den unkomplizierten Abschluss einer Reisekranken- und anderen Versicherungen bei. Man kann sie auch völlig unabhängig von einer bestimmten Buchung in jedem Reisebüro abschließen oder sich direkt an die Agentur einer **Versicherungsgesellschaft** wenden, von denen die meisten kurzfristige Auslandsverträge anbieten. **Kreditkartenunternehmen** und **Automobilclubs** offerieren ihren Mitgliedern durchweg Vorzugstarife beim Auslandsversicherungsschutz. Im Jahresbeitrag für **Kreditkarten**-Edelversionen ist ein (befristeter) Versicherungsschutz für Auslandsreisen bereits enthalten.

Tarif- und Leistungsvergleich

Grundsätzlich lohnt sich vor Abschluss ein Vergleich nicht nur der Tarife, sondern auch der mit dem Versicherungsvertrag verbundenen Leistungen. Einige Unternehmen verzichten z.B. auf jegliche Eigenbeteiligung des Versicherten, bei anderen müssen kleinere Ausgaben selbst getragen werden.

Versicherter Zeitraum

Ein **wichtiger Punkt** bei Auslands-Krankenversicherungsverträgen ist der **maximal versicherte Zeitraum** bei ununterbrochener Abwesenheit. Insbesondere über bestimmte Mitgliedschaften »automatisch« Versicherte (Abbuchung des Bei-trages ohne Notwendigkeit eines erneuten Abschlusses) sind **oft nur bis zu sechs Wochen** geschützt. Bei längeren Reisen muss in derartigen Fällen ein gesonderter Vertrag über die **gesamte Reisezeit** abgeschlossen werden. Eine kurzfristige Anschlussversicherung für den nicht abgedeckten Zeitraum führt – worauf man nicht unbedingt kommt – nicht zum gewünschten Ergebnis; d.h., keine der beiden Versicherungen zahlt, wenn sich herausstellt, dass die effektive Abwesenheit länger war als die jeweilige Vertragslaufzeit.

Kosten

Preisgünstig sind Verträge bis zu 2 Monaten Gültigkeit. Für kurze Fristen ist auch die Auswahl groß. Das Spektrum der Angebote beginnt bei nur €9 für Reisen bis zu 8 Wochen (Alte Leipziger; www.al-h.de). Günstige Tarife bietet u.a. auch die HUK-Coburg (www.huk24.de). Für längere Auslandsreisen vermindert sich die Zahl der Anbieter; und die Kosten steigen bei einigen Versicherern überproportional.

Langfristige Absicherung

Wie erläutert, lassen sich die höheren Tarife langfristiger Verträge nicht durch mehrere aufeinanderfolgende Kurzfristverträge umgehen. Man verliert nach der ersten Vertragsperiode definitiv den

Versicherungsschutz. Das passiert auch dann, wenn verschiedene Gesellschaften gewählt werden! Die Versicherer schauen sich bei kostspieligen Fällen gerne den Flugschein oder Pass mit Einreisestempel an. Falschangaben kommen so schnell heraus.

Brille

Brillenträgern sei empfohlen, neben einer Reservebrille den **Brillenpass** mitzunehmen. Damit können sie bei Brillenverlust oder -beschädigung ohne den Umweg über einen Augenarzt direkt einen Optiker aufsuchen.

Behandlung und Zahlung

Im Krankheitsfall wird in Nordamerika häufig **vor** der Behandlung ein **Nachweis der Zahlungsfähigkeit** verlangt. Eine **Kreditkarte** ist dabei hilfreich, um nicht zu sagen unabdingbar. Ohne ausreichende Mittel und/oder Kreditkarte muss man sich bei teuren Behandlungen ggf. per Fax oder Telefon an seine Auslandskrankenversicherung wenden und um Vorschuss bzw. Kostenübernahme bitten. Die **Kopie des Vertrags** und die Rufnummer der Versicherung sollte man daher vorsorglich mitführen.

Erstattung

Falls man Arzt- oder Rezeptgebühren vorstreckt, sind für die spätere Erstattung in der Heimat **detaillierte Aufstellungen** mit Datum, Namen des behandelnden Arztes, Behandlungsbericht etc. notwendig. Je vollständiger die Unterlagen, um so reibungsloser und schneller erfolgt daheim die Überweisung. Da die meisten Versicherungen **Dollarausgaben** mit dem Tageskurs umrechnen, an welchem der Erstattungsantrag bei ihnen eingeht, können Währungsschwankungen zu Verlusten führen. Einige Gesellschaften erlauben deshalb ihren Versicherten, den Dollarkurs zugrundezulegen, der am Tag der Zahlung galt.

Behandlungskosten, die aufgrund **chronischer Leiden** oder infolge von Erkrankungen vor Reisebeginn anfallen, sind durch Reiseversicherungen nicht gedeckt. Zweifelsfälle sollten vor der Reise mit der Krankenversicherung erörtert werden.

Ob der Versicherungschutz auch bei der Ausübung »gefährlicher« Sportarten wie etwa dem River Rafting besteht, sollte man vor der Reise klären.

Weitere Reiseversicherungen

Inwieweit man über die Krankenversicherung hinaus weiteren Versicherungsschutz benötigt, hängt von den bereits in der Heimat bestehenden Versicherungen und dem individuellen Risikoempfinden ab. Vor dem Abschluss spezieller **Reiseunfall-** oder **Reisehaftpflichtversicherungen** sollte man prüfen, ob nicht vorhandene Versicherungsverträge auch außerhalb Europas Deckung bieten.

Gepäckversicherung

Über den Nutzen der **Reisegepäckversicherung** sind die Meinungen geteilt. Bei sorgfältiger Lektüre des »Kleingedruckten« erkennt man, dass die Fälle des Haftungsausschlusses regelmäßig ziemlich zahlreich sind. Etwa gilt **Camping** versicherungstechnisch als ein besonders riskantes Unternehmen. **Wertsachen** sind im allgemeinen nur begrenzt gedeckt.

Versicherungs-Pakete

Bei den in Reisebüros gern angebotenen Versicherungspaketen sollte man prüfen, welche Einzelleistungen wirklich benötigt werden. Eine Haftpflicht- und Unfallversicherung besteht vielleicht schon anderweitig (siehe oben), und die unverzichtbare Krankenversicherung gibt es manchmal anderswo günstiger.

Reise-Rücktrittskosten-Versicherung

Eine Reise-Rücktrittskosten-Versicherung ist bisweilen im Reisepreis schon enthalten. Sie kann, sollte das nicht der Fall sein, aber auch separat abgeschlossen werden. Die Prämien sind erträglich (Elvia, Europäische u.a.). Man sollte darauf im Fall langfristiger Vorbuchung besser nicht verzichten. Seit 2005 bietet der ADAC seinen Mitgliedern gegen eine moderate Jahrespauschale eine derartige Versicherung für alle Reisen.

2.3 Die Finanzen

2.3.1 Kreditkarten

Situation in den USA

Wer noch keine Kreditkarte besitzt, sollte sich anlässlich der Reise nach Amerika eine zuzulegen. Im täglichen Zahlungsverkehr der USA spielt sie eine weitaus stärkere Rolle als bei uns, obwohl sie die Barzahlung durchaus nicht so weitgehend verdrängt hat, wie gelegentlich berichtet wird. **Ohne Plastikgeld** setzt man sich in Amerika leicht dem Verdacht aus, nicht kreditwürdig zu sein. Es gibt viele Gelegenheiten, bei denen Barzahlung mit Stirnrunzeln quittiert (Motel/Hotel/Mietwagen), wenn nicht gar abgelehnt wird. Ohne die Angabe einer Kreditkartennummer, deren Gültigkeit und Deckung sofort online überprüft wird, ist z.B. eine verbindliche Reservierung von Hotelzimmern (für Ankunft nach 18 Uhr), Fähren, Veranstaltungstickets etc. nicht möglich.

Generell gilt: **Kreditkarten sind für eine USA-Reise außerordentlich hilfreich, in vielen Situationen unabdingbar**. Ihr Vorhandensein sichert darüberhinaus die Zahlungsfähigkeit im – wenn auch hoffentlich nicht eintretenden – Notfall.

Vorteile

In ganz Nordamerika und Mexico kann mit den international bekannten Kreditkarten ein Großteil der laufenden Ausgaben ohne Geldwechsel und/oder Vorwegbeschaffung von Reiseschecks bestritten werden. Eine übliche Frage in Läden und Tankstellen ist denn auch ***Cash or charge?***, »Bargeld oder Kreditkarte?«

Kosten Der heute für viele »normale« Kreditkarten ohne Vergoldung und Sonderleistungen geforderte **Jahresbeitrag** ist so niedrig, dass er sich – unabhängig vom Einsatz unterwegs – schon durch die damit eingekaufte Sicherheit rentiert, selbst wenn man die Karte den Rest des Jahres kaum benötigt. Darüberhinaus bieten selbst »einfache« Karten oft geldwerte Zusatzleistungen (vor allem Versicherungen, ➤ vorstehenden Abschnitt), welche allein die Kosten wieder aufwiegen können.

Doch zunächst zu einigen wichtigen Details:

Unterschiede In den USA grundsätzlich verwertbar sind die vier »großen« auch in Europa erhältlichen Kreditkarten ***American Express, Diners Club, Eurocard*** und ***VISA***. Es gibt jedoch Unterschiede bei der Einsatzfähigkeit.

VISA und Master-/Eurocard Unter dem Aspekt der universalen Einsatzfähigkeit (und der Höhe der Jahresgebühr) geht hingegen nichts über die mit dem weltweiten ***Mastercard-System*** verbundene ***Eurocard*** und die ***VISA Card***. *Mastercard-* und *VISA*-Emblem sind in den USA gleichermaßen allgegenwärtig. Mit beiden Karten lässt sich fast bargeldlos reisen, legt man es darauf an. Im Unterschied zu *Diners Club* und *AE-Card* geben unterschiedlichste Unternehmen die Karten aus, in erster Linie Banken und Versicherungen, aber z.B. auch ADAC oder Lufthansa. Jahresgebühren und Konditionen hängen von der Vertragsgesellschaft ab. Im Falle von *VISA* oder *Eurocard ist* daher **Karte nicht gleich Karte**. Zur Frage, welche Karte man sich zulegen sollte, sind die **Kreditkartenvergleiche** der Stiftung Warentest und bekannter (Wirtschafts-) Magazine (Capital, Impulse, Focus u.a.) aufschlussreich. Die individuell ideale Karte ermittelt man unter www.cardscout.de.

Diners/American Express Die *Diners Club Card* wird in Nordamerika erheblich seltener akzeptiert als die anderen Karten. Sie eignet sich ggf. als Zweitkarte für Touristen, die nach Südamerika weiterreisen, da sie dort verbreiteter ist. Im Gegensatz zu *Diners* fand die ***AE-Card*** in den

Es beruhigt, nicht nur auf eine Karte angewiesen zu sein, da des öfteren nur Visa oder nur MC akzeptiert werden. Im übrigen kann im Verlustfall weit weg von der Heimat eine Reservekarte nicht schaden – die Karten daher besser getrennt aufbewahren!

letzten Jahren breitere Akzeptanz auch in bis dato weniger typischen Einsatzbereichen wie in Tankstellen oder Motels der unteren bis mittleren Preisklasse. Wer eine AE-Karte besitzt, kommt damit am besten durch bei überdurchschnittlichen Ansprüchen und Ausgaben, vor allem in höherpreisigen Hotels, »besseren« Restaurants, bei Autovermietungen und Fluggesellschaften.

Praxis

Die **Zahlung per Kreditkarte** erfolgt wie bei uns überwiegend durch Unterschrift auf ein elektronisch erstelltes Belegformular. Mit seiner Kopie kann der Karteninhaber später die Richtigkeit der in Rechnung gestellten Beträge überprüfen.

Wechselkurs

Wichtige Vorteile der Zahlung per Karte sind die **nachträgliche Belastung** (speziell bei relativ hohen Ausgaben), die sich bei Ausgaben in den USA oft verzögert, und die Zugrundelegung eines Wechselkurses (meist Devisenbriefkurs plus 1%-1,5%, ➤ Wirtschaftsteil jeder Tageszeitung), der manchmal unter dem Abrechnungskurs der Banken für Reiseschecks und immer deutlich unter dem Verkaufskurs für Bardollars liegt (gesonderter Kurszettel unter dem Begriff »Sorten«). Der Verzögerungseffekt kann **nachteilig** ausfallen, wenn zwischen der Zahlung im Ausland und der Weiterreichung des Belegs an die Kreditkartengesellschaft der Wechselkurs für den Dollar steigt. Man bezahlt dann mehr, als wenn man die Ausgaben bar abgerechnet hätte. Umgekehrt nimmt man **Währungsgewinne** mit, sinkt der Dollar.

Bargeld gegen Kreditkarte

Mit allen Kreditkarten lässt sich zu unterschiedlichen Konditionen auch Bargeld beschaffen. Mit ***Euro-*** und ***VISA-Card*** kann der Inhaber bei allen angeschlossenen Banken – die man noch bis ins letzte Dorf findet – Bargeld erhalten, vorausgesetzt, er weist sich durch seinen Reisepass aus. Ist die Geheimzahl bekannt, kann man sich auch bei den zahlreichen **Bargeldautomaten** bedienen. Das ***Cashing*** kostet indessen hohe Gebühren (3%-4% der Summe), sofern kein Guthaben bei der Kartenorganisation gehalten wird, ➤ auch unter »Bargeld per EC-Geldkarte«. **Barentnahmen** werden im Gegensatz zu allgemeinen Ausgaben **umgehend** dem heimischen Konto belastet. Die häufige Entnahme kleiner Beträge ist nicht ratsam, da meist unabhängig von der Summe eine Minimum- oder fixe Basisgebühr anfällt.

Grenzen

Die Bargeldbeschaffung per Karte unterliegt unterschiedlichen **Höchstgrenzen** in Bezug auf Summe und Frequenz der möglichen Abhebungen. Generell kann nicht mehr ausgegeben werden, als das heimische Konto zulässt. Unabhängig von der Kontodeckung gelten aber noch weitere Restriktionen. Wer unterwegs stark auf Kreditkartenzahlung und Bargeldbeschaffung per Karte setzen möchte, sollte sich über die im eigenen Fall gültigen Bedingungen genau informieren, um Überraschungen zu vermeiden.

»Edelkarten«

Weniger schiefgehen kann mit den **Edelausführungen** der *Credit Cards,* die einen höheren finanziellen Spielraum und erweiterte Versicherungen bieten.

Verlust

Bei Verlust einer Kreditkarte ist die Haftung in allen Fällen auf €50 beschränkt, gleichgültig, welcher Schaden zwischen Verlust und Benachrichtigung der Organisation eintritt. Nach der Verlustmeldung entfällt jede Haftung.

Folgende Telefonnummern können in den USA gebührenfrei angerufen werden, sollte die Kreditkarte verlorengehen oder sonst irgendein Problem auftauchen:

American Express	✆ 1-800-528-4800
Mastercard	✆ 1-800-622-7747 (MCAssist)
VISA	✆ 1-800-847-2911

Reiseschecks kommen zwar für Länder, in denen Bargeld aus Automaten gezogen werden kann, jetzt langsam »aus der Mode«, aber es gibt sie noch

2.3.2 Reiseschecks und Bargeld

Cash erforderlich

Barzahlung wurde auch in den USA durchaus noch nicht komplett durch Kreditkartenzahlung abgelöst. Wegen der Provisionsabzüge bei Kreditkartengesellschaften gibt es sogar hier und dort Barzahlungsrabatte. **Mit Kreditkarten oft nichts anfangen** kann man in ***Fast Food Restaurants*** und auf staatlichen **Campingplätzen**; bisweilen wird auch von **Billigtankstellen** auf ***Cash*** bestanden.

Reiseschecks

Dem sollten auch Kreditkarteninhaber Rechnung tragen. Bei richtiger Disposition vermeidet das ein teures *Cashing*. Da es kaum ratsam erscheint, größere Barbeträge mit sich herumzutragen, können ein paar **auf US$ lautende Reiseschecks** (**$20 und $50**; größere Stücke nicht sinnvoll) eine gute Reserve sein. ***Travelers Cheques*** (amerikanische Schreibweise) werden **in nahezu allen Geschäften** wie Bargeld akzeptiert. Unterschrift genügt. Nur bei Einreichung von Reiseschecks bei Banken ist üblicherweise der Reisepass vorzulegen. Je mehr aber Reiseschecks »aus der Mode« kommen, umso häufiger fallen – früher seltene – Gebühren an.

Verlustfall

Falls die Reiseschecks verlorengehen oder gestohlen werden, bekommt man für sie relativ leicht Ersatz. Dazu benötigt man die **Seriennummern** seiner Schecks, möglichst zu belegen durch Vorlage der selbst unterschriebenen Kopie der **Empfangsbestätigung**. Letztere sollte man deshalb dabei haben und separat aufbewahren. Wichtig ist es, die Nummern der Schecks zusätzlich an einem sicheren Ort zu hinterlegen, falls auch die Empfangsbestätigung

US$5-Banknote der neuen Serie; nach wie vor sind alle Scheine identisch groß und farblich nicht zu unterscheiden

abhanden kommt. Alle Scheckausgabestellen nennen ihren Kunden eine **Rufnummer** für den Verlustfall. Der Anrufer erfährt unter dieser ***Emergency Number*** der nächsten zuständigen Bank.

Banknoten

US-Dollar-Noten – die Scheine lauten auf 1, 2, 5, 10, 20, 50, 100, 500 und 1.000 Dollar – **unterscheiden sich nicht in der Größe** und wiesen bislang immer **dieselbe Farbe** auf: Zahlseite grauschwarz und die Rückseite grün (daher der Begriff ***Greenback*** für die Dollarwährung). Beim Herausgeben ist deshalb mehr Aufmerksamkeit als hierzulande geboten. Neuerdings gibt es Banknoten, denen auf der »grauen« Seite ein rosa Farbton unterlegt wurde.

Der **Dollar** wird umgangssprachlich oft ***Buck*** genannt. Speziell gilt dies bei Fragen nach dem Preis auf Märkten etc. Die Antwort lautet dann z.B. ***»five bucks«***.

Münzen

Münzen gibt es zu 1, 5, 10, 25 und 50 Cents. Die 50-Cents-Münze ist im täglichen Zahlungsverkehr allerdings äußerst selten. Die ebenfalls existierende silberne $1-Münze taucht im Zahlungsverkehr so gut wie nie auf. Neuerdings wurde auch eine **goldfarbene 1$-Münze** in Umlauf gebracht, die man selten sieht. Erst im Februar 2007 wurden weitere 300 Mio. davon in Umlauf gebracht.

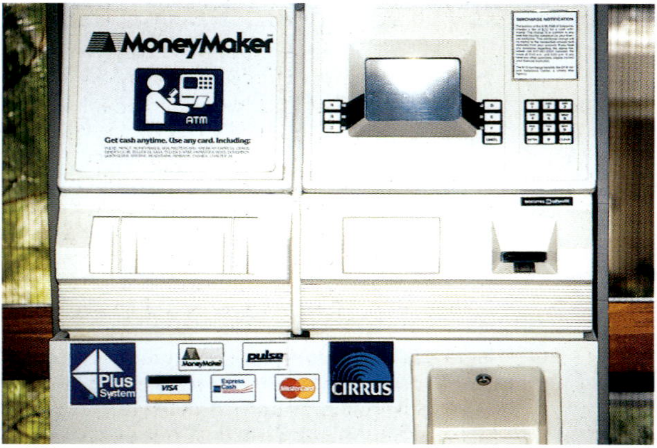

Bargeld-automat (ATM) in den USA; man achte auf dessen hübsche Bezeichnung. Das Menu führt in der Regel nur auf Englisch, manchmal auch auf Spanisch durch den Ablauf.

Folgende Bezeichnungen haben sich eingebürgert:

Nickel	5 Cents
Dime	10 Cents
Quarter	25 Cents

Wichtigste Münze ist bislang der ***Quarter***, man benötigt ihn zum Telefonieren an Münzgeräten und für Automaten jeder Art.

Bargeld per EC-Geldkarte

Mittlerweile kann man **flächendeckend** auch aus **amerikanischen Bargeldautomaten** (**ATM** = *Automatic* ***T****eller* ***M****achines*, ➤ Abb. links. »Teller« ist das amerikanische Wort für Bankschalter) mit einer **EC-Geldkarte** Dollars ziehen, sofern diese das Maestro-Logo zeigt und man die Geheimzahl im Kopf hat. Die Kosten sind niedriger als bei Bargeldbeschaffung per Kreditkarte.

ATM

Ein kleines Problem der ATM ist das immer wieder etwas andere Menü der Benutzerführung in englischer Sprache. Unklarheiten, ob nun »yes« oder »no« zu pressen ist, tauchen da schon mal auf. Häufig wird abgefragt: *»Debit« or »Credit«*? Grundsätzlich heißt dann die Antwort »Credit« auch bei der Geldkarte und der Abhebung vom eigenen Konto (*»Debit Cards«* gibt es bei uns nicht). Gelegentlich fragen Automaten nach dem *Zip Code*, also der Postleitzahl des Kartenbesitzers. Man gibt dann einfach eine beliebige real existierende Codenummer ein, z.B. 97225.

Tipp: Besorgen Sie sich Bargeld aus dem Automaten – speziell beim ersten Versuch in den USA – lieber während der Öffnungszeit der Bank. Wenn etwas schiefgeht, lässt sich das dann klären. Bloß nicht den ersten Versuch am Samstag-Nachmittag machen!

Nötige Bardollars

Ein gewisser **Barbestand** für die ersten Ausgaben in den USA (ggf. bereits im Flugzeug, fliegt man mit einer US-Airline) sollte auf jeden Fall in der Brieftasche stecken. Und zwar **in relativ kleinen Scheinen bis maximal $50**. Mit größeren Banknoten gibt es bisweilen Probleme bei der Annahme. Ein **Vorrat an $1-Noten** darf nicht fehlen. Denn die braucht man ggf. für den Gepäckkarren am Airport, für Trinkgelder und andere kleine Ausgaben vom Moment des Betretens amerikanischen Bodens an.

Generelle finanzielle Disposition

Eine gute, Risiken mindernde Vorsorge für die Reise ist eine **Mischung der 3 Zahlungsmittel**, wobei es darauf ankommt, wie die Reise gestaltet werden soll. Unter der Annahme, dass man das Fahrzeug für die Reise bereits hier gebucht und weitgehend bezahlt hat, wäre es für Leute, die überwiegend im Hotel übernachten und bessere Restaurants besuchen (d.h., per Kreditkarte zahlen) sinnvoll, zunächst nur etwa 10% der kalkulierten Ausgaben in bar, weitere 20% in Reiseschecks und den Rest per Karte abzudecken. Bei Campingreisen, auf denen tendenziell mehr Ausgaben in bar anfallen, könnten Bardollar- oder Reisescheckbestand auch höher liegen. Mit der heute überall mit **EC-Geldkarte** zu nutzenden Geldautomaten bei gleichzeitigen um sich greifender Einlösegebühren und »Umstand« ist es ggf. billiger und sicher komfortabler, weitgehend auf Reiseschecks verzichten.

2.3.3 Geldbeschaffung im Notfall

Geld ist weg!

Was tun, wenn Reiseschecks, Dollars und Kreditkarten abhanden gekommen sind und ein Ersatz nicht zu beschaffen ist?

Mit Anruf in der Heimat gibt's nur noch eine sinnvolle Möglichkeit für einen raschen Geldtransfer::

Reisebank/ Western Union

Diesen bieten von Deutschland aus **Reisebank** und **Post** in Kooperation mit ***Western Union***, einer Unternehmung, die in fast allen Städten Nordamerikas ab mittlerer Größe ein Büro unterhält. **Filialen der Reisebank** befinden sich in Bahnhöfen deutscher Großstädte, in Flughäfen und an Grenzübergängen. Nach Einzahlung bei der Reisebank oder Post kann die Summe nach wenigen Minuten in einem *Western Union Office* weltweit in Empfang genommen werden; die Gebühren sind indessen sehr hoch.

Auskunft in Deutschland unter
✆ 01805/225822 bzw. unter www.reisebank.de

Western Union in den USA:
✆ 1-800-Call-Cash; www.westernunion.com

Zur Auslandsvertretung

Wenn alle Stricke reißen, bleibt nur der Gang zum nächsten **Konsulat** (Adresse bei der Botschaft, ➢ Seite 218). Die Konsulate helfen im allgemeinen nicht mit Bargeld, aber bezahlen ggf. Hotelkosten und Flugticket in die Heimat. Das Außenamt fordert vorgestreckte Auslagen dort sofort wieder zurück.

2.4 Der Flug nach Amerika

Situation

Die gängigen Transatlantiktarife gibt's in jedem Reisebüro. Wer aber Wert auf ein preisgünstiges Ticket legt, sollte sich umschauen. Flugreiseagenturen findet man in allen größeren Städten; sie inserieren auch up-to-date-Tarife in **Reisemagazinen** und Wochenendausgaben überregionaler Zeitungen. Die **Zeitschriften *Reise & Preise*** und ***Clever reisen*** listen die günstigsten Anbieter auf dem deutschen Markt und verfügen über gute Websites mit aktuellen Tabellen zum Flugtarifvergleich: www.fliegen-sparen.de bzw. www.reise-preise.de. In der Schweiz geht nichts über den ***Globetrotter Travel Service***.

Direktbuchungen im **Internet** sind ebenfalls möglich, ➢ Seite 101, aber oft mühsam und selten preiswerter zu arrangieren als durch eine auf USA-Flüge spezialisierte Agentur.

Übersicht

Im folgenden erhält der Leser eine Übersicht über die generelle Situation auf dem Transatlantik-Flugmarkt. Hier zunächst die wichtigen **Flugalternativen 2007** ab Deutschland oder von einem Flughafen der Nachbarländer

Sonderflüge

Beim Charterflug (in den meisten Katalogen als Sonder-oder Ferienflug bezeichnet) hat der Passagier bei USA-Flügen nur eine begrenzte Auswahl **bei Hin- und Rückflugterminen**. Der Rückflug erfolgt normalerweise vom Zielflughafen und kann eher selten von einem anderen *Airport* (Gabelflug) gebucht werden. Für den

Hinweis zur Gepäckkontrolle bei USA-Flügen

Gepäckstücke werden im Transatlantikverkehr in großen Stichproben geöffnet und durchsucht. Verschlossenes Gepäck »knackt« man einfach. Also entweder alles von vornherein unverschlossen lassen oder – besser – die neuen ***Travel Safe Locks*** verwenden, kleine Zahlenschlösser, die von der amerikanischen Checkinstanz TSA (und angeblich nur von dieser) geöffnet werden können. Erhältlich ist das Spezialschloss in vielen Ausrüstungs-, Sport- und Reisegepäckshops für ca. €9/Stück (USA ca. $8).

Mehr Information über das Produkt findet man auf der Website des Herstellers *Eagle Creek*: www.eaglecreek.com/41018.html. Dort gibt es auch eine Liste aller Läden in Europa, die *Eagle Creek*-Produkte vertreiben.

Westen der USA gibt es zur Zeit nur zwei Charterziele: ***Condor*** fliegt von Frankfurt nach Las Vegas, ***LTU*** von Düsseldorf nach Los Angeles und Las Vegas und bietet weitere Ziele in Kooperation (Umsteigen in LA bzw. Las Vegas) mit *United Airlines* an.

Komfort klassen

Beide Unternehmen bieten eine *Business* (*LTU*) bzw. *Comfort Class* (*Condor*) wie beim Linienflug gegen relativ moderate, aber absolut hohe Tarife. Im Sommer kosten die bequemeren Sitze und der bessere Service bei beiden Airlines über €1000 one-way.

Nachteil

Eine »stille« **Problematik** der Sonderflieger liegt bei der Rückreise. Vor Reiseantritt kann man den Flug gegen Zahlung der entsprechenden Gebühren vielleicht noch umbuchen, wenn Platz ist. Einmal am Ziel, lässt sich am Rückflug oft kaum rütteln, weil Flugfrequenz und Buchungssituation dies nicht zulassen.

Gepäcklimits

Das früher niedrige **Gepäcklimit** der Charterer ist ausnahmslos gefallen. Auch bei LTU, Condor und der holländischen Martinair sind **2 Gepäckteile erlaubt mit maximal je 23 kg** in der Tourist Class, je **32 kg in der jeweiligen »Edelklasse«**.

Linienflüge

In den Konditionen sind die Tarife der Linienflieger flexibler. Der Passagier kann u.a. für den Rückflug einen anderen Flughafen als der Ankunfts-Airport wählen und seine Hin- und Rückflugdaten frei auswählen, muss sie aber meist auch von vornherein festlegen. Änderungen kosten.

Tarifvergleich/ Konditionen

Bei einem Tarifvergleich ist es wichtig, die »Nebenbedingungen« zu beachten. Das beginnt bei **Umbuchungs- und Stornokosten** bei Datenänderung und eventuellem Rücktritt. Auch errechnen sich versteckte Preisunterschiede für alle, die nicht in der Nähe der Großflughäfen wohnen, aus den Anreisekonditionen und ggf. Abflugzeiten (Übernachtung notwendig?) sowie den Parkgebühren am Flughafen. Die Tarife etwa der **Lufthansa**, die sich auf jeden deutschen *Airport* beziehen, sind für manchen Kunden letztlich preiswerter und auch bequemer als ein nominal günstigeres Konkurrenzangebot, das nur ab Frankfurt oder München gilt und ab Bremen oder Leipzig deutlich teurer kommt.

Das »richtige« Ticket hängt stark vom individuellen Anspruch ab, wobei die (vermuteten) Unterschiede bei **Service** und **Fluggerät**

2

Eine relativ preiswerte Verbindung (auch) in den Westen bietet North West Airlines ab Amsterdam täglich nach Minneapolis/ St. Paul und von dort aus weiter.

eine zusätzliche Rolle spielen können. Die Erfahrung zeigt, dass auch eine höher eingeschätzte *Airline* nicht immer befriedigt und der Flug mit einer – nach allgemeiner Vorstellung – weniger renommierten Linie durchaus angenehm sein kann.

Flugunterbrechungen

Ein wichtiger Unterschied zwischen Sonder- und Linienflügen auf dem langen Weg zur US-Westküste ist die Möglichkeit zu **Flugunterbrechungen**. Die sind nur möglich bei amerikanischen oder europäischen Gesellschaften mit Kooperationspartner in den USA (z.B. ***Lufthansa/United/USAir; Air France/Delta***), da nach der Ankunft (immer) mit *US-Airlines* weitergeflogen werden muss.

Einige ***Airlines*** bieten **1 *Stopover*** selbst noch in Verbindung mit dem preiswertesten Transatlantikticket ohne Aufpreis, andere gegen Zuzahlung.

Kindertarife

Für Kinder zwischen **2 und 11 Jahren** wird von ab Deutschland fliegenden Gesellschaften überwiegend **65%-80%** des Vollzahlertarifs berechnet. **Kleinkinder unter 2 Jahren** zahlen ohne Anspruch auf einen Sitzplatz einen Festbetrag **zwischen €25 und 10%-15%** des Ticketpreises der Eltern. Bei langen Flügen an die Westküste der USA (9 bis 11 Stunden) fragt sich, ob nicht besser auch für die ganz Kleinen ein Kinderticket mit Sitzplatzanspruch gelöst werden sollte; ➤ Seite 66.

Zubringer in Deutschland

Während ***Lufthansa/United***-Tarife immer den Zubringerflug nach Frankfurt, ggf. auch München/Düsseldorf/Stuttgart einschließen, gilt dies nur z.T. oder gar nicht für andere Flüge ab Deutschland. Bei vielen ist für Zubringerflüge – oder ein Bundesbahnticket – zum Startairport ein Zuschlag in unterschiedlicher Höhe fällig.

Gebühren

Zu den reinen Ticketkosten kommen mittlerweile **nicht unter €100 bis über €200 Flughafen- und Sicherheitsgebühren retour**.

Zuschläge

Auch bei **Flügen am Wochenende** werden bei manchen Tarifen gesonderte Zuschläge fällig.

Buchung

In der Hochsaison zwischen Mitte Juni und Ende August sind die Plätze zu Billigtarifen oft langfristig ausgebucht, denn nur ein Teil der Kapazität wird »supergünstig« verkauft.

Für Flugdaten außerhalb von Ferienterminen und Hochsaison gibt es aber selbst zu Sondertarifen oft noch kurzfristig freie Plätze. Zeitlich unabhängige Kunden machen deshalb in vielen Fällen ein Schnäppchen, wenn sie **erst 4-6 Wochen** oder noch knapper **vor dem gewünschten Flugtermin buchen**.

Dafür bieten sich u.a. im **Internet** diverse Agenturen an. Worauf man bei Internetbuchung achten muss, steht im Kasten.

Flüge übers Ausland

Die günstigsten Flugangebote beziehen sich auf Flüge mit den *Airlines* einiger Nachbarländer, u.a. ***Alitalia***, ***KLM***, ***Air France*** und ***British Airways***. **Zubringerflüge** nach Amsterdam, Paris, Rom oder London sind immer im Ticketpreis eingeschlossen. Ob man zunächst von Dresden nach Frankfurt oder Amsterdam, London oder Paris fliegt, oder von München nach Rom bleibt sich zeitlich ziemlich gleich.

BA World Traveler Plus Class

British Airways bietet mit der ***World Traveler Plus Class*** einen verbesserten Sitzkomfort (mehr Platz) bei *Economy Class Service* für einen Aufschlag von €300 pro Strecke. Dies führt bei Flügen nach San Francisco, Los Angeles oder Seattle und weiteren Destinationen im US-Westen zu Gesamtkosten um €1.500, weniger im Winter, mehr im Sommer. Tatsächlich ist die Bequemlichkeit dieser Zwischenklasse zwar nicht wie *Business*, aber spürbar. Weniger erfreulich ist das Umsteigen in London Heathrow. Für rund €2.000 kann man dann vielleicht besser mit *LTU* oder *Condor* fliegen und »echte« *Business Class* genießen.

2

Flugbuchung im Internet

Zahlreiche **Reise-*Websites*** bieten heute scheinbar die absolute Rundum-information. Man sollte meinen, es sei damit ein Leichtes, für den eigenen Flugwunsch ein passendes Angebot herauszufiltern. Tatsächlich ist die Suche nach freien Plätzen zu Niedrigpreisen leicht ein zeitaufwendiges mit Dauersurfen verbundenes Unterfangen und nicht automatisch erfolgreich. Immerhin verschafft man sich dabeit einen gewissen Marktüberblick und kann im Reisebüros besser konkrete Vorstellungen äußern.

Generell sollten *Online*-Surfer folgende Punkte beachten:

- Wer Flugdaten um einige Tage verschiebt, kann Sonderpreise finden, die zu anderen Terminen womöglich schon ausgebucht sind bzw. nicht existieren. Dieselbe Flexibilität lohnt sich auch beim Abflugairport.

  Beispielsweise verschafft man sich zunächst einen Überblick für den Transatlantikflug ab Frankfurt, Amsterdam etc.; und erst danach überprüft man die Tarife <u>mit</u> Zubringerflügen.

- Nicht jede Internetagentur kann ein Komplettangebot aller Linien zu sämtlichen US-Airports bzw. aller innerdeutschen Zubringerflüge und/oder aller Charterflüge liefern. Da Ziele wie Denver, Los Angeles, San Francisco und Seattle von fast allen großen europäischen und US-Airlines (direkt oder *Code Sharing*) angeboten werden, findet man den passenden Flug oft nur nach Surfen durch die *Websites* mehrerer Anbieter.

- Nach der Tariferkundung muss man feststellen, ob zum gewünschten Preis noch freie Plätze existieren, weil Fluggesellschaften immer nur ein begrenztes Kontingent zu Sonderkonditionen vergeben. Zudem haben einige Tickets oft nur eine limitierte Gültigkeit, etwa 1 Monat; bei längerfristigen Aufenthalten gelten andere Tarife.

  Bei negativ verlaufener Vakanzanfrage macht es Sinn, zunächst nur den Transatlantikflug ohne Zubringerstrecken zu prüfen. Gibt es dort noch freie Plätze, wählt man für die Anschlussflüge ab Deutschland, Österreich oder der Schweiz bzw. in den USA andere Zeiten oder Flughäfen.

Sehr gute Informationsquellen für Buchungen übers Internet mit vielen Links zu Airlines, Reisebüros usw. sind die beiden vierteljährlich erscheinenden Reisemagazine, die sich auch Online erreichen lassen:

Reise und Preise: www.reise-preise.de

Clever reisen: www.fliegen-sparen.de

Hilfreich sind auch die Websites www.billiger-reisen.de und www.info-reise preisvergleich.de, die die Suche erheblich erleichtern können.

Internetagenturen für Flugtickets:

www.airline-direct.de	www.ebookers.de
www.expedia.de	www.flug.de
www.flugticket.de	www.mcflight.de
www.skyways.de	www.opodo.de
www.ticketman.de	www.travelocity.de
www.travel-overland.de	www.usareisen.com
www.skyscanner.net/worldwide	

Die Unterschiede zwischen den Agenturen liegen dabei in der Art der Aufbereitung und der Geschwindigkeit des Seitenaufbaus. Die letztgenannte Adresse ist mit diversen Buchungsmaschinen verbuchen und vermeidet damit das lästige immer wieder neu Einbuchen bei Weitersuche.

Nicht selten ist das Finden und Buchen eines geeigneten, dazu noch preiswerten Fluges per Eigeninitiative im Internet selbst mit Hilfe solcher Reiseportale ein ziemlich mühsames Geschäft, das sich per Anruf in einer Reiseagentur schneller erledigen lässt und – speziell für vorinformierte Bucher – nicht teurer kommt; eher ist oft das Gegenteil der Fall.

Vielflieger-Programme

Alle großen Fluglinien haben Vielflieger-Programme unter verschiedensten Bezeichnungen wie ***Frequent Flyer***, ***Miles & More*** (Lufthansa) etc., die jede Menge Vergünstigungen in Aussicht stellen. Jedermann kann sich dafür vorm ersten Flug eintragen lassen. Anruf genügt. Nach Anmeldung wird ein kreditkartenartiger Ausweis ausgestellt und ein **Konto zur Meilenbuchung** eingerichtet.

Beim Einchecken weist man einfach seine Karte vor. Wer sie (noch) nicht zur Hand hat, kann mit dem bei ihm verbliebenen Abschnitt des ***Boarding Pass*** Meilen noch nachmelden. Oft werden schon bei Ausstellung 5.000 Meilen gutgeschrieben, bei **Transatlantikflügen** zusätzliche **Prämien**. Infos Lufthansa **unter** www.moremiles.com.

Information

Die Telefonnummern der wichtigsten **Airlines im USA-Luftverkehr** findet man in folgender Liste, ebenso deren **Internetadressen**, über die man ggf. auch **Sondertarife** findet:

Airline	Telefon	Internetadresse
Air France	**01805/830830**	www.airfrance.com
American	**01803/242324**	www.americanair.com
Austrian Air	**01803/000520**	www.aua.com
British	**01805/266522**	www.british-airways.com
Condor	**01805/7677570**	www.condor.de
Continental	**01803/212610**	www.flycontinental.com
Delta	**01803/337880**	www.delta-air.com
Icelandair	**069/299978**	www.icelandair.com
KLM	**01805/214201**	www.klm.com
LTU	**0211/9418888**	www.ltu.de
Lufthansa	**01803/8384267**	www.lufthansa.com
Martinair/NL	**01805/100211**	www.martinair.de
SWISS	**01803/000337**	www.swiss.com
SAS	**01803/234023**	www.scandinavian.net
United	**069/50070387**	www.ual.com
USAir	**01803/000609**	www.usair.com
Virgin Atlantic	**0044/870 2909090**	www.virgin-atlantic.com

Rückbestätigung von Flügen

Der Rückflug sollte mindestens 72 Stunden vor dem planmäßigen Abflug rückbestätigt werden. Wer das vergisst, kommt meist auch mit, die *Airline* hat aber das Recht, nicht rückbestätigte Passagiere ohne Entschädigung umzubuchen. Also besser dran denken!

Die ***Reconfirmation*** erledigt man mit einem gebührenfreien Anruf bei der Fluggesellschaft, wobei man das Ticket zur Hand haben muss, um Abflug-/Zielort, Flugnummer etc. angeben zu können. Die wichtigsten ***toll-free numbers*** (bis auf *Martinair*) sind:

Air France	1-800-237-2747
American	1-800-433-7300
Austrian Air	1-888-817-4444
British	1-800-247-9297
Condor	1-800-524-6975
Continental	1-800-525-0280
Delta	1-800-221-1212
Icelandair	1-800-223-5500
KLM/Northw	1-800-225-2525
LTU	1-866-266-5588
Lufthansa	1-800-645-3880
Martinair	1-416-364-3672
Northwest	1-800-225-2525
SWISS	1-877-359-7947
United	1-800-241-6522
USAir	1-800-428-4322
Virgin Atlantic	1-800-862-8621

Toll-free numbers sind von jedem US-Telefon aus zu erfragen: ✆ **1-800-555-1212** oder im Internet unter http://inter800.com

2

2.5 Vorbuchung des Transportmittels

Die Eignung der verschiedenen Transportmittel für eine Reise durch den Süden der USA wurde eingangs bereits erörtert, ➤ Seite 41ff. Hier geht es zunächst um Details der Alternativen, die noch vor der Reise gebucht werden können und/oder sollten:

2.5.1 Die Pkw-Miete

Typen, Kosten, Konditionen

Mindestalter

Voraussetzung der Fahrzeugmiete ist allgemein ein Mindestalter der als Fahrer vorgesehenen Personen von **21 Jahren**. Jüngere Mieter zahlen kolossale Aufschläge.

Für jeden **Fahrer unter 25 Jahren** wird in aller Regel ein **Zuschlag** von $10-$25/Tag (plus Steuern) berechnet. ***Hertz*** akzeptiert Fahrer unter 25 Jahren gar nicht. Junge Leute **von 19/20 Jahren** können zur Zeit bei ***Alamo*** Autos mit einem Aufpreis von mindestens $20/Tag plus Steuern mieten Aber **21-24jährigen Mietern** bietet *Alamo* pauschal ein »***Under 25*-Paket**«, das – bei Entfall des Tageszuschlags – je nach Wagentyp etwa €30-€40/Woche teurer ist als das Standardpaket für Mieter ab 25 Jahren.

Verleihfirmen und Buchung

Bei hiesigen Reiseveranstaltern kann man die komplette Palette gängiger amerikanischer Leihwagen vom *Subcompact/Economy/* (Ford Fiesta Klasse) bis zum *Minivan* buchen. Überwiegend wird dabei mit den internationalen Verleihfirmen wie *Avis, Hertz, Budget* und der etwas preiswerteren Firma *Alamo* kooperiert, aber auch mit günstigeren US-Verleihern wie *Dollar Rent-a-Car* u.a.

Ein Vergleich der Kataloge bzw. der Internetseiten von Reiseveranstaltern zeigt keine substanziellen Unterschiede bei den Miettarifen. Das gilt auch für die **Saisonzuschläge** (ca. €20-€40 pro Woche) bei Anmietung im **Juli und August**.

Die Buchung vor der Reise kann außer bei Reiseveranstaltern und den (speziell für Nordamerika) preisgünstigen Mietwagenvermittlern ***holiday autos*** oder ***sunny cars*** (ebenfalls in Reisebüros oder im Internet) auch bei Automobilklubs oder direkt bei den Leihwagenfirmen erfolgen. In Deutschland unterhalten folgende internationale US-Vermieter eigene Büros und Websites:

Alamo	0800/462526	www.alamo.de
Avis	01805/217702	www.avis.de
Budget	01805/244388	www.budget.de
Hertz	01805/938814	www.hertz.de
Holiday*)	01805/179191	www.holidayautos.de
National	0800/464-7336	www.national.de
Sixt/Payless	01805/232222	www.e-sixt.de
(Kooperationspartner)		www.paylesscar.com
Sunny Cars*)	089/82993399	www.sunnycars.de
Thrifty	0203/3485555	www.thrifty.de

*) ***Holiday Autos*** und ***Sunny Cars*** sind Vermittler; über diese Firmen landet man in der Praxis bei verschiedensten Vermietern, aber zum fest vorgegebenen Holiday- bzw. Sunny-Cars-Tarif.

Eine Übersicht über die Tarife diverser Vermieter findet man u.a. unter www.USA-Mietwagen.de; eine weitere kompetente Adresse für die Automiete **USA** ist www.usareisen.com.

Pkw-Kategorien

Pkw und Vans können ausschließlich nach **Größenklassen** von ***Economy*** bis ***Fullsize/Premium*** und nach **Gattungskriterien** wie ***Convertible*** (Cabriolet), ***Jeep*** oder ***Minivan*** gebucht werden. **Bestimmte Fahrzeugmarken und -typen lassen sich nicht reservieren**. Jedoch ist man vor Ort in der Regel bemüht, Kundenwünschen entgegenzukommen, sollte der bereitgestellte Wagen nicht zusagen. Einige Vermieter führen überwiegend die Autos bestimmter Hersteller (z.B. Avis: *General Motors*, Hertz: *Ford*, usw.).

Wahl

Amerikanische Kraftfahrzeuge sind nach wie vor komfortabler als europäische Wagen vergleichbarer Größe. Leihwagen besitzen immer ein **Automatikgetriebe** und **Klimaanlage** (*Air Condition*). Nichtsdestoweniger hält sich ihr **Treibstoffverbrauch** heute wegen moderner Motoren und der Tempobeschränkungen (➤ Seite 141) in erträglichen Grenzen.

2

Tipp

Ideal für Zelturlauber sind die SUVs (*Sport Utility Vehicle*: Bezeichnung für Großraumjeeps mit/ohne 4WD). Sie bieten viel Platz, hohe Sitzposition und ideale Be- und Entladung hinten. Zur Not kann man in ihnen (unbequem) schlafen. Die Kosten liegen €70-€100/Woche über denen mittlerer Pkws.

Bei ***Alamo*** und ***National*** kann man auch die Mittelklasseversion der SUV für unter €200 mieten (»*Equinox*« oder ähnlich, z.B. »*Saturn Vue*«), sehr handliche gute Fahrzeuge mit geringerem Benzindurst. Bei diesen Firmen darf man sich aus dem vorhandenen Bestand vor Ort das Wunschfahrzeug aussuchen. Oft interessiert es niemanden, ob der »*Equinox*«-Bucher sich lieber einen großen »*Trail Blazer*« greift, der an sich teurer ist, denn vor Ort gilt: SUV = SUV.

Kompakter SUV, wie ihn z.B. Alamo anbietet. Hier ein Saturn Vue mit Schiebedach. Kosten pro Woche im US-Westen ab €190. Der Mieter eines Kompakt-SUV kann sich oft vor Ort ohne Aufpreis auch ein Full Size SUV auswählen.

Größe

Bei der Wahl der Größe sollte man sich nicht zu sehr vom Preis leiten lassen; die Unterschiede sind bei den Pkw von Größenklasse zu Größenklasse oft kaum der Rede wert (€10-€40 pro Woche!). Ein etwas geräumigerer Wagen bietet den Vorteil, dass der Kofferraum nicht so knapp ist. Ab 4 Personen sollte man – speziell auf längeren Reisen – an einen **Minivan** denken (ab unter €300 pro Woche inkl. Vollkasko), wenn ein Camper nicht in Frage kommt.

Vans für Behinderte

Minivans gibt es von *Avis* auch in behindertengerechter Ausführung in vielen wichtigen Städten.

Tarifinhalt

Bei **Vorausbuchung** sind mit der Zahlung meistens die **Basiskosten** des Fahrzeugs, **Haftpflicht- und Vollkaskoversicherung** gedeckt.

CDW/LDW

Die – nach unserem Verständnis – **Vollkaskoversicherung**, je nach Gesellschaft *CDW/Collision Damage Waiver* oder *LDW/ Loss & Damage Waiver* genannt, ist – wie gesagt – durchweg in allen Tarifen enthalten. Normalerweise entfällt jede Selbstbeteiligung. In Amerika zahlt ein Mieter ohne CDW/LDW (zunächst) **alle** Schäden am Fahrzeug. Solange etwa der Unfallgegner sein Verschulden nicht anerkennt bzw. nicht rechtskräftig schuldig verurteilt ist und effektiv den Schaden trägt, bleibt man ohne CDW selbst auf fremdverursachten Schäden sitzen.

Unlimitierte Meilen/ Kilometer

Zumindest bei Vorausbuchung von Fahrzeugen der großen Verleiher ist bei einer Pkw-Miete **in ganz Nordamerika** grundsätzlich ***Unlimited Mileage*** in den Tarifen enthalten.

Einwegmiete

Alle Tarife gelten zunächst unter der Voraussetzung, dass das Fahrzeug am Ausgangsort zurückgegeben wird. Am Flughafen übernommene Autos können aber überwiegend ohne Zusatzkosten in einer City-Filiale derselben Stadt wieder abgegeben werden und umgekehrt. Prinzipiell wird für die Einwegmiete eine entfernungsabhängige Pauschale (***One-way Service Fee***) berechnet, die von Vermieter zu Vermieter erstaunlich verschieden ausfällt.

2007 gibt es bei der Firma ***National*** nach wie vor das interessante **Angebot landesweiter Rückgabe für $199**.

Kostenfreier Einweg

Im US-Westen gilt eine Reihe **kostenfreier *One-ways***, etwa bei Anmietung in Kalifornien und Rückgabe in Nevada (Reno/Las Vegas) und generell innerhalb von Kalifornien (bei allen großen Vermietern). Bei ***Avis*** ist bei einer **Anmietung in Kalifornien** die **Rückgabe** in **Arizona, Nevada, Oregon** oder **Washington gebührenfrei** ebenso bei Einwegmiete Nevada–Kalifornien (auch ***Hertz***).

Kostenpflichtig oder gratis:
***One-way* muss immer ausdrücklich bestätigt werden**.

Zusatzkosten

Neben Sonderkosten für eine Einwegmiete können weitere Kosten anfallen, die vor Ort in Dollar beglichen werden müssen. So z.B. **Aufschläge** für junge/zusätzliche Fahrer, **Zusatzversicherungen** oder die Miete eines **Navigeräts**, ➤ auch »Leistungspakete«.

Steuern

Die lokalen **Steuern sind bei hier gebuchten Fahrzeugen** üblicherweise **bereits im Tarif enthalten**.

Bei **Zusatzkosten**, die vor Ort entrichtet werden, kommen **immer *Taxes*** hinzu: In den USA beträgt die ***Sales Tax*** in den Weststaaten im Fall der Automiete **bis zu 11%** mit Sonderaufschlägen bei Wagenmiete/-rückgabe am *Airport*.

Die Deckungssumme der Haftpflichtversicherung

Übliche Deckung

Es gibt (in den USA vor Ort) immer noch Tarife, die nur die gesetzliche Minimaldeckung beinhalten. Diese kann **im ungünstigsten Fall in den USA bei nur $25.000 (!)** für Personenschäden liegen und darunter bei Sach- und Vermögensschäden. Solche Beträge sind schnell »verbraucht«. Das gilt auch in Staaten mit nominell höheren Summenkombination, etwa $300.000/$100.000, max. $300.000 je Unfall, aber höchsten $100.000 je geschädigter Person. Denn selbst harmloseste Verletzungen können in den USA zu abenteuerlichen Schadensersatzforderungen und manchmal sogar zu ihrer gerichtlichen Durchsetzung führen. Sach- und Vermögensschäden sind bei solchen Kombinationen meist nur mit $20.000-$50.000 abgesichert.

Aufstockung der Deckung

Derartig geringe Deckungssummen resultieren aus den – in den USA üblichen – personenbezogenen Haftpflichtversicherungsverträgen: Viele Automieter bringen ihre persönliche (oft bessere) Versicherung mit. Sie gilt unabhängig vom Fahrzeug, das der Versicherte gerade fährt. Wer keine derartige Versicherung besitzt, etwa der ausländische Tourist, kann sich eine Aufstockung beim Vermieter kaufen. Sie heißt *Liability Insurance Supplement* oder *Additional Liability Insurance (LIS/ALI)* und kostet ab ca. $10/Tag (plus Steuern) für eine Erhöhung auf $1 Mio. Die **deutschen Reiseveranstalter** bzw. internationalen Vermieter haben die aus der Unterversicherung bzw. Zusatzkosten für ALI/LIS resultierende Problematik erkannt und eine **Zusatzversicherung** abgeschlossen, die ihre Kunden mit bis zu **€1,6 Mio.** absichert, sollte die zunächst vorhandene Deckungssumme nicht ausreichen.

Leistungspakete von Veranstaltern

Diese Zusatz-Haftpflichtversicherung ist seit einiger Zeit in sog. **Leistungspakete** integriert, die entweder einfach »A« und »B« oder auch »Super-Inklusiv«/«Super-Spar« u.ä. heißen. Bereits die preiswertere **Fassung A** bzw. **Super-Spar** sorgt außerdem dafür, dass vor Ort keine Steuern und Sondergebühren mehr anfallen. Das erweiterte, nicht wesentlich teurere **Paket B/Super-Inklusiv** enthält zusätzliche Versicherungen, Gebührenentfall für weitere Fahrer und einen vollen Tank »gratis«. In der Regel lohnen sich die Mehrkosten schon allein oder doch fast durch die bezahlte Tankfüllung, die sonst zu einem relativ hohen Preis in Rechnung gestellt wird, ohne dass man sie wirklich voll verbrauchen kann. Denn wer fährt schon mit dem letzten Tropfen Sprit zur Rückgabe und der Gefahr kurz vorher liegen zu bleiben?

Seit kurzem gibt es ein Kategorie ***Paket B+Navigerät*** für $30-$50/Woche mehr. Sehr erwägenswert ist das für Fahrten in dicht besiedelten Regionen, bei Touren durch die Nationalparks unnötig.

Aufstockung der Haftpflichtdeckung via Kreditkarte

Inhaber einiger **Goldkarten** genießen teilweise eine **Kfz-Reise-Haftpflicht-Versicherung** (= Aufstockung), sofern sie die Mietkosten per Karte zahlen. Wer die Karte einsetzen möchte und Wert auf die Zusatzhaftpflicht legt, sollte »seine« **Kreditkarten-Bedingungen überprüfen**. Z.B. bietet die **ADAC Visa-Goldcard** eine Aufstockung der Haftpflichtdeckung auf €1 Mio. Mit der **Lufthansa Goldkarte** ist sogar eine Vollkaskoversicherung für Mietwagen verbunden. Vorausgesetzt wird dabei natürlich die Zahlung der Mietkosten mit Karte. Wichtig ist auf jeden Fall, die jeweiligen Bedingungen im »Kleingedruckten« einzuhalten.

Führerschein

In Nordamerika genügt der nationale Führerschein. Noch-Inhaber der alten »grauen Lappen« und der neuen nur scheckkartengroßen Euro-Führerscheine sollten zusätzlich den **Internationalen Führerschein** dabei haben. Denn Regierungsabkommen und die Vorstellungen eines Sheriffs auf dem Land sind zweierlei. Bei Kontrollen und Unfall leuchtet dem eine ***International Driver's License*** eher ein als ein rein deutschsprachiges Dokument. Da Form und Größe der neuen Führerscheine aber genau den amerikanischen Pendants entsprechen, gibt es damit im Zweifel weniger Probleme als mit der Uraltversion.

Fazit

Vorbuchen oder Eigeninitiative vor Ort?

Vergleicht man die Möglichkeiten der Automiete vor Ort mit Angeboten in hiesigen Katalogen, ist man mit Vorausbuchung im allgemeinen besser beraten, soweit die Mietzeit ab einer Woche beträgt. Zwar gibt es drüben, speziell in großen Cities, durchaus Sondertarife und Discounter (➤ Seite 125), aber dazu muss man sich auskennen und vor Ort Zeit investieren. Nicht übersehen werden darf dabei, dass zu niedrigen Basistarifen meist hohe Versicherungsprämien kommen. Die Sicherheit, dass zum Zeitpunkt der Ankunft der Wagen vollgetankt und versichert bereitsteht und die Suche keinen Stress verursacht, ist so oder so ein Vorteil.

Die Empfehlung ist unabhängig von der Saison. Ein knappes Angebot wie im Fall der Campmobile zu bestimmten Zeiten gibt es nicht. In beiden Ländern stehen zu jedem beliebigen Zeitpunkt Massen an Miet-Pkw zur Verfügung. Zu **Suche und Miete in den USA** steht im übrigen alles auf den Seiten 151f.

2.5.2 Die Miete eines Campmobils

Grundsätzliches

Camper fahren, ein Problem?

Camper, welcher Größe auch immer, dürfen in den USA allesamt mit **Pkw-Führerschein** bewegt werden. Tatsächlich ist das Fahren im Campmobil – zumindest auf breit ausgebauten Straßen – selbst in großen Fahrzeugen einfacher, als es zunächst den Anschein haben mag. Man gewöhnt sich bald an die Größe, die nicht so tolle **Straßenlage** und **leichtgängige Lenkung**. Bei starkem Verkehr und auf engeren Spuren im Stadtverkehr und im Umfeld der Big Cities kann das Fahren im Campmobil dennoch stressig sein.

Im Gegensatz zum Pkw gibt es im allgemeinen keinen Aufschlag für Fahrer zwischen 21 und 25 Jahren.

Zu den Fahrzeugtypen

RVs

In den USA gelten Camper vom kleinsten Modell bis zum Riesen-Motorhome als ***Recreational Vehicles*** – Kürzel ***RV*** (sprich: »Arwí«). *RVs* verfügen über einen 8/10-Zylinder-Motoren, automatisches Getriebe, eine vom Motor abhängige und zusätzliche 110-V-Klimaanlage. Damit verbunden ist ein ausgeprägter Benzindurst, der bei den heutigen Literpreisen von €0,50-€0,60 DM die Urlaubskasse ganz schön strapaziert. **Dieselmotoren** in Campmobilen sind bei Mietfahrzeugen bislang selten.

Kategorien

Nimmt man die Angebote der großen Reiseveranstalter, findet man in den USA nur noch relativ große Campmobiltypen:

- ***Super Van*** (nur *Moturis*)
- ***Compact RV*** (nur *Cruise America)*
- ***Motorhome Class C***
- ***Motorhome Class A***

Man kann sich diese Fahrzeuge mit allen Details gut im Internet ansehen und zwar auf den Websites:

www.moturis.com

www.elmonterv.com

www.cruiseamerica.com

Kleinere Spezialreisebüros w.z.B. *Adventure Travel* (➤ Seite 115, www.usareisen.com) bieten darüber hinaus auch kompaktere Fahrzeuge »alternativer« Vermieter an, speziell

- ***Van Camper* 17-19 Fuß**

Zu den verschiedenen Typen hier einige Anmerkungen:

Van Camper

Typen 17/19 Fuß

Van Camper finden sich nur noch als ältere, wenngleich durchaus akzeptable Fahrzeuge. Zu unterscheiden sind *Vans*, die – wie auch fast alle *Motorhomes* – ein **Doppelbett über der Fahrerkabine** besitzen und flachere Fahrzeuge unter verschiedenen Bezeichnungen. Den Abstand zwischen Matratze und Dach bei den

19-Fuß Van Camper einer Bauart, die sich nur für 2 Personen ernsthaft eignet.

Beurteilung 19 Fuß Van

hohen Fahrzeugen empfinden die meisten ausgewachsenen Schläfer als zu gering. Die zweite Schlafgelegenheit besteht entweder aus einem langen Klappsofa (17 Fuß) oder aus der umzubauenden Sitzecke hinten im Fahrzeug (19 Fuß). Zum Schlafen ist Letzteres in Ordnung, zum Sitzen für weitere Passagiere oder auch am Tisch eine problematische Konstruktion, weil die Seitenwände sich nach oben hin verjüngen und keine bequeme Sitzposition erlauben. Mitfahrer können hinten fast nichts sehen und schwer mit den vorne Sitzenden kommunizieren. Ein Unfall hätte für Hintensitzende vermutlich katastrophale Folgen. Der B-19 hat eine (winzige) Duschkabine mit WC, sie raubt aber zu viel Platz.

Royal Maxi

Das beste Fahrzeug in dieser Gruppe ist der ***Royal Maxi*** von ***Wildwest Campers/Vancouver*** (➤ Seite 116, Vermietung auch über USA-Stationen), äußerlich ein erweiterter B-19 mit 20 Fuß, aber drinnen statt Dusche Sessel und Tisch vorne; für 2-3 Leute eine prima Lösung, weil so das Bett hinten umgebaut bleiben kann. Die Sitzecke hat viel Raum und Licht.

Vans bis 17 Fuß

Bei den Fahrzeugen ohne Dachüberhang für Betten fallen *Adventure on Wheels* und *Wildwest* mit einfach, aber praktisch eingerichteten relativ preiswerten Fahrzeugen auf.

Allgemeines

Für alle Fahrzeuge gilt: Gasherd, Spüle und Kühlschrank (ab 19 Fuß in Haushaltsgröße) fehlen nie. Eine tragbare Chemietoilette gehört heute noch zum einfachsten *Van*. Die besseren Modelle besitzen im allgemeinen eine Spültoilette.

Spritdurst

Ein 17-Fuß *Van* mit 6 Zylindern begnügt sich schon mal mit 15 l auf 100 km, größere Fahrzeuge schlucken oft 20 l/100 km und mehr bzw. fahren höchstens 12-13 mi pro Gallone (3,8 l).

Beurteilung

Ein *Van* ist nach Meinung des Autors für **2 Personen ggf. mit einem Kind** (dann *Royal Maxi*) bei Reisen mit hoher Kilometerleistung – wie sie typisch sind für viele Urlaubsreisen mit fast täglich langen Etappen – in vieler Beziehung (Straßenlage, Wendigkeit im Stadtverkehr und in Ortsdurchfahrten und nicht zuletzt auch bezüglich Mietkosten und Benzinverbrauch) eine bessere Lösung als die viel größeren *Motorhomes*.

Super Van

Kennzeichnung

Der *Super Van* ist zwar das kleinste zur Zeit bei international anbietenden Vermietern erhältliche Fahrzeug, aber mit 21 Fuß Länge durchaus nicht »klein«. Von den *Motorhomes* der C-Klasse unterscheidet er sich durch die Tür am Heck (sonst seitlich rechts) und die fehlende weit überhängende »Nase«. Nichtsdestoweniger ist er hoch genug, um innen Stehhöhe zu bieten.

Einrichtung

Die Schlafgelegenheiten besteht aus einem langen Klappsofa (für 1 Person) und der abends umzubauenden Sitzecke. Gasherd, Spüle, Kühlschrank, Toilette und ein Minibad mit Dusche (Warmwasserversorgung), und Fernseher sorgen für Rundumkomfort. Mit diesem Fahrzeug hat man die Chance, ab und zu auch mal unter 20 l/100 km zu verbrauchen.

Der *Super Van* ist für **2 Personen** (ggf. +1 Kind) wegen seiner Wendigkeit und etwas geringeren Ausmaße auf der Straße insgesamt eine bessere Lösung als ein größeres Fahrzeug. Als nachteilig wird mancher aber empfinden, dass im *Super Van* der tägliche Bettenumbau nicht zu vermeiden ist. Bei 2 Personen im *Class C-Camper* ist das mit Nutzung des Alkovenbetts nicht notwendig.

2

Der Super Van als Alternative zwischen Van und Motorhome für 2 Personen. Nicht so breit und vor allem nicht mit Riesennase über der Windschutzscheibe, die den Blick nach oben nimmt.

Inneneinrichtung des Super Van. Nachteilig ist nur der hier unvermeidbare tägliche Bettenumbau. Für Einzelfahrer reicht es, das Sofa umzuklappen. Gute Nasszelle, große Kühlkombination

Motorhome Class C

Kennzeichnung

Die **technische Basis** eines Class C-*Motorhome* (22-27/28 Fuß) entspricht weitgehend der des *Super Van*; d.h., Fahrerposition, Motoren, Fahrgestelltechnik und prinzipelle Innenausstattung sind identisch. Aber in ihm gibt es immer einen weit über die Fahrerkabine hinausragenden Dachüberhang, in dem sich ein breites **Doppelbett** verbirgt, das nicht nur zum Schlafen, sondern auch als Stauraum tagsüber praktisch ist (die kleine Kletterpartie nach oben ist für halbwegs gelenkige Mieter selten ein Problem).

Nachteilig ist die durch diese Bauweise **eingeschränkte Sicht nach oben** (im Stadtverkehr wegen höherhängender Ampeln und

Grundriß eines 22-Fuß Motorhome mit viel Platz für 2 Erwachsene mit bis zu 2 Kindern Der Vorteil dieses Fahrzeugs sind das riesige Alkovenbett und das Sofa gleich gegenüber der Sitzecke ähnlich wie im Funcruiser (Foto auf Seite 111)

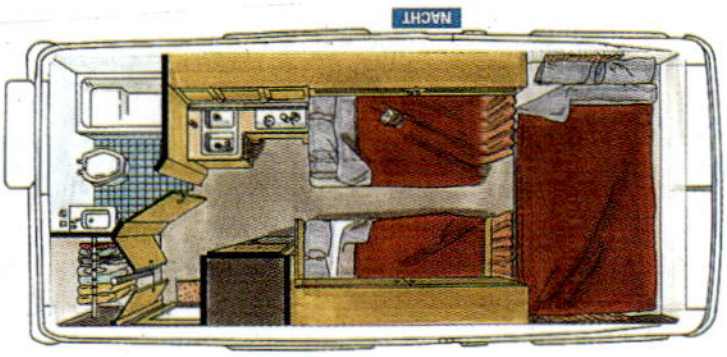

***Unten** der Aufbau **tagsüber**; sehr angenehm ist das Sofa (Umbauliege) auf der anderen Seite des Tisches.*

Oben nach Bettenumbau. Bei bis zu 2 Erwachsenen mit 2 kleineren Kindern muß die Sitzecke **nachts** nicht unbedingt abgesenkt werden.

im Gebirge wegen des Ausblicks). Ab 23/25 Fuß Länge gibt es zusätzlich (zur immer auch zum Bett umzubauenden Sitzecke) ein Doppelbett im hinteren Teil des Wagens und ein etwas geräumigeres »Badezimmer«. Ab 25 Fuß ergänzen Einzelsessel die Inneneinrichtung. Erkauft wird dieser Komfort mit langen Überständen des Aufbaus über die hintere Achse. Bei Fahrzeugen über 25 Fuß wirken die Überhänge abenteuerlich. Neuerdings gibt es die C-Klasse bereits ab 23 Fuß in ***Slide out***-Version, die den Sitzbereich eine auf komfortable »Wohnzimmergröße« ausdehnt, wenn der Campingplatz erreicht ist. Aber Achtung: Das *Slide out* ist schwer; man merkt's beim Fahren – und kostet (noch) mehr Benzin. Für Nicht-Langzeit-Mieter ist *Slide-out* kein Vorteil.

Sonderfall Compact RV

Rein äußerlich unterscheiden sich die ***Compact RVs*** von *Cruise America* (CT 22) auf den ersten Blick kaum von gleich großen *Class C-RVs*. Indessen gilt das nur für den Aufbau mit Alkovenüberhang etc. Die Fahrerkabine, eine in sich geschlossene engere *Pick-up Truck Cabin*, ist niedriger und ohne Durchgang zum Innenraum des Campers. Den etwas geringeren Mietkosten steht Unbequemlichkeit gegenüber. Weniger empfehlenswert.

Motorhome Class A

Ab 30 Fuß Länge wird aus dem typischen *Motorhome* ein **Riesen-Campingbus**, den man *Class A Camper* nennt. Die Überhänge verschwinden zugunsten eines integrierten Cockpits über die volle Breite von ca. 2,50 m mit viel besserer Rundumsicht als in den »kleinen« Modellen. Anstelle eines Alkovenbetts tritt ein Doppelbett, das nachts über den Vordersitzen abgesenkt werden kann. Das Schlafzimmer hinten ist vom Wohnbereich separiert, die Nasszelle angenehm groß. Diese Riesendinger gibt es schon lange in der oben erwähnten ***Slide out***-Version. Denn damit sind sie nach Nutzung als Mietfahrzeug besser verkäuflich.

Größenwahl Motorhome

Bei der Entscheidung für die individuell richtige Größe darf man seine eigentlichen Urlaubsabsichten nicht aus dem Auge verlieren. Je größer das *Motorhome*, umso weniger geeignet ist es für Abstecher auf kleinen Straßen zu mitunter besonders reizvollen Zielen und in verkehrshektischen Bereichen (Miami, Orlando, New Orleans, Chaleston, Atlanta etc). Wer mit einem *Super Van* nicht auskommt, sollte deshalb die Miete eines *Motorhome* kleineren Typs erwägen. Es sei denn, ruhiges Reisen mit längeren Verweilperioden und/oder sehr hoher Komfort- und Platzbedarf stehen im Vordergrund.

Super Size Motorhome mit Pkw im Schlepp, wie man es in den USA bei den RV-Nomaden häufig sieht. Ab Standort Campingplatz dient der Anhänger als Vehikel für Einkäufe und Sightseeing

Miet-Tarife, Gesamtkosten und Konditionen (2007)

Tagestarife

Camper sind außer in der absolutenNebensaison (etwa Mitte Oktober bis Mitte April) ein **teures Vergnügen**. Ein ***Super Van* 21 Fuß** kostet in der Hauptsaison 2007 (Juni bis Anfang September) inkl. 100 mi/Tag z.B. bei *Moturis*/Los Angeles ab ca. €80/Tag. Die Tagestarife für ***Motorhomes*** ab 22 Fuß betragen dann €85-90/Tag und erreichen für 31/32-Fuß-Fahrzeuge bis über €140/Tag. Hinzu kommen Übergabegebühren/Endreinigungskosten (***Preparation Fee***), Pauschalen für den ***Convenience-Kit*** (Bettwäsche, Geschirr, Bestecke), Zusatzversicherungen und Wochenendzuschläge.

Saisonale Abgrenzung

Obwohl in den USA die **Hauptsaison** von Anfang Juni bis *Labor Day* läuft, gelten im Juni noch reduzierte Tarife. Im April und Oktober vermindern sich die Raten weiter. Wintertarife gibt es in den Monaten November bis März einschließlich.

Meilen

Tarife mit unbegrenzten Meilen werden für Campmobile nur gegen hohen Aufschlag angeboten. Die Standardtarife beziehen sich auf 60 oder 100 mi pro Tag. Je nach Verleiher und Jahr (die Details wechseln mit schöner Regelmäßigkeit) können statt Meilenabrechnung zum Normaltarif zusätzliche Pauschalmeilen/Tag (+40, +100 etc.) oder 500-mi-Pakete gekauft werden.

Unbegrenzte Meilen/ Meilenpakete

Auch unbegrenzte Meilen sind erhältlich. Die ohnehin nicht eben transparenten **effektiven Endkosten** der Campermiete sind dadurch noch undurchsichtiger, zumal gekaufte und ungenutzte »Pakete« verfallen. Andererseits bieten bestimmte Tarife scharfen Rechnern bei guter Vorausschätzung der vermutlichen Fahrleistung Chancen zur Kostenoptimierung.

Meilenpakete/Pauschalen für unbegrenzte Meilen sind vor Ort nicht verfügbar. Sie müssen hier gebucht werden.

Meilenrabatte/ Langzeitmiete

Bei ***Moturis*** erhalten **Frühbucher** von der Buchungssituation abhängige Freimeilen. **Internetinfo** unter www.momomi.com. Moturis bietet im Winterhalbjahr sehr **günstige Langzeitpauschalen**.

Value Rates

El Monte hat für Frühbucher ***Value Rates***, die im **Internet** unter www.myelmonterv.com abgefragt werden können. Vorteile ergeben sich bei sehr zeitiger Buchung, d. h., von Sommer bis Dezember des Vorjahres (möglich bis zu 1 Jahr im voraus).

Flex-Tarife und Specials

Cruise America offeriert explizite Rabatte für Frühbucher und in der Wintersaison (ca. November bis März) ***Specials*** der Art, dass bei Anmietung von 2 Wochen nur 12 Tage und bei 3 Wochen nur 17 Tage o.ä. bezahlt werden müssen; ➢ die wechselnden Details im Internet: www.cruiseamerica.com.

Preisvergleich

Um in Anbetracht des unübersichtlichen Tarifgefüges einen Preisvergleich zu erleichtern, findet sich auf den Seiten 118/9 ein **Berechnungsschema zur Ermittlung der Gesamtkosten einer Campermiete**. Die erste Seite bezieht sich auf generelle Daten des zu prüfenden Angebots und Eventualitäten, in denen man zur Kasse gebeten werden kann. In **Kopien** lassen sich alle Daten der Alternativen eintragen und direkt vergleichen.

Zusätzliche Aspekte

Einige Details der Bedingungen und des Berechnungsschemas bedürfen einer Erläuterung:

Saison

- Die **Saisonabgrenzungen** ändern sich von Jahr zu Jahr und sind von Vermieter zu Vermieter unterschiedlich. D.h., während zu bestimmten Reisedaten z.B. bei Vermieter X bereits die Zwischensaison-Kategorie gilt, berechnet Vermieter Y eventuell noch den teuren Hochsaisontarif. Normalerweise sind diese Daten identisch bei allen Veranstaltern.
- Sogenannte ***Roll-over*** **Tarife** (*Cruise America* und Valuetarife von *El Monte*) besagen, dass der bei Übernahme gültige Tarif während der gesamten Mietzeit gilt: mit positivem Effekt bei Saisonüberschreitungen bis zum Sommer und negativer Auswirkung bei »abnehmender« Saison. Die gegenteilige Berechnungsmethode zählt die Miettage entsprechend der effektiv anliegenden Saisonabgrenzungen (z.B. *Moturis*).

One-way

- **Unterschiedliche Ankunfts- und Abflug-Airports** erlauben unter Umständen attraktivere Reiserouten als die Rückkehr zum Ausgangspunkt. Dies ist in Grenzen möglich, wird aber mit hohen Einweg-Zuschlägen belegt, der nur bei *Moturis* einigermaßen moderat ausfällt.

2

Nach Canada und Mexico

- Mittlerweile erlauben alle wesentlichen Vermieter Fahrten nach Mexico, wiewohl unter bestimmten **Auflagen und zusätzlichen Kosten**. Dennoch bleiben viele Risiken beim Mieter. Fahrten nach **Canada** sind dagegen kein Problem.

  Für die Durchquerung des **Death Valley** gelten saisonale Beschränkungen (nicht von ca. Juni bis Oktober).

Deckung

- Die **Haftpflichtdeckungssumme** ist auch bei den Campern ein wichtiger Punkt. Campmobile sind in den USA wie Pkw oft nur mit der gesetzlich minimalen Summe abgesichert ($15.000-$50.000). Wie bei der Pkw-Miete erläutert, ist daher für bei uns gebuchte Camper überwiegend eine Aufstockung der Haftpflicht auf eine Deckungssumme von $1 Mio. im Tarif enthalten Bei Unklarheit über diesen Punkt sollte man im Reisebüro »nachhaken«! Wenn keine Zusatzdeckung existiert, kann der Mieter ggf. durch Zahlung mit der »richtigen« Kreditkarte für eine bessere Absicherung sorgen, ➢ Seite 108. Einen Verzicht darauf sollte man vorsichtshalber lieber nicht erwägen.

Moturis

- **Weniger Sorgen in dieser Beziehung plagen Moturis-Kunden** (Stationen im Westen in Los Angeles, San Francisco, Denver und Las Vegas): Mieter bzw. eingetragene Fahrer sind unabhängig von Vermittler (Reiseveranstalter), Fahrzeugtyp und Lebensalter grundsätzlich schon seit Jahren mit einer Summe von bis zu $1 Mio. pauschal abgesichert. (Stand Saison 2007). Diese Versicherung deckt nach Auskunft der Firma auch eine Kautionszahlung für eine eventuelle Haftverschonung bei schuldhafter Unfallverursachung.

CDW/VIP

- Die **Abkürzung CDW** steht für *Collision Damage Waiver* (manchmal auch **LDW**, L für *Loss*) und suggeriert Freistellung von Kosten im Schadenfall. Faktisch ist sie immer in den Campertarifen enthalten, beinhaltet aber eine Eigenbeteiligung bei Schäden am Fahrzeug (unabhängig davon, wer der schuldige Verursacher sein mag) von $750 bis $3.000. Bei bestimmten Schäden, die nicht auf Straßenunfall zurückgehen, haftet der Mieter selbst mit CDW oft unbegrenzt.

VIP/EL VIP

- Die **Zusatzversicherung** mit der schönen Bezeichnung **VIP** (*Vacation Interruption Policy)* ergänzt CDW/LDW. Sie kostet durchweg $13-$20/Tag (plus Steuern) und ist bei längeren Mieten für maximal 27-40 Tage zu entrichten.

VIP/EL VIP

Der Abschluss der VIP-Versicherung reduziert die Selbstbeteiligung bei Schäden am Fahrzeug vermieterabhängig auf $100-$200. Über CDW gar nicht abgedeckte Schäden (etwa eine Beschädigung der Dachklimaanlage) gehen bei Abschluss der VIP teilweise »nur noch« bis maximal $2.000/ $3.000 zu Lasten des Mieters. Im Fall grober Fahrlässigkeit, wie immer das definiert sein mag, haftet der Mieter auch mit VIP voll.

weiter auf Seite 120

Konditionen und Gesamtkosten der Campermiete

Reisedaten: von ______________ bis ____________ = _____ Tage

Campertyp: ____

Prospekt Firma __________________ Vermieter _________________

Saisonkategorie laut Prospekt: _______________________________

Übernahme in: ____________________________ am ____________

Rückgabe in: _____________________________ am _____________

Tage mit dem Camper unterwegs: ___________________________
(Übernahme- plus Rückgabetag = 1 Miettag)
Geplante Meilen (Kartendistanz + 20%): _____________________

Einzelheiten, die man ggf. erfragen sollte:

Mindestalter des Fahrers:

Fahrten nach Mexiko erlaubt: ja/nein, unter Bedingungen

Fahrten durchs Death Valley erlaubt: ja/nein, temporär erlaubt

Haftpflichtversicherungssumme: ___________________ US$

Eigenbeteiligung bei Schäden am Fahrzeug:

	ohne VIP	mit VIP
Selbstverschuldeter Unfall (mit Vandalismus, Feuer und Diebstahl)	_________	_________
Windschutzscheibe/Glas	_________	_________
Schäden auf Campgrounds	_________	_________
Schäden durch Zurücksetzen	_________	_________
»Dachschäden« (Klimaanlage)	_________	_________
Unterbodenschäden (Tanks)	_________	_________
Inneneinrichtung	_________	_________
Kaution (US$):	_________	_________

Mietkosten (in € oder SFr)

(1) Nettotarif mit **0 Freimeilen** oder

(2) 60/100 freie mi/Tag x .... Miettage = ... Summe Freimeilen

Geplante Meilen – Freimeilen = ... Mehrmeilen

daraus ggf. abgeleitet: ..... 500 mi-Pakete plus ....Mehrmeilen

(3) Tagessatz (..............) x Miettage: ....

plus Kosten .... (Anzahl) Meilenpakete ....

plus Mehrmeilen x Meilensatz ($0,.......) x $-Kurs: ____________

(A) Mietkosten »begrenzter« Tarif: ....

(B) Mietkosten bei unbegrenzter Meilenpauschale + **(3)**: ____________

Niedrigerer Wert (A) oder (B) ....

+ ggf. lokale Steuern (.......% in US$ x Kurs) ....

+ **(EL) VIP-Versicherung** (siehe Text, $/€/SFr)

Tagessatz x Tage = ...

(ggf. + ...% Steuern ....)

Insgesamt: .... (ggf. x Kurs) ....

+ **Nebenkosten** (siehe Text, $/€/SFr)

Erstausstattung (*Preparation Fee*) ....

Kosten Convenience Kit (Bettzeug, »Pöt und Pann«) ....

Sonstiges (Einwegzuschlag, Kindersitze, Generator) ....

ggf. Wochenendgebühr ....

Summe Nebenkosten: .... (ggf. x Kurs) ____________

Gesamtkosten des Campers ____________

Zusätzlich Benzinkosten:

Meilen x 1,6 x .... l Verbrauch/100 km = ... l Verbrauch

Verbrauch mal x €/l = ca. Gesamtkosten Sprit: ____________
[Preis/l = ($-Preis/Gallone x Kurs) : 3,8]

Erweiterte Sicherung

Sollte ein Fahrtunterbrechung wegen eines technischen, von ihm nicht zu verantwortenden Defekt des Wagens unvermeidlich sein, werden dem Mieter mit VIP in gewissem Umfang Hotelkosten ersetzt und ein finanzielles Trostpflaster gewährt.

Kaution

- **VIP/EL VIP ist durchweg optional. Es stellt sich daher die Frage: Lohnt sich der Abschluss dieser doch relativ teuren Zusatzversicherung eigentlich?** Leider weiß man erst nach Ende der Reise, ob die Ausgabe sinnvoll war. Statistisch lohnt sich VIP nicht, weil die meisten Mieter schadenfrei bleiben. Im Einzelfall jedoch fährt man sicher entspannter mit der VIP. Und es kracht oft gerade dann, wenn man unversichert ist. **Also besser mitbuchen, denn im Schadensfall zahlt der Mieter – zunächst – auch bei Fremdverursachung**.

Kaution

- Die **Höhe der Kaution** hängt ab vom Abschluss der VIP-Versicherung und beträgt \$100-\$500 mit, \$1.000-\$2.500 ohne VIP. Sie erfolgt entweder durch eine Blankounterschrift auf einem Kreditkartenformular, oder aber man trägt die entsprechende Summe ein und bucht sie tatsächlich ab unter Verrechnung bei Rückgabe bzw. Erstattung, soweit keine \$-Kosten anfielen.

Berechnung der Gesamtkosten

- Das vorstehende **Kalkulationsschema** erklärt sich weitgehend von selbst. Es beinhaltet zunächst die Gegenüberstellung der von Veranstaltern angebotenen Tagestarife mit gar keinen oder 60/100 freien Meilen. Die Tarife verstehen sich normalerweise bereits inklusive lokaler Umsatzsteuern.

  Da bei den Nebenkosten mal in heimischer Währung, mal in der Station in Dollar abgerechnet wird, wurde die Währungsspalte (Seite 119) offengelassen. Bei Ansatz in Dollar kommen wiederum die Steuern hinzu.

Benzinkosten

- Der **Preis für eine Gallone (3,8 l) bleifreies Normalbenzin** betrug im März 2007 im US-Westen \$2,40 bis über \$3 in abseits gelegenen Orten bei **Mittelwerten um \$2,65**. In Euro kann man auf dieser Basis von ca. **€0,55/l** ausgehen. Eine geringe Ungenauigkeit an dieser Stelle beeinflusst die Gesamtrechnung kaum.

Fazit zur Vorbuchung des Campers

Vorteile Vorbuchung

In Anbetracht der hohen Kosten der Campermiete, könnte man zur Zeit bei wieder günstigem Dollarkurs (3/2007) – in der Hoffnung auf einen besseren Tarif – auf den Gedanken kommen, eine Camperbuchung ganz individuell via Internet direkt in den USA zu versuchen. Tatsächlich liegen heute die Dollartarife vor Ort, wenn man alles mitrechnet, auf einem ähnlichen, teilweise etwas niedrigeren Niveau als bei unseren Veranstaltern. Davon können sich Rechenkünstler z.B. bei www.moturis.com oder www.camperusa.com (Happy Travel) überzeugen. Kleine Vorteile der Preise vor Ort sprechen in Anbetracht der relativ komplizierten Miet-, Versicherungs- und Haftungskonditionen dennoch nicht für eine Buchung direkt beim Vermieter in den USA. Denn im denkbaren Problemfall ist der heimische Veranstalter bzw. Vermittler der bessere Vertragspartner. Bei Buchung vor Ort wird man ggf. nicht in der Lage sein, aufgetretene Probleme sofort zu klären und z.B. die Erstattung zähneknirschend beglichener, eventuell ungerechtfertigter Zahlungen durchzusetzen.

Hinweis: Die Preise der Veranstalter werden gemäß Dollarkurs im Herbst des Vorjahres festgelegt, ggf. Kursveränderungen noch in weiteren Auflagen der Kataloge und im Internet berücksichtigt. Nur wenn der Kurs im Laufe des Folgejahres stark sinkt, wird ein Camper in Euro/SFr vor Ort am Ende weniger kosten, steigt er, ist die Vorausbuchung durchweg erst recht die bessere Alternative.

Empfehlung

Letztlich gilt: Man tut im allgemeinen gut daran, bei einem Veranstalter hier zu buchen. Eventuell dadurch ersparter Stress drüben rechtfertigen bis zu einem gewissen Grade sogar Mehrkosten.

Ausschließlich von hier aus lassen sich im übrigen **Inklusivangebote** buchen, die z.B. Flug und Campermiete in einem Pauschalpreis zusammenfassen.

Zum Camperurlaub in Eigeninitiative drüben ➢ Seite 154.

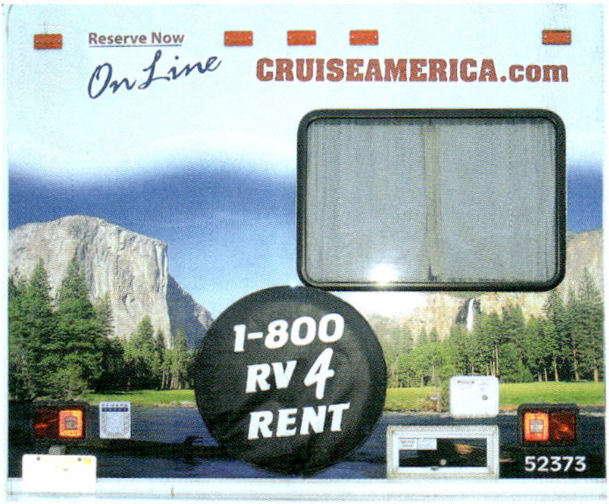

Die Campmobile von Cruise America sind rundherum mit herrlichsten Landschaftsfotos verziert (hier Yosemite National Park). Das sieht attraktiv aus. Aber ob jeder Mieter begeistert davon ist, mit einer bunten Reklameschachtel herumzufahren und sich damit schon von weitem als Fahrzeugmieter zu outen, darf bezweifelt werden.

2.5.3 Ein Kostenvergleich für 2007: Camper versus Pkw/Zelt und Pkw/Motel (3 Wochen)

Nach einem Durchrechnen der Camperkosten, besonders für die Hochsaison, wird mancher vielleicht noch einmal seine Priorität für einen Camper in Frage stellen und die Alternativen Miet-Pkw mit Zelt und/oder Motel/Hotel bedenken. Vor allem während der Sommersaison errechnen sich trotz des gesunkenen Dollarwertes extrem hohe Kosten-Differenzen:

Hochsaison: Camper & Pkw/Zelt

Ausgangspunkt einer **Vergleichsrechnung sei ein 3-Wochen-Urlaub von 2 Personen im Juli/August ab Westküste USA**. Dabei würden **18 Tage Campermiete** anfallen und **3 Wochen Pkw-Miete**.

Der Einfachheit halber sei ein 2007 in etwa realisierbarer Inklusivpreis (Camping Kit, Mehrmeilen, VIP Versicherung etc.) für einen ***Moturis Supervan* 21 Fuß inkl. 200 mi/Tag von ca. €112** pro Tag angenommen ($20-$25 preiswerter bei *Happy Travel* für ältere Fahrzeuge). Nebenkosten für 2 Personen €220 (Campingkit, Prep-Fee) und VIP-Vollkasko $342 ($19/Tag+8,5% tax) bzw. €285 Der Camper brauche ca. 20 l/100 km bei Literkosten von ca. €0,55 (bei ca. $2,65 pro Gallone zu 3,8 l).

Ein **Pkw** (***Midsize***) oder ***Midsize SUV*** kostet inkl. Vollkasko, lokalen Steuern und Haftpflichtdeckung $1 Mio. (➤ oben) im Sommer 2007 als Super-Inklusiv mit Hochsaisonzuschlag z.B. bei ***Alamo*** für die hier anliegenden 18/19 Tage wie 3 Wochen €230/Woche minus ggf. 5% Frühbucherrabatt; Verbrauch 10 l auf 100 km.

Beide Wagen fahren insgesamt 3.600 mi (5.760 km):

Camperkosten

18 Tage Miete etc. (➤ Text)	€2.522
Benzinkosten	€ 634
Höhere Campinggebühren als Zelt (angenommene +$9 bzw. €7/Nacht)	€ 126
Gesamtkosten Camper	**€3.282**

Pkw-Kosten

3 Wochen Miete	€ 656
Benzinkosten	€ 317
Gesamtkosten Pkw	**€ 973**

Extreme Differenz

Die Differenz beträgt hier stattliche **€2.309**. Auch beim billigsten *Econo Van* (z.B. zu buchen bei *Adventure Travel*) würde sie in der **Hochsaison** kaum unter €1 500 fallen. Von dieser Summe kann man eine ganze Campingausrüstung zusammenkaufen, bei miesem Wetter im Motel übernachten und dennoch einiges übrig behalten. Selbst ***Minivan* oder *Full Size SUV***, die sich mit viel Platz hinter den Sitzen für Campingurlaube besonders gut eignen, kosten einschließlich Mehrverbrauch nur ca. plus €500 für 3 Wochen.

Nebensaison

Zwar vermindert sich der **Abstand** zwischen beiden Alternativen **im Mai/Juni** sowie **im September** und erst recht früher bzw. später im Jahr noch weiter, aber auch dann wird er immer noch leicht bei über €1.000 liegen.

Camper & Pkw/Motel

Aufschlussreich ist auch der Vergleich zwischen **Camper** und **Pkw/Motel**. Dabei sind die oben nur als Differenz berücksichtigten **Übernachtungskosten** explizit mitzurechnen.

Nimmt man nun (**im Sommer**!) durchschnittliche Motelkosten in Höhe von $80 pro Nacht inkl. Steuern an (➤ Seiten 84/165f), für ein Campmobil moderate $26 Campgebühren täglich und – für beide Fälle – je eine erste und letzte Nacht im Stadthotel für je $120, dann ergibt sich bei einem **Wechselkurs von € 1 = $1,30**:

Camperkosten plus Übernachtung

Fahrzeugkosten (➤ links: €2.522+€634)	€3.156
Campingkosten 18 Nächte zu €20 ($26)	€ 360
Hotelkosten 2 Nächte	€ 185
Gesamtkosten Camper	**€ 3.701**

Pkw-Kosten plus H/Motelübernachtung

Fahrzeugkosten (➤ links unten)	€ 973
Übernachtungen (€185+18x €62)	€1.301
Gesamtkosten Pkw	**€2.274**

Immer noch hohe Differenz

Der immer noch erheblichen Ersparnis im PKW stehen höhere Kosten für Mahlzeiten gegenüber, da bei der Kombination Pkw + Motel die Selbstverpflegung schwieriger ist. Aber man müsste in Cafeterias und Restaurants schon täglich zulangen, um in 20 Tagen eine **Differenz von €1.427** aufzufuttern.

Nebensaison

Auch noch nicht viel anders sieht es aus in der Vor- oder Nachsaison (Mai/Juni und September/Oktober), wenn Camper zwar für €500-€700 (€30-€40/Tag) billiger zu haben sind, aber auch die Motelkosten um vielleicht – im Schnitt des Beispiels – von $80 auf $60, also um +/- €20/Tag oder etwa um +/- €400 für die ganze Reise sinken. Unter Berücksichtigung des Vorteils durch die Selbstverpflegung kommt der Camper erst bei absoluten *off-season*-Tarifen im Spätherbst, Winter oder Frühjahr kostenmäßig in Größenordnungen nahe denen der Hotelübernachter.

Fazit

Die **Reisekasse** schont am meisten, wer zwischen Mai und Oktober einen Pkw, Van oder Jeep mietet und in **Zelt** und/oder ***Hostel***, gelegentlich sogar im **Motel** übernachtet. Erst früher oder später im Jahr kommt – rein ökonomisch gedacht – auch ein (kleineres) Campfahrzeug mit überschaubarem Benzindurst in Frage.

Ältere Camper

Leute (ab 21 Jahren), die lieber einen Camper mieten würden, aber vor den hohen Tarifen + Nebenkosten zurückschrecken, finden bei ***adventure travel*** (www.usareisen.com) etwas kostengünstigere Anbieter mit älteren Fahrzeugen, ➤ Seite 115.

2

2.5.4 Utensilien zum Mitnehmen für Fahrzeugmieter

Da für USA-Flüge keine Probleme mit dem Gewichtslimit (**maximal 2 Gepäckstücke mit je 32 kg/Person** bei Linienflügen, Charterflüge mittlerweile selten weniger) zu befürchten sind, sollte man auf eine Reise im Mietfahrzeug den einen oder anderen der folgenden Gegenstände vielleicht mitnehmen. Das meiste ließe sich auch noch drüben besorgen, aber was man ohnehin im Haus hat und mitnehmen kann, entlastet die Reisekasse:

Allgemein für alle

- **Auto-Verbandskasten** (auch generell als Erste Hilfe unterwegs gut geeignet). In amerikanischen Mietfahrzeugen befinden sich mangels gesetzlicher Vorschrift keine oder nur dürftig ausgestattete Verbandskästen. In *Drugstores* und Kaufhäusern erhältliche *First Aid Boxes* für $10-$20 sind für ernstere Fälle ziemlich ungeeignet.
- (auch) bei Miete nagelneuer Fahrzeuge: **Basiswerkzeug** (selten gibt's in Mietfahrzeugen mehr als einen Wagenheber, und selbst den nicht immer, ➤ Seite 149) und **Basismaterial**, i.e. kleines Schraubendreherset, Flachzange, Isolierband. **Besser in den USA kaufen**: Maulschlüsselset, Sicherungen und Arbeitshandschuhe (im Supermarkt).
- **Taschenlampe** oder Kabellampe für die Autosteckdose
- ggf. **Kurzwellenradio** für Nachrichten der Deutschen Welle. Die Frequenzen für die USA wechseln in Abhängigkeit von der Tageszeit. Aktuelle Frequenz- und Programmauskünfte für Nordamerika erhält man beim Sender:

  Deutsche Welle, ✆ 0221/3890, www.dwelle.de
- **Automobilklub-Mitgliedskarte** für Straßendienst und Gratismaterial von den amerikanischen Klubs und Karte ***Show your Card and Save*** für Discounts, ➤ Seite 80.
- **Musik-CDs**, sofern man einen Mietwagen oder -camper ab etwa Baujahr 2002 gebucht hat. Die sind durchweg mit **CD-Player-Radio** ausgerüstet (fragen!). In älteren Fahrzeugen findet man immer ein RC-Radio für Musikkassetten.
- Ein **Laptop** ermöglicht nicht nur die Nutzung von mehr und mehr verbreiteten *Hotspots* mit ***Wifi*** (***Wi****relees* ***f****ree* ***I****nternet* = WLAN) zum Abrufen und Schreiben von Emails und für Internetabfragen wie -reservierungen, sondern ist naturgemäß auch wunderbar geeignet zum Speichern, Sortieren und Bearbeiten der digitalen Reisefotos bereits unterwegs. Nebenbei hat man seinen DVD-Player dabei zur abendlichen Zerstreuung, wenn das amerikanische Fernsehprogramm wieder nervt. Wer vorsorgt, schaut sich unterwegs die aufgenommenen Sendungen an, für die man zu Hause keine Zeit hatte.
- **Autokindersitz**, der sonst teuer dazugemietet werden muss. Bei Kleinkindern ist der Sitz praktisch im Flugsessel.

Speziell für Campurlauber

Wer auf Campingreise geht, könnte außer ohnehin selbstverständlichen Utensilien vielleicht noch einpacken:

- einen ***Camping-Gaz* Kocher** (sofern vorhanden; aber nicht eigens kaufen; ebenfalls gut ist die Lampe). Blaue Butankartuschen dafür sind im Original und in kompatiblen Marken auch in Amerika erhältlich (*Shops* für Camping und Sport, im Sommer sogar in *Department Stores*). Kartuschen dürfen natürlich nicht mit ins Flugzeug. Vergleichbare Ausrüstung ist zwar in Amerika deutlich billiger als bei uns, aber die dort üblichen Gasbehälter gibt es nicht in Europa.
- eigene **Bestecke** (und vielleicht ein bisschen persönliches Geschirr + Gläser). Denn was von den meisten Camper-Verleihern im teuer extra berechneten *Convenience* oder *Camping Kit* geboten wird, dürfte selten Begeisterung wecken.
- liebgewordenen **Kleinkram** für die Küche nach individuellem Gusto, z.B. Knoblauchpresse, Schnapsgläschen, Salatbesteck etc. Man verliert Geld und Zeit beim Zusammenkaufen solcher Sachen, die nach wenigen Wochen obsolet sind und meist nur noch weggeworfen werden können.
- **eigener Schlafsack und Bettwäsche**. Die im Camper vorhandenen Decken (üblicherweise im *Kit* enthalten) können ebenfalls nicht in allen Fällen befriedigen. Da mit der Ausnahme der (Schweizer!) Firma *Moturis* die Camper-Verleiher nur Laken (jeweils 2 pro Schläfer) liefern, sind außerdem eigene Bettbezüge praktisch.
- das **Zelt** aus der Heimat, wenn »richtig« gecampt werden soll. Die preisgünstigeren US-Kaufhausqualitäten taugen oft nicht viel und sind z.T. recht unpraktisch in der Handhabung, andererseits reichen einige Modelle ohne weiteres für eine Urlaubsreise. Auf Insektensicherheit achten.

Optimaler Camping-Stellplatz: Regen- wie Sonnendach, Tisch, Feuerstelle mit Grillrost, Holzkohlengrill, verschließbarer Schrank, Lampenträger. Der glatte Betonboden ist behindertengerecht. Alle anderen Plätze haben einen Sandboden

2.5.5 Per Rundflugticket unterwegs

Kennzeichnung

Eine trotz gesunkenem Dollarkurs etwas teurer gewordene Möglichkeit, die USA zu entdecken, bieten Rundflugtickets. Ob man sich nun ohnehin überwiegend für bestimmte Cities interessiert oder die Zwischenziele als Ausgangspunkt für Kurzreisen betrachtet, ein Trip mit Rundflugticket ist auf jeden Fall eine echte Alternative zur individuellen Rundreise in »einem« Stück mit Mietwagen oder Bus.

Motive

Wie oben beispielhaft beschrieben (➤ Seite 62), wäre es neben dem reinen **City-Hopping** auch bei weit auseinanderliegenden **Nationalparks** möglich, **die größten Distanzen per Flugzeug zu überbrücken** und die angestrebten Ziele vom jeweils nächstliegenden Airport per Auto oder Bus anzusteuern. Je nach Dauer und terminlicher Feinplanung der Zwischenaufenthalte käme sowohl die Vorausbuchung der Weiterfahrt als auch deren Regelung erst während der Reise in Frage. Alles Wissenswerte dazu findet sich in den nachstehenden Absätzen und im Kapitel 3.3.5, Seite 165.

Zusatztickets

»Echte« Rundflugtickets (siehe unten) beinhalten in den meisten Fällen **mindestens drei Flüge** innerhalb der USA; also etwa bei Ankunft in Los Angeles per Transatlantikticket Weiterflug nach San Francisco/Salt Lake City/Denver und von dort zurück nach Europa. Denkbar wäre natürlich auch eine noch simplere Rundstrecke, die sich z.B. mit einer Flugunterbrechung und einem Zusatzflugschein oder mit zwei zusätzlichen Teilstrecken bewerkstelligen ließe, z.B. per Transatlantikticket über Denver nach Los Angeles, weiter nach San Francisco und von dort zurück in die Heimat oder zunächst nur bis Denver buchen mit Rückflug von San Francisco und zwei Teilstrecken gesondert fliegen. Für derartige Erweiterungen bedarf es keines speziellen Rundflugtarifs, sondern lediglich eines oder zweier Zusatztickets.

America West und US Airways fusionierten Ende 2006 zum größten »Discount Carrier« der USA, damit gehört America West indirekt zum Star Alliance Verbund; hier auf dem Int'l Airport von Phoenix

VUSA

Solche gibt es zu sog. VUSA-Tarifen. VUSA ist die Abkürzung für **Visit USA**, bezieht sich aber auf ganz Nordamerika. Dieser Tarif kommt allen Reisenden zugute, die vom Ankunftsflughafen aus ihren Flug innerhalb des Kontinents fortsetzen möchten. Anschlusstickets kosten dann bis zu 40% weniger als der Normaltarif und sind nur außerhalb Nordamerikas erhältlich.

Rundflug-Tickets

Ab drei Teilstrecken innerhalb der USA (mit *America West Airlines* bereits ab zwei Strecken, ➤ unten) sind daher die Rundreisetickets zu erwägen, die von allen großen amerikanischen Gesellschaften offeriert werden. Voraussetzung des Erwerbs ist häufig, dass der Flug über den Atlantik mit derselben Gesellschaft oder dem europäischem Kooperationspartner erfolgt (*Lufthansa/United/USAir; KLM/Northwest/Delta* etc.). Bei »fremden« Transatlantikflügen gelten höhere Preise fürs Rundflugticket.

Wie einfache VUSA-Tickets kann man auch **Rundflugtickets nur vor Abflug in Europa** erwerben. Sie enthalten sogenannte **Coupons** (bis maximal 12), die jeweils für eine Flugstrecke gelten.

Coupons

Beim Couponsystem werden die einzelnen **Flüge zwar im voraus bestimmt**, aber nur der erste Flug ist definitiv 7 Tage vor Ankunft in den USA festzulegen. Alle weiteren Flüge können – Umbuchung gegen Zuzahlung von jeweils $100, reine Datums-/flugzeitänderung teilweise gebührenfrei – wieder geändert werden.

Übersicht

Dank **Internet** ist es heute einfach, die aktuellen Preise und Bedingungen einzusehen und zu vergleichen. Dabei ist es sinnvoll, zunächst auf die Websites von **Flugagenturen** zu gehen, die alle verfügbaren Tickets dieser Art übersichtlich auflisten, z.B. cms.travel-overland.de/specials/airpass.

Auf den Websites der *Airlines* muss man teilweise nach den Rundflugtickets lange suchen und findet am Ende bestenfalls Dollartarife, die je nach Kursentwicklung von den hier ausgewiesenen Eurotarifen mehr oder weniger abweichen.

Skyteam und Star Alliance

Unter dem Gesichtspunkt dichter Flugnetze sind ***Delta*** *(Skyteam) und* ***United/USAirways*** *(Star Alliance)* besonders empfehlenswert. Z.B. kosten die ersten drei *Coupons* 2007 des ***Skyteam Airpass*** €409 (Hochsaison €479), die nächsten bis zu 10 Coupons (€969 bzw. €1.079) je zusätzliche €80. Der ***Star Alliance Airpass*** ist mit €459 (Hochsaison €549) *und* €1249 (Hochsaison €1389 teurer, bietet aber noch mehr Verbindungen. Beide setzen voraus, dass die Transatlantikflüge mit Airlines des jeweiligen Verbundes erfolgten. So nicht, gelten höhere Preise für den Airpass.

America West Airlines

Für Flüge in Kalifornien, Arizona und Nevada sind die ***Tri-State-Air*-Pässe** von ***America West Airlines*** kaum zu schlagen: 2-8 Coupons kosteten 2006 €169-€469 (Hochsaison jeweils plus €40), Coupons für das gesamte System ab €397 (3 Coupons) bis €999 (12 Coupons); Hochsaison €419/€1039. Nach der Fusion mit *US-Airways* und einer Neuordnung der Tarife war bei Redaktionsschluß nicht klar, ob es bei diesen Coupontickets bleibt.

2

Erweiterung

Sofern **Hawaii**, die **Karibik**, **Mexico** und/oder **Alaska** zum Flugnetz gehören, lassen sich diese Ziele bei den großen *Airlines* gegen einen Aufpreis in das Rundflugticket einbeziehen.

Konditionen

Gemeinsam ist sämtlichen Tickets, dass sie an recht **komplizierte Bedingungen** geknüpft sind, die sich auf die Anzahl der Unterbrechungen und Transkontinentalflüge (z.B. von New York nach LA), den Ausschluss von Flügen an bestimmten Wochentagen und Daten und manches mehr beziehen. Häufige Umbuchungen sind wegen der dafür anfallenden Kosten nicht ratsam.

Netz und Flugfrequenzen

Das passende und gleichzeitig preisgünstigste Ticket für die eigenen Reisepläne auszuwählen, ist nicht einfach. Denn alle Einzelregelungen, Flugnetz und -plan wollen studiert sein. Denn was nützt das schönste Netz, wenn zu bestimmten Zielen nur 2 Flüge wöchentlich gehen?

Spielkasinos gibt's in Nevada nicht nur in Las Vegas, sondern fast in jedem Dorf, hier in Pahrump auf halber Strecke zwischen dem Death Valley und Las Vegas. Eine Tankstelle ist auch dabei.

2.5.6 Der Greyhound Discovery Pass und Alternativen

Die Firma ***Greyhound*** (Windhund) besitzt in weiten Teilen der USA das **Busmonopol** für Langstrecken und Städteverbindungen. Auch Regionallinien gehören zum Konzern. Alleinreisende finden – sieht man ab von Autotransport und Trampen – keine preiswertere Transportmöglichkeit als den *Greyhound*; allerdings ist das Routennetz im Westen der USA ziemlich »weitmaschig«.

Discovery Pass

Über 'zig Jahre gab es den berühmtem ***Greyhound Ameripass*** für im Ausland gekaufte Netzkarten zu besonders günstigen Tarifen. In den USA selbst war er nur in einer Handvoll Big Cities gegen Vorlage des Reisepasses zu erwerben. Das ist ab 2007 vorbei. Der auch in Nordamerika schon früher für jedermann erhältliche ***Discovery Pass*** ist nun das einzige verbliebene Netzticket. Er gilt **für das gesamte Netz in Canada und den USA und auf einigen Strecken nach Mexiko hinein**. Für in den USA gekaufte Tickets gelten folgende Alternativen und Preisabstufungen (etwas höher bei Kauf und Reiseantritt in Canada; außerdem muss der Pass für diesen Fall bereits 21 Tage vor Reiseantritt bestellt werden):

Discovery Pass	**Preis**
7 Tage	$283
15 Tage	$415
30 Tage	$522
60 Tage	$645

Diese Pässe gelten nicht nur für unbegrenzte Nutzung der *Greyhound* (und *Trailways*) Busse innerhalb der gebuchten Zeitspanne, sondern auch für Busse kooperierender Regionallinien.

Passkauf

Der *Discovery Pass* kann bis 2 Stunden vor Reiseantritt online geordert und dann am entsprechenden Terminal abgeholt werden. Eine Notwendigkeit, ihn bereits vor dem Flug über den Atlantik zu erwerben besteht nicht, es ist aber möglich zum jeweils aktuellen Eurokurs in Deutschland und der Schweiz bei STA Travel, im Internet unter www.statravel.de bzw. www.statravel.ch.

Die Details ergeben sich aus der Website www.discoverypass.com/products.asp; man kann auch dort den Pass online ordern.

Information

Alle aktuellen **Informationen zu den Routen** (einschließlich eines Streckennetzes zum *Download* – www.discoverypass.com/rtmap.asp) und mehr gibt's im Internet unter www.greyhound.com.

Nachteile des Bustransports in den USA

Die Frage »Bus als Transportmittel im Süden?« wurde schon auf der Seite 41 angesprochen. Autofahrer können sich besser selbst versorgen und **preiswertere Quartiere** oder **Zeltplätze** finden, die weitab der Busstation liegen; Buspassagiere sind auf **Cafeterias** und ***Fast-Food*** angewiesen und müssen häufig mit überteuerten und/oder schäbigen **Unterkünften im Umfeld der *Terminals*** vorlieb nehmen. Im Schnitt lassen sich im Auto die Übernachtungskosten der Busbenutzer ohne weiteres deutlich unterbieten oder bei besserem Standard zumindest egalisieren.

Kostenvergleich

Ein konkreter Vergleich der Reisekosten im ***Greyhound*** und per **Mietwagen** mag die Entscheidung für alle erleichtern, die sich nicht ganz sicher sind, welche Alternative sie wählen sollten. Alleinreisende, darauf wurde oben bereits hingewiesen, fahren mit dem *Discovery Pass* konkurrenzlos preiswert, aber schon ab 2 Personen ist die Wagenmiete etwas billiger, ab drei Personen die Sache schon allein von den Transportkosten her klar, der *Greyhound* damit endgültig indiskutabel.

Der folgende Kostenvergleich bezieht sich auf 28 Tage Reisezeit zu zweit außerhalb der Hauptsaison, die Miete auf einen **Pkw der *Economy Class*** (normales Angebot für Mieter über 25 Jahre):

Greyhound	**Kosten**
Discovery Pass für 2 Personen und 30 Tage:	$ 1044
4 Abstecher zu Nationalparks mit extra zu bezahlendem Zubringerbus; $40 pro Trip und Person, also	$ 320
Nahverkehr in Städten, angenommen an 15 Tagen zu $4 je Person (sehr leicht mehr!), also	$ 120
Gesamte Fahrtkosten	**$1.484**

Mietwagen	**Kosten**
Kleinwagen (*Economy/Subcompact,* z.B. *Chevy Aveo* ähnlich Opel Corsa), Leistungspaket Super (➤ Seite 107), bei ca. €190 (ca. $250) pro Woche:	$1.000
Benzin für 8.000 Kilometer bei 8 l/100 km und einem Benzinpreis von ca. $2,65 pro Gallone (= $0,70/l), ca.	$ 448
Gesamte Fahrtkosten	**$1.448**

Zwar liegt das Auto bei dieser Rechnung noch um knappe $36 unter den Buskosten, aber die Zusatztransportkosten beim Busreisen wurden eher knapp kalkuliert, und die Automiete kann durchaus noch preiswerter realisieren, wer z.B. zeitig im Internet bucht oder sich mit Buchungspaket A begnügt. In 4 Wochen kommen zudem bei Übernachtung und Verpflegung leicht mehrere hundert Dollar Ersparnis zugunsten der Autofahrer zusammen, ➤ Erläuterung Seite 129 unten und Übersicht Seite 85, besonders, wenn noch eine Zeltausrüstung im Kofferraum liegt und dann und wann auch genutzt wird.

Green Tortoise und Adventurebus

Alternatives Busreisen

Bereits eingangs (➤ Seite 64) wurde auf die alternativen Buslinien hingewiesen. ***Adventurebus*** und ***Green Tortoise*** müssen in den USA gebucht werden; Telefon, Fax und Internet ➤ **auf Seite 164**.

Unterwegs im »Sleeper Coach«

»Grüne Schildkröte«, ein etwas eigenartiger Name für ein Busunternehmen. Aber tatsächlich, die Firma heißt »Green Tortoise« (sprich: Grien Tórtes) und bietet die totale Alternative zum Busreisen im Greyhound. Mit der konventionellen Konkurrenz haben die knallgrünen Uraltvehikel allenfalls Motor, Lenkrad, Bremsen und die vier Räder gemeinsam. Die Passagiere kommen aus aller Herren Länder, und manch einer fliegt eigens für einen Trip mit der »Schildkröte« in die USA. Dabei wissen die wenigsten Amerikaner von der Existenz dieses ungewöhnlichen Verkehrsmittels, das Busreisen zum abenteuerlichen Gemeinschaftserlebnis werden lässt. Und obendrein noch zu einem bequemen; denn wo sonst können Busreisende während der Fahrt ausgestreckt schlafen?

Zum früheren, heute nicht mehr existierenden »Linienbus« auf der Strecke San Francisco–Seattle gehörte ein Stop auf einem firmeneigenen Stück Land in Grants Pass/Oregon, wo eine indianische Schwitzhütte zum Saunagang einlud. Ein klares Flüsschen zur Abkühlung fließt gleich nebenan. Während die Passagiere sich von der Fahrt erholten, wurde dort – für angemessene $5 – ein fabelhaftes Essen bereitet. Mit derartigen Unterbrechungen lassen sich selbst 27 Stunden Reisezeit aushalten.

Aber es gibt nach wie vor den regelmäßigen Cross-Country-Trip (14 Tage) von Boston nach San Francisco oder umgekehrt oder sogar als Round Trip mit 7 Tagen Aufenthalt in San Francisco oder Boston auf vier verschiedenen Routen. Im Sommer gibt es Rundfahrten zum Yosemite Park und zum Grand Canyon, nach Alaska und sonstwohin. Im Winter geht es vorzugsweise in wärmere Regionen zu Zielen in Mexiko und Guatemala.

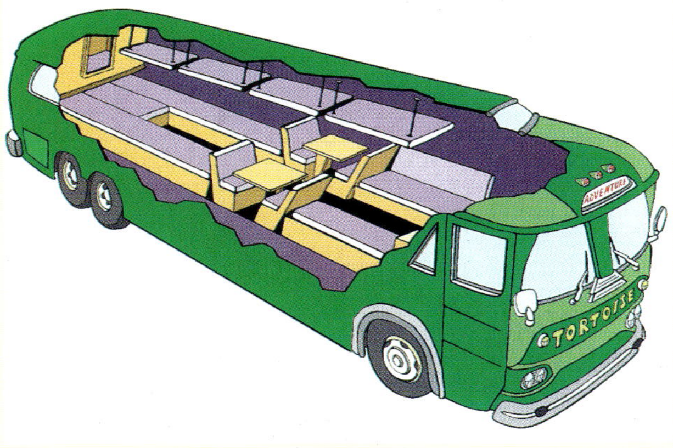

2

*Zum Kennenlernen schien mir der Yosemite Trip geeignet, der heute (**Saison 2007**) für drei Tage/vier Nächte $181 plus $49 Verpflegungsgeld kostet.*

Den Platz hatte ich telefonisch reserviert. Als ich jedoch den angegebenen Treffpunkt in einer finsteren Gegend hinter San Franciscos Busbahnhof erreichte, kamen mir ernste Zweifel. Nach und nach trafen aber weitere Mitfahrer ein und endlich auch der Bus: Offenbar ein ausgemustertes Modell der lokalen Verkehrsbetriebe. »Wenn das man gut geht!« dachte ich.

Aber die beiden Fahrer schienen sich ihrer Sache sicher zu sein. Mit verwegenem Haarwuchs und Baskenmützen erinnerten Wade und Tobias an Che Guevara, Althippies der 68er-Generation. Auch der Bus passte in jene Zeit. Seine Innenausstattung erschien mir genial: Hinten eine große Liegefläche, in der Mitte Tische in Essnischen und vorne zwei Sitzbänke in Längsrichtung. In der »zweiten Etage« befinden sich weitere Liegeplätze. Die Tische und Bänke lassen sich mit wenigen Handgriffen und mit Hilfe einiger Schaumgummimatrazen ebenfalls in Schlafflächen verwandeln. Eine Jugendherberge auf Rädern.

Nachdem das Einchecken erledigt ist, versichert Wade, dass genug Platz zum Schlafen für alle 40 Mitfahrer sei, wenn jeder seinen »stuff« nur ordnungsgemäß verstaue. Einige Plätze im Obergeschoss seien etwas eng, aber »man muss nicht unbedingt miteinander schlafen, wenn man nebeneinander liegt. Kondome seien jedoch vorhanden.« Allgemeine Heiterkeit. Wir lernen das Green-Tortoise-Buddy-System kennen: Vor jeder Abfahrt ruft der Fahrer »check your buddies« und alle müssen schauen ob ihr Buddy an Bord ist. Wer ohne Buddy reist, solle sich jetzt seinen Kumpel ausgucken, sagt Wade: »Werdet Freunde, es lohnt sich bestimmt!«Tatsächlich: nirgendwo sonst habe ich interessantere und zugleich merkwürdigere Leute getroffen.

San Francisco liegt weit hinter uns: Zwischenstopp am Supermarkt, um Proviant einzukaufen. Wade gibt Anweisungen. In Gruppen schwärmen wir aus. Als die Obstsalatkommission lediglich mit einigen Äpfeln ankommt, wird sie zurückgeschickt: »Hey man, I love to cook! Buy some more exotic fruit!« Das Einkaufshappening dauert eine gute Stunde; Essbares für $800 haben wir beschafft.

Erste Schlafenszeit, während die Schildkröte ihre Fahrt in Richtung Yosemite Park fortsetzt.

In der überwältigenden Landschaft des Yosemite Tals halten wir am glasklaren Merced River. Die »Küche« wird vorgeführt.

Da bleibt kein Wunsch offen: Klapptische, Gaskocher, Geschirr, Besteck, alles da. Jeder fasst mit an. Wir lassen uns Obstsalat und French Toast schmecken. Dazu den Green Tortoise »Hufeisenkaffee«, bei dem das Pulver mitgekocht wird. Wenn das Hufeisen oben schwimmt, ist er richtig. Wir genießen das blendende Wetter und

Drachenflieger, die sich vom 1500 m hohen Glacier Point stürzen, amüsieren uns über Tom, der in voller Montur durch den Fluss watet und selbst dann nicht aufgibt, als nur noch seine Mütze zu sehen ist.

Wade erläutert die verschiedenen Möglichkeiten zur Erkundung des Nationalparks. Ich schließe mich einer Gruppe an, die zu den 700 m hohen Yosemite Falls wandert. Das Programm bei Green Tortoise ist flexibel und stimmt nur grob mit den Angaben der Tourbeschreibung überein. Was letztlich unternommen wird, entscheiden Fahrer und Gäste situationsbedingt und nach Lust und Laune. Die Insiderkenntnisse der Fahrer sorgen oft für interessante Zwischenstopps und willkommene Abwechslung.

Zum Campen fahren wir 'raus aus dem Tal und hoch hinauf in die Sierra Nevada. Der Abend verfliegt bei »Mushrooms Stroganoff«. Elf Nationalitäten befinden sich im Bus, und altersmäßig ist alles vertreten von einem Jahr bis weit über fünfzig. Auf meiner Fahrt von San Francisco nach Boston war sogar eine 80-jährige Oma mit von der Partie. Zu vorgerückter Stunde hole ich meine Geige und spiele Jazz und Folk. Musiker sind bei Green Tortoise explizit willkommen. Gut, dass ich das Instrument dabeihabe.

Am nächsten Morgen geht es zuerst zu einer abgelegenen heißen Quelle. Sie liegt einsam genug, um dort ohne Konflikt mit der Obrigkeit hüllenlos baden zu dürfen. Ein sonst in den USA unerhörtes Verhalten, aber mit Green Tortoise ist das kein Problem.

Auf dem Weg zum Mono Lake erklärt Wade Entstehung und ökologische Bedeutung dieses bemerkenswerten Salzsees in der Halbwüste. Wasserentnahme für das 500 km entfernte Los Angeles gefährdet das natürliche Gleichgewicht der dort heimischen Flora und Fauna. Ein Informationszentrum bietet eine aufschlussreiche Diashow zu diesem Thema. Der See selbst mit seinen bizarren, salzverkrusteten Tuffsteinskulpturen im Uferbereich ist dadurch noch eindrucksvoller. Einige können sich trotz der Myriaden winziger Minikrebse ein Bad nicht verkneifen. Auch Nichtschwimmer bleiben oben, das Salzwasser trägt.

Ein Besuch in der Geisterstadt Bodie, einer ehemaligen Boomtown aus einer Zeit des späten Goldrausches Anfang des 20. Jahrhunderts, rundet das Tagesprogramm ab. Weil durch ein kurzes Unwetter am Nachmittag die Straße unterspült wurde, erreichen wir das geplante Ziel nicht, sondern campen mitten in der Wüste. Später am Lagerfeuer gibt jeder ein Lied aus seiner Heimat zum besten.

Ein Vorschlag von Keiko, einer Gesangs- und Tanzlehrerin aus Japan, die mit zwei kleinen Töchtern rund um die Welt reist. Einige Leute übernachten draußen und finden sich morgens von Rauhreif überzogen. Die Wüste ist nur tagsüber heiß.

Zum Frühstück wärmen uns vorzügliche Crêpes, bevor die Sonne wieder dafür sorgt. Vor der Abfahrt wird nicht nur der Bus, sondern auch unser Wüstencamp gesäubert nach der Devise: »Leave only footprints and take pictures!« Wir sammeln auch allerhand Müll, der nicht von uns stammt.

Noch einmal Wandertag im Yosemite. Zum Abendbrot parken wir in einem Waldstück mit mächtigen Sequoia-Bäumen. Ein Mitternachtsbad in den Rainbow Pools bei Mondschein beschließt fast den Tag. Aber in Groveland im Iron Door Saloon, der angeblich ältesten Kneipe Kaliforniens, ist noch Betrieb. Die Einheimischen staunen nicht schlecht, als wir gegen zwei Uhr morgens noch einen spritzigen Square Dance hinlegen. Durch die Nacht geht es zurück nach San Francisco. Ein letzter Stop auf der Insel Yerba Buena, »Brückenpfeiler« für die Oakland Bridge mitten in der San Francisco Bay. Wir erleben das Panorama der Stadt bei Sonnenaufgang.

Wie lautet die Werbung: »Green Tortoise – the only trip of its kind. Arrive inspired – not dog tired!« Stimmt nicht ganz, ich war hundemüde, aber sonst ...? Ein toller Trip!

Burghard Bock

Anmerkung:

So kurzweilig wie hier beschrieben, läuft es nicht unbedingt auf jeder solcher Touren. Besonders auf längeren Strecken, wie zum Beispiel dem erwähnten *Cross Country Trip,* bleiben »Durchhänger« und gelegentliche Reibereien mit anderen Passagieren oder den Fahrern nicht aus. Zum *Tortoise* Fanclub gehören auch schon mal Leute, die zuviel trinken oder ihren *Joint* rauchen. Aber im Bus selbst sind Rauchen und alkoholische Getränke verboten.

2.5.7 Die Amtrak-Netzkarten

Eingangs wurde die Eignung der Eisenbahn für eine Reise in/durch den Westen der USA mit Skepsis beurteilt, ➤ Seite 64. Andererseits kommt es auf die persönlichen Präferenzen an.

Railpässe

Nur für Ausländer gibt es die Railpässe, ausgestellt von der Dachorganisation amerikanischer Eisenbahngesellschaften **AMTRAK**. Die Pässe gelten nicht etwa für alle vorhandenen Schienenverbindungen, sondern in den riesigen USA nur für das ganze 25.000 Meilen umfassende AMTRAK-Netz bzw. Teile davon, ➤ Abbildung und www.amtrak.com/itd/amtrak/selectpass.

Kosten 2007

Der Preis für einen – im Rahmen dieses Buches ggf. interessanten – ***West Pass*** (Gesamtnetz im Westen) beträgt in der **Hauptsaison** (**2007**: 25.05.-03.09) **$335 für 15 Tage** und **$415 für 30 Tage**. In der **Nebensaison** reduzieren sich diese Preise auf **$215/$280**. Außerdem gibt's noch einen ***California Pass*** für **$159**, der 21 Tage gültig ist, von denen aber nur beliebige 7 Tage innerhalb der 3 Wochen für Fahrten genutzt werden dürfen.

Gegenwert

Im Verhältnis zu den Kosten für Einzeltickets, die in den USA gekauft werden, ergeben sich mit Railpässen erhebliche Ersparnisse. Mit ihnen erwirbt man aber lediglich das Anrecht auf einen – zwar recht bequemen – Sitz in Großraumwagen, bei längeren Trips geht es jedoch eigentlich nicht ohne Liegewagenplatz. Dafür gelten hohe Zuschläge ohne Aussicht auf einen Ausländer-Discount. Auch die Bordverpflegung ist – das lässt sich denken – nicht ganz billig.

Reservierung

Ähnlich wie für Flugreisen besteht für die meisten Züge eine Reservierungspflicht. Denn die Mehrzahl verkehrt nur einige Male

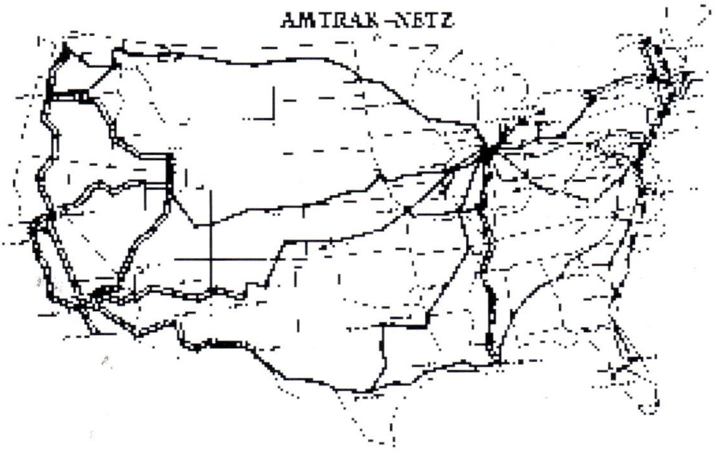

pro Woche, höchsten einmal am Tag (außer auf kurzen Strecken wie Los Angeles–San Diego). Für spontane Entschlüsse bleibt da wenig Raum. Einfach zum Bahnhof gehen, rasch ein Ticket kaufen und in den Zug springen, funktioniert im allgemeinen nicht oder nur mit Glück.

Spezialzüge, wie etwa die ***Durango-Silverton**, **Grand Canyon*** oder ***Cumbres-Toltec Railroad* können mit einem *Amtrak Railpass* nicht benutzt werden.**

Erwerb der Railpässe

Bei uns können die Pässe u.a. erworben werden bei:

- **CRD International**, Stadthausbrücke 1-3, 20355 Hamburg, © 040/300616-0, **Website:** www.crd.de/amtrak.
- **Austria Reiseservice**, Hessgasse 7, A-1010 Wien, © 01/3107441
- **Kuoni Travel**, Neue Hard 7, CH-8037 Zürich, © 01/2774583

Aktuelle Fahrpläne und weitere Informationen lassen sich auf der **Website** von Amtrak abfragen: www.amtrak.com.

Wichtig zu wissen ist, dass es sich beim ***Rail Pass* noch nicht um den Fahrausweis** handelt; vielmehr muss sich der Inhaber die Tickets für die Teilstrecken gegen Vorlage von *Rail Pass,* Reisepass und Reservierung einzeln ausstellen lassen.

Fahrplaninformationen vor Ort unter © **1-800-872-7245**.

Die Angebote stammen aus einem ***Travel Coupon Guide Ende 2006 für die US-Südweststaaten****. Man ersieht daraus: selbst in Anaheim bei Disneyland und beim Airport Los Angeles kommt man in Kettenhotels der Mittelklasse relativ günstig unter*

2.6 Vorbuchung von Unterkünften

Mietwagen und reservierte Unterkunft

Im Rahmen der einführenden Diskussion von Vor- und Nachteilen verschiedener Transportalternativen (➤ Seite 55) war bereits von Rundreisen die Rede, die sich auf die **Kombination Mietwagen und vorausgebuchte Hotels** beziehen. Kritisch beurteilt wurde die damit unumgängliche Vorweg-Festlegung der Tagesetappen, die einen Großteil der mit dem Auto an sich verbundenen Flexibilität wieder zunichte macht. Indirekt suggerieren derartige Angebote obendrein, es gäbe unterwegs leicht Schwierigkeiten, ohne Reservierung angemessen unterzukommen.

Kapazitäten

Grundsätzlich ist aber gerade das in Nordamerika eher selten der Fall. Im Umfeld vieler Städte und Touristenattraktionen gibt es – saisonabhängig – oft **Überkapazitäten** mit erfreulichen Auswirkungen auf die Effektivpreise, die nicht selten unter den Listentarifen der offiziellen Hotelverzeichnisse liegen.

Tarifsituation

Für die großen City- und Airporthotels gibt es vergleichsweise günstige Übernachtungstarife heimischer Reiseveranstalter auch bei Einzelbuchung (d.h. unabhängig von als Paket gebuchten Mietwagen+Hotel-Reisen), die bei Eigeninitiative vor Ort oder auch im Internet teilweise schwer zu realisieren sind.

Außerhalb der Großstädte indessen ist die Chance groß, bei spontaner Buchung ohne Qualitätsverlust preiswerter zu übernachten als bei Vorbuchung. Außerdem gibt es überall preiswerte, durchaus nicht schlechte Alternativen, die in keinem Reisekatalog stehen, ➤ Abb. links.

Wann vorbuchen?

Grundsätzlich ist die Buchung von Unterkünften nur in folgenden Fällen bereits vor Reisebeginn ausdrücklich zu erwägen:

1. **Für die erste(n) Nacht/Nächte** in der Ankunftscity. (Mieter von Campmobilen **müssen** mindestens eine Übernachtung zwischen Transatlantikflug und Übernahme legen).
2. für ganz bestimmte **beliebte Hotels** w.z.B die ***Queen Mary*** in Long Beach/Los Angeles und eine Reihe von ***National Park Lodges***, in denen man überhaupt nur bei langfristiger Voranmeldung unterkommt.
3. bei speziellen **Großveranstaltungen** (z.B. Rodeos und Festivals, ➤ Reiseteil dieses Buches) und ganz allgemein Sportgroßereignissen oder Messen und Tagungen, soweit deren Daten im Vorwege bekannt sind.

Mit saisonalen Einschränkungen gilt das auch noch

4. für **Wochenendübernachtungen** in der Umgebung von Touristenattraktionen und Nationalparks
5. für die **letzte Nacht** vor dem Abflug in Airportnähe.

City Hotels

Zu 1: Es gibt einige Cities, wo diese Reservierung unabdingbar ist, möchte man nicht Gefahr laufen, überhaupt nicht oder zu Höchstpreisen unterzukommen. Im Westen gilt das im Sommerhalbjahr in erster Linie für **San Francisco**, begrenzt für **Seattle**

und ganzjährig freitags und samstags für **Las Vegas**. Um nach langem Flug weiteren Stress zu vermeiden, spricht aber auch anderswo viel dafür, die ersten Nächte schon mal geregelt zu haben, besonders wenn dafür die Vorbuchungstarife günstig sind, so z.B. im Bereich des *Los Angeles Airport*.

Populäre Hotels

Zu 2: Populäre und persönlich stark favorisierte Häuser kann man gar nicht früh genug buchen. Neben der ***Queen Mary*** (ab $120 So-Do) kämen z.B. das ***Hotel del Coronado*** in San Diego oder die ***Timberline Lodge*** am *Mount Hood*/Oregon in Frage. In den Nationalparks besäßen das ***Awahnee Hotel*** im *Yosemite*, die ***Old Faithful Lodge*** im *Yellowstone Park*, die ***Grand Canyon Lodge*** am Nordrand der Schlucht und die ***Glacier Park Lodge*** in East Glacier/Montana hohe Priorität.

Veranstaltungen/ Feiertage

Zu 3: Gemeint ist hier die Reservierung im Fall gezielter Besuche, etwa des ***Pendleton Round-up*** (Oregon) oder des ***BalloonFestival*** in Albuquerque/New Mexico. Montags-Feiertage und die daraus resultierenden langen Wochenenden markieren überall typische **Veranstaltungsdaten**. In erster Linie sind das der ***Memorial Day*** und das ***Labor Day Weekend*** (letztes/erstes Wochenende im Mai bzw. September) und ggf. noch das Wochenende um den **Nationalfeiertag des 4. Juli** herum, wenn der auf einen Freitag, Samstag oder Montag fällt. **Dann ist halb Amerika auf Achse**, und man tut gut daran, das bei der Planung zu berücksichtigen.

Wochenenden

Zu 4: Für die normalen Wochenenden (Freitag-/Samstag- ggf. noch Sonntagnacht) gilt, dass viele Airport- und City-Hotels halbleer stehen und deshalb mit reduzierten Tarifen werben. Dort braucht man sich also wenig Sorgen zu machen, es sei denn, die City oder ein Ort an sich ist eine **Touristenattraktion** (z.B. generell San Francisco oder San Diego).

In den **populäreren Nationalparks** wird es in der Saison und an Wochenenden nicht nur in den parkeigenen Unterkünften, sondern **auch im Umfeld oft rammelvoll**. Dennoch genügt meist ein Anruf ein paar Tage oder eine Woche vorher; USA-Telefonnummern der wichtigsten Motelketten ➢ Seite 183, Internet nebenstehend. Wenn aber nach Ankunft in San Francisco am Mittwoch am Freitag/Samstag der ***Yosemite Park*** auf dem Programm steht, sollte man im Umfeld besser längerfristig vorgesorgt haben.

Vor Abflug

Zu 5: Es beruhigt die Nerven, wenn die **letzte Nacht in Amerika** gebucht ist. Selten aber starten Flüge nach Europa von Flughäfen des US-Westens am Vormittag. Deshalb braucht man sich kein Hotel in unmittelbarer Airportnähe zu suchen. Sollte der Rückflugtermin auf Samstag oder Sonntag fallen, übernachtet man gerade dort oft preiswert, ➢ z.B. LA, Seite 240.

Hotelpässe

Viele der **US-Hotelketten** sind mit ihren Häusern in ganz Nordamerika vertreten. Reiseveranstalter bieten für Häuser verschiedener Ketten Gutscheine zu Einheitspreisen pro Übernachtung an (z.B. http://welcomepass.com/fti).

Restriktionen der Hotelpässe

Die Gutscheine sind indessen mit Restriktionen verbunden und selbst dann, wenn sich gegenüber den offiziellen Tarifen Ersparnisse ergeben, nicht immer vorteilhaft, denn

- häufig akzeptieren nicht alle Hotels/Motels der beteiligten Ketten die Gutscheine, berechnen (zeitweise) Aufschläge oder verlangen pro Übernachtung 2 Gutscheine.
- die **Anzahl** der in Frage kommenden Häuser kann im eigenen Reisegebiet gering und die **Dichte** unterschiedlich sein.
- vor allem außerhalb der Hauptsaison gibt es auch schon mal ***Special Rates***, die günstiger sind als die Gutscheinpreise.
- man legt sich weitgehend fest und gibt damit ohne jede Not die **Flexibilität** auf, vor Ort ggf. auch andere Häuser zu buchen.
- **Rückgabe** unbenutzter Gutscheine kostet happige Abzüge

Nachteile

Bei (unabdingbarer) Vorausreservierung sieht man außerdem erst bei Ankunft, was genau man da gebucht hat. Im übrigen besteht die Möglichkeit, dass man nicht immer wie geplant unterkommt und auch deshalb Gutscheine zurückbehält, was mit Verlusten verbunden ist. Gehen Gutscheine verloren, fällt der Gegenwert sogar ganz unter den Tisch. Wer dagegen mit Kreditkarte bezahlt und die Karte verliert, haftet höchstens bis €50.

Einmal die Gutscheine in der Tasche, wird man zur Vermeidung ökonomischer Nachteile auch möglichst in einem der in Frage kommenden Häuser übernachten, selbst wenn gegenüber ein noch so schönes *Bed & Breakfast Inn* Platz hätte oder ein gleichwertiges Motel am Wege weniger kostet als der Gutschein. Kurz, die Pässe besitzen eingebaute Nachteile, aber keine ersichtlich überzeugenden Vorteile. Ob man im Schnitt vor Ort in denselben oder vergleichbaren Quartieren ohne den Pass wirklich nennenswert höhere Kosten hätte, ist nicht einmal gesagt.

Hotel-/Motelketten

Zur Kenntnis der Verteilung (Standorte) und offizieller Vor-Ort-Tarife, aber auch vieler Häuser im Einzelnen macht es Sinn, sich bereits vor der Reise schon mal auf den Internet Portalen der zahlreichen Hotel- und Motelketten Nordamerikas umzusehen. Dafür tippt man ganz einfach nach dem »www« die Bezeichnung der Kette ein und fügt das übliche ».com« dahinter ein, also z.B.

Best Western: www.bestwestern.com
Hilton: www.hilton.com
Days Inn: www.daysinn.com
etc.

Die wichtigsten Ketten sind auf Seite 126 gelistet. Eine wesentliche Ausnahme bei dieser Art der »Website-Findung« bilden die Häuser des sog. *Choic*e-Verbundes, zu der zur Zeit die Häuser von 9 Ketten gehören; sie alle erreicht man über das *Choice*-Portal:

Choice Hotels: www.choicehotels.com

(Comfort Inn/Suites, Quality Inn, Sleep Inn, Clarion, Rodeway, Econolodges, Suburban, Main Stay und *Cambria Suites)*

Eine weitere Besonderheit bei der Internetadresse betrifft die

Holiday Inn-Gruppe: www.ichotelsgroup.com

(Holiday Inn und *Holiday Inn Express, Intercontinental* und die *Crown Plaza Hotels, Candlewood Suites u.a)*

Hotelbuchung im Internet

Alle diese Hotels können u.a. auch über die Hotelbuchungsplattformen www.hrs.de oder www.hotels.de reserviert werden, oft zu Tarifen, die günstiger als bei Direktkontakt sind. Besonders übersichtlich mit Alternativen in allen Kategorien öffnet sich nach Angabe beliebiger Reservierungsdaten und des Ortes eine Liste mit Details unter www.orbitz.com.

Alle weiteren Informationen zu Preisen, Buchung und Reservierung etc. von Hotels und Motels während der Reise liefert Kapitel 3.4 im Unterwegs-Teil (ab Seite 120ff).

Gefahr für Filmmaterial?

In den USA wurde nach dem 11.September 2001 die Gepäckkontrolle von *Airports* auf Röntgengeräte umgestellt, die Plastiksprengstoff identifizieren können. Die Strahlung der Geräte beschädigt angeblich Filmmaterial teilweise selbst dann, wenn es in Bleibeutel verpackt ist. Da jede Auskunft dazu verweigert wird, bleibt letztlich nur eins: **Filme im Handgepäck mitnehmen** und vor der Durchleuchtung fragen und ggf. separieren.

Mit dem zunehmenden Einsatz der Digitalfotografie erledigt sich diese Problematik indessen nach und nach von selbst.

2.7 Was sonst noch wichtig ist

Vor jeder Reise fragt sich, was unbedingt eingepackt werden muss, was ggf. noch zu Hause beschafft werden sollte und was günstiger im den USA zu kaufen wäre. Auf Fahrzeugmieter und Zelt-Urlauber bezogen sich bereits die Hinweise im Abschnitt 2.5.4, Seiten 124f. Hier geht es um Punkte, die jeden USA-Reisenden betreffen. Zunächst zum wichtigen Thema

2.7.1 Foto- und Video

Fotografieren mit Digitalkameras

Speicherchips für Digitalkameras sind nicht preiswerter, eher teurer als bei uns, u.a. zu finden in den Fotoabteilungen der Kaufhäuser wie *Walmart, K-Mart, Target* und in den überall vorhandenen Läden der Elektronik-Kette ***Radio Shack*** (www.radioshack.com). Wer digital fotografiert, sollte daher besser genug Chips für die Reise mitnehmenn oder einen externen Speicher bzw. den Laptop, um darauf das »Tagespensum« abzuladen und den Chip wieder frei zu haben.

Indessen kann man sich unterwegs mehr und mehr für ein paar Dollar Daten vom Speicherchip auf eine CD brennen lassen und derart den Speicher wieder frei machen.

Dia-Filme in den USA

Diafilme sind in den USA immer schwerer aufzutreiben (insbesondere bei anderen als Standardempfindlichkeiten von 64/100 ASA), seitdem mehr und mehr digital fotografiert wird. Sie sind obendrein teurer als bei uns. Wer noch Dias macht, sollte daher ausreichend Filmmaterial mitnehmen. Das gilt speziell für andere Marken als Kodak. Sie sind drüben kaum noch zu finden, gelegentlich in Fotoshops ggf. noch Dia-Filme von *Fuji*.

Wenn der Vorrat an mitgebrachten Filmen ausgeht, empfiehlt sich ein Nachkauf von Filmen der ***Kodak-Ektachrome***-Serie. Sie brauchen nicht zu *Kodak* nach Stuttgart gesandt zu werden; viele Labors entwickeln sie preisgünstig.

Negativ-Filme

Negativfilme sind im Gegensatz zu Diafilmen wie bei uns billiger geworden, aber selten so preiswert wie hierzulande. Dank Schnellservice lassen sich Filme in manchen Supermärkten und Fotoshops schon unterwegs entwickeln. In vielen Geschäften erhält man dann einen neuen Film gratis.

Kamera-/ Objektivkauf?

Kameras (konventionell und digital) und Objektive sind zwar wieder günstiger zu haben, aber nicht notwendigerweise billiger als in Fotoläden oder Elektronikmärkten bei uns. In den **Großstädten** und in manchen *Shopping Malls* gibt es überquellende ***Shops***, die alle gängigen Marken führen und preiswerten Einkauf signalisieren. Aber man darf sich nicht täuschen lassen: echte Schnäppchen bedingen, dass man sich gut auskennt. Wer sich für die Preisunterschiede interessiert, sollte sich bei www.radioshack.com einloggen oder mal bei www.ebay.com nachsehen, welche Preise dort so in etwa gelten bzw. erzielt werden.

Videokameras

Wer seine (noch nicht digitalisierte) Videokamera mitnimmt, kann zusätzlich benötigte Kassetten (**Video-8, VHS-C** oder **Hi8**) bislang noch ohne weiteres nachkaufen.

DVDs

Achtung beim Kauf von DVDs! In vielen Nationalparks z.B. gibt es ausgezeichnete **Dokumentarfilme** zu Flora, Fauna und den spezifischen Phänomenen des Parks. Aber auf der DVD muss der

Riesige Outlet Shopping Mall in Las Vegas südlich der Kasinos am »Strip«. Dort gibt's auch einen Levis Shop, ➢ umseitig

Regional oder *Country Code* 2 stehen. Mit *Country Code* 1 laufen die Scheiben auf einem Standardplayer bei uns nicht. Nur bei neueren Computern lässt sich dieses Problem mit entsprechender Software lösen. Die alte Frage »PAL oder NTSC?« stellt sich hierbei genaugenommen auch, aber die meisten neueren DVD-Player können NTSC-Signale verarbeiten.

2.7.2 Was muss mit, was nicht?

Situation

In den Reisekoffer gehört eigentlich nichts, was man nicht auch für den gewohnten Urlaub in Europa mitnehmen würde – klimabezogen und aktivitätsabhängig. Die USA bieten den Vorteil, dass sich fast alles, was vielleicht vergessen wurde, leicht und preiswert nachbeschaffen lässt, speziell gilt das für Bekleidung, Sportartikel, Wander- und Campingausrüstung.

Bekleidung

Bekleidung einschließlich Kindersachen ist allgemein ziemlich billig, soweit es sich um markenlose Ware handelt. Auch bei internationaler Markenware sind die Preise nun nicht mehr höher als bei uns. In den ***Outlet Malls*** mit ihren ***Factory Stores*** zahlt man besonders niedrige Preis für **Jeans**: ***Wrangler*** gibt's ab ca. $16, ***Levis*** und ***Lee*** ab ca. $25 (jeweils plus *tax*).

Steckdosen-Adapter

Föhn und Rasierapparat lassen sich nur benutzen, wenn sie auf **110/125 V** umschaltbar sind. Aber auch dann benötigt man einen Adapter für das amerikanische Steckdosensystem. Der ist hierzulande problemlos in *Travel Shops*, in größeren Elektroläden und auch in Kaufhäusern erhältlich. Die Suche danach in den USA bereitet dagegen erhebliche Mühe und ist bei Erfolg teurer.

Medikamente

Die Reiseapotheke kann man in Amerika in *Drugstores* und Supermärkten **per Selbstbedienung** mit rezeptfreien Medikamenten zu ähnlichen, teilweise niedrigeren Preisen wie bei uns komplettieren, ➤ Seite 217 (Apotheken). Benötigt man rezeptpflichtige Medikamente, sollte man besser dafür nicht auf einen Arzt angewiesen sein. Außer in Notfällen ist es in den USA für durchreisende Touristen mühsam, ohne Beziehungen kurzfristig Arzttermine zu bekommen.

Drogerie-Artikel

Nach wie vor ziemlich **teuer sind Toilettenartikel** wie Seife, Zahnpasta, Haarshampoo, Sprays, Nivea-Creme u.ä., sofern man von – eher seltenen – Eigenmarken der Kaufhäuser und Supermarktketten absieht. Man tut gut daran, seinen Reisebedarf komplett samt Zahnbürsten und Rasierer aus der Heimat mitzubringen. **Kaltwaschmittel** z.B. gibt's gar nicht.

Insektenschutz

Gegen Mücken und andere Quälgeister (➤ Seite 40) helfen Essenzen aus europäischer Produktion manchmal kaum.

Mit amerikanischen Mitteln hält man sich dagegen sämtliche Biester ganz gut vom Leib. Insektenspray, Einreiblotions und Antimückenspiralen gibt's auch noch im kleinsten Laden. Das nie billige Zeug ist am preiswertesten in ***Discount Drugstores***, am teuersten in Brennpunkten des Tourismus.

3
Unterwegs im Westen der USA

3.1 Glückliche Ankunft

Zeitumstellung

Auf der Reise nach Westen »gewinnt« man je nach Ziel und Jahreszeit zwischen sieben und neun Stunden mit der Folge, gemäß Ortszeit nur 2-3 Stunden nach Abflug auf amerikanischem Boden zu stehen (**Zeitzonen** ➢ Seite 227). Meist kann man daher schon am Nachmittag und/oder Abend des Ankunftstages erste Eindrücke sammeln. Es empfiehlt sich, aufkommender Müdigkeit möglichst nicht nachzugeben, sonst sitzt man mitten in der Nacht (= 9-13 Uhr MEZ) hellwach im Bett.

Gelingt das, ist die Zeitumstellung in der Regel schnell geschafft. Nach dem Rückflug und »Verlust« der entsprechenden Stundenzahl ist das schwieriger und dauert ein paar Tage.

Formulare/ Sicherheitscheck

Vor dem Einlass ins Reiseland USA stehen jedoch zunächst die Einreisekontrolle (***Immigration***) und der Zoll (***Customs***), nach dem 11. September 2001 noch misstrauischere Instanzen. Für beide gibt es bereits beim Einchecken, spätestens im Flugzeug Formulare (➢ Abbildung auf Seite 89), die sorgfältig in **Druckschrift und Großbuchstaben** ausgefüllt werden müssen. Dabei hat die *Airline* heute bereits vor Abflug die komplette Passagierliste mit allen abgefragten Daten an die amerikanischen Behörden weitergeleitet und startet erst, wenn der Computer auf der anderen Seite des Atlantik »grünes Licht« gibt, d.h., ihm keiner der Passagiere verdächtig erscheint.

Beim **Ausfüllen** sind folgende Punkte besonders zu beachten:

Immigration

- Die Zeilen für **»Adresse in den USA«** dürfen keineswegs leer bleiben, obwohl die meisten Touristen keine feste Anschrift in den USA haben, da sie ja irgendwo unterwegs sind. Ersatzweise tut es dann die Adresse der Autoverleihfirma (also z.B.: c/o *M-Cars, 3333 El Segundo Blvd, Los Angeles, CA 90250*) oder des ersten gebuchten Hotels, sofern keine Freundes-/Bekanntenanschrift zur Hand ist.

Zollvorschriften

- Bei **Mitbringseln** gibt es zwar eine **offizielle Wertbegrenzung von $100**, und mehr als eine Flasche hochprozentiger Alkoholika wird nicht toleriert, aber das scharfe Auge des Gesetzes schaut vor allem auf die **schriftliche Zollerklärung**: Dort darf um nichts in der Welt ein »Yes« angekreuzt sein bei der Frage »Ich habe Früchte, Gemüse, Fleischwaren u. a. m. dabei und war kürzlich auf einem Bauernhof. Die kategorische Antwort heißt hier »No«!

Ankunft

Grundsätzlich erfolgen Einreise/Passkontrolle und Zollfreigabe dort, wo man erstmals amerikanischen Boden betritt. Zwischenlandung oder Flugzeugwechsel vor dem endgültigen Ziel haben also immer die Erledigung aller Formalitäten dort zur Folge. Vorteilhaft dabei ist, dass die Ankunft am eigentlichen Zielflughafen danach stressfrei und rascher läuft.

Biometrie und Passkontrolle

Wird man endlich aus der Schlange der ***Non-Residents*** zur Passkontrolle vorgelassen, werden zunächst einmal elektronisch die

Abdrücke beider Zeigefinger erfasst und ein **Foto** gemacht (dauert zusammen 15 sec); dann folgt die Frage nach Zweck und Dauer der Reise: Ersteres ist entweder ***Travel*** oder ***Visiting Friends/ Relatives***. Die meisten Reisenden erhalten die maximalen 90 oder mehr Tage (nur Visainhaber).

Departure Record

Der untere Abschnitt des ausgefüllten Formulars, der ***Departure Record***, wird in den Pass gelegt und bei der Ausreise wieder entnommen. Überschreitet man zeitweilig die Grenze nach Canada oder Mexiko, verbleibt das Papier im Pass; man muss aber an der Grenzkontrolle bisweilen auf die Rückkehrabsicht hinweisen, ➤ auch Seite 89.

Zoll

Der Zoll macht beim grünen Schildchen (***nothing to declare***) nur **Stichproben** und stempelt das Zollpapier. Am Ausgang ist dies abzugeben. Ohne **Zollstempel** bleibt die Tür zum gelobten Land verschlossen.

Gepäckwagen

Für einen der immer reichlich vorhandenen Gepäckwagen (***baggage cart***) benötigt man meist Kleingeld. Erst nach Einschieben mehrerer-Dollar-Note(n) oder einer Kreditkarte (!) gibt die Sperre einen Wagen frei.

Umsteigen/ Weiterflug

Bei Fortsetzung der Reise über einen **inneramerikanischen Anschlussflug** muss in vielen Fällen das Gebäude gewechselt werden. Zwischen den *Terminals* der verschiedenen *Airlines* oder zwischen dem *International* und *Domestic Terminal* verkehren regelmäßig ***Airline Connection*** Busse oder – in Flughäfen wie San Francisco, Denver oder Seattle – Schnellbahnen.

Hotel-/ Mietwagen Pick-up Service

Hat man eine **Hotelbuchung** in Airportnähe, genügt ein Anruf, um den **Abholservice** (*Pick-up*) zu aktivieren. Dafür muss man wissen, vor welchem *Terminal* man wartet (z.B. *International Arrivals, United Airlines* etc.). Üblicherweise existieren an den Fahrspuren markierte Bereiche für die verschiedenen Busdienste. **Hotel- und Mietwagenzubringer** stoppen durchweg im selben Abschnitt. Den ***Shuttlebus*** zu außerhalb des Airportgeländes liegenden ***Rental-Car*** **Parkplätzen** braucht man tagsüber meist nicht zu alarmieren. Die Kleinbusse von *Avis, Hertz, Budget* etc. verkehren laufend und stoppen sowieso oder auf Handzeichen.

Die Busse der Verleiher pendeln auf den großen Airports in kurzen Abständen zwischen Station (Parkplatz) und Terminals

Zu weiter entfernten **City-Hotels** ist der Transport per Flughafen-Bus oder Taxi in der Regel selbst zu organisieren.

Flughafen-zubringerbus im Los Angeles Int'l Airport – Disneyland schon bei Ankunft

Buchung eines Hotels bei Ankunft

Ohne Buchung sind die in allen Ankunftshallen vorhandenen **Hotel-/Motel-Werbetafeln** hilfreich. Über kostenfreie Telefone erreicht man die angeschlossenen Häuser direkt. Nach Reservierung und Angabe des *Terminals* dauert es meist nur wenige Minuten, bis der Hotel-Kleinbus vorfährt. Bei derartigen Anrufen sollte man sich gut auf Englisch verständlich machen können; Fremdsprachenkenntnisse des Gegenübers am Telefon sind äußerst selten. Und keinesfalls gibt's bei Anruf und Buchung erst ab Airport Sondertarife.

3.2 Übernahme des vorgebuchten Mietfahrzeugs

Vorausgebuchte **Miet-Pkw/Minivans** können gleich nach Ankunft am Flughafen übernommen werden. Die **Camper-Verleiher** holen ihre Kunden in der Regel im Hotel ab; bei größerem Buchungsaufkommen deutschsprachiger Touristen verfügen sie meist über **Personal mit Deutschkenntnissen**. Bei den Pkw-Verleihern darf man damit nicht rechnen.

Pkw

Dafür geht die Übernahme eines Pkw rascher über die Bühne: *Voucher* des Veranstalters, Pass, nationalen (!) Führerschein vorlegen, ggf. noch Beschlussfassung über Zusatzversicherungen (**Achtung**: **gerne werden Kunden teure unnötige Versicherungen aufgeschwatzt**, auch wenn der Vertrag bereits Vollkasko und Haftpflichtaufstockung etc. enthält, ➤ Seite 107), Unterschrift und Hinterlassung der Kaution (Kreditkartenerfordernis), Schlüssel steckt schon, Tank ist voll, fertig. **Kein Mensch kommt auf die Idee, irgendetwas zu erklären**. Leuchtet die Bedienung der Automatik, der Klimaanlage, des Tempomats, der Zündschloss- oder Anlassersperre etc. nicht ein, muss man ausdrücklich fragen. Alle Warntöne schalten sich aus, wenn die Türen geschlossen und die Gurte eingerastet sind. Bei der üblichen Vollkasko ohne Selbstbeteiligung ist nicht einmal eine Inspektion ums Auto nötig.

Tankfüllung

Wer sein Auto nicht in der Kategorie B/Super Inklusiv gemietet hat (➢ Seite 107) und damit auch die erste Tankfüllung »gratis« erhält, muss die erste Tankfüllung zu einem überhöhten Preis bezahlen. Man findet sie als Sonderposition auf den bei Übernahme ausgefertigten Unterlagen, die auch sogleich dem Kreditkartenkonto belastet wird. Der Kunde spart dadurch zwar die Fahrt zur Tankstelle kurz vor Rückgabe, kann aber natürlich nicht den Tank exakt leerfahren. Befindet sich noch ein nennenswerter Rest im Tank, wird nach Benzinuhrablesung grob zu Gunsten der Firma geschätzt und ein entsprechender Betrag gutgeschrieben. Bei diesem Vorgehen kiegt der Vermieter immer ein paar Liter »geschenkt«.

Rückgabe

Die Rückgabe ist **unkompliziert** und **rasch erledigt**. Das Personal hat im Fall großer Stationen kleine Handcomputer, auf denen die Ankunft registriert wird – und das war's dann auch schon. An einem Schalter auf Abfertigung warten etc. muss der Kunde nicht mehr. Man braucht also keinen besonderen Zeitbedarf für Rückgabeformalitäten einzukalkulieren. In maximal 30 min einschließlich kurzer Wartezeit auf den Bus von der Rückgabestation zum Flughafenterminal und ein paar Minuten Fahrt ist alles erledigt. Das heißt, noch nicht ganz:

Trinkgeld

Der Fahrer des Busses muss noch seinen »Tip« haben: Für jedes Gepäckstück neben dem Handgepäck zumindest $1. Das gilt übrigens auch schon auf dem Transport vom Airport zum Vermieter zu Beginn der Mietzeit.

Die Rückgabelokalität für Mietwagen (Schild rechts: Rental Car Return) ist auf allen US-Flughäfen narrensicher angezeigt

Wohnmobil

Beim Camper sieht alles anders aus. Zunächst identisch ist das Formale, wenn man zur vorgesehenen Übergabezeit zur Stelle ist. Die Kaution bzw. Blanko-Kreditkartenunterschrift deckt hier nicht nur Risiken ab, sondern bezieht sich auf die **Extrakosten** wie Zusatzversicherungen (➢ Seite 117ff), Zusatzmeilen, noch nicht bezahlte Gebühren für *Convenience Kits*, Kindersitze, Generator, Steuern und ggf. Schäden; Abrechnung nach Rückgabe; ➢ Übersicht Seite 118/9.

Inspektion

Nach Klärung der Formalitäten erfolgt die **Inspektion des Fahrzeugs** verbunden mit einer **Einweisung**. Schließlich muss der Kunde wissen, was es mit Umbauliegen, Nebenaggregaten, Wasser- und Schmutzwassertanks, Gasherd, Kühlschrank, Dachklima etc. auf sich hat. Bei Andrang sind die unter Zeitdruck gegebenen

Erläuterungen nicht immer optimal. Aber die Bedienungsanleitungen wurden in den letzten Jahren von den größeren Verleihern stark verbessert und zumeist ins Deutsche übersetzt.

Schlüssel

Wie beim Pkw gibt es üblicherweise **nur einen Schlüsselsatz**. Das ist nicht nur bei mehreren Personen im Auto unpraktisch, auch ein unbeabsichtigtes Schließen sogar der Fahrertür von außen ohne Schlüssel ist bei manchen Campmobilen möglich, daher ein Ersatzschlüssel in der Tasche keine schlechte Idee. **Schlüsseldienste** gibt es in *Shopping Malls* und in den meisten ***True Value Hardware Stores***, überall zu findenden Eisenwarenläden. Rohlinge für neuere Schlüsseltypen sind aber nicht immer vorhanden.

Erster Tag

War es früher bei den Campervermietern üblich, den Vormittag weitgehend für die Rückgabe einlaufender Wagen zu reservieren und die Neukunden erst ab 11-13 Uhr »anzukarren«, ist heute der garantiert vormittägliche *Check-out* bei allen großen Vermietern möglich (Sonderregelung, oft mit Kosten).

Ratsam ist, sich nach der Einweisung noch einmal gründlich mit der Technik des Fahrzeugs vertraut zu machen und die wichtigen Funktionen zu checken, bevor man den Hof verlässt. Wenn sich erst später herausstellt, dass der Kühlschrank nicht richtig funktioniert, der Wasserschlauch fehlt oder Bedienungsdetails unklar sind, ist das ärgerlich, ein Zurückfahren in Anbetracht des damit verbundenen Zeitverlustes oft unmöglich.

Completely instructed von Hans Löwenkamp

Das kann sich so ein blondgelockter amerikanischer Junge gar nicht vorstellen, einen ausgewachsenen Mann, der seinen Vortrag, wie man ein *Recreational Vehicle*, kurz *RV*, zu bedienen habe, nicht auf Anhieb begreift. Das ist doch alles ganz klar, das Ding fährt nahezu von allein, alles übersichtlich angeordnet, man kann gar nicht daneben greifen. Und wenn schon, wozu gibt es *check control* und *pilot lights*?

Und der Kühlschrank läuft an sich auf Gas, sobald der Motor abgestellt wird. Man darf nur nichts falsch machen, sonst ist die Batterie bald leer. Dann bitte lässt man einen *professional* kommen. Ungläubiges Staunen, dass es Menschen gibt, die noch nie *odomäddick* gefahren haben. *Born loosers*. R heißt rückwärts, D heißt *drive*, steht doch alles da.

»Letzte Woche lief einer ein, dem hatte ein überhängender Ast die ganze Klimaanlage wegrasiert vom Dach. Kostete ihn 2.600 Dollar; das war durch die Versicherung nicht gedeckt. Sowas ist nämlich fahrlässig. Daher immer dran denken, dass Sie 12 Fuß *clearance* nach oben brauchen.

Platzt ein Reifen, nächste Goodyear-Vertretung anrufen, auch wenn keine in der Nähe ist, mit denen haben wir einen Vertrag. Handtücher benötigen Sie nicht, nehmen Sie *paper towels*, eine Betriebsanleitung auch nicht, ich habe Ihnen ja alles erklärt. Und kaufen Sie einen Gummihandschuh, bevor Sie an den *sewage dump* fahren. Rufen Sie mich an, wenn was ist. Meine Karte haben Sie. Gute Fahrt, *enjoy your holidays, have a good stay*!«

Tägliche Routine der Camperfahrer an der Dump Station (➤ Seite 193): Schmutzwasser ablassen, Frischwasser auffüllen (hier mit Hilfe eines flexiblen Arms auf dem/am roten Mast)

Ladepistole & Gasanschluß

Fragen Sie auch nach ein paar **Unterleghölzern** zum **Niveauausgleich** auf Campingplätzen; in Schieflage schläft es sich nicht gut.

Vor jeder morgendlichen Abfahrt muss allerhand verstaut, verzurrt und festgemacht sein, auch außen 'rum darf nichts mehr hängen oder ungewollt offenstehen. Besonders ohne vorherige Camper-Erfahrung ist eine Checkliste hilfreich, die man vor Aufbruch abspult

Wartung

Mieter von **Campfahrzeugen** sind bei längerfristiger Miete verpflichtet, **Ölwechsel** in vorgegebenen Abständen durchführen zu lassen. Die Kosten dafür müssen zur späteren Verrechnung ausgelegt werden. Da es in Amerika allerorten Spezialfirmen für den schnellen **Ölwechsel zum Fixpreis** einschließlich eines Checks anderer wichtiger Liquide gibt (Getriebe, Bremsflüssigkeit, Servolenkung etc.), macht das kaum Probleme, ➤ auch Seite 174f. Die **Pkw-Verleiher** verlangen bei Langzeitmiete üblicherweise das Anfahren einer Station in bestimmten zeitlichen Intervallen (daher gibt es bei den großen *Rental Car Companies* keine Miete »am Stück« über 30 Tage!).

Insbesondere bei Hitze – also bei hohem Verbrauch des Kühlschranks – müssen Mieter unterwegs **Gas auffüllen**, ➤ Bild.

Reparaturen

Reparaturen dürfen – wenn sie minimale Kosten übersteigen – **immer erst nach Rücksprache mit der Verleihfirma** ausgeführt werden. Dazu gehört auch der Ersatz unterwegs verschlissener Reifen. Die größeren Vermieter haben Verträge mit landesweit operierenden Reifenfirmen w.z.B ***Goodyear, General Tire*** oder ***Firestone***, die auch Routinereparaturen ausführen. Deren Ableger sind noch in kleinsten Ortschaften zu finden. Der Mieter kann sie ggf. von sich aus anlaufen. Das hat den Vorteil, dass die telefonische Kommunikation mit dem Vermieter von der Werkstatt übernommen wird.

3

Pannen

Spätestens bei der ersten Panne wird man feststellen, dass es **kaum Bordwerkzeug** gibt, mitunter nicht einmal einen Schraubenzieher. Der Kunde soll gar nicht erst auf die Idee kommen, selbst »herumzufummeln«. Das geht soweit, dass einige Vermieter sogar Wagenheber und Radschlüssel entfernen. Er möge bei einer Panne halt den **Straßendienst** anrufen, wurde dem Autor auf Nachfrage bedeutet – in manchen Situationen leichter gesagt als getan. Hintergrund dieser Eigenart ist, dass der Vermieter derart objektiv erfährt, wo und wie die Panne erfolgte, der Mieter sie also ggf. selber bezahlen darf (bei Nutzung einer Schotterstraße).

Das hört sich recht dramatisch an, bleibt aber die Ausnahme. Ernster Ärger mit den überwiegend ziemlich neuen Fahrzeugen der großen Vermieter (bis 3 Jahre alt) tritt eher selten auf.

Rückgabe des Campers

Vor der Abreise steht die Rückgabe des Wagens, bei den meisten Vermietern am Vormittag. Möchte man hohe **Endreinigungskosten vermeiden**, muss der Camper besenrein und mit entleerten Abwassertanks zurückgegeben werden, oft auch mit gefülltem Frischwassertank und – falls man ihn voll übernommen hat – Benzintank. Die Vermieter akzeptieren im allgemeinen äußerlich »normal« verschmutzte Fahrzeuge.

Es wird aber erwartet, dass der Kunde groben Dreck (an einer der zahlreichen Waschanlagen mit Druckreinigern) vor der Rückgabe selbst entfernt. Andernfalls bittet man (wieder) zur Kasse. Ist nichts beschädigt, gibt es bei der Rückgabe keine Probleme. Die **Formalitäten**, Inspektion des Wagens, Abrechnung von Mehrmeilen, Steuern etc. sind rasch erledigt.

Flughafen-Transfer

Der Vermieter sorgt für den Transport zum Hotel bzw. zum Airport. Bei Planung von **Rückgabe und Abflug am selben Tag** sollte auf reichlich Zeit geachtet werden: besser nicht unter 4 Stunden zwischen Ankunft in der Station und Abflug bei einer angenommenen **Transferzeit** von etwa 1 Stunde. Denn gelegentlich entstehen Wartezeiten, etwa auf andere Kunden, die im selben Fahrzeug transportiert werden müssen.

Wer auf sich hält, fährt in Amerika mit einer »Limousine« vor. Den Service gibt's auch ab/zum Flughafen Anruf genügt; Limousinen-Service findet sich in jeder Stadt (Gelbe Seiten); hier am McCarran Airport in Las Vegas. Deutsche Veranstalter offerieren Reservierung und Zahlung vor der Reise. Bei den maximal zulässigen fünf Personen kostet die »Limou« pro Nase meist nicht viel mehr als ein Taxi. Variiert ortsabhängig. Hier ein extra langes Exemplar

3.3 Regelung des Transports vor Ort

Eigeninitiative

Steht am Ankunftsort kein vorgebuchtes Fahrzeug bereit, und stecken weder das Rundreiseticket einer *Airline* noch *Greyhound-* oder *Amtrak*-Netzpass in der Tasche, muss Eigeninitiative dafür sorgen, dass es in den USA weitergeht. Alle Möglichkeiten vor Ort und was dabei zu beachten ist, sind Gegenstand der Erörterung in den folgenden Abschnitten.

3.3.1 Pkw- und Camper-Miete

Voraussetzungen

Ein Auto zu mieten, ist in den USA im Prinzip eine unkomplizierte Angelegenheit. Der Kunde muss indessen einige Voraussetzungen erfüllen. Zu beachten ist, dass

- die großen **Pkw-Verleihfirmen keine Autos an Fahrer unter 21 Jahren** vermieten. Bisweilen wird ein Mindestalter von 23 oder sogar 25 Jahren (Hertz) gefordert bzw. bei Unterschreitung ein Aufschlag erhoben (bis $21/Tag). Nur in den *Big Cities* gibt es hier und dort lokale Unternehmen, die sich den Service für Kunden **ab 18/19 Jahren** mit Höchsttarifen honorieren lassen. Damit verbunden ist oft die Auflage, das Stadtgebiet bzw. einen engen Radius um die Stadt herum nicht zu verlassen, so dass größere Reisen nicht möglich sind. Die Haftpflichtdeckung für junge Leute ist durchweg minimal. **Anders ist es nur bei der Campermiete**, ➤ Seite 117.

In Moab/Utah

- im Auto-Verleihgeschäft ohne **Kreditkarte** fast nichts läuft. Nur der Vorbucher »darf« die Kaution meist auch in Reiseschecks hinterlegen. Bei Anmietung vor Ort akzeptieren die wenigsten Firmen anstelle der *Credit Card* Bares, speziell nicht als Kaution. Lässt ein Vermieter sich dennoch darauf ein, wird diese ziemlich hoch ausfallen. Folgerichtig sind auch verbindliche telefonische Reservierungen ohne Angabe einer Kreditkartennummer praktisch nicht möglich.
- die Vermieter den deutschen, österreichischen oder Schweizer Führerschein anerkennen, ➤ Seite 108. Der Reisepass ist zusätzlich vorzulegen.

Pkw/Minivan

Typen

Über die in den USA als Leihwagen zur Verfügung stehenden Wagentypen und -kategorien kann man sich in Reisekatalogen und im Internet leicht informieren. Hilfreich ist dabei die Website www.usa-mietwagen.de. Die Unterschiede zwischen den verschiedenen *Car Rentals* bezüglich Autotypen und Kostenkategorien sind im allgemeinen nicht wesentlich.

Tarife am Airport

Wer nicht auf die Kosten schaut, bucht seinen Mietwagen ohne Reservierungsmühe und große Vorüberlegungen direkt am Ankunftsflughafen. Denn jeder amerikanische *Airport* bis hinunter in die entlegenste Provinz verfügt über Vertretungen der bekannten wie lokaler Verleihfirmen. Fahrzeuge sind fast immer vorhanden, **die kleineren, preisgünstigen Fahrzeuge** indessen, mit deren Tarifen in den Zeitschriften der Fluggesellschaften gerne geworben wird, **oft ausgebucht**. Dagegen hilft nur zeitige Reservierung; ➤ Telefonnummern und Websites unten rechts. Generell liegen die Flughafenpreise um mehrere Dollar/Tag über den ansonsten ortsüblichen Miettarifen.

Billigvermieter

Für eine **kostengünstigere Wagenmiete** sollte man daher besser einen Bogen um die Schalter im Airport machen und das nächste Telefon suchen bzw. im Vorfeld im Internet nach lokalen Lösungen geschaut haben. Denn immer besitzen einige Billigvermieter (ohne Flughafenschalter) eine Station im Umfeld. Die Telefonnummer findet sich rasch in den gelben Seiten, sofern nicht sogar ein **Gratistelefon für *Off-Airport* Vermieter** vorhanden ist. Man frage grundsätzlich nicht nur nach dem Basispreis pro Tag/Woche, sondern auch nach den freien Meilen (sollte bei Pkw *unlimited* sein), den Zusatzkosten für die Vollkaskoversicherung (*Full Coverage* oder *Comprehensive Insurance* – CDW) und dem verbleibenden Selbstbehalt. Häufig stehen niedrigen Basiskosten hohe Versicherungssätze gegenüber. **In diesem Zusammenhang sei noch einmal auf die Problematik der Autoversicherung in den USA hingewiesen, ➤ Abschnitt 2.5.1, Seite 107f.**

Preisvergleich

Hat man es nicht so eilig, lässt sich mit größerer Ruhe **vom Hotel aus** vielleicht ein noch besserer Tarif finden. Die gelben Seiten des örtlichen Telefonbuchs enthalten unübersehbare Anzeigen des Gewerbes unter ***Automotive***, Unterrubrik ***Rental/Rent-A-Car*** oder direkt unter ***Car Rental***.

Angebotsübersicht bei www.orbitz.com mit an sich günstigen Wochenraten in US$, aber – Achtung! – die Versicherung fehlt noch (Screenshot vom März 2007)

Wer seinen **Laptop mit *Wireless LAN*** dabei hat oder ins **Internet Café** geht, findet die besten Angebote immer im Netz. Eine sehr gute Adresse mit übersichtlicher Darstellung der Angebote vor Ort ist www.orbitz.com.

Anhaltspunkt für in etwa zu erwartende Kosten: Man kann bei großen Anbietern *Compact Cars* (Ford Focus-Klasse) etwa ab $25-$30/Tag **plus** Versicherung und Steuern buchen (ohne Sonderaktion). Fast immer gibt es günstige **Wochenendtarife** (manchmal ab Donnerstag Mittag) und **Wochenpauschalen**, die nur das Vier- bis Fünffache eines Tagessatzes kosten (ab $130/Woche), im Internet auch darunter. **Dennoch teuer** wird es für Risikobewusste bei Haftpflichterhöhung und CDW (zusammen leicht $30/Tag). Zumindest über eine **Kreditkarte mit Haftpflichtaufstockung** sollte man verfügen, ➤ Seite 108.

Unterschiede

Die **Konditionen für gleichartige Fahrzeuge** fallen bisweilen erstaunlich unterschiedlich aus. Der Vorteil der großen *Rental Companies* besteht im wesentlichen darin, dass die Wagen neuer und gepflegter sind als bei kleinen Verleihern, und bei Problemen unterwegs die nächste Filiale der Firma nicht so weit entfernt ist. Hat man sich für das Angebot eines Vermieters entschieden, dessen Geschäftsräume nicht um die nächste Ecke liegen, wird der Wagen oft ohne Gebühren zum Hotel des Kunden geliefert. Der Fahrer erwartet dafür aber mindestens $10 Trinkgeld.

Sprachkenntnisse

Eine **wichtige Voraussetzung** des beschriebenen Vorgehens ist die Fähigkeit, im Internet und/oder auch am Telefon sprachlich einigermaßen klarzukommen.

Vorausreservierung

Ist man bereits in den USA unterwegs, erspart die telefonische bzw. Internetreservierung Mühe und Kosten. Denn das sichert die gewünschte Wagenklasse und einen besseren Tarif als direkt am Schalter vor Ort (Kreditkartennummer erforderlich, ➤ oben).

Die ***toll-free* Telefonnummern** und **Internetadressen** der wichtigsten Vermieter lauten wie folgt:

Firma	Toll-free ✆	Internet-Adresse
Alamo	1-800-GO ALAMO	www.goalamo.com
Avis	1-800-331-1212	www.avis.com
Budget	1-800-527-0700	www.budget.com
Dollar	1-800-800-4000	www.dollar.com
Enterprise	1-800-736-8227	www.enterprise.com
Hertz	1-800-654-3131	www.hertz.com
National	1-800-CAR RENT	www.nationalcar.com
Payless	1-800-PAY LESS	www.paylesscar.com
Thrifty*	1-800-THRIFTY	www.thrifty.com

*) *Thrifty* ist ein Discount-Vermieter mit nationaler Präsenz, der die Tarife der Marktführer oft erheblich unterbietet. Über Schalter am Airport verfügt Thrifty im allgemeinen nicht.

Gebrauchtwagenmiete

Noch günstiger als die preiswertesten Neuwagen-Vermieter sind ältere Wagen von Firmen, die sich ***Rent-A-Wreck, Rent-A-Used-Car, Rent-A-Junk*** oder ähnlich nennen.

Rent-a-Wreck

Die Miettarife für die in Wahrheit nicht an »Wracks« erinnernden Autos liegen um $5 bis $10 pro Tag unter den offiziellen Normaltarifen der Konkurrenz, aber nicht unbedingt unter denen billiger Vermieter wie *Thrifty*. Ein festgelegter Aktionsradius um den Sitz der Firma darf oft nicht überschritten werden. Solche Wagen eignen sich also eher für den reinen City-Aufenthalt. Sie sind ggf. für **Fahrer unter 25 Jahren** vorteilhaft, da hier seltener ein Zuschlag erfolgt.

In vielen Staaten gibt es die Franchise-Filialen der Firma ***Rent-A-Wreck***, ➤ www.rentawreck.com. Auch unter ✆ **1-800-421-7253** erfährt man die Adressen der Stationen.

Campmobile

Saisonsituation

Eine kurzfristige Campermiete während der Hochsaison ist generell schwierig. Das gilt auch für die Buchung vor Ort. Im Gegensatz zur Pkw-/Van-/Jeepmiete gibt es nicht unbegrenzt Fahrzeuge. In den Weststaaten ist der Zeitraum **Mitte Juni bis Anfang September** kritisch. **Vor *Memorial Day*** Ende Mai und **nach dem *Labor Day*** im September sind die Aussichten, auch kurzfristig einen Camper der gewünschten Kategorie aufzutreiben, schon besser. Von Mitte Oktober bis April freuen sich alle lokalen Verleiher, aber auch alle international tätigen Firmen über jeden Kunden. Dennoch sind keine Dumpingtarife zu erwarten.

Kosten

Wer also in der **Vor- und Nachsaison** in einer der Großstädte des Westens die Mühe auf sich nimmt, »seinen« Camper direkt zu buchen, wird ein Fahrzeug finden. Die Wahrscheinlichkeit aber, damit günstiger zu fahren als bei Buchung in der Heimat, ist selbst bei Wechselkursen um $1,30 für den Euro nicht hoch. Bei Vor-Ort-Miete dürften Ersparnisse erst bei Kursen deutlich über $1,30 eintreten. Dabei muss bedacht werden, dass **in den USA angebotene Camper-Basistarife** überwiegend eine unzureichende Haftpflichtdeckung beinhalten.

Die **Voraussetzungen** für eine Campermiete sind weitgehend identisch mit denen der Pkw-Miete, siehe oben.

Camper mieten, wo?

Adressen/Telefonnummern von Verleihfirmen findet man in den Gelben Seiten unter***Automotive/RV-Rental*** oder ***Recreational Vehicles***, außerdem in Kleinanzeigen (*Classified Ads*) in der Tageszeitung. Da es bei *RVs* mit dem Anruf nicht getan ist, sondern auch die Begutachtung der angebotenen Fahrzeuge erfolgen muss, benötigt man bis zur endgültigen Klärung einen Leihwagen. Die Ergebnisse im **Internet** (*Google*) unter ***RV Rental USA*** u.ä. führen oft zu den bekannten Vermietern (*Moturis, Cruise America, El-Monte* etc) und anderen, die nicht international anbieten, mit sogar noch weniger günstigen Konditionen

Versicherung

Für die Ermittlung der Gesamtkosten und zum Preisvergleich eignet sich auch für Angebote vor Ort das Berechnungsschema der Seiten 118/19. Genau wie bei der Vorbuchung sollte man sich Klarheit verschaffen über die **Haftung des Mieters** bei Eintreten der verschiedenen Schadensfälle. Eine **automatische Haftpflichtaufstockung durch Zahlung mit einer entsprechenden Kreditkarte** (➤ Seite 108) ist fast unverzichtbar. Wichtig zu klären ist, ob überhaupt eine Haftpflichtversicherung für das Fahrzeug besteht. Auch so etwas ist möglich. Wo nicht, gibt's keine Aufstockung!

Erst drüben mieten?

Die Frage »**Lohnt es sich, erst drüben zu mieten?**« muss heute (**März 2007**) immer noch mit »**eher nicht**« beantwortet werden. Für einen weiter sinkenden Dollarkurs kann sich das vielleicht wieder rechnen. Aber Suche/Auswahl können stressig und nicht der ideale Einstieg in die Amerikareise sein. Ein wenig ermunternder Gedanke ist auch, dass bei Mängeln des Fahrzeugs und eventuellen Schäden eine daraus folgende Auseinandersetzung im fremden Land geführt werden muss.

Campermiete auf eigene Faust vor Ort mag der Autor deshalb auch bei wieder stärkerem Euro nur Leuten raten, die über sehr gute Englischkenntnisse und viel individuelle Reiseroutine im Ausland verfügen.

Campen im State Park Cathedral Gorge im südöstlichen Nevada (➤ Seite 388), nur wenige Meilen von Utah entfernt auf Höhe Cedar City und Bryce Canyon NP

3

3.3.2 Autokauf in den USA

Motivation

Vergleich Miete/Kauf

Wer eine **längere Reise** durch Nordamerika plant, fragt sich, ob nicht unter Umständen ein Autokauf der Miete vorzuziehen ist. Denn während **drei oder mehr Monaten** kommen bei den größeren Wagentypen und vor allem Campfahrzeugen erhebliche Mietkosten zusammen.

Zu bedenkende Aspekte

Bei der Entscheidung »Miete oder Kauf?« spielen neben dem reinen Kostenvergleich weitere Überlegungen eine Rolle. Z.B. ist man beim eigenen Wagen für **Reparaturen** selbst verantwortlich, die nicht nur Kosten, sondern vor allem Ärger verursachen können, der die Reisefreude trübt. **Organisatorische Probleme** können ebenfalls Kopfzerbrechen bereiten: schon mit dem Kauf, aber auf jeden Fall mit dem Verkauf sind zeitraubende, mitunter frustrierende Aktivitäten verbunden.

Abwägen

Um solchen Problemen von vornherein aus dem Weg zu gehen, wird mancher gern auf mögliche ökonomische Vorteile verzichten. Anderen dagegen mag die Aussicht auf (hoffentlich) geringere Gesamtkosten einige Mühe wert sein.

Weitere Infos

In den folgenden Abschnitten findet der Leser die wichtigsten Informationen zur Beschaffung und Zulassung eines Autos in den USA. Als Ausländer ein Auto **in Canada** zu kaufen, empfiehlt sich schon allein wegen der höheren Preise und höherer Umsatzsteuern nicht. Die administrativen Hürden sind dort außerdem (noch) höher als in den USA. Weitergehende Ausführungen für monatelange Touren durch Nordamerika – vielleicht sogar im mitgebrachten Campmobil aus Europa – finden sich in einem umfassenden Sonderkapitel im **Reise Know-How Band USA/CANADA**, der Ende 2007 in Neuauflage erscheint.

Was zu beachten ist

Angebot in den USA

Die Anzahl der Autohändler und der zum Verkauf stehenden Fahrzeuge ist selbst in kleinen Ortschaften groß, in den Cities schlichtweg ungeheuer. Man braucht also nur zuzugreifen – so scheint es – und das Beschaffungsproblem wäre erledigt. Wer jedoch bestimmte Vorstellungen und gleichzeitig einen günstigen Preis realisieren möchte, wird einige Tage benötigen, bis der richtige Wagen gefunden ist.

Neuwagen

Die meisten Fahrzeuge auf Halde bei den Werksniederlassungen sind Neuwagen, da in Amerika die Mehrheit der Kunden Autos aus dem vorhandenen Bestand aussucht und gleich »mitnimmt«. Der **Listenpreis** wird üblicherweise mit allen Details im Seitenfenster der Wagen ausgehängt. Rabatte stehen in übergroßen Ziffern auf der Windschutzscheibe. Der effektive Preis unterliegt der freien Aushandlung. Die **Internetadressen** rechts kommen auch für eine Übersicht über das Preisniveau von Neuwagen in Frage. Das liegt zur Zeit deutlich unter dem bei uns, ➢ www.cars.com.

Endpreis

Zum Kaufpreis kommen die **Überführungskosten** (*Transport and Preparation Fee*) plus die **Umsatzsteuer** (*Sales Tax*) in Höhe bis zu 8,75% (Kalifornien inkl. lokaler Steuer). Wie alle anderen Preise gelten auch Autopreise in Amerika netto. Die ***Sales Tax*** wird von der Zulassungsbehörde kassiert; nicht nur bei Neuwagen, sondern auch bei Gebrauchtfahrzeugen, gleichgültig, ob sie von privat oder vom Händler erworben wurden.

Gebrauchtwagen

Bei **Neuwagenhändlern** findet man nur wenige gebrauchte bzw. nur Wagen neuerer Baujahre. **Ältere, preisgünstige Fahrzeuge** gibt es in größerer Auswahl beim ***Used-Car Dealer***, bei nicht werksgebundenen Reparaturbetrieben, bei Tankstellen und auf dem privaten Markt. Um sich eine Übersicht über Autotypen und -preise zu verschaffen, ist der Kauf eines ***Used-Car-Almanac*** für wenige Dollar zu empfehlen. Es gibt solche **Preisübersichten** getrennt nach Pkw, *Trucks* und RVs (Campmobile) z.B. in mit Tankstellen verbundenen *Mini-Marts*. Wer noch nicht in Amerika angekommen ist, schaut ins Internet. Indessen ist dort die Suche nach Gebrauchtfahrzeugen recht mühsam. Einen guten Überblick liefern u.a. www.carsmart.com und www.us-used-cars.com. Englischkenntnisse sind nötig.

Wie bei uns sind **Fahrzeuge bei Händlern teurer** als von privat; dafür ist der Verhandlungsspielraum ungleich größer als hierzulande. Die privaten Angebote findet man in regionalen, auf Autos spezialisierten Verkaufsmagazinen und natürlich in den jeweiligen Tageszeitungen im Anzeigenteil ***Classified (Ads) Section***, **Stichwort *Automotive/Sales***. Bei der persönlichen **Inspektion** und Beurteilung eines in Frage kommenden Fahrzeugs muss berücksichtigt werden, dass Amerikaner ihre Autos weniger liebevoll behandeln als Deutsche. Älteren Pkws und vor allem Campern sieht man die Jahre an, ohne dass dies als besonderer Mangel empfunden wird. Wichtig ist, dass technisch alles einigermaßen stimmt. Bei dieser Einschätzung hilft keine TÜV-Prüfplakette.

3

Zwar muss jedes Auto bei Besitzerwechsel und/oder Neuzulassung in einem anderen Staat zur **technischen Kontrolle**, aber 100% vergleichbar mit strengen Bräuchen bei uns ist das nicht.

Welchen Typ?

Grundsätzlich ist der **Camper das ideale Gefährt gerade für den Langzeittrip**. Viele Argumente sprechen für den kompakten ***Van Camper*** (➤ Seite 59). Gerade bei längeren Reisen reizen schon mal abgelegene, oft schlechte *Backroads* und Zufahrten zu versteckten Campingplätzen, heißen Quellen und anderen Kleinoden der Natur, deren Bewältigung mit *Motorhomes* beschwerlicher und oft genug unmöglich ist.

Van

Wer sich in puncto Komfort bescheiden mag und sich in einem neueren Fahrzeug wohler fühlt, kann den Kauf eines deutlich preiswerteren ***Van*** (geschlossener **Lieferwagen**) erwägen, den man mit Matrazen, Kocher, *Coolbox* etc. nach Lust und Geldbeutel mehr oder minder bequem einrichtet. Zusätzliche Fenster und/oder insektensichere Belüfter lassen sich in den USA leicht, billig und ohne »TÜV-Abnahme« einbauen. Verkaufspreis und -möglichkeit am Ende der Reise sind weniger saisonabhängig und damit besser als beim reinen Campfahrzeug.

Pkw/Kombi

Die preisgünstigere Alternative, auch was die Benzinkosten angeht, ist ein älterer Pkw/Kombi mit Zelt im Kofferraum. Vor- und Nachteile des Zeltens, Auf- und Abbau bei Regen usw. sind bekannt. Für längere Reisen fallen zwar die Nachteile stärker ins Gewicht als bei einem 4-Wochen-Urlaub, aber grundsätzlich bietet die Kombination Pkw/Zelt plus gelegentliche Billigunterkunft **im Sommer** die preiswerteste Reiseform. Die größere Wetterabhängigkeit kann man ggf. durch Wahl der Reiseroute ausgleichen.

Großkombi der Kategorie »Suburban«, ein gutes Fahrzeug für Langzeit-Campingtouren mit Zelt. Der Wagen, Baujahr 1995, kostet ohne Handeln $6995+Tax und Zulassung, in Euro alles zusammen ca. €6000 (Ende 2006 in Arizona). Man sieht daran nebenbei, dass Gebrauchtwagen in den USA relativ teurer sind als bei uns, denn Neufahrzeuge kosten weniger als hierzulande.

Verkaufsaspekt

Bei der Kaufentscheidung sollte der Wiederverkauf nicht vernachlässigt, d.h., möglichst nur gekauft werden, was einen großen Markt besitzt. Das sind in erster Linie **amerikanische Fahrzeugtypen**. Dafür existiert selbst unter ungünstigen Bedingungen (»falsche« Jahreszeit und Gegend) wenigstens eine gewisse Nachfrage; der Verkauf ist dann »nur« eine Preisfrage.

Mit einem ***Ford, Dodge*** oder ***Chevy*** kommt auch noch eine Klitsche in der Wüste von Nevada zurecht, aber wenn exotische Typen (das sind alle außer den Amerikanern) weit weg von der nächsten Vertretung streiken, ist oft guter Rat teuer.

Zulassung

Papiere

Ist der geeignete Wagen gefunden, sind einwandfreie Eigentumsverhältnisse wichtig. Der Verkäufer muss den ***Title*** (Kfz-Brief) und die ***Registration*** (Kfz-Schein) vorlegen können und mit dem Auto an den Käufer übergeben. In manchen Staaten wird ein **notariell beglaubigter Vertrag** zusätzlich zu den unten angeführten Punkten gefordert. Man sollte sich vor Vertragsabschluss beim ***Vehicle Department*** erkundigen.

Voraussetzung

Die Zulassung eines in den USA erworbenen Autos auf den Touristen bereitet keine grundsätzlichen Schwierigkeiten. Immer mehr Staaten verlangen jedoch einen **amerikanischen Führerschein** oder eine andere amerikanische ***Identification*** (Personalausweis), bevor sie Autos umschreiben. Beides hat der Tourist nicht, kann aber den Führerschein in vielen Staaten relativ problemlos erwerben. Wichtig ist, sich gut mit den theoretischen Prüfungsfragen vertraut zu machen (Übungshandbuch; in einigen Staaten – z.B. Kalifornien – sogar auf deutsch vorhanden), sonst ist der ***Multiple Choice Test*** zu schwierig.

Zulassungsstelle

Ähnlich wie bei uns existiert in jeder größeren Ortschaft eine Zulassungsstelle, das ***Motor Vehicle Department***, dem häufig auch gleich ein technischer Prüfstand angeschlossen ist. In kleineren Orten, in einigen Staaten generell, übernehmen autorisierte Werkstätten und Tankstellen die Funktion der ***Inspection Station***. Geprüft wird in manchen Staaten bei jedem Besitzerwechsel, in anderen nur, wenn das Fahrzeug vorher nicht dort gemeldet war. Die *Inspection* ist auch mit nicht ganz jungen Gebrauchtwagen kaum eine große Hürde.

Für die Zulassung benötigt man

- eine **ID** (= *Identification*, als Ausländer Reisepass), ggf. **den amerikanischen Führerschein**, wie vorstehend erläutert
- den **Kaufvertrag**, eventuell notariell beglaubigt
- die **Wagenpapiere**, den ***Title*** (Kfz-Brief), vom Vorbesitzer auf der Rückseite als »rechtmäßig weitergegeben« unterschrieben, und die ***Registration*** (Kfz-Schein),
- eine im Bezirk des *Vehicle Department* liegende **Anschrift**. Der Wohnsitz braucht nicht nachgewiesen zu werden. Es genügt

3

die Adresse eines Bekannten, der jedoch zuverlässig bereit sein muss, den umgeschriebenen, u.U. erst nach Wochen zugeschickten *Title* an den Touristen weiterzuleiten (ein Fahrzeugverkauf ohne *Title* ist unmöglich), und

- **weitere Unterlagen** (in Abhängigkeit vom Staat) wie Inspektionszertifikat, Haftpflichtversicherungsbestätigung oder eine Erklärung, dass der Wagen versichert wird, eine vom Vorbesitzer unterschriebene Tachostandsbestätigung etc.

Ist alles ordnungsgemäß vorhanden, erhält man gegen Zahlung der Anmeldegebühren und Steuern die Zulassung.

Versicherung

Da es ohne Hilfestellung von Freunden oderVerwandten (und oft selbst dann) vor Ort oft Schwierigkeiten bei der »Beschaffung« einer Versicherungspolice gibt, sollte man vorgesorgt haben. Haftpflicht- und Vollkaskoversicherungen für Nordamerika vermitteln u.a. ***Tour Insure*** in Hamburg (✆ 040/25172150, Fax 040/251 72121; www.tourinsure.de) und ***Seabridge/Detlev Heinemann*** (in Düsseldorf, ✆ 0211/2108083; Email seabridge@t-online.de). Policen können auch blanko für zunächst unbekannte, noch zu beschaffende Fahrzeuge ausgestellt werden. Nach dem Kauf werden die Fahrzeugdaten in die Unterlagen eingetragen und gleichzeitig der Versicherung mitgeteilt.

Die Firma ***Seabridge*** ist zudem Spezialist für den **Transport eigener Fahrzeuge nach Amerika**: www.sea-bridge.de, ➤ Seite 157.

Kauf von Fahrzeugen mit Rückkaufgarantie

Was tun, wenn man per Auto oder Camper zwar gerne für einige Monate Nordamerika entdecken möchte, aber die Mietkosten für den langen Zeitraum zu hoch erscheinen und andererseits der mit einem selbständigen Vorgehen verbundene Umstand und – vor allem – das Verkaufsrisiko nach beendeter Reise abschrecken?

Die Lösung dafür bieten Firmen wie z.B. der Campervermieter

Moturis in Deutschland: ✆ 0800/80807000, **Internet:** www.moturis.com. Moturis verkauft nur neuere **Motorhomes** aus der eigenen Mietflotte und verkauft sie nach Ende der Reise – auf Wunsch gegen eine entsprechende Provision – für den Kunden weiter.

Adventures on Wheels, ✆ 1-800-943-3579, **Internet:** www.wheels9.com, und **Happy Travel**, ✆ 1-800-370-1262, **Internet:** www.camperusa.com,

beschaffen jede Art von Gebrauchtfahrzeugen in allen Preisklassen (Pkw/ Kombis ab ca. $3.000, Camper ab ca. $6.000) und bieten eine Rücknahmegarantie zu festgelegten Bedingungen bzw. Unterstüzung beim Verkauf. Bei beiden Firmen kann der Kunde quasi sein Wunschfahrzeug bestellen.

Das Verkauf-/Rückkauf-Geschäft funktioniert wie folgt:

1. Der Kunde kontaktiert den Anbieter und erläutert seine Vorstellungen. Sind passende Fahrzeuge vorhanden, erhält er die genauen Daten, Preis und Nebenkosten wie Steuern, Zulassung, Versicherung. Sagt ihm ein Wagen

zu, reserviert er ihn durch eine Anzahlung. Der Rest wird spätestens bei Übernahme bzw. der Zulassung auf seinen Namen fällig.

2. Bei Ankunft des Kunden steht der Wagen im günstigsten Fall »abmarschfertig« bereit, d.h. technisch einwandfrei, frisch gewartet und zugelassen. Konnte die Zulassung ohne den Pass des Kunden noch nicht erfolgen (mitunter vorab möglich mit Passkopie), wird das Auto jetzt angemeldet, und der Käufer kann losfahren.
3. Nach Ende der Reise nimmt die Firma das Fahrzeug wie vereinbart zurück und zahlt die vereinbarte Rückkaufsumme aus – sofern der Wagen sich im vertraglich vorgesehenen Zustand befindet (eine allgemein übliche »Fußangel«, die schon manchen Verdruss bereitet hat). Die Abschreibung ist mal meilen-, mal zeit- und saisonabhängig oder eine Mischform daraus. Dem Käufer wird bisweilen das Recht eingeräumt, den Wagen ggf. selbst zu verkaufen, oft aber nicht (was recht nachteilig sein kann).

Die Kosten des Ankauf-/Rückkaufgeschäfts können alles in allem **nicht ganz niedrig** sein, da ja zunächst hohe Fixkosten der Beschaffung, die Kosten der Grundinspektion und Fahrzeugvorbereitung sowie der Zulassung und außerdem die Kaufsteuern anfallen. Erst **ab 2 Monaten** (je nach Fahrzeugtyp, Saison und Alter des Käufers auch erheblich später) kommt es in aller Regel zu einem Kostenvorteil gegenüber der Miete für ein gleichartiges Fahrzeug. Wobei Mietfahrzeuge immer neu sind (höchstens 2-3 Jahre beim Camper), Kaufangebote sich dagegen überwiegend auf relativ ältere Fahrzeuge beziehen. Je neuer und teurer ein Fahrzeug, umso höher ist der Wertverlust mit der Folge, dass sich Vorteile gegenüber einer Miete nur bei sehr langen Reisen ergeben. Im Einzelfall muss genau gerechnet und zudem überlegt werden, welchen Wert man der weitgehenden Problem- und Risikofreiheit eines Mietwagens beimisst.

Leider gibt es auf diesem Markt **problematische Geschäftspraktiken**. Mangels der objektiven Nachprüfbarkeit negativer Berichte kann nicht namentlich vor bestimmten Firmen gewarnt werden. Misstrauisch werden sollte man bei Angeboten für Fahrzeuge ohne klare Baujahr- und/oder Meilenangabe. Auch Meilenstände unter 100.000 bei Fahrzeugen, die 12 und mehr Jahre alt sind, geben zu denken. Abgesehen davon, dass man sich auf derartig alte Wagen – die ja o.k. sein können – nur nach persönlicher Inspektion einlassen sollte.

Unser Internet-Service: Fahrzeugvermittlung von Leser zu Leser

Wer ein Fahrzeug in Amerika kauft, muß es am Ende der Reise wieder verkaufen. Das ist in vielen Fällen leichter gesagt als getan.

Vermutlich gibt es für gute Tourenfahrzeuge und deren spezifische Ausrüstung mehr interessierte Neu-Amerikafahrer als Amerikaner. Nur – wie kommt der Verkäufer an den potentiellen Touristen-Käufer? Und woher weiß ein Fahrzeug-Interessierter vor seiner Reise, wer vielleicht demnächst einen geeigneten Wagen vor Ort verkaufen möchte?

reisebuch.de

Inserieren Sie – als Kauf- oder Verkaufsinteressent – **kostenlos im Fahrzeugmarkt USA/Canada** bei uns: http://reisebuch.de/nordamerika/service/fzgmarkt

Die Alarmglocken läuten auch bei sehr großzügigen Garantiezusagen für Altfahrzeuge. Die damit verbundenen Risiken für den Vermieter bzw. Verkäufer sind naturgemäß hoch und müssen, damit sich das Geschäft noch rechnet, anderweitig wieder hereingeholt werden. Etwa durch einen von vornherein überhöhten Verkaufspreis oder durch für den Käufer nachteilige Vertragsklauseln.

Eine **Achillesferse** dieses Geschäfts liegt – wie bei bestimmten Mietangeboten – bei der **Deckungssumme der Haftpflichtversicherung**. Wenn überhaupt eine Aufstockung der durchweg niedrigen Deckung (➤ Seite 108) möglich sein sollte, dann wird es teuer. Das gilt speziell bei Leuten unter 25 Jahren, die wegen des »Jugendzuschlags« vor der Pkw-Miete zurückschrecken (aber da gibt es neuerdings gute *under-25-rates*, ➤ Seite 104). Ganz besonders achtsam müssen unter 21-jährige Käufer sein, die bei der Miete selten zum Zuge kommen. Es ist möglich, dass für sie lediglich die gesetzliche Minimaldeckung mit oft – gegen hohe Prämien – lachhaften Summen abgeschlossen werden kann. Wenn in solchen Fällen ein ernster Unfall verschuldet wird, ist die Not groß.

Letztlich rechnet sich das eigene, vom »Rückkaufhändler« beschaffte Auto unter Berücksichtigung aller Neben- und selbst zu tragender Reparaturkosten, Reifenersatz etc., also aller beim Käufer verbleibenden Risiken, nur selten unter **Reisezeiten von drei Monaten**.

Das Gebrauchtwagenangebot in den USA ist ungemein vielfältig und reicht vom Jahreswagen bis zu Nostalgiekutschen dieser Art (Foto 2006)

3.3.3 Auto Drive-Away

Auto-transport

Eine typisch amerikanische Möglichkeit, gelegentlich billig und trotzdem relativ selbständig zu reisen, ist das sogenannte ***Auto Drive-Away***. Firmen in jeder größeren Stadt betreiben dieses Geschäft. Es handelt sich um den Fahrzeugtransport im Auftrage von Unternehmen und Privatleuten, die z.B. ihren Wohnsitz an einen anderen Ort verlegen und nicht die Zeit bzw. das Personal haben, alle im Besitz befindlichen Wagen selbst zu überführen. Für diesen Job sucht man Fahrer, die ohnehin zum vorgesehenen Zielort reisen wollen. Die Transportfirma spart dadurch Honorare, der eingesetzte Fahrer die sonst anfallenden Ticketkosten für Flugzeug oder Bus.

Die Mehrheit der Autotransporte fällt bei großen Entfernungen an, deren Bewältigung häufig mehrere Tage dauert.

Touristen als Fahrer

Auch Touristen können Fahrzeug-Überführungen übernehmen; eine Arbeitserlaubnis benötigen sie dafür nicht. Voraussetzung ist ein Alter von **mindestens 21 Jahren** und die Vorlage des Führerscheins. Als Nicht-Amerikaner sollte man vorsichts-halber auch die internationale Version dabei haben. Meistens ist eine **Kaution** zu hinterlegen (mindestens $100). Darüberhinaus fordern viele Unternehmen **Referenzen** (Empfehlungsschreiben von Amerikanern, dass man vertrauenswürdig ist: *reliable, no criminal record*) und einen festen Wohnsitz (ggf. die Adresse eines Freundes). Zum Glück gelten Deutsche, Schweizer und Österreicher als besonders zuverlässig, so dass es oft auch ohne spezielle Referenzen klappt.

3

Kosten

Bei »Anstellung« gehen je nach Fahrtziel und Firma nur die Kosten fürs Benzin voll oder teilweise zu Lasten des Fahrers, und das nicht einmal in allen Fällen.

Bedingungen

Der Wagen ist auch gegen Schäden durch **selbstverschuldete Unfälle** weitgehend versichert; die Kaution deckt eine eventuelle Selbstbeteiligung. Das zeitliche Limit wird normalerweise knapp bemessen. Man erwartet, dass der Fahrer **400 bis 500 Meilen pro Tag** schafft. Wer es nicht ganz so eilig hat, kann nach Wagen suchen, die nur über Teilstrecken der Wunschroute transportiert werden müssen.

Beurteilung

Das *Drive-Away* ist **keine generelle Transportalternative** für eine Reise durch Amerika, sondern eher eine zusätzliche Variante für flexible Leute mit Zeit, die lange unterwegs sind.

Adressen

Interessenten finden Adressen und Telefonnummern in den örtlichen Telefonbüchern (gelbe Seiten) unter »*Drive-Away*« oder »*Auto Drive-Away*«. Die größten Firmen mit Filialen in vielen Städten sind ***AAACON Autotransport Inc.*** und ***Auto Drive-Away Co***, *toll-free* zu erreichen unter ✆ **(800) 346-2277**. Eine andere Adresse ist ***Across America***, ✆ **(219) 852-0134**.

Internet: www.autodriveaway.com/driversforms.aspx

3.3.4 Greyhound, alternative Busse und Bahn

Ohne ***Bus***- oder ***Railpass***, wie oben im Kapitel 2.5 beschrieben, sind Eisenbahn- und Busfahrten per **Einzelticket** – wie bei uns – auch in den USA ein teurer Spaß. Wie erwähnt, können Netzkarten noch in den USA beschafft werden.

Ticketkauf in den USA

Den ***Greyhound Discovery Pass*** bestellt man am besten im Internet und holt ihn an der Station der eigenen Wahl in den USA ab. Zwischen Bestellung des Passes und Abholung müssen nur mindestens 2 Stunden liegen. Einzeltickets lassen sich wie bei uns bis kurz vor Abfahrt lösen. Mit ihnen ist Busfahren aber ein ziemlich kostspieliger Spaß.

Moderner Greyhound Bus

Green Tortoise/ ➢ Essay auf Seiten 131f

Wer unterwegs stärker den **Kontakt zu anderen** – Amerikanern wie Touristen aus aller Herren Länder – sucht, ist mit den Bussen von ***Green Tortoise*** (sprich: Tortis) besser, sicher aber origineller bedient als mit *Greyhound*. Im hinteren Teil der Busse sind statt der Sitze Schaumgummimatratzen (während längerer Fahrten entfällt damit das Übernachtungsproblem) und im vorderen Bereich Tische installiert. Musizierende Passagiere sind erwünscht. Halt macht der Busfahrer dort, wo die Mehrheit es wünscht. Einkauf und Essenszubereitung erfolgen gemeinschaftlich.

Green Tortoise

Die **»Grüne Schildkröte«** verkehrt regelmäßig Coast-to-Coast auf verschiedenen Routen (10-14 Tage für $499-$549). Außerdem gibt es u.a. Trips durch die **Nationalparks des Westens**, ***»Canyons of the West«***, ***Yosemite***, ***Death Valley*** etc. (3- bis 6-Tage-Fahrten), dazu nach Alaska, Mexico, Guatemala und Costa Rica.

Informationen: ***Green Tortoise Adventure Travel***, 494 Broadway, San Francisco, CA 94133, ✆ (415) 956-7500 oder ✆ 1-800-867-8647. ***Website***: www.greentortoise.com.

Adventure Bus

Eine ähnliches Programm wie *Green Tortoise* und mehr gibt es beim ***Adventure Network for Travelers*** mit Sitz in Salt Lake City: ✆ (909) 633-7225 oder ✆ 1-888-737-5263. Informationen zu Routen und Preisen findet man unter www.adventurebus.com.

Regionalbusse

Obwohl die USA, was öffentliche Verkehrsmittel betrifft, insgesamt einen schlechten Ruf besitzen, trifft die Pauschalierung nicht auf alle Regionen und Cities zu. Im Bereich der dichter besiedelten Westküste z.B. ist das **regionale Busnetz relativ gut ausgebaut**. In Cities wie San Francisco, Portland und Seattle steht die Qualität des Kurzstreckentransports dem in europäischen Städten kaum nach. Dank hoher Subventionen sind die **innerstädtischen Systeme zudem rechtpreiswert**, teilweise sogar gratis (*Portland* und *Seattle* im Citybereich). **Budgetbewusste Reisende** finden auf vielen Airports neben teuren Expressbussen, die Zentrum und Flughafen direkt verbinden, Haltestellen der Vorortlinien, die Passagiere zum regulären City-Tarif in die Stadt befördern. Weiter östlich, in den Weststaaten mit geringer Bevölkerungsdichte, und **in mittelgroßen Städten** ist die Versorgung mit öffentlichen Verkehrsmitteln aber eher dürftig.

AMTRAK

Wer sich erst in den USA zur Fahrt mit Amtrak-Zügen entschließt, kann die *Amtrak* Railpässe für Ausländer dort nicht mehr erwerben. Ganz interessant für alle ist ist der **Netzpass** für die **USA und Canada**, der unbegrenztes Reisen auf allen Routen von Amtrak/ USA und VIARail/Canada für 30 Tage erlaubt ($999 in der Hochsaison 25.05.-15.10., sonst $709).

Alle Zugtickets im Internet unter: www.amtrak.com

3.3.5 Die Flugbuchung

Flugfrequenz

Bis über 90% des öffentlichen Personenverkehrs zwischen amerikanischen Cities werden per Flugzeug abgewickelt. Auch noch zu kleinsten Städten existieren Linienflüge. Auf bestimmten vielfrequentierten Strecken garantieren stündliche oder häufigere Abflüge dem Passagier oft auch ohne Reservierung einen Platz im ***Shuttle-Service***; im Westen etwa auf den Routen von Los Angeles nach San Francisco und nach Las Vegas und umgekehrt. Die Bedeutung des Fliegens ist damit für die meisten Bevölkerungskreise um ein Vielfaches höher als bei uns. Die Zeiten, in denen das Fliegen unkomplizierter als bei uns war, sind indessen vorbei. Dank 9/11 wurden die Sicherheitsmaßnahmen langsam immer schärfer. Und wer mit Gepäck nicht spätestens 90 Minuten vor Abflug am

Kein Beduinenzelt, sondern der International Airport von Denver

Abfertigungsschalter steht, hat keine Garantie mehr darauf, mitgenommen zu werden. Wohlverstanden »am Schalter«. Einzukalkulieren ist auch noch die Wartezeit am Ende einer möglicherweise langen Schlange bis dorthin!

Kosten

Inneramerikanische Flüge sind heute generell nicht besonders preiswert. Vielmehr gehen sie – auch wegen der Entfernungen – ziemlich ins Geld, kauft man Tickets drüben kurzfristig und erwischt keinen Spezialtarif oder fliegt mit einer *Discount Airline*. Kostspielig sind besonders Anschlussflüge zu entlegenen Orten, die nur von einer einzigen Gesellschaft bedient werden.

Tarife

Wie bei uns besitzt jede Fluglinie ihr eigenes Tarifsystem. Wenn also mehrere Airlines eine Strecke bedienen, so gibt es jede Menge unterschiedlichster Tarife in Abhängigkeit von Buchungs- und Flugdatum und der Abflugzeit. Häufig beonders günstig sind Night Coach Tarife für Abflüge anm Abend nach 21 Uhr.

Auf manchen Strecken konkurrieren die »großen« Luftlinien mit »Billigfliegern«. Vor allem bei **America West**, **Southwest** und teilweise **Continental Airlines** sind die Chancen gut, günstigere Tickets zu erstehen als bei den Marktführern.

Buchung

Der konventionelle Weg zum preiswerten Ticket ist im Prinzip das nächste Flugreisebüro. Wer seine Automobilklub-Mitgliedskarte dabei hat, kann sich auch an die kompetenten **Reisebüros des AAA** wenden, ➢ Seite 81, die es in allen Groß- und auch vielen Mittelstädten gibt. In vielen Fällen kann es günstiger sein, das Ticket im Internet zu erstehen, z.B. bei www.orbitz.com.

Flugtickets »ersteigern« kann man bei ***Airhitch***, ✆ 1-800-326-2009 oder ✆ 1-888-AIRHITCH; www.airhitch.org,

Über *Airhitch* gibt`s auch Tickets in die Karibik, nach Hawaii etc.

Reservierung

Es kostet nichts, die Gesellschaften unter ihren ***toll-free* 800-Nummern** selbst anzurufen und das preisgünstigste Ticket für die gewünschte Verbindung zu erfragen, und sei es nur zum Vergleich mit noch anderweitig eingeholten Auskünften. Das gilt natürlich ebenso für Laptopbesitzer, die unterwegs über Wifi von Hotels und anderen Hot Spots leicht online gehen können:

- ***Alaska***: ✆ 1-800-252-7522, www.alaskaair.com
- ***American***: ✆ 1-800-433-7300, www.americanair.com
- ***America West***: ✆ 1-800-235-9292, www.americawest.com
- ***Continental***: ✆ 1-800-525-0280, www.flycontinental.com
- ***Delta***: ✆ 1-800-221-1212, www.delta-air.com
- ***Northwest***: ✆ 1-800-225-2525, www.nwa.com
- ***Southwest***: ✆ 1-800-I-FLY-SWA, www.southwest.com
- ***United Airlines***: ✆ 1-800-241-6522, www.unitedairlines.com
- ***US-Airways***: ✆ 1-800-428-4322, www.usairways.com

Klar, dass keine Buchung am Telefon bzw. im Internet ohne gültige Kreditkarte möglich ist.

3.3.6 Trampen

Situation in den USA

Das Trampen, auf Englisch ***Hitchhiking*** genannt, stößt in den USA zwar auf keine grundsätzlichen Hindernisse, ist aber über die Jahre zunehmend schwieriger geworden. Speziell im Süden des Landes, von Florida bis Kalifornien, besteht wegen immer wieder spektakulärer Mordfälle eine erhebliche Furcht vor Überfällen durch *Hitchhiker*. Aber auch umgekehrt besteht Anlass zu Sorgen. Alle Details und Erfahrungen zum Trampen (auch) in den USA findet man samt vieler Links unter www.digihitch.com.

Trampen als Ausländer

In den USA versteht man im allgemeinen nur eine Sprache. Ohne praktisch verwertbare Englischkenntnisse sollte man auf keinen Fall trampen. Zumal seit geraumer Zeit ein Trend zu größerer Skepsis gegenüber Ausländern zu beobachten ist.

Cities

Nicht ganz einfach ist für Tramper wegen fehlenden oder mangelhaft ausgebauten Nahverkehrs das Durchqueren speziell mittelgroßer Städte. Im Einzugsbereich der Großstädte lässt das komplizierte System der ***Freeways*** (Autobahnverbot wie bei uns) ein Trampen praktisch gar nicht zu, da außerhalb dieser Straßen nur richtungsmäßig unklarer Lokalverkehr läuft; dafür ist dort der Bustransport besser.

Sicherheit/ Gefahren

Zwar dürften die Weststaaten der USA in ihren überwiegend sehr **dünn besiedelten Regionen** für den Tramper alles in allem keine höheren unkalkulierbaren Gefahren bieten als Europa. Aber das gilt nicht für **Großstädte und ihre Einzugsbereiche** (Westküstencities, Sacramento, Salt Lake City, Las Vegas, Phoenix, Tucson, El Paso, Albuquerque, Denver). Dort ist erhebliche Vorsicht geboten. ***Let's go USA***, das *US-Insider Guidebook* für junge Leute, **rät seit Jahren ganz vom Trampen ab**.

Noch stärker gefährdet als in Europa sind **Frauen. Sie sollten selbst zu zweit in Amerika besser nicht trampen**.

3

3.4 Auf Amerikas Strassen

Verkehrssituation

Autofahren ist in Nordamerika einfacher und im allgemeinen weniger stressig als etwa in Deutschland oder der Schweiz. Außerhalb der Ballungsgebiete sind geringe Verkehrsdichte, weitgehend beachtete **Tempolimits**, Getriebeautomatik der meisten Fahrzeuge und größere Gelassenheit der Amerikaner am Steuer einige Gründe dafür.

Es wird rechts gefahren, und die wenigen für uns neuen Verkehrszeichen erklären sich durch ihre Symbolik weitgehend von selbst. Ein Umdenken des europäischen Autofahrers ist also nicht notwendig.

Wohl aber gibt es eine Reihe von Verhaltensregeln und gewisse Andersartigkeiten, die zu kennen wichtig ist und in bestimmten Situationen sogar unabdingbar sein kann.

3.4.1 Abweichende Verkehrsregeln

Zunächst die kurze Liste der von unseren Normen abweichenden Verkehrsregeln, deren Kenntnis erforderlich ist:

Vorfahrt

- **Stopzeichen** für alle Fahrtrichtungen an Kreuzungen bedeuten »wer zuerst kommt, fährt zuerst«. Aber nicht nach dem Motto »es kommt kein anderer, ich habe Vorfahrt, also durch!« Das Anhaltgebot gilt auch bei offensichtlich leeren Querstraßen und wird strikt befolgt (und gelegentlich von der Polizei aus unauffälliger Position kontrolliert). Die Regel ist genauer als »rechts vor links« und in vielen Wohngebieten Standard. Dabei überqueren mehrere sich der Kreuzung nähernde Wagen diese nach kurzem Halt in der **Reihenfolge der Ankunft**. Das gilt auch bei aufgestautem Verkehr (Ankunft **am weißen Balken** auf der Fahrbahn zählt, nicht etwa am Ende der Schlange); die Überquerung läuft dann meist ringsum einer nach dem anderen. Unklarheiten löst man in aller Regel durch Zuvorkommenheit.

Ampeln

- Zeigt eine Ampel **rot,** darf unter Beachtung der Vorfahrt des Querverkehrs rechts abgebogen werden, es sei denn, eine Schrifttafel untersagt dies ausdrücklich (***No Turn on Red***). Im Fall einer gesonderten Abbiegerspur **muss** sogar bei Rot abgebogen werden, solange dies der Querverkehr zulässt. Die **Lichterfolge** an der Ampel ist **Grün-Gelb-Rot-Grün**; die Rot/Gelb-Phase vor dem Grün entfällt also.

Schulbus

- Die unübersehbaren gelben Schulbusse dürfen weder überholt noch vom **Gegenverkehr** (!) passiert werden, wenn sie anhalten und Kinder ein-/aussteigen lassen. Warnblinkleuchten an allen Ecken der Busse und seitlich ausgeklappte Stopschilder markieren die Stop-Phase. Das Verbot besitzt die Schärfe der Stopvorschrift an roten Ampeln. Ein Nichtbeachten gilt als schweres Verkehrsdelikt.

Überholen

- Auf mehrspurigen Straßen wird in Amerika legal rechts überholt. Theoretisch ist dies zwar nur erlaubt, wenn dafür nicht die Spur gewechselt wird, aber in der Praxis sind **Überholmanöver auf der rechten Seite** üblich. Daran muss man sich gewöhnen und den rechten Fahrbahnen **auf *Freeways*** hohe Aufmerksamkeit schenken. Eines der obersten Gebote auf mehrspurigen Straßen ist nicht zuletzt deshalb das **sture Spurhalten**. Auf voll besetzten Straßen kann ein Spurwechsel schwieriger sein als bei uns.

Carpool

- Als Maßnahme zur Verkehrsverminderung während des Berufsverkehrs (*Rush-Hours*) wurden auf City-Autobahnen sog. ***Carpool-Lanes*** eingerichtet. Diese Fahrspuren dürfen zu den angegebenen Zeiten nur von Bussen, Taxen und von Fahrzeugen benutzt werden, in denen mindestens 2, manchmal auch ab 3 Passagiere sitzen. Natürlich auch von Touristenfahrzeugen, die das Insassen-Erfordernis erfüllen.

Linie/ Doppellinie

- Durchgezogene **Fahrbahn-Trennmarkierungen** dürfen zum Überholen oder Abbiegen überfahren werden. Die Funktion der in Europa einfachen Linie übernimmt in den USA eine auf keinen Fall zu überfahrende Doppellinie.

Tempolimits

- Schon 1995 fiel die jahrzehntelang gültige bundesweite Höchstgeschwindigkeitsgrenze (55 mph= 90 km/h) auf Autobahnen. Es ist seither den Bundesstaaten überlassen, sie festzulegen. In den meisten Weststaaten gelten nun **neue Höchstgrenzen von 70-75 mph**, lediglich **Montana** hat für Fahrten bei Tageslicht kein Limit eingeführt. Aber die Geschwindigkeit darf nicht »unangemessen« sein. Was das ist, entscheidet der Sheriff. **Auf allen anderen Straßen blieb es beim Limit von 55 mph, innerörtlich von 30 mph**, wenn nicht ausdrücklich anderes erlaubt bzw. vorgeschrieben ist.

  Eine Unterscheidung zwischen Lkw und Pkw gibt es bei *Speed Limits* nur vereinzelt mit der oft unangenehmen Folge, dass ***Trucks*** schneller als der sonstige Verkehr fahren.

Kontrolle

Die **Überwachung** erfolgt durch in Polizeiwagen installierte **Radargeräte**. Wer am geschickt postierten Sheriff zu schnell »vorbeibrettert«, hat bald einen Polizeiwagen im Rückspiegel und wird sogleich zur Kasse gebeten.

Typischer Schulbus (kein uraltes Foto, sondern erst vor kurzem fotografiert)

Parken und Parkverstöße

Die **Parkvorschriften** in den USA sind streng und tunlichst zu beachten. Die Polizei ist ständig unterwegs, verteilt ***Tickets*** oder lässt rigoros abschleppen (Gebühr in Cities leicht $100 und mehr). Auch wer auf Parkplätzen ohne Parkuhr die Zeit überschreitet, ist vor einem *Ticket* nicht sicher. Kontrolleure verbinden mit einem Kreidestrich den untersten Punkt des Autoreifens mit dem Straßenasphalt. Ist bei der nächsten Kontrolle nach Ablauf der maximalen Parkzeit der Strich zwischen Reifen und Straße immer noch durchgängig, wurde der Wagen nicht bewegt. Also gibt's ein *Ticket.*

Entlang **gelber Kantsteinmarkierungen** ist Parken verboten; ebenso dürfen **Hydranten** – die Dinger stehen überall – nicht zugeparkt werden: ca. 5 m nach rechts und links müssen freibleiben. Oft finden sich die **Parkvorschriften** auf unübersehbaren Schildern, welche die Ausnahmen vom Parkverbot bzw. von der Parkerlaubnis minutiös erklären.

Zahlung

Wer ein ***Ticket*** erhält, darf entweder im beigelegten Umschlag **Dollars bar** verschicken oder bei einer Bank per ***Money Order*** die Bußgeldsumme einzahlen. Bei Versäumnis hat man die Aufforderung zur Zahlung bald zu Hause auf dem Tisch – der Autovermieter muss die Adresse herausrücken. Nach dreimaliger erfolgloser Zahlungsaufforderung gibt der Polizeicomputer meist auf. Aber nur bei Bagatellbeträgen, sonst holt man sich das Geld beim Verleiher, und der wiederum kennt die Kreditkartennummer seines sündigen Kunden.

So kann es laufen, muss es aber nicht. Die Handhabung der Verfolgung kleiner Verstöße durch ausländische Touristen ist uneinheitlich und – so der Eindruck – eher zurückhaltend.

Polizeikontakt und Alkohol am Steuer

Um einen Autofahrer zu stoppen, überholt die amerikanische Polizei nicht etwa, sondern bleibt hinter ihm und betätigt kurz Sirene und rote Rundumleuchte, das unmissverständliche Zeichen zum »Rechtsranfahren«.

Nach dem Anhalten wartet man im Wagen*, alles andere könnte falsch gedeutet werden. Es ist auch nicht ratsam, unbedachte Bewegungen zu machen, etwa in der Absicht, die Papiere aus dem Handschuhfach zu holen. Am besten bleiben die Hände auf dem Lenkrad.*

Ein solches Verhalten ist üblich, um der Polizei – die in Amerika mit überraschendem Schusswaffengebrauch rechnen muss – eine defensive Position zu signalisieren. Polizisten verhalten sich in Kontrollsituationen sachlich-korrekt; nach dem ersten »Abtasten« und kooperativer Haltung des Gestoppten auch bei Übertretungen im allgemeinen eher freundlich.

Die Eröffnung eines ernsthaften Disputs mit einem ***Sheriff*** *ist in Anbetracht seiner (für uns) erstaunlichen Machtbefugnis nicht sehr ratsam. Die respektvollen Anreden lauten* ***Officer*** *oder* ***Sir.*** *In Nationalparks besitzen die* ***Ranger*** *einen ähnlichen Status wie sonst die Polizei.*

Alkohol am Steuer *wird auch und gerade in Amerika nicht toleriert. Es gilt überall die* ***Null-Promille-Grenze****. Es darf sich nicht einmal eine geöffnete Flasche mit einem alkoholischen Getränk auch nur im Innenraum des Fahrzeugs befinden – theoretisch nicht einmal die bereits entkorkte, aber nicht geleerte Weinflasche vom Vorabend im Kühlschrank des Campers. Auch trinkende Beifahrer rund um einen stocknüchternen Fahrer zählen bereits zum Tatbestand »Alkohol im Verkehr«. Gegenüber* ***Drogen*** *am Steuer gilt ebenso die* ***Zero Tolerance****-Politik. Wer in dieser Beziehung auffällt, wird registriert und nach Bestrafung und Heimreise in Zukunft nicht wieder ins Land gelassen – das gilt in beiden Staaten Nordamerikas.*

3.4.2 Straßensystem und Orientierung

Zum Verständnis der amerikanischen **Klassifizierung von Straßen** erscheinen folgende Hinweise nützlich:

Highways/ Freeways

Eine durchgehende Autostraße, welcher Qualität auch immer, ist grundsätzlich ein ***Highway.*** Ein begrifflicher Unterschied zum englischen Wort ***Road*** existiert prinzipiell nicht. Lediglich die *Interstate Highway*, das amerikanische Pendant zur europäischen Autobahn, würde man kaum als *Road* bezeichnen. Für *Interstate* Autobahnen und alle sonstigen autobahnartig ausgebauten Straßen existiert der Begriff ***Freeway*** *(Free* im Sinne von freie Fahrt/keine Kreuzungen). *Freeways* sind bisweilen gebührenpflichtig und heißen dann ***Toll Road*** (*Toll* = Gebühr). Etwas überraschend am *Freeway*-System sind **Auf- und Ausfahrten auf der linken Seite.**

Interstate Autobahnen

Wie der Name sagt, sind *Interstates* die großen Verbindungsstraßen zwischen den Staaten und faktisch die verkehrstechnischen Lebensadern der USA. Dennoch ist ihr Netz in den Weststaaten verhältnismäßig dünn, ➢ Karte in der hinteren Umschlagklappe. Auf Ferienreisen wird man sie schon deshalb nur abschnittsweise befahren; vor allem zur Überwindung größerer Distanzen und als City-Zubringer. Für die touristische Routenplanung sollten *Interstate Freeways* trotz auch existierender landschaftlich reizvoller Teilstücke eher gemieden werden, soweit Alternativen bestehen. Denn man fährt auf den Autobahnen leicht an manchem vorbei, was eine Amerikareise abrundet (und oft nicht im Reiseführer steht).

3

Interstate-Nummerierung

Zur Orientierung im Interstate System ist die **Numerierung in Verbindung mit der Himmelsrichtung** wichtiger als die Angabe von Ortsnamen, die sich mitunter erst nach intensiver Suche oder gar nicht auf der Karte finden lassen. Das System ist gegliedert wie folgt:

- Die *Interstate Highways* mit **geraden Ziffern** laufen in Ost-West- und mit **ungeraden Ziffern** in Nord-Süd-Richtung.
- **Dreistellige Ziffern** mit gerader Anfangszahl bezeichnen Stadtumgehungs-*Freeways*, dreistellige Ziffern mit ungerader Anfangszahl in die Zentren führende Stichautobahnen.

Picnic Areas

An den *Interstates*, aber auch an anderen Straßen gibt es zahlreiche **Rastplätze** (*Picnic/Rest Areas*). Die meisten sind ähnlich wie Campingplätze **mit Picknicktischen und Grillrosten** ausgestattet. An Gelegenheit, unterwegs Mahlzeiten bequem im Freien zu bereiten, fehlt es damit nicht.

Nebenstraßen

Das Netz asphaltierter Straßen befindet sich im allgemeinen **in guter Verfassung**. Man kann davon ausgehen, dass sich auch noch kleinste, in den Karten als befestigt ausgewiesene Nebenstrecken ohne Vorbehalte befahren lassen.

Gravel Roads

Für uns ungewohnt sind **Schotterstraßen** (*Gravelroads* oder *Unpaved Roads*). Schotter ist der bevorzugte Belag für weniger benutzte Nebenstrecken. In den Weststaaten gibt es erstaunlich viele Dörfer, die nur über *Gravelroads* erreicht werden können. Bei anhaltender Trockenheit sind sie mitunter grausam **staubig**, bei Nässe sehr **rutschig** und nach längerem Regen voller »Sumpflöcher«. Bei gutem Wetter sind Schotterstraßen jedoch problemlos zu befahren, wiewohl **mit vielen Mietfahrzeugen, speziell Campmobilen, laut »Kleingedrucktem« in den Verträgen ausdrücklich nicht erlaubt**.

So sehen Straßen-Baustellen häufig aus. Zwischen ihren Enden pendelt dann ein **Pilot Car** *wie gezeigt, das die jeweils wartende Autoschlange in Empfang nimmt und mit ihr im Schlepp langsam vorwegfährt.*

Übertriebene Sorge ist zumindest bei kurzen Fahrten kaum angebracht. Auch *Motorhomes* »überstehen« *Gravel* gut. Die Erfahrung zeigt, dass bei zurückhaltender Fahrweise nicht einmal mehr **Reifenpannen** zu befürchten sind. Fahren auf Schotter lässt sich schon deshalb nicht ganz vermeiden, weil bei Straßenbauarbeiten die Umleitung (selbst auf *Interstate-Freeways*) oft über *Gravel* läuft, siehe Foto links. Einige ***National Monuments, State Parks*** und zahlreiche **Campingplätze** sind nur über solche Schotterstraßen zugänglich.

Dirt Roads

Der niedrigsten Stufe in der Straßenqualität entspricht die *Dirt Road*, auch – etwas feiner – ***Unimproved Road*** genannt. Die »Dreckstraße« ist in der Regel ein besserer Feldweg, der sich bei Trockenheit indessen häufig angenehmer befahren lässt als eine *Gravel Road*, jedoch bei Regen meist schnell verschlammt. Nur mit Vierradantrieb zu bewältigende Wüstenpisten gelten in Straßenkarten ebenfalls als *Dirt Roads*. Für Touristen ohne 4 WD-Fahrzeuge wären unbefestigte Straßen dieser Art äußerstenfalls im Bereich der Nationalparks des Großen Plateaus (➤ Reiseteil, Kapitel 4.2) von Interesse. Wer sich ein 4WD-Fahrzeug leiht, wird auf den Pisten dieser Region seine helle Freude haben.

Orientierung

Trotz des Tempolimits kann der Verkehr auf dichtbesetzten *Freeways* ganz schön hektisch sein. Mit defensiver Fahrweise und klarer Zielvorstellung behält man die Übersicht. Dabei sollte man lieber nicht versuchen, sich mit der Karte auf den Knien durch große Städte zu kämpfen. Ein Beifahrer leistet da bessere Dienste. Innerhalb der Städte – also abseits der hindurchführenden Autobahnen – ist die Orientierung dagegen einfacher als bei uns, denn die meisten Städte sind überwiegend schachbrettartig angelegt, die Straßen durchnumeriert. Neuerdings gibt es **Fahrzeuge mit Navigeräten** für günstige Wochenpauschalen (ca. +€50)

Stadtpläne

Zu Straßenkarten wurde im Zusammenhang mit der Reise-planung bereits einiges angemerkt, ➤ Seite 80. Zu ergänzen bleibt, dass der empfohlene ***Rand McNally Roadatlas*** für alle größeren Städte Übersichtspläne enthält, die zur Groborientierung oder für die Durchfahrt ausreichen. Genauere Stadtpläne gibt es im Buchhandel, in *Department Stores* und in Tankstellen für wenige Dollar. Mitglieder von Automobilklubs erhalten beim **AAA** auch Stadtpläne kostenfrei. **Gratis-Karten** der Touristenbüros beziehen sich oft nur auf die Zentren und deren unmittelbare Umgebung und reichen meist nicht aus.

3

3.4.3 Tanken, Wartung, Pannenhilfe

Benzin

Die Benzinpreise in den USA schwanken je nach Region zwischen ca. $2,30 bis über $3/Gallone (3,8 Liter) Normalbenzins (***Regular Gas***; **bleifrei = *unleaded***). Wegen der großen Preisunterschiede zwischen Selbstbedienung und *Full-Service* sind ***Self-serve* Tankstellen** die Regel mit der Ausnahme Oregons. Nur der Tankwart darf dort die Einfüllpistole halten. Wer tankt, muss meist zunächst einen **Hebel an der Tanksäule** ziehen, drücken oder umlegen, sonst fließt kein Sprit.

Aktuelle Benzinpreise erfährt man im Internet unter www.sandiegogasprices.com usw., wobei der unterstrichene Teil einfach ausgetauscht werden kann durch »losangeles«, »nevada« etc.

Tankstellen/ Gas Stations

Die Mehrheit der Preisannoncen bezieht sich heute auf ***Cash or Credit Card – Same Price***. Die günstigsten Benzinpreise bieten **Mini-Marts** mit einigen Tanksäulen vor der Tür. Dafür gibt's selten Wassereimer und Schwamm fürs Scheibenwaschen, Druckluft für die Reifen schon gar nicht.

Discount-Tankstellen mit (*am/pm Mini Mart*) und ohne Markt überraschen gelegentlich damit, dass sie keine Kreditkarten akzeptieren. Darum sollte der erste Blick des mit Karte zahlenden Kunden bei Einfahrt in die *Gas Station* den *Master Card*/VISA-Symbolen gelten.

Überall überwiegen heute die **Kreditkarten-Tanksäulen**, die den Gang zur Kasse überflüssig machen. Nach Einschieben der Karte und elektronischer Prüfung wird der Benzinfluss freigegeben und am Ende ein Beleg ausgedruckt.

Moderne für Kreditkartenzahlung eingerichtete Tanksäule

Aber es gibt auch ***Self-serve* Stationen**, an denen nur nach **Vorauszahlung** getankt werden kann (meist verbunden mit *Mini Marts*). Der Kunde legt dort Dollarnoten auf den Tisch und erhält die Freigabe der Zapfsäule für die entsprechende Benzinmenge. Ist der Betrag verbraucht, stoppt das Gerät automatisch. Überschießende Zahlungen werden abgerechnet. Alternativ hinterlegt man vor dem Tanken seine Kreditkarte an der Kasse in der Hoffnung, dass sie nicht verwechselt wird.

Reifendruck

Einen Druckluftservice, wie bei uns selbstverständlich, vermisst man an vielen Tankstellen. Wo vorhanden, findet man einen langen sperrigen Schlauch, dessen Ventil unter Druckbelastung eine Messskala freigibt, oder man muss selbst mit eigenen, billig zu erwerbenden Prüfern im Kugelschreiberformat nachchecken. ***Mini Marts*** in den USA haben auch schon mal einen schwachbrüstigen Münzkompressor, der nach Einwurf eines *Quarter* ein paar Minuten anspringt.

Wartung/ Ölwechsel

Nur bei langfristig ausgeliehenen Fahrzeugen stellt sich die Wartungsfrage. Bei Wagen von *Avis, Hertz* etc. mit Filialen im ganzen Land überlässt man das nicht den Mietern, sondern macht mehrere Verträge hintereinander, bei deren Ablauf die Stationen der Firmen anzufahren sind und das Fahrzeug einfach gewechselt wird. Die eigenständige Wartung (insbesondere der **Ölwechsel**) wird nur von kleinen Vermietern ohne Niederlassungen anderswo und ggf. beim Campmobil verlangt. Ist die entsprechende Meilenzahl erreicht, läuft man eine der allerorten vorhandenen **Service-Stationen** an, die mit eindeutigen Bezeichnungen wie ***Minit-Lube, Jiffy Lube, Quick Lube*** (*to lube* = Abschmieren/Ölen) signalisieren, dass neben Öl- und Filterwechsel auch gleich die ganze Liste sonstiger wichtiger **Checkpunkte** abgepüft und erledigt wird (z.B. Bremsflüssigkeit, Getriebeöl auffüllen). Die dafür zu entrichtenden Preise liegen aus unserer Sicht niedrig ($25-$40 inklusive Öl und Filter) und werden bei Fahrzeugrückgabe verrechnet.

Großtankstelle Gas City; auch dort sind alle Tanksäulen für Kreditkarten zahlung vorgesehen.

Unfall/ Panne

Alle Auto- und Campervermieter geben ihren Kunden eine Telefonnummer mit auf den Weg, die bei Panne oder Unfall angerufen werden muss. Bei den großen, landesweit operierenden Firmen ist das Telefon Tag und Nacht besetzt.

AAA Straßendienst

Ebenfalls helfen kann der ***TripleA*** (AAA=A*merican Automobil Association*), der einen ***Emergency Road Service*** unterhält. Einsatzwagen patrouillieren wie bei uns auf Autobahnen und vielbefahrenen Strecken. Im Fall einer Panne wählt man gebührenfrei ✆ **(800) 336-4357** (4357=*HELP*) und erfährt dort die lokale ***Emergency Number***. Mitglieder europäischer Automobilklubs, die ihre Mitgliedskarte (*Membership Card*) vorweisen, werden finanziell ebenso behandelt wie amerikanische AAA-Mitglieder.

Notruf

Vor einigen Jahren wurde in Zusammenarbeit von AAA und ADAC ein kostenfreier zentraler **Notruf in deutscher Sprache** für Urlauber in ganz Nordamerika eingerichtet:

✆ **1-888-222-1373**

Die Notrufzentrale ist im Sommerhalbjahr rund um die Uhr, in den Wintermonaten November bis April 8-18 Uhr *Eastern Time* besetzt (für die Weststaaten also 10/11-20/21 Uhr).

3.5 Hotels, Motels und andere Unterkünfte

3.5.1 Hotels und Motels

Situation

Touristen wird die Suche nach einer geeigneten Unterkunft in den USA leicht gemacht. Hotels und Motels konzentrieren sich **unübersehbar** an den Ausfallstraßen von Städten und Ortschaften, an typischen Ferienrouten, in der Nähe der Flughäfen und in bestimmten Bereichen der großen Cities. Vor allem *Motels* und *Motor Inns* zeigen mit

Vacancy/No Vacancy

Welcome/Sorry

oder ganz einfach

Yes/No

in Leuchtschrift meist unmissverständlich an, ob sich die Frage nach einem freien Zimmer lohnt.

Suche

Während man in Europa im Sommer besser schon zur Mittagszeit mit der Quartiersuche beginnt, genügt es in Amerika in der Regel, **ab dem späten Nachmittag** Ausschau zu halten (Ausnahmen sind besonders populäre Regionen/Orte, Veranstaltungstage und typische Wochenendziele). Nur in bestimmten Fällen ist es empfehlenswert, Unterkünfte bereits vor der Reise zu buchen (➤ Seite 137). Wer sichergehen möchte, ruft einige Tage vorher bis vormittags des Übernachtungstages das Motel/Hotel seiner Wahl an, siehe dazu mehr noch weiter unten.

Abgrenzung der Begriffe

Die Begriffe ***Hotel, Motel*** und ***Motor Inn*** werden in den USA und auch in Canada ohne klare Abgrenzung verwendet. Für die Qualitätseinstufung spielen sie eine nachrangige Rolle:

Motel

- Man darf davon ausgehen, dass im ***Motel*** der Wagen nahe am gemieteten Zimmer oder Apartment abgestellt werden kann, und damit die Be- und Entladung des Autos auf kürzestem Wege möglich ist. Ein Motel verfügt im allgemeinen über ebenerdige und bisweilen doppelstöckige (von außen unkontrolliert zugängliche!) Zimmertrakte und eine Rezeption, **nicht aber über eine eigene Gastronomie**. Der Gästeservice beschränkt sich auf Cola- und Snacktütenautomaten sowie Eiswürfelmaschinen. Bei Buchung erhält der Gast an der Rezeption gegen **Vorauszahlung** bzw. Kreditkartenunterschrift den Zimmerschlüssel. Man kann ihn am nächsten Morgen in der Tür

»Motelschlüssel« im Kreditkartenformat

stecken lassen, sofern kein Schlüsselpfand auszulösen ist. Die Mehrheit der Motels ab unterer Mittelklasse hat indessen mittlerweile auf die Türöffner im Kreditkartenformat umgestellt, die mit den Buchungsdaten programmiert werden und am Abreisetag ab 11/12 Uhr nicht mehr funktionieren.

Cabins

Auf dem Lande besteht manches Motel aus einer Ansammlung sogenannter ***Cabins***, zimmergroßen Holzhäuschen, gelegentlich in Blockhausbauweise. *Cabins* können aber auch komplett ausgestattete Ferienhäuser sein. Man findet sie u.a. auf *Guest Ranches* oder *Lodges* in der Wildnis, wo die Gäste nicht nur wenige Tage, sondern Urlaubswochen verbringen.

Motor Inn

- ***Motor Inns*** unterscheiden sich in vielen Fällen durch nichts außer ihrer Bezeichnung vom Motel, sind aber vom **Standard** her **im Schnitt höher** angesiedelt. In etwas besseren *Inns* erfolgt der Zutritt zu den Zimmern wie im Hotel über die Rezeption oder Nicht-Gästen verschlossene Eingänge und Korridore, also nicht über außenliegende Türen. Das ist zwar unpraktischer, kommt aber dem Sicherheitsbedürfnis vieler Gäste entgegen. Parkraum steht immer reichlich zur Verfügung. *Motor Inns* der gehobenen Klasse verfügen oft über Restaurant und Bar.

Hotel

- Eine allgemein zutreffende Kennzeichnung wie im Fall der *Inns* und Motels lässt sich für die **Hotels** nicht formulieren. Zwischen »Absteigen« in Randbezirken der Stadtzentren und den oft nur wenige Blocks entfernten Luxusherbergen aus Glas und Marmor liegen Welten. **Gemeinsames Merkmal** fast aller Hotels ist die zum Haus gehörende **Gastronomie** und die Erhältlichkeit von **Alkoholika** (nie in Motels, selten in *Motor Inns*). Bei innerstädtischen Hotels fehlt oft Parkraum. Gehören bewachte Parkgaragen zum Haus (ab obere Mittelklasse), werden dafür meist auch den eigenen Gästen Gebühren abgeknöpft.

Vor allem in landschaftlich reizvollen Gebieten und Nationalparks nennen sich Hotels gerne ***Lodges*** und signalisieren damit, dass **Aktivitäten** wie Reiten, Fischen, Kanufahren, *Whitewater Rafting* etc. geboten werden oder dort möglich sind.

Nicht zu den großen Ketten gehörende, unabhängige Motels liegen oft preislich unter vergleichbaren Kettenhäusern. Hier ein Beispiel im Herbst (nach Labor Day; untere Mittelklasse in Kanab/Utah),

Komfort und Ausstattung

Die **Innenausstattung** amerikanischer Hotel- und Motelzimmer zeichnet sich durch eine **weitgehende Uniformität** aus: Je nach Größe des Raums ein Bett*) oder auch zwei davon, gegenüber ein Schränkchen mit Fernseheraufsatz, ggf. eine Schreibplatte, in der Ecke Sessel/Stühle plus Tischchen. Man schläft zwischen zwei Laken unter einer Wolldecke, deren Zustand in billigen Unterkünften schon mal zu wünschen übrig lässt. **Eigenes Bad und Farbfernseher** gehören noch zum preiswertesten Raum, in sommerheißen Gebieten überall und in besseren Hotels immer auch eine **Klimaanlage**.

Unterschiede im Preis drücken sich weniger in grundsätzlich vorhandenem Mobiliar und Zimmergröße als in Qualität/Gediegenheit der Ausstattung und Grad der Abnutzung aus. Neuere Häuser der Mittelklasse bieten für $70-$100 einen Raumkomfort, der denen in weitaus teureren Hotels häufig kaum nachsteht.

Saisonale Tarife

Die Preise für die Übernachtung unterliegen erheblichen regionalen und saisonalen **Schwankungen**. Sieht man ab von San Francisco insgesamt, den Zentren der großen Cities und Brennpunkten des Tourismus zur jeweiligen Saison (also zahlreiche Ziele in Kalifornien einschließlich Highways #1 und #101, Grand Canyon Bereich, Jackson/Wyoming, Estes Park/Colorado, Palm Springs, Scottsdale, Santa Fe, Taos, Moab/ Utah, Küstenroute #101 in Oregon.) kommt man in vielen Regionen des US-Westens teilweise sehr preiswert unter. Es gibt eine große Zahl einfacher Motels, die bei Belegung mit 2 Personen selbst in der Hochsaison unter $60 pro Nacht und Zimmer fordern – vor allem an Wochentagen auf dem Land und in kleinen Ortschaften. **Die Mehrheit der Unterkünfte in der durchaus akzeptablen unteren Mittelklasse liegt in der jeweiligen Hochsaison im Tarifbereich $60-$90**.

Man achte auf das rote »No«; es signalisiert, daß zumindest für heute alle Zimmer ausgebucht sind

Motels und *Motor Inns* der Mittelklasse, die ohne Sonderfaktoren wie Großstadt, Nationalpark- oder Airportnähe, Wochenende, Sportveranstaltung etc. über $100 (plus Steuern) fürs normale DZ fordern, sind in der Minderheit.

Bei schlechter Auslastung und in der ***Off-Season*** sinken die Preise. **Guter Standard** ist nach *Labor Day* nicht selten schon um **$40-$50** zu haben. Ohne besondere Ansprüche übernachtet man in Herbst- und Frühjahrssaison ohne weiteres für $35 und darunter. Entsprechende Angebote sind an *Highways* und Ortsdurchfahrten dann nicht zu übersehen.

Einzel/ Doppel

Gerne wird dabei der günstigste Preis herausgestellt, nämlich für Einzelbelegung. Dann steht ein kleines **sgl** für ***single occupancy*** hinter der Zahl. Tatsächlich gibt es in Nordamerika so gut wie nirgends »echte« Einzelzimmer, mindestens steht ein Bett der

Warum so aufwendig? von Hans Löwenkamp

Wer Sam Spade kennt und Philip Marlowe, wer mit Lew Archer in kalifornischen Absteigen zu Hause ist, wer je mit Archie Goodwin abends die Tischplatte teilte, um die müden Füße hochzulegen, der weiß, dass in God's Own Country der harte Mann stets »a fifth of hard liquor« im Koffer hat, um den Tagesstaub hinunterzuspülen. Aber unerwähnt lässt die Fachliteratur, wie man im Hotelzimmer zu Eis kommt, wenn einen der Whisky lauwarm anlächelt.

Die Lösung steht draußen auf dem Flur. Ein kantiges Ungetüm aus Stahlblech, einem Tresor gleich, abgegriffen von abertausend zittrigen Trinkerhänden. In Magenhöhe eine Luke mit Plastikschott: »Raise door and place container in the center of dispensing area, close door and push button!« Wer hat schon gleich einen Container zur Hand? Schließlich will man ja nur ein einziges Eiswürfelchen. Also schiebt man bescheiden den Zahnputzbecher in die Mitte des Blechrostes, macht dicht und drückt.

Erst mal eine Weile nichts. Doch alsbald teilt der Betonfußboden den bestrumpften Füßen durch die großblumige Auslegware vibrierend mit: Der Bursche lebt! Dann aus heiterem Himmel Action: 20 Kilo Eiswürfel hageln auf den Rost und verschwinden tosend in den Eingeweiden des Kolosses, alles mit sich reißend...

Stille, das war's. Die Sonne scheint wieder. Und siehe da: Der Zahnputzbecher hat das Unwetter überstanden. Nicht in aufrechter Haltung freilich; auch ist er ein wenig aus der Form gekommen. Aber er hat sich jedenfalls nicht mitreißen lassen von der Lawine. Mehr noch, er hat seine Pflicht getan und ein einziges Stückchen Eis festgehalten. Na also!

Aber warum so aufwendig?

Aus unserer Edition Reise Know-How (➤ vorletzte Seite dieses Buches) »Please wait to be seated, Bizarres und Erheiterndes vom Reisen in Amerika«

3

Größe ***Queensize*****)* im Raum, der auch für ***double occupancy*** genutzt wird. Der Preis liegt dann nur wenig über dem fürs Einzel oder ist sogar identisch. In ***Twin Bedrooms*** (mit zwei *Queen- oder Kingsize*-Betten) können bis zu 4 Personen übernachten, ohne dass dafür immer ein Aufgeld verlangt wird. Insbesondere **Kinder** – oft bis zum Alter von 16/18 Jahren – sind im Zimmer mit ihren Eltern normalerweise »frei«.

Steuern, Frühstück

Alle Preisangaben sind netto; hinzu kommt immer die Umsatzsteuer (*Sales Tax*), die im Hotelgewerbe häufig höher liegt (bis zu 16%) als sonst. Ein **Frühstück** ist grundsätzlich nicht im Zimmerpreis enthalten. Befindet sich kein *Coffeeshop* im eigenen Quartier, begibt sich der Motelgast ins nächste ***Fast Food-Restaurant***, das selten weit ist, ➤ Seite 209.

---

*) ***Double***: 1,35x1,90 m, ***Queensize***: 1,50x2 m, ***Kingsize***: 1,95x2 m; Einzelbetten kleiner als *Double* gibt es nicht.

Zugaben

Gerne geworben wird mit ***free coffee, free continental breakfast*** und ***free movies***. Der **Gratiskaffee** bezieht sich nicht selten auf eine Haushaltskaffeemaschine in der Rezeption, ein kleines Heißwassergerät im Zimmer plus einige Tütchen Pulverkaffee oder sogar eine Minikaffeemaschine dort. **Das kontinentale Frühstück** ist ebensowenig ein großer Anreiz: meistens handelt es sich um Kaffee oder Tee aus dem Automaten, einzunehmen aus Styroporbechern, und ein Tablett voll übersüßen Gebäcks zur gefälligen Bedienung. Einige Ketten wie ***Hampton***, ***Fairfield*** u.a. haben lokal wechselnd das Angebot etwas verbessert und offerieren ein akzeptables Schnellfrühstück. **Gratisfilme** am laufenden Band (fast) ohne werbliche Unterbrechung gibt es auf den Kanälen des ***Cable-TV***, das viele Motels abonniert haben.

Movies

Bessere Häuser bieten per **Hausprogramm** eine Auswahl neuester Produktionen und abends Softpornos. Nach Einschalten oder nach ein paar Freiminuten wird eine hohe Gebühr fällig.

AAA-Hotelverzeichnisse

Wie bereits unter 1.3.3 erläutert, enthalten die in den USA gratis ausgegebenen ***Tourbooks*** (5 für die 11 Weststaaten) des amerikanischen **Automobilklubs AAA** ziemlich umfassende, wenn auch nicht komplette Unterkunftsverzeichnisse mit aktuellen Preisen und Daten für Hotels und Motels ab unterer Mittelklasse mit **Sonderrabatten für Mitglieder**. Wer sich auf derartige Angebote beruft, wird nicht immer, aber doch regelmäßig nach seiner *Card* gefragt, ➤ dazu auch Seite 81.

Discounts für jedermann

In den Touristeninformationen vieler Bundesstaaten, in Motels und sonstwo liegen zur freien Bedienung sog. ***Travelers*** oder ***Exit Guides*** oder ganz explizit ***Travel Coupon Guides*** voller ***Discount-Coupons*** für H/Motels und sogar Campingplätze aus. Sie beziehen sich überwiegend auf Häuser der Ketten an *Interstate Highways* und in Städten. Mit Hilfe der Sonderangebote wird versucht, freie Betten zu füllen. Ein Anspruch auf Einlösung der *Coupons* besteht nicht; es kommt auf die – täglich wechselnde – Situation an. Bei Anruf/Ankunft nicht zu spät am Tage hat man nach Erfahrung des Autors gute Chancen, zu den Vorzugstarifen der *Guides* unterzukommen.

So ein Travel Coupon Guide enthält zahlreiche Discountcoupons (links) entlang aller wichtigen Reiserouten (in diesem Heft im DIN-A-5-Format für den ganzen Südwesten der USA)

Hotelführer In Buchläden findet man Spezialführer für besondere Unterkunftsarten: **Schön gelegene Landgasthäuser**, **historische Hotels**, **Hotels und Motels unter $50** etc. Zahlreiche preisgünstigeMotels werden im ***National Directory of Budget Motels*** genannt, ebenso in ***Open Roads***: ***Americas Cheap Sleeps***, unregelmäßig neu erscheinenden Veröffentlichungen, zu finden in *Nook Shops* und auch bei www.amazon.com (USA).

Amerikanisches Frühstück von Eyke Berghahn

Wenn das nichts ist: *Breakfast all Day* oder ***Breakfast Special*** für $2,95 - plus *tax?* Klar und übersichtlich steht auf der Karte: *1-Egg, 2-Egg, 3-Egg-Breakfast*, gesondert herausgestellt das *Special* und dazu noch – vielleicht auch als Alternative – *Pancakes.*

Ein Ei ist ein bisschen wenig – also das ***2-Egg-Breakfast*** ebenfalls als Preishit für $3,95, Tee/Kaffee inklusive. Alles klar, oder? Noch nicht für die freundliche ***waitress***: *How would you like your eggs?* Spiegeleier ..., wie hieß das doch gleich auf Englisch? Aber da kommt schon Hilfe: ***Sunny side up?***, ***scrambled?*** (Rührei), ***over?*** (beidseitig gebraten), *over easy?*, *over hard?*, *over medium?* Also die »Sonnenseite« nach oben; was für ein bildhafter Ausdruck! *With bacon, ham or sausages?* Bloß jetzt nicht ***sausages*** sagen; da gibt es nämlich wieder x Unterscheidungen, die man vergessen darf, weil die Würste sowieso meist nicht so recht schmecken. Also ***ham*** (wie gekochter Schinken, aber heiß) oder ***bacon*** – der Speck sollte gut durchgebraten sein, was jedoch als *order* nicht vorgesehen ist. *Bacon* kommt, wie es kommt.

Hash browns or fries? Die junge Dame lächelt immer noch. ***French fries***, hat der Tourist bereits gelernt, sind Pommes Frites. Warum also nicht ***hash browns***, gebratener Kartoffelpamps, ein Mittelding zwischen Rösties und Kartoffelpuffer? Aber damit ist noch nicht Schluss: *How would you like your toast?* Toast ist Toast bei einer Brotkonsistenz, die der von *Marshmellows* ähnelt, egal, ob es sich um *white, wheat, whole wheat, black* oder *dutch bread* handelt. Was man auch sagt, geschmacklich macht es kaum einen Unterschied. Also am besten den ersten Vorschlag bestätigen.

Oder ***Pancakes*** ordern? Die sind weich und *fluffy*, nicht so wie Pfannkuchen bei uns, und werden immer mit zuckersüßem ***maple syrup*** serviert, in Kombination mit dem ersten Gang aus *eggs, bacon & hash browns* eine Kalorienbombe. Dann doch lieber Toast und zwar mit ***marmelade*** *or* ***jam?***

Die Bedienung wird`s schon richten, hat aber noch eine kleine Frage auf dem Herzen: *What kind of* ***juice*** *would you like? Orange, Tomato, Grapefruit?* So viele Entscheidungen in rascher Folge, und das schon vorm Frühstück! Schlimm genug für den noch schläfrigen Sprachversierten, aber fast ein Martyrium bei geringen Englischkenntnissen.

Zum Glück ist die letzte Prüfung einfach: ***Tea*** *or* ***coffee?*** Heißwasser mit einem Teebeutel oder Kaffee eben. Dabei entfällt zum Glück jede Differenzierung. Kaffee ist Kaffee, der mal danach schmeckt und auch mal nicht.

Einmal eingeweiht, weiß man ein *American Breakfast* zu schätzen. Wer kräftig zulangt, kommt damit glatt durch den Tag.

3.5.2 Reservierung von Unterkünften

Situation

Voraussetzung einer sinnvollen Reservierung sind Informationen über Qualität, Preis und andere Merkmale, darüber also, welche Unterkunft den eigenen Vorstellungen entspricht. Eine Vielzahl von **Hotel-/Motelketten** in allen Komfortkategorien, deren Häuser weitgehend identisch sind oder zumindest einen identischen Standard aufweisen, macht die Lösung des Problems leicht. Auf Reisen kommt zur Not ohne Hotelverzeichnis aus, wer sich im wesentlichen an die Ketten hält. Zumindest gilt das in den **USA**, wo die Ketten landesweit das Berherbergungsgewerbe dominieren. Wer nach Canada weiterreist, wird feststellen, dass dort der Anteil unabhängiger Hotel- und Motelbetreiber höher ist.

800/888/ 877/866 = toll-free

Dank der gebührenfreien ***(toll-free)*** **800-Nummern (seit ein paar Jahren auch 888/877/866)** fallen bei einer Reservierung meist nicht einmal Telefonkosten an. Über 800-Nummern verfügen nicht nur Hotelketten, sondern durchaus auch Einzelunternehmen. Unter den nebenstehenden 800-Nummern erreicht man die Reservierungszentralen der bekannten Ketten.

Wer seinen Laptop dabei hat, damit z.B. in Hotels das Internet nutzen kann, oder unterwegs Zugang zu einem Computer hat (etwa im Internetcafé), kann in den USA bei direkter Anwahl der nebenstehenden Kettenmotels auch kurzfristig noch Zimmer für die nächste Nacht reservieren. Der Vorteil der Internetbuchung liegt nicht zuletzt in der detaillierten Information samt Fotos der in Frage kommenden Häuser. Ganz schlimme »Fehlgriffe« lassen sich damit einigermaßen sicher vermeiden. Die **Websites der Ketten finden sich auf den Seiten 139f**.

*Mit »Free Internet« oder »Wifi« für **Wi**reless **f**ree **I**nternet wirbt bereits die Mehrheit der Mittelklasse*

Wer sich nicht mit den rechts gelisteten Ketten begnügen oder sich zunächst einmal mit der gesamten H/Motelauswahl in bestimmten Städten/Zielen vertraut machen möchte, findet in den folgenden ***Websites*** übersichtliche Listen mit aktuellen Preisen (von der aufgerufenen Seite Staat und Stadt eingeben):

www.all-hotels.com, www.travelnow.com, www.orbitz.com

Standard

Die Ketten sind hier nach **Ober-, Mittel- und Untere Preisklasse** aufgeteilt, wobei die Grenzen insbesondere zwischen Unterer und Mittelklasse fließend verlaufen. Ein Haus der unteren Kategorie in der Mittelklasse muss nicht notwendigerweise immer über dem Standard einer *Thriftlodge* liegen. Verglichen am identischen Ort wird es aber immer teurer sein als die in der letzten Gruppe zu findenden Quartiere.

Die wichtigsten Hotel-/Motelketten (✆ bei uns ➢ Seite 139f) soweit sie auch im Westen der USA vertreten sind

Obere Preisklasse (ab $120++)	**Crowne Plaza**	1-800-2-CROWNE
	Delta	1-877-814-7706
	Doubletree	1-800-222-TREE
	Hilton	1-800-HILTONS
	Hyatt	1-800-233-1234
	Marriott	1-888-236-2427
	Park International	1-800-437-PARK
	Radisson	1-800-333-3333
	Residence	1-800-331-3131
	Sheraton	1-800-325-3535
	Westin	1-800-WESTIN
Mittlere Preisklasse ($60-$120)	**Best Western**	1-800-528-1234
	Budgetel Inn	1-800-4BUDGET
	Clarion Hotel	1-800-4-CHOICE
	Comfort Inn	1-800-4-CHOICE
	Courtyard	1-800-321-2211
	Days Inn	1-800-DAYS-INN
	Drury	1-800-325-8300
	Econo Lodges	1-800-4-CHOICE
	Fairfield Inn	1-888-236-2427
	Hampton	1-800-HAMPTON
	Holiday Inn (mit **Holiday Inn Express**)	1-800-HOLIDAY
	Howard Johnson	1-800-I-GO-HOJO
	La Quinta	1-800-531-5900
	Quality Inn	1-800-4-CHOICE
	Ramada Inn (mit **Ramada Limited**)	1-800-2RAMADA
	Red Lion	1-800-547-8010
	Shilo Inn	1-800-222-2244
	Shoney's	1-800-222-2222
	Sleep Inns	1-800-4-CHOICE
	Super 8	1-800-800-8000
	Travelodge	1-800-578-7878
	Vagabond	1-800-522-1555
	West Coast	1-800-426-0670
	Wyndham Garden	1-800-WYNDHAM
Untere Preisklasse ($40-$60)	**Budget Host**	1-800-BUD HOST
	Friendship Inn	1-800-453-4511
	Hospitality Int'l (Master Host/Scottish/Red Carpet/Passport u.a.)	1-800-251-1962
	Motel 6	1-800-4MOTEL6
	Rodeway Inn	1-800-4-CHOICE
	Thriftlodge	1-800-525-9055
	Western Host	1-800-648-6440

Auch 800-Nummern können von Europa aus angerufen werden, kosten aber die normale Auslandsgebühr, ➢ Seite 225

Tarife

Die **Preisgestaltung variiert stark**; die angegebenen Intervalle in Klammern geben nur einen Anhaltspunkt. Die Mittelklasse bietet bei mangelnder Auslastung auch schon mal Nettopreise unter $60, liegt aber mehrheitlich im Bereich $60-$90 je nach lokalen und saisonalen Gegebenheiten. An Brennpunkten des Tourismus, in Innenstädten und Airportnähe wird die $100-Grenze bisweilen überschritten. Auch ein Budgetmotel kann in manchen Städten und/oder zur Hochsaison über $70 kosten. Andererseits sind auch Preise in der Nebensaison unter $40 möglich. In ländlichen Regionen auch schon mal unter $40 kosten Zimmer der verbreiteten ***Motel-6*-Kette**. Bei einigen Ketten erhalten »**Senioren**« (manch mal ab 55) einen – z.T. substanziellen – **Rabatt**, ➤ Seite 223.

Verbreitung der Ketten

Die Verteilung und Dichte von Hotels und Motels der verschiedenen Ketten ist sehr unterschiedlich. Die **Ober- und Luxusklasse** konzentriert sich dabei eher auf die **Großstädte**. Auf viele Namen der Mittelklasse (*Super 8, Econolodge, Ramada, Travelodge, Fairfield, Days Inn, Best Western, Holiday Inn/HI-Express, Comfort/Quality/Sleep Inns*) stößt man allerorten. Auch einige der preiswerteren Kettenmotels sind stark, wiewohl mit regionalen Schwerpunkten vertreten.

Neue 800 ✆

Sollte eine Motelkette unter der aufgeführten Nummer nicht mehr erreichbar sein, ruft man – ebenfalls gebührenfrei – die ***Toll-free Information*** an: **1-800-555-1212**.

Abgrenzung der Kategorien

Während die Unterkünfte der Mittel- und Oberklasse in den meisten Fällen einen Standard bieten, der den Erwartungen und dem Preis (im jeweiligen lokalen Rahmen) gerecht wird, sind **in der *Budget*klasse die Unterschiede groß**. Das gilt insbesondere für die Vielzahl der kleinen preiswerten *Motels*, die keiner Kette angehören. Bei ihnen erkennt man erst vor Ort, ob man sich für $49 eine heruntergekommene Absteige einhandelt oder ein Sonderangebot in einem gerade halbleeren Motelkleinod.

Vorteile der Ketten

Wichtig zu wissen ist, dass ein Teil der Kettenmotels in der unteren Preisklasse den Komfort der Mittelklasse oft erreicht oder nur mit kleinen Abstrichen darunter bleibt. Andererseits bieten u.a. die Mittelklasse-Ketten ***Best Western, Fairfield, Holiday Inn Express, Ramada Limited, La Quinta, Vagabond*** u.a. außerhalb der jeweiligen Hochsaison und/oder in reiseschwächeren Gebieten für Preise um dann $60-$70 einen angenehmeren Aufenthalt als manches Billigmotel für nicht viel weniger Geld.

Da die Qualität der Häuser auch innerhalb einer Kette mehr oder weniger schwankt und auch die Lage eine Rolle spielt, wird der Leser mit der umseitig gewählten **Einordnung** nicht immer übereinstimmen, aber sie liefert einen Anhaltspunkt.

Unabhängige

Neben den umseitig genannten Ketten gibt es weitere kleinere Zusammenschlüsse auf regionaler Basis und vor allem **jede Menge unabhängiger Motels und Hotels**, von denen viele ebenfalls ein ***toll-free telephone*** besitzen. Sie lassen sich aus den auf Seite 180 genannten Verzeichnissen entnehmen.

Telefonisch richtig reservieren und stornieren

(generell zum Thema »Telefonieren in Amerika« ➤ Seite 223ff)

Damit bei der Reservierung per Telefon alles klappt, sind ein paar Punkte **zu beachten** (bei **Internetreservierung** sorgt das Menu für alles).

- Bei einem **Direktanruf** im Haus der Wahl sind zunächst Art des Zimmers (*Single/Double/non-smoker* etc.) und die Daten (*tonite only, 2 nights October 15-17* etc.) zu nennen. Im Fall eines **Anrufs bei der 800-Nummer einer Kette** nennt man natürlich auch noch Staat und Stadt, in Großstädten ggf. die Präferenz für einen bestimmten Stadtteil. Sind Zimmer wie gewünscht frei, wird dem Anrufer immer auch automatisch der Tarif genannt.
- Ist man einverstanden, wird nach der Ankunftszeit gefragt. Ohne weitere Formalitäten erhält man normalerweise eine Zusage bis *6pm*, in einigen Fällen auch *4pm*. Ist nicht sicher, dass man vor dieser Uhrzeit eintrifft, muss das Zimmer mit einer Kreditkarte »garantiert« werden. Nur so lässt sich eine anderweitige Vergabe ausschließen. Dazu müssen ***Credit Card Number*** und Verfalldatum der Karte (***Expiration Date***) zur Hand sein. Das Zimmer bleibt dann die ganze Nacht reserviert; der Preis wird der Karte belastet, egal wann – oder ob – man letztlich eintrifft.

Notieren sollte man sich unbedingt (ggf. nachhaken):

- die ***Reservation Number*** (meist nur bei Ketten)
- die genaue Adresse und **lokale Rufnummer**.
- bei Anfahrt mit dem Auto **Hinweise zur Lage**, z.B. *Interstate #40, Exit 4*, weiter auf *Irvine Street East* o.ä.
- das geeignete **Transportmittel ab *Airport*** und eventuell weitere Direktiven, handelt es sich um ein City-Hotel, das über keinen eigenen *Airport-Shuttle* verfügt.
- im Fall eines Hotels in der Flughafenumgebung das **Aussehen des hoteleigenen Busses**. Vor allem die *Vans* kleinerer Häuser sind oft als solche schwer zu erkennen. Wer nicht 100%ig an der üblichen Stelle wartet, wird leicht »übersehen«.

Bei Absagen – *sorry, we are completely booked for that day* – kann man es mit einer oft guten Chance auf Buchung **am Tag selber ab spätem Vormittag** wieder probieren. Denn spätestens bis ***Noon*** müssen abreisende Gäste ihre Zimmer geräumt haben, und oft werden Zimmer frei, die ursprünglich länger gebucht waren. Auch Absagen kommen, so dass selbst bei »knallvollen« Nationalpark- und anderen ähnlich beliebten Quartieren kurzfristig bessere Chancen bestehen als bei Anfragen mehrere Tage vorher. Wer darauf spekuliert, muss in kurzen Abständen mehrmals anrufen.

In vielen Städten und Regionen gibt es kommerzielle **Vermittlungsagenturen,** die von den Provisionen der Hotels leben. Mit ihrer Hilfe kann man sich ggf. vergebliche Anrufe bei verschiedenen *Hotels* und *Motels* bzw. Ketten ersparen. b.w.

3

Ob man nun unterwegs eine bessere/preiswertere Unterkunft entdeckt oder das Ziel nicht erreichen wird, eine **feste Reservierung muss rechtzeitig storniert werden**, möchte man unnötige Kosten vermeiden.

Zu diesem Zweck ruft man unbedingt **vor *6pm*** an (in Einzelfällen früher, wird ggf. beim Reservierungsgespräch mitgeteilt). Im Fall einer Kette ist es notwendig, die Reservierungsnummer parat zu haben, damit nichts schiefläuft. Man erhält eine Stornierungsnummer (ggf. nachfragen), die aufbewahrt werden sollte. Falls später wider Erwarten die Kosten einer ordnungsgemäß stornierten Übernachtung vom Kreditkartenkonto abgebucht werden, lässt sich ohne sie schlecht reklamieren. Wer sichergehen möchte, notiert außerdem **Datum und Uhrzeit der Stornierung** und lässt sich den Namen der Person geben, die den Anruf entgegennahm.

Die kostenfrei mögliche telefonische Reservierung und ggf. Stornierung lässt sich bei zeitiger Ankunft am Zielort zur **Quartieroptimierung** nutzen: Zur Sicherheit reserviert man zunächst eine passende Unterkunft, schaut aber nach der Ankunft noch ein wenig (Hotelwand im *Airport*, *Tourist Information*, Ausfallstraßen usw.), ob sich nicht eventuell Besseres findet. Ist das der Fall, storniert man die Reservierung.

3.5.3 Ein- und Auschecken

Übliche Prozedur

Bei Ankunft unterschreibt der Gast nach Klärung der vorliegenden Reservierung (*»I/we made reservations for a room on the phone«*, *»we called yesterday/from the airport«* o.ä.) bzw. der Buchung einen ***Credit Card Slip***, der den Zimmerpreis plus Steuern ausweist, und erhält den Schlüssel bzw. den kreditkartenähnlichen, nur für die gebuchten Nächte aktivierten Türöffner des zugewiesenen Raums. Eine Barzahlung ist zwar möglich, aber eher unüblich. Eine **Abrechnung** am folgenden Morgen/Ende des Aufenthaltes ist nur nötig, wenn Zusatzleistungen in Anspruch genommen werden können und wurden, etwa Gebühren fürs Filmprogramm, Zimmer- oder Restaurantservice. Im **Durchschnittsmotel** ist mit dem Einchecken bei gleichzeitiger Zahlung oft alles erledigt. Es sei denn, der Schlüssel wurde mit einem ***Key Deposit*** belegt, das vor der Abreise wieder auszulösen ist.

Zimmerwahl

Wer Wert auf ein gutes Zimmer legt, kann die Zuteilung eines geeigneten Raumes durchaus beeinflussen: **Nichtraucher** fragen nach einem ***Non-Smoking-Room***. Es wird niemandem verwehrt, zunächst den zugedachten Raum in Augenschein zu nehmen. Man sollte sich nicht scheuen, um eine Alternative bitten, wenn

- die **Schnellstraße** vor dem Fenster verläuft.
- der **Fahrstuhl** sich nebenan befindet; manche Fahrstühle verursachen bei jeder Bewegung ein mittleres Zimmerbeben.

- **Eiswürfelmaschine** und/oder der **Cola-Automat** in der Nähe stehen: das ständige Klappern bis tief in die Nacht hinein kann furchtbar stören.
- im Airport-Hotel das Zimmer die ***Runways*** überblickt.

Verbundene Räume

Viele Motels besitzen Räume, die durch eine Tür miteinander verbunden sind (***Connecting Rooms***), gedacht etwa für Familien, die 2 Zimmer buchen. Wer mit einem Zimmer auskommt, ist besser bedient mit einem *Non-Connecting Room*: Erstens aus Sicherheitsgründen, weil es für einen Profi kein Problem ist, derartige Türen ohne größeren Lärm zu öffnen. Und zweitens, um nicht das Fernsehprogramm und den Ehestreit der Zimmernachbarn ertragen zu müssen.

Check-out

Wer spät abends ankommt und erst am Nachmittag das Zimmer räumen möchte, kann nach einem ***Late Check-out*** fragen, was meist akzeptiert wird und bei vorheriger Klärung nichts oder nur wenige Extradollars kostet. Ohnedem muss man Zimmer **zwischen *10am* und *Noon*** räumen, bei unangekündigtem Überziehen der Zeit im Extremfall den vollen Tarif zusätzlich bezahlen.

Trinkgeld

Ein kleines Problem ist für europäische Touristen die Frage der »richtigen« **Trinkgeldbemessung** in der Gastronomie.

Da Angestellte in Hotels und Restaurants in Amerika viel stärker vom Trinkgeld abhängig sind als ihre deutschen Kollegen, wird bei allen Dienstleistungen im Hotel ein ***tip*** erwartet. Überlässt man es z.B. einem ***Attendant,*** den Wagen auf dem Hotelparkplatz abzustellen (***Valet Parking***, üblich in der Oberklasse), bekommt dieser dafür nicht unter $2. Der ***Bellhop*** (Hotelpage) erhält fürs Koffertragen $1 pro Gepäckstück, der ***Doorman*** (Türsteher) $1-$2 fürs Taxiholen und das ***Room Maid*** (Zimmermädchen) $2 täglich, die im Zimmer hinterlassen werden sollten.

Hotel wie aus dem Bilderbuch des Wilden Westens auch von innen (Nevada City/ Montana)

3.5.4 Bed & Breakfast

Situation

Eine Übernachtungsmöglichkeit, die sich im US-Westen erst in den letzten Jahren so recht verbreitet und durchgesetzt hat, ist *Bed & Breakfast* in Privathäusern und ***B&B Inns***. In ländlichen Regionen wird man ***B&B*-Schilder** häufiger entdecken als in größeren Städten, wo bei weitem nicht alle Gastgeber ihr Angebot öffentlich machen. Daher sollte vor Ort einen ***Bed & Breakfast Guide*** kaufen, wer sich vorstellen kann – anstelle anonymer Motels und Hotels – öfter mal Zimmer mit Frühstück zu buchen. In größeren ***Bookstores*** findet man *B&B*-Führer meist in regionaler Gliederung. Es gibt aber auch Bücher und sogar Bildbände für die **teure *Bed & Breakfast* Variante** in exzellent gelegenen und/oder architektonisch/ historisch besonderen Anwesen. Der Übergang zum ***Country Inn***, faktisch einem Hotel, ist dabei fließend. Hier und dort sind auch **Listen mit allen *Bed & Breakfast Places*** einer Stadt/ Gegend in den Büros der *Tourist Information* erhältlich, etwa für Kalifornien die Gratisbroschüre ***Bed and Breakfast Inns*** mit vielen höherkarätigen Angeboten.

Auffällig ist die **Zunahme hochwertiger *Bed & Breakfast* Angebote im Umfeld von Touristenattraktionen des Südwestens**. Rund um Nationalparks und an den typischen touristischen »Rennstrecken« (Utah/Arizona) findet man viele reizvolle Quartiere, darunter auch manche Ranch.

Neuere Gebäude besitzen häufig separat angelegte Zimmer mit Bad, TV etc. und unterscheiden sich von daher kaum noch vom Motel.

Kosten

Man wird feststellen, dass ***B&B* nicht die billige Alternative zum Motel** ist; das Preisniveau liegt im Rahmen der Mittelklasse, aber oft auch höher, so ab $100/DZ und Nacht. Attraktiv an *B & B* ist für viele der über den – bisweilen im Preis inbegriffenen – »Familienanschluss« erleichterte Kontakt zu Amerika.

B&B auf der Ranch: mal was anderes als das Standardzimmer in der Motelwabe. Diese Ranch liegt an der Straße #9 südlich des Zion Park in Utah

3.5.5 Jugendherbergen, Ys und andere preiswerte Bleiben für junge und junggebliebene Leute

Jugendherbergen/ Hostelling International (HI-Hostels)

Das Jugendherbergswesen ist in den USA im Vergleich zu Europa zwar unterentwickelt, aber manche der Herbergen befindet sich in günstiger Lage im Brennpunkt der Cities und in besonders schöner Umgebung. Die Kosten in Häusern der ***American Youth Hostel Federation*** (***HI-Hostels***) variieren zwischen $13 und $25 pro Nacht und Bett. Damit sind sie speziell für Einzelreisende konkurrenzlos billig verglichen mit den jeweiligen Tarifen der lokalen Motels. Bei zwei Personen kommt manches Hostel schon teurer als die untere Motelkategorie. Immer mehr Herbergen bieten auch EZ/DZ an, teilweise sogar mit eigenem Bad zu Kosten der preiswerten Motelkategorie.

Reservierung

Zu den *HI-Hostels* in den USA findet man alle Informationen unter www.hiusa.org. Dort kann auch zentral reserviert werden.

Die *Hostels* sind natürlich auch **telefonisch** zu erreichen. Für alle in diesem Buch genannten Häuser finden sich die Telefonnummern im Reiseteil. Alle weiteren Details entnimmt man dem Internet oder dem ***Hostel Handbook*** (nächste Seite), und zwar auch zu weiteren nicht dem HI-Verband angehörigen Häusern.

Hostels in den Cities und in der Nähe attraktiver Ziele (Nationalparks/Küstenorte) sind Wochen **im voraus zu reservieren**.

YM/WCA

Der Christliche Verein Junger Männer/Frauen – in Amerika **YMCA** beziehungsweise **YWCA** – bietet nur noch ganz vereinzelt Wohnmöglichkeiten für Touristen.

***YMCA* im Internet**: www.ymca.net oder .com

In den Weststaaten kommen Reisende nur noch in Kalifornien und Arizona (Phoenix) beim YMCA unter. Die Adressen von YMCA-Quartieren mit Telefon und Tarifen findet man unter der Schaltfläche »*About the YMCA*«:

www.ymca.net/about_the_ymca/rooms_for_travelers.html

Dubeau Int'l Hostel in Flagstaff (Nähe Grand Canyon) im Obergeschoß des alten Dubeau Hotels. Unten Restaurant und Kneipe. Bei Bett-tarifen von ca. $17-$20 ökonomisch kaum schlagbar

Alternative Hostels

Eine **Alternative zu Jugendherbergen** im konventionellen Sinn und den christlich orientierten ***Ys*** bieten zahlreiche unabhängige Unterkünfte, ebenfalls (*International*) ***Hostels***, aber unter freier Trägerschaft eben. Viele davon befinden sich auch im US-Westen. Sie verfügen durchweg über Schlafsaalunterkünfte und kosten wie HI-Hostels ab ca. $15 bis $25 pro Bett. Viele davon haben auch Einzel-/Doppelzimmer ab ca. $30. Bei ihnen geht es im allgemeinen noch lockerer zu als in den *Hostels* der Herbergsorganisation. Mehr noch als in HI-Hostels ist mittlerweile der **freie Internetzugang** dort inklusiv.

Im Internet findet man solche *Hostels* mit allen Details fast ausnahmslos unter den Reservierungsportalen
www.hostels.com und www.hostelsclub.com

Hostel Verzeichnis

Das ***Hostel Handbook*** für die USA und Canada, ein auf dünnem Papier in privater Initiative gedrucktes leichtes Büchlein für den Rucksack ist unterwegs außerordentlich hilfreich. Denn man hat ja nicht jederzeit PC-Zugang. Es erscheint im Frühjahr jeden Jahres neu. Die Ausgabe 2005 listet über **500 *Hostels*** und Billighotels. Es enthält Adressen, Telefonnummern und Tarife sowohl der *HI Hostels* **und** aller Häuser in freier Trägerschaft. Dieses unverzichtbare Büchlein für alle jungen und junggebliebenen Leute, die ihre Übernachtungskosten niedrig halten wollen, gibt es seit 1999 auch bei uns – und zwar exklusiv für Leser der Reise-Know-How-Nordamerika-Reiseführer direkt beim Verlag.

Neuauflage jeweils ab April

Inklusive Versand ist das *Hostel Handbook* – die jeweils neueste hier verfügbare Auflage – gegen **Voreinsendung von €5,00** in Briefmarken erhältlich beim

Reise-Know-How Verlagsservice
Am Hamjebusch 29

D-26655 Westerstede

ZusätzlicheInformation über das Handbook im Internet:

www.reisebuch.de//nordamerika/buecher/hostel_handbook

Weitere Infos und viele **direkte Links** zu alternativen Hostels gibt es auch unter www.hostelhandbook.com

Studentenwohnheime

Eine Übernachtungsalternative sind in den Sommermonaten (Mai bis einschließlich August) die dann teilweise leerstehenden Studentenwohnheime, die ***University Residences*** oder ***College Dormitories***. Fast jede Mittelstadt verfügt über mindestens ein *College*. Das ***Department of Housing*** der jeweiligen Institution ist zuständig für die Vermietung. Die Bedingungen variieren sehr. Während in manchen Fällen Einzelübernachtungen – sofern nicht ganz ausgeschlossen – kaum weniger oder sogar mehr als in billigen Motels kosten, liegen woanders die Preise auch schon mal bei $25 pro Nacht. Preiswert werden *Dormitories* meist erst richtig, wenn man eine Woche oder länger bleibt. Abgesehen vom günstigen Unterkommen bieten sie **Kontakte und Mitbenutzung** von Einrichtungen wie Sportanlagen und preiswerten Cafeterias.

Alternative Unterkünfte zwischen Zelt und Motel/Hostel sind auch die **KOA-Cabins**, Blockhütten auf Campingplätzen, ➢ Seite 198

*Hier die Alternative zwischen festem Billigquartier und Camping: der Planwagen (**Covered Wagon**) mit Matratzen, Wasserhahn und Grillplatz samt Coffeepot auf dem Campground des Farewell Bend Oregon State Park (I-84 am Snake River/Grenze zu Idaho). Nur der Schlafsack ist mitzubringen. Reservierung für bis zu 4 Personen unter © 1-800-452-5687. Leider nur in Oregon.*

3

3.6 Camping USA: The Great Outdoors

In den Bergen, Nationalparks und riesigen Wäldern des Westens genießen die Amerikaner ihre *Great Outdoors*, Camping und Freizeitaktivitäten draußen in der Natur. Daran teilzuhaben, gehört zu den besten Erfahrungen jeder Amerikareise. Im überbevölkerten Mitteleuropa gibt es nichts Vergleichbares.

3.6.1 Amerika hat es besser

Ausstattung der Plätze

Die USA bieten dem Camper alles, was das Herz begehrt, sei es nun Komfortcamping im Wohnmobil oder eher ein Campieren unter einfachsten Bedingungen weitab jeder Zivilisation. Platz ist in den Weststaaten genug, und so sind die meisten Campingplätze großzügig angelegt. Der **Stellplatz** fürs Campmobil oder Zelt beschränkt sich nicht auf wenige Quadratmeter Wiese oder Heidelandschaft, sondern umfasst ein eigenes **kleines Areal mit Picknicktisch, Feuerstelle und Grillrost**. Auf vielen staatlichen Plätzen (siehe weiter unten) geraten die Nachbarn mitunter regelrecht aus dem Blickfeld. Nur Feuerschein und der Duft gegrillter Steaks künden dann von der Anwesenheit der Mitcamper. Zwar bieten nicht alle ***Campgrounds*** derart viel Platz, und das Brennholz ist oft genug knapp und teuer, aber **Lagerfeuer** und ***Barbecue*** gehören nichtsdestoweniger zu den unverzichtbaren Zutaten amerikanischer Campingtradition.

Camping-führer

Bevor man auf Camping-Tour geht, ist die Beschaffung eines Campingführers sinnvoll, selbst wenn einem der Campervermieter schon ***KOA-Atlas*** (siehe unten) und Broschüren privater Campingplatz-Betreiber zugesteckt haben sollte.

Die ***Campbooks* des AAA** – obwohl keineswegs komplett und geographisch oft unklar – sind die übersichtlichsten und handlichsten Verzeichnisse und auch für Mitglieder europäischer Klubs gratis, ➢ Seite 80. Sie sind regional nach Staatengruppen aufgebaut (vier heftartige AAA-*Campbooks* für alle Weststaaten). Für eine Urlaubsreise bis zu sechs Wochen reichen sie zusammen mit den Hinweisen in diesem Buch völlig aus.

Verbreitet ist das telefonbuchdicke und -formatige ***Woodall's Campground Directory*** (Gesamtverzeichnis Nordamerika $25; *Western Campground Directory* $18; www.woodalls.com), ein stark auf privat betriebene Plätze ausgerichteter Führer. Sein Aufbau macht die Benutzung oft mühsam; viele staatliche Plätze – des *National Forests*, des *Corps of Engineers* und *BLM*, ➢ folgenden Abschnitt – bleiben unerwähnt.

Billig oder sogar gratis campen

Noch vor wenigen Jahren gab es Führer wie den »***Guide to free Camping***«. Doch freie und spottbillige, gleichzeitig gut erreichbare Plätze sind seltener geworden. Da lohnt sich ein ganzes Buch wohl nicht mehr. Wer preiswertes oder gar kostenfreies Camping sucht, findet eine Liste unter www.freecampgrounds.com.

Campen zwischen Kakteen im Organ Pipe National Monument in Arizona unweit Mexico

Kosten

Auf allen **staatlichen Plätzen** gilt eine **pauschale Einheitsgebühr (*fee*) pro Stellplatz** unabhängig von der Personenzahl (Obergrenze 4-9 Personen und oft 2 Fahrzeuge). Die Gebühren werden mehr und mehr im ***Self-Registering*** Verfahren erhoben. D.h., die Camper stecken Bargeld nach Eintragung ihrer Daten in einen bereitliegenden Umschlag und werfen diesen in eine gesicherte ***Deposit Box***, die einmal täglich geleert wird.

Voller Platz

Wenn ein Platz voll belegt ist, hat man bei ***Self Service*** immer noch Chancen unterzukommen: man fragt einfach einen anderen Camper mit größerem Areal, ob er ein Dazustellen gestattet und bietet an, die Gebühren voll zu tragen. Häufig klappt's.

Auf **privaten Plätzen** überwiegt eine Basisgebühr für 2 Personen plus Aufschlag für jeden zusätzlichen Gast, ➢ Seite 198.

Strom, Wasser, Abfluß/ Hook-up & TV

Besitzer von Campfahrzeugen können ihren eingebauten Komfort nur dann voll nutzen, wenn auf dem Campingplatz Wasseranschluss, Abflussrohr und Steckdose vorhanden sind.

Die meisten kommerziellen *Campgrounds* und viele *State Parks* (➢ Seite 197) verfügen daher über sog. ***Hook-ups***, Steckdosen, Wasserhahn und Abwasserloch an den Stellplätzen. Häufig sind auch ***Sites***, die nur ***Electricity and Water*** bieten. Sind alle drei Anschlüsse vorhanden, spricht man von einem ***Full Hook-up***. Oft gibt es auch die **TV-Buchse** für die zentrale Satellitenschüssel oder das Kabelnetz, neuerdings auch **Internetzugang** per Kabel oder WLAN. Naturgemäß kosten solche Plätze mehr als andere.

Mit weitsichtiger Disposition kommen RV-Fahrer auch gut ohne *Hook-up* aus. Denn auf bestimmten Rastplätzen und *Campgrounds* ohne *Hook-up* sowie in *National-* und *State Parks* befinden sich sog. ***Dump-/Dumping-*** oder ***Sewage- Stations***, wo – meist gegen Sondergebühr – Schmutzwasser abgelassen und Trinkwasser aufgefüllt werden kann (➢ Seite 149).

Hook-up

Auch **Tankstellen** und ***Truck Stops*** haben bisweilen eine ***Dump Station*** als Service. **Strom** benötigt man im Camper an sich nur zum Betreiben der Dachklimaanlage bei großer Hitze oder für Mikrowelle, Fernseher und Haartrockner. Fürs Licht genügt die Kapazität der bei allen Mietfahrzeugen vorhandenen zweiten Batterie (sie wird automatisch neben der Motorbatterie mit aufgeladen), sofern man keine längeren als 3-tägige Standzeiten ohne Motorlauf hat.

Wasseranschluß, auf der Rückseite die Steckdosen. So elegant und sauber sieht es aber leider nicht überall aus.

Genaugenommen ist der besondere **Clou moderner Campingfahrzeuge**, dass sie ohne zeitgleiche äußere Versorgung jeden Komfort bieten. Gerade mit ihnen ist also ein bequemes Camping abseits der allzu perfekten Zivilisation möglich. Die Realität zeigt indessen, dass gerade Motorhomefahrer den Vollanschluss besonders suchen. Verständlich immer dann, wenn mehrere Tage oder länger Verweilzeiten eingeplant sind und die 2. Batterie nicht reicht, bei täglichem Ortswechsel aber eher unnötig.

Wäsche unterwegs

*Zum Campen, wenn die Reisezeit 2 Wochen überschreitet, gehört unvermeidlich das gelegentliche **Wäschewaschen**. Münzwaschautomaten gibt es auf den meisten privaten Campingplätzen und bisweilen auch auf stärker frequentierten staatlichen Campgrounds. In den Dörfern und Städten sind **Coin Laundries** oder **Laundromats** (Münz-Waschsalons) kaum zu übersehen. In den üblicherweise installierten Maschinen bewegt sich aber statt – wie bei uns üblich – der Trommel eine Art Propeller hin und her und quirlt die Wäsche durcheinander. Die Einstellung »hot« heißt nicht etwa Kochwäsche, sondern entspricht der Temperatur des zulaufenden Heißwassers (keine Nachheizung in der Maschine). Nach etwa 20-30 Minuten ist der Vorgang beendet und das Ergebnis selten befriedigend. Bei höheren Ansprüchen an den Grad der Sauberkeit fügen Amerikaner dem Waschmittel (**Detergent**) die bei uns kaum noch bekannte Bleiche (**Bleach**) hinzu.*

Wasserqualität

Ein Problem in vielen Städten, aber auch auf Campingplätzen weitab großer Siedlungen ist die Wasserqualität. Amerikanisches Leitungswasser wird im allgemeinen stärker als bei uns mit Chemikalien behandelt, um auch noch den letzten eventuell gesundheitsschädlichen Keim abzutöten. Man riecht und schmeckt es. Für Kaffee und Tee, oft auch zum Kochen empfiehlt sich, das Leitungswasser zu meiden und ***Drinking Water*** aus dem Supermarkt zu benutzen. Es wird überall in 1- und 2-Gallonen-Behältern ab ca. $0,80/*Gallon* verkauft.

3.6.2 Alles über Campingplätze

Die **gute Wahl der Übernachtungsplätze** macht bereits den halben Erfolg einer Campingreise durch die USA aus. Die Campingführer listen im wesentlichen Ausstattungsmerkmale und geben leider so gut wie keine brauchbaren Hinweise auf andere Qualitäten wie etwa die landschaftliche Lage, Größe einzelner Stellplätze usw. Aufschlussreich ist in dieser Beziehung die **Trägerorganisation**. Im folgenden erfährt der Leser, wodurch sich staatliche *Campgrounds* untereinander und von denen der privaten Betreiber unterscheiden.

Staatliche Plätze – Public Campgrounds

National Parks

Die Campingplätze in Nationalparks, -monumenten und weiteren Einrichtungen unter Verwaltung des *National Park Service* liegen überwiegend in reizvoller Umgebung und zeichnen sich durch großzügige Aufteilung aus. Einige sind wegen Massenandrangs in der Hochsaison von erheblichen Ausmaßen. Die Mehrheit der Plätze verfügt neben den üblichen Ausstattungsmerkmalen (siehe oben) nur über einfache sanitäre Einrichtungen.

Internet und Reservierung auf Seite 199f

Lediglich ausgesprochene Großanlagen (*Yellowstone, Grand und Bryce Canyon, Yosemite*) bieten mehr Komfort, der aber bezahlt werden muss. Die Kosten liegen ab **$12 bis über $20 je Nacht** und Stellplatz. Manchmal gratis sind ***Walk-in-Campgrounds*** abseits der Straßen. Für ihre Benutzung benötigt man ein ***Camping-Permit***, das in Besucherzentren und *Ranger Stations* der Parks ausgestellt wird.

National Forest

In den riesigen Wäldern vor allem der Weststaaten hat der *National Forest Service* unzählige Campingplätze der – sanitär gesehen – Einfachkategorie angelegt. Unter ihnen befinden sich **traumhafte Anlagen** inmitten sonst unberührter Natur. Die Erfahrung lehrt, dass ein paar Extrameilen auf Forststraßen (*Forest Road*) sich fast immer lohnen, wenn man ein hübsches, ruhiges Plätzchen für die Nacht sucht. Auch in der Hochsaison sind etwas abgelegenere ***NF-Campgrounds*** nur ausnahmsweise voll belegt. Und wenn, dann hindert den Reisenden nichts und niemand, legal und gebührenfrei Quartier abseits im Wald zu nehmen (sogenanntes ***dispersed camping***, ➤ dazu Themenkasten auf Seite 29).

Lage und Gebühren der NF-Plätze

NF-Plätze sind nur sehr sporadisch in den konventionellen Campingführern verzeichnet, mehr in den *AAA Campbooks* und vor allem – soweit es die kostenfreien Plätze betrifft -- auf der Website www.freecampgrounds.com. Markierungen in den **Karten der Bundesstaaten** und im ***Rand Mc Nally Atlas*** weisen oft auf deren ungefähre Lage hin. Genaue und vollständige Karten erhält man in den regionalen Büros des *Forest Service'*. Die Übernachtungskosten betragen zwischen **$0 und $18**. Die Höhe richtet sich weniger nach der Ausstattung, die über fließend Kaltwasser und Plumpsklos/ Chemietoiletten selten hinausgeht, als nach ihrer verkehrstechnischen Lage. Am teuersten sind leicht erreichbare Plätze im Umfeld von Nationalparks und generell in Kalifornien. Mit zunehmender Entfernung zur nächsten befestigten Straße fallen die Gebühren. Nur zu Fuß, Pferd oder Boot zugängliche Plätze und *Campgrounds* »weit ab vom Schuss« sind meist gratis.

Internet Reservierung auf Seite 201

Die *National Forest Campgrounds* unterliegen durchweg der **Selbstregistrierung**. Dafür müssen ausreichend kleinere Dollarscheine zur Hand sein. Manche stark frequentierten Plätze werden von privaten Diensten betreut, was immer mit höheren Gebühren verbunden ist.

Oben: *Erläuterung der Selbstregistrierung auf einem State Park Campground (»Fee« heißt »Benutzungsgebühr«)*

Rechts: *Statt per Hand auszufüllender Umschläge hier sogar ein Zahlautomat. Teilweise, wiewohl selten, geht das auch mit Kreditkarte*

State Parks

Alle amerikanischen Bundesstaaten unterhalten ***State Parks***, in denen die Bürger Erholung finden, die *Outdoors* genießen und das historische Erbe des jeweiligen Staates erfahren sollen. Zu vielen *State Parks* gehören Campingplätze; oft stand das Campingmotiv bei deren Errichtung sogar im Vordergrund. Die ***State Park Campgrounds*** weisen von Staat zu Staat und auch innerhalb eines Staates recht unterschiedliche Merkmale auf.

State Parks

Internet
Reservierung auf Seite 199f

Manche verfügen über hohen sanitären Komfort mit Wasser- und Stromanschluss an allen Stellplätzen, andere sind eher den *National Forest Campgrounds* vergleichbar. So oder so, Lage und Anlage der *State Park* Areale im Westen sorgen mit wenigen Ausnahmen für **erfreuliche Campingbedingungen**. Die **Übernachtungskosten** variieren mit dem Komfort; sie betragen **$10-$30** pro Nacht, mehrheitlich um $15-$20. Am teuersten sind die kalifornischen *State Parks*, obwohl nicht die besten.

Lage

State Parks sind fast ausnahmslos in Campingführern verzeichnet und **auf fast allen Karten** deutlich markiert.

BLM

Internet
Reservierung auf Seite 201

Das ***Bureau of Land Management*** (des Innenministeriums) unterhält im Westen ca. **240 sanitär einfache *Campgrounds*** auf Ländereien, die nicht in die Zuständigkeit des *National Forest Service* fallen. Sie liegen meist abseits großer Straßen in reizvoller Umgebung. Ein BLM-Platz in der Nähe der eigenen Fahrtroute ist die Mühe eines kleinen Umwegs über bisweilen rauhe Zufahrten (landschaftlich) durchweg wert. Die **Gebühren** für Plätze des *Land Management* liegen niedrig; www.blm.gov.

Corps of Engineers

Internet
auf Seite 201

Die **Pioniere der US-Armee** (**CoE**) sind in Friedenszeiten vornehmlich mit zivilen Projekten befasst, speziell mit Staudammbau und Stauseewartung. Die von ihnen an *Reservoirs* im gesamten Westen, vor allem aber in Kalifornien angelegten Plätze gehören meist zur preiswerten Einfachkategorie und eignen sich gut für Zwischendurchübernachtungen.

Cities & Counties

Viele **Städte** und **Landkreise** unterhalten in eigener Regie Campingplätze sehr unterschiedlicher Qualität und Ausstattung. Motive sind Naherholung für die Bürger der Region und Förderung des lokalen Fremdenverkehrs. Die **Kosten** liegen daher tendenziell auf **niedrigem** Niveau. Manchenorts wird keine Gebühr erhoben, sondern eine Spende erwartet.

Indianer-Reservate

Überwiegend **einfache *Campgrounds*** findet man zu meist moderaten Gebühren in Indianerreservaten. Sie stehen oft in Zusammenhang mit besonderen Sehenswürdigkeiten wie z.B. dem ***Monument Valley*** *(Navajo)* oder den ***Mesas*** der *Hopi* Indianer, wurden aber in landschaftlich attraktiven Gebieten auch zur Unterstützung der Reservatswirtschaft angelegt. So z.B. in den *White Mountains* von Arizona *(Apache)* und den *Sacramento Mountains* in New Mexico *(Mescalero)*.

Wie findet man diese Plätze?

Die Plätze des **BLM**, des **CoE**, der ***Cities & Counties*** und in den **Reservaten** erfahren eine sehr unterschiedliche Dokumentation in den Campingführern. Die **AAA-Campbooks** listen sie zumindest teilweise. Im ***Woodall's*** und anderen findet man sie bis auf die städtischen und kreiseigenen Plätze so gut wie nicht. Dafür sind die preiswerteren unter ihnen in der Spezialliteratur für Billigplätze ziemlich lückenlos berücksichtigt. Das Buch ***Americas Secret Recreation Areas*** beschreibt alle ***Campgrounds* des BLM** ausführlich mit *Trails* etc.

3

Kommerziell betriebene Plätze

Ausstattung/ Kosten

Über die kommerziell betriebenen Campinglätze lassen sich **allgemeingültige Aussagen** nur sehr grob machen. Alle bezüglich Komfort und Lage denkbaren Kategorien sind vorhanden. Es überwiegen Anlagen mit ***Hook-up*-Angebot** (➤ oben) und knappem Zuschnitt der Stellplätze. Die **Preisgestaltung** orientiert sich an Ausstattung und Nähe zu touristischen Reiserouten und -zielen. Die **preisliche Untergrenze** für einfache/abgelegene Privatplätze liegt bei ca. **$15**. Im Umfeld von Attraktionen (Nationalparks, Badeorte) und im Einzugsbereich der *Big Cities* wird es teurer. Für **$30/ Nacht und teilweise weit mehr**, immer seltener (für RVs) weniger, hat man dort sein betoniertes Plätzchen, 1a-Sanitäreinrichtungen, Pool, Shop etc., neuerdings sogar oft **WLAN** bzw. »**Wifi**«, aber dafür auch den Nachbarn auf Tuchfühlung.

Lage

Nur wenige kommerziell geführte *Campgrounds* können es in punkto landschaftliche Einbettung und Anlage mit der staatlichen Konkurrenz aufnehmen. Aus Gründen der Auslastung befinden sie sich eher in **günstiger Position**, d.h., häufig in der Nähe vielbefahrener (lauter!) Straßen und *Interstate-Freeways*.

Qualität privat geführter Plätze

Orientierte man sich bei der Auswahl der Plätze an den Campingführern und der darin enthaltenen Werbung, wird man bisweilen staunen über die Diskrepanz zwischen Realität und Anzeigen. Der **Zustand der Sanitäranlagen** ist oft ein wunder Punkt.

Camping-Ketten

Die Mehrheit der *Campground*-Betreiber ist unabhängig. Aber es gibt auch Campingplatz-Ketten. *Good Sam Campgrounds* garantieren nur die Einhaltung gewisser Standards. Aber die rund **500 *Kampgrounds of America***, www.koakampgrounds.com, gehören zu einer straff geführten Kette, bieten überall eine fast identische Qualität und haben alle eine **800-Reservierungsnummer**.

KOA

KOA lockt die Kunden der Campmobilvermieter mit einer gratis ausgeteilten ***Value Card***, die einen 10%-igen Rabatt auf Übernachtungskosten und ab der 4. Nacht (Vor- und Nachsaison oft von Anfang an) auf vielen Plätzen sogar 25% offeriert.

Auch mit Discount bleibt KOA allerdings meist in der preislichen Oberklasse **ab $20** (Zelte) bzw. **$30** (RVs) und häufig ganz erheblich mehr. Der Erfolg von KOA lässt sich neben dem guten Marketing der Kette und der verkehrstechnisch günstigen Lage vieler Plätze am besten mit der sanitären Nachlässigkeit der Konkurrenz erklären. Auch manche staatlichen *Campgrounds* sind unter diesem Aspekt nicht jedermanns Sache. Bei KOA kann man ziemlich sicher sein, dass **Toiletten- und Duschanlagen** einen akzeptablen bis guten Standard nicht unterschreiten. Viele Plätze sind in dieser Hinsicht sogar vorbildlich.

KOA Cabins

Eine KOA-Spezialität sind kleine Blockhäuser, ***Cabins*** (auf 90% aller Plätze) und ***Cottages***, für bis zu 4 Personen für $30-$60/ Nacht. Sie sind eine gute Alternative, um hohen Motelkosten zu entgehen (Schlafsack ist selbst mitzubringen).

Good Sam

Im allgemeinen empfehlenswert sind die auch nicht billigen, aber unabhängigen *Campgrounds*, die vom ***Good Sam Club***, einer kommerziell ausgerichteten Camping-Organisation, eine Art Gütesiegel erhalten. Die Qualität der sanitären Einrichtungen und die sonstigen Merkmale sind indessen stärkeren Schwankungen unterworfen als KOA. www.goodsamclub.com

Reservierung

Außerhalb der Monate Juni bis August braucht man kaum zu reservieren, außer an bestimmten Wochenenden (*Memorial* und *Labor Day*). Selbst im Hochsommer findet oft noch gut Platz, wer nicht zu spät am Tage ankommt (Ausnahmen im Reiseteil).

Private Plätze

Fast alle privaten *Campgrounds* lassen sich telefonisch, teilweise auch schon per Internet reservieren. Die Nummern finden sich in Campingführern und – im Fall besonders empfehlenswerter Plätze – im Reiseteil dieses Buches. Wie bei den Hotels werden Reservierungen nur dann für eine Ankunft nach 18 Uhr garantiert, wenn der Anrufer eine **Kreditkartennummer** nennt. Auch bei Nichterscheinen wird diese dann belastet.

Staatliche Plätze

Für die staatlichen Plätze galt früher einmal überwiegend die Regel ***first-come-first-served***. Das hat sich geändert.

State Parks

Die meisten ***State Park Campgrounds*** können heute über eine **zentrale Telefonnummer** und übers **Internet** reserviert werden. Nur in **Nevada** und **Arizona** werden alle Plätze nach *first-come-first*-served belegt. Im einzelne Park anrufen muss man in **Montana** (Telefonnummern im *State Park* Verzeichnis, das jede *Visitor Information* hat, oder in den Campingführern, ➤ Seite 192).

800-, 877-, 888-Nummern können auch von Europa aus angerufen werden, kosten aber die normale Auslandsgebühr, ➤ Seite 225

California, Colorado, Idaho, New Mexico, Oregon, Texas, Utah, Washington und **Wyoming** haben einen zentralen Service. Der funktioniert natürlich nur **per Kreditkarte**. Üblich ist eine ***Reservation/Storno Fee*** von \$5-\$8 pro Reservierung (unabhängig von der Zahl der Nächte). Der einmal bezahlte Platz wird gehalten, egal, wie spät man ankommt.

Zentrale Reservierungs-Telefonnummern sind:

✆ **California**	1-800-444-PARK (7275)
✆ **Colorado**	1-800-678-CAMP (2267)
✆ **New Mexico**	1-877-664-7787
✆ **Oregon**	1-800-452-5687
✆ **Texas**	1-512-389-8900
✆ **Utah**	1-800-322-3770
✆ **Washington**	1-888-226-7688
✆ **Wyoming**	1-877-996-7275

Ein Sonderfall ist **Idaho** insofern, als übers Internet zentral reserviert werden kann, aber telefonisch noch der Einzelpark verantwortlich ist, Details dazu unter
www.idahoparks.org/parks/reserve.aspx

3

Folgende Staaten haben separate Reservierungsportale:

State Park Reservierung via Internet

New Mexico: www.newmexico.reserveworld.com

Washington State: www.camis.com/wa

Wyoming: www.wyo-park.com

Für alle Staaten der umseitigen Liste (**California, Colorado, Idaho, Oregon, Texas, Utah**) erfolgt die Reservierung über das Portal www.reserveamerica.com

Beurteilung

Von zu Hause aus, also vor der Reise, ist das Internet kostengünstiger und sprachlich einfacher als Anrufe in den USA, zumal Name, Adresse etc. nur einmal registriert werden müssen (»*sign in*«). Obendrein bietet die ***Website*** zusätzliche bzw. erste genauere Informationen. Alle Parks sind dort kurz beschrieben samt einer Liste der Einrichtungen und einer groben **Karte der Plätze**. Leider wurde das System 2007 umgestellt und ist nun für alle, die nicht von vornherein 100% wissen, was sie eigentlich buchen wollen, sondern vorab Alternativen durchsehen möchten, viel komplizierter zu bedienen als bisher. Zumal in vielen Fällen die Tarife erst mit der festen Buchung angezeigt werden. Dazu muss man zunächst einmal alle Daten eingeben und durch das ganze Menu. Schade, denn bis 2006 lieferte diese Website eine leicht zu erfassende wunderbar nach Staaten geordnete Vollübersicht.

Zeltcamping im Death Valley National Park (Mesquite Springs, first-come-first-served; $12)

National Parks

Der ***National Park Service*** vergibt **einen Teil** seiner Campingplätze in den populärsten Parks über ein zentrales Reservierungssystem. Im Westen sind das ***Arches, Big Bend, Bryce Canyon, Black Canyon (of the Gunnison), Death Valley, Glacier, Grand Canyon, Joshua Tree, Lassen Volcanic, Mount Rainier, North Cascades, Olympic, Rocky Mountain, Sequoia mit Kings Canyon, Whiskeytown-Shasta NRA, Yosemite*** und ***Zion***.

Wer sichergehen möchte, in diesen im Sommer stark frequentierten Parks unterzukommen (aber **in keinem Fall** sind **alle Plätze** dieser Parks betroffen), kann **ab dem jeweils 5. eines Monats bis zu 5 Monate im voraus reservieren**; im Fall des ***Yosemite National Park*** gilt jedoch: ab dem jeweils 15. jeden Monats:

Generelle Information im Internet unter: www.nps.gov

Zentrale Reservierung unter ✆ 1-888-444-6777
Internetreservierung: www.recreation.gov

Diese Adresse gilt erst seit 2007 und ersetzt http://reservations.nps.gov. Auch die frühere Telefonnummer ist nun ungültig.

Nat'l Forest Service, BLM und CoE

Gleichzeitig sind im neuen Reservierungsportal auch **alle Campingeinrichtungen** des ***National Forest Service***, des ***Bureau of Land Management*** und des ***US-Army Corps of Engineers*** zu reservieren, soweit sie nicht der Reihenfolge der Ankunft vorbehalten blieben (bei diesen Organisationen ist das noch die Mehrheit der Plätze). **Die alte Adresse www.reserveusa.com entfiel**.

Das Problem ist hier der mit www.reserveamerica.com (für die *State Parks*) identische Aufbau. Die links erläuterten Komplikationen der Bedienung gelten damit auch für dieses Portal.

So oder so: wer sich »durchbeißt« und reservieren möchte, muss sich registrieren lassen (»sign in«) und seine Kreditkartennummer angeben. Die Belastung erfolgt nach Reservierung. Den entsprechenden *Voucher* kann man sich selbst ausdrucken.

Empfehlung

Vorteile und Nachteile der verschiedenen Plätze

Die meisten staatlichen Plätze sind – unabhängig von Kostenüberlegungen – privaten Anlagen vorzuziehen, sofern der Vollanschluss nicht im Vordergrund der Bedürfnisse steht. Das Campen auf ihnen ist mehrheitlich einfach erfreulicher. Wie bereits erläutert, finden Campmobilfahrer genügend Möglichkeiten, die Ver- und Entsorgung ihres Fahrzeugs auch ohne *Hook-up* am Stellplatz zu erledigen. Der eventuelle kleine Nachteil nicht vorhandener Duschen auf sonst herrlichen Plätzen lässt sich verschmerzen. Gegen Gebühr kann man unterwegs die Duschen von Privatplätzen oder *Truck Stops* nutzen oder – in manchen Nationalparks – öffentliche Duschanlagen aufsuchen. Den **optimalen Kompromiss** bieten die ***State Parks***. Sie sind gut angelegt, verfügen in der Regel über ordentliche, oft bessere sanitäre Anlagen als mancher Privatplatz und kosten – sogar mit *Hook-up* – weniger.

Traumcamping im Arches Park. Das Bild zeigt einen voll belegten Campground! So großzügig können nur staatliche Plätze sein.

3

Offiziell erlaubtes, »unorganisiertes«, aber dennoch gebührenpflichtiges Campen am Ufer des Lake Powell (Lone Rock Area bei Page/Arizon)

3.6.3 Campen ohne Campingplatz

National Forest

Wer auf Forststraßen in die Einsamkeit der *National Forests* vordringt, benötigt nicht unbedingt die Gewissheit, am Ende auf einen Campingplatz zu stoßen, um übernachten zu dürfen. **In Nationalforsten ist Campen auch abseits offizieller Plätze erlaubt**, ➤ Seite 29. Dort findet sich schon mal ganz ohne Planung eine Zufahrt an einen Gebirgsbach oder einsamen See, wo man herrlich die Nacht oder einige Tage verbringen kann.

Privatbesitz

Wichtig ist die Respektierung von Privatbesitz, denn ***Private Property*** hat in Nordamerika einen hohen Stellenwert. Selbst in abgelegenen Regionen ergeben sich bisweilen unerwartete Probleme. Scheinbar kaum benutzte Wege führen bisweilen wirklich an den erhofften See, aber am Ende nicht selten auch auf private Wochenendparzellen. Selbst wenn nach Meilen beschwerlicher Anfahrt die Versuchung groß ist, man sollte zeitweise verlassene Grundstücke nicht zum privaten Campingplatz machen. Böser Ärger könnte die Folge sein.

Cities

In einigen Großstädten gibt es keine, sehr teure und/oder nur weit vor den Toren der Stadt gelegene Campingplätze. Von der vielleicht aufkommenden Idee, **in städtischen Parks** oder auf deren Parkplätzen stadtnah und gratis zu übernachten, muss dringend abgeraten werden, denn die Gefährdung durch **Kriminalität** ist im Zweifel erheblich. Eben deshalb gehören die Parks auch zu regelmäßig von der Polizei kontrollierten Zonen. Da das **Übernachten in Campmobilen auf innerstädtischen öffentlichen Plätzen und Straßen generell untersagt** ist, wird der illegale Camper günstigenfalls zur Weiterfahrt aufgefordert, wenn er Pech hat, mit einer Geldstrafe belegt.

Rest Areas

Bei längeren Autobahnfahrten oder als Ausweichlösung für **Campmobilfahrer** besteht in den Staaten **Arizona, Nevada, New Mexico, Utah, Oregon, Idaho, Washington** und **Montana** die Möglichkeit, auf (lauten) Rastplätzen an den *Interstates* zu übernachten. Das *Overnight Parking* ist dort erlaubt.

Sicherheit

Abseits offizieller Plätze kann Vor- und Umsicht nicht schaden. Obgleich das Risiko gering erscheint, außerhalb von Ballungsgebiete Opfer eines Verbrechens zu werden, sollte man immer darauf achten, dass der Platz nicht von irgendwoher einsehbar ist und möglichst niemand die erfolgreiche Platzsuche beobachtet. Das Fahrzeug sollte so stehen, dass man ohne Rangieren davonfahren kann. Zur Frage der allgemeinen Bedrohung durch Kriminalität ➢ Seite 17.

Preiswerte und gebührenfreie Campingplätze

Die Anzahl der gebührenfreien Plätze wird laufend geringer, dasselbe gilt fürs Camping unter $10/Nacht. Viele halboffizielle, früher freie Plätze wie die Ufer am Lake Powell (➢ Foto links) sind heute nicht mehr gratis. Die eingangs erwähnte Website (➢ Seite 192 unten) hilft, Campinggebühren zu sparen und auch manch ungewöhnlichen, oft nur auf abenteuerlicher Piste erreichbaren Platz zu finden. Umsonst über Nacht stehen darf man mit einem *Motorhome* ganz offiziell auf den **Parkplätzen fast aller *Wal Marts*** und ***Sam's Club Stores***, davon gibt's in den USA über 3000!

Indian Hill Campground von Hans Löwenkamp

Das ist gar nicht so einfach. Vom Freeway rechts ab, right turn bis Highway 220, davonn drei Meilen zur Banducci Street, links abbiegen, eine weitere Meile und wir sind auf dem Gelände der Indian Hills Ranch.

Wer europäische Maßstäbe gewöhnt ist, wird sich das nicht vorstellen können, soll nur schlicht glauben: Ein Campingplatz von mehreren Quadratmeilen Größe, vorgesehen für vielleicht 100 Gäste. Da sieht man am Horizont eine Gruppe von Eichen und erfährt, aha, das ist der nächste Stellplatz. Aber es steht bereits ein einsames Motorhome darunter, die ganze Gegend, soweit das Auge reicht, ist also besetzt.

Man bewegt sich auf ausgefahrenen Staubstraßen, die sich Buffalo Road oder Two Lakes Road nennen. Ein Glück, dass es den Manager gibt, der mit seinem Truck wegweisend und Staubwolken aufwerfend voranfährt, eine knorrige Gestalt in Wochenhemd und Jeans; Pferdeschwanz, wilder Bart, gesetztes Alter, eine Art Wild Bill Hickock. Von Germany hat er schon gehört, da muss alles auf engstem Raum sehr ordentlich zugehen.

Zu Recht schickt er, als wir abends bei Dunkelheit von einem Townbummel zurückkehren, Böses ahnend seine Tochter mit Pick-up hinter uns her. Wir finden uns prompt nicht zurecht im Gewirr der Staubstraßengleise und hätten ohne ihre Lotsendienste wohl unorganisiert auf freier Wildbahn dem Morgen entgegenharren müssen. Haben Sie sich schon einmal auf einem Campingplatz verirrt? Doch wohl kaum. Im übrigen ist der Platz so gut wie besetzt. An einem der Seen findet nämlich ein Veteranen-Meeting statt Wett-. angeln unter dem Motto »America is Number One thanks to our Veterans«, wie ein Spruchband ausweist. »It's a bit crowded up here«, meint der Manager und empfiehlt uns, ein wenig abseits zu bleiben, bis sich das gelegt hat.

3.7 Essen und Trinken

3.7.1 Selbstverpflegung

Lebensmittel

Supermärkte

Die Selbstversorgung auf Reisen bereitet in den USA bekanntlich keine Schwierigkeiten. Supermärkte (***Food Marts***) von regelmäßig kolossalen Ausmaßen findet man bis hinunter ins kleinste Nest. Die meisten sind Filialen nationaler oder regionaler Ketten wie ***Safeway, Albertsons, Fred Meyer*** (!) u.v.a.m. In größeren Ortschaften sind ***Food Marts*** häufig integriert in ***Shopping Center bzw. Plazas***, die unübersehbar die Ausfallstraßen zieren. Amerikanische Supermärkte verfügen über ein extrem breites Angebot und haben **fast ausnahmslos bis mindestens 21 Uhr, bisweilen Tag und Nacht** geöffnet.

Man sieht es schon von weitem: das kann nur ein Markt für gesunde Bioprodukte sein

Mini-Märkte

Außer in Supermärkten gibt es Lebensmittel, aber kaum Obst, Gemüse und Frischfleisch, in teilweise rund um die Uhr betriebenen ***Mini-Marts*** (*Circle K Stores, K-Food, am/pm, 7 to 11 Stores*, u.a.). Sie sind mehrheitlich mit Tankstellen kombiniert und fungieren außerdem mit *Cold Drinks, Coffee, Ice Cream, Popcorn, Hot Dogs* und allerhand weiteren Snacks als **Versorgungsstationen für Autofahrer**.

Ländliche Läden

Weitab des modernen *American Way of Life* stößt man immer noch auf den ländlichen ***General Store***, einen klassischen Gemischtwarenladen, der von der Milch bis zum Angelhaken alles führt, was die Kunden im Einzugsbereich nachfragen. Zu dieser Kategorie gehören auch die (teuren) Läden in Nationalparks, die voll auf die Touristenversorgung eingestellt sind.

Preise

Im reinen Lebensmittelsupermarkt findet sich die größte Auswahl. Preisgünstiger sind die **Supermärkte der Kaufhausketten *K-Mart, Wal Mart*** und ***Target***. Nahrungsmittel kosten in den USA auch bei $1,30 für den Euro noch etwas mehr als bei uns. Relativ preiswert sind Tiefkühlkost und Steaks, auch **Obst und Gemüse** zu Erntezeiten in der Anbauregion, sehr **teuer** aber außerhalb solcher Zeiten und Gebiete. Für gesunde Ernährung, ***Health Food Products*** ohne Chemie, muss man viele Dollars ausgeben.

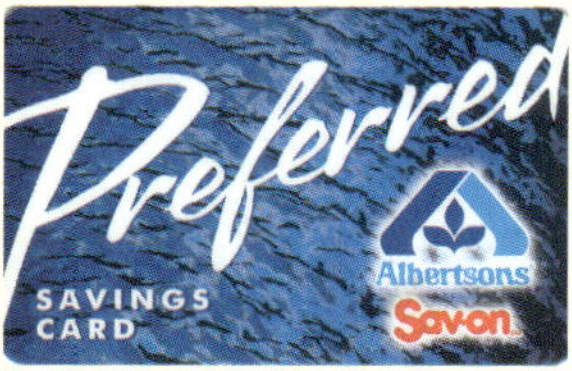

Preiswert einkaufen mit Kundenkarte

Mit Kundenkarten können auch Touristen vielen Supermarktpreisen ein wenig Paroli bieten und die oft substanziellen Reduktionen ebenso wie Einheimische nutzen.

Viele der Sonderangebote gelten nur für »gute« Kunden, die als solche über Kunden-/Clubkarten definiert sind. Die erhält jeder, der will. Man geht einfach vor dem Einkauf bei ***Safeway*** *&* ***Vons*** *(die Karten dieser Ketten werden wechselseitig anerkannt),* ***Albertsons*** *und anderen Markets zum »Servicedesk« und lässt sich dort mit einer beliebigen Fantasieadresse registrieren.*

Brot

Das gilt auch für akzeptable **Brotsorten**, die unserem Grau- oder Mehrkornbrot nahekommen. Das pappige Einfachbrot, ob weiß, braun oder »schwarz«, ist billig.

Nettopreise/ lbs-kg

Die Nettopreisauszeichnung bezogen auf die englische Maß-einheit *lb* (= *pound*; ein Pfund entspricht etwa 450 Gramm) lässt Preise leicht niedriger erscheinen, als sie in Wirklichkeit sind. Um den Endpreis für ein Kilo zu erhalten, müssen der *lb*-Preis verdoppelt, 10% aufgeschlagen und ggf. weitere 5%-8% für die Umsatzsteuer (*sales tax*) addiert werden. **In einigen Staaten sind Lebensmittel umsatzsteuerbefreit**.

Folgende Hinweise erleichtern den Einkauf

Fleisch/ Steak

Fleisch kauft man nur im Supermarkt. Schlachterläden gibt es nicht. Die vielfältigen Bezeichnungen für Rindfleisch sind uns nur teilweise geläufig. Für den abendlichen Grill eignen sich vor allem ***Prime Rib, Sirloin, New York und Porterhouse Steaks***. ***Tenderloin*** **(Filetsteak)** ist noch besser, aber sehr teuer ebenso wie das beliebte ***T-Bone Steak***. Man hüte sich vor preisgünstigen Stükken mit Bezeichnungen wie *Brisket, Chuck-* und *Roundsteak*, auch wenn sie noch so gut aussehen; sie sind oft zäh wie Leder und nur nach ausgiebiger Behandlung mit ***Meat Tenderizer*** (chemischem Weichmacher) zu genießen.

Fisch

Gleich neben dem Fleisch befinden sich in allen Supermärkten die Fischvitrinen. Regional unterschiedlich gibt es den tollsten Frischfisch wie **Lachs, Forelle, Thunfisch, Hai, Oktopus** etc. zu mitunter sogar moderaten Preisen. Besonders im Bereich der Pazifikküste ist das Angebot groß und fangfrisch.

Wurst Wurstwaren, überwiegend vakuumverpackt, schmecken nicht wie gewohnt; auch »deutsche« Markennamen wie ***Schneider*** oder ***Oscar Mayer*** helfen da nicht. Die Liste der Zusätze ist bei allen Wurstprodukten noch länger als bei uns.

Milch und Käse **Milch** gibt es von ***Non Fat*** (ohne Fett) über 1%-2% ***Low Fat*** bis zu 3,5%iger ***Homo Milk*** (Vollmilch). Sie ist immer mit Vitamin A+D angereichert. Der amerikanische ***Cheddar Cheese*** in 4 Abstufungen von *mild* bis *extra sharp* schmeckt ganz gut. In ***Delis*** und Delikatesstheken in Supermärkten findet man (teure) importierte und ausgefallene einheimische Käsesorten.

Obst und Gemüse Das Angebot an Obst und Gemüse variiert mit der Region und Saison. Normalerweise ist die Auswahl reichhaltig, dafür aber oft auch reichlich bis extrem teuer – $3-$4 für 1kg Äpfel sind keine Seltenheit. Preiswerteres ***Produce*** gibt's an Straßenverkaufsständen in den Obstanbaugebieten Kaliforniens und Oregons und im zentralen Washington östlich der Kaskaden.

Cereals/ Müsli Die neudeutsche Übersetzung für *Cereals* ist Cerealien. Zu ihnen zählen *Cornflakes, Rice Crispies* usw. In Amerika gibt es davon unzählige, meist reichlich süße Varianten.

Lose Ware Müsliprodukte sind auch als ***Bulk Food*** zu haben. In offenen Behältern werden Haferflocken, Nüsse, Rosinen etc. lose angeboten. Man füllt die gewünschte Menge selbst ab.

Tiefkühlkost Besonders gut gefüllt sind Tiefkühltruhen und -schränke. Wer im Wohnmobil über einen Backherd oder Mikrowelle verfügt, findet gute tiefgefrorene **Fertigmahlzeiten**.

Kuchen Kuchen und Kekse (***Cake*** bzw. ***Cookies***) erfreuen sich großer Beliebtheit, aber für Mitteleuropäer findet sich im Supermarkt nicht viel Genießbares. Meist gut schmecken ***Donuts***, vor allem, wenn sie frisch aus der (Supermarkt-) ***Bakery*** kommen.

Kaffee/Tee Der grob gemahlene und anders geröstete amerikanische Kaffee wird bei den meisten Kaffeefreunden nicht auf Gegenliebe stoßen. Hier und dort gibt's ***Melitta*-Kaffee**, der fast so schmeckt wie bei uns, und neuerdings **Kaffeebeutel** fürs schnelle Aufbrühen. Die **Teeauswahl** ist – außer in wenigen Fachgeschäften – dürftig und besteht vor allem aus Teebeuteln einiger großer Hersteller.

Wer seine Kaffee- oder spezielle Teesorte auch im Urlaub nicht missen möchte, bringt seinen Bedarf von zu Hause mit und spart.

Das **Leitungswasser** in Amerika ist zum Trinken häufig ungenießbar (*Schwimmbadqualität* schrieb ein Leser) und eignet sich ebensowenig für Kaffee- oder Teegenuss. Amerikaner kaufen deshalb ***Purified Water*** im Supermarkt in 1- bis 2-Gallonen-Behältern oder füllen dort eine Spezialkaraffe auf.

Alkoholfreie Getränke Bei nichtalkoholischen Getränken muss man aus der Vielfalt farbenprächtiger Sprudel- und Brausearten erst herausfinden, was genießbar ist. Selbst *Sprite, Fanta, Coca-* und *Pepsi Cola* schmecken anders als gewohnt. **Die Amerikaner lieben es süßer**.

Der natürliche Fruchtgehalt von Fruchtsäften ist manchmal extrem niedrig. Hundertprozentige Fruchtsäfte sind relativ teuer, es sei denn, man kauft sie gallonenweise oder als tiefgefrorenes Konzentrat. Mit Kohlensäure versetztes **Mineralwasser** gibt es als ***Soda Water*** in 1-2-Liter-Plastikflaschen halbwegs bezahlbar nur in Supermärkten. In kleineren Läden findet man äußerstenfalls die teuren Sorten *Canada Dry* oder *Perrier*.

Coffee Bars und Kaffee

*Die amerikanische **Cup of Coffee** spaltet die Besucher aus Europa in zwei Lager. Die einen empfinden den Kaffee als braune Plörre, die anderen trinken ihn wie die Amerikaner gleich literweise, zumal ein **Refill** – ein-, zwei- oder mehrmals nachgeschenkt – überwiegend kostenlos ist.*

*Wie Pilze aus dem Boden schossen in den letzten Jahren Coffee Bars wie **Coffee Connection** oder **Starbucks**. Neben einer endlosen Liste aromatisierter Kaffeesorten gibt es dort sogar **Espresso, Cappuccino** oder einen **Café aux Lait** zum Croissant oder Muffin. Aber selbst der teuerste Edelkaffee kommt meist nur im Papp- oder Plastikbecher.*

3

Alkoholika

Alkoholverkauf

Alkoholische Getränke jeder Art werden in den Weststaaten der USA **in Supermärkten** und **Schnapsläden** (***Liquor Stores***) verkauft. In mehreren Staaten gibt es hochprozentige Alkoholika ausschließlich im *Liquor Store*. In Utah führen Supermärkte nur Bier und Wein, soweit ihr Alkoholgehalt 3,2% nicht übersteigt. Die meisten Staaten untersagen den Alkoholverkauf nach einer bestimmten Zeit am Abend und/oder an Sonn- und Feiertagen. Überall untersagt ist die Abgabe von Alkohol an **Personen unter 21 Jahren**. Auf die Einhaltung dieser Vorschriften wird im allgemeinen streng geachtet.

Konsumgesetze

Besitz und Konsum von Alkoholika unterliegen konsequenterweise den gleichen Beschränkungen. Der berechtigte Personenkreis darf **Alkoholika nur auf privaten Grundstücken** (dazu gehören laut Rechtsprechung auch der Stellplatz auf dem *Campground* und das *Open-air* Lokal an der Straße) **und in Räumen** konsumieren. Öffentlicher Alkoholgenuss gilt in fast ganz Nordamerika als strafwüdiges Vergehen (*Prohibited by Law*) und unterliegt obendrein allgemeiner sozialer Ächtung. Oft stehen **Verbotsschilder** an Orten, wo die Obrigkeit wohl zu Recht den Konsum geistiger Getränke befürchtet: *No Alcoholic Beverages on Beach, in the Park* etc.

Im Auto

Eine weitere allgemeine Vorschrift besagt, dass sich **im Passagierraum eines Autos keine geöffneten Alkoholika** befinden dürfen. Strenggenommen bezieht sich diese Regelung sogar auf den während der Fahrt zugänglichen Innenraum eines Campmobils. Bei Fahrten durch Indianerreservate ist (theoretisch) das Mitführen alkoholischer Getränke selbst im **nicht** angebrochenen Zustand untersagt.

Bier

Nordamerikanische Biere sind überwiegend leichte Sorten (***Lager***), an denen ein rechter Biertrinker keinen sonderlichen Gefallen finden wird. Sie sind aber gute Durstlöscher. Die (relativ teuren) kanadischen Marken wie ***Molson*** und ***Labatts*** weisen mehr Würze auf als das Gros der US-Sorten. Unter den besseren US-Marken (um $1/Flasche) befinden sich ebenfalls ausgesprochen gute Biere (z.B. ***Samuel Adams***, ab $6 fürs *Sixpack*). Bei den hochpreisigen Importbieren besitzen ***Heineken*** und das deutsche ***Beck's Bier*** nennenswerte Marktanteile. Da amerikanische Hygienevorschriften aber für einen geschmacksnivellierenden Sterilisationsprozess sorgen, lohnt sich die Mehrausgabe dafür kaum. Preisgünstiger ist u.a. ***Löwenbräu*** – es wird in den USA produziert und lässt sich trinken. Es kostet wie ein ***Sixpack*** des Marktführers ***Budweiser*** nie unter $4; andere Marken findet man auch schon mal für $3/*Sixpack*.

Pfand

Bier gibt es in den **USA** nur in **Einwegflaschen** oder **Dosen**, die allerdings mit einer Abgabe belegt sind (durchweg 10 Cents). Kinder und Obdachlose sammeln gerne die ***Aluminum Cans*** in Plastiksäcken. In vielen ***State*** und ***National Parks*** findet man gesonderte Abfall-Container für Getränkedosen.

Micro Breweries

In den letzten Jahren wurde in vielen Städten die Tradition kleiner Brauereien wiederbelebt. In vielen ***Micro Breweries*** erzeugt man heutzutage qualitativ gute, teilweise auch ungewöhnlich schmeckende Biere. Sehr oft sind *Micro Breweries* mit eigenen **Kneipen** und Restaurants verbunden.

Wein

Speziell **kalifornische Weine** können es bekanntlich mit europäischen Produkten ohne weiteres aufnehmen, aber nur soweit es sich um die besseren, relativ teuren Sorten ab ca. $8-$10 handelt. **Portwein und Sherries** von Gallo sind preiswert und akzeptabel. **Deutschen Wein** gibt es etwa ab **$6-$7 die Flasche**, überwiegend Marken wie ***Liebfrauenmilch*** und ***Blue Nun***, oft jahrgangslose Spezialabfüllungen unbestimmter Herkunft. Man findet auch gute Importweine, jedoch zu exorbitanten Preisen. Eine erschwinglichere Ausnahme machen da nur Weine aus **Osteuropa** und **Chile**, auf die man mehr und mehr stößt.

3.7.2 Fast Food Lokale

Übersicht

Zwar regte sich selbst in Amerika seit Jahren – allerdings eher intellektueller – Widerstand gegen die sogenannte ***Junk Food*** (Abfallnahrung), doch das Angebot von *McDonald's & Co* wird von der Mehrheit der Amerikaner voll angenommen. Selbst im letzten Winkel Amerikas findet man noch die Filialen der großen ***Fast Food Chains***. Von der Kleinstadt aufwärts besetzen sie die Straßen des Hauptverkehrs in dichter Folge. Wo sich ein ***McDonald's*** niedergelassen hat, sind ***Carls Jr.*** und der ***Burger King*** mit ihren Hamburger-Variationen nicht weit; und ***Wendy's*** oder ***Jack-in-the-Box*** stehen spätestens am nächsten *Freeway Exit*. Für Hähnchenteile von ***Kentucky Fried Chicken*** und das Eis der ***Dairy Queen*** muss man dann mit Sicherheit auch nicht mehr weit fahren. Um die Gunst der eiligen Kunden konkurrieren zudem jede Menge **lokale Snackbars**, Cafeterias und *Coffee Shops*.

Free Refill

Allen gemeinsam ist ein moderates Preisniveau und der weitgehend identische Geschmack der gängigen Gerichte. Ausnahmslos erfolgt **kein Alkoholausschank**. Dafür kann man sich den *Soft Drink*-Becher und Kaffee überwiegend kostenlos nachfüllen lassen: ***Free Refill***!

Frühstück

Unabhängig von ihrer Spezialisierung für den Rest des Tages gibt es in vielen *Fast Food Restaurants* morgens 6-10 Uhr oder bis 11 Uhr ***Breakfast***; genauer ➢ Essay Seite 181.

Zu den bekanntesten auch in den Weststaaten verbreiteten Ketten ist folgendes anzumerken:

Hamburger Lokale

- ***McDonald's***, meist schon von weitem erkennbar am großen gelben M, serviert bekanntermaßen vor allem ***Hamburger*** in diversen Ausführungen, morgens preiswerte und qualitativ akzeptable Frühstücksimbisse. Der ***Burger King***, die No. 2 unter den Hamburger-Ketten, unterscheidet sich nur im Namen von *McDonald's* Sortiment, Geschmack und Preise stimmen ziemlich überein; bisweilen gibt's eine kleine ***Salad Bar***.

Die Filialen von Carls Jr. sind im Südwesten fast so häufig wie die Lokale der Marktführer.

Nicht ohne Grund: Die Hamburger schmecken dort einfach besser.

Carls Jr., Hardee`s

Über die verfügt hier und dort auch ***Carls Jr.***, eine im Südwesten verbreitete Kette, die mit den Marktführern qualitativ mehr als mithält. Die im Osten starke Kette ***Hardee's*** hat im Westen weniger Filialen.

Die größte Konkurrenz liefert man sich mit immer größer werdenden **hauseigenen Spielplätzen** (➤ Foto Seite 69), die es in den sommerheißen Gebieten sogar als Indoor-Spielpalast mit Klimatisierung gibt. Dabei hat *McDonald's* eindeutig die Nase vor dem *Burger King*. Kinder lieben die Anlagen mit Röhren, Kletternetzen und Rutschen.

Wendy's

- *Wendy's* lockt die Mehrheit der Kunden heute weniger mit dem Basisprodukt *Hamburger* als mit einer ***Salad Bar***, die in manchen Filialen um *Mexican Food* erweitert ist.

Subway

- Die braungelben, schlichten ***Subway-Shops*** verkaufen alle möglichen Arten von Sandwiches, auch mit gesundem Grünzeug und allerhand Beilagen, gut zur Abwechslung, aber teuer.

Kentucky Fried Chicken

- In den rot-weiß gestreiften *Kentucky Fried Chicken (**KFC**)* Filialen geht's in erster Linie um überbackene Hähnchenteile. Wiewohl ein ***Chicken Meal*** nicht billig ist und Europäern selten sonderlich schmeckt, erfreuen sich *Kentucky*-Spezialitäten bei Amerikanern überraschender Beliebtheit.

Dairy Queen

- Auch die ***Dairy Queen*** Filialen sind unübersehbar. Ursprüng-lich spezialisiert auf **Milch-Mixgetränke**, Eis und Yoghurt, bietet *Dairy Queen* heute die übliche Palette der ***Hamburger*** **Varianten**. *Dairy Queen* präsentiert sich nicht einheitlich. Es gibt sowohl die etwas schmuddelige Dorf-Cafeteria wie den modern gestylten City-Plastikschuppen. Immer aber schmeckt das **Eis hervorragend**, besonders ***Banana Split*** und *Frozen Yoghurt* aller Geschmacksvarianten unter der Bezeichnung ***Blizzard***.

Mecican Food

- ***Tacos, Burritos*** und ***Tostados*** haben sich landesweit durch-gesetzt. Diese mexikanischen Spezialitäten findet man überall. Ob nun in der Filiale einer der großen Ketten, wie ***Taco Bell, Taco John's, Jack-in-the-Box*** (Hamburger und Tacos) oder beim »Dorfmexikaner«, kaum irgendwo sonst lässt sich für so wenig Geld der Magen füllen. Und meistens schmeckt es sogar.

Sonderpreise

Alle Ketten werben nahezu kontinuierlich mit Sonderpreisen für bestimmte Gerichte oder **Kombinationen von *Items***, z.B.: ***Large Coke & Cheeseburger & French Fries*** (Pommes Frites) für $2,99, Da gibt's denn auch schon mal *McDonald's* ***Big Mac*** für $1,49! Wer auf derartige Angebote achtet und es darauf anlegt, kann mitunter billiger essen als bei Selbstverpflegung.

Drive-in

Der eilige Gast verlässt zum *Fast Food*-Imbiss sein Auto nicht, sondern fährt am ***Drive-in-Counter*** vor. Tatsächlich geht es dort bei Andrang oft schneller als im Lokal selbst. Aber das kennt man ja auch bei uns vom *Burger King* und *McDonald's*. Wieder im Kommen sind ***Drive-Ins*** **der 1950er-Jahre**, wo dem Kundenauto ein Tablett in die Tür gehängt wird.

3.7.3 Family Restaurants

Obwohl der Begriff des *Family Restaurant* durchaus auch auf die *Fast Food Places* ausgedehnt wird, bezieht er sich doch eher auf ein **Zwischending** zwischen *Fast Food* und *Full Service Restaurants* mit Alkohollizenz, wie sie im folgenden Abschnitt beschrieben sind. Ein Familienrestaurant ist gekennzeichnet durch ein Preisniveau, das sich auch **Familien mit Kindern** leisten können, eine **große Auswahl »amerikanischer« *Items***, eine gehobene Plastikeinrichtung und – wichtig! – die weitgehende **Abwesenheit von Alkoholika**.

Denny's Restaurant ist immer hervorragend positioniert. Hier zwischen Motel 6, einem Comfort Inn und den Tankstellen von BP und 76

Denny's

Das ***Family Restaurant* an sich ist *Denny's***. Die Filialen von *Denny's* gibt es überall. Ihre Anzahl dürfte nur von *McDonald's* übertroffen werden. Viele *Denny's Restaurants* sind Tag und Nacht geöffnet und servieren die ganze Palette des reichhaltigen *Menu* vom Frühstück bis zum Nachtisch jederzeit. Bei *Denny's* gibt es eine Theke für den eiligen Gast und die in den USA so beliebten Tischabteile (wie in alten Eisenbahn-Speisewagen). Dort wird normal bedient wie im richtigen Restaurant, aber schneller. Eine Platzierung (siehe unten) erfolgt nicht oder wird mehr oder weniger leger gehandhabt.

Bewertung

Generell gilt: bei *Denny's* wird man ziemlich satt fürs Geld, und es schmeckt im allgemeinen! Eine mengen- und preisreduzierte Speisenfolge wird ***Seniors* ab 55** geboten. **Empfehlenswert** für unterwegs, wenn *Fast Food* nicht mehr läuft, aber »richtige« Restaurants zeitlich und finanziell zu aufwendig erscheinen.

Stuckey's und andere

Im Westen die klare **# 2** neben *Denny's* ist ***Stuckey's***: dasselbe Grundmuster, aber »deftiger« und typischerweise häufig mit *Truckstops* verbunden. Ähnliche, wenn auch nicht so häufig anzutreffende Restaurants dieser Art sind ***Shoney's, J.B's, Boston Market, Perkins, Steak'n Shake* etc.**

Sizzler

Für ein preiswertes, schmackhaftes Steak und eine gute ***Salad Bar*** geht nichts über das ***Sizzler Steakhouse***. Auch geeignet mit Kindern, da oft gilt: ***Kids eat free with adults***. Aber selbst wenn nicht, auf jeden Fall gibt's **Kinderteller** und **Kinderauswahl** am Dessertbuffet. Mit der Salat-, Nachtisch- und Sonstwastheke praktiziert *Sizzler* eine **Mischung aus Self-Service und Bedienung**. ***Steaks, Seafood***, heiße Beilagen und Getränke werden gebracht. Dabei geht's nicht ohne ***Tip*** ab.

Ponderosa/ Bonanza, Red Lobster

Die **Steakhäuser *Ponderosa*** (rustikal) und ***Bonanza*** (bürgerlich) sowie die *Steak/Seafood-Restaurants* von ***Red Lobster*** gehören in eine ähnliche Kategorie wie *Sizzler* bei kleinen Unterschieden in Philosophie und Einrichtung.

Pizza Hut

Flächendeckend vertreten bietet die ***Pizza Hut*** *Pizza und Pasta* in großer Vielfalt (gelegentlich sogar Bier und Wein!) zu angemessenen Preisen. An der Qualität gibt es nicht viel auszusetzen, aber man muss sich erst an die ungewohnten **Pizza-Größenkategorien** und das ausgeklügelte Zuzahl-System für die ***Toppings*** herantasten. Die *Pizza Hut* bietet zur Mittagszeit günstige ***Lunch-Specials*** und meist auch für **Kinder** preiswerte Pasta-Gerichte.

»Diner« im Stil der 1950er-Jahre in Albuquerque/ New Mexico. Dort gibt's typischerweise amerikanische Items, angefangen beim Hamburger mit French Fries

3.7.4 »Richtige« Restaurants

Überblick

Natürlich existieren in den USA nicht nur *Fast Food Places* und *Family Restaurants* sondern auch zahlreiche »richtige« Restaurants, die im Vielvölker-Schmelztiegel Amerika **Spezialitäten aus aller Herren Länder** anbieten. In den großen Cities ist die Auswahl unter verschiedenartigsten ethnischen Küchen oft enorm, während sich in Kleinstädten und **auf dem Lande** das gastronomische Angebot nicht selten auf Hamburger- (auch im *full-service* Restaurant!) und Steakgerichte beschränkt, äußerstenfalls noch erweitert um Pizza, Spaghetti und *Mexican Food*.

Situation

Mit Ausnahme von Fußgängerzonen in touristisch geprägten Orten, Altstadtbereichen und bestimmten Großstadtvierteln ist ein geeignetes Restaurant nicht einfach beim – in Amerika sowieso selten angezeigten – Ortsbummel zu entdecken. ***Full Service-Restaurants*** (mit Alkohollizenz) findet man ebenso wie die *Fast Food*-Konkurrenz an den Hauptverkehrsstraßen zwischen Einkaufszentren und Tankstellen. Gelegentlich gehören auch sie zu überregionalen Ketten, jedoch bei weitem nicht in dem Maße wie im *Fast Food Business* üblich.

Preisniveau

Gemessen an dem, was hinsichtlich Ausstattung, Ambiente und Küchenqualität im allgemeinen geboten wird, sind amerikanische Restaurants selbst beim wieder günstigeren Dollarkurs **selten ein – im Sinne des Wortes – preiswertes Vergnügen**. Gutes Essen bei ebensolchem Service in angenehmer Umgebung ist immer teuer. Dabei gelten mittags und abends oft unterschiedliche Karten, ein ***Lunch***-Gericht kostet weniger als die identische Speisenfolge als ***Diner***.

Folgendes ist wichtig zu wissen:

Platzierung

- In den USA werden Restaurantbesucher »platziert«. Auch wenn freie Tische vorhanden sind, wartet der geduldige Gast, bis sich ein ***Waiter/Host*** oder eine ***Waitress/Hostess*** seiner und der dazugehörenden ***Party*** annimmt und einen Tisch zuweist. Ist im Moment kein Tisch frei, werden die **Namen** der ankommenden Gäste **notiert** und der Reihe nach aufgerufen. »*Meyer, party of three!*« soll heißen, für den Gast Meyer und insgesamt 3 Personen ist nun alles bereit. Bis dahin können sich Meyers die Zeit mit einem *Drink* an der Bar vertreiben, so vorhanden. **Warteschlangen** vor Restaurants sind in den USA kein ungewöhnliches Bild.

Die Karte

- Die Speisenkarte heißt ***Menu***, sprich: »Mänjuh«. Vorspeisen sind ***Appetizers*** oder ***Starters***, Hauptgerichte ***Entrees***.

  Die Beilagen zum *Entree* heißen ***Side Dishes***. Getränke stehen auf der Karte unter der Rubrik (***Alcoholic***) ***Beverages***. Nur ausgesprochen feine Restaurants führen eine spezielle ***Vine List***. Das ***Glas of Vine*** (*red, white* durchaus ohne weitere Spezifizierung) sofern man sich darauf einlässt, ist Glücksache.

Restaurant im Wilden Westen: Eingang – passend zum Namen »Longhorn Grill« – durch den Schädel eines Longhorn Rindes

Salattheke

- Vor allem ***Steak Restaurants*** verfügen oft über eine ***Salad Bar***, an der unbegrenzt nachgefasst werden darf. Meistens sogar ohne ein Hauptgericht zu bestellen, obwohl das nicht immer ausdrücklich auf der Karte steht. Das kostet nur ein paar Dollar und ersetzt leicht eine ganze Mahlzeit.

Nachtisch

- Nach dem Hauptgericht fragt man den Gast regelmäßig, ob er noch ***Sweets*** oder ***Dessert*** wünscht. Zur Vermeidung übersüßter Farbüberraschungen sollte man den Nachtisch – mit Ausnahme von Eis und Früchten, womit man wenig falsch machen kann – nur nach Inaugenscheinnahme, nie ausschließlich nach Karte bestellen.

Kaffee

- Kaffee wird in den meisten Fällen beliebig nachgeschenkt, aber nur einmal berechnet. Kännchen gibt es nicht.

Alkoholkonsum

- Alkoholika werden nur in Verbindung mit einer Mahlzeit gereicht. Ausgedehnteres Verweilen und der Wunsch nach alkoholischem Nachschub, wenn die Mahlzeit eigentlich beendet ist, wird leicht Befremden hervorrufen. Wer noch weitere – vor allmen alkoholische – Getränke konsumieren möchte, geht dazu an die Bar oder in die *Cocktail Lounge* desselben Hauses, so vorhanden, sonst in ein anderes Lokal.

Ende der Veranstaltung

- Kurz: Ein Restaurantbesuch in den USA ist keine abendfüllende Angelegenheit. Selbst nach einem üppigen Menü mit Vor-, Haupt- und Nachspeise hat es die Bedienung oft störend eilig, dem Gast nach dem letzten Bissen zu signalisieren, dass das Vergnügen nun beendet sei, indem nach einem knappen »*Anything else?*« (als eher rhetorischer Frage) die Rechnung präsentiert wird.

Rechnung

- Die Rechnung (***Cheque***) weist neben den Nettopreisen des *Menu* zusätzlich die Umsatzsteuer aus (5%-8%). Da nie der ***Service*** im Preis enthalten ist und das Personal auch nur ein ziemlich niedriges Fixum erhält, wird ein für europäische Verhältnisse **üppiges Trinkgeld** erwartet. Üblich sind **15%**, bei guter, freundlicher Bedienung auch deutlich mehr nicht ungewöhnlich. Ein ***Tip*** von **$9** bei einer **Rechnung von zum Beispiel $61** gilt in Restaurants der mittleren bis gehobenen Kategorie nicht nur als normal, sondern wird so ungefähr erwartet. Zu den Preisen der Karte muss man also mindestens 20% addieren, um auf die voraussichtlichen **Effektivkosten** zu kommen. In »**Touristenrestaurants**« ist es mehr und mehr üblich, 15% Trinkgeld gleich mit auf die Rechnung zu setzen; also aufpassen, sonst zahlt man den **Tip gleich 2 x**.

Zahlung

- Gezahlt wird bisweilen an einer Kasse am Ausgang. In diesem Fall hinterlässt man seinen ***Tip*** besser bar am Tisch. Bei persönlicher Rechnungsbegleichung per Kreditkarte kann man das Trinkgeld auch auf dem Beleg vermerken.

3.7.5 Bars, Pubs und Saloons

Kneipen

Sieht man ab von Utah, lässt sich über die Auswahl an *Watering Holes* für durstige Kehlen in den US-Weststaaten nicht klagen. Die Atmosphäre in ihnen entspricht weitgehend dem Bild, das uns Fernsehserien und Filme liefern. Hotels besitzen üblicherweise eine ***Bar*** oder ***Cocktail Lounge***. Vor allem auf dem Lande findet man noch originale ***Saloons*** im Westernstil: Klapptür, lange Bar, einige Tische und Stühle, vielleicht eine kleine Band mit ***Country-Music***. In den Cities existieren viele **originell ausgestattete Kneipen** vor allem in den restaurierten »alten« Vierteln und in künstlichen Restaurant- und Kneipenzentren, ➢ Seite 53. Eine **uramerikanische Besonderheit** sind ***Sports Bars***, Bierkneipen, in denen an den Wänden Fernseher hängen, die laufend Sportübertragungen zeigen, in erster Linie *American Football, Baseball, Basketball* und *Eishockey*.

Happy Hour

Was weitgehend fehlt, ist die **Gastwirtschaft**, Restaurant und Kneipe in einem. Dafür wird in manchen *Bars* und *Lounges* abends oder zur ***Happy Hour*** (meist 17-19 Uhr) ein kleines *Buffet* aufgebaut, an dem sich die Gäste bedienen dürfen. Die ***Snacks*** ersetzen leicht ein Abendessen, sofern man sich mehrfach auflädt, was niemand verbietet. Gezahlt wird nichtsdestoweniger nur für den Getränkekonsum.

Getränke-auswahl

In den Kneipen wird überwiegend **Bier** getrunken. Hochprozentiges wird in reinem Zustand – außer *Wiskey* und *Rye* (kanadischer Wiskey) mit viel Eis *on the rocks* – so gut wie nicht konsumiert, sondern nur zum Mixen benutzt. Beim Bier stehen meist mehrere Sorten Flaschenbier und Zapfbier (***draft beer***) zur Auswahl. Das eiskalte Nass fließt fast ohne Schaumbildung flott ins Glas. Häufig gibt es ***pitcher***, offene Krüge, aus denen sich eine fröhliche Runde das Bier nach Bedarf nachschenkt.

Preise

Alkoholische Getränke sind ein recht teurer Spaß. Ein Bier (0,3 l) unter $3,50-$4 gibt es kaum noch, selbst wenn es aus einem Plastikbecher getrunken werden muss.

3

3.8 Sportliche Aktivitäten

Von eher sportlich geprägten Urlaubsformen war bereits die Rede, ➢ ab Seite 30. Hier nun geht es um Aktivitäten, denen man unterwegs bei Lust und Laune leicht nachgehen kann:

Joggen

In vielen städtischen **Parks** übertrifft die Zahl der Jogger regelmäßig die anderer Besucher. Der Anteil von **Frauen** ist deutlich höher als bei uns. Wer mitrennen möchte, findet in den Buchhandlungen jeder Großstadt **Führer zu** den besten örtlichen **Joggingpfaden**. Auch in Nationalparks und auf Campingplätzen samt Umfeld gibt es geeignete Strecken.

Gehen

Aber genaugenommen ist **Joggen *out***. Das sportliche **Gehen**, bei uns eine asketische Spezialdisziplin, gewann zunehmend Popularität, nachdem Laufenthusiasten Gelenk- und Sehnenschäden davontrugen. ***Nordic Walking*** sieht man kaum.

Schwimmen

Natürliche Gewässer sind im US-Westen von einer Sauberkeit und Transparenz, die wir nur selten kennen. Aber auch die **Stauseen**, so der Wasserstand nicht sehr niedrig ist, verfügen über eine akzeptable Wasserqualität. **Nur zwischen San Diego und Santa Barbara** kann man im **Pazifik** baden. Weiter nördlich sind die Wassertemperaturen eher etwas für Hartgesottene. **Öffentliche Schwimmbäder** gibt es viel seltener als bei uns, und dann sind die Becken oft klein und wenig einladend. Maschendrahtgitter umzäunen das Gelände, da die Eigentümer für alle Unfälle in ihrem Pool rigoros haften.

Wie erwähnt, gibt es zahlreiche Gelegenheiten zum **Reiten**, besonders in und um Nationalparks und in typischen Touristenregionen. Leihpferde kosten \$12-\$18 die Stunde. Die Tagesraten variieren zwischen \$40 und \$80.

Golf

Golf ist im Gegensatz zu Europa in den USA weitverbreitet. Viele **öffentliche Golfplätze** bieten jedermann die Gelegenheit, den Schläger in die Hand zu nehmen. Die Clubs sind ohne den hierzulande üblichen Exklusivitätsanspruch und stehen Gastspielern gegen Gebühr offen. Schläger kann man meist leihen.

Tennis

Tennisspieler sollten ihre Schläger nicht vergessen. Allerorten findet man – meistens in öffentlichen Parkanlagen – der Allgemeinheit zugängliche **gebührenfreie Plätze**. Stark frequentiert werden sie eigentlich nur in Feriengebieten und ab 17 Uhr bis zur Dunkelheit. Früher gibt es selten Wartezeiten.

Surfen

Als Spezialität der südkalifornischen Küste gilt das Surfen. An den Stränden von **San Diego** bis **Santa Barbara** kann man *Surfboards* ausleihen. Dort findet man auch Surfschulen.

Windsurfen

Windsurfen ist vor allem auf den großen **Stauseen der Warmwetterregionen** beliebt, in Kalifornien, Oregon und im zentralen Washington State und auf den **Stauseen des Colorado** in Utah und Arizona. Das absolute **Mekka der Windsurfer** ist jedoch der Oberlauf des **Columbia River in Oregon**.

3.9 Alles Weitere von A – Z

Apotheken

Reine Apotheken (***Pharmacies***), wiewohl hier und dort vorhanden, findet man relativ selten. Meistens ist bestimmten *Drugstores* und großen Supermärkten eine *Pharmacy* zugeordnet, wo es nicht verschreibungspflichtigen Medikamente in Selbstbedienung gibt. Rezeptpflichtige Medikamente werden an einer Sondertheke für ***Prescriptions*** ausgegeben.

Ärzte und Zahnärzte

Wie bereits in Kapitel 2.2 erläutert, sollte für den Eventualfall einer auf Reisen notwendigen Behandlung unbedingt vorgesorgt sein. Es gibt Fälle, in denen die Behandlung auch im Notfall verzögert oder sogar abgelehnt wird, wenn unklar ist, wie und ob sie bezahlt werden kann. Trotz einer insgesamt hohen Dichte bei der ärztlichen und zahnärztlichen Versorgung, ist es in den USA für Touristen bisweilen nicht einfach, einen Arzt (***Physician***) oder Zahnarzt (***Dentist***) zu finden bzw. einen Termin zu erhalten. Im Prinzip benötigt man lokale »Fürsprache«, etwa des Hotel- oder Campingplatzpersonals. Relativ zwecklos ist der Versuch, ohne Anmeldung in einer beliebigen Praxis (***Doctor's Office***) vorzusprechen. Eine Ausnahme bilden ***Walk-in Clinics***, auf »Laufkundschaft« eingestellte Gemeinschaftspraxen, die man in Städten ab mittlerer Größe findet. Mit **akuten Beschwerden** und **Verletzungen** kann man sich direkt zum ***Emergency Room*** (Notaufnahme) des nächstgelegenen Hospitals begeben. Bei Problemen hilft ggf. die Touristenorganisation ***Traveler's Aid*** weiter (➤ im lokalen/regionalen Telefonbuch). In *National* und *State Parks* sind die ***Ranger*** Ansprechpartner und meist sehr hilfsbereit.

Notfälle

Die im ganzen Land gültige Telefonnummer für Notfälle aller Art *(Emergencies)* ist 911, **➤ auch Seite 221.**

Banken

Eine Bankfiliale findet sich noch im kleinsten Ort. Die meisten akzeptieren die gängigen **Reiseschecks** und zahlen (mit oder ohne Gebühren) den Nennwert aus. Oft muss der Pass vorgelegt werden. Das gilt ausnahmslos auch für die Auszahlung von Bardollars gegen Kreditkarte ***(Cashing)***. Die Mehrheit der Banken honoriert ***Mastercard/Eurocard*** und ***VISA***.

Banken sind üblicherweise von Montag bis Freitag (manchmal auch samstags) ab 9 Uhr bis mindestens 14 Uhr, spätestens bis 16 Uhr geöffnet.

Geldautomaten (ATMs)

Geldautomaten (***ATM***: ***A****utomated* ***T****eller* ***M****achine*) stehen für Abhebungen mit Kreditkarte oder auch mit der **EC-Karte** (mit Maestro Logo) wie bei uns rund um die Uhr zur Verfügung. Üblich sind ***Drive-in ATMs***, wo man das Auto nicht verlässt.

3

Botschaften und Konsulate

Die diplomatischen Vertretungen des eigenen Landes in den USA sind für Touristen normalerweise nur von Interesse, wenn **Not am Mann** ist, in erster Linie bei Verlust der Finanzen und der Papiere. Soweit »lediglich« Reiseschecks und Kreditkarten abhandengekommen sind, helfen die ausgebenden Organisationen und Eigeninitiative, ➢ Seite 95. Ist der **Pass weg**, lässt sich der Gang zur heimischen Botschaft bzw. zu den Konsulaten nicht vermeiden. Die Adresse des nächstliegenden Konsulats erfährt man bei seiner Botschaft:

Deutschland: ***Embassy of the Federal Republic of Germany***
4645 Reservoir Road NW
Washington DC 20007
✆ (202) 298-4000; Fax (202) 298-4245
Internet: www.germany-info.org

Schweiz: ***Embassy of Switzerland***
2900 Cathedral Ave NW
Washington DC 20008
✆ (202) 745-7900; Fax (202) 387-2564
Internet: www.swissemb.org

Österreich: ***Austrian Embassy***
3524 International Court NW
Washington DC 20008
✆ (202) 895-6700; Fax (202) 895-6750
Internet: www.austria.org

Hilfreich sind im Verlustfall **Fotokopien** der abhanden gekommenen Unterlagen. Mit der Hilfeleistung verbundene Aufwendungen holt sich der Staat in der Heimat zurück.

Datum

In Amerika ist die Datenschreibweise Monat/Tag/Jahr. Der **25. Juni 2001** schreibt sich demzufolge **06/25/01**.

Elektrischer Strom

Die USA verfügen über ein Wechselstromnetz mit nur 110-125 Volt Spannung und einer Frequenz von 60 Hertz. Apparaten, die sich auf 110/125 V umschalten lassen, schadet der Frequenzwechsel von 50 auf 60 Hertz nicht; Rasierapparate laufen etwas rascher. Zur Adapterbeschaffung ➢ Seite 142.

Feiertage

An Feiertagen bleiben Banken, Postämter und öffentliche Verwaltungen geschlossen. **Private Geschäfte brauchen ein Feiertagsgebot nicht zu beachten** und locken ihre Kunden gerade dann mit Sonderangeboten zum ***Family-Shopping***.

Feiertagsbezeichnung	Datum	Bemerkungen
New Years Day	1. Januar	Neujahrstag wie bei uns
Martin Luther King Day	3. Montag im Januar	Gedenktag an den ermordeten Prediger wider den Rassenhass
President's Day	3. Montag im Februar	an sich Washingtons Geburtstag, heute Feiertag zu Ehren aller ehemaligen Präsidenten
Good Friday	Freitag vor Ostern	Karfreitag, nur bedingt ein Feiertag
Memorial Day	Letzter Montag im Mai	Tag zur Ehrung aller Gefallenen. Das Wochenende läutet den Sommer ein
Independence Day	4. Juli	Unabhängigkeitstag, wichtigster Feiertag der USA, Umzüge und Paraden, Feuerwerk
Labor Day	1. Montag im September	Tag der Arbeit, wie bei uns der 1. Mai. Ende der Feriensaison.
Columbus Day	12. Oktober	Gedenktag an die Entdeckung Amerikas
Veteran's Day	11. November	Ehrentag für die Veteranen der US-Armee
Thanksgiving (»*Turkey Day*«)	4. Donnerstag im November	Erntedankfest, großer Familientag
Christmas Day	25. Dezember	Nur **ein** Weihnachtstag

Fernsehen

Private Stationen

Das amerikanische Fernsehen mit zahlreichen Kanälen wird von einer Handvoll großer, auf privatwirtschaftlicher Basis operierender Gesellschaften dominiert. Gegen die in kurzen Abständen von Werbung unterbrochenen überwiegend seichten Programme wirkt das Angebot unserer öffentlich-rechtlichen Sender super intellektuell, und auch unsere Kommerzsender schneiden im Vergleich dazu nicht schlecht ab. Die »locker« gemachten amerikanischen Nachrichten vermitteln mehr noch als bei uns nur Informationen in krasser Momentaufnahme, außerdem sind sie viel stärker auf ***National News*** beschränkt.

Nachrichten

International berichtenswert ist nur, was die Politik und Interessen der USA direkt tangiert oder Sensationswert besitzt. Die Welt außerhalb der USA ist für den durchschnittlichen US-Fernsehkonsumenten daher *terra incognita*.

Talk-Show

Die täglichen *Talkshows* sind vielfach witzig und unterhaltsam, plätschern aber ohne Tiefgang oft noch flauer dahin als bei uns. Insgesamt besitzen **anspruchsvollere Sendungen Seltenheitswert**.

Kabel

Für alle, die der Werbebotschaften überdrüssig sind, kommt **werbefreies Kabelfernsehen gebührenpflichtig** ins Haus. Filme am laufenden Band von jugendfrei bis Softporno ohne Unterbrechungen durch Werbespots gibt es auf speziellen ***Movie Channels***. Viele Hotels und Motels werben damit.

Klimaanlagen

Die weite Verbreitung von Klimaanlagen ist in Anbetracht der in manchen Regionen enormen sommerlichen Hitzegrade einerseits eine Wohltat. Andererseits besteht in den USA – trotz wachsenden Energiesparbewusstseins – immer noch die Tendenz zur Übertreibung. Eisiger Wind empfängt bisweilen die Besucher von Restaurants, Banken und *Shopping Malls*, während an kalten Tagen überheizt wird. **Hotelzimmer** besitzen fast ausnahmslos ***Air Conditioning***. In den preiswerteren Kategorien handelt es sich aber regelmäßig um unter Fenstern angebrachte Apparate, die lautstark ihr Werk verrichten. Bei nächtlicher Schwüle hat man dort oft nur die Wahl zwischen schweißtreibender Hitze oder dem Lärm der Anlage. Die Mehrheit aller **Mietfahrzeuge** verfügt ebenfalls über Klimaanlagen, deren Betrieb bis zu einem Extraliter Benzin pro 100 Kilometer schluckt. Oft fährt man mit ein bisschen Fahrtwind angenehmer und gesünder. Ganz besonders mit Kindern im Auto ist Zurückhaltung beim Umgang mit *Air Conditioning* angezeigt. Erkältungskrankheiten sind leicht die Folge eines allzu extremen Wechsels zwischen Backofenhitze draußen und vergleichsweise niedrigen Temperaturen im Wagen.

Maße & Gewichte

Obwohl auf dem Papier die Einführung metrischer Maß- und Gewichtseinheiten seit Jahren gesetzlich beschlossene Sache ist, findet man bis heute nur in Broschüren und auf Wegweisern der Nationalparks so exotische Angaben wie Kilometer, Liter und in Celsius gemessene Temperaturen. Ansonsten gelten *Miles, Gallons, Pounds* usw.:

1 inch			2,54 cm
1 foot	12	inches	30,48 cm
1 yard	3	feet	91,44 cm
1 mile	1760	yards	1,60 km

1 acre	4840	square yards	0,40 ha
1 square mile	640	acres	2,59 km^2
1 fluid ounce			ca. 30 ml
1 pint	16	fluid ounces	0,47 l
1 quart	2	pints	0,95 l
1 gallon	4	quarts	3,80 l
1 barrel (Öl)	42	gallons	159 l
1 ounce			ca. 28 g
1 pound (lb)	16	ounces	ca. 454 g
1 ton	2000	pounds	ca. 907 kg

Notfälle – Notfall-✆ für Deutsche 1-888-222-1373

- **Krankheit/Unfall**

Anruf

In dringenden Notfällen, gleich ob man in erster Linie einen Arzt, den Unfallwagen oder die Polizei benötigt, ruft man die **Nummer 911** an. Sollte die ***Emergency Number*** nicht funktionieren, wählt man die »**Amtsleitung**« **0**. Der ***Operator*** verbindet weiter.

Vor jedem Notfall-Anruf sollte man sich über den eigenen **Standort** vergewissern und für Rückrufe die Nummer des Apparates, von dem aus man telefoniert, parat haben. In den USA besitzen auch Münzfernsprecher eine Nummer und können angerufen werden.

- **Pass-/Geldverlust**

Pass

Bei Verlust des Passes helfen die nächstgelegenen diplomatischen Vertretungen (Kopien der wichtigsten Dokumente sind hilfreich, ➢ Seite 217), aber auch die Notfallzentralen der Kreditkartenunternehmen.

Reiseschecks

Falls Reiseschecks verlorengehen oder gestohlen werden, ruft man die ausgebende Institution (*Toll Free Number*) an und erhält dann vom Aufenthaltsort abhängige Direktiven für die Ausstellung von Ersatzschecks. Voraussetzung für den Ersatz ist das Vorhandensein des Kaufnachweises und eine »Buchführung« über ausgegebene Schecks.

Hilfe

Sind alle Unterlagen und auch die Kreditkarten abhanden gekommen, hilft ***Western Union*** (Büros in vielen Städten der USA) in Kooperation mit der **Reisebank** (Filialen in den Bahnhöfen deutscher Großstädte und an Grenzübergängen) und der **Deutschen Post**. Wer sich **aus der Heimat Geld schicken lassen** möchte, kann innerhalb weniger Minuten nach Einzahlung bei der Reisebank/Post in einem *Western Union Office* seiner Wahl über den Betrag verfügen. Details unter ✆ 01805/225822, www.reisebank.de. *Western Union* in den USA: ✆ 1-800-325-6000; www.westernunion.com.

Polizei

Äußeres und Verhalten der amerikanischen Polizei entsprechen durchaus dem aus **Fernsehserien** bekannten Bild. Tatsächlich baumelt schon mal der Colt am Halfter, auf dem Lande und in der Kleinstadt steht auf dem Wagen der Obrigkeit immer noch ***Sheriff***, und so sehen die Herren auch aus. Der amerikanische Arm des Gesetzes ist mit erheblichen Vollmachten ausgestattet und greift in der Ausübung seiner Pflichten im Bedarfsfall härter durch als sein europäischer Kollege; in Anbetracht des im Zweifel bewaffneten Gesetzesbrechers verständlich. Mit amerikanischen Polizisten ist bei Fehlverhalten also nicht gut Kirschen essen, der Kontakt im allgemeinen aber eher entspannt und freundlich. Zur Situation bei **Verkehrskontrollen** und **Übertretungen** ➤ Seite 170.

Post

Laufzeiten/ Postämter

Die amerikanische Post funktioniert zuverlässig, ist aber nicht immer sehr schnell. Brief- und Postkartengebühren:

Postkarten/Aerogramme nach Übersee bis 14 g: $0,70;

Briefe nach Übersee $0,80

Inlandsbriefe bis 28 g: $0,40; Postkarten $0,30.

Post nach Übersee geht (mit der Ausnahme von Paketen) automatisch per Luftpost, wenn ***Air Mail Stamps*** benutzt werden. Briefe nach Europa laufen **bis zu 1 Woche**. Postämter befinden sich auch noch im kleinsten Nest und sind dank der zu den Schalterstunden (Zeiten ungefähr wie bei uns) immer aufgezogenen **Nationalflagge** selten schwer zu finden.

Briefmarken gibt es auch in **Automaten** in Supermärkten und Einkaufszentren. Dort allerdings mit einem Aufschlag, d.h., ein Nennwert von beispielsweise $0,40 kostet $0,50 oder ähnlich.

Postlagernd

Wer in den USA Post empfangen möchte, kann als *American Express*-Reisescheck oder -Kreditkarteninhaber die zahlreichen **AE-Vertretungen** nutzen. Auch das postlagernde System (***General Delivery***) funktioniert, vorausgesetzt, es herrscht Klarheit über das aufbewahrende Postamt. Jedes von ihnen ist durch eine Postleitzahl (***Zip-Code***) eindeutig identifiziert. Alle US-Zip Codes findet man im Internet unter http://zip4.usps.com/zip4/citytown.jsp

Radio

Radiostationen sind überwiegend **Lokalsender** mit geringen Reichweiten. In dünn besiedelten Regionen ist das Radio daher 10 Autominuten außerhalb größerer Ortschaften ziemlich tot. Zumindest gilt das für **FM** (=UKW). Auf **AM** (Mittelwelle) findet man zur Not immer noch einen *Country & Western*-Sender und/oder Stationen mit religiösen Botschaften und Musikprogrammen erbaulichen Liedguts.

Politik

Faszinierend sind landesweite politische Sendungen, die von konservativen bis rechtsradikalen Organisationen gesponsert werden. In die mit aktuellen Tagesereignissen verknüpften **Tiraden** können sich Hörer telefonisch einklinken und mitdiskutieren. Wer sprachlich fit genug ist, um den Ausfällen (nicht nur) des Stars seiner Zunft, ***Rush Limbaugh*** (sprich: Limbo), folgen zu können, mag kaum glauben, dass so etwas straffrei möglich ist.

Trost & Rat

Kulturell aufschlussreich sind auch **Trost- & Ratsendungen**, in denen Hörer für ihre Privat- und Berufsprobleme oft – aus unserer Sicht – ungewöhnliche Ratschläge/Lösungen erhalten.

Senioren

Der Begriff des ***Senior*** für alle älteren Mitbürger ist eine amerikanische Erfindung, die sich auch bei uns durchgesetzt hat. Wichtig ist, dass es in Amerika für alles und jedes **Seniorenrabatt** gibt, auf die Eintrittspreise in Museen und Nationalparks, beim Camping, in *Family Restaurants* und auch in vielen Hotels. In den **USA** gilt bisweilen schon als Senior, wer **55 Jahre** alt ist. Spätestens erreicht man diesen Vorzugsstatus dort mit 60 Jahren. Für alle über 50 macht es Sinn, nach dem ***Senior Discount*** zu fragen, z.B. in Motels (Choice/Super 8).

Telefon

System

Nordamerika inklusive Mexiko verfügt über ein einheitliches Telefonsystem. Jeder Bundesstaat besitzt eine dreistellige Vorwahl, den ***Area Code***, einige dicht besiedelte Staaten mehrere davon (im Westen Kalifornien, Arizona, Colorado und Washington). Dieser ersten Vorwahl folgt eine **zweite, ebenfalls dreistellige Ziffer**, die sich auf das Dorf, einen Landkreis oder einen Stadtteil bezieht. Die **Apparatnummer ist vierstellig. Bei Gesprächen über den regionalen *Area Code* hinaus muss eine »1« vorweggewählt werden**.

Das ist auch der Fall bei den **gebührenfreien 800-/888-/877-/866-Nummern**, ➤ Seite 225. Bereits Anrufe beim Nachbarn, der eine abweichende zweite Vorwahl besitzt, sind »Ferngespräche«. Statt des Ortsgesprächstaktes gilt dann der Minutentakt.

International

Über die Vorwahl 01, gelegentlich auch 011, öffnet man den Zugang zum internationalen Netz. Mit

49 für Deutschland **41** für die Schweiz **43** für Österreich

und die um die Null reduzierte Ortsvorwahl sind Verbindungen in die Heimat (von Privattelefonen aus) leicht hergestellt.

Münztelefone

In amerikanischen Münzfernsprechern (***Pay-Phones***) ist eine direkte Durchwahl, national wie international, nicht möglich, es sei denn via Telefon- oder Kreditkarte, ➤ umseitig.

Ferngespräche einschließlich solcher im Nahbereich lassen sich bei **Münzeinwurf nur mit Hilfe eines *Operator***, häufig einer Computerstimme führen, die standardisierte Anweisungen gibt.

Telefonieren mit Münzeinwurf

Wer keine Telefonkarte zur Hand hat, muss für Ferngespräche in *Pay Phones* **jede Menge Kleingeld** bereithalten. Barzahlung in Telefonzellen kostet deutlich mehr als Telefonate von privaten Anschlüssen aus bzw. per *Phone Card*, zumal immer mindestens 3 min (!) zu bezahlen sind. Für Anrufe nach Europa benötigt man **rollenweise *Quarters***. Denn die Telefonate nach Übersee gegen bar kosten ab $5 für die ersten 3 min. Mit dem *Operator* gibt es dabei selbst bei guten Englischkenntnissen schon mal Verständigungsprobleme.

Phone oder Calling Cards

Solche Komplikationen sind aber im Grunde Schnee von gestern dank überall (Kaufhäusern, Tankstellen, Hotels, *Mini Marts* etc.) zu kaufender ***Phone Cards***. Bei den verschiedenen **in den USA angebotenen Karten** sind dabei die **Minutenpreise** verblüffend unterschiedlich und mit Ausnahmen **ziemlich hoch**, wobei der **Schnitt 2006 bei $0,08-$0,15 für Ferngespräche in den USA** lag ($10-$20-Karten von Supermärkten/Warenhäusern – Foto links). Vergleichsweise preisgünstigere Minutentarife bieten ***Phone Cards***, die man typischerweise z.B. in Automaten in *Truck Stops* kaufen kann. Damit kostete **2006** günstigstenfalls die Minute innerhalb Nordamerikas $0,05, das Gespräch nach Westeuropa $0,10/min. Allerdings sind regelmässig **bei Einsatz am *Pay Phone* fixe Zusatzgebühren** pro Gespräch fällig.

Im **Internet** kann man sich dazu intensiv und hochaktuell vorinformieren und gleich die persönlich am meisten zusagende *Phone Card* heraussuchen. Einzelheiten und eine große Kartenauswahl findet man z.B. im ausgezeichneten Portal www.cyberscans.com under »***Prepaid Phone-Cards***« oder »***Instant PIN Calling Cards***«.

Interessant dürfte für viele auch die Seite http://buyprepaidphonetime.com sein mit weltweiten Tarifübersichten.

Funktion

Die ***Phone*** oder ***Calling Cards*** funktionieren wie folgt: 800-Nummer für die jeweils gewünschte Sprachansage wählen (selten deutsch) und dann nach Anweisung die Codenummer der Karte eintasten, die Nummer wählen und fertig. Noch verfügbare Restminuten werden jeweils angesagt.

Der **Haken dieser Karten** liegt in ihrer Unterschiedlichkeit; nicht nur variieren die Minutentarife, sondern auch fixe Verbindungskosten bis $0,50 pro Gespräch. Ein paar vergebliche Anrufe zu Anrufbeantwortern, und zack ist die Karte leer.

Telefonieren mit Kreditkarte

Auch möglich ist ein Anruf bei der Telefongesellschaft **AT&T**: ✆ **1-800-CALL ATT**, dann die Ziffer »1« für Kreditkartengespräche eingeben, dann die übliche Wahl – für Deutschland z.B. 011 49 – Vorwahl ohne Null und Apparatnummer, dann Kartennummer und Verfallsdatum eintippen. Dort, wo Karten eingeschoben werden können, also z.B. in *Airports* oder *Shopping Malls*, lässt sich direkt ohne die lästige Zahlentipperei per Kreditkarte telefonieren. Die **Gebühren** für einen *Credit Card Call* sind indessen mehrfach **höher als bei Nutzung einer vor Ort gekauften preisgünstigen *Phone* bzw. *Calling Card***.

Im Hotel

Aufschläge für Telefonate aus Hotels/Motels sind zwar allgemein niedriger als in Europa, dennoch oft happig genug. Bisweilen werben abr auch Motels mit Netto-Telefongebühren. **Ferngespräche** lassen sich im übrigen **vom Hotelzimmer aus** bequemer führen als von einem *Pay Phone* in Wind und Wetter. Das gilt auch für Anrufe zum **Nulltarif** bei einer **800-Nummer**, etwa zur Reservierung eines Mietwagens oder Hotelzimmers für die nächsten Nächte oder in die Heimat per ***Calling Card***.

Für **gebührenfreie** und **Kartengespräche** vom Zimmertelefon aus berechnen Hotels und Motels manchmal nichts, meist aber einen Fixbetrag von $0,50-$1 pro Anruf.

1-800 oder 866, 877 oder 888

Bei den Vorwahlen 1-800/1-866/1-888/1-877 schaltet sich auch von ***Pay Phones*** aus kein *Operator* ein; die Kosten gehen zu Lasten des Angerufenen. **800/866/877/888-Nummern sind auch vom Ausland aus zu erreichen**, dann zunächst Vorwahl 001 statt »1«. Sie kosten aber normale Gesprächsgebühren.

1-900

Das Gegenteil der 800-Nummern sind **900-Nummern**, für die im Minutentakt eine **Honorierung für den Angerufenen** fällig wird. Sie entsprechen den 0190-Nummern bei uns.

Handy, Email, Internet

Alles zu Handy, Email und Internet, Stand Anfang 2007, steht in einem ausführlichen Beitrag von Burghard Bock: »***Email und Internet on the Road***« ab Seite 733.

Temperaturen

In den USA werden Temperaturen in °Fahrenheit (**F**) gemessen. Die Formel für die Umrechnung von Celsius (**C**) in Fahrenheit und umgekehrt lautet:

°F = 32° + 1,8 x°C bzw. **°C** = (**°F – 32°**) **: 1,8**

Näherungsformel: °**F** = **30°** + **2 x°C** bzw. °**C** = (°**F – 30°**) **: 2**

Celsius	-15°	-10°	-5°	0°	5°	10°	15°	20°	25°	30°	35°	40°
Fahrenheit	5°	14°	23°	32°	41°	50°	59°	68°	77°	86°	95°	104°

Trinkgeld

In der heutigen amerikanischen Dienstleistungsgesellschaft ist das Trinkgeld (***Tip***) fester Bestandteil des Entlohnungssystems nicht nur in der Gastronomie oder im Taxigewerbe. Ein *Tip* wird

3

Trinkgeld

nicht nur im besseren Hotel von den diversen dienstbaren Geistern erwartet, sondern auch im Supermarkt (!), sofern der höfliche junge Man hinter der Kasse den Einkauf in Tüten verpackt und beim Transport zum Wagen behilflich ist, oder bei einer Stadtrundfahrt. So klare Regeln für die Höhe des *Tip* wie im Restaurant oder Hotel, ➤ Seiten 187 und 214, gibt es ansonsten nicht, außer dass Münzgeld selten ausreicht. Eine **Dollarnote** muss es selbst bei kleinsten Handreichungen schon sein, möchte man indignierte Reaktionen vermeiden.

Zeit

In den USA steht »**am**« (*ante meridiem*, vormittags) oder »**pm**« (*post meridiem*, nachmittags) hinter einer Zeitangabe:

9 Uhr	9 am
21 Uhr	**9 pm**

Besonders zu beachten ist:

12.00 Uhr	**12:00 pm**	**oder *noon***
12.20 Uhr	**12:20 pm**	
24.00 Uhr	12:00 am	oder ***midnight***
0.20 Uhr	12:20 am	

In **Fahrplänen** werden »am-Zeiten« häufig in Normalschrift, »**pm-Zeiten**« **in Fettschrift** gekennzeichnet.

Zeitungen und Zeitschriften

Zeitungen/ Nachrichten

Die einzige landesweit verbreitete Zeitung ist ***USA Today***. Sie besitzt ein relativ gutes Niveau. Bei Interesse für aktuelle Ereignisse in den USA lohnt sich ihr Kauf (überwiegend in Automaten für $0,75). *USA Today* ist auf nationale Neuigkeiten fixiert. **Internationale Nachrichten** findet man darin nur, soweit sie die Politik der USA betreffen und/oder Sensationswert besitzen. Die wenigen »besseren« Zeitungen des Westens (***Los Angeles Times, San Francisco Chronicle*** u.a.) werden außerhalb ihres direkten Verbreitungsgebietes kaum gelesen. **Lokale Zeitungen** beschränken sich auf die Neuigkeiten der Region und sind darüberhinaus reine Werbeträger.

Zeitschriften

Bei den **Zeitschriften** existieren ein breites Sortiment für alle denkbaren Spezialbereiche und jede Menge Blätter der seichten Unterhaltung. Darüber hinaus gehen nur die bekannten ***Newsweek, Time*** etc. und eine Reihe von Wirtschaftsmagazinen. Insgesamt ist das Zeitungs- wie Zeitschriftenangebot mit europäischer Vielfalt und vor allem dem bei uns gewohnten Niveau nicht vergleichbar.

Deutsche Presse

Internationale Publikationen gibt es nur in ***News Shops*** der großen Cities (Gelbe Seiten unter *News*). Für viel Geld ergattert man dort schon mal »**Spiegel**«, »**Stern**«, »**Die Welt**« und »**Bild Zeitung**«. Sie sind aber oft nicht aktuell.

Die Spiegel-Verkaufsstellen in Nordamerika, die auch andere deutschsprachige Presseprodukte führen, lassen sich unter ✆ 040/30070 oder im **Internet** abfragen: www.spiegel.de/kontakt. Leider gibt es nur Einzelauskünfte, keine Komplettlisten.

Sieht man von einigen Ausnahmen ab, führen die sog. ***International News Stands*** in den Flughäfen neben amerikanischen nur britische und spanischsprachige Presseprodukte aus lateinamerikanischen Ländern. Ganz selten gibt's da mal was aus Kontinentaleuropa.

Zoll

Zum Zoll bei der **Einreise in die USA** ➢ Seite 143. Wer aus Nordamerika **nach Deutschland** zurückkehrt, braucht bis zu folgenden Werten weder Zoll noch Umsatzsteuer zu zahlen:

Mitbringsel im Wert bis zu €200
darin enthalten maximal **500 g Kaffee** und
50 g Parfüm und
200 Zigaretten und
1 l Spirituosen oder **2 l Wein**.

Zeitzonen

Im Westen der USA gelten zwei Zeitzonen: ***Mountain*** und ***Pacific Time*** liegen 8 bzw. 9 Stunden hinter MEZ zurück; z.B. entspricht 15 Uhr in Mitteleuropa 6 Uhr morgens in Los Angeles. Nach *Mountain Time* gehen die Uhren in Montana, Wyoming, Utah, Colorado, **Arizona** (**im Sommer** gilt dort allerdings DST=*Daylight Saving Time* = ***Pacific Time***), New Mexico und im größten Teil Idahos. Der Rest gehört zur pazifischen Zeitzone. Unterwegs weisen nur selten Schilder auf den Übergang von einer Zeitzone zur anderen hin.

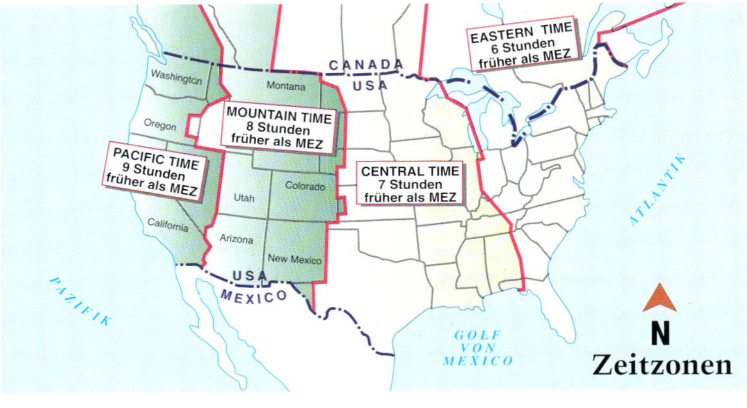

Zeitzonen

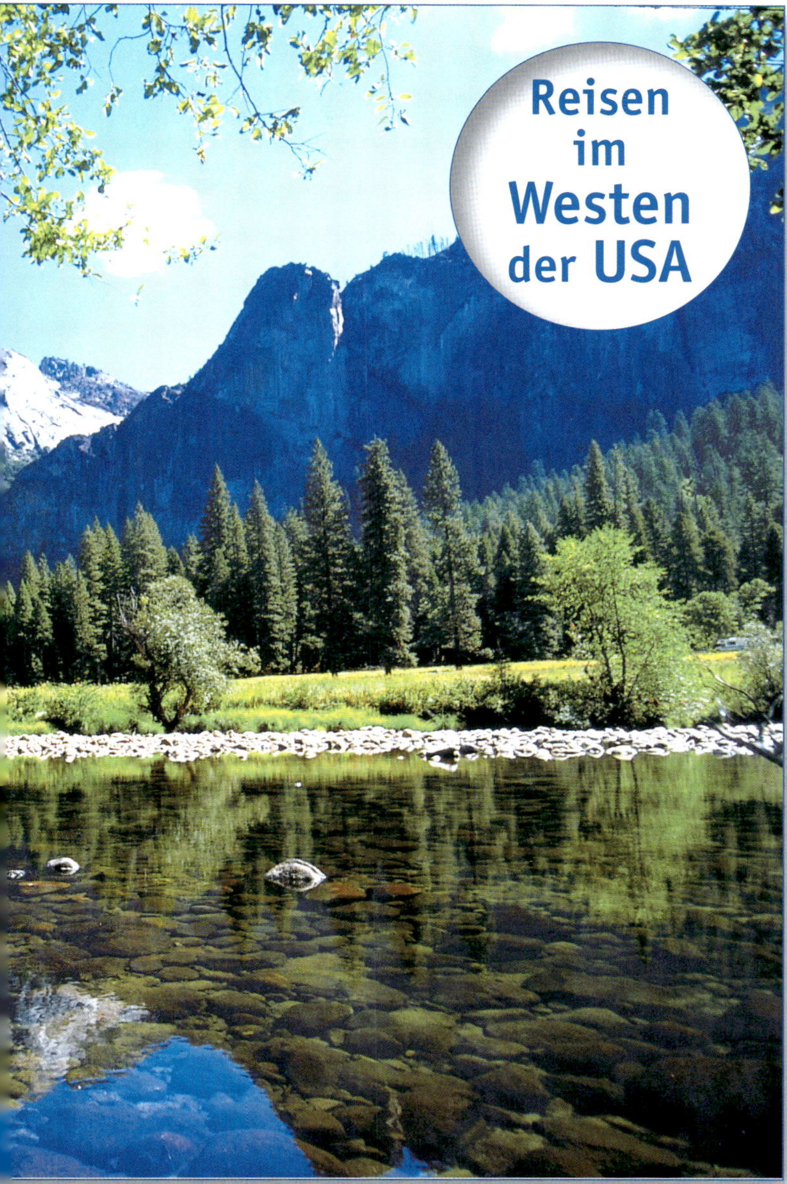
Reisen im Westen der USA

KONZEPTION DES REISETEILS

Zur Routenplanung

Im Westen der USA gibt es unendlich viele Möglichkeiten für eine Zusammenstellung der individuellen Reiseroute. Je nach Jahreszeit, geplanter Reisedauer und persönlichen Präferenzen können selbst Reisende mit identischen Hauptzielen auf unterschiedlichsten Strecken unterwegs sein. Ein typisches **Beispiel** dafür ist die Kombination der Cities von Los Angeles und San Francisco mit den Nationalparks *Yosemite, Yellowstone* und *Grand Canyon*. Diese populären Eckpunkte lassen sich leicht über **touristische »Trampelpfade«** erreichen, aber auch über weniger belebte, **oft reizvollere Alternativen**. Nun wird nicht jede Hauptstraße des Tourismus' durch diesen Umstand als solchen von vornherein zur minder empfehlenswerten Route. Die Popularität bestimmter Strecken ergibt sich natürlich auch aus dem attraktiven Straßenverlauf, z.B. im Fall des *Highway* #1 an der südkalifornischen Pazifikküste.

Das rasche und unproblematische **Vorankommen** steht bei sehr vielen Ferienreisenden – insbesondere aber bei den Amerikanern selbst – stark im Vordergrund. Das erklärt teilweise, weshalb manche grandios geführten aber weniger gut ausgebauten Straßen selbst im Sommer nur wenig frequentiert werden. Eine Rolle spielt dabei sicher die fehlende Information. Nur mit dem Straßenatlas, erst recht mit dem Navigerät vor Augen kann man vielleicht die verkehrstechnisch beste Route bestimmen, selten jedoch die schönste oder touristisch ergiebigste. Die üblichen **Kennzeichnungen in den Karten für schöne Streckenführung helfen nur bedingt**, da sie – wie es scheint – oft mit der »Gießkanne« verteilt werden und tolle Nebenstraßen kaum berücksichtigen.

Empfehlung

Es kann daher gar nicht genug empfohlen werden, der **Routenplanung hohe Aufmerksamkeit** zu **schenken**. Denn nicht nur die angesteuerten »großen« Sehenswürdigkeiten bestimmen die Intensität des Amerikaerlebnisses, sondern gerade im Westen die vielen Eindrücke und bisweilen überraschenden »kleinen Sensationen« am Weg dorthin.

Aspekte

Bei der **Routenplanung** geht es um drei Aspekte:

- **die Auswahl der Reiseziele im einzelnen**
- **die Verbindungsstraßen zwischen ihnen**
- **die zur Verfügung stehende Zeit**

Streckenauswahl in Reiseführern

In den meisten Reiseführern wird nur dem ersten Punkt ausführlich Raum gewidmet. D.h., je nach Schwerpunktsetzung findet der Leser eine mehr oder minder umfassende Beschreibung der Sehenswürdigkeiten in (für eine Region) kompletter oder ausgewählter Form. Die Verbindung von A nach B nach C etc. ist regelmäßig ein eher untergeordneter Punkt. Angaben dazu gehen selten über rein technische Daten (Straßennummern, Meilen) hinaus. Am ehesten geschieht dies noch dort, wo die Behandlung der

Reiseziele nach Maßgabe einer bzw. mehrerer **Vorschlagsrouten** erfolgt. Mögliche **Alternativen** mit ihren Vor- und Nachteilen sind **so gut wie nie** Gegenstand der Erörterung.

Der ungefähre Zeitbedarf für den Besuch von Sehenswürdigkeiten und ggf. für Abstecher wird nur ausnahmsweise genannt, und wenn, dann selten praxisgerecht.

Dieses Buch

Aufbau wie Art und Weise der Behandlung von Reisezielen und -routen in diesem Buch trägt diesen kritischen Anmerkungen und den besonderen Gegebenheiten des individuellen Reisens im Westen der USA Rechnung. Dazu gehört – wie oben angedeutet – der Umstand, daß es nicht nur eine Handvoll idealer Routen, sondern eine Vielzahl von Strecken gibt, die man in unterschiedlichster Weise zur **persönlich optimalen Reiseroute** kombinieren kann und das auch ganz bewußt machen sollte.

Startrouten und Rundstrecken

Die Erfassung aller besuchenswert erscheinenden Sehenswürdigkeiten und attraktiven Straßenverläufe erfolgt über **Startrouten** ab den wichtigsten Ankunfts-Airports und sinnvoll ausgearbeitete **Rundstrecken**, die sich insgesamt oder in Teilabschnitten für die eigenen Pläne übernehmen lassen:

- Je drei **alternative Startrouten** sind für Reisebeginn in **Los Angeles, San Francisco** und **Seattle** ausgearbeitet. Einige dieser Routen führen nach **Las Vegas** und sind damit – in umgekehrter Richtung – ebenso **Startrouten von dort**. Die östlich orientierten Westküsten-Startrouten wurden so angelegt, daß sie an geeigneter Stelle an eine der **Inlands-Rundstrecken** (Kapitel 4 und 7) »andocken« und sich von dort problemlos fortsetzen lassen.
- **Ab Las Vegas** in die Nationalparks von Utah und Arizona geht es auf **zwei getrennten Rundstrecken** und **Erweiterungen** durch den zentralen und den südlichen Südwesten. Beide dienen als **Startrouten ab Las Vegas** und Verlängerung der vorher beschriebenen Routen ab Los Angeles und San Francisco. Sie lassen sich leicht miteinander verknüpfen und besitzen auch **Verbindungspunkte zur Rundstrecke 7.2** durch den Nordwesten (*Yellowstone National Park*). Die **Rundstrecke 4.4** durch Arizona und New Mexico könnte auch in **Phoenix** oder **Albuquerque** begonnen werden.
- Die **Westküstenroute von Seattle nach San Francisco** ist nicht nur als Startroute, sondern gleichzeitig als **Teil einer Rundstrecke** konzipiert, die über den **Lake Tahoe und die Kaskadenvulkane** wieder zurück nach Norden führt.
- Ziele und Strecken im **zentralen Nordwesten** sind über die **Rundstrecke 7.2** samt **Erweiterungen** miteinander verbunden, die sowohl in **Salt Lake City** als auch in **Denver** begonnen werden kann. Die Verbindung zu anderen Ankunftsflughäfen wie Seattle, San Francisco und Las Vegas ergibt sich aus den darauf abgestimmten Startrouten von dort.

- Im kurzen **Kapitel 8** werden die verschiedenen Möglichkeiten für einen **Abstecher nach Canada** skizziert.

Weitere **Details zu den Routenverläufen einschließlich klimatischer Bedingungen** zu verschiedenen Jahreszeiten und einer allgemeinen Bewertung findet der Leser in einer Übersicht eingangs der Rundstreckenkapitel.

Die **Karte in der vorderen Umschlagklappe** zeigt alle beschriebenen Teilstrecken in vereinfachter Form. Die außerdem einbezogenen Ziele und Straßen ergeben sich aus dem Text.

Routenvorschläge

Im **Kapitel 9** finden sich zusätzliche, von den beschriebenen Startrouten und Rundstrecken abweichende **Routenvorschläge für unterschiedliche Zeitspannen und Jahreszeiten**.

Cities

Den **Großstädten** sind eigene Kapitel gewidmet. Für die wichtigsten **Ankunfts-/Abflugs-Cities Los Angeles, San Francisco, Las Vegas** und **Seattle** fallen diese ihrer Bedeutung entsprechend umfangreicher aus als für die Städte, deren Beschreibung in die jeweiligen Routenkapitel integriert wurde. In allen Stadtkapiteln kommen die »technischen« Fragen der Stadtbesichtigung von der Orientierung bis zu Unterkunfts- und Restauranthinweisen besonders ausführlich zur Sprache.

Bewertung von Zielen und Routen

Um bei der Fülle alternativer Ziele und Routen dem Leser die Auswahl zu erleichtern, dürfen **bewertende Aussagen** nicht fehlen. Dieser Reiseführer beschränkt sich nicht auf die reine Beschreibung, sondern liefert auch Beurteilungen. Obwohl der Leser naturgemäß nicht in allen Fällen mit der **Einschätzung des Autors**, wo sie mehr oder weniger explizit erfolgt, ganz übereinstimmen wird, kennt er nach kurzer Benutzung des Buches dessen Position und besitzt damit ein Kriterium für die eigene Entscheidung.

Piktogramme

Ebenfalls auf subjektiver persönlicher Beurteilung beruhen die **Camping- und Wanderempfehlungen**:

- Die **drei Campingsymbole** weisen auf Campmöglichkeiten hin, die der Autor mehrheitlich selbst kennt und positiv bewertet. Ihre Bedeutung ist klar. Die meisten Plätze eignen sich sowohl für Campmobile als auch für Zelte.
- Die positive Einschätzung bezieht sich überwiegend auf **landschaftliche Einbettung** und **Großzügigkeit der Anlage**, berücksichtigt aber auch die Höhe der **Übernachtungskosten**. Die Piktogramme besagen daher, daß ein Platz die Gebühren unbedingt wert ist oder – bei sehr niedrigen Kosten bzw. Nulltarif – zumindest als akzeptabel eingestuft werden kann.

  Häufig trifft beides zu: Nicht wenige der schönsten Plätze kosten unter/bis $15 pro Nacht und Fahrzeug. Davon abweichende Einschränkungen – etwa in Städten – ergeben sich aus dem Text. **Nicht** oder nur von nachgeordneter Bedeutung für eine Empfehlung waren Qualität der sanitären Anlagen und anderer zivilisatorischer Einrichtungen.

- Das Piktogramm des Wanderers findet sich vor allem bei empfehlenswerten besonders attraktiven **Tageswanderungen** von kurzer bis mehrstündiger Dauer, nur in Ausnahmefällen bei Ganztagsunternehmungen.

Die **Übernachtungsempfehlungen beziehen sich auf außergewöhnliche Unterkünfte, solche mit gutem Preis-Leistungsverhältnis und auf preiswerte Einfachquartiere**. Das Piktogramm findet sich auch, wenn die Unterkunftssituation an bestimmten Orten nur generell beschrieben ist. Ab Seite 182 wurde bereits erläutert, was von amerikanischen **Hotel/Motelketten** zu halten ist, auf deren Häuser man überall trifft.

Die nebenstehenden Piktogramme sind leicht zu deuten. Das obere kennzeichnet die Aussicht auf einen guten Snack oder ***Fast Food***, das untere ein empfehlenswertes Restaurant im üblichen Sinn. Da **Essen und Trinken auf Reisen** in Amerika das geringste Problem darstellt, wenn man erst einmal die grundsätzlichen Gegebenheiten kennt (➪ ab Seite 204), bilden konkrete Hinweise in diesem Buch keinen Schwerpunkt. Die Piktogramme unterstreichen aber auch einzelne gute Erfahrungen.

Karten

Alle Karten wurden **eigens für dieses Buch** angefertigt. Sie sind geographisch so korrekt wie möglich, erheben jedoch keinen Anspruch auf Vollständigkeit. Sie enthalten aber alle wichtigen Straßen, Orte, ***National- & State Parks***, Gewässer, Sehenswürdigkeiten und Wanderwege, die im Text erwähnt werden.

Die **Straßenkarten** sind in erster Linie gedacht zur Orientierung bei der Lektüre dieses Buches. Darüberhinaus leisten sie in **Ergänzung zur separaten Gesamtübersicht** gute Dienste bei der Reiseplanung. Rot gekennzeichnete Straßen entsprechen weitgehend den beschriebenen Routen und möglichen Alternativen. Die **Stadt- und Nationalparkpläne** vermitteln ein ausreichend klares Bild von den Gegebenheiten vor Ort; dort bezieht sich die rote Kennzeichnung auf Hauptstraßen.

Unterwegs im Südwesten: hier Fahrt durch den Red Rock Canyon nur wenig westlich des Bryce Canyon National Park

1. LOS ANGELES/SAN DIEGO UND STARTROUTEN

1.1 Los Angeles

1.1.1 Geschichte, Klima und Geographie

Geschichte

Das mit rund 15 Millionen Einwohnern nach *Metropolitan New York* zweitgrößte Ballungsgebiet der USA blickt auf eine nur wenig über 200-jährige Geschichte zurück. Die Gründung eines ***Pueblo** de Nuestra Señora la Reina **de los Angeles** Porciúncula* durch den spanischen Gouverneur *de Neve* und den aus Mallorca stammenden Franziskanerpater *Junípero Serra* erfolgte 1781. Zur Zeit der Eroberung durch die Amerikaner im mexikanisch-amerikanischen Krieg 1847 beherbergte das »Dorf der Engel« ganze 1500 Einwohner. Wie im Falle San Franciscos gab der kalifornische Goldrausch von 1848-1851 den Anstoß für die folgende Expansion. 1876, im Jahr der Anbindung von Los Angeles an das transkontinentale Schienennetz, zählte die Bevölkerung immerhin schon 40.000 Köpfe, um die Jahrhundertwende über 100.000. Die dadurch verursachten **Wasserprobleme** löste ein Herr *Mulholland* 1913 mit dem gewinnträchtigen Bau eines ersten Aquädukts, das Wasser aus der 400 km entfernten Sierra Nevada nach Los Angeles transportierte Er schuf damit die Voraussetzung für die Entwicklung der einstigen Wüstenoase zur Industrie- und Dienstleistungsmetropole. Heute wird LA über ein System von Kanälen versorgt, das bis nach Nordkalifornien und zu den Stauseen des Colorado reicht. Nichtsdestoweniger stellt die **Wasserversorgung** trotz mittlerweile scharfer Verbrauchsrestriktionen neben dem fast täglichen »Verkehrsinfarkt« und hoher Kriminalität das größte Problem der Stadt dar.

Der Wasserstand des Mono Lake – östlich des Yosemite National Park in 500 km Entfernung (Luftlinie) – sank durch immensen Verbrauch in Los Angeles in den letzten 30 Jahren um über 20 m. Dieses Foto entstand 1992. Heute stehen die um unterirdische Quellen entstandenen Kalkfelsen auf dem Trockenen; *➤ Seite 383.*

Klima

Wechselhaftigkeit kennzeichnet das Klima von Los Angeles. Dabei liegen die **Tagestemperaturen** im Sommer statistisch im Bereich zwischen 23°C und 28°C bei hoher, schweißtreibender **Luftfeuchte,** im Winter zwischen 15°C und 20°C. Vorausgesetzt, weder Smog, Bewölkung oder Seenebel hängen über der Stadt. Erhebliche Abweichungen von den Mittelwerten, mitunter innerhalb weniger Stunden, sind häufig. **Klares Wetter** herrscht vor allem in der Periode August bis November; **Regen** fällt überwiegend in den Wintermonaten.

Kennzeichnung des Großraums LA

Metropolitan Los Angeles setzt sich aus einer Vielzahl von Städten zusammen und verfügt über keinen natürlichen, gewachsenen Stadtkern wie etwa San Francisco, sondern über eine Vielzahl regionaler Zentren wie Pasadena, Santa Monica, Long Beach etc. Zwar existiert südlich des Kreuzungsbereichs der Autobahnen #110 (*Harbor Freeway*) und #101 (*Hollywood/Santa Ana Freeway)* unweit der historischen Ursprünge (*Pueblo de los Angeles*) ***Downtown Los Angele*s**, ein Geschäftszentrum mit der für die *Big Cities* Amerikas typischen ***Skyline* aus Stahl und Glas** und ein zentraler Verwaltungsbezirk mit Rathaus und Gerichten, aber *Downtown LA* besitzt für den Großraum LA bei weitem nicht die Bedeutung der Zentren anderer Großstädte für deren Umgebung.

Als die älteste (weiße) Siedlung der Region lieferte der **Stadtteil *Los Angeles*** immerhin den Namen für das riesige städtische Konglomerat – über 100 km lang in nord-südlicher und west-östlicher Ausdehnung und bis zu 50 km breit zwischen Pazifik und *San Gabriel Mountains*.

Vororte

Während große Teile des Stadtgebietes einst wüstenartigen Ebenen abgetrotzt wurden, wachsen die Vororte entlang der nördlichen Tangente I-210 (*Foothill Freeway*) in die weitgehend menschenleeren San Gabriel Mountains hinein (*Angeles National Forest*). Kaum bekannt ist, dass dort – in Höhenlagen von 2.000 m bis 2.700 m nur rund 50 mi von *Downtown* Los Angeles entfernt – im Winter Ski gelaufen werden kann.

Im Nordwesten bildeten einst **Santa Monica** und **Verdugo Mountains**, zum Meer strebende Ausläufer des San Gabriel Gebirges, natürliche Grenzen für die Besiedelung. Heute ist der Moloch Los Angeles lange über sie hinausgewachsen in das jenseits der Berge liegende ***San Fernando Valley*** bis hinauf nach **Palmdale/Lancaster** entlang der zum *Freeway* ausgebauten Straße #14. Die Hügel wurden bis auf das Areal des ***Topanga State Park*** in Ozeannähe oberhalb Malibu und den populären *Griffith Park* weitgehend mit Nobelanwesen zugebaut: in Beverly Hills und Hollywood, aber auch in Glendale und Teilen von Burbank.

Letzte Freiräume zwischen **Anaheim/Santa Ana** und **Riverside/ San Bernardino** im (Nord-) Osten (*Riverside Freeway* #91) und entlang der Verkehrsachse I-15 (San Diego–Las Vegas) schließen sich immer weiter. Die **Küste von Malibu über Long Beach bis hinunter nach Laguna Beach** ist weitgehend zugesiedelt.

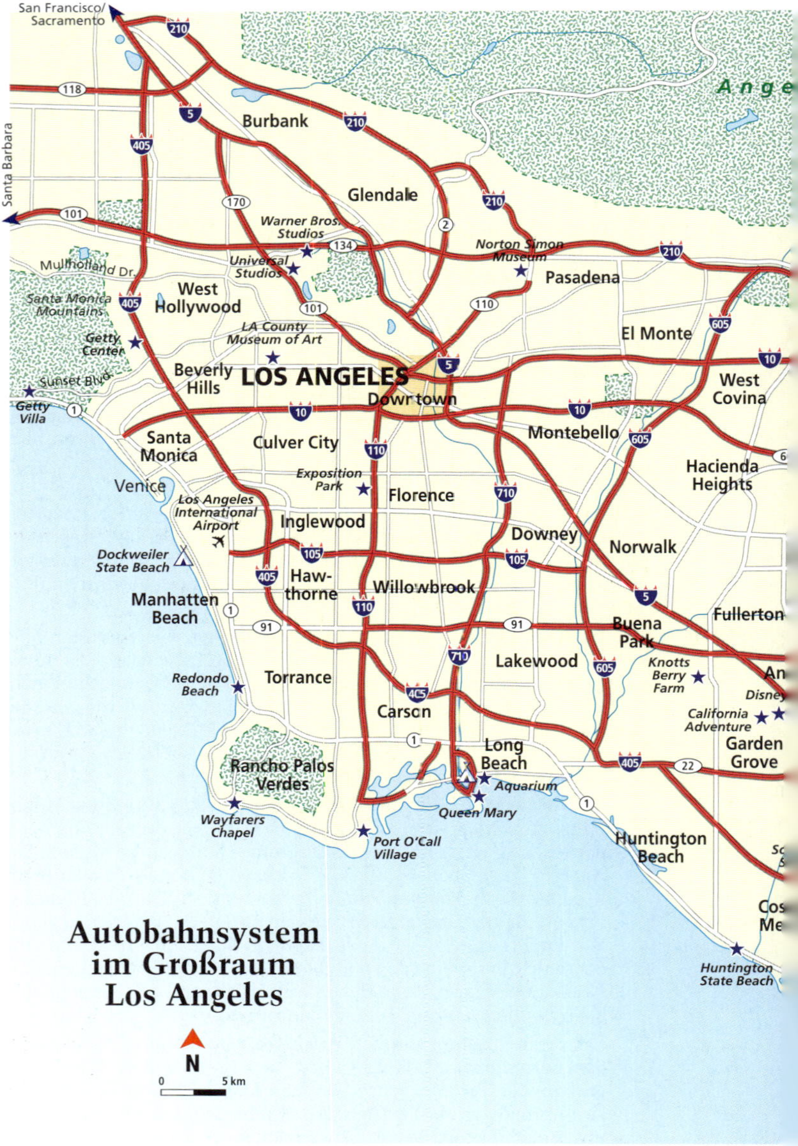

Autobahnsystem im Großraum Los Angeles

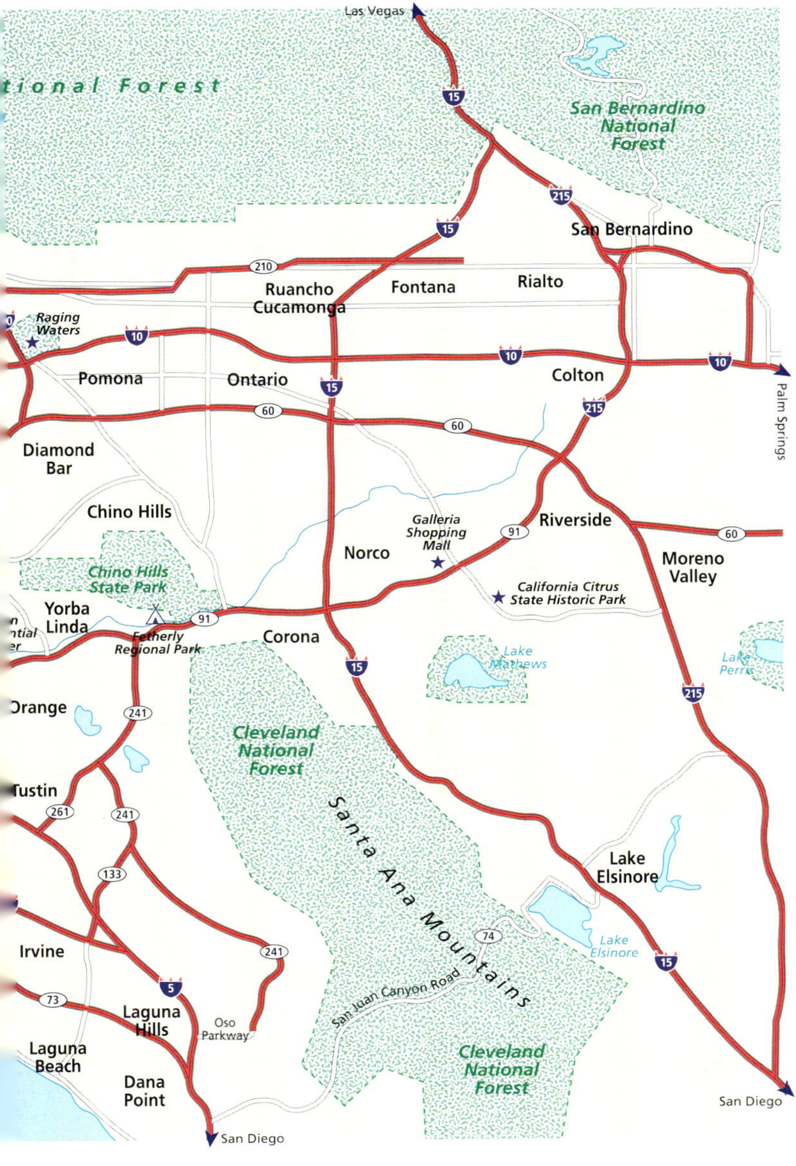
Las Vegas
tional Forest
San Bernardino National Forest
San Bernardino
Ruancho Cucamonga
Fontana
Rialto
Raging Waters
Pomona
Ontario
Colton
Palm Springs
Diamond Bar
Chino Hills
Galleria Shopping Mall
Riverside
Norco
Moreno Valley
Chino Hills State Park
California Citrus State Historic Park
Yorba Linda
Fetherly Regional Park
Corona
Lake Mathews
Lake Perris
Orange
Cleveland National Forest
Tustin
Santa Ana Mountains
Lake Elsinore
Irvine
Lake Elsinore
San Juan Canyon Road
Laguna Hills
Oso Parkway
Laguna Beach
Dana Point
Cleveland National Forest
San Diego
San Diego
15
215
210
10
60
91
241
261
133
74
5
73

1.1.2 Freeways und Orientierung

Situation

Damit die zusammengewachsene und gleichzeitig ausufernde Megalopolis funktioniert, bedurfte es eines leistungsfähigen Transportsystems. Bekanntlich setzte Los Angeles noch stärker als andere amerikanische Cities auf das Auto und den Ausbau eines umfassenden **Schnellstraßennetzes**, ➤ vorstehende Karte. Nachdem die zehn- und zwölfspurigen Autobahnen und bis zu vierstöckigen Kreuzungen und Abzweigungen lange Zeit als vorbildlich angesehen wurden, sieht sich die Stadt schon seit Mitte der 1980-er Jahre an den Grenzen des Individualverkehrs: die ***Rush Hour*** dauert auf den *Freeways* bisweilen ganztägig, nicht endender *Stop-and-Go*-Verkehr nervt die Pendler. Aber Platz für noch mehr Straßen und Spuren gibt es kaum noch, und bereits existierende Pläne für doppelstöckige Straßenführungen wurden wieder fallengelassen, zu Recht, wie spektakuläre *Freeway*-Einstürze beim letzten Erdbeben 1993 bewiesen.

Zeitplanung

Fürs allgemeine ***Sightseeing*** in Los Angeles sollte man sich vorzugsweise auf **Samstage, Sonn- und Feiertage** konzentrieren. Der Verkehr auf den *Freeways* hält sich dann in erträglichen Grenzen. **Vergnügungsparks** und **Museen** kann man dagegen besser **dienstags bis freitags** (letztere meist montags zu) besuchen. Wenn sich Fahrten an Wochentagen nicht vermeiden lassen, empfiehlt sich entweder ein recht zeitiger oder relativ später Aufbruch, d.h., vor 7 Uhr oder erst gegen 10 Uhr, und ein Antritt der Rückfahrt möglichst vor 15 Uhr oder nach 18 Uhr. **Ein Ausweichen auf andere Straßen abseits der *Freeways*** ist bei größeren Distanzen trotz der breit ausgebauten und seltener verstopften Hauptverkehrsboulevards wegen der unzähligen Ampeln extrem zeitraubend.

Karten

Möchte man überfüllte Autobahnen verlassen, benötigt man einen besseren Helfer als die auf den ersten Blick recht nützlich wirkenden Karten der Autoverleihfirmen oder der ansonsten sehr brauchbaren, im allgemeinen Teil empfohlenen ***Rand McNally*** Atlanten. **Unübertroffen** erscheint wegen Ihrer guten Übersichtlichkeit die Karte ***Los Angeles Area Freeways*** auf der Rückseite der ***Southern California Map*** der *California State Automobile Association* (Teil des AAA, ➤ Seite 80). Sehr nutzerfreundlich sind die »harten« Faltkarten ***Fastmap*** von *Gousha* in Klarsichthüllen (hier ***California South*** mit LA- und San Diego-Übersicht, ca. $6) für den raschen Blick auf die Karte auch während der Fahrt.

Obwohl man das *Freeway*-System relativ rasch »in den Griff« bekommt, kann aber ein **kartenlesender Beifahrer** nicht schaden. Vor allem das rechtzeitige Einordnen gelingt bei fünf vollen Fahrspuren allein manchmal nicht schnell genug.

Lage der Sehenswürdigkeiten

Der Kommentierung der Los Angeles *Freeways* ist hier nicht zuletzt deshalb soviel Raum gewidmet, weil sich manche der touristisch besonders interessanten Sehenswürdigkeiten in weit auseinander liegenden, mit Bus und/ oder Metro teilweise schwer zu verbindenden Stadtteilen befinden:

Für LA-Verhältnisse relativ nah beieinander und in kurzer Distanz zum internationalen Flughafen liegen **Santa Monica, Beverly Hills, Hollywood, der Wilshire Distrikt und Downtown** im Nordwesten des Großraums LA. Von Santa Monica und den beliebtesten Stränden (Venice Beach) über die Villenviertel am Sunset Boulevard, Hollywood, das alte Zentrum der Filmindustrie, die Museen im *Hancock Park, Downtown, Old Town* und *Chinatown,* den *Griffith Park* bis hin zu den *Universal Studios* konzentriert sich dort die Mehrheit der populärsten Besucherattraktionen. Etwas außerhalb davon liegt **Pasadena** mit dem sehr guten *Norton Simon Museum.*

Rund 35-45 km südlich von Downtown LA (*Harbor* oder *Long Beach Freeway*) bilden die felsige Halbinsel **Rancho Palos Verdes, Long Beach** mit der *Queen Mary* und die **Strände** von Long und Huntington Beach einen weiteren Anlaufbereich.

Im Südosten beherbergen die Nachbarstädte **Buena Park** und **Anaheim** die Vergnügungsparks ***Disneyland, California Adventure, Knott's Berry Farm*** und weitere Touristenattraktionen wie die ***Crystal Cathedral*** und die ***South Coast Plaza***, eines der größten *Shopping Center* des US-Westens.

Postmoderne Hochhäuser in Downtown LA rund um die Pershing Plaza

1.1.3 Unterkunft und Camping

Hotels/ Motels

Wenn nicht eindeutige andere Präferenzen bestehen, sollte man die Region **Santa Monica/West LA/Westwood/Hollywood** oder ***Downtown*** zum Ausgangspunkt für einen Besuch in Los Angeles machen. Von dort lässt sich die Mehrheit der Sehenswürdigkeiten sowohl mit dem Auto relativ gut erreichen und zur Not auch mit dem öffentlichen Bus-System ***MTA*** (➤ Seite 243), speziell ab *Downtown* teilweise auch per Metro, ➤ Karte Seite 244. Der Pazifik mit seinen Stränden liegt für die ersten vier Regionen nicht allzu weit entfernt. In den empfohlenen Bereichen stößt man entlang der Hauptstraßen (u.a. Wilshire Blvd, Santa Monica Blvd, Ocean Ave von Santa Monica bis Venice, Hollywood Blvd, Figueroa Street) auf **Hotels und Motels aller Preisklassen**.

Airport und Umgebung

Taxes auf Hotelübernachtungen summieren sich in LA auf insgesamt 14%

In Los Angeles gehört auch der **Airport Bereich** (**Inglewood**) unterhalb dieser Region zu den verkehrsmäßig noch »praktischen« Adressen für einen City-Besuch. Wie im Allgemeinen Teil, Kapitel 3.5, erläutert, sind die Hotels in der Flughafen-Zone vor allem an Wochenenden unterbelegt und bieten mit reduzierten Tarifen ein oft sehr gutes Preis-Leistungsverhältnis. Sehr **günstig** sind nach wie vor in LA die **Tarife deutscher Veranstalter** für die *Airport*-Hotels. Bei ihnen kosten Häuser wie das ***Crowne Plaza, Westin*** oder ***Sheraton*** viel weniger als vor Ort zum Dollartarif. Deutlich unter dem Standard dieser Häuser der Oberklasse liegende Hotels sind bei Veranstaltern vielfach nur €10-€30 billiger.

Wer vor Ort bucht, muss im allgemeinen mehr bezahlen oder Abstriche beim Komfort machen. Bei Eigenbuchung bieten das ***Travelodge Hotel***, © 1-800-421-3939, ab $60, das ***Comfort Inn LA Airport*** © 1-800-667-5696, ab $69, flughafennahe und die ***Days Inns*** am 15636 Hawthorne Blvd, © 1-800-233-8058, und 901 W Manchester Blvd, © 1-800-231-2508, etwas weiter entfernte, im US-Rahmen günstige Alternativen ab ca. $56.

Noch flughafennah und auch ohne Auto (z.B. für die letzte Nacht) akzeptabel, da das *Shopping Center Fox Hills Mall* benachbart liegt, ist das ***Four Points by Sheraton Culver City*** am Green Valley Drive ab $79 (AAA); © (310) 641-7740.

Hotel Queen Mary bei Long Beach. Nebenbei kann auch noch ein russisches U-Boot besichtigt werden (Eingang im schwarzen Bau im Vordergrund)

Long Beach

Eine **originelle Wahl** sind die nostalgischen Kabinen auf der ***Queen Mary*** in **Long Beach**, ab $100 vor Ort (www.queenmary.com); auch Buchung bei deutschen Veranstaltern möglich.

Anaheim

Dank ***Disneyland*** befindet sich die dichteste Motel- und Hotelkonzentration im Großraum Los Angeles in Anaheim (***Harbor Boulevard*** beidseitig der I-5 und ***Katella Ave***). Eine **sagenhafte Kapazität** in sämtlichen Kategorien und der Häuser fast aller bekannten Ketten sorgt dort fast immer für ein Überangebot an freien Zimmern und damit für **Sonderpreise** unter den offiziellen Tarifen, siehe ***AAA Tourbook*** und Internet. Lediglich an Sommerwochenenden und Feiertagen wird es schon mal zu eng.

Preiswert

In LA gibt es viele **Billigunterkünfte** für junge Leute, z.B.:

- **Santa Monica Int'l Hostel** (AYH) 1436, 2nd St, ✆ (310) 393-9913; erst kürzlich renoviert, prima Lage; positives Leserecho; www.lahostels.org; ab $25.
- **Hollywood USAHostels**, 1624 Schrader Blvd, ✆ 1-800-524-6783; ✆ (323) 462-3777,Fax (253) 736-1600 ab $21, EZ/DZ ab $53; www.usahostels.com.
- **Hollywood International Hostel**, 6820 Hollywood Blvd, ✆ (213) 463-0797 oder 1-800-750-6561; hollywoodhostel.com, ab $17
- **Orbit Hotel & Hostel**, 7950 Melrose Ave, ✆ (323) 655-1510, in Hollywood; www.orbithotel.com, ab $18; DZ ab $64
- **Venice Beach Cotel**, 25 Windward Ave, ✆ (310) 399-7649, ab $17, EZ ab $35, direkt am Boardwalk, wo die Action ist.
- **Backpackers Paradise**, 4200 West Century Blvd, ✆ (310) 672-3090 oder 1-800-852-0012, ab $18, ganz in Airportnähe. Gutes Feedback; www.backpackersparadise.com.
- **Surf City Hostel**, 26 Pier Ave, Hermosa Beach, ✆ (310) 398-2323, ✆ 1-800-305-2901; www.hostels.com; ab $19, EZ/DZ $49. Tolle Lage an Strand und *Boardwalk*.

Weitere empfehlenswerte Hostels anderswo sind:

- **LA Int'l Hostel South Bay**, 3601 Gaffey St, ✆ (310) 831-8109; prima Lage über der Küste in San Pedro, $18-$21.
- **Fullerton IH/AYH-Hostel**, 1700 N Harbor Blvd, ✆ (714) 738-3721; prima Haus in Parklage, 5 mi bis *Disneyland*; ab $18.

Camping

Gute **privatwirtschaftlich betriebene Campingplätze** gibt es in **Malibu Beach** (**RV-Park**, auch für **Zelte** geeignet: ✆ (562) 456-6052 und ✆ 1-800-622-6052, tolle Lage, aber extrem teuer), und in **Long Beach** (***Golden Shore RV-Resort*** zwischen dem *Freeway* zur *Queen Mary* und Shoreline Drive, ✆ (310) 435-4646, ✆ 1-800-668-3581).

Diverse Plätze warten in **Anaheim** auf Kunden. Die disneynächsten, wenngleich teuren (über $30) sind ***Anaheim Harbor RV Park***, 1009 Harbor Blvd, ✆ (714) 535-6495, und ***Travelers World***, 333 West Ball Rd, ✆ (714) 991-0100. Ca. 10 mi sind es auf der **#91 East** zum schönen ***Featherly Regional Park***, *Exit Gypsum Canyon*, dann Gypsum Canyon Road, ✆ (714) 637-0210.

Weitere kommerziell betriebene Campingplätze findet man unter www.californiacampgrounds.org

Der stadtnächste **öffentliche Campingplatz** (nur für RVs) ist die ***Dockweiler State Beach*** direkt am Strand unterhalb der Startbahn des *LAX-Airport*, ✆ (310) 322-4951 oder ✆ 1-800-950-7275. Im wunderbaren ***Topanga State Park*** oberhalb von Malibu, ✆ (310) 455-2465, gilt *first-come-first-served* (nur Zelte).

National Forest Campgrounds befinden sich oberhalb Pasadena (Straße #2) und weitere ***State Parks*** mit Camping im Nordwesten (***Leo Carillo Beach/Point Mugu SP***) und Süden (***Doheny, San Clemente*** und ***Onofre Beach SP***).

1

1.1.4 Restaurants und Kneipen

Situation

In Anbetracht der großen Entfernungen wird man in LA Restaurants meistens in der Nähe des eigenen Quartiers oder der besuchten Sehenswürdigkeiten suchen.

Von Malibu bis Redondo Beach

- In **Malibu** direkt an der Beach gehört das ***Charthouse Restaurant*** mit Bar seit Jahren zu den *Hot Spots*.
- In **Santa Monica** konzentrieren sich Restaurants in der autofreien ***3rd Street Promenade***, am Santa Monica Boulevard – u.a. *Steven Spielbergs* ***Dive!*** – und der Ocean Ave. Logisch, dass man auch auf der Santa Monica Pier nicht verhungert. Nur einige Meilen sind es von dort nach **Westwood** im Umfeld der UCLA, wo man jede Menge ***Eateries*** und **Kneipen für junge Leute** im Bereich Wilshire/Westwood Blvd findet – ***Planet Hollywood*** am 9560 Wilshire in Beverly Hills.
- Nicht weit (ca. 2 mi) ist es von Santa Monica nach **Venice Beach** mit zahlreichen *Open-air* Lokalen am ***Ocean Front Walk***. Nicht ganz so so touristisch ist die Strandpromenade weiter südlich. Rund um die ***Marina del Rey*** (Admirality Way/Via Marina) findet man viele höherklassige Restaurants und Kneipen.
- Preiswerter geht es zu im ***Fisherman's Village*** an der Ostseite der Yachthafen-Einfahrt. Dort sitzt man auf Terrassen mit Blick übers Wasser auf die Yachten der Marina – Zufahrt über *Highway* #1 (Lincoln Blvd) und den Fiji Way.
- Flugzeugfans sitzen richtig im ***Proud Bird Restaurant*** unweit des *Int'l Airport* an der Aviation/111th Street mit ausrangierten Kampffliegernn auf dem Gelände. Vom 1. Stock aus hat man den besten Blick auf die in LAXstartenden und landenden Flugzeuge.

Alte Me 109 auf dem Gelände des Proud Bird Restaurant

- Sowohl in **Manhattan** als auch vor allem in **Hermosa** und **Redondo Beach** findet man viele Lokale direkt hinter dem Strand am sich dort fortsetzenden ***Ocean Front Walk***. Im Gegensatz zu Santa Monica, Venice, Hollywood oder Beverly Hills gibt es in diesen Stadtteilen – obwohl die Strände ebenso schön oder besser sind – kaum Touristen. Draußen und in den Lokalen spielt sich das normale Leben der *Los Angelitos* ab. Dort erkennt man die besondere Qualität des ***Californian Way of Life***.

San Pedro

- Wer die lange Fahrt in Kauf nimmt oder die nahe *Queen Mary* besichtigt, findet im (künstlichen) Fischerdorf ***Ports o' Call*** in **San Pedro** (nördlich von Long Beach) rustikale (mexikanische) **Fisch- und Krabben-Grilllokale** mit großen ***Open-air Decks***.

Downtown Disney

- Zwischen ***Disneyland*** und dem ***California Adventure Park*** liegt ***Downtown Disney*** mit zahlreichen originellen *Eateries*, die sich auch ohne Parkeintritt besuchen lassen, ➤ Seite 262. Weniger überlaufene schöne Restaurants und Kneipen für den Abend liegen rund um den den zentralen künstlichen See im *Disneyland*-Hotelkomplex, zu dem man von *Downtown Disney* hinüberbummeln kann.

1.1.5 Information und öffentliche Verkehrsmittel

Anlaufstellen

Das ***Greater Los Angeles Visitors & Convention Bureau*** befindet sich in der 685 Figueroa St (7th St/Wilshire Blvd), ✆ (213) 689-8822, oder ✆ 1-800-228-2452.

Wie üblich erhält man in der Touristeninformation **Gratis-Stadtpläne** und allerhand Material einschließlich *Discount-Coupons* für kommerzielle Attraktionen. Das zentrale Büro aufzusuchen lohnt aber nur, wenn man sowieso in der Nähe ist. In den **Teilstädten** (Santa Monica, Hollywood, Long Beach, Anaheim etc.) gibt es **separate Informationsbüros**. An den Rezeptionen vieler Hotels und bei Autovermietern können sich Touristen in Los Angeles weitgehend mit den gleichen Unterlagen eindecken wie bei der *Tourist Information*: www.seemyla.com.

AAA

Wie bereits erwähnt, sind die **Karten des AAA** für LA besonders hilfreich. AAA-Büros findet man in allen Stadtteilen – die Adresse erhält man am einfachsten gratis über ✆ **1-800-AAA-HELP**.

Busse

Der Großraum Los Angeles wird von diversen Busgesellschaften bedient, die wichtigste ist ***Metropolitan Transit Authority MTA*** (✆ 1-800-266-6883, www.mta.net), die mit 3000 Bussen ein 5000 mi langes Streckennetz betreibt (**$1,25 Einheitstarif**). Auskunft und Routenkarte in einem der ***Service Center***; die Zentrale befindet sich im ***Arco Plaza Bldg***, 5th/505 Flower St, Mo-Fr 7:30am-3.30pm. Im Norden und Nordwesten fahren die Busse der ***Santa Monica Big Blue Bus Line***, ✆ (310) 451-5444, www.bigbluebus.com, $0,75-$1,75, und im Süden ***Orange County Transit***, ✆ (714) 636-RIDE, www.octa.net. Im Airportbereich findet man die ***Culver City Bus Company***, ✆ (310) 559-8310 mit einigen Routen.

Beurteilung

Zwar verfügt LA über ein weitgespanntes Busnetz, aber die Busse sind – außer im Fall separater Spuren – langsamer als der Individualverkehr. Nach Busfahrten bleibt häufig zu wenig Zeit für das Ziel. Mitunter lange Wartezeiten an Haltestellen in praller Sonne und unterkühlte Fahrgasträume beschweren das Busfahren zusätzlich; dafür ist es relativ billig.

DASH

Die **positive Ausnahme** bilden **erstens** die nur in *Downtown* verkehrenden **DASH-Busse** (*Downtown Area Short Hop*, ✆ 1-800-252-7433, Mo-Sa alle 10-15 min), mit denen man für **$0,25** pro Tour (*exact change!*) alle wichtigen Hotels, *Shopping Malls* und Sehenswürdigkeiten erreicht. **Route A** fährt über *Little Tokyo*, **Route B** über *Chinatown*; Umsteigen kostenlos.

U-Bahn

Für viele Milliarden Dollar entstand **zweitens** in den letzten Jahren ein neues **U- und S-Bahnnetz**. Es funktionieren jetzt **4 Linien**: von ***Downtown Metro Center* nach Long Beach** (blau), von der ***Union Station*** am Wilshire Blvd entlang **bis *North Hollywood*** (rot), entlang des ***Airport Freeway #105*** von **Norwalk über den *Int'l Airport*** und **Manhattan Beach**/Marine Ave nach **Redondo Beach** (grün) und von der **Union Station** nach **Pasadena** (gelb). Betrieb 5.00-0.30 Uhr; Tarif $1,25. Umsteiger $1,60; www.mta.net

1.1.6 LA kreuz und quer

Besuchsplanung

Im Gegensatz zu anderen kompakteren Städten gibt es in Los Angeles selbst für Kurzaufenthalte **keine logische Reihenfolge im Besuchsablauf**, genaugenommen nicht einmal eine klare Liste dessen, was man einfach gesehen haben »muss«. Es kommt unter anderem darauf an, wo sich der Ausgangspunkt bzw. die Unterkunft befindet und wie die eigenen Interessen gelagert sind. Zur Beschreibung und Wertung der Sehenswürdigkeiten im Großraum Los Angeles wird hier deshalb im wesentlichen der oben skizzierten touristischen Geographie gefolgt: zunächst geht es um ein nordwestliches Dreieck, markiert durch Malibu/Santa Monica, Griffith Park/Pasadena und Burbank, dann um den zentralen Westbereich von Downtown bis Venice und im letzten Abschnitt um Long Beach, Anaheim/Buena Park und sonstige Ziele.

Der Nordwesten von Malibu bis Pasadena

Malibu/ Getty Museum und Stiftung

In Malibu, an der Straße #1, dem Pacific Coast Highway, noch vor den *City-Limits* von LA/Santa Monica steht ein »altrömischer« Palast, der bis 1999 das *Jean Paul Getty Museum* beherbergte. Der einstmals reichste Mann der Welt hatte ihn nach einer in Herculanum beim Vesuvausbruch im Jahr 79 v. Chr. versunkenen Villa speziell für seine kolossale Sammlung von Kunstgegenständen aller Epochen nachbauen lassen. Nach seinem Tod setzten die Verwalter der ***Jean Paul Getty Foundation*** die Sammelwut des Stifters fort und erweiterten den Bestand des Museums laufend.

Von den Millionenerträgen aus den anfangs $2,2 Mrd., mittlerweile 9 Mrd. Stiftungskapital muss jedes Jahr ein mindesten 4,2% der Summe entsprechender Betrag (i.e. heute fast $400 Mio) zum Ankauf zusätzlicher Stücke ausgegeben werden. Die Getty-Stiftung nimmt daher schon kaufkraftmäßig unter den Kunstmuseen der Welt eine Spitzenposition ein. Da mit der Akquisition immer neuer Schätze die Kollektion laufend umfangreicher wurde (heute 44.000 Objekte), platzten die vergleichsweise beengten Räumlichkeiten der alten Villa schon vor Jahren aus allen Nähten.

Man errichtete daher auf einem Hügel der Santa Monica Mountains am ***San Diego Freeway*** das schon rein architektonisch als Kunstwerk geltende riesige ***Getty Center*** und löste gleichzeitig damit auch alle Platz- und Parkprobleme des alten Standorts.

Besuchsplanung

Getty Villa

Mit Eröffnung des *Getty Museums* im *Getty Center* im Jahr 1998 schloss man den alten Museumspalast für Umbauten. Erst Anfang 2006 wurde die pompöse ***Getty Villa*** als zusätzlicher Standort des *Jean Paul Getty Museum* in veränderter Konzeption wieder eröffnet. Dort geht es heute in erster Linie um Kunstwerke aus dem alten Griechenland, der Etrusker und eben aus römischer Zeit.

Anfahrt

Anfahrt über **Pacific Coast Highway** nur von Süden aus möglich. Keine Linksabbieger auf das Gelände mit der Hausnummer 17985. Voranmeldung wegen knapper Parkkapazität nötig, auch im Internet bis 4 Wochen im voraus möglich, ➤ umseitigen Kasten.

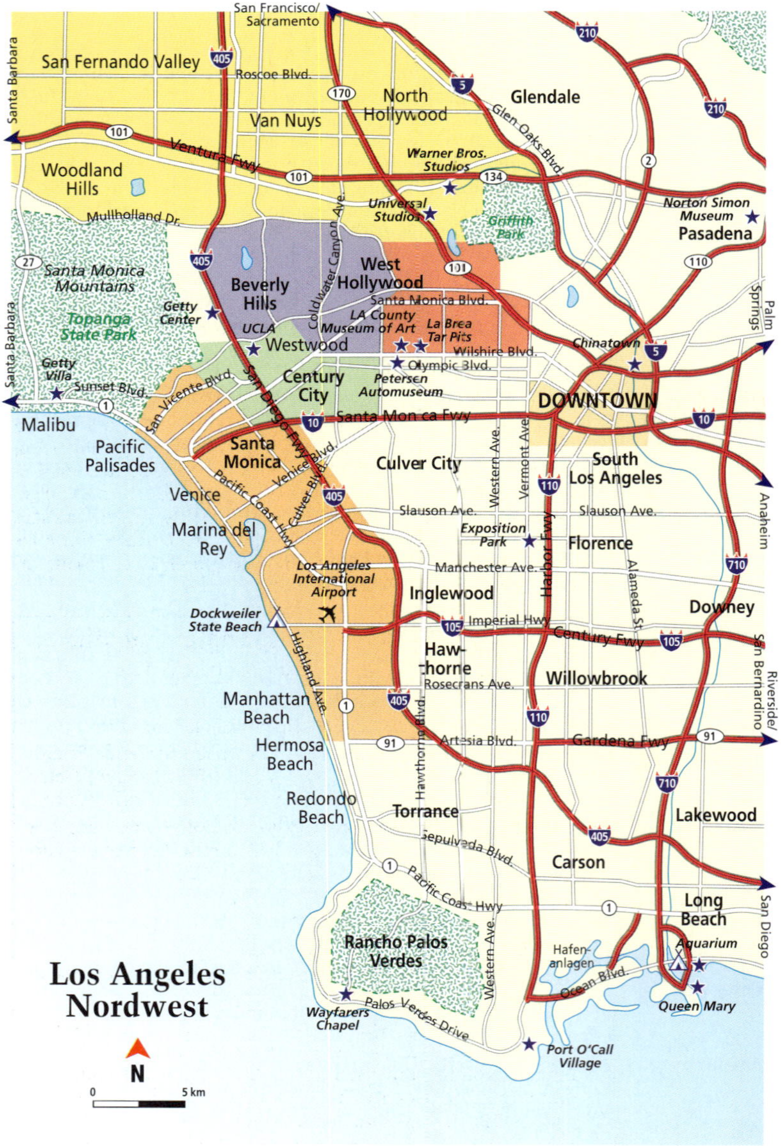

Los Angeles Nordwest

Getty Center Der größere Teil der Schätze der *Getty*-Sammlung kann nach wie vor in den Räumlichkeiten des – bereits vom Freeway aus unübersehbaren – Getty-Komplexes bewundert werden. Dabei, so heißt es, sind nur jeweile gerade 3% des vorhandenen Gesamtinventars dort ausgestellt.

Anfahrt Man erreicht das ***Getty Center*** über die **I-405/*San Diego Freeway, Exit Jean Paul Getty*** nördlich des Sunset Blvd.

Parken Die Kapazität der Parkhäuser auf diesem Gelände (nur Pkw und Minivans) ist groß; es gibt keine Parkprobleme. RV-Eigner können ihr Fahrzeug auf dem Busparkplatz abstellen, ➢ Kasten unten.

Tramway Vom Eingang/von den Parkhäusern geht's per *Tramway* hinauf zum hochgelegenen Museumskomplex. Bei Andrang heißt es warten. Der auch mögliche Fußmarsch ist relativ steil und lang und bei Hitze ein bisschen viel. Zwischen Ankunft am *Gate* und Betreten der – **eintrittsfreien** – Ausstellungen im *Getty Center* vergehen leicht 30 min und mehr.

Ausstellung Getty Center Endlich angekommen, findet man Ausstellungen unterschiedlichster Kunstobjekte, verteilt auf mehrere Gebäude, die sich um einen zentralen Platz gruppieren: Mittelalterliche Buchillustrationen, Gefäße aus der Renaissance, barocke Bronzen, beachtliche Gemälde aller Epochen, *Western Art* u.a.m. Da immer nur – wie gesagt – ein Bruchteil der Sammlung ausgestellt ist, finden häufiger als anderswo Wechsel und Sonderausstellungen statt, aktuelles Programm im Internet, ➢ unten. **Infobroschüren** und Dokumentationen gibt es sogar **auf Deutsch**.

Organisatorische Details Getty Center und Villa

Information: ✆ **(310) 440-7300; Eintritt in beide frei**

Internet: www.getty.edu/visit

Parkgebühr Pkw+Minivans in beiden Standorten **$8**

Keine RV-Parkmöglichkeit, heißt es offiziell für beide Standorte. Aber es gibt zumindest gegenüber der Einfahrt zum *Getty Center* einen Busparkplatz; RVs parken dort ebenfalls für $8.

Für das **Museum in der *Getty Villa*** ist eine Anmeldung per Telefon oder im Internet zwingend – bis zu 4 Wochen im voraus möglich. Keine Restriktion im *Getty Center*.

Öffnungszeiten:

Getty Center: Di-Do+So 10-18 Uhr, Fr+Sa 10-21Uhr

Getty Villa: nur Do-Mo 10-17 Uhr

- **Anfahrt zum *Getty Center*** mit MTA-Bus #761; Info dazu: ✆ 1-800-252-9040 und www.metro.net
- **Anfahrt zur *Getty Villa*** mit MTA-Bus #534; Info dazu wie oben. Wer die Villa per Bus anfährt und daher zu Fuß zum Eingang kommt, muss neben der Anmeldung das vom Busfahrer speziell gelochte Ticket vorweisen. In der Umgebung parken und zu Fuß ohne Busticket kommen, geht nicht.

Sehenswert sind im übrigen auch die Architektur der phänomenalen Anlage hoch über Beverly Hills, die Gärten rund um den Komplex herum, die Café-Terrassen und das lichtdurchflutete Restaurant. Davon wird mancher beeindruckter sein als von der Kunstpräsentation, die durchaus nicht immer allem anderen in der Kunstszene den Rang abläuft.

Wer keinen vollen Tag zur Besichtigung einplanen kann oder mag, der mit An- und Abfahrt und Wartezeiten auf die *Tram* selbst ohne längere Pausen in der Cafeteria leicht »draufgeht«, sollte sich am Faltblatt ***If you only have an hour*** orientieren.

Park und Teilansicht des eindrucksvollen Getty Center

Topanga State Park

Von der *Getty*-Villa in Malibu sind es nur ein paar Meilen auf dem **Topanga Canyon Blvd** nach Topanga und zum *Topanga State Park* (Abzweigung Entrada Road), von dessen Hügeln man **herrliche Ausblicke über den Ozean** und das San Fernando Valley hat. Schon die kurvige Zufahrtstraße bietet weite Aussichten.

Der *State Park* ist nicht nur ein prima Ort für ein Picknick, sondern besitzt seit einigen Jahren auch einen Zeltplatz für *Biker* and *Hiker*, ➢ Seite 241 unten; www.parks.ca.gov/?page_id=629.

Westside

Weiter östlich zweigt der **Sunset Boulevard** vom ***Pacific Coast Highway*** ab. Er führt kurvenreich durch die Ausläufer der *Santa Monica Mountains* an zahllosen Villen der *Upper Class* vorbei durch die feine ***Westside*** von LA. Mittendrin liegt der Stadtteil **Westwood** zwischen Sunset und Wilshire Boulevard östlich der *Interstate* #405, einst ein abgelegenes Dorf, heute Sitz der *University of California Los Angeles*, kurz **UCLA**, mit einem bemerkenswerten Campus für 35.000 Studenten; www.ucla.edu/map.

Westwood Village

Unterhalb (= südlich) des Universitätsgeländes hat sich das ***Westwood Village*** als **der *Nightspot*** für junge Leute etabliert. Neben zahlreichen Kneipen, Restaurants und Discos sind es die **Erstaufführungskinos**, die trotz hoher Eintrittspreise viel Publikum nach Westwood (nicht etwa nach Hollywood!) locken. Infos unter: www.westwoodvillageonline.com

Sowieso und an den Abenden der Wochenenden erst recht herrscht dort enormer Betrieb. Freitag & Samstag Nacht bedient ein Minibus ab Parkplatz Wilshire Blvd/Veterans Ave alle Theater.

Beverly Hills

In Beverly Hills wird der **Sunset Boulevard** zur mit Palmen gesäumten **Prachtallee**. An Ständen fliegender Händler kann man spezielle **Lagepläne** zur Identifizierung der Anwesen von Filmstars und Prominenz kaufen. Besonders attraktive und problemlos zusätzlich abzufahrende Straßen sind nördlich des Sunset Blvd **Beverly Glen**, **Coldwater** und **Benedict Canyon Drive**, südlich **Beverly Drive** und **Cañon.** Das Dreieck zwischen Santa Monica und Wilshire Boulevard bezeichnet man als ***Golden Triangle***, die exklusivste LA-Shoppingzone mit Kern am **Rodeo Drive**.

Holocaust Museum

www.museumoftolerance.com

Nur wenige Blocks südlich des Goldenen Dreiecks steht das meist als *Holocaust Museum* bezeichnete ***Museum of Tolerance***; 9786 West Pico Blvd, © (310) 553-8403. Die plastische Holocaust-Abteilung beansprucht breiten Raum. Sie beschreibt in nahegehender Authenzität das Schicksal der Juden im 3. Reich. Die Besucher werden gruppenweise als kindliche Opfer der Judenvernichtung durch das Szenario geführt. Da ein individueller Gang durch die Räume nicht möglich ist, müssen spontane Besucher ggf. lange Wartezeiten bis zur nächsten freien Tour in Kauf nehmen. Eine **Voranmeldung** ist möglich und empfehlenswert; hoher Eintritt $10. Parken in der Garage unter dem Museum ist gratis.

Hollywood

www.manntheatres.com

Weiter oben verändert die dort ***Sunset Strip*** genannte Allee ihr Erscheinungsbild und wird zur ganz normalen Geschäftsstraße. Parallel zu ihr läuft in Hollywood der gleichnamige Boulevard, wo vor ***Mann's Chinese Theatre*** (zwischen La Brea/ Highland Ave) Stars und Sternchen ihre Hand- und Fußabdrücke samt Spruch für *Sid Grauman*, den einstigen Eigentümer des bunten Chinapalastes, im Zement verewigt haben. Drinnen befinden sich heute Restaurant und Kino. In die Gehsteige des Hollywood Blvd wurden auf einer guten Meile Länge beidseitig des chinesischen Theaters und ein Stück in die Vine Street hinein 2.500 überdimensionale Messingsterne eingelassen und den Größen des Showgeschäfts gewidmet (***Walk of Fame*** mit bislang ca. 2.000 Namen).

*Fuß- und Handabdrücke der Stars im Zement vor **Sid** Graumanns Chinese Theater (hier von Humphrey Bogart)*

Situation heute

Obwohl Hollywood heute nur noch relativ wenig mit Filmproduktion und TV zu tun hat, die großen Studios längst ins San Fernando Valley (North Hollywood/Burbank) und sonstwohin verlagert wurden, steht der Name dieses Stadtteils nach wie vor als Synonym für die kalifornische Filmindustrie. Und so bevölkern tagtäglich erstaunliche Touristenscharen Hollywood. Die Besucher finden außer den genannten Attraktionen, der ***Guinness World of Records***, einem Wachsmuseum und ***Ripley's Believe it or not*** eine Handvoll antiquarischer Buchläden und jede Menge Souvenirshops, *Fast Food* Betriebe, Restaurants und Kneipen. An der Kreuzung Hollywood/Highland steht ein neues *Entertainment Center* mit dem ***Kodak Theater*** (www.kodaktheatre.com); dort findet alljährlich die Verleihung der *Academy Awards*, besser bekannt unter der Bezeichnung ***Oscars***, statt. Nebenbei erkennt man von dort aus besonders gut den **Schriftzug »Hollywood«** hoch in den Hügeln über dem Stadtteil.

Hollywood Cemetery

Authentisch ist in Hollywood der Friedhof, auf dem man viele bekannte Namen des Filmgeschäfts entdecken kann. Der ***Hollywood Cemetery*** befindet sich am Santa Monica Blvd zwischen Gower St und Van Ness Ave; www.hollywoodforever.com.

Griffith Park

Nordöstlich Hollywood zwischen dem ***Freeway* #101** und dem ***Golden State Freeway*** (I-5) liegt der außergewöhnliche *Griffith Park*, den man am besten über die Vermont Ave ansteuert. Sie führt durch hügeliges Waldgelände (*Vermont Canyon*) mit enormer Picknickkapazität, Sportanlagen und Wanderwegen hinauf zum ***Planetarium & Observatory*** mit einer Aussichtsterrasse, von der man an Tagen mit guter Sicht einen Großteil von Los Angeles überblickt. Bei Dunkelheit schaut man auf ein endloses Lichtermeer. Nach mehrjähriger Renovierung wurden jüngst die beliebten Shows unter der Kuppel des Observatoriums wieder aufgenommen. Da oben zu Showzeiten kaum zu parken ist, verkehrt ein *Shuttle* zur Anlage. Alle Details zum aktuellen Programm, zur Anfahrt etc. unter www.griffithobservatory.org.

Lasershows

Die unter der Kuppel des Planetariums veranstalteten ***Laser Shows*** erfreuten sich jahrelang großer Beliebtheit. Sie wurden aber vor Jahren unterbrochen und sind nun im neuen ***Laserium at Cyberstudio*** technisch perfekter wieder aufgenommen werden im Vorort Van Nuyes im San Fernando Valley (I-405, *Exit* 65, dann Victory Dr bis Hayvenhurst Ave; Details unter www.laserium.com).

Greek Theatre

Am Wege passiert man – noch im Eingangsbereich des Parks – das Greek Theatre, ein Open-air Amphitheater, das von Ende Mai bis Oktober überwiegend für Konzerte genutzt wird (Rock bis Klassik). Große Namen der Musikszene sind dort keine Seltenheit; www.greektheatrela.com.

Zoo und Wildwest Museum

Ein ebenfalls stark frequentierter Bereich des *Griffith Park* ist ein Streifen an seiner Ostseite parallel zur I-5. Über Crystal Springs/ Zoo Drive (Anfahrt über den Los Feliz Blvd oder die I-5) erreicht man unweit des ***LA Zoo*** (www.lazoo.org, nicht umwerfend) das www.autry national center.org

sehenswerte ***Museum of the American West*** (Di-So, 10-17 Uhr; Do bis 20 Uhr, dabei nach 16 Uhr frei, Eintritt sonst $9 bis 12 Jahre $3,) mit einer sehr guten Kollektion zum Thema **Eroberung des Westens** und dessen Glorifizierung in Cowboylegenden, Wildwest-Shows (*Buffalo Bill*), Film und TV.

Abstecher nach Pasadena/ Norton Simon Museum

Ein beachtliches Museum ganz anderer Art, das seltener auf dem Besuchsprogramm ausländischer Besucher steht, ist das ***Norton Simon Museum of Art*** in Pasadena (Mi-Mo, 12-18 Uhr, Fr bis 21 Uhr; Eintritt $8), rund 8 mi östlich des *Griffith Park* an der Ecke Colorado/Orange Blvd, leicht erreichbar über den *Ventura/Foothill Freeway* #134 oder *Freeway* #110 von anderen Richtungen aus.

Das Museum beherbergt u.a. eine **Sammlung alter Meister**, in der auch Namen wie *Rembrandt, Brueghel, Goya* und *Rubens* nicht fehlen, das *Lucas Cranach*-Gemälde **Adam und Eva** (!), eine beachtliche Kollektion europäischer Im- und Expressionisten (*van Gogh, Renoir*, über 100 *Degas, Manet, Monet, Cezanne* u.a.) sowie indische und südostasiatische Kunstwerke. Hübsch ist auch der Skulturengarten mit **Cafeteria**; www.nortonsimon.org.

Huntington Library

Einmal in Pasadena sollten Kulurbeflissene die ***Huntington Library*** mit ***Art Gallery*** und ***Botanical Gardens*** nicht auslassen, 1151 Oxford Road; Di-Fr 12-16.30 Uhr, Sa & So ab 10.30 Uhr, Eintritt $15. Die Anfahrt erfolgt über den breiten **Colorado Blvd** und Allen Ave; ausgeschildert. Die Bücherei beherbergt eine phänomenale Sammlung alter Schriften und Bücher, darunter sogar eine **Gutenberg-Bibel**, die Kunstgalerie vor allem englische Werke des späten Mittelalters. Der über 60 ha große Botanische Garten, eher ein Park, besteht aus 15 unterschiedlichsten, wunderschönen Teilgärten, eine Augenweide; www.huntington.org.

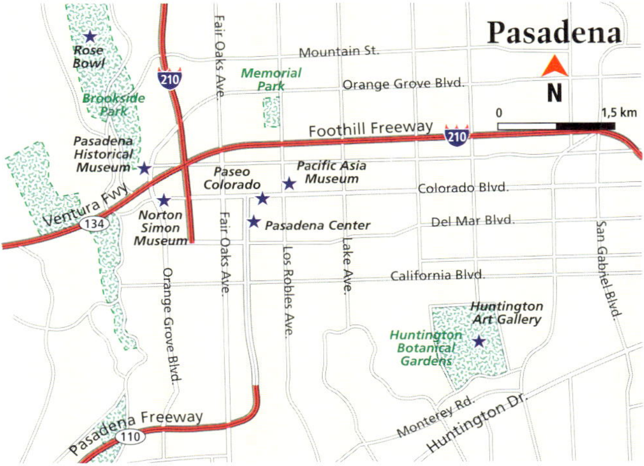

Universal City Studios

Eintritt

Der ***Southern California City Pass*** für **$235** enthält Tickets für *Disneyland, California Adventure, Universal, Sea World* und *San Diego Zoo* oder den *Wild Animal Park* in Escondido

Von den ***Amusementparks*** im Großraum Los Angeles sind die ***Universal City Studios*** neben *Disneyland/California Adventure* die mit Abstand populärsten. Sie liegen einige Meilen westlich des *Griffith Park* am *Hollywood Freeway* #101. *Universal* kostet neben den Parkgebühren ($10) **$61/Person**, Kinder bis 122 cm Größe $51, so keine *Discount-Coupons* zur Hand sind. Im **Internet** – www.universalstudios.com – gibt's für $62 ein Ticket zum Ausdruck für 2 Tage Eintritt innerhalb von 3 Tagen. Außerdem erhalten Internetbucher ***Discount Coupons*** im Wert von $100 für Restaurants und Shops auf dem Studiogelände bzw. Citywalk. Ein **Jahrespass** kostet $71 (!) bei freiem Parken ab dem 2. Besuch. Wer in Anaheim logiert (Bereich Disneyland, ➤ Seite 240), kauft den **1-Tages-Pass inkl. freiem Zubringerbus** nach *Universal* für $62.

Geöffnet sind die Studios täglich ab 9/10 Uhr bis 18/19 Uhr, im Sommer ab Ende Juni bis Ende August bis 20 Uhr und an Wochenenden bis 21 Uhr. Mit An- und Abfahrt entspricht der Besuch einem vollen Tagesprogramm.

Man erreicht die *Universal Studios* auch **per U-Bahn** (*Red Line*) oder per **MTA Bus** (www.metro.net).

Der *Universal*-Komplex besteht aus drei Teilbereichen:

Upper Lot

1. In dem durch jede Menge Shops und Restaurants ergänzten ***Entertainment Center*** im ***Upper Lot*** laufen mehrmals täglich unterschiedlichste Shows: ***The Blues Brothers***, ***Nickelodeon Blast Zone***, ***Shrek 4D***, ***Animal Actors***, ***Revenge of the Mummy*** (Horror: »Rache der Mumie«), ***Terminator 2* in 3D** und die Trick- und *Action-Shows* ***Back to the Future*** und ***Waterworld***. Alle Shows sind unterhaltsam und kurzweilig, solange man vermeidet, das Geschehen kritisch zu reflektieren.

Lower Lot

2. Unterhalb, im sog. ***Lower Lot***, liegt das ***Studio-Center***. Der Feuersturm ***Backdraft***, der – nicht sehr aufregende – *Raft Trip* durch den ***Jurassic Park*** und vor allem ***die Special Effects*** in ***The World of Cinemagic*** ziehen dort das Publikum an, das geduldig in Schlangen auf Einlass wartet. **Wer keine Lust aufs Warten hat, kauft sich für $84 ein *Jump-the-line-Ticket*.**

3. Durch das Gelände der Studios, das ***Backlot***, geht es per ***Studio Tram Tour*** (mit jeweils etwa 150 Personen). Während der 60 min-Tour gelten pausenlose Erläuterungen all den Filmen, die in

Action pur im Wasserbecken der Show Waterworld. Da rasen Outboarder und Airboats, MGs ballern, es kracht, knallt und explodiert

den Stadtattrappen und an künstlichen Seen gedreht wurden, und den zahllosen Stars und Sternchen, deren Bekanntheit vorausgesetzt wird. Für Spaß und Schrecken ist gesorgt, wenn eine Flutwelle anrollt, der **Weiße Hai** angreift, die **Erde bebt**, Beton bricht, Flammen lodern und sogar ***King Kong*** sein Unwesen treibt (nichts für Kleinkinder).

Citywalk

Und nach all dem kann man (ohne Eintritt) im ***Universal Citywalk*** mit Kinos, Shops und Restaurants (***Hard Rock Café*** und ***Victoria Station***) hinter ***Art Deco*-Fassaden** weiter die aufregende Welt des *Entertainment* genießen.

Hinweis

Man benötigt in den *Universal Studios* schon ein gerüttelt Maß an Unvoreingenommenheit, um von Herzen *Fun* zu haben.

Downtown und Wilshire District

Geographie Downtown

Wie eingangs im Abschnitt Geographie kurz erläutert, gibt es in Los Angeles keine »Innenstadt«, die von ihrer administrativen und wirtschaftlichen Bedeutung her mit der anderer großer Cities vergleichbar wäre. Nichtsdestoweniger existiert ein – dank seiner **Hochhauskulisse** – auch aus der Distanz deutlich erkennbares ***Downtown Los Angeles***. Zum Bereich *Downtown* zählt man in LA neben dem in jüngster Zeit stark expandierenden Geschäfts- und Finanzzentrum den ***Civic Center*** Komplex mit Administrations-, Gerichts- und Kulturgebäuden, die heute als ***State Historical Park*** ausgewiesene Altstadt sowie – in Randlage – ***Chinatown*** und ***Little Tokyo***. Das Gebiet hat die Form eines Dreiecks und wird durch den *Pasadena Freeway* (I-110) oberhalb und unterhalb der Kreuzung mit dem *Hollywood Freeway* #101, die 7th Street östlich der I-110 und die Alameda Street bis hinauf zur College Street (*Chinatown*) begrenzt.

Transport

Die **Park- und Verkehrssituation** in *Downtown* ist werktags katastrophal. Es empfiehlt sich ein Abstellen des Wagens auf einem der zahlreichen (teuren) Parkplätze in den Randzonen des skizzierten Dreiecks oder in einem der Parkhäuser und eine **Erkundung von *Downtown LA*** – zumindest innerhalb der Teilbereiche – ***per pedes***. Zur Überbrückung längerer Distanzen eignen sich bestens die Busse des ***Downtown Area Short Hop*** **(DASH)**, die Mo-Fr zwischen 6.30 Uhr und 18.30 Uhr in 5-10-min-Intervallen (Sa+So nur 2 Linien mit geringerer Frequenz; aber Wochenend-Sonderlinie ***Downtown Discovery***) in kurzen Intervallen zwischen allen wichtigen Hotels, *Shopping Malls*, markanten Gebäuden und Sehenswürdigkeiten sowie *Chinatown, Pueblo de los Angeles* und der *Union Station* verkehren. Die zahlreichen Haltepunkte sind nicht zu übersehen. Das Ticket kostet einheitlich **$0,25**. DASH verkehrt auch zu Zielen außerhalb von Downtown; Einzelheiten unter www.ladottransit.com.

Hochhäuser

Zur Inaugenscheinnahme der gläsernen Paläste der Versicherungen, Banken und Luxushotels und der neueren Kreationen postmoderner **Architektur** samt unübersehbarer Skulpturen (➤ unten) zwischen den Hochhäusern beginnt man am besten am **Südende**

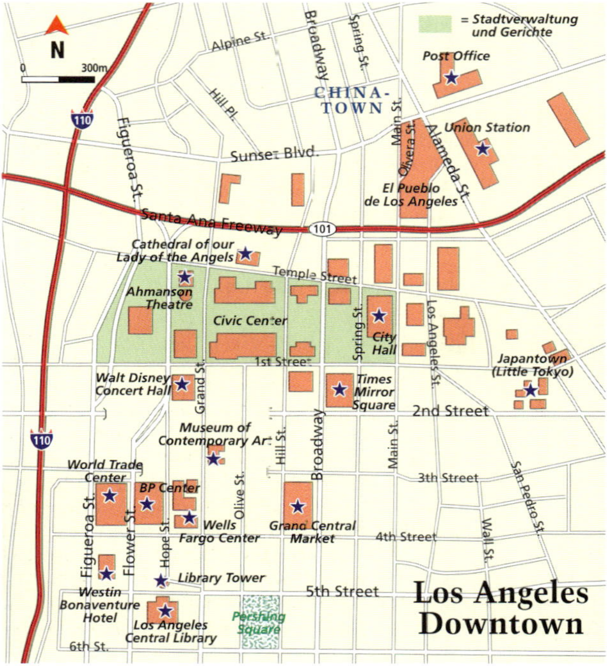

Westin Bonaventure Hotel

8th/7th Street) der **Figueroa Street**. Dabei lässt sich das ***Westin Bonaventure Hotel*** mit seinen einst *Downtown* prägenden, heute von seinen Nachbarn teilweise überragten Glastürmen nicht verfehlen. Sehenswert ist dessen lichtdurchflutetes Atrium mit Boutiquen- und **Restaurantarkaden** und Wasserspielen auf versetzten Ebenen. Von dort sollte man der 4th Street bis zur Hope Street folgen und weiter oben (spätestens 1st Street) zur **Grand Avenue** hinübergehen. An der California Plaza/Grand Ave zwischen Gericht und Stadtverwaltung steht abgesenkt der eindrucksvolle Bau des ***Museum of Contemporary Art***; Mo-Fr 11-17 Uhr, Do bis 20 Uhr (Eintritt frei), Sa+So bis 18 Uhr; $8; www.moca.org. Die Sammlung bezieht sich auf (überwiegend amerikanische) Kunst seit den 1940er-Jahren bis heute. Viele große Namen dieser Epoche (*Rauschenberg, Warhol* etc.) sind mit Werken vertreten.

Avantgardistische Architektur (Frank Gehry) der Walt Disney Hall

Walt Disney Concert Hall

100 m weiter nördlich steht seit kurzem die überaus sehenswerte ***Walt Disney Concert Hall***, Heimat des *Los Angeles Philharmonic Orchestra* (111 South Grand Ave); Programm und Tickets unter http://wdch.laphil.com. Auch an der Grand Ave (südlich des *Freeway* #101) steht die ***Cathedral of our Lady of the Angel***s, eine weiteres Architekturmeisterwerk, www.olacathedral.org.

Broadway

Nach Osten bildet der mexikanisch geprägte **Broadway** eine Art Grenzlinie zwischen dem boomenden *Business*-Bezirk und der schäbigen, bei Dunkelheit unbedingt zu meidenden *Eastside* der City. In diesem Bereich befindet sich der **Greyhound Busbahnhof** (Alameda St) und passenderweise auch gleich das **Polizeihauptquartier** (6th St/ Maple Ave).

Market

Am Broadway zwischen 3rd und 4th St markiert auch der ***Grand Central Public Market*** einen bemerkenswerten Kontrast zur Pracht der postmodernen City; www.grandcentralsquare.com.

Fotografieren

Für gute **Fotos** der ***Downtown Skyline*** eignen sich besonders gut Standpunkte auf der **Pershing Plaza**, siehe Karte links.

Japan Viertel

Zwar auch östlich des Broadway, aber zwischen 1st und 2nd Street bereits etwas außerhalb der Problemzonen, findet man das japanische Miniviertel ***Little Tokyo*** (San Pedro St/Central Ave). Im wesentlichen handelt es sich um ein leicht japanisch »angehauchtes«, durchaus nicht typisch japanisches *Shopping Center* (Japanese Village Plaza), das man vielleicht zum Besuch eines der ***Sushi Restaurants*** aufsuchen könnte. Einen eigenen Besichtigungswert besitzt *Little Tokyo* nicht; www.visitlittletokyo.com.

Old Town

Unmittelbar jenseits des *Hollywood Freeway* zwischen Alameda (gegenüber der ***Union Station*** – Bahnhof für die Amtrak-Züge/U-Bahn und Baudenkmal) und Spring Street pflegt man im ***Pueblo de los Angeles State Historic Park*** die Reste der spanisch/mexikanischen Vergangenheit, die sich dort in einigen – insgesamt mäßig sehenswerten – Gebäuden manifestiert. Ein ***Visitor Center*** an der Main Street informiert über Einzelheiten. Im Mittelpunkt steht aber letztlich weniger die Historie als das kommerzielle Angebot auf der hübschen **Old Plaza** und – daran anschließend – in der **Olvera Street** mit jeder Menge ***Mexico Shops*** und ***Mexican Food***.

In Chinatown wurde die neue Metrostation dem Aussehen der Umgebung angepaßt

Chinatown

www.chinatownla.com

Wenige Blocks nördlich des Pueblo besitzt auch Los Angeles seine *Chinatown,* aber bei weitem nicht so groß und prächtig wie die San Franciscos. Ihr Zentrum ist ein **Fußgängerbereich** zwischen Hill Street und North Broadway oberhalb der College Street. Die *Chinatown* schließt am frühen Abend, wenn die Tagestouristen verschwunden sind, weitgehend ihre Pforten.

Exposition Park

Nicht mehr ganz zum Bereich *Downtown* LA gehört der *Exposition Park (*Figueroa Street/Exposition Blvd), liegt aber – auf dem *Harbor Freeway* #110 leicht erreichbar – nur rund **4 mi südlich der City**. Kernstück des Komplexes ist das nostalgische ***Coliseum***, Hauptschauplatz der Olympischen Spiele von 1984 und 1932. Immer stark besucht und besonders bei Schulklassen beliebt ist das ***California Science Center*** (10-17 Uhr, Eintritt frei), ein riesiges Technikmuseum mit vielen Sondertrakten, darunter vielleicht am interessantesten das *Aerospace Building* zur Luft-

und Raumfahrt mit IMAX-Kino, ➤ Seite 45; www.californiasciencecenter.org. Das *LA County* **Natural History Museum** (Di-So, 10-17 Uhr; $9, bis 12 Jahren $2; www.nhm.org), in Breite und Präsentation ein gutes naturgeschichtliches Museum, liegt in nächster Nähe. Erholung bietet der parkartige Campus der ***University of Southern California*** gegenüber den Museen am Exposition Blvd.

Hancock Park

Die rascheste Verbindung von *Downtown* zu den Stränden im Westen bietet der *Santa Monica Freeway*. Weitgehend parallel dazu läuft nördlich der **Wilshire Boulevard** durch den prosperierenden gleichnamigen Bezirk und später – zwischen Sunset und Santa Monica Blvd – als dritte wichtige Verkehrsachse durch die bereits beschriebene *Westside*. Noch im ***Wilshire District*** passiert diese breite Allee den ***Hancock Park*** zwischen Fairfax und La Brea Ave, der zwei Sehenswürdigkeiten beherberbergt:

- in seiner Südwestecke das ***Los Angeles County Museum of Art*** (**LACMA**, www.lacma.org), einen Komplex aus fünf um eine zentrale Hofanlage gruppierten Gebäuden und drei Skulpturengärten (Mo, Di+Do, 12-20 Uhr; Fr bis 21 Uhr, Sa+So 11-20 Uhr; Eintritt $9, unter 18 Jahre frei. Alle nach 17 Uhr frei dank *Sponsorship* durch die Kaufhauskette *Target*).

  Die Ausstellungen im *Anderson, Ahmanson* und *Hammer Building* beziehen sich auf **Stil- und Kunstrichtungen zahlreicher Kulturen** vom Altertum bis zur Neuzeit. Im ***Anderson Building*** findet man in erster Linie Kunstwerke aus Europa und Amerika im 20. Jahrhundert und im ***Hammer Building*** eine beachtliche impressionistische Sammlung. Im ***Ahmanson Building*** beeindrucken alte Meister (u.a. *Rembrandt, Frans Hals*) und eine Kollektion von *Rodin*-Skulpturen. Aus dem Rahmen fällt der ***Pavilion for Japanese Art***, dessen Architektur andere Akzente setzt. In Bau ist zur Zeit ein für 2008 angekündigte Erweiterung. Empfehlenswert sind das ***Plaza Café*** und das ***Pentimento Restaurant***.

Mammut im La Brea Teertümpel

- östlich neben dem Kunstmuseum befinden sich die ***La Brea Tar Pits***, mit einer teerigen Brühe gefüllte Teiche, in denen im Laufe der Erdgeschichte unzählige Tiere versanken. Hunderttausende von Knochen wurden aus den *Pits* geborgen und teilweise wieder zu Skeletten zusammengesetzt, darunter auch das einer Frau, der ***La Brea Woman***. Erstaunlich gut konserviert sind die prähistorischen Fossilien. Ein Teil davon ist im ***Page Museum of La Brea Discoveries*** zu sehen, geöffnet Di-So, im Sommer täglich 10-17 Uhr; $7; Kinder $2-$4,50; www.tarpits.org.

Petersen Automobil museum

Wer sich für besterhaltene alte Autos interessiert, wird im ***Petersen Automotive Museum*** mit über 150 teilweise »sagenhaften« Ausstellungsstücken mehr als fündig. Das Museum steht genau gegenüber dem LACMA an der Wilshire Ave, Ecke Fairfax. Eintritt $10; Öffnungszeiten Di-So 10-18 Uhr; www.petersen.org. Parken im eigenen Parkhaus möglich; Einfahrt Fairfax; $6.

Venice Beach

Kennzeichnung

Folgt man vom *Hancock Park* der Fairfax Ave in südliche Richtung, stößt man bald auf den Venice Blvd, der gradlinig hinunter an den Ozean nach Venice führt, während der Wilshire Blvd weiter nördlich am gepflegten *Palisades Park* (Ocean Ave/Santa Monica Beach) endet. Das **Venedig Los Angeles'**, eine Art alternativer, dem Namensvorbild nur sehr entfernt verwandter Stadtteil mit populären, an Kanälen gelegenen Wohnbereichen, gehört zu den schillernden Attraktionen von *Greater LA*. Für Besucher kommt es im wesentlichen auf die ***Venice Beach*** an mit Kernabschnitt zwischen Grand und Venice Blvd westlich von Ocean Ave bzw. Speedway.

Strandpromenade

Die »entscheidende« Rolle spielt der ***Ocean Front Walk***, eine betriebsame Strandpromenade mit bisweilen exzentrischem Treiben. Diese Fußgängerstraße ist eigentlich keine spezielle Venice-Einrichtung, denn sie läuft von der ***Santa Monica Pier***, einem Jahrmarkt über dem Wasser, bis zur ***Marina del Rey***, Ausgangshafen der olympischen Segelwettbewerbe 1984 mit einem unglaublichen Bestand an Booten der Luxusklasse, und dann weiter bis hinunter zur Halbinsel *Rancho Palos Verdes*. Aber während in Santa Monica, im angrenzenden Stadtteil Ocean Park und weiter südlich Radfahrer und *Jogger* den *Front Walk* meist nur mäßig beleben, gesellt sich in Venice »viel Volk« hinzu. Entlang einer ***Open-air* Restaurantzeile** und bunter Verkaufsstände zeigen Könner ihre *Skate Board* Artistik, starke Männer, Volley- und Basketballer produzieren sich im neuen ***Recreation Center***, Radfahrer und *Skater* preschen auf einer Betonspur über den Strand. Pflastermaler, Pantomimen und Musikanten sorgen an guten Tagen für zusätzliche **Unterhaltung**. Leider ist seit einigen Jahren ein langsamer, aber stetiger Niedergang zu verzeichnen. Unerfreulich wirkt schon manche Straße gleich hinter dem Strand. Am Abend meidet man *Venice Beach* besser.

Mural (Wandbild) in Venice Beach

Long Beach und San Pedro

LA-Südküste

Über das Freewaynetz aus allen Richtungen gut erreichbar besetzt die selbständige **City of Long Beach** die kurze LA-Südküste an der *San Pedro Bay* rechts bzw. östlich der Halbinsel *Rancho Palos Verdes*. Zwischen den Hügeln von *Palos Verdes*, in denen sich ähnlich wie in den *Beverly Hills* zahlreiche mondäne Anwesen verstecken, und dem Zentrum von Long Beach im Bereich Ocean Ave/Long Beach Blvd beherrschen zunächst ausgedehnte Hafen- und Industrieanlagen das Bild. Danach aber beginnen **breite, nahezu endlose Strände**, bis hinunter nach San Diego nur unterbrochen von Yachthäfen und gelegentlichen Steilküstenabschnitten. Fast überall kann man in den wasserwarmen Monaten *Surfboards* leihen. Insbesondere **Huntington Beach** (zwischen Newport und Long Beach) gilt als *Surfer*-Hochburg. Ins Auge fallen entlang der Küstenstraße bis **Newport Beach** die zahlreichen Wohnkomplexe an Stichkanälen mit Bootsanleger vorm Haus.

Long Beach

Direkt nach Long Beach hinein führt der gleichnamige *Freeway* I-710. Er endet auf dem **Shoreline Drive** zwischen *Convention Center* und einer Parkanlage mit dem künstlichen ***Shoreline Village***, einem Restaurant- und Kneipencenter am Wasser, Marina, Campingplatz (nur für Wohnmobile) und dem grandiosen ***Aquarium of the Pacific***. Der Blick von Uferstraße und Park fällt auf der Küste vorgelagerte mit Palmen und nächtlicher Illumination getarnte Ölförderinseln und die gegenüberliegende ***Queen Mary***.

Aquarium

Das ***Aquarium of the Pacific*** an der umstrukturierten *Long Beach Waterfront* (100 Aquarium Way) ist eines der größten und modernsten Aquarien der USA, im Westen nur erreicht vom *Monterey Aquarium*. Äußerst lohnenswert! Geöffnet täglich 9-18 Uhr; Eintritt $21, bis 12 Jahre $12. Parken $6; www.aquariumofpacific.org

Queen Mary

Der nostalgische Ozeanriese war lange die nach *Disneyland* und den *Universal Studios* drittgrößte kommerzielle Touristenattraktion von Los Angeles. Bereits seit Ende der 1970er-Jahre liegt der ehemals englische Luxusliner in Long Beach.

Als 1993 die zwölfmotorige ***Spruce Goose***, das größte Flugzeug aller Zeiten mit einer Spannweite von rund 100 m, das am Kai hinter der *Queen Mary* zu besichtigen war, nach Japan verkauft wurde, ging es mit den Besucherzahlen bergab. Aber dann wurde als neue Attraktion ein **russisches U-Boot der sog. Foxtrottklasse** am Kai festgezurrt und die Schiffsbesichtigung konzeptionell geändert. Nun gönnt man den Besuchern neben der *self-guided Tour* durch alle Decks noch eine ***Special Effects Show*** *»Legends & Ghosts of the Queen Mary«*. Das kostet aber auch gleich **$28**, ermäßigt **$17**, die Besichtigung der ***Scorpion*** **$11/$10**. Hinzu kommen Parkgebühren von $3-$10. Beide Attraktionen **täglich 10-17 Uhr**, www.queenmary.com. Für den Besuch der *Queen Mary* und des Aquariums gibt es **Kombitickets für $34**.

Die *Queen* dient mit ihren weitgehend im Originalzustand erhaltenen Kabinen zusätzlich, wenn heute nicht sogar in erster Linie als **Restaurant- und Hotelschiff**, ➤ Seite 240.

Die **Anfahrt** vom *Freeway* ist direkt (ohne einen Umweg über die City of Long Beach) möglich und ausgeschildert. Man gelangt automatisch auf den Parkplatz für die *Queen Mary* und die Catalina Island-Fähre.

Santa Catalina

Sowohl in ***San Pedro*** (*Terminal* unterhalb *Vincent Thomas Bridge*) als auch in **Long Beach** (*vor der Queen Mary*) legen die Ausflugsboote zur 21 mi vor der Küste liegenden ***Catalina Island*** ab, bei gutem Wetter ein sehr schöner **Ganztagestrip.** Die herrliche, fast autolose Insel erkundet man per Fahrrad (ab $20/Tag) oder zu Fuß. Nur an Sommerwochenenden bringen Ausflügler und Yachtbesatzungen richtig Leben mit nach **Avalon**, der einzigen Inselstadt. Quartiere sind dort sehr teuer, aber man kann prima **campen**: www.scico.com/camping ($12/ Person, *tent cabins*). Die Überfahrt (90 min; mit der Express-Fähre 60 min) ab $32 *retour*. Information und Reservierung unter © (943) 492-5308; Schnellfähre © 1-800-360-1212; $42. Alles Weitere unter www.catalina.com.

Ports o'Call

Das künstliche »Fischerdorf« ***Ports o'Call Village*** (11–21 Uhr) liegt in **San Pedro**, einige Meilen westlich Long Beach unterhalb des auslaufenden *Harbor Freeway* (Harbor Boulevard/ Nagoya Way) am Ufer der Haupteinfahrt zum Los Angeles Harbor. In der als Touristenattraktion konzipierten Anlage mit einst vielfältigen Shops, Restaurants und gepflegtem Grün, dominieren heute Frischfisch-Restaurants und -läden rustikal-mexikanischen Anstrichs, ➤ Seite 240. Gebraten und gegrillt wird nach Auswahl am Tresen. Verzehr bei gutem Wetter auf den großen *Open-air*-Terrassen. Besonders beliebt sind riesige Krabben- und Grillfischtabletts für die ganze Familie. Samstags/sonntags herrscht ausgelassene Latinoatmosphäre.

Parkers Lighthouse Restaurant im Shoreline Village

Disneyland feierte 2005 seinen 50. Geburtstag

Anaheim ist Disneyland

Disneyland/ California Adventure: Anfahrt

Die Stadt **Anaheim** im Südosten von *Metropolitan LA* beherbergt die neben den *Universal Studios* meistbesuchte Touristenattraktion der Westküste: ***Disneyland*** mit (seit 2001) ***Disney's California Adventure***. Von **Downtown LA** und anderen Ausgangspunkten weiter nördlich erreicht man Anaheim am schnellsten auf dem ***Santa Ana Freeway*** (I-5), von **West LA** und **Long Beach** über den *Redondo Beach Freeway* #91 oder die Kombination *San Diego/ Garden Grove Freeway* (I-405/#22) und danach ebenfalls I-5. Die Zufahrt ab I-5 ist ausgeschildert.

Besuchs-planung

Die **Disney-Parkplätze** sind dank der Wegweisung ringsum kaum zu verfehlen. **Öffnungszeiten für beide Parks**: generell Mo-Fr 10-18 Uhr, Disneyland oft länger, Sa & So 9-24 Uhr; im Sommer auch werktags teilweise bis 24 Uhr. Saisonale, feiertägliche und ferienbedingte Abweichungen. **Eintritt $63/Person** (Kinder bis 9 Jahren ermäßigt $53) für den Ganztagspass eines der beiden Parks, der die Teilnahme an sämtlichen *Rides* und den Besuch aller Attraktionen in (jeweils) einem der beiden Parks einschließt. Wer beide Parks besuchen möchte, kauft ein ***Park Hopper Ticket*** ($83/$73) für einen Tag, $122/$102 für 2 Tage; auch mehr Tage sind möglich. ***Discount Coupons* gibt es bei *Disney* nicht**.

Die Parkgebühren betragen $11-$13. Wer die sparen möchte, sucht sich einen **Parkplatz im weiteren Umfeld** und geht von dort zu Fuß zum Parkeingang (weit) oder nimmt die **Magnetbahn** ab *Disneyland Hotel*, deren Benutzung indessen den Ticketkauf für einen der Parks voraussetzt. Eine andere Möglichkeit ist, das freie Parken für *Downtown Disney* zu nutzen, ggf. bis zu 5 Stunden.

Downtown Disney

Zwischen beiden Parks befindet sich ***Downtown Disney***, ein **Restaurant- und Shoppingkomplex**, der seinesgleichen sucht. Alles künstlich attraktiv, nicht billig, aber populär, dazu ohne Eintritt und Parkgebühren (3 Stunden frei, mit Restaurantrechnung bis zu 5 Stunden). *Downtown Disney* ist eine reine Fußgängerzone und verbunden mit dem neuen rustikalen **Luxushotel *Grand Californian*** und dem ***Disneyland* Hotelkomplex**. Auch in der schön gestalteten **Disney'schen Hotelwelt** befinden sich zahlreiche **Restaurants** und **die einzigen guten Kneipen weit und breit**.

Unterkunft im Bereich Disneyland

Zur **Hotelsituation generell** in Anaheim siehe Ausführungen auf Seite 240 und die beispielhaften Angebote auf Seite 136.

Reservierung der – im Gegensatz zur Hotellerie im Umfeld extrem teuren – *Disney* eigenen Hotels unter ✆ **(714) 956-6425** oder online: http://disneyland.disney.go.com oder Buchung im voraus im heimischen Reisebüro.

»Erfunden« fürs Animal Kingdom in Floridas Disneyworld, fand das Rainforest Café rasch Verbreitung, hier in Downtown Disney

Die *Campgrounds* in unmittelbarer Nähe mussten Parkplätzen weichen. Zum **Camping** nahe Disneyland ➤ Seite 241.

California Adventure

Disney's California Adventure gehört – obwohl noch recht neu – zur eher konventionellen Sorte der *Amusementparks* mit Riesenachterbahn, typischen Jahrmarkt-*Rides* und viel Show. Der Besuch kann bei **$63 Eintritt** kaum empfohlen werden; richtig Spaß haben dort wohl nur amerikanische Familien mit Kindern, denen das Eintrittsgeld angemessen erscheint. Im folgenden ist daher nur *Disneyland* beschrieben:

Zur Philosophie von Disneyland

Über die **Bewertung** der Disneyschen Phantasiewelt sind die Meinungen seit eh und je ziemlich geteilt. Aber wenn in diesem ursprünglich (1955!) nur für Kinder gedachten Land der *Mickey Mouse* und seiner Freunde auch die Mehrzahl der Erwachsenen offensichtlich Spaß hat, warum eigentlich nicht?

Bereiche und Prioritäten

Um möglichst viel von einem Tag in *Disneyland* zu haben, sollte man ein bisschen **gezielt vorgehen**. Der Park verfügt über fünf unterschiedliche miteinander verbundene Bereiche mit zahlreichen *Attractions* und *Rides*. Da sich bereits an Tagen mit mittlerem Andrang (alle Tage von Juni bis Anfang September, früher und später Wochenenden) vor diesen lange Wartezeiten ergeben (aber siehe ***Fast Pass!***), kann man selbst bei früher Ankunft oft nicht alles an einem Tag wahrnehmen. **Folgende Prioritäten** zu setzen, macht nach Meinung des Autors Sinn:

- **Main Street USA**:
  Eisenbahnfahrt zur Übersicht über den Gesamtkomplex
- **Adventureland mit New Orleans Square:**
  Pirates of the Caribbean (bester *Ride* des ganzen Parks!)
  The Haunted Mansion (fantasievolle Geisterbahn)
  Indiana Jones Adventure: Temple of the Forbidden Eye!!
  Jungle Cruise (Bootstrip durchs »gefährliche« Afrika)
  Tarzans Tree House (Baumhaus mit tollen Einfällen)
- **Frontierland und Critter Country**
  Big Thunder Mountain (Achterbahn im Wilden Westen)
  Splash Mountain (Nasses Vergnügen im »Baumstamm«)
  Mark Twain Riverboat (Raddampfer um Abenteuerinsel)
- **Fantasyland** (vorzugsweise für kleine Kinder geeignet):
  It's a Small World
  Peter Pan's Flight
  Pinocchio's Daring Journey
- **Tomorrowland**:
  Star Tours (Simuliertes intergalaktisches Abenteuer)
  Space Mountain (Extrem-*Rollercoaste*r im »Weltall«)
  Honey, I shrunk the audience (3D-Show)

Fast Pass

Um den Wartezeiten zu entgehen, kann man an vielen Rides einen ***Fast Pass*** ziehen, der eine Zeitvorgabe macht, zu der es dann schneller geht. Einzelheiten im Internet, ➤ links

Hinter *Fantasyland* befindet sich ***Mickeys Toontown,*** eine auf Kleinkinder zugeschnittene Welt der Disney-Charaktere.

Paraden/ Feuerwerk

Jeden Nachmittag finden zu jahreszeitabhängigen Stunden Paraden durch die Main Street zum *Frontierland* statt, unterhaltsame, ustige Züge, die rund eine halbe Stunde dauern; dafür werden immer neue fantasievolle Bezeichnungen gewählt.

An bis Mitternacht geöffneten Tagen gibt es nach Einbruch der Dunkelheit die ***Dreams come true Show*** mit einem tollem Feuerwerk zum Abschluss. Alles übertrifft ***Fantasmic***, eine ***Disney-Lasershow*** am Nachthimmel: im Sommer täglich 22.30 Uhr, sonst nur samstags und an Tagen mit Hochbetrieb.

Gasfeuer mit künstlichen Holzscheiten im Kamin der Halle des Grand California Hotels jahraus, jahrein auch bei 30°C. Macht aber nichts, die Klimaanlage schafft die Hitze ja wieder weg

Garden Grove, Buena Park, Yorba Linda

Crystal Cathedral

Ein architektonisches Wunderwerk aus verspiegeltem Glas ist die ***Crystal Cathedral*** in Garden Grove, Chapman Ave/ Lewis St, nur wenige Blocks südlich von Disneyland; www.crystalcathedral.org. Vor allem der Turm und der Inneneindruck bestechen. Der amerikanische Stararchitekt ***Philip Johnson*** kreierte diesen modernen Gottestempel für die *Reformed Church of America*. Von innen zugänglich Mo-Sa 9-15.30 Uhr, außer bei Gottesdiensten; kein Eintritt, aber eine Spende wird erwartet.

Crystal Cathedral von innen

Knott's Berry Farm

Knott's Berry Farm im Anaheim benachbarten Stadtbezirk **Buena Park** (8095 Beach Blvd) gehört zu den typischen *US-Amusement Parks*. Im Sommer täglich 9-22 Uhr, Rest des Jahres bis 18 Uhr, Sa bis 22 Uhr, So bis 19 Uhr. **Eintritt** $44/ Person, $19 für Kinder bis 11 für den Tagespass abzüglich ***Discount*** bei Couponvorlage (➢ Seite 41). Nach 16 Uhr$25/$19; www.knotts.com. Die einstige Beerenfarm bietet heute neben den üblichen ***Rides*** in Achterbahnen, Lokomotiven und alten Autos eine Menge ***Show* und *Entertainment*** in *Ghost Town, Fiesta Village, Wild Water Wilderness, Indian Trails, Camp Snoopy* und im *Kingdom of the Dinosaurs*. Gute Englischkenntnisse sind Voraussetzung, um zu verstehen, was es zu lachen gibt. Ein weiterer bekannter *Amusement Park* mit *Super-Rollercoasters* ist ***Magic Mountain*** am anderen Ende von Los Angeles, ➢ Seite 299.

Planschpark

Gleich nebenan befindet sich ***Knott's Soak City*** im Nostalgielook der 1950er-Jahre, ein Wasserspaß für jung und alt mit jeder Menge Rutschen und Wellenstrandbad. Eintritt $28; nach 15 Uhr $17. Kinder bis 11 Jahre $17/$17, Parken $9-$15. Im Sommer ab 10 Uhr und variable Schlusszeiten, Frühjahr/ Herbst nur Sa+So 10-18 Uhr. Info unter © (714) 220-5220.

Ritterturnier

Ebenfalls am Beach Boulevard von Buena Park, nur wenig nördlich von Knott's Berry Farm, wird in ***Medieval Times, Dinner & Tournament***, das (europäische) Mittelalter wieder lebendig. Das große Abendessen in königlicher Gesellschaft des Schlossherrn kostet einschließlich des ritterlichen Turnierspektakels zwar abends ab \$50/Person (Kinder \$35), dafür wird aber auch eine tolle Reitshow geboten. Die Anfangszeiten variieren, Auskunft und Reservierung unter ✆ 1-800-899-6600; www.medievaltimes.com.

Richard Nixon Library

Von Anaheim/Buena Park ist es nicht mehr weit nach **Yorba Linda** zur ***Richard Nixon Library & Birthplace*** am Yorba Linda Blvd (kreuzt *Orange Freeway* #57 oberhalb #91), täglich 10/11-17 Uhr, \$10; Info ✆ (714) 993-5075, www.nixonlibrary.org.

Presidential Center

*Monumente zu Ehren ehemaliger Präsidenten befinden sich außerdem noch in Simi Valley nordwestlich von LA (**Ronald Reagan Presidential Library**), im Osten der USA (**Kennedy** in Boston, **Carter** in Atlanta u.a.) und in Texas (**LB Johnson** & **George Bush**). Die allesamt recht aufwendigen Verehrungsstätten dieser Art beleuchten den politischen Werdegang »ihres« Präsidenten und speziell seine Präsidentschaft unter dem Blickwinkel nachträglicher Verklärung und ggf.– wie im Fall Nixon – Auslassung und Rechtfertigung. Sie sind aber auch ergiebige historische Archive für den jeweiligen Abschnitt der Zeitgeschichte. Ihre touristische Anziehungskraft ist bemerkenswert. Für den ausländischen Besucher im Westen der USA bietet die **Nixon Library** eine gute Gelegenheit, diese Spezialität amerikanischer Politkultur kennenzulernen, die teilweise schon religiöse Züge trägt.*

Joshua Tree Park: Wonderland of Rocks (➤ Seite 271) mit einigen der namensgebenden kakteenähnlichen Yuccabäumen

1.2. Startroute #1: Von LA zum Joshua Tree Park

(von dort Weiterfahrt nach San Diego, Phoenix oder Las Vegas)

Anfahrt zum Joshua Tree

Eines der attraktivsten Ziele in der Wüste Südkaliforniens ist der ***Joshua Tree National Park,*** der wegen seiner etwas abseitigen Lage von ausländischen Touristen weniger besucht wird. Von Los Angeles fährt man zunächst in Richtung Riverside – je nach Ausgangspunkt auf den ***Freeways #60*** oder **#91** bzw. der ***Interstate #10***. Ab Beaumont, östlich von Riverside, bildet die I-10 nach Phoenix die einzige direkte Route nach Osten. Eine theoretische Alternative dazu ist die zeitaufwendige Straße #74 durch die Südausläufer der **San Jacinto** und **Santa Rosa Mountains** nach Indio östlich von Palm Springs.

Riverside

Am Wege (auch bei Fahrt in Richtung Las Vegas) liegt Riverside, eine expandierende Schlafstadt für LA-Pendler, aber zugleich ein historischer Ort. Noch vor 100 Jahren war Riverside als Zentrum des Orangenanbaus größte und reichste Stadt Südkaliforniens. Der ***California Citrus State Historical Park***, einige Meilen südlich der

Der Pines & Palms Highway

Bei Banning, 6 mi östlich von Beaumont, beginnt der ***Pines & Palms Highway #243***, eine kurvenreiche ***Scenic Road*** durch die San Jacinto Mountains. Besonders **die ersten 30 mi** dieser pittoresken Straße bis Idyllwild führen durch eine Gebirgslandschaft von in dieser Region kaum erwarteter Höhe bis 3.200 m mit dichtem Hochwald und milden Sommertemperaturen, wenn in der Ebene auf 150 m die Hitze kaum zu ertragen ist. Kein Wunder, dass Idyllwild und Umgebung beliebte Sommer-Wochenend- und Ferienziele darstellen, und dort sagenhafte Immobilienpreise noch für die »letzte Hütte« gezahlt werden. Eine Reihe schön gelegener ***Campgrounds*** im *National Forest*, im *State Park Mt. San Jacinto* und – als *County Park* – bei Idyllwild laden zum Übernachten, Picknick oder als Ausgangspunkt für Wanderungen ein.

Idyllwild gilt als **Künstlerdorf** und schickes Resort mit vielen (ziemlich teuren) Motels, *Inns* und guten Restaurants. An Wochenenden kommt man dort von Mai bis September ohne Reservierung nur mit Glück unter, egal ob im Motel oder auf einem Campingplatz (Reservierung *National Forest* ➤ Seite 201) der Umgebung; www.idyllwildchamber.com.

Wer sich einmal abseits der üblichen touristischen Pfade bewegen möchte, wird eine Fahrt über Idyllwild und weiter auf der (nun nicht mehr aufregend verlaufenden) Straße #74 nach Palm Springs und/oder zum *Joshua Tree Park* als sehr lohnend empfinden. Früher oder später im Jahr muss aber bedacht werden, dass es oben sehr kühl werden kann. Nachtfrost im Mai oder schon im Oktober ist keine Seltenheit.

#91 am Van Buren Blvd, würdigt den Segen der Zitrusfrüchte für die Gegend ($4/Fahrzeug). Zeugen des darauf basierenden Wohlstands sind im Zentrum (Mission Inn Ave) zu besichtigen. Vor ***City Hall*** und ***Municipal Museum*** in erster Linie das ***Mission Inn***, ein enormer, stilistisch nur schwer definierbarer, mexikanisch angehauchter Gebäudekomplex, der zwischen der gleichnamiger Avenue, Main und 6th Street einen ganzen Block besetzt. Die Besichtigung ist allein schon lohnenswert ($12, Kinder gratis), aber man kann sogar darin übernachten:

Wer sich zu Beginn oder am Ende der Reise etwas Besonderes gönnen möchte, findet im **Hotel** des ***Mission Inn*** eine tolle, wenngleich nicht billige Unterkunft: ab $205 Sa+So inkl. Frühstück, AAA ab $169; Reservierung unter ✆ 1-800-843-7755.

Mittelklasse-Motels kosten in Riverside ab $80. Relativ günstig sind ***Best Western*** und ***Days Inn*** (beide in der Magnolia Ave patallel zur #91) unweit ***Tyler Galleria Shopping Mall***.

Nach Palm Springs

Ohne Umweg über Idyllwild sind es von Beaumont nur knapp 20 mi bis zur Abfahrt nach Palm Springs, das immer einen kleinen Abstecher wert ist. In diesem Bereich durchquert die I-10 ein riesiges Areal voller **Windkraftanlagen** – ein eindrucksvoller Anblick.

Kennzeichnung Palm Springs

Palm Springs ist eine künstlich geschaffene **Stadt der Luxusklasse** für den Teil der Bevölkerung, der seinen Wohnort mit den wechselnden klimatischen Bedingungen der Jahreszeiten verlegen kann. der Bereich Palm Springs/Palm Desert samt Umgebung von Herbst bis Frühjahr als beliebtes **Wochenendziel** für *Los Angelitos* und **Urlaubsort** für US-Bürger vor allem aus den Staaten, die von winterlicher Kälte und Schnee geplagt werden. www.palmsprings.com

Seilbahn

Ganzjährig populär ist die Fahrt mit der ***Aerial Tramway*** zum fast 2500 m über Palm Springs liegenden ***San Jacinto Wilderness Park***. Die Temperaturunterschiede zwischen oben und unten betragen bis zu 30°C. Aktive können auf schönen *Trails* in die Wildnis wandern und im Winter Loipen (!) befahren. (Betrieb im Halbstundentakt Mo-Fr 10-20 bzw. April-Okt. 21 Uhr, Sa+So ab 8 Uhr; im August 2 Wochen geschlossen; $22, bis 12 Jahre $15; mit Buffet ***Ride n'Dine*** $34/$22 ab 15 Uhr).

San Jacinto Mountains bei Palm Springs. Wo ist die Gondel der Seilbahn?

Kunstmuseum

Einen Besuch verdient das ***Palm Springs Desert Art Museum*** in einem beachtlichen Bau mit einer ebensolchen Sammlung am Museum Dr parallel (westlich) zum Palm Canyon Drive. Die Ausstellung bezieht sich vor allem auf Kunstwerke, die im Südwesten der USA entstanden sind bzw. den Südwesten thematisieren. Geöffnet Di/ Mi, Fr/Sa 10-17 Uhr, Do 12-20 Uhr, So 12-17 Uhr; Eintritt $12,50, Do nach 16 Uhr frei; www.psmuseum.org

American Art in Palm Springs: Da staunt sogar die Mickey Mouse

Agua Caliente

Die ***Agua Caliente Indian Reservation*** ist für ihre **Canyons** mit ungewöhnlichen Felsformationen (***Andreas*** und ***Murray Canyon***) und den ***Palm Canyon*** voller 1.000-jähriger Palmen bekannt. In die *Canyons* gelangt man auf wunderschönen, teilweise steilen ***Trails***. Die Zufahrt lässt sich nicht verfehlen: von Nordwesten die Hauptstraße Palm Canyon Drive durch die Stadt geradeaus (South Palm Canyon Drive). Täglich 8-17 Uhr; Eintritt $8.

Wasserplanschen/ Klettern

Im Einklang mit den klimatischen Gegebenheiten steht (eine weitere, ➤ Seite 264) ***Knott's Soak City*** (Gene Autry Trail, Straße von nach Desert Hot Springs, ➤ auch Seite 270); täglich 11-18 Uhr März bis *Labor Day*; Sept/Okt nur an Wochenenden; $26, Kinder bis 11 Jahren $15. Nach 15 Uhr $16/$12. Parken $9.

Militär-Flugzeug Museum

Aggressiv bemalte Jagdflugzeuge und Bomber aus dem 2. Weltkrieg, ein Großteil davon in einsatzbereitem flugfähigen Zustand, außerdem Schiffsmodelle und Oldtimer Autos stehen im unbedingt besuchenswerten ***Palm Springs Air Museum***, 745 North Gene Autry Trail (hinter dem Flughafen), 10-17 Uhr täglich, Eintritt $10, unter 18 Jahre $5; www.PalmSpringsAirMuseum.org.

Hotels/ Motels

Fast alles ist ziemlich teuer in der Wüste, nur die **Motels und Hotels** nicht in der »Saure-Gurken-Zeit« des langen Sommers. Die Leerstände großer Kapazitäten führen dann **wochentags** zu Angeboten **von $60 und weniger** für Zimmer der Mittelklasse, die in der Hochsaison im Winter $100 und mehr kosten.

Palm Desert

Folgt man von Palm Springs der **Straße #111** weiter in östliche Richtung, passiert man zahlreiche Golfplätze und eine Siedlung nach der anderen. Die Übergänge sind fließend. Ein weiteres Zentrum mit jeder Menge Resort-Hotels und Motels, vor allem aber

Bemalung eines Bombers vom Typ B-17 im Air Museum

Shopping, ist **Palm Desert**. An der Ecke Straße Nr. 111/Bob Hope Drive steht die ***Shopping Mall The River*** mit Open-air-Cafés am den Komplex umgebenden »Fluss«. Eine Meile weiter westlich zweigt die Straße ***»El Paseo«*** von der #111 ab, die Haupteinkaufsmeile von Palm Desert. *El Paseo* kreuzt im übrigen die Portola Ave, an der ein wenig weiter südlich *die Living Desert* liegt.

Living Desert und 1000 Palms Oasis

Wer sich für die Natur in der Wüste interessiert, wird von der ***Living Desert Reserve***, einem botanischen Garten und Zoo zugleich, nicht enttäuscht sein. In Palm Desert, Portola Ave; September bis Mitte Juni 9-17 Uhr, sonst 8-13.30 Uhr, $12; www.livingdesert.org. Wen der hohe Eintrittspreis schreckt, kann einen schönen Bestand der besonderen *California Fan Palms* ebensogut eintrittsfrei in der ***1000 Palms Oasis***, einem Ort absoluter Ruhe, besichtigen und auch noch unter den Palmem picknicken (Ramon Road nördlich der I-10, dann 1000 Palms Canyon Road), keine speziellen Zeiten.

1000 Palms Oasis mit Picknicktischen; Zutritt frei

Desert Hot Springs

Verlässt man Palm Springs über die #111 North (*Gene Autry Trail*) in Richtung Nordeinfahrt *Joshua Tree Park*, passiert man **Desert Hot Springs**, einen eher uninteressanten Ort, aber er hat heiße Quellen. Über die populärsten öffentlichen Pools verfügt das ***Desert Hot Springs Spa Center*** am Palm Drive, 8-22 Uhr, mit angeschlossenem Mittelklasse-Hotel, © 1-800-808-7727; im Sommer ab ca. $90, www.dhsspa.com. Von Oktober bis Mai ist die – nur mäßig attraktive – Anlage meist ziemlich voll. Teurer, aber ansehnlicher ist ein wenig weiter nördlich das ***Miracle Springs Hotel & Spa***, © 1-800-400-4414; www.miraclesprings.com.

In Yucca Valley gibt's den ***Desert Christ Park*** *(ab #62 Mohawk Trail bis zum Ende). Biblische Gestalten und bekannte Szenen sind dort in Beton gegossen.*

Straße #62 nach Joshua Tree

Der ***Joshua Tree National Park*** verfügt über drei Einfahrten, zwei vom ***Twentynine Palms Highway*** (Straße #62) und eine von der I-10 aus. Da der beste Teil des Parks im nördlichen Bereich liegt, macht es Sinn, über die #62 anzufahren. Aus der Karte ist nicht ersichtlich, dass die #62 äußerst dicht besiedelt ist. Fast ohne Unterbrechung säumt eine typisch amerikanische Ausfallstraßen-Infrastruktur die Strecke.

Unterkunft/ Information

Wer in diesem Bereich bis Twentynine Palms ein Quartier benötigt, hat im Sommer und auch sonst wochentags die große Auswahl zu günstigen Preisen. Viele **Motels** dort stehen nicht im AAA-Führer. Mit dem **Ort Joshua Tree** erreicht man die **Hauptzufahrt** in den Nationalpark und eine Informationsstelle mit teurem Shop, siehe Foto rechts oben. Für weitergehende Parkinformationen (Flora, Fauna, Geologie, Historie) muss man bis **Twentynine Palms**, einem Ort mit zahlreichen attraktiven Fassadengemälden (***Murals***), und von dort zum offiziellen ***Oasis Visitor Center*** des *National Park Service* fahren.

Joshua Tree National Park

Der Name dieses ausgedehnten Parks (ca. 2.300 km^2) bezieht sich auf den baumartigen ***Joshua Tree*** (Yucca), der an einigen Stellen der hier bereits wieder höher liegenden Halbwüste (ab 300 m in der Ebene mit Erhebungen bis zu 1.700 m) große Areale bedeckt. Das Zusammenspiel der oft bizarren *Joshua Trees* mit der eigenartigen Felslandschaft drumherum verleiht diesem Nationalpark einen unverwechselbaren Reiz: www.nps.gov/jotr.

An der Einfahrt Richtung Wonderland of Rocks in den Joshua Tree Park

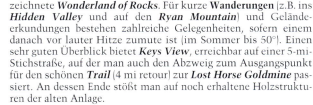

Eintritt $10/Auto $5/Person oder **Jahrespass**

Die Straße ab Joshua Tree führt durch das zu Recht so bezeichnete ***Wonderland of Rocks***. Für kurze **Wanderungen** (z.B. ins ***Hidden Valley*** und auf den ***Ryan Mountain***) und Geländeerkundungen bestehen zahlreiche Gelegenheiten, sofern einem danach vor lauter Hitze zumute ist (im Sommer bis 50°). Einen sehr guten Überblick bietet ***Keys View***, erreichbar auf einer 5-mi-Stichstraße, auf der man auch den Abzweig zum Ausgangspunkt für den schönen ***Trail*** (4 mi retour) zur ***Lost Horse Goldmine*** passiert. An dessen Ende stößt man auf noch erhaltene Holzstrukturen der alten Anlage.

Camping

Unübertroffen ist das Campen im *Joshua Tree Park*. Die Plätze sind überwiegend ohne jeden Komfort und Wasser und kosten deshalb nur **$5**! Nur die Plätze ***Black Rock***, ***Indian Cove*** (isoliert gelegen, aber toller Platz, auch für Kletterer wunderbar geeignet) und ***Cottonwood*** außerhalb des Felswunderland-Gebietes haben

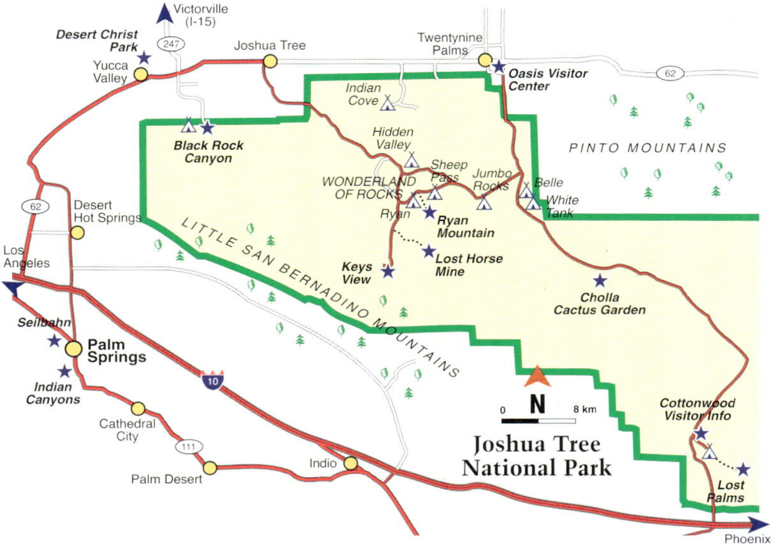

Wasser und kosten $10. Erstere können zentral reserviert werden, ➤ Seite 200). Empfehlung: ***Jumbo Rocks***, ***Ryan*** und ***Hidden Valley***, aber auch ***Indian Cove***, alles Treffpunkt der *Rockclimber*. Die Stellplätze dort wurden liebevoll zwischen Felsen und Wüstenvegetation plaziert, ➤ Foto unten.

Von Oktober bis Mai sind die ***Campgrounds* an Wochenenden meist knallvoll**; So-Do jedoch ist Unterkommen nie ein Problem. **Feuerholz** ist im Park nicht vorhanden. In Anbetracht der vielen romantischen, felsgeschützten Feuerstellen darf man also nicht vergessen, es vor der Einfahrt zu beschaffen.

Klima

Die hohen **Tagestemperaturen** in den Sommermonaten sollten nicht vom Besuch abhalten. Selbst 40°C im Schatten sind bei der dort vorherrschenden Trockenheit noch zu ertragen. Die **Nachttemperaturen** sinken auch im Hochsommer in der Regel auf ein erträgliches Niveau, früher oder später im Jahr kann es sogar recht kühl werden.

Ausfahrt

Etwas außerhalb des Kerngebietes des *Wonderland of Rocks* befinden sich die ebenfalls zwischen Felsen und *Joshua Trees* plazierten ***Campingplätze Belle*** und ***White Tank***. Etwa auf halber Strecke zwischen Twentynine Palms und Cottonwood liegt der ***Cholla Cactus Garden*** mit einem Lehrpfad. Wer ohnehin nach Süden fährt, könnte dort einen Zwischenstopp einlegen. Eine »Notwendigkeit«, der Straße nach Cottonwood zu folgen, besteht ansonsten nicht.

Cottonwood an der Südeinfahrt ist nur eine Rangerstation mit Auskunftsfunktion und Trailhead für eine Wanderung zu den ***Lost Palms***, einer phänomenal am Hang zwischen Felsen »eingeklemmten« Oase (ca. 13 km retour). Der *Cottonwood Campground* (mit Wasser) kann mit anderen Plätzen des Parks nicht »konkurrieren«.

Camp- und Kletterplatz Indian Cove im Joshua Tree Park (ca. 7 mi von der Straße #62 entfernt)

Zurück nach LA

Die schnellste Strecke zurück nach Los Angeles ist naturgemäß die I-10. Eine **reizvolle Alternative** bietet die ***Box Canyon Road*** in einem trockenen Flusstal durch die gleichnamige Schlucht nach Südwesten (Mecca) und weiter über Indio und ggf. die #74 über Hemet oder ab Idyllwild in Kombination mit dem *Pines & Palms Highway*, ➤ Seite 266.

Nach San Diego

Über die **Straße #74**, dann **#371/#79** gelangt man bei Ziel San Diego relativ rasch **auf die I-15** bei Temecula. Eine besonders hübsche Route ist auch die **Straße #79 in südliche Richtung** bis hinunter zur **I-8**. Speziell allen, die den ***Wild Animal Park*** bei Escondido besuchen möchten, sei diese Strecke empfohlen. In Santa Ysabel verlässt man dann die #79 und fährt auf der #78 östlich bis zur Parkeinfahrt.

Nach San Diego

Eine attraktive Route führt vom *Joshua Tree Park* über **Salton Sea** und die **Anza-Borrego Desert** nach San Diego. Zunächst entspricht die Strecke der Alternativroute zurück nach Los Angeles durch den ***Box Canyon***. Ab Mecca geht es entweder auf der Straße #111 am Ostufer der Salton Sea entlang oder auf der #195, dann #86 in einiger Distanz am Westufer des Sees vorbei. Die Wahl der #111 wäre nur dann zu empfehlen, wenn ein Tag Pause an der Salton Sea eingeplant wird. Aber zu bedenken ist: die *Beaches* des Pazifik wie auch die kleinen Stauseen in den Los Pinos Mountains westlich von *Anza-Borrego, Cuyamaca* und *El Capitán,* so sie nicht zu leer sind, bieten (im Sommerhalbjahr bis September) mehr Wasserspaß als die Salton Sea. Etwas Besonderes ist dieses Salzmeer indessen schon:

Salton Sea

Die erst 1905 durch Überflutungen des Colorado entstandene ***Salton Sea*** liegt auf **70 m unter NN** fast auf dem Niveau des *Death Valley* und bedeckt eine Fläche von 680 km^2. Die Ufer sind flach und nicht eben einladend, überwiegend schlammig-steinig oder verschilft. Auch um die Wasserqualität steht es nicht zum besten, und so erfreut sich der See selbst außerhalb der lähmenden Hitzeperiode des Hochsommers nur mäßiger Beliebtheit.

Immerhin gibt es auf der **Ostseite** eine ausgedehnte ***State Recreation Area*** mit mehreren Campingplätzen und Stränden und im Süden ein Naturschutzgebiet. Gut für *Windsurfing* und *Waterskiing:* Die Wassertemperaturen fallen selbst im Januar kaum unter 20°C. Das unattraktive **Westufer** wird von einer Handvoll eher unattraktiver Siedlungen gesäumt.

Anza Borrego Wüste

Die Straße #S22 führt in das Zentrum der knochentrockenen ***Anza-Borrego Desert***, wo außer Kakteen und anspruchslosen Wüstengewächsen nichts gedeiht. Der größte Teil der Region (ca. 2000 km^2) ist Wildnis. Der zentrale Ort **Borrego Springs** auf knapp 180 m über N.N. und Umgebung befindet sich in Privatbesitz, erwacht aber nur von Oktober bis Mai zu Leben. Ab Mitte März bis Mai blüht die Wüste und zieht viele Ausflügler an. Lohnenswert dann: ***Borrego Palms Canyon Trail*** zu einem Palmenhain mit Wasserfall (90 min retour).

Im Juni beginnt der Sommer mit **Temperaturen von 40°C** und darüber. Dann wirkt alles wie ausgestorben; nur einige *Shops* und Tankstellen bleiben geöffnet. Die Durchfahrt lohnt aber jederzeit.

Nach San Diego

Von Borrego Springs fährt man auf der Straße #S3 nach **Julian** im *Cleveland National Forest* (1200 m hoch) und folgt von dort auf sehr schöner Strecke der Straße #79 durch den *Cuyamaca Rancho State Park* hinunter zur ***Interstate #8***, ➤ auch Seite 278.

Wüstengärten www.anzaborrego.stateparks.org/wildflowers.html

Eine kurvenreiche Fahrt hat uns in das weite Tal der Oase ***Borrego Springs*** *hinuntergeführt. Wir wollen den nördlich des Ortes gelegenen* ***Coyote Canyon*** *erkunden. Die Straße läuft auf ganzer Länge durch diese Schlucht und ist eigentlich eine Allradpiste. "Strictly four-wheel-drive, period!" sagte der Ranger. Aber bis zu einem Punkt, der in der Karte als Desert Gardens verzeichnet ist, kommen wir auch mit unserem hinterradgetriebenen Van Camper.*

Die Wüstengärten tragen ihren Namen zu Recht. Wir parken mittendrin. Um uns herum ist alles voller herrlichster Kakteen. Etwa die spindeldürren ***Ocotillos****, deren stachelbewehrte Stämmchen nach einem Regen blitzartig Blätter sprießen lassen können, jetzt aber völlig kahl sind. Mehr noch beeindrucken uns die kuschelig aussehenden* ***Teddy Bear Chollas****, die scharenweise herumstehen. Seine knubbeligen Verzweigungen erinnern an die Arme eines Plüschteddys, der gestreichelt werden möchte. Aber wehe dem, der dieser Versuchung erliegt! Die heimtückischen Stacheln dieser Opuntienart sind mit feinsten Widerhaken besetzt. Schon der leiseste Kontakt genügt, um sie x-fach in der Haut zu haben – ohne Chance, sie wieder zu entfernen. Was diese botanischen Teddies besonders lieben, ist weite Kleidung, die sie im Vorbeigehen greifen können. Mancher hat schon seine Jeans ausgezogen, um sich aus der Liebkosung eines Stachelbären zu befreien.*

Während die Teddy Bear Chollas wenigstens noch aufrecht stehen, manche fast mannshoch, und dem Gegner direkt ins Auge sehen, kriechen einige ihrer hinterlistigen Verbündeten ganz unscheinbar über den Boden und warten geduldig auf achtlose Wanderer, deren Hosenbeine sie mit spitzen Dornen aufspießen. Die Amerikaner nennen sie daher bildhaft ***Wait-a-minute****.*

Weitere ähnlich spröde Schönheiten lernen wir bei vorsichtigen Spaziergängen durchs Hinterland kennen. Aber nichts geht in dieser Wüstenidylle über den spektakulären Abendhimmel mit feurigen Wolkenbildern und einer grell leuchtenden Mondsichel.

Wolfgang Haertel

Südkalifornien
0
40 km
N
Bakersfield
Magic Mountain
Santa Barbara
Topanga State Park
Santa Monica
Long Beach
Huntington Beach
Newport Beach
Laguna Beach
Doheny St. Beach
San Clemente
San Clemente St. Beach
San Onofre St. Beach
Oceanside
Carlsbad
Torrey Pines Beach
La Jolla
Sea World
Point Loma
Silver Strand Beach
San Diego
Balboa Park
Zoo + Museum
Tijuana
San Ysidro
SantaCatalina Island
Avalon
San Clemente Island
Universal Studios
PASADENA
Los Angeles
Disneyland
ANAHEIM
ANGELES NAT. FOREST
CLEVELAND NAT. FOREST
San Bernardino
Silverwood Lake SP
Silverwood Lake
SAN BERNARDINO NAT. FOREST
Las Vegas
Riverside
Idyllwild
Pines & Palms Hwy
Palm Springs
Palm Desert
Desert Hot Springs
Yucca Valley
Joshua Tree
Twentynine Palms
Joshua Tree National Park
Indio
Mecca
Box Canyon Road
Phoenix
Escondido
Wild Animal Park
Palomar Observatory
Santa Ysabel
Julian
Cuyamaca Rancho SP
Lakeside
Lake Jennings
Sweetwater Res.
Outlet Shopping/ Casino
Borrego Springs
Anza Borrego Desert State Park
Salton Sea
Salton Sea State Park
Brawley
Yuma, Phoenix, Tucson
USA - California
MEXICO
101
1
405
110
10
210
5
2
14
138
60
91
15
215
38
18
247
74
371
79
76
S6
67
78
S22
86
111
62
8

Weiter nach Phoenix, Las Vegas oder zum Grand Canyon

Die soweit beschriebene Strecke eignet sich auch als erstes Teilstück für weiterführende Routen in Richtung Phoenix, Las Vegas oder Grand Canyon. **In den ersteren Fällen** handelt es sich ab *Joshua Tree Park* um **gute Tagesetappen**. Die Fahrt zum Grand Canyon ließe sich zur Not ebenfalls an einem Tag bewältigen, zwei Tage Zeit wären angenehmer.

Während es zur ziemlich eintönigen **I-10 nach Phoenix** keine Alternative gibt (im Herbst und Winter mit Unterbrechung vielleicht in **Quartzsite**, dem größten Winter-Campinglager der USA – nur um zu staunen), bestehen für die beiden anderen Ziele immerhin mehrere Straßenkombinationen:

Nach Las Vegas geht es ab Twentynine Palms am besten zunächst nach **Amboy**, einer angeblichen *Ghosttown*, in Wahrheit eine gottverlassene Straßenkreuzung, an der – in diesem Bereich komplett witzlosen – alten ***Route 66*** (➤ Seite 447) und ggf. über Kelso/Cima durch einsame Wüsten-, Gebirgs- und Lavalandschaften der *Mojave National Preserve* auf kleinen Straßen (keine Services, besser nicht mit Campfahrzeugen) zur I-15, gute 60 mi südlich von Las Vegas.

Zwar weniger reizvoll, aber dafür deutlich schneller ist die **#66 nach Osten** und dann auf der **I-40** bis zur **Abfahrt #133** (Straße #95). Auf der **#95** sind es dann noch gut 2 Stunden Fahrt bis Las Vegas.

Den **Grand Canyon** erreicht man am raschesten über die Kombination **Straße #62** weiter nachOsten und ab Vidal Juction die **#95 bis zur I-40** bei Needles (ggf. mit **Umweg auf der *Route 66*** über **Oatman**, einen der wenigen verbliebenen, noch halbwegs besuchenswerten Orte der einstigen Transkontinentalstraße. Diese ca. 50 mi zwischen den Ausfahrten #1 und #44 der I-40 bilden **das landschaftlich reizvollste Teilstück der gesamten noch intakten Strecken der #66 bis Chicago**). Bei Kingman stößt man auf die weiter unten beschriebene Rundstrecke durch Arizona und New Mexico.

Man könnte in **Richtung Grand Canyon** auch weiter auf der **Straße #62** bleiben und bei **Parker/Arizona** den Colorado River überqueren. Dort wendet man sich nördlich und fährt über **Lake Havasu City** (Standort der Stein für Stein über den Atlantik geschafften ***London Bridge***, die früher die Themse überspannte) in Richtung I-40. Für diese Strecke braucht man einen **Extratag** Zeit, der sich nur lohnt bei Lust auf einen entspannten Tag oder Abend am Fluss (Bootsmiete, Schwimmen). Zahlreiche Camping- und Motelresorts warten beidseitig des Flusses auf Gäste. Einen angenehmen Campground unmittelbar am Wasser hat der ***Buckskin Mountain State Park***.

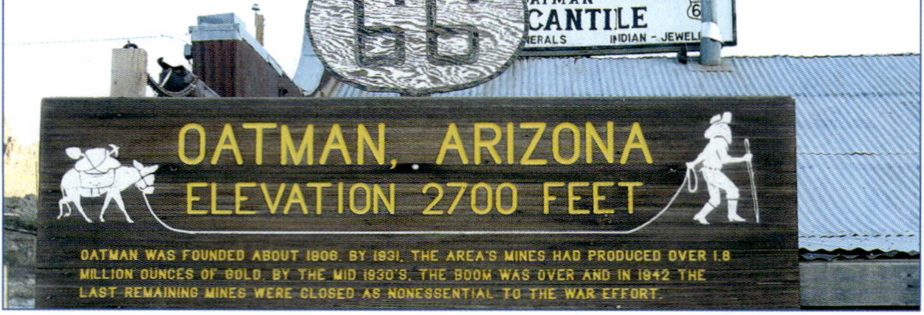

1.3 Startroute #2: Von Los Angeles nach San Diego

Interstate #5

Die offensichtlich schnellste Verbindung von LA nach San Diego bietet die I-5. Sie gehört zu den Autobahnen mit dem höchsten Verkehrsaufkommen Kaliforniens. Für die – je nach Ausgangspunkt – 100-120 mi kommt man daher selten mit der rechnerisch möglichen Fahrzeit von 2 Stunden aus.

Straße #1

Die #1 ist innerhalb des Großraums LA bis Santa Monica und wieder ab Manhattan Beach südlich des internationalen Flughafens mit dem ***Pacific Coast Highway*** identisch. Ihr südlicher Abschnitt zwischen Long Beach und Newport Beach wurde vorstehend kurz kommentiert, ➢ Seite 259.

Laguna Beach

Auf dem verbleibenden Stück bis zu ihrem Ende/Anfang in **Capistrano Beach** verdient nur der Nobelort **Laguna Beach** Erwähnung. Er entwickelte sich aus einer Künstlerkolonie und veranstaltet Anfang Juli bis Ende August ein ***Arts Festival*** mit zahlreichen Ausstellungen und Veranstaltungen.

Nach kilometerlangen flachen Stränden steigt die Küste bei Laguna Beach wieder an und bildet hübsche kleine Strandbuchten unter felsigen Steilhängen. Beneidenswert gelegene Villen und Motels/Hotels säumen die Uferlinie. Ein relativ günstiges Angebot ist dort das ***Laguna Riviera Beach Resort*** ab $90, ✆ (949) 494-1196, ✆ 1-800-999-2089. Kurz vor Erreichen der I-5 passiert man die ***Doheny State Beach*** mit Campingplatz.

Strand-zugang

Ab **Capistrano Beach** gibt es für die Weiterfahrt nach Süden **zur I-5** zunächst **keine Alternative**. Sie durchquert ein riesiges Sperrgebiet des *US-Marine Corps*. Ein Atomkraftwerk sorgt zusätzlich für kilometerweite Absperrungen. Hinter der Ortschaft San Clemente findet man daher nur über die ***State Parks San Clemente*** und ***San Onofre*** Zugang zum Meer. Als Tourist mit begrenzter Zeit gilt: am besten durchfahren bis mindestens Oceanside.

Küsten-straße

Im einst mondänen, aber heute nicht mehr so überzeugenden Seebad **Oceanside** beginnt parallel zur I-5 die streckenweise unmittelbar an der Küste verlaufende **Straße # S 21, die historische #101**, wie sie neuerdings wieder in vielen Unterlagen bezeichnet wird; www.drivethe101.com. An ihr liegen kleine, mehr oder weniger zusammengewachsene **Seebäder** mit jeder Menge **Motels** am Wege, diversen kommerziellen ***Campgrounds*** und ***State Beaches*** (darunter *South Carlsbad* und *San Elijo* mit Camping). Die angenehmsten Badeorte sind hier **Carlsbad** und **Del Mar**.

Legoland

In der Nähe von Carlsbad befindet sich das amerikanische ***Legoland***: Von der I-5 Ausfahrt Carlsbad, dann Cannon Road, ausgeschildert. Wer darüber als Urlauber mit Kindern gern mehr wissen möchte, findet alle Infos im Internet unter www.legoland.com. Vorweg sei aber gesagt, dass mit dem amerikanischen Eintritt von $57, bis 12/über 60 Jahre $44, ein Besuch deutlich teurer ist als in Dänemark oder Deutschland.

Flower Fields

Wer **im März bis Anfang Mai** unterwegs ist, könnte in Carlsbad auch den ***Flower Fields*** ganz in der Nähe von Legoland einen Besuch abstatten: Von der Cannon Road östlich der I-5 in den Paseo del Norte nach Süden abbiegen. Zu der Zeit blühen die **Ranunkeln** auf einem 20-ha-Feld eines kommerziellen Anbauers. Das farbenprächtige Bild in Rot, Orange, Gelb, Grün und Purpur wurde so populär, dass sich daraus im Laufe der letzten Jahre eine eigenständige Attraktion mit allem amerikanischen Drum und Dran entwickelte. Geöffnet täglich 9-18 Uhr; Eintritt $9; weitere Details im Internet: http://visit.theflowerfields.com.

Die #S 21 geht noch vor San Diego in die ***Torrey Pines Road*** über, auf der man automatisch auf den ***La Jolla Shores Drive*** stößt, der zum *San Diego Scenic Drive* gehört, ➤ unter San Diego, Seite 282.

Für den San Diego Wild Animal Park, den San Diego Zoo und Seaworld gibt es im Preis reduzierte Kombitickets

Karte notwendig

Zur Orientierung im Küstenbereich und für die in den nächsten Absätzen beschriebene Route benötigt man wegen der Vielzahl und Dichte kleiner Straßen bei gleichzeitig keiner oder schlechten Beschilderung eine genaue **Südkalifornien-Karte**.

Alternative Route #76/ Palomar Observatory

Eine hübsche, aber zeitraubende Alternativroute zur Küstenstrecke ist ab Oceanside die **Straße #76** nach Osten durch den *Cleveland National Fores*t. Am Wege liegt das berühmte ***Mount Palomar Observatory*** – etwa 11 mi Zufahrt über die serpentinenreiche Straße #S6 – mit Riesenteleskopen und einem kleinen Museum (Besichtigung gratis, täglich 9-16 Uhr; www.astro.caltech.edu/palomar). Besonders ergiebig ist der Besuch nicht, aber dafür sind die ***NF-Campgrounds*** kurz vor dem Ende der Straße schön in die Landschaft eingebettet. Auch der ***Palomar Mountain State Park*** einige Meilen weiter nordwestlich (Straße #S7) verfügt über erfreuliche Stellplätze und Wanderpfade.

Straße #79

Nach San Diego geht es von dort am besten über die Straßenkombination **S7** (zum *Lake Henshaw*), **dann #76/#79/I-8**. Im Abschnitt zwischen **Julian** und der Autobahn fährt man durch eine sehr schöne Landschaft mit klaren Bächen (im Frühjahr; später im Jahr oft ausgetrocknet) und Hochwald. Schön campt man im Green Valley des ***Cuyamaca Rancho State Park***.

Straßen #S6/#67/#S4

Man könnte sich – statt hinunter zur I-8 zu fahren – auch wieder westwärts wenden und über die Straßen #S6 oder #78/#67/ #S4 die **I-15** ansteuern. Damit gelangt man rascher nach San Diego (speziell bei Wahl der Straße #S6 ab Bereich *Mount Palomar*).

San Diego Wild Animal Park

Ein weiteres Motiv für diese Routen liefert ggf. der ***San Diego Wild Animal Park*** an der #78, 5 mi östlich von Escondido. Die dort lebenden asiatischen und afrikanischen Tiere lassen sich von einer Bahn oder von den Aussichtspunkten eines *Trails* (ca. 3 km) beobachten. Tierliebhabern wird der dem Habitat der Tiere angepasste Park gefallen. Das »authentische« afrikanische Dorf ***Nairobi Village*** und ein bisschen *Show* ergänzen das Programm. Zeiten im Sommer ab 9 Uhr; Schluss variabel; **Eintritt $29**, bis 11 Jahre $18. Kombitickets mit *San Diego Zoo* und Seaworld. www.sandiegozoo.org/wap, ➤ links.

ICR Museum in Santee

Ein noch weiterer Umweg über die ***Anza Borrego Desert*** lohnt sich eher im April/Mai, wenn die Wüste blüht, ➤ Seite 274.

Das ***Institute for Creation Research*** betreibt an der 10946 Woodside Ave in **Santee**, einem nordöstlichen (Fast-) Vorort von San Diego (Straßen #52/#67) das sehenswerte und dazu eintrittsfreie ***Museum of Creation & Earth History***, Mo-Sa 9-16 Uhr. Es geht dort um die Schöpfungsgeschichte aus Sicht der ***Creationists***, derzufolge die Bibel naturwissenschaftlich genau die Entstehung der Erde beschreibt. Davon und weiteren erstaunlichen Erkenntnissen erfährt, wer sich die Mühe des Abstechers nach Santee macht; ➤ dazu weitere Details im amerikanischen Zusammenhang auf Seite 703; Direktinfo: www.icr.org.

Keimzelle der Stadt: Mission San Diego de Alcalá,
➤ *Seite 297*

1.4 San Diego

1.4.1 Geschichte, Klima und Geographie

San Diego – und nicht etwa San Francisco – ist heute mit rund 1,3 Mio. Einwohnern nach Los Angeles **Kaliforniens zweitgrößte City**. Die Stadt verfügt jedoch über keinen vergleichbaren Gürtel von Trabanten- und Nachbarstädten. Der **Großraum San Diego** (ca. 3 Mio.) ist deshalb bei weitem nicht so bevölkerungsstark wie *Metropolitan* San Francisco.

Geschichte

Nach der Entdeckung Amerikas ließ auch die Erkundung der Westküste nicht lange auf sich warten. Schon 1542 setzte der Seefahrer ***Juan Rodriguez Cabrillo*** seinen Fuß auf die der San Diego Bay vorgelagerte Halbinsel. Mit der Landung am Point Loma, wo heute ein *National Monument* an ihn erinnert, reklamierte er sogleich ganze Landstriche im Westen Nordamerikas – faktisch das heutige Kalifornien – für die spanische Krone. Aber erst 227 Jahre später erfolgte 1769 die Errichtung eines militärischen Außenpostens auf dem jetzigen *Presidio Hill*. Gleichzeitig gründete der Franziskanerpater ***Junípero Serra*** die *Mission San Diego de Alcalá*. Nach der Eroberung Kaliforniens durch die Amerikaner ging die Entwicklung lange Zeit an San Diego in der äußersten Südwestecke des Staates vorbei. Erst um die Jahrhundertwende entstanden mit der Anbindung der Stadt an das Eisenbahnnetz ein nennenswerter Hafen und Industrie. Mit dem Überfall der Japaner auf Pearl Harbor und einer dadurch bedingten Verlegung des pazifischen Oberkommandos der US-Streitkräfte von Hawaii nach San Diego wurde der zweite Weltkrieg zum entscheidenden Anstoß für die seither erlebte Expansion. Die Marine- und Airforce-Gelände belegen nach wie vor gewaltige Areale rund um die Bay, und die pazifische Kriegsflotte dominiert vor den Thunfischfängern die Hafenanlagen.

Klima

Nun sind nicht allein militärische Aktivitäten, Industrie, Handel und Wandel verantwortlich für den anhaltenden Boom San Diegos. Die **Freizeitgesellschaft** der Nachkriegsära entdeckte – ganz besonders seit den 1980er-Jahren – die hervorragende klimatische und geographische Eignung der Stadt fürs ganzjährige ***Outdoor Living*** zwischen Strand, *Swimming-Pool*, Tennis- und Golfplatz.

In San Diego herrschen **jahraus, jahrein angenehme Temperaturen**. Wie im benachbarten Los Angeles erreichen sie selbst im Januar im Tagesdurchschnitt 18°C und sinken nachts kaum unter 6°C bis 10°C, aber im Sommer klettern sie selten so hoch wie dort, sondern verharren im allgemeinen deutlich unter 30°C. Und das bei maximaler Sonneneinstrahlung und wenigen Regentagen.

Der florierende **Grenztourismus** nach Tijuana in Mexiko, wo manches erlaubt, was in den USA verboten ist, tat ein übriges für San Diegos Prosperität.

Geographie

Die Geographie San Diegos unter touristischem Blickwinkel lässt sich wie folgt unterteilen (➤ Karten Seiten 279+290):

- Die nördlichen Vororte (**La Jolla, Muirlands, Pacific** und **Mission Beach**) liegen zwischen der *Interstate* #5 und dem Ozean. Dort findet man die reizvollsten Strände, das unter jungen Amerikanern legendäre *San Diego Beach Highlife* und ausgedehnte Villenviertel. Sie werden nach Süden durch die **Mission Bay** begrenzt, frühere Brackwassersümpfe, die zu einer Seen- und Parklandschaft umgestaltet wurden mit Stränden, Marinas und dem ***Sea World*** **Komplex** auf der Südseite.
- Die Stadtteile **Ocean Beach** und **Point Loma** unterhalb von Mission Bay und San Diego River bilden die westlichen Vororte auf der weit nach Süden reichenden, großenteils von der US-Marine besetzten Point Loma Halbinsel. Die North San Diego Bay, der *Lindbergh International Airport* und die I-5 begrenzen diesen Bereich nach Osten.
- Die langgestreckte, am Kopf inselartige ***Coronado Peninsula*** bildet die westlichen Ufer der San Diego Bay. Sie ist mit *Downtown* über eine 4 km lange Brücke verbunden.

Mission Beach in der Nachsaison

- ***Downtown*** San Diego ist ein überschaubares, teils neues, teils restauriertes Stadtzentrum am Nordende der Bay unterhalb des höhergelegenen ***Balboa Park***.
- Zwischen I-5 und I-8 in unmittelbarer Nähe ihres Kreuzungsbereichs liegt die ***Old Town***, östlich davon das sog. ***El Presidio***, Keimzelle San Diegos hoch über der Stadt.
- Das ***San Diego River Valley*** mit der nach Osten führenden Interstate #8. Auf ihr erreicht man die 1774 verlegte ***Mission San Diego*** und die größte **Hotel- und Motelkonzentration** der Stadt, ➤ rechts unten.

Die weiter südlichen, bereits **mexikanisch geprägten Stadtteile** haben Touristen kaum etwas zu bieten. Man durchfährt sie auf den *Freeways* in Richtung Grenze.

1.4.2 Orientierung und öffentliche Verkehrsmittel

Besucher-information

Ein International ***Visitor Information*** Center befindet sich am **1040W Broadway/Harbor Drive**, © (619) 236-1212, und in ***La Jolla***, an der 7966 Herschel Ave/Prospect St; www.sandiego.com; weitere Info-Websites: www.sandiego.org & www.thebigbay.com

Vor allem, wer zunächst die nördlichen Stadtteile besucht, sollte sich bei der *Tourist Information* oder beim AAA eine genaue Karte besorgt haben. In San Diego ist die **Orientierung** nicht einfach, da wegen wechselnder Topographie das sonst in Amerika übliche Schachbrettmuster weitgehend fehlt.

Scenic Drive

Erreicht man San Diego auf der Straße #S 21 (oder auf der I-5, *Exit* Tenessee Ave) und über die **North Torrey Pines Road**, lässt sich der ausgeschilderte ***Scenic Drive*** nicht verfehlen. Dessen Verlauf kann man gut als Leitlinie durch die Stadt nutzen, ohne sich in allen Einzelheiten daran zu halten.

Am besten folgt man ihm seeseitig auf dem **La Jolla Blvd**. Nach Passieren der Mission Bay geht es zu den ***Sunset Cliffs*** und von dort zum *Point Loma* bzw. (ohne den Abstecher) über den North Harbor Drive direkt nach *Downtown*, zum *Balboa Park* und ggf. weiter zur *Old Town*. Mit Ausnahme der *Coronado Peninsula* und der *Mission San Diego* erfasst diese Route die Mehrheit der in Frage kommenden Anlaufpunkte.

Bus und Straßenbahn

Öffentlicher Transport funktioniert in San Diego gut. Neben dem Bussystem existieren zwei **Trolley Linien** (Straßenbahnen) von *Downtown* nach La Mesa/El Cajon (östlich der City), die ***Orange Line***, und von der *Mission San Diego* über *Downtown* nach San Ysidro nahe der Grenze, die ***Blue Line***. Je nach Entfernung kostet die einfache Fahrt $1,50-$3,00. Kombinierte Bus- und Trolley Tagespässe kosten $5, für 2 Tage $9, 3 Tage $12, 4 Tage $15.

Informationen zu Fahrplänen und Tarifen gibt es im ***Transit Store*** in *Downtown*: 102 Broadway/1st Ave, Mo-Fr bis 17.30 Uhr, Sa+So 12-16 Uhr; © (619) 233-3004; www.sdcommute.com.

Crystal Pier Cottages am Nordende der Mission Beach: Wunderbar wohnen über Strand und Wellen mit Küche und eigenem Sonnendeck ab $225+tax

1.4.3 Unterkunft, Camping und Essengehen

Hotel, Motels & Hostels

Situation

San Diego verfügt als Touristenziel über zahllose Hotels und Motels, zwar überwiegend in der mittleren bis gehobenen Klasse, trotz der großer Konkurrenz sind die Tarif heute ziemlich hoch. Im **Flughafen** (www.san.org) gibt's das übliche Direkttelefon. Preiswertere Motels muss man vom *Pay Phone* aus anrufen:

Airportnähe/ Downtown

- **Motel 6 Downtown**, ✆ (619) 236-9292, 1546 2nd Ave. Sehr gutes Preis-/Leistungsverhältnis für die Lage; ab ca. $55.
- **Comfort Inn Airport at Old Town**, ✆ (619) 543-1130, 1955 San Diego Ave, ab $70
- **Days Inn Harbor View**, ✆ (619) 232-1077, 1919 Pacific Hwy, ab $79 *AAA-Rate*
- **Holiday Inn San Diego Bayside**, ✆ (619) 224-3621, ✆ 1-800-345-9995, 4875 N Harbor Dr, neueres Hotel, gute Lage, ab $119
- **Best Western Island Palms Hotel**, 2051 Shelter Island Dr, ab $99 AAA, schöne Lage am Yachthafen
- **Ramada Limited Seaworld**, ✆ (619) 225-1295, 3747 Midway Drive zwischen Downtown und Mission Bay, ab $69 *AAA-Rate*; noch relativ neues Haus in unmittelbarer Nachbarschaft von *Fast Food* und *Shopping Center* mit Supermarkt
- Kurzfristige Discount-Angebote gibt's bei freien Kapazitäten unter www.san-diego-hotel-discount.com.

Hotel Circle/ Mission Bay

Der ***Hotel Circle*** ist eine San Diego Spezialität: Östlich des Kreuzungsbereichs I-8/I-5 ballen sich an einer Rundstraße über 20 Hotels/Motels ab unterer Mittelklasse (ca. ab $69 AAA-Tarife). Dort findet sich leicht ein passendes Zimmer. Die Restaurant-Infrastruktur ist dort dicht, besser jedoch das Angebot in der nahen Old Town. Beispiele:

- **Days Inn**, ✆ (619) 297-8800, 543 Hotel Circle, ab $80 AAA
- **Quality Resort**, ✆ (619) 298-8282, ✆ 1-800-362-7871, 875 Hotel Circle South, ab $85. Sehr guter Standard.

- **Ramada Plaza Hotel**,
  © (619) 291-6500, 2151 Hotel Circle, ab $79
- **Kings Inn**,
  © (619) 297-2231, 1333 Hotel Circle South, ab $79

Mission Bay

In Strandnähe an der Mission Bay oder in Pacifica/Ja Jolla wird es im allgemeinen teurer, ein Beispiel:

- **Dana Inn & Marina,** © (619) 222-6440, 1710 W Mission Bay Dr, ab $99 AAA, an der Mission Bay; *Seaworld* 10 min.

Preiswerter sind Motels der Einfachklasse am Mission Blvd:

- **Sleepy Time Motel**,
  © (619) 483-4222, 4545 Mission Bay Dr, ab $49
- **Trade Winds Motel,**
  © (619) 273-4616, 4305 Mission Bay Dr, ab $54

Die bessere Mittelklasse am Strand kostet erheblich mehr:

- **Best Western Blue Sea Lodge**,
  © (858) 488-4700, 707 Pacific Beach Dr, ab $170
- **Ocean Park Inn**,
  © (858) 483-5858, © 1-800-231-7735, 710 Grand Ave, ab $160, sehr gut gelegen in Pacific Beach, www.oceanparkinn.com
- **Crystal Pier Cottages** (Holzhäuschen auf der Pier mit 1-2 SZ, Bad+Küche), © 1-800-784-5894, 4500 Ocean Blvd, ab $225

Preiswert

San Diego verfügt über relativ wenige, oft ausgebuchte HI- und freie *Hostels*, zeitige Reservierung ist notwendig:

- **Metropolitan Hostel (HI)**, © (619) 525-1531, 521 Market, ab $19
- **Int'l House at the 2nd Floor**, 4502 Cass St in Pacific Beach, © (858) 274-4325, $18-$20
- **Point Loma Int'l Hostel (HI),** 3790 Udall St, Point Loma, © (619) 223-4778, schöne Lage, ab $16; www.sandiegohostels.org
- **Ocean Beach Int'l Backpackers Hostel**, 4961 Newport Ave am Strand, © 1-800-339-SAND + © (619) 223-SURF; ab $15; Lesermeinung: »***Spitze***«, www.CaliforniaHostel.com.

B & B

- **Heritage Park Inn Bed & Breakfast**, 2470 Heritage Park Row, 800-995-2470, ab $125 pro Nacht; www.heritageparkinn.com

Spitzen-klasse

- **Hotel del Coronado**, © (619) 435-6611, © 1-800-HOTEL DEL, 1500 Orange Ave, $200-$500. Eleganter, weißer Holzbau von 1888 am Strand auf der gleichnamigen Halbinsel. Das bekannteste Hotel der Stadt; www.hoteldel.com.
- **Marriott Resort and Marina**, © (619) 234-1500, 333 W Harbor Dr, ab $200. Das moderne Gegenstück zum *Hotel Coronado* in *Downtown* ist das zweitürmige, verspiegelte *Marriott* mit 1355 Zimmern und eigenem Yachthafen.

Zimmer-vermittlung

Zentrale Reservierungsnummern für je einen Teil der San Diego Hotels/Motels (Mittelklasse) sind © **1-800-345-9995** und © **1-888-GR8-STAY**, © **1-800-SAVE-CASH**.

Im Internet hilft www.visit-san-diego.com übersichtlich weiter.

Campgrounds

Komfort-camping

Die stadt- bzw. beachnahen privaten *Campgrounds* zeichnen sich in San Diego durch exorbitante Preise bis über $70 pro Nacht für große Campmobile aus. Dafür aber bietet vor allem ***Campland-on-the-Bay*** am Nordufer des Mission Bay hervorragenden Komfort mit *Whirlpool*, Badestrand etc; © (619) 581-4212 und © **1-800-4BAY-FUN**, www.campland.com.

KOA

Zwischen Tijuana und San Diego liegt der komfortable und ruhige ***KOA-Campground*** in **Chula Vista** unweit der I-5, Abfahrt E Street, im Grünen. Auch nicht weit zum Silver Strand.

Am Strand

Camping nur für Wohnmobile zu erträglicheren Kosten ($18 pro Fahrzeug) gibt es in Citynähe auf dafür reservierten *State Beach*-Parkplätzen am ***Silver Strand Highway*** (Coronado Halbinsel). Zwar stehen dort die Camper bisweilen dicht an dicht ohne *Hook-up*, aber am Strand. Sanitärgebäude und kalte Duschen sind vorhanden (➤ Foto Seite 273).

County Parks

Relativ weit von der City entfernt, aber gut ist der ***Lake Jennings County Park***, I-8 *East*, östlich von El Cajon ausgeschildert, © **(619) 694-3049**. Ein weiterer ***County Park*** ist ***Sweetwater Summit***, südöstlich der Stadt. Anfahrt über I-805, dann Bonita Road, dann Summit Meadow Road, Reservierung wie Lake Jennings. Beide Parks mit *Hook-ups*, auch ***Zeltcamping***.

RV-Camping in San Diego direkt am Silver Strand auf der Coronado Halbinsel

Restaurants und Kneipen

Ballungen

Das **Restaurantangebot** in San Diego ist in allen Bereichen nahezu **überwältigend**. Ob an der Mission Bay, im Zentrum, in der *Old Town* oder im *Balboa Park*, die nächste *Eatery* und/ oder Kneipe findet sich in der Nachbarschaft.

Downtown

In ***Downtown*** konzentrieren sich Lokale aller Art rund um die ***Horton Plaza***, auf das ***Gaslamp Quarter*** und auf das ***Seaport Village***. In der architektonisch auffälligen *Horton Plaza Shopping Mall* befindet sich ein ***Planet Hollywood***, auf Level 4 ein großer ***International Food Court***.

Gaslamp Quarter

Von den vielen Restaurants im ***Gaslamp Quarter*** neben und südlich der zentralen Plaza ist Gourmets das (teure) ***Croce's*** an der Ecke 5th Ave/F St zu empfehlen. Es bietet allabendlich ***Live Jazz*** à la NewOrleans; www.croces.com.

Seaport Village

Die Lokale im arg touristischen ***Seaport Village***, einem künstlichen Schnuckeldorf in der südwestlichen Ecke von *Downtown*, sind im wesentlichen auf ***Fast Food*** spezialisiert, die sich mit Blick über die San Diego *Skyline*, die Bay und die *Coronado Bridge* genießen lässt.

Kneipen

Die **größte Kneipe der Stadt** mit über 100 Biersorten und Restaurant-Terrasse ist das ***Elephant & Castle*** am Harbor Drive im *Holiday Inn*. Große Portionen und Umtrunk verbinden sich erfreulich in ***Karl Strauss' Micro Brewery***, 197 Columbia Street, wo zwölf Biersorten gezapft werden, www.karlstrauss.com.

Old Town

Für ein mexikanisches Dinner empfiehlt sich – trotz des dort überbordenden Tourismus' – eines der vielen pittoresken Mexiko-Restaurants in der ***Old Town***, z.B. ***Casa Guadalajara*** (Taylor/JuanSt) oder ***Rancho El Nopal*** (2754 Calhoun St).

Balboa Park

Wer den ***Balboa Park*** besucht, findet ordentliche **Cafeterias in den Museen**; ein besonders angenehmes Ambiente bietet die **Cafeteria** des ***Art Museum***.

Mission Beach

Gut für *Breakfast* und Lunch ist das Restaurant ***The Mission*** am gleichnamigen Boulevard #3795.

La Jolla

In La Jolla geht von der Lage her nichts über das ***Brockton Villa Restaurant*** erhöht an der Küstenpromenade (beim *Ellen Browning Scripps Park* oberhalb der Seehundfelsen) schon zum Frühstück drinnen wie draußen. Normale amerikanische Karte, eher rustikal-legere Atmospäre, offizielle Adresse 1235 Coast Blvd, für Reservierung: © (858) 454-739; www.brocktonvilla.com.

Mexican Food dekorativ serviert in der Old Town

Zwischen privaten Villen über der Steilküste von La Jolla finden sich immer wieder romantische Plätzchen wie dieser mit Picknicktisch, Grill und schmaler Treppe ans Wasser

1.4.4 Stadtbesichtigung

Die Strände

Strandtypen

Strände und Strandleben sind in keiner anderen Stadt Kaliforniens so bestimmend wie in San Diego. Neben dem Klima ist dafür sicher auch die **Vielfalt der Strandtypen** verantwortlich, wie man sie ebenfalls anderswo nicht findet: Lange flache Sandstrände (***Mission Beach***), felsige Ufer mit Einsprengseln von Sandbuchten (***Windansea Beach*** und ***Ellen Browning Scripps Park***), Strände unter Steilküsten ideal zum Surfen und – etwas abgelegener – zum Nacktbaden (***Black Beach*** im *Torrey Pines Park*) sowie gepflegte Anlagen mit Duschen, Snackbars und Spielrasen unter Palmen (***La Jolla Shores Kellogg Park***) treffen jeden Geschmack.

FKK

Den ***Torrey Pines Park*** erreicht man über Torrey Pines Road und *Scenic Drive* vorbei am *Salk Institute for Biological Studies*. Von den Parkarealen hoch über dem Meer führen Trampelpfade hinunter zum inoffiziellen Nudistenstrand *Black Beach*. Die Steilhänge dienen **Drachenfliegern** als Absprungkante.

La Jolla

Folgt man dem beschriebenen ***Scenic Drive*** durch San Diego, kann man die Zufahrten zum ***Kellogg Park*** in La Jolla nicht verfehlen. Ein wenig weiter unten passiert er den attraktiven ***Ellen Browning Scripps Park*** mit Ministränden und Aussichtspunkten, verlässt aber danach die Küste. Zur ***Windansea Badebeach*** gelangt man über den La Jolla Boulevard und die Nautilus Street oder Palomar Avenue, zur noch südlicheren ***Tourmaline Canyon Surfing Beach*** über die gleichnamige Straße.

Mission Beach

Der Mission Blvd verläuft parallel zur ***Mission Beach*** mit kilometerlanger Strandpromenade (***Ocean Front Walk***, der nördlich der *Crystal Pier* mit dem *Pacific Beach Park* beginnt). An der *Beach*, Haupt- und Nebenstraßen gibt es dort jede Menge Motels, *Fast Food* und richtige Restaurants, Kneipen, Boutiquen, *Surfboard-*, *Skating*- und Fahrrad-*Rental-Shops* und überhaupt alles, was zum prallen Beachleben gehört.

Auf der anderen Seite der schmalen Landzunge zwischen Ozean und Mission Bay trifft man auf künstlich angelegte Halbinseln, Marinas und Strände ohne Brandung.

Ocean Beach

Flacher Sandstrand (***Yogi Beach, Ocean Beach Park***) und eine Infrastruktur vom Typ Mission Beach setzen sich südlich des *Mission Bay Canal* im Stadtteil Ocean Beach fort. Die Gegend ist hier weniger fein als Muirlands und La Jolla nördlich der Bay. Der *Scenic Drive* läuft, ohne Neues zu bieten, nur kurz am felsigen Ufer der *Sunset Cliffs* entlang und entfernt sich über die Hill Street von der Küste. Ein kurzer Abstecher könnte dem ***Abe Reef City Park*** mit hübschem Strand gelten.

Point Loma, Cabrillo NM

Auf dem Catalina Boulevard/Cabrillo Memorial Drive geht es durch ein Marinegelände bis zum ***Cabrillo National Monument*** im *Point Loma Park*. Die Fahrt wird nur von Dezember bis Februar so recht belohnt, wenn vor der Küste Grauwale vorbeiziehen, die sich – mit Glück – von einer hochgelegenen Plattform aus beobachten lassen. Zu anderen Zeiten ist Point Loma einen besonderen Umweg kaum wert, zumal auch das *Visitor Center* mit seiner kleinen historischen Ausstellung eher enttäuscht. Eintritt $5 oder *National Parks Passport*.

Südliche Strände

Die **weiter südlich gelegenen flachen Strände** zwischen Coronado und der mexikanischen Grenze (*Silver Strand, Imperial Beach*) muss man nicht gesehen haben. Zum Camping an der *Silver Strand State Beach* siehe vorstehendes Kapitel.

Der Weltkrieg II-Flugzeugträger Midway ist seit 2005 die Attraktion neben den Schiffen des Maritime Museum am Harbor Drive.

Horton Plaza Shopping Mall im Zentrum von San Diego

Downtown

Harbor Drive

Die **interessanteste Route** ins Zentrum San Diegos führt über den North Harbor Drive. Wer nicht via *Scenic Drive* automatisch auf diese Uferallee an der North San Diego Bay gerät, sollte mit Ziel Innenstadt die *Freeways* I-8 bzw. I-5 im Kreuzungsbereich verlassen (*Exits* #2 bzw. #20) und der **Rosecrans Street** nach Südwesten bis zum Nimitz Blvd folgen; dann links auf diesen und wieder links auf den **Harbor Drive**, der ganz um die Bucht herum läuft. Auf ihm passiert man zahlreiche **Yachthäfen** und den **Flughafen** und blickt über die Bucht auf die *Skyline* von *Downtown*. Uferparks laden zu Zwischenstopps ein.

Auf Höhe *Downtown* lassen sich die **Parkplätze** beim *Maritime Museum* (Bild), auf der ***Navy Pier*** beim Flugzeugträger *Midway*, beim ***Fishmarket Restaurant*** auf der **G Street Mole** (viele Parkuhren für kürzere Parkzeiten) und beim ***Seaport Village*** nicht verfehlen. Von dort sind es jeweils nur ein paar Schritte ins Zentrum.

Horton PLaza und Gaslamp Quarter

Rund um die ***Horton Plaza*** hat sich das Stadtbild in den letzten beiden Dekaden erheblich verändert. *Downtown* San Diego präsentiert sich heute attraktiv, ohne jedoch sonderlich hervorhebenswerte »Besucherbonbons« zu besitzen, sieht man ab von der Architektur einiger Hochhäuser, dem bombastischen Kongresszentrum an der Südseite von Downtown unterhalb des *Seaport Village*, der auffälligen ***Shopping Mall*** und dem einstigen ***Santa Fe Railroad Depot*** (in der C Street/Kettner Blvd). Der gern gelobte ***Gaslamp Quarter District*** (www.gaslamp.org) mit seinen restaurierten Backsteinbauten entlang der 4th und 5th St südlich des Broadway ist in erster Linie ein **Restaurant- und Kneipenviertel**, das sich erst abends richtig belebt und tagsüber eher enttäuscht.

Midway/ Maritime Museum

Der Harbor Drive um Downtown herum wird heute dominiert vom riesigen **Flugzeugträger *Midway***, www.midway.org, und von den Schiffen des *Maritime Museum*, www.sdmaritime.org.

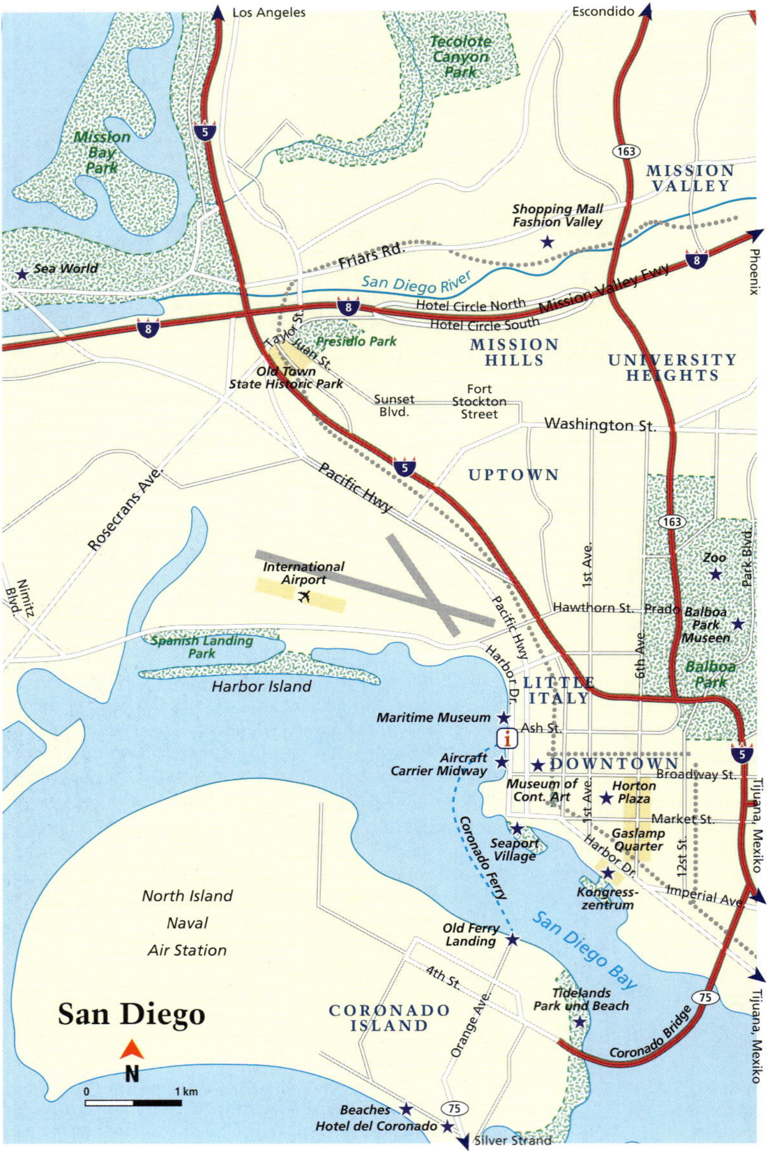

San Diego
N
0
1 km
Los Angeles
Escondido
Tecolote Canyon Park
Mission Bay Park
Sea World
Friars Rd.
San Diego River
Shopping Mall Fashion Valley
MISSION VALLEY
Phoenix
Mission Valley Fwy
Hotel Circle North
Hotel Circle South
Taylor St.
Juan St.
Presidio Park
MISSION HILLS
UNIVERSITY HEIGHTS
Old Town State Historic Park
Sunset Blvd.
Fort Stockton Street
Washington St.
UPTOWN
Pacific Hwy
Rosecrans Ave.
Nimitz Blvd.
International Airport
1st Ave.
Zoo
Park Blvd.
Hawthorn St.
Prado
Balboa Park Museen
Balboa Park
6th Ave.
Pacific Hwy
Harbor Dr.
Spanish Landing Park
Harbor Island
LITTLE ITALY
Maritime Museum
Ash St.
Aircraft Carrier Midway
DOWNTOWN
Broadway St.
Museum of Cont. Art
1st Ave.
Horton Plaza
Market St.
Tijuana, Mexiko
Coronado Ferry
Seaport Village
Gaslamp Quarter
Harbor Dr.
12st St.
Kongress-zentrum
Imperial Ave.
North Island Naval Air Station
Old Ferry Landing
San Diego Bay
4th St.
Tijuana, Mexiko
Tidelands Park und Beach
CORONADO ISLAND
Orange Ave.
Coronado Bridge
Beaches
Hotel del Coronado
Silver Strand
5
8
163
75

Zwischen Harbor Drive und Wasser läuft eine breite **Fußgänger- und Bikerpromenade**.

Midway

Die ***Midway*** liegt am Navy Pier etwas südlich desr Ost-West-Achse Broadway durch *Downtown*. Der noch im Golfkrieg 1991 eingesetzte Flugzeugträger aus dem 2. Weltkrieg wurde erst vor wenigen Jahren hierher verlegt und ist seitdem eine der größten Attraktionen in San Diego, ➤ Foto vorletzte Seite. Geöffnet täglich 10-17 Uhr, Eintritt $15/$8; Senioren über 62 Jahre $10. Die Besichtigung erfolgt per *self-guided tour* durch und über alle Decks. Neben dem Schiff als solchen sind über 20 Kampfflugzeuge und -hubschrauber aus der Nähe zu bewundern. Und wer immer schon mal auf einem Flugzeugträger Kaffee trinken wollte, kann das ganz wunderbar auf dessen Heckterrasse im ***Fantail Café*** mit Blick auf die Baumkronen über der Promenade.

Schiffe des Maritime Museum

Während die *Midway* eine eigenständige Sehenswürdigkeit aus dem Bestand der in San Diego stationierten pazifischen Kriegsflotte der USA ist, umfasst das ***Maritime Museum of San Diego*** diverse nostalgische Schiffe, darunter die beiden Segelschiffe ***Star of India***, einen ursprünglichen Tee-Clipper aus dem 19. Jahrhundert, und die ***HMS Surprise***, den Nachbau einer Fegatte aus Nelsons Zeiten, der zuletzt im **Film *»Master und Commander«*** Verwendung fand. 2006 kam ein **U-Boot** der russischen Foxtrottklasse hinzu, wie es auch bei der *Queen Mary* in Long Beach zu sehen ist, ➤ Foto Seite 240. Geöffnet täglich 9-20 Uhr, im Sommer bis 21 Uhr, Eintritt $12, Kinder $8; Senioren über 62 Jahre $9.

HMS Surprise und U-Boot

Ausflugsboote

Die dritte Attraktion in diesem Bereich des Harbor Drive sind die Ausflugsboote ab Broadway Pier. Vor allem geht es um Touren unter der enormen ***Coronado Bridge*** hindurch, um – aus der Distanz – die Kriegsschiffe der US-Pazifikflotte zu bestaunen. Von Dezember bis Februar laufen die Boote zur **Walbeobachtung** aus.

1

Fähre nach Coronado

Eine **Fähre** verkehrt jeweils zur vollen Stunde ($3 einfache Fahrt; zurück jeweils zur halben Stunde; wer's Fahrrad mitnimmt, zahlt $0,50 mehr) zum gegenüberliegenden Stadtteil Coronado, ***Ferry Landing Park***, eine lohnenswerte Tour mit prima Blick auf San Diegos *Skyline* und die *Coronado Bridge*. Außerdem sind es von dort nur ein paar Schritte zum ***Tidelands Park*** mit **Badestrand** unter der *Coronado Bridge*. Direkt hinter dem Anleger auf Coronado wartet ein kleine Passage mit ***open-air Restaurants***.

G Street Mole

In der Südwestecke des *Downtown*-Quadranten liegen im geschützten Becken der **G Street Mole** die erstaunlich kleinen Boote der Thunfischfänger. Das Restaurant ***Fishmarket*** hat prima Aussichtsterrassen mit Blick über die Bay und hinüber zur *Midway*, die bessere Alternative zu den *Eateries* im *Seaport Village*.

Seaport Village

Gleich unterhalb des Hafenbeckens an der G Street Mole erstreckt sich das bereits erwähnte ***Seaport Village***: Halb versteckt hinter einem riesigen Parkplatz hat man ein »Fischerdorf« mit einer hübschen Uferpromenade und abschließendem Park auf eine künstliche Halbinsel gesetzt. Die Idylle beherbergt vor allem ***Fast Food Eateries*** und Boutiquen. Der Zutritt ist gratis, Toresschluss im Sommer 22 Uhr, sonst 21 Uhr. Hübsch zum Bummel am Wasser bei gutem Wetter, aber keine Attraktion an sich.

Coronado Peninsula

Coronado Halbinsel

Schon wegen der immensen Brückenkonstruktion, die das Durchfahren auch größter Schiffe (hier speziell Flugzeugträger) ermöglicht, sollte man einen Abstecher hinüber nach Coronado machen. Das einst mondäne, immer noch als solches beliebte **Seebad** Coronado liegt am Ende einer die *South San Diego Bay* vom Festland trennenden Halbinsel, deren Fläche für die Marineflieger in die Bay hinein erweitert wurde. **H/Motels** und **Freizeit-Infrastruktur** säumen die **Hauptstraße Orange Ave**. Die populärsten **Strände** verstecken sich ein wenig hinter den Villen westlich der Hauptstraße; von der Badebeach unter der *Coronado Bridge* war oben schon die Rede.

Hotel del Coronado von der Strandseite aus gesehen.

Per Fahrrad durch Coronado

Gleich beim Fähranleger stößt man auf ***Bikes and Beyond*** (1201 1st Street, ✆ (619) 435-7180), wo man zur Inselentdeckung ein Fahrrad mieten kann, das ideale Transportmittel für den nur etwa 5 km^2 großen zivil genutzten Bereich der Halbinsel bis hinunter zum *Hotel Coronado*. Mit der Karte »*City of Coronado Bicycle Routes*« in der Hand kann nichts mehr schiefgehen. Miete ab $7 pro Stunde. Kreditkarte notwendig als Sicherheit.

Hotel del Coronado

Zwar sind die Villen und der Wohlstand der Coronado Halbinsel, die Yachten in der Glorietta Bay und die Strände ***Dog*** und ***Center Beach*** durchaus ansehenswert, aber die einzige »echte« Sehenswürdigkeit dort ist das nostalgische ***Hotel del Coronado*** am südlichen Strandende unmittelbar an der Straße #75 (dort Orange Ave). Es wurde weltweit bekannt mit dem *Marilyn Monroe*-Film »Manche mögen's heiß« (*Some like it hot*), ➢ Hotelempfehlungen, Seite 284. Auch Nicht-Gäste dürfen heute bei Verzehr die Hotelterrassen über dem Strand, Pool und Liegen benutzen.

Balboa Park

Balboa Park

Der hügelige, im wesentlichen östlich des *Cabrillo Freeway* (Straße #163) gelegene **Balboa Park** ist Heimat der landesweit zweitgrößten Ansammlung von Museen (nach Washington DC) und des größten Zoos der USA. Allein seine subtropische Vegetation, die Gestaltung und architektonische Details des Museums- und Veranstaltungskomplexes sind einen ausgedehnten **Bummel** wert (mit kleinen Pausen **leicht 2 Stunden**). Von *Downtown* fährt man am besten über die 12th Ave, die in den **Park Boulevard** übergeht, und parkt zentral im Bereich des *Village Place* (südlich des Zoos), es sei denn, man fährt zunächst zum Zoo. Eine Karte mit Erläuterungen und Veranstaltungsprogramm erhält man im **Besucherzentrum** im ***House of Hospitality*** am Prado (Fußgängerzone).

Zoo

Der ***San Diego Zoo*** ist nicht nur **der größte der USA**, sondern auch der beste. Alles passt dort zusammen: die wechselnde Topograhie, die üppige Flora, Tiere in Freigehegen oder großzügigen Käfigen und die gut realisierten Tiervorführungen. Man benötigt zum Besuch inklusive der diversen *Animal Shows* und Verschnaufpausen leicht einen vollen Tag. Geöffnet im **Sommer 9-21 Uhr**, Rest des Jahres bis 18 Uhr. **Eintritt $33,** Kinder $22. Mit dem Zoo kooperiert der ***San Diego Wild Animal Park***, etwa 30 mi von der Stadt entfernt an der Straße #78 zwischen Escondido und San Pasqual, ➢ Seite 279. Ermäßigte **Kombinationstickets** für beide Zoos ggf. plus ***Seaworld*** sind erhältlich; www.sandiegozoo.org.

Museen im Balboa Park

Unter den vielen Museen des *Balboa Park* ragt keines durch übermäßige Brillanz der Kollektionen heraus. Aber die spanisch/mexikanisch beeinflusste **Architektur** der Gebäude beidseitig des Prado zwischen ***Plaza de Balboa*** (*Science Center/Natural History Museum*) und ***Museum of Man*** verdient umso mehr Beachtung. Die Öffnungszeiten (meist 10-16.30/17.30 Uhr) variieren etwas, so auch der jeweilige Einzeleintritt. **Info:** www.balboapark.org.

7-Tage-Pass

Möchte man mehrere Museen besuchen, spart man ggf. Geld mit einem **$30-Passport** für Eintritt in bis zu 13 Museen und Ausstellungen, der 7 Tage lang gültig bleibt. Einschließlich Zoo wird daraus ein ***Best of Balboa Park Combo Pass*** für $55.

Museen im einzelnen

Besuchenswert sind immer die **IMAX-Filme** und ggf. ***Lasershows***, die im ***R.S. Fleet Science Center*** stattfinden. Das dafür notwendige Sonderticket berechtigt auch zum Eintritt in das experimentelle *Science Center*; Programmauskunft unter © (619) 238-1233; Öffnungszeiten hier bis 21.30 Uhr.

Für das anthropologisch/ethnologisch ausgerichtete ***Museum of Man*** benötigt man spezifisches Interesse, ebenso wie für die etwas dünn sortierte permanente Kollektion des ***Museum of Art***. Dessen Stärke liegt eher in den wechselnden Sonderausstellungen. **Restaurant** und **Cafeteria** sind dort besonders stilvoll untergebracht.

Nicht allein für Modelleisenbahnfans ist das ***Model Railroad Museum*** ansehenswert, $6, bis 15 J. frei; www.sdmodelrailroadm.com.

Etwas abseits an der *Pan American Plaza*, aber direkt mit dem Auto erreichbar, befindet sich das ***Aerospace Museum*** mit ***Hall of Fame*** im *Ford Building*, www.aerospacemuseum.org. Sowohl die Flugzeugsammlung als auch die nostalgischen Automodelle im ***Automotive Museum*** nebenan können sich sehen lassen; www. sdautomuseum.org.

Ein Spaziergang durch den ***Japanese Friendship Garden*** und das ***Palm Arboretum*** runden den Besuch im Balboa Park ab.

Konzerte im Balboa Park

Speziell im Sommer finden im Balboa Park laufend **Konzerte, Theateraufführungen** und allerlei sonstige **Veranstaltungen** statt, die im gegebenen Rahmen besonderen Reiz besitzen. Die abendliche und sonntägliche ***Open-air* Musik** – u.a. auf der voluminösen *Spreckels*-Konzertorgel ist meist eintrittsfrei. Details bei der *Visitor Information* des Parks.

Die Architektur fast aller Gebäude im Balboa Park entspricht einer Art neospanischem Barock, obwohl sie erst im 20. Jahrhundert errichtet wurden; hier das Visitor Center

Bunter Mexiko Verkaufsstand in der Old Town

Old Town San Diego

Verbindung Balboa Park Old Town

Vom Balboa Park gelangt man auf schnellem Weg via den *Freeway* #163 (Nordrichtung) und dann I-8 am ***Hotel Circle*** vorbei eine Ausfahrt nach Westen zur ***Old Town San Diego*** und den ***Presidio Hill*** im Dreieck zwischen den beiden *Interstates* #5 und #8.

Fahrt via Presidio Park

Der **schönere, aber zeitraubendere Weg** führt gegen die Richtung des *San Diego Scenic Drive*: Man verlässt den Balboa Park auf dem zentralen Park Boulevard nach Norden und fährt dann links auf die **University Ave** (wer aus dem Zentralbereich des Parks diesen über den Prado/Laurel St verlässt, fährt auf der 15th oder 16th Ave bis zur University Ave), diese dann bis zur **Goldfinch**, auf der kurz rechts und nach zwei Blocks auf den **Fort Stockton Drive** bis **Artista Street**, dort links und wieder rechts auf den **Presidio Drive**.

Durch schöne Wohnviertel geht es auf dieser Route zum hoch über der Stadt gelegenen ***Presidio Park*** mit herrlicher Aussicht und schattigen Picknickplätzen am besuchenswerten ***Junípero Serra Museum*** (Di-Sa 10-16 Uhr, So ab 12 Uhr, $5). Das schlichte Kirchengebäude, ein Nachbau des Originals von 1769, markiert den ursprünglichen Standort der ersten Missionsstation in Kalifornien.

Old Town State Park

Mexikanische Atmosphäre kennzeichnet den ***Old Town San Diego State Historical Park*** unterhalb des *Presidio Park* zwischen Congress und Juan Streets (und der Taylor Street). Rund um diesen Bereich gibt es reichlich Parkplätze. Die *Old Town* ist auch per **Straßenbahn** zu erreichen; www.parks.ca.gov/?page_id=663.

Das ***Park Visitor Center*** (dort historisches Modell von San Diego um 1872; 10-17 Uhr) befindet sich im *Robinson Rose House* an der Wallace Street innerhalb des engeren *State Park* Bereichs. Obwohl die Erhaltung einer Reihe von historischen Bauten aus der Gründerzeit San Diegos (Anfang bis Mitte des 19. Jahrhunderts) im Vordergrund steht, ist die *Old Town* heute in erster Linie ein kommerziell betriebener Besuchermagnet. Die alten und zahlreiche weitere Gebäude, die lediglich alt aussehen, beherbergen **Restaurants** und ***Shops*** jedweder Provenienz. Stilistisch passend oder auch im *Western Town Look* hat sich die *Old Town* zudem über die Grenzen des autofreien Kerngeländes des Parks (rund um die Plaza de Armas) hinaus ausgedehnt.

Mexico Restaurants

Es lässt sich aber nicht leugnen, dass dort zwischen Altstadtkonservierung und Touristenattraktion eine annehmbare Verbindung gelungen ist. Von den attraktiven **Restaurants mit mexikanischen Spezialitäten** war bereits weiter oben die Rede.

Heritage Park

Wenige Schritte östlich der Old Town (Juan Street) bilden sechs viktorianische Häuser aus den 1880er-Jahren den **Heritage Park**. Besonders ansehnlich ist das *Christian House* (1889) und das *Sherman-Gilbert House* (1887). In Ersterem ist das ***Heritage Park Inn Bed and Breakfast*** untergebracht (2470 Heritage Park Row, © 1-800-995-2470, ab ca. $130; www.heritageparkinn.com). Im Erdgeschoss des *Sherman Gilbert House* residiert das *San Diego County Parks Reservation and Information Center*, Mo-Fr 8-17Uhr.

Mission San Diego/ Camino Real

Die hervorragend konservierte, in Nachfolge der ersten Gründung 1774 errichtete und bei Erdbeben 2x zerstörte, jedoch wiederaufgebaute ***Mission Basilica San Diego de Alcalá*** ist die wertvollste kulturhistorische Sehenswürdigkeit der Stadt. Ausgehend von dieser Station wurden im Abstand von jeweils einer Tagesreise weitere 20 Missionen gebaut, die am Ende zusammen die Stationen des ***Camino Real***, des Königsweges, bis San Francisco bildeten. In der schönen Anlage an der San Diego Mission Road (parallel zur I-8, Abfahrt: Mission Gorge Road) gibt es keinen der *Old Town* vergleichbaren touristischen Rummel. Zu besichtigen sind Kirche, Garten und das beachtliche, wiewohl eher schlichte Museum täglich 9-16 Uhr; $3; ➤ Foto Seite 280; www.missionsandiego.com.

Sea World und Birch Aquarium

Lage Seaworld

Im kulturellen Gegensatz zu den Missionsstationen steht der ***Aqua Marine Park Seaworld*** (im Sommer 9-23 Uhr, sonst bis Sonnenuntergang) am Südrand der Mission Bay, Anfahrt über die I-8 oder auf dem parallel verlaufenden Sea World Drive.

Attraktionen

Seaworld San Diego ist Prototyp der amerikanischen *Amusementparks* dieser Art. Zum happigen **Eintritt von $56**, **Kinder** bis 9 Jahre **$46**, bietet *Seaworld* als Höhepunkte die **Seelöwen- und Killerwalshows**, ***Wild Arctic***, eine simulierte Fahrt durch die Eiswelt des Nordpolarmeers, noch neu ***Atlantis*** – eine Art Kombination zwischen *Rollercoaster* und Wildwassertrip, das ***Haunted Lighthouse Experience***, und im Sommer einen Wasserskizirkus, den ***Cirque de la Mar***. Dazu die ***Shipwreck Rapids***, ein nasses Vergnügen, und ***Manatee Rescue***, ein Seekuh-Becken.

Aquarien - Vergleich zum Zoo

Trotz der tollen Aquarien mit bemerkenswerter **Pinguin-** und **Haifischhalle** (*Shark Encounter*) ist der Besuch im Zoo zu einem geringeren Ticketpreis kaum weniger spannend. Dennoch: auch nach Abzug der zu kommerziellen Komponenten, von *Entertainment* und *Fun* auf häufig mäßigem Niveau und Wartezeiten lassen sich in *Seaworld* 4-5 Stunden gut gestalten.

Interaktiv programme

Ein großer Erfolg sind seit einigen Jahren die Aktivprogramme mit Tieren wie ***Dolphin Interaction*** oder ***Trainer for a Day***, mehr Details dazu unter: www.seaworld.com.

Kombitickets

Vor dem Besuch sollte man checken, welche Attraktionen gerade nicht stattfinden. Für *Seaworld* gibt es *Discount Coupons* und in vielen Hotels ermäßigte Tickets. Wer auch ***Universal*** in LA besucht, kauft ein **Kombiticket** für $99/$89. Ein Ticket »**3 for 1**« für *Seaworld, Zoo* und *Animal Park* kostet $107/$77.

Orca Show

Birch Aquarium

Über Flora und Fauna des Pazifik erfährt man alles im ***Birch Aquarium*** im *Scripps* Ozeanographischen Institut nördlich von La Jolla, 2600 Expedition Way; geöffnet 9-17 Uhr; $11.

1.4.5 Abstecher nach Tijuana/Mexico

Mit Fahrzeug

In San Diego liegt es nahe, an einen Abstecher nach Mexico zu denken. Da Autovermieter Fahrten nach Mexico nicht oder nur mit Aufschlag gestatten, kommt für die meisten Touristen ein Grenzübertritt nur ohne Fahrzeug in Frage. Wer im eigenen Auto hinüber möchte, muss eine **Zusatzversicherung** mit einer mexikanischen Gesellschaft abschließen. Büros noch diesseits der Grenze bieten unübersehbar ihre Dienste an; auch der ***AAA*** (815 Date Street/Zufahrt über 9th Ave in der Nordostecke von *Downtown* San Diego) verkauft Policen.

Papiere

Die kurzfristige Einreise nach Mexico für weniger als 72 Stunden ist grundsätzlich unproblematisch. Man benötigt lediglich den Pass, der oft weder auf amerikanischer noch auf mexikanischer Seite kontrolliert wird; man kann also die USA zur Not ohne Pass verlassen. Bei der Rückkehr möchten die amerikanischen Grenzbeamten aber immer den Pass mit eingeheftetem ***Departure Record*** sehen. Für **längere Aufenthalte** in Mexico muss eine sog. ***Tourist Card*** ausgestellt werden.

Endstation der Straßenbahn (Trolley) von San Diego nach San Ysidro 100 m vor der Grenze

Zu Fuß

Fährt man im Auto bis zur Grenze, kann man ihn unweit des Übergangs abstellen. Wer das vorhat, folge von der *Interstate* aber rechtzeitig dem Schild ***Turn right to US***, um nicht plötzlich doch vor der Abfertigung zu stehen. Der (teure) grenznächste Parkplatz ist oft voll, man kann nur etwas weiter die Straße hoch beim ***Outlet Center*** parken – ausnahmsweise auch gebührenpflichtig. Der **Fußweg** hinüber nach Tijuana ist kurz. Das mexikanische Leben und Treiben beginnt 100 m hinter der Grenzstation in der unvermeidlichen Shopping Zone ***Viva Tijuana***. Auch eine mexikanische ***Tourist Information*** befindet sich dort. Über eine Brücke über den Tijuana River erreicht man die zentrale Laden-, Restaurant- und Kneipenzone entlang der ***Avenida de Revolución*** (ca. 500 m von der Grenze entfernt). Bei Hitze und Dunkelheit setzt man sich am besten ins **Taxi**: **\$5-\$6** für den kurzen Trip nach *Downtown*.

Mit Bus/ Straßenbahn (Trolley)

Sicherer steht das Auto in San Diego. ***Mexicoach*** **Busse** fahren mehrmals täglich von der Amtrak Station, *Santa Fe Depot*, direkt nach Tijuana hinein. Zum Grenzstädtchen **San Ysidro** verkehren in kürzeren Abständen *San Diego Transit*-Busse. Das einfachste ist die Fahrt per Straßenbahn, dem ***San Diego Trolley*** (*Blue Line*) direkt bis an die Grenze. Von dort geht es über eine überdachte Fußgängerbrücke nach Mexico.

Empfehlung

Wer einen Besuch in Tijuana »einbauen« kann, sollte sich dafür mindestens einen vollen Tag Zeit nehmen. Obwohl Tijuana dank seiner exponierten Lage alles andere als eine typisch mexikanische Stadt darstellt, ist der Gegensatz zu den USA enorm. Originärer sind indessen Grenzorte weiter östlich wie Mexicali oder Ciudad Juarez bei El Paso.

1.5 Startroute #3: Von Los Angeles zum Yosemite Park über Sequoia/Kings Canyon National Parks

Mögliche Routen

In Richtung *Yosemite National Park,* einem Hauptziel aller USA-Reisenden, gibt es ab Los Angeles zwei prinzipielle Zufahrtsrouten, westlich und östlich der Sierra Nevada. Die **Westroute** führt schneller zum Ziel und bietet die Möglichkeit, quasi auf halbem Weg, auch noch den *Sequoia/Kings Canyon* Doppelpark zu besichtigen. Die **Ostroute** führt »hinter« den Gipfeln der *Sierra Nevada* entlang (Straße #395 ohne Zugang zum *Sequoia National Park*) und ist ideale Verbindungsstrecke zwischen *Yosemite Park, Death Valley* und Las Vegas. Sie wird in diesem Buch als Route ab San Francisco in Nord-Süd-Richtung beschrieben, ➤ Seiten 383ff.

Interstate #5/ Freeway #99

Die direkteste Route ab Los Angeles entspricht zunächst dem Verlauf der ***Interstate* #5**. Sie durchquert die **Berge der *Sierra Madre*** mit dem *Angeles National Fores*t und passiert dabei u.a. das schön gelegene ***Castaic Reservoir*** (Baden und Windsurfen, *Camping* im gleichnamigen *State Park*). Jenseits des *Tejon* Passes geht es relativ rasch rund 1000 m hinunter in das ***San Joaquin Valley***

Six Flags Magic Mountain Park & Hurricane Harbor

Am Nordwestrand der LA Metropolis befindet sich **bei Valencia (I-5)** der neben *Knott's Berry Farm* und *Disney's California Adventure* dritte große *Amusement Park* konventioneller Art. Die Attraktion im ***Six Flags Magic Mountain Park*** sind **15 *Super Rollercoaster: Colossus***, die einst weltgrößte Achterbahn, hat nostalgischen Touch. Sie wird vom Nervenkitzel her weit überboten durch die *Looping*-Bahn ***Revolution***, die Physikgesetzen scheinbar trotzende ***Viper***, die »schwebende« Achterbahn ***Ninja*** und ***Riddler's Revenge***, in der die Passagiere stehend abstürzen. 78 m hoch ist der ***Goliath Giga Coaster***, erst ein paar Jahre alt sind ***Deja Vu*** und ***Scream***; der neuste Hit ist der ***Megacoaster Tatsu***, größte und höchste Wahnsinnsbahn der Welt. Eine besondere Attraktion ist ***Tidal Wave***, auf der es u.a. per Wasserfall 15 m tief abwärts geht. Abends gibt es **Feuerwerk** und **Lasershows**.

Ein **Problem** auch dieses Parks sind die **Warteschlangen**. Wartezeiten von einer Stunde und mehr für 5-10 min Spaß sind keine Seltenheit, es sei denn, man hat einen ***Fast Lane Pass*** für **$20** extra gekauft. Aber auch dann sind **$60 Tageseintritt (im Internet-Vorverkauf 2007 nur $35!)**, **Kinder unter 1,20 m $30**, selbst mit *Discount Coupons* schwer »abzufahren«. Diese und andere Parks sind dennoch knallvoll, nicht zuletzt, weil Saisontickets nur maximal das Dreifache der Tageskarte kosten und bei bestimmten Kommerzkombinationen nicht einmal das. Wer den Besuch in Erwägung zieht, sollte den Parkplatz beachten: schon halb gefüllt werden drinnen die Schlangen lang (**Parken $15, RVs $20!**).

Öffnungszeiten von April bis Mitte Oktober ca. 10-18 Uhr, Sa bis 24 Uhr und So bis 22 Uhr. Im Sommer teilweise auch an Werktagen länger. Rest des Jahres nur Wochenendbetrieb. Information: ✆ **(661) 255-4129**. Details: www.sixflags.com

Wie *Knott's Berry* hat auch *Six Flags* nebenan einen **Wasserplanschpark**: ***Hurricane Harbor***, Eintritt $30, bis 1,20 m $21. Auch Kombitickets, ✆ **(661) 255-4111**.

und ab Mettler weiter auf dem ***Freeway #99***. Ein raffiniertes Bewässerungssystem hat aus der Wüste zwischen Küstengebirge und Sierra Nevada den größten Obst- und Gemüsegarten der USA gemacht. Die Fahrt durch diese Ebenen ist aber ziemlich eintönig.

Tehachapi

Alternativ zur I-5 könnte man ab San Fernando auch dem ***Freeway #14*** in Richtung Lancaster folgen und ab Mojave die Straße #58 nehmen (nach Bakersfield). Auf dieser Route quert man den ***Tehachapi Pass*** und passiert den gleichnamigen Ort (www.tehachapi.com), von dem es nichts Besonderes zu berichten gäbe, wäre da nicht 5 mi westlich (Straße #202, nach 3,5 mi Banducci Road) die ***Indian Hill Ranch***. Nicht nur ist dieses Gelände Schauplatz eines riesigen indianischen ***Pow-Wow*** am 3. Wochenende im August, sondern es ist der wahrscheinlich flächengrößte privat betriebene ***Campground*** der USA, www.indianhillranch.com, ➤ auch Essay Seite 203

Kern River Route

Reisende mit genügend Zeit und Lust auf weniger ausgetretene Pfade lassen **in Richtung *Sequoia Park*** die *Freeways* links liegen und setzen die Fahrt zunächst auf der #14 fort. Am Wege liegt der ***Red Rock Canyon State Park*** in einer malerischen Felslandschaft (Einfachcamping). Noch vor Erreichen der #395 geht es auf der **Straße #178** nach Westen zum ***Isabelle Reservoir***. Dorthin gelangt man auch von Westen bei **Anfahrt über Bakersfield**.

Giant Sequoia Nat'l Mon't

Oberhalb (nördlich) des Sees führt eine gut ausgebaute Nebenstraße nach Kernville. Am idyllischen **Kern River** entlang (dort mehrere schöne ***NF-Campgrounds***) geht es über Johnsondale, Camp Nelson, Springville und Milo (Straße #137) durch das neue ***Giant Sequoia National Monument*** im Vorgebirge der Sierra Nevada **zur #198**. In diesem Gebiet kann man bereits die ersten ***Sequoias*** bewundern. Am besten legt man dazu am ***Redwood Meadow Campground*** (an der Straße 20 mi westlich von Johnsondale) eine Pause für den ***Trail of 100 Giants*** ein.

Prima sommerliche Badestelle Slick Rock Recreation Area im Kaweah River, ➤ übernächste Seite

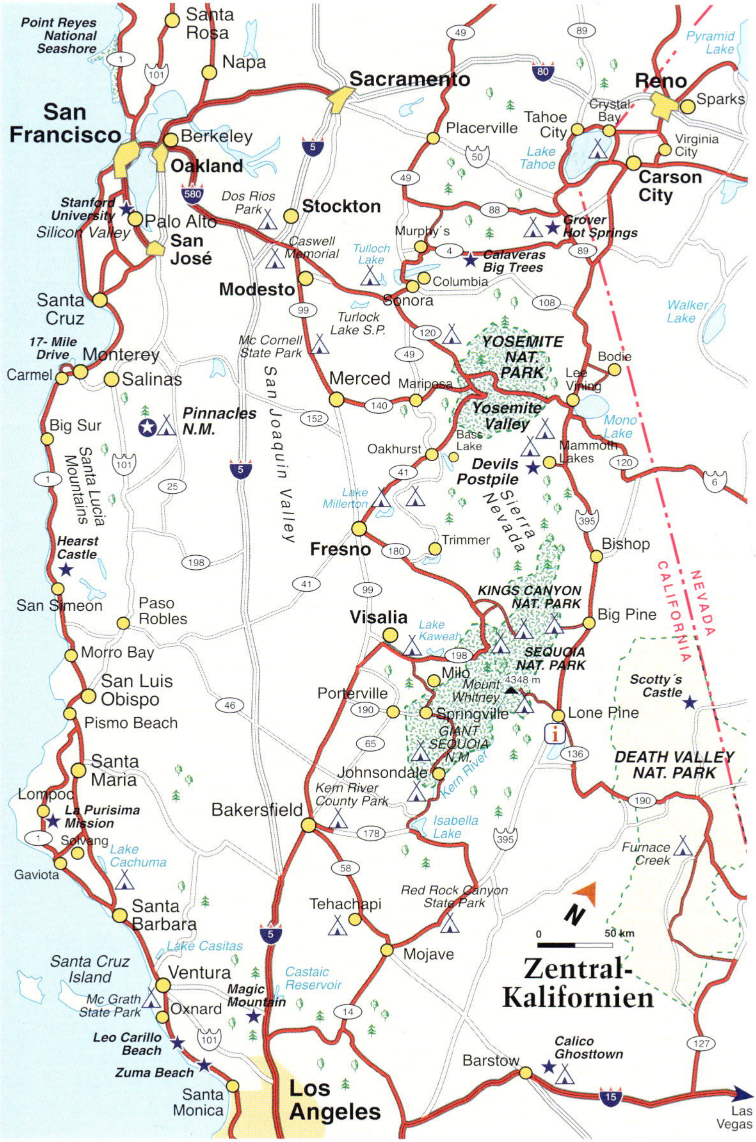
Point Reyes National Seashore
Santa Rosa
Napa
Sacramento
Reno
Sparks
San Francisco
Berkeley
Oakland
Placerville
Tahoe City
Crystal Bay
Virginia City
Lake Tahoe
Carson City
Stanford University
Silicon Valley
Palo Alto
San José
Dos Rios Park
Stockton
Caswell Memorial
Tulloch Lake
Murphy´s
Grover Hot Springs
Calaveras Big Trees
Columbia
Modesto
Santa Cruz
Sonora
Turlock Lake S.P.
Walker Lake
17- Mile Drive
Monterey
Carmel
Salinas
Mc Cornell State Park
YOSEMITE NAT. PARK
Bodie
Lee Vining
Merced
Mariposa
San Joaquin Valley
Yosemite Valley
Mono Lake
Pinnacles N.M.
Big Sur
Bass Lake
Oakhurst
Mammoth Lakes
Devils Postpile
Santa Lucia Mountains
Lake Millerton
Sierra Nevada
Fresno
Trimmer
Bishop
Hearst Castle
San Simeon
Paso Robles
KINGS CANYON NAT. PARK
Visalia
Lake Kaweah
Big Pine
NEVADA
CALIFORNIA
Morro Bay
SEQUOIA NAT. PARK
Milo
Scotty´s Castle
San Luis Obispo
Mount Whitney 4348 m
Porterville
Springville
Lone Pine
Pismo Beach
GIANT SEQUOIA N.M.
Santa Maria
DEATH VALLEY NAT. PARK
Johnsondale
Kern River
Lompoc
Kern River County Park
La Purisima Mission
Bakersfield
Isabella Lake
Solvang
Lake Cachuma
Furnace Creek
Gaviota
Tehachapi
Red Rock Canyon State Park
Santa Barbara
N
0
50 km
Lake Casitas
Mojave
Santa Cruz Island
Ventura
Castaic Reservoir
Zentral-Kalifornien
Magic Mountain
Mc Grath State Park
Oxnard
Leo Carillo Beach
Calico Ghosttown
Barstow
Zuma Beach
Santa Monica
Los Angeles
Las Vegas
1
101
49
89
80
50
5
580
88
4
99
108
120
140
152
41
25
395
6
180
198
46
190
65
136
178
58
14
127
15

Klettern in der Wurzel eines umgestürzten Baumriesen, ein Hauptspaß für Kinder

Zufahrt zum Sequoia Park
www.nps.gov/seki

Auf der Zufahrtstraße (**#198** ab Visalia/Exeter) zu den ***Sequoia/Kings Canyon National Parks*** lässt man mit Erreichen des (meist fast leeren) ***Kaweah Reservoir*** die Ebene endgültig hinter sich. Das Landschaftsbild ändert sich rasch, Trockenheit bestimmt die Szenerie. Die Straße folgt zunächst dem Lauf des Kaweah River.

Baden

Eine bei Hitze willkommene **Badestelle** zwischen Felsen ist die ***Slick Rock Recreation Area***, ca. 1 mi westlich vom Ortsschild Three Rivers (➤ Foto umseitig). Kurz davor passiert man den ***Horse Creek Campground*** (mit Duschen), von dessen Stellplätzen man weit über Tal und See schaut. Wer noch vor dem Nationalpark Rast machen möchte, findet in **Three Rivers** die letzten ***Motels*** und ***Lodges*** (+Tankstelle!) und hinter der Brücke über den Fluss das **Restaurant *The Gateway*** mit einer wunderbaren Terrasse. Ein weitere (einsame) **Badestelle** liegt unterhalb des Parkplatzes an der Einfahrt zum *Sequoia Park* (200 m Trampelpfad).

Mineral King

Hier zweigt die Stichstraße nach **Mineral King** ab. Die Zufahrt in diesen Teil des *Sequoia Park* ist eng, schlagloch- und serpentinenreich; sie abzufahren lohnt für die meisten nicht.

Aufstieg im Park

Hinter der Parkeinfahrt (500 m) führt die #198 in endlosen Kehren auf **2000 m Höhe**. Wasserstellen in regelmäßigen Abständen sind zur Beruhigung kochender Kühler gedacht. **Diese Einfahrt wird nicht empfohlen (*not recommended*) für Campmobile über 22 Fuß Länge, aber bis 25/26 Fuß macht sie noch keine ernsten Probleme**).

Sequoias

Oben passiert man mit den ***Four Guardsmen*** die ersten eindrucksvollen Mammutbäume. Durch diese vier in wenigen Metern Abstand passen gerade die dort getrennten Straßenspuren. So schön fährt man kein zweites Mal zwischen Sequoias hindurch: also stoppen, Kamera 'raus, zurück und noch einmal! (➤ Seite 143)

Giant Forest Museum

An der Abzweigung der Straße zum *Moro Rock* befindet sich das ***Giant Forest Museum*** (9-16.30 Uhr), wo man alles Wissenswerte über *Sequoias* erfährt. Geht man vom gegenüberliegenden Parkplatz ca. 100 m nach links, gelangt man am sog. *Rock Center* auf ein Felsplateau mit herrlicher Weitsicht.

Moro Rock

Das erste »Muss« im *Sequoia Park* bei Anfahrt von Süden ist der **Abstecher zum *Moro Rock***, am Museum rechts ab (2 mi). Die schmale Straße bildet zusammen mit der #198 eine Art Begrenzung des *Giant Forest*, den am dichtesten mit *Sequoias* bestandenen Bereich des Parks. An ihr liegt u.a. der ***Auto Log***, ein umgestürzter Baum, der sich früher mit dem Wagen befahren ließ. Der **Aussichtsfelsen *Moro Rock*** bietet einen spektakulären Blick über die Sierra Nevada. Für den steilen Aufstieg und ein wenig Verweilzeit benötigt man eine halbe Stunde und mehr.

Folgt man der Straße bis zum Ende (*Picnic Area Crescent Meadow*), dürfen Pkw noch den ***Tunnel Log*** durchqueren. Der 2 mi lange *Log Meadow Loop* hat den ***Tharps Log*** zum Ziel, in dessen vom Feuer ausgehöhlten Hohlraum einst die ersten Siedler Unterkunft fanden.

Giant Forest

Bester Ausgangspunkt für eine beeindruckende **Wanderung durch die *Sequoias*** ist der ***General Sherman Tree***, der gewaltigste aller Mammutbäume. Sein Bodendurchmesser beträgt ca. 12 m, seine Höhe 83 m, sein Alter schätzt man auf 2.500 Jahre. Sein jährliches zusätzliches Wachstum entspricht der Holzmenge eines »normalen« Baums von 20 m Höhe. Für die Rundwanderung auf dem ***Congress Trail*** (weitgehend ein Spaziergang, Gesamtlänge 3,2 km) benötigt man je nach Verweildauer an den Baumriesen und Schritttempo 1-2 Stunden. Wer sich mehr zutraut, kann bis zum *Moro Rock* (6 km) laufen und auf anderen Wegen zurückkehren, z.B. über den ***Pine Trail*** und den ***Trail of the Sequoias***, einer Erweiterung des ***Congress Loop*** *(Sequoia/Circle Meadow Loop Trail* 10 km Gesamtlänge). Eine genaue **Karte des *Giant Forest*** mit allen *Trails* ist am Hauptparkplatz (*Sherman Tree*), im *Museum* und in den *Visitor Centers* erhältlich.

Die **Sequoias** sind verwandt mit den ***Redwoods***, die man an der Küste findet. Sie wachsen aber nicht ganz so hoch. Ihr Durchmesser erreicht dafür bis zu 13 m am Boden.

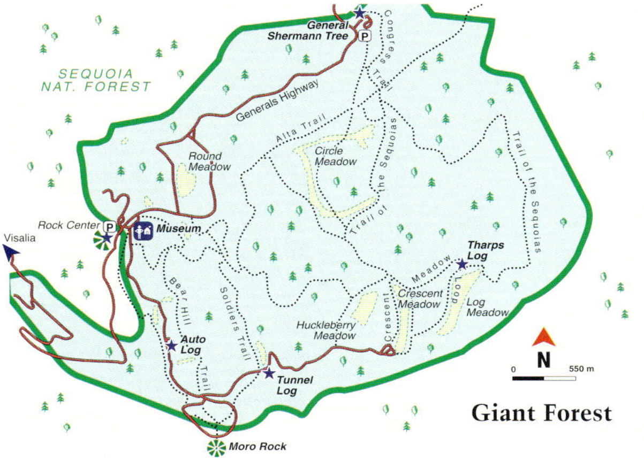

Giant Forest

Höhle

Etwa 9 mi nördlich des Museums (600 m tiefer, steile Abfahrt, keine RVs) befindet sich die ***Crystal Cave*** (Tropfsteinhöhle). Ein *Trail* über ca. 1 mi führt vom Parkplatz zum Eingang. Besuch nur 2 x täglich, Anmeldung in *Lodgepole*; $10.

Lodgepole

Ein großes ***Visitor Center*** mit **Serviceinrichtungen** ist ***Lodgepole***.

Internetinfo: www.nps.gov/seki und www.visitsequoia.com

Vom Besucherzentrum kann man einige 100 m weiterfahren bis vor den ausgedehnten ***Campground*** **mit vielen fantastischen Stellplätzen** (ab $18, Reservierung ➤ Seite 200) am Oberlauf des bereits erwähnten Kaweah River. Ein ***Trail*** führt von dort am Fluss entlang zu den ***Tokopah Falls*** (3 km).

Lost Grove

Auf der Weiterfahrt passiert man auch noch den weniger sensationellen, dennoch einen Stopp werten ***Lost Grove***.

NF-Camping

Im angrenzenden ***Sequoia National Forest*** bieten einfache ***NF-Campgrounds*** ($14) Ausweichquartiere, wenn *Lodgepole* voll sein sollte. Zwei davon liegen am (kürzesten) Weg ab Quail Flat zum *Kings Canyon Park* über Hume Lake.

Hume Lake

Der hübsch gelegene See ist erstaunlich warm und daher beliebte Sommerfrische mit Stränden, Bootsverleih und einer (begrenzten) touristischen Infrastruktur im **Ort Hume Lake**. ***Sandy Cove*** ist ein schöner Badestrand am Südausläufer.

Kings River Valley

Einige Kilometer nördlich von Hume Lake stößt man auf den ***Kings Canyon Highway*** (#180), der auf großartiger Strecke hinunter in das Tal des South Kings River führt. Kurz nach der Einfahrt in den *Canyon* passiert die Straße die ***Boyden Caverns***, ein Höhlensystem mit Zugang hoch über dem Fluss. Geöffnet 11-16 Uhr nur Mai-Oktober; $10, bis 13 Jahre $5.

Infrastruktur Kings Canyon

Der *Canyon* erweitert sich nach Überquerung der Brücke zu einem breiten Tal, dem ***Cedar Grove***, ähnlich dem *Yosemite Valley*. In kurzer Folge passiert man **4 einfache Campingplätze** zwischen Straße und Kings River ($18). Im Sommer sind sie trotzdem bisweilen am frühen Nachmittag voll; keine Reservierung. Unterkunft nur in der ***Cedar Grove Lodge*** (Reservierung: ✆ (559) 335-5500). Tankstelle mit Duschanlage, Restaurant und kleiner *Shop* stellen die Basisversorgung sicher.

Trails

Die Stichstraße endet etwa 6 mi hinter dem Campingbereich. Am Parkplatz *Roads End* beginnen verschiedene *Trails*. Nur gut 100 m in südliche Richtung sind es zur **Badestelle *John Muir Rock*** am (**kalten**) Kings River. Eine Brücke führt über den Fluss zum ***River Trail***. Nach Westen (also zurück) geht's zu den ***Roaring River Falls*** (auch auf kurzem *Trail* von der Straße aus), nach Osten auf schönem Pfad zur nächsten Brücke (ca. 3 km). Von dort kehrt man auf einem gutem Weg auf der anderen Flussseite (*Paradise Valley Trail*) zum Parkplatz zurück oder setzt die Wanderung noch zu den ***Mist Falls*** fort (**bester Tagestrip**). Für die Rückfahrt sollte man die rechtsseitig des Kings River verlaufende rauhe Einbahnstraße **River Road** wählen.

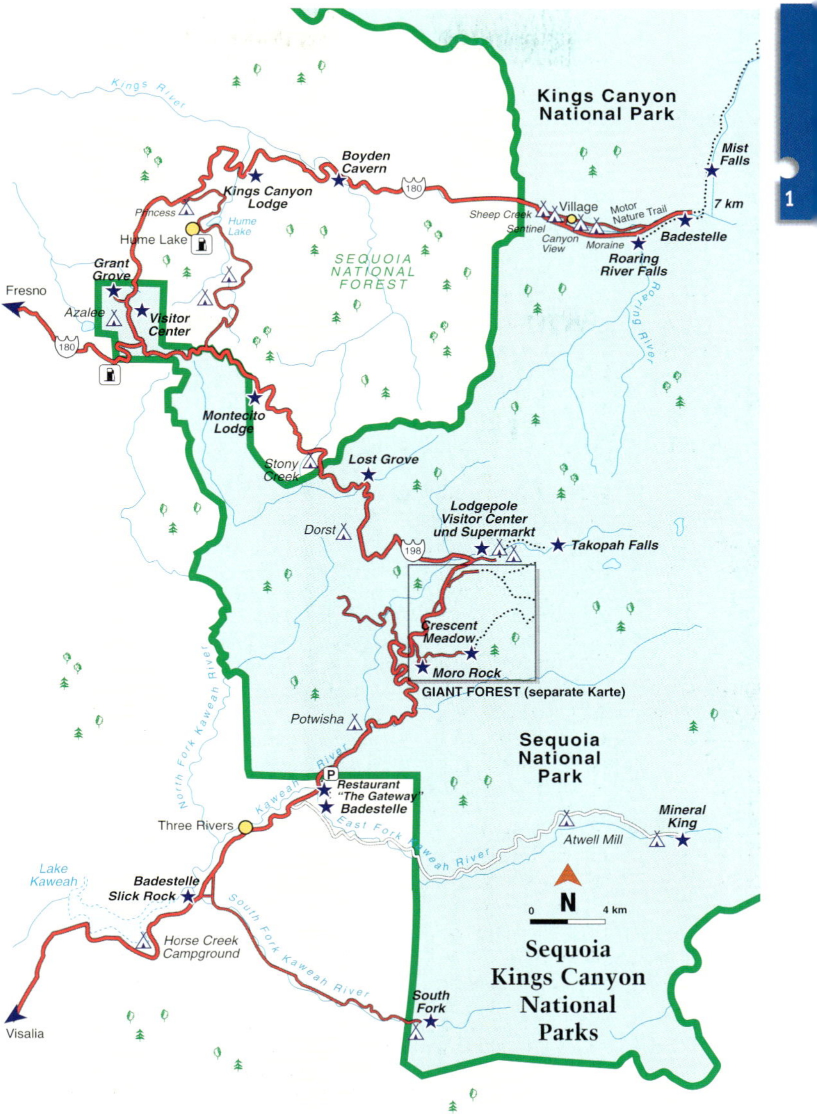
Kings Canyon
National Park
Kings River
Boyden
Cavern
180
Kings Canyon
Lodge
Princess
Hume Lake
Hume
Lake
Grant
Grove
Fresno
Azalee
Visitor
Center
180
SEQUOIA
NATIONAL
FOREST
Sheep Creek
Village
Sentinel
Canyon
View
Moraine
Motor
Nature Trail
Mist
Falls
7 km
Badestelle
Roaring
River Falls
Roaring River
Montecito
Lodge
Stony
Creek
Lost Grove
Dorst
Lodgepole
Visitor Center
und Supermarkt
Takopah Falls
198
Crescent
Meadow
Moro Rock
GIANT FOREST (separate Karte)
Potwisha
North Fork Kaweah River
Sequoia
National
Park
P
Restaurant
"The Gateway"
Badestelle
Kaweah River
Three Rivers
East Fork Kaweah River
Atwell Mill
Mineral
King
Lake
Kaweah
Badestelle
Slick Rock
N
0
4 km
Horse Creek
Campground
South Fork Kaweah River
Visalia
South
Fork
Sequoia
Kings Canyon
National
Parks
1

Grant Grove

Zwischen *Sequoia* und *Kings Canyon* befindet sich im äußersten Westen der Parkareale der *Grant Grove* mit dem herausragenden ***General Grant Tree***. Er ist etwas mächtiger, dafür aber rund 2 m kürzer als der *Sherman Tree* und gilt nach diesem und der *General Lee Sequoia* (beide im *Giant Forest*, siehe oben) als die **Nummer 3** unter den größten Mammutbäumen. Der ***Grant Grove*** ist für sich unbedingt sehenswert, aber **nicht ganz so eindrucksvoll wie der *Giant Forest***. Funktion des Bereichs ist ohnehin in erster Linie die »Besucherbewältigung«:

Beim ***Visitor Center*** im *Grant Grove* kann man in der ***Muir Lodge*** und in ***Rustic Cabins*** logieren: © 1-866-546-4775 ($60-$160). Neben der ***Wuksachi Lodge***, © (888) 252-5757 ($100-$230), bei *Lodgepole* einzige Hotelunterkunft auf der Höhe ist die ***Montecito-Sequoia Lodge***, ca. 10 mi südöstlich des *Grant Grove*; DZ Nebensaison $120, Hauptsaison ab ca. $200; Reservierung © 1-800-227-9900; www.mslodge.com. Außerhalb der Parks gibt es im *National Forest* noch die ***Stony Creek*** und ***Snowline Lodge***, Reservierung unter © wie oben oder online: www.sequoia-kingscanyon.com.

Am ***Grant Grove*** gibt es **drei *Campgrounds*** (*Azalea, Sunset, Crystal Springs*). ***Azalea*** ist davon der beste; alle **$18**.

Weiter zum Yosemite Park

Der eindeutig schnellste Weg vom *Sequoia* zum *Yosemite Park* führt über **Fresno**, einem agrarwirtschaftlichen Zentrum und *Turkey Capital of the US*, obwohl dabei einige Kilometer mehr zu bewältigen sind (ab *Grant Grove* bis zur *Yosemite*-Einfahrt Fish Camp 110 mi) als auf kleinen Landstraßen durch die Vorgebirge der Sierra Nevada.

Bei einer Extrastunde Zeit wird man die Mühe einer Fahrt auf kurvenreichen ***Backroads*** über Tollhouse nach Oakhurst/Bass Lake nicht bereuen (aber nur mit **regionaler Straßenkarte**). Gute Campingmöglichkeiten gibt es am ***Pine Flat Lake*** (oft halbleerer Stausee des Kings River) und westlich des ***Bass Lake*** (*Forest Service*). Zwischen Auberry und North Fork liegt **das immer volle (!)** ***Kerkhoff Reservoir***, dessen kühles, klares Wasser bei Hitze zum Baden einlädt.

Wer die Route über Fresno wählt, passiert nördlich die ***Millerton Lake Recreation Area*** mit einem **tollen Campingplatz zwischen Felsen und Bäumen** über dem Stauseee, wiewohl nicht billig. Anfahrt über Straße #41, Ausfahrt Millerton, dann geradeaus, vorm *Friant Dam* nach links, dann Wegweisung *Campground* rechts.

Oakhurst

Letzter gut sortierter **Versorgungsort** (Supermarktcenter *Vons*) vor dem *Yosemite* (im Park gelten bei begrenztem Angebot extreme Preise!) ist **Oakhurst** an der **Straße #41**. Zahlreiche **Motels** warten dort auf Gäste. Neben **Mariposa** (➤ Seite 372) ist Oakhurst die wichtigste Etappe außerhalb des Parks. Dort beginnt/endet die Straße **#49**, der ***'49ers Highway***, benannt nach dem kalifornischen Goldrausch 1849-50, ➤ Seite 373.

Fish Camp

Etwa 2 mi südlich von Fish Camp passiert man die nostalgische ***Yosemite Mountain-Sugar Pine Railroad***, die auf einem kleinen Rundkurs von Mai bis Oktober durch die hübsche Landschaft dampft. Das Dorf unmittelbar vorm Südeingang des Nationalparks besteht nur aus einer Tankstelle und einer Handvoll *Lodges und B&B-Places;* empfehlenswert ist die dort einzig moderate ***White Chief Mountain Lodge***, ✆ (559) 683-5444. Wer nicht auf den Dollar schaut, findet mit der ***Tenaya Lodge von Marriott*** – im Sommer über $300, ✆ (559) 683-6555 – eine Bleibe für höhere Ansprüche; sie kann auch über Veranstalter bei uns gebucht werden. Ganz gemütlich ist das ***Apple Tree Inn***, 2 mi südlich des *Yosemite*, aber mit ebenfalls recht happigen Tarifen ab $160 im Sommer, ✆ (559) 683-5111. Ähnlich liegt auch das kleine ***Big Tree B&B Inn***, ✆ (559) 641-2828.

Der ***NF-Campground Summerdale*** vor den Toren des Parks bietet schönere Stellplätze als der nächste, überbeanspruchte Platz innerhalb des *Yosemite Park*, ***Wawona***.

Mariposa Grove

Von der Südeinfahrt zum beeindruckenden ***Mariposa Sequoia*** **Hain** sind es nur wenige Meilen. Wegen des ausschließlich per *Shuttle Bus* möglichen Zugangs dauert der Abstecher mit Parken, Wartezeiten etc. alles in allem nicht unter 2 Stunden. **Wer bereits im *Sequoia/Kings Canyon Park* war, muss den *Mariposa Grove* nicht gesehen haben**.

Für die rund 40 mi in das Zentrum des *Yosemite* Tals (*Curry* oder *Yosemite Village*) benötigt man mindestens 90 Minuten.

Alles weitere zum *Yosemite Park* und weiterführende Routen von dort nach Norden, Westen und Osten ➤ ab Seiten 383+385.

1.6 Startroute #4: Von Los Angeles nach Las Vegas auf der I-15

Für viele Touristen ist Los Angeles Ausgangspunkt für eine Reise durch die Utah-Nationalparks und/oder zum *Grand Canyon National Park* und darüberhinaus. Vor allem, wenn zunächst der ***Zion National Park*** auf dem Programm steht, liegt Las Vegas sozusagen am Wege. Bei **Ziel *Grand Canyon*** kostet das Zwischenziel Las Vegas einen ziemlichen Umweg. Wer auf Las Vegas – zumindest bei der Anreise – verzichten will, fährt zum *Grand Canyon* besser über den *Joshua Tree Park* und dann weiter über die I-40 nach Arizona, ➤ Seite 269.

Die direkte Route I-15

Von Los Angeles nach Las Vegas sind es je nach Startpunkt **270-320 mi**. Man verlässt Los Angeles – wie auf Seite 266 für Palm Springs beschrieben – in Richtung Riverside/San Bernardino entweder auf dem ***Freeway #91*** oder der **I-10**. Beide stoßen auf die stark befahrene ***Interstate #15*** San Diego-Las Vegas-Salt Lake City. Nach Überquerung der *San Gabriel Mountains* bei San Bernardino führt diese Autobahn durch die südkalifornische »Wüste«, einen Landstrich, der mit seinen Felsformationen, Sanddünen und verkrusteten Salzseen eine überraschend abwechslungsreiche Fahrt bietet. Wegen der oft hohen **Verkehrsdichte** auf den ersten 130-150 mi **bis Barstow** und der vielen Steigungen sollte man für die Strecke bis Las Vegas nicht unter **6 Stunden Fahrzeit** kalkulieren, auch wenn das *Speedlimit* großenteils bei 65-70 mph liegt.

Calico Ghost Town

Ein Zwischenstopp ließe sich 10 mi östlich von **Barstow** einlegen, um die ***Calico Ghost Town*** zu besuchen, eine rekonstruierte **Silberminenstadt** des 19. Jahrhunderts in malerischer Umgebung (Ausfahrten Yermo oder Calico Road von der I-15). Dieser Regionalpark ist eine Art »Zwitter« zwischen historischem Erhaltungsanliegen und einer kommerziellen Touristenattraktion, die kein Reisebus auslässt. Geöffnet täglich 10-17 Uhr, Eintritt $6/$3; Info im Internet: www.calicotown.com.

Der eigentlich hübsch zwischen Felsen angelegte ***Campground*** (mit und ohne *Hook-ups*) war schon des öfteren Anlass für Leserkritik wegen ungepflegter Einrichtungen. Aber immerhin schließt die Gebühr ($18-$22) den Eintritt in die *Ghosttown* mit ein.

San Bernardino Mountains

Wer in diesem Bereich nach spätem Start in LA vielleicht daran denkt, schon zu campen bzw. bei entgegengesetzter Richtung eine letzte Nacht vor Erreichen von LA einzulegen, findet einen viel besseren *Campground* (komfortabel, wunderbar angelegte Stellplätze) im ***Silverwood Lake State Park***, ca. 12 mi östlich der I-15 in den San Bernardino Mountains, Straße #138. Reservierung im Sommer angezeigt über ✆ 1-800-444-7275 bzw. www.reserveamerica.com. Am großen Strand dieses ringsum bewaldeten Stausees kann man gut baden und in der Marina Boote und Badeplattformen mieten. **Ausweichcamping**, falls voll: ***Mojave River Forks*** 8 mi weiter an der Straße #173 (See ist eingetrocknet).

Lokal sehr beliebt sind auch die Campingplätze in den weiter östlich gelegenen Bergen (*National Forest*) entlang der **Straße #38** zwischen der I-10 östlich von San Bernardino und dem **Big Bear Lake**. Der auf der Karte reizvoll und (gegenüber der *Interstate*) meilenmäßig nur unwesentlich erscheinende Umweg ist mit viel Serpentinenfahrt verbunden und lohnt trotz hübscher Streckenabschnitte nicht sonderlich.

Übers Death Valley

Eine Fahrt von LA nach Las Vegas bietet die Gelegenheit zu einem Besuch des ***Death Valley***. Die Straße **#127** ab Baker führt über Shoshone (dann #178) zur Oase *Furnace Creek* mitten im Tal des Todes. Dieser Abstecher mit Weiterfahrt nach Las Vegas kostet gegenüber der direkten Fahrt auf der I-15 mindestens 160 mi zusätzlich. Die Gesamtstrecke bis Las Vegas beträgt ohne Umwege kaum unter 270 mi. Dafür sollte einschließlich Zwischenstopps ein voller Extratag kalkuliert werden. Zum Vergleich: Las Vegas ist von Baker noch etwa 90 *Interstate*-Meilen entfernt, die inklusive kurzem Fotostopp in **Stateline** leicht in 2 Stunden zu machen sind.

Nipton

Gerade noch in Kalifornien liegt 10 mi westlich der I-15 an der Straße #164 das Wüstennest Nipton. Das urige ***Hotel Nipton*** hat preiswerte ***B&B-Zimmer*** ($60) und vermietet originelle ***Tent Cabins*** für 4 Personen ($55). Das Restaurant ist preiswert; www.nipton.com, © (760) 856-2335.

Nevada

Bereits an der Grenze California/Nevada (***State Line***) warten beidseitig der I-15 die ersten grandiosen **Spielkasinos** samt ***Amusementpark*** mit *Riesen-Rollercoaster* (*Whiskey Pete's*, *Primadonna* und *Buffalo Bill*). Aber dort bloß keine Zeit verschwenden: am *Strip* in Las Vegas sind die Kasinos mindestens zwei Nummern interessanter.

Zur **Fortsetzung des Textes** für den ***Death Valley National Park*** bitte weiterblättern bis **Seite 395**. Das **Las Vegas-Kapitel** schließt unmittelbar daran an, ➤ Seite 398.

Blick vom Zabriskie Point im Death Valley National Park

2. SAN FRANCISCO MIT STARTROUTEN

2.1 San Francisco

2.1.1 Geschichte, Geographie und Klima

Geschichte

San Francisco gehört zu den ältesten Städten der Vereinigten Staaten. Ursprünglich als **Missionsstation** (*Mission Dolores*) im Jahr 1776 von spanischen Franziskanermönchen unter dem mallorquinischen Pater *Junípero Serra* errichtet, fiel die später ***Yerba Buena*** genannte Stadt 1846 im mexikanisch-amerikanischen Krieg ohne Kampfhandlungen an die USA. Sie erhielt ein Jahr später zu Ehren des Schutzheiligen ihrer Gründer den heutigen Namen. Während der Jahre des kalifornischen Goldrausches (im Gebiet der *Sierra Nevada* zwischen *Yosemite National Park* und Lake Tahoe) 1848-1851 ging es mit San Francisco steil bergauf, und bereits 1870 zählte die Stadt 150.000 Einwohner. Ein schweres Erdbeben und die dadurch verursachte Feuersbrunst zerstörten 1906 zwar 80% aller Gebäude, aber die Entwicklung San Franciscos (heute ca. 780.000 Einwohner) und der sogenannten ***Bay Area*** (San Francisco, Oakland, San José, Palo Alto u.a.) zur Metropolis mit heute über 5 Mio. Einwohnern wurde nur kurzfristig unterbrochen. Die nach wie vor latente **seismische Gefährdung** der Region stellte ein schweres Beben der Stärke 6,9 auf der Richter-Skala das letzte Mal 1989 unter Beweis.

Gay People

In den 1970er-Jahren erwarb sich San Francisco den Beinamen »Welthauptstadt der Schwulen«. Die in der Hippiezeit ausgelöste sexuelle Liberalisierung in Verbindung mit der San Francisco nachgesagten Toleranz sorgten für eine ***Gay Community***, die heute auf 20% der wahlberechtigten Bürger der Stadt geschätzt wird. Als politischer und wirtschaftlicher Faktor – die Einkommen der schwulen Bevölkerung liegen deutlich über dem Durchschnitt – ist die Homosexuellenbewegung nicht mehr wegzudenken. Daran änderte auch die Verbreitung von ***Aids*** wenig. Nach wie vor gilt als »Hochburg« der *Gay Community* ein Bereich unterhalb der *Twin Peaks* und *Buena Vista Park* mit Zentrum in der Castro Street zwischen 17. und 19. Straße.

Geographie

Das annähernd **quadratische Stadtgebiet** (120 km^2) von San Francisco wird nach drei Seiten markiert durch die Küstenlinie des oberen (nördlichen) Endes einer breiten Landzunge zwischen Pazifik und San Francisco Bay. Deren hügelige Topographie tat der dichten Besiedelung keinen Abbruch. Gerade einige Parkareale und die Twin Peaks blieben von der Bebauung verschont, wobei die Stadtplaner weitgehend die Eigenheiten des Terrains ignorierten und kurzerhand für die Straßenführung **Schachbrettmuster** zugrunde legten. Nur wo das beim besten Willen nicht durchzuhalten war, wich man davon ab.

Internet

Mehr Infos unter http://en.wikipedia.org/wiki/San_Francisco

Zahlreiche schnurgerade Straßen mit enormen Gefällen verlaufen daher **achterbahnähnlich** auf und ab. Von ihren höhergelegenen Punkten hat man herrliche Ausblicke auf die Bucht oder den Pazifik, es sei denn, der berüchtigte Nebel liegt über der Stadt.

Klima

Oft bleibt der **Nebel** auf der Linie *Golden Gate Bridge/Twin Peaks* hängen. Im Stadtzentrum scheint dann die Sonne, während die westlichen Vororte unter Feuchtigkeit und Kälte leiden. Dieses Phänomen ist nicht etwa eine Wintererscheinung, sondern eher **im Sommer** anzutreffen. Die Temperaturen werden davon stark beeinflusst. Sie steigen selbst im Hochsommer selten über 20°C. Erheblich kühlere Witterung bildet keine Ausnahme. Relativ **sonnenreich** und damit angenehm warm sind September und Oktober. Der spärliche Regen konzentriert sich auf die Wintermonate, deren mittlere Temperaturen nur um 8°C vom Sommerdurchschnitt abweichen.

Golden Gate Bridge: Blick von einem der Aussichtspunkte nordwestlich der Brücke in den Marin Headlands (Golden Gate National Recreation Area), *➢ Karte Seite 329*

2.1.2 Orientierung

Zentrum

Die Orientierung **im zentralen San Francisco**, wo sich ein Großteil der Sehenswürdigkeiten und populären Attraktionen befindet, ist wegen des erläuterten Stadtaufbaus **relativ einfach**. Gleich, aus welcher Richtung Besucher die Innenstadt erreichen (einschließlich der ersten Anfahrt vom internationalen Flughafen an der San Francisco Bay bei San Bruno), fast unweigerlich geraten sie auf oder über die **Van Ness Ave**, ein mitten durch die City führendes Teilstück der Nord-Süd Küstenstraße #101. Diese sechsspurige Allee und die auf Pylonen geführte Interstate #80 (Verlängerung der *Oakland Bay Bridge*) trennen den in der nordöstlichen Ecke der Halbinsel gelegenen Kern vom weitläufigen «Rest« San Franciscos. Innerhalb dieses Gebietes befinden sich auf nicht einmal 10 km^2 Fläche u.a. ***Downtown San Francisco*** mit den für amerikanische Großstädte typischen Hochhäusern, die ***Chinatown*** und der Besuchermagnet ***Fisherman's Wharf***. **Dieser Teil der Stadt lässt sich bei gelegentlicher Benutzung eines Taxis oder der *Cable Cars* gut zu Fuß erkunden.**

Westliche Bezirke

Westlich der Van Ness Avenue – deren nördlicher Abschnitt und die Lombard Street in Richtung *Golden Gate* mit Nebenstraßen beherbergen die **größte Motel- und Hotelkonzentration der unteren Kategorien bis zur Mittelklasse** – liegen ausgedehnte Wohnviertel, die bis hinüber zur Pazifikküste reichen, dahinter der bis vor kurzem noch militärisch genutzte Park ***El Presidio*** und der ***Golden Gate Park***, weiter südlich ein Höhenzug mit den herausragenden ***Twin Peaks*** und dem ***Buena Vista Park*** von Haight Ashbury. Die interessantesten Besuchspunkte sind durch einen ausgeschilderten Rundkurs miteinander verbunden, den sog. ***Scenic Drive***, ➤ auch Übersichtskarte Seite 329.

2.1.3 Unterkunft

Hotels/ Motels: Generelle Situation

In San Francisco, dem **teuersten Hotelpflaster unter den großen Städten an der Westküste**, ballen sich Hotels aller Preisklassen in **Innenstadtnähe** westlich und nördlich des Union Square und entlang der Straße #101 (**Lombard und Van Ness**). Hotels zu Spitzenpreisen findet man insbesondere an und nahe der ***Fisherman's Wharf*** sowie an der Market Street.

Große Bettenkapazitäten existieren rings um den Flughafen vor allem am **Airport Boulevard**, gut **20 mi südlich von *Downtown***, und südlich des *Airport*-Bereichs bis hinunter nach San Mateo. Bei der *Visitor Information*, ➤ Seite 319, gibt es den ***San Francisco Lodging Guide*** mit aktuellen Telefonnummern und Preisen. Eine Alternative zu *Downtown* San Francisco ist **Oakland** mit einem etwas niedrigeren Hotel-Preisniveau. Per U-Bahn gelangt man von dort relativ rasch in die City.

Preisniveau

Während die **preiswerteren Hotels** im Zentrum nahezu ausschließlich in Straßen residieren, die man spätestens nach Einbruch der Dunkelheit nicht mehr allein betreten sollte, sind **Van**

Angaben zum Preisniveau beziehen sich auf Sommer- und Herbstsaison. Im Winter/Frühjahr billiger

Ness, **Lombard und Nebenstraßen** einigermaßen unproblematisch. Außerdem liegen sie **verkehrsgünstig** und verfügen über viel Gastronomie im Umfeld (*Hard Rock Café* an der Van Ness Ave). Parkplätze sind in der Regel vorhanden. **Dort ist es auch im Sommer von Sonntag bis Donnerstag Abend nicht sonderlich schwierig, ein Quartier zu finden**. Akzeptable Unterkünfte der unteren Mittelklasse fordern dann an Werktagen etwa **ab $80 fürs Doppelzimmer** (plus 14% Steuern!). Die Mittelklasse kostet ab ca. $100 netto. Bei Leerstand offerieren manche Motels auch geringere Raten und annoncieren sie ggf. per Leuchtschrift. **Die besseren Hotels** in der City und auch an der *Fisherman's Wharf* (Mittelklasse vom Typ *Best Western/Holiday Inn* bis zur Oberklasse wie *Marriott/Hyatt*) sind deutlich teurer (ab $150) und in vielen Fällen per **Vorbuchung bei einem heimischen Veranstalter oder z.B. im Internet über** www.hotels.com **preiswerter** zu haben als vor Ort bei Direktbuchung.

Weekend Rates

An Wochenenden mit hoher Nachfrage (Sommersaison) gibt es in ***Downtown*** und rund um das Zentrum auch noch im »letzten« Motel **kaum ein Zimmer unter $80 netto**. Sofern überhaupt etwas zu finden ist. Auch teuerste Häuser sind dann oft ausgebucht. Gleichzeitig herrscht mitunter im **Flughafenbereich** bei gleichen oder sogar niedrigeren ***Weekend-Specials*** in besten Hotels Leere. Für Freitag oder Samstag Abend sollte also grundsätzlich reservieren, wer in der Stadt und nicht irgendwo sehr weit außerhalb logieren möchte.

Vorbuchung

Wer seine Reise in San Francisco startet und/oder abschließt, wird – gleichgültig, ob Wochenende oder wochentags – ohnehin oft die ersten und/oder letzten Nächte vorbuchen wollen. Zur Sicherheit und Stressvermeidung, aber auch aus Kostengründen, siehe vorletzten Absatz. Bei **Ankunft des Transatlantikfluges** bis zum frühen Nachmittag ist ein **City-Hotel** den Häusern im Flughafenbereich vorzuziehen, auch wenn das **Taxikosten** (ca. $35-$45 inkl. Trinkgeld) oder den Umstand einer **Busfahrt** (Express Bus #KX $3, *Shuttle* ab $12) verursacht. Denn im Zentrum kann man schon mal San Francisco beschnuppern und hat es dabei leichter mit der Zeitumstellung. Die **Hotels in Flughafennähe** liegen durchweg isoliert und bieten kaum mehr als sich selbst.

City-Hotels

In der City gilt bei **Vorbuchung**, dass die Preis- und Qualitätsunterschiede sich nicht recht entsprechen: ausgesprochen guter Standard kostet in einigen Fällen nur €25-€40 pro Zimmer und Nacht mehr als die untere Mittelklasse bei gleichzeitig viel besserer Lage. In **Internet-Reservierungsportalen** werden bei Eurozahlung mitten in der Hochsaison schon **gute Hotels zu Tarifen unter €100** angeboten (www.hotels.com, www.usareisen.de oder www.usatourist.com); empfehlenswert in dieser Preisklasse sind das ***Ramada Plaza/Market Street*** (früher *Holiday Inn*), das ***King George*** am Union Square, das ***Savoy***, Geary Street/Union Square und das ***Chancellor Hotel***/Union Square. Im Bereich über €120 bis ca. €150 fürs DZ sind ***Parc Fifty Five, The Handlery*** und das ***Serrano*** eine gute Option. Auch für die **letzte Nacht** ist man in der City besser aufgehoben, sofern der Flug nicht früh am Morgen geht.

Airport-bereich

Wer erst am späten Nachmittag aus Europa eintrifft, möchte sich vielleicht nicht mehr dem Stress unterziehen, auch noch in die City zu fahren, zumal nicht werktags zur *Rush Hour*. Die Hotels in der *Airport-Area* holen ihre Gäste kostenfrei per *Shuttle Bus* ab. Die preiswerteren Alternativen bedeuten oft einen höheren Qualitätsnachteil als durch die Preise zum Ausdruck kommt. Ein gutes Preis-Leistungsverhältnis bieten das ***Marriott Courtyard***, das ***Sheraton Gateway***, ***Doubletree, Westin*** und ***Hyatt at Airport*** (nach Zimmer mit Bayblick fragen! *Sizzler Steakhouse* gleich gegenüber), alle ca. €100-€140 bei Vorbuchung. Auch für die letzte Nacht im Airport-Bereich sollte man vorbuchen. Selbst reservieren kostet z.B. im sehr schönen ***Millwood »Boutique« Inn, ein Motel*** 3 mi südlich des *Airport*, ✆ 1-800-516-6738, ab **$74** bei Internetbuchung www.millwood.inn. Ab **$69** kommt man im akzeptablen ***Vagabond Inn*** unter in Nachbarschaft zum originellen *Gulliver Restaurant*.

Einen guten **Kompromiss** zwischen Entfernung, Niveau und Preisgestaltung (Mittelklasse, sehr große bestens eingerichtete Zimmer und Parkgarage unter dem Komplex) bietet das ***Best Western Lighthouse Hotel*** in Pacifica direkt am Ozeanstrand. Das Haus ist preiswert zu buchen über deutsche Veranstalter und kostet 2007 in der Hochsaison nur €78. Enfernung zum Airport 10 mi, in die City 16 mi, also etwa 15 bzw. 25 min Fahrt.

Reservierung

Alle hier genannten Häuser lassen sich vor Ort auch über **800-Nummer** reservieren, ➤ Seite 183.

Zentrale Hotelbuchung: ✆ **1-888-782-9673**, ✆ **1-800-96 HOTEL**
Central Reservation Service: ✆ **1-800-548-3311**

Internet

www.crshotels.com oder www.orbitz.com

www.sfvisitor.org (weiter über »*Hotel Reservation online*«)

Im folgenden sind Unterkünfte genannt, die sich überwiegend nicht preisgünstiger über Veranstalter buchen lassen:

San Francisco Skyline bei beginnender Dunkelheit

Preiswerte Quartiere

Trotz des alles in allem hohen Preisniveaus kann man in San Francisco in guter Lage auch preiswert übernachten. Allerdings befinden sich die meisten Billigquartiere im Zentrum überwiegend in Straßen, die man nach Einbruch der Dunkelheit nicht mehr allein betreten sollte. Auch die ***Tourist Information*** hat eine separate Liste solcher Unterkünfte.

- **International Hostel Fort Mason Park (HI)**, © (415) 771-7277, beste Lage bei der Wharf; 160 Betten, etwas in die Jahre gekommen, dennoch beliebt, $23-$29; www.sfhostels.com.
- **Int'l Hostel Union Square (HI)**, © (415) 788-5604, 312 Mason St im Zentrum; $23-$26; EZ/DZ $60/$65; www.sfhostels.com.
- **Pacific Tradewinds**, © (415) 433-7970, 680 Sacramento Street, freies WLAN, Unterkunft ab $20, www.sanfranciscohostel.org.
- **Globe Int'l Hostel**, © (415) 431-0540; 10 Hallam Place, ab $20.
- **Globetrotter's Inn Hostel**, © (415) 346-5786, 225 Ellis St, zentral, *Free Internet*, ab $18, EZ/DZ $40; www.globetrotters inn.com.
- **Green Tortoise Guest House**, 494 Broadway, © (415) 834-1000; ziemlich alternativ, $23-$29; EZ/DZ; www.greentortoise.com
- **Pacific Tradewinds Guest House**, © (415) 433-7970, 680 Sacramento St, ab $20, nahe Chinatown; www.pactradewinds.com,
- **International Hostel (HI)** in den ***Marin Headlands***, © (415) 331-2777, über dem Pazifik jenseits *Golden Gate*; ➤ Seite 335, $22
- **USA Hostels San Francisco**, 749 Taylor St und 717 Sutter St, beide © 1-877-483-2950, ab $20 im 4 Bett-Raum; freies WLAN für Laptopbesitzer; www.usahostels.com.

Mittelklasse

Entlang des Straßenzuges **Van Ness** und **Lombard** und Nebenstraßen findet man in erster Linie Motels der Einfachkategorie und der unteren bis mittleren Mittelklasse, z.B.:

- **Van Ness Motel**, © (415) 776-3220, © 1-800-422-0372, 2850 Van Ness Ave, einfaches Motel ab $79
- **Nob Hill Motel**, © (415) 775-8160, © 1-800-343-6900, 1630 Pacific Ave östlich Van Ness, ab $79; www.staysf.com/nobhill
- **Coventry Motor Inn,** © (415) 567-1200, 1901 Lombard, ab $105. Gute Zimmer für einen (in SFO) mittleren Preis.
- **Beck's Motor Lodge,** © (415) 621-8212, © 1-800-227-4360, 2222 Market St abseits der hier beschriebenen Straßenzüge im Bereich Castro Mission unterhalb der *Twin Peaks*, ab $99.
- **Hotel Red Victorian,** © (415) 864-1978, 1665 Haight Street in Haight Ashbury, ab $89 DZ in sehr individuell eingerichteten Zimmern. Etwas für *Flower Power Fans*; www.redvic.com.

Oberklasse

Die Grenzen zwischen der oberen Mittel- und der Hotel-Oberklasse sind fließend, preislich wie qualitativ. Die oben erwähnten City-Hotels (ab €100) gehören noch zur Mittelklasse, kosten aber bei Buchung vor Ort leicht mehr als $160 plus Steuern. Die besseren Häuser der oberen Mittel- bis Oberklasse verlangen nicht nur in der Saison über $200 pro Nacht und Zimmer, darunter das prima

- **Renaissance Parc Fifty Five**, ✆ 1-800-650-7272, ab $160, zentrale Lage, in deutschen Katalogen ab €130; www.parc55hotel.com
- Wer sich direkt am Union Square ein **tolles Nostalgiehotel** gönnen möchte, bucht das **Westin St. Francis**, am besten ebenfalls schon von zu Hause aus; www.westinstfrancis.com.

Im höherklassigen Hotelsegment auch zu empfehlen ist das

Luxustipp

http://sanfranciscoregency.hyatt.com

- **Hyatt Regency**, ✆ (415) 788-1234, 5 Embarcadero Center, ab $169, ein Spitzenhotel mit Riesenatrium und Drehrestaurant/Bar im obersten Stockwerk. Die Lage ist jedoch etwas abseits an der Endstation der *California Street Cable Car*. Gleich nebenan befindet sich die *Embarcadero Shopping Mall* mit vielen Restaurants. Zum *Ferry Building* (Fähren zu Zielen jenseits der Bay/*Marketplace)* sind es nur ein paar Schritte über die Herman Plaza und die Straße Embarcadero (preiswerter: www.hotels.de).

Hotel Tax

In San Francisco gilt eine generelle **Hotelsteuer** von **14%**.

2.1.4 Camping

Die privaten Campingplätze in akzeptabler Nähe zur City sind in San Francisco ziemlich kostspielig ($40-$55). Der beste und leider

- teuerste ist der ***Candlestick RV Park & Campground***, 650 Gilman Ave am Candlestick Stadion im Südosten (halbe Distanz zum *Airport* auf #101, ✆ 1-800-888-2267, $60-$65/Tag; *Shuttlebus* City $5/$8. www.sanfranciscorvpark.com

Wer im Zelt übernachtet oder in schönerer Umgebung als auf einem asphaltierten Platz die Nacht verbringen möchte, findet nördlich der Bay mehrere Möglichkeiten:

- ***China Camp State Park*** an der San Pablo Bay ca. 25 mi
- ***Mount Tamalpais SP*** in der Nähe *Muir Woods Nat'l Monument* **an sich nur für Zelte. RVs** dürfen über Nacht auf dem Parkplatz stehen (18-9 Uhr, »*Enroute Camping*«); $15.
- ***Samuel Taylor State Park*** abseits der Straße #1 unweit der *Point Reyes National Sea Shore*. Ein schöner Platz für Zelte und Campmobile, aber bereits ziemlich cityfern; $20, Sommer $25.
- ***Marin Headlands*** in der *Golden Gate National Recreation Area* westlich oberhalb der *Golden Gate Bridge*. Nur eine Handvoll citynaher Plätzchen für Zelter in toller Lage. Teilweise gratis. Reservierung nötig unter ✆ (415) 331-1540.
- ***Angel Island State Park***, Miniplätze für Zelte auf der Insel bei Tiburon. Reservierung notwendig ✆ 1-800-444-7275; $15, Sommer $20. Fähre ab Tiburon $10; ab San Francisco $14,50 retour.
- Für Pkw-Fahrer/Zelt und *Van Camper* hat der ***Mount Diablo State Park*** bei Danville (Anfahrt über I-680, von dort ca. 12 mi Serpentinen; **leider nicht für *RVs* über 20 Fuß**) einen tollen Platz über den Wolken bzw. Weitblick über Oakland und die Bucht nach San Francisco. Kein *Hook-up*, aber Duschen; $15, Sommer $20; Reservierung ➢ Seite 199f.

- Stadtnäher liegt der ***Anthony Chabot Regional Park*** südöstlich von San Leandro. Dessen Campingplatz im Eukalyptus Bergwald ist nur »rückwärtig« über die kurvige **Redwood Road** zu erreichen, entweder von Castro Valley (I-580) oder ab der #13 nördlich von San Leandro. Reservierung speziell bei *Hook-up*-Bedarf unbedingt angezeigt: ✆ (510) 562-2267.
- Speziell für die letzte Nacht vor der Rückgabe eines Campers bei den Firmen ***Moturis*** und ***El Monte*** bietet der ***Trailer Haven RV & Mobil Home Park*** in San Leandro eine gute, stationsnahe Lösung mit *full hook-up* zur Wagenreinigung etc.; 2399 East 4th Street, ✆ (510) 537-3235.

2.1.5 Restaurants und Kneipen

Situation

San Francisco quillt über von Restaurants jedweder Provenienz, was die Auswahl nicht unbedingt leichter macht. Vor allem in der berühmten ***Chinatown*** und an der ***Fisherman's Wharf*** befindet sich fast in jedem Gebäude irgendein gastronomischer Betrieb. Leider ist in sehr vielen Restaurants an den touristischen Brennpunkten (Grant Ave in *Chinatown*, Jefferson Street an der *Wharf*) das Essen sein Geld nicht wert. Wenn Chinesenviertel, dann das ***Hunan*** in der 924 Sansome Street (östlich der eigentlichen Chinatown) oder das sehr gute ***Brandy Ho's*** (glutamatfreie Küche!), 217 Columbus Ave; www.brandyhos.com.

Chinatown

City

Wer zwischen 17 und 19 Uhr seinen *Happy Hour Drink* im ***Starlight Room*** im obersten Stockwerk des Hotels ***Sir Francis Drake***, 450 Powell/Union Square, nimmt, bekommt die gute Aussicht und Snacks gratis dazu; www.harrydenton.com.

Planet Hollywood/Max's

Das San Francisco ***Planet Hollywood*** befindet sich an der Ecke Stockton/Market Street. Ein genereller Tipp bezieht sich auf **Max's Restaurants** rund um die Bay of San Francisco. In der City warten ***Max's Opera Café***, 601 Van Ness Ave, mit singenden Kellnern und ***Max's Market***, 555 California Street, mit einer Karte für gehobene Ansprüche bei moderaten Preisen.

Selbst in der Chinatown darf ein Mc Donald's heute nicht mehr fehlen

Imbiss auf der Pier 39:

www.pier39restaurants.com

Fisherman's Wharf

Im Wharf Bereich würde der Autor sich wegen der Aussicht über Bucht und *Golden Gate* am frühen Abend vor Sonnenuntergang ***Neptune's Palace*** oder das ***Sea Lion Café*** am Ende der **Pier 39** aussuchen, viele mögen das ***Hard RockCafé***, nach Einbruch der Dunkelheit eines der Restaurants im ***Ghirardelli Square***.

Forbes Island

Eine tolle (und teure) Angelegenheit ist das ***Forbes Island Restaurant*** (französische Küche) auf einem als Insel getarnten fest verankerten Riesenwohnboot mit Palmen und Leuchtturm 300 m vom Ufer entfernt gleich hinter den Seelöwenplattformen (➤ Seite 326). Ein Boot bringt die Gäste, die diesen Kurztransport selbst bezahlen müssen ($3), vom eigenen Anleger neben der Pier 39 hinüber zur »Insel«. Die Gäste im Speisesaal sitzen so tief, dass sie durch Bullaugen in die Unterwasserwelt blicken. Aus dem *Sea Lions Room* überschaut man aus kurzer Distanz die Pontons, auf denen sich oft Hunderte dieser Tiere drängen und vor sich hin röhren; © (415) 433-7500, www.forbesisland.com.

Financial District

Hervorragende Snacks zu zivilen Preisen gibt es in den diversen Lokalen des ***Embarcadero Center*** zur Mittagszeit, siehe unten. Dort befindet sich auch das japanische Restaurant ***Sushi Kinta*** mit leckeren *Sushi*-Spezialitäten (➤ Seite 323). Nebenan im ***Hyatt Regency*** sitzt man in der Cafeteria in der Halle ausgezeichnet, zahlt aber dafür ein paar Dollar extra, z.B. Capuccino $7, aber dazu gibt's Knabbereien gratis. Im obersten Stock logiert die **Equinox Lounge** mit Rundumblick über die Bay. Die ebenso brillante Aussicht wert sind auch die Menü-Preise im ***Carnelian Room*** des *Bank of America Building* im 52. Stock, 555 California St, © (415) 433-7500. Gutes ***Sunday Brunch***; www.carnelianroom.com.

Weitere Empfehlungen

Ganz wunderbar liegt das ***Sutro Seafood Restaurant*** im ***Cliff House*** über der Pazifikküste, ➤ Seite 331; www.cliffhouse.com. Ebenfalls nicht ganz billig sind die **Restaurants** und **Kneipen** in den San Francisco gegenüberliegenden Vororten **Sausalito** und **Tiburon**. Direkt an der Bay gibt es dort viele attraktive Lokale.

2.1.6 Information und Transport

Anlaufstellen

Der erste Weg nach Ankunft in San Francisco sollte zur zentralen ***Visitor Information*** im Pavillon an der ***Hallidie Plaza*** mitten in der Innenstadt führen (tiefer gelegter Vorplatz der U-Bahn Station Powell/Market Street). Um nicht nur mit einem kleinen Stadtplan und ein bisschen Werbung abgespeist zu werden, muss man oft ausdrücklich fragen, um das gute, kostenlose ***San Francisco Book*** zu erhalten, ein vierteljährlich aktualisiertes Heft mit Karten, umfassenden up-to-date Informationen und Veranstaltungskalender. Das **mehrsprachige Heft *San Francisco***, auch gratis, ist ebenfalls hilfreich, aber etwas mühsam zu benutzen und stärker mit Anzeigen durchsetzt. Sollte die Unterkunftsfrage noch ungeklärt sein, frage man nach dem ***San Francisco Lodging Guide***, ein umfassendes Heft mit Unterkünften aller Kategorien einschließlich ***Bed & Breakfast Places***. U.a. dort kann man auch den empfehlenswerten ***City Pass*** kaufen, ➤ umseitig.

AAA

Mitglieder europäischer Automobilklubs können sich zusätzlich im **Büro des AAA Clubs** mit Gratis-Informationsmaterial versorgen: 150 Van Ness Ave, Ecke Hayes Road, ganz in der Nähe des *Civic Center*, ✆ (415) 565-2012.

Literatur

Für San Francisco ist über alles Literatur erschienen und in den *Book Stores* der Innenstadt erhältlich (z.B. Powell Street). Das vielseitigste englischsprachige Werk ist ***Free and Easy, the Native's Guidebook to San Francisco***.

Erkundung

San Francisco besitzt eine in den USA nur von wenigen Cities geteilte Sonderstellung: Das Zentrum einschließlich *Fisherman's Wharf* etc. lässt sich **besser zu Fuß und mit öffentlichen Verkehrsmitteln** erkunden als per Auto. Einerseits liegt das an der Überschaubarkeit der Innenstadt, andererseits an der ***Cable Car***, deren Benutzung ohnehin zum touristischen Pflichtpensum gehört. In Anbetracht der kolossalen Steigungen bei gleichzeitigem *Stop-and-go* und der katastrophalen **Parksituation** sollte man in das von Wasser, Van Ness Avenue und Market Street begrenzte Dreieck am besten **gar nicht erst hineinfahren**, schon gar nicht mit einem Wohnmobil (Abstellen im Bereich der *Wharf*, am *Exploratorium* – ➤ Seite 327 bzw. 328 – oder auf einem bewachten **Parkplatz *South of Market***). Mit einem Pkw kommt man meist noch in einem Parkhaus unter (ziemlich hohe Gebühren, relativ günstig ist das *Embarcadero Center*).

Parken

Beim Parken an einer der vielen abschüssigen Straßen ist man verpflichtet, zusätzlich zum Anziehen der **Handbremse** die **Vorderräder** so zum Kantstein hin **einzuschlagen**, so dass ein Wegrollen (***Runaway***) des Wagens unmöglich wird.

Öffentlicher Transport/ BART

Wer das Touristenbüro in der Hallidie Plaza aufsucht, gelangt auf eine Ebene mit der U-/S-Bahn Station Powell/Market für die Züge von ***BART*** (***B****ay* ***A****rea* ***R****apid* ***T****ransit*) in Richtung Oakland, Berkeley, Airport und den Süden der SF-Halbinsel.

Streetcars

Nostalgische Straßenbahnen (***F-Market* & *Wharves Street Car Line***) verkehren von der ***Fisherman's Wharf*** entlang der Bay (The Embarcadero) bis zum ***Ferry Building*** und dann via Stewart Street auf die **Market Street** und auf dieser hinunter bis zu den Stadtteilen Castro/Mission. Ein Verlängerung über das *Ferry Building* hinaus (***Embarcadero Street Car Line***) ist im Bau. **Ticket $1,50**.

MTA (früher MUNI)

Außer der *Streetcar* wird das System des öffentlichen Nahverkehrs von **MTA** unterhalten (***Muni****cipal Transportation Agency*). Wer mehr als nur eine kurze Fahrt mit der ***Cable Car*** im Auge hat, sollte sich die ***San Francisco Street* & *Transit Map*** besorgen, die alle Systeme detailliert beschreibt, und sich gleich bei der *Visitor Information* einen **Tagespass** für **$11** kaufen (auch 3- und 7-Tage-Pässe: **$18** bzw. **$24**). Er schließt die Benutzung der ***Cable Car*** mit ein. Einfache Fahrt in den Bussen von MTA/MUNI **$1,50**. Eine Einzelfahrt mit der *Cable Car* kostet allein mittlerweile schon $5, aber vor 7 Uhr und nach 21 Uhr $1, der **Tagespass** nur für die *Cable Car* $10.

Internet-Info zu den Transportsystemen:
www.bart.org, www.streetcar.org, www.sfmta.com

City Pass

Ideal für einen San Francisco Besuch ist der **City Pass für $49**, Kinder bis 17 Jahren $39. **Details unter:** http://citypass.com. Er beinhaltet **7 Tage unbegrenzten Transport** mit der *Cable Car* und dem *MTA/MUNI System*, dazu *Bay Cruises*, Eintritt ins *Museum of Modern Art*, ins *Asian Art Museum* oder *in die California Academy of Science & Aquarium*, ins *Exploratorium* und den *Palace of the Legion of Honor*.

Sightseeing per Rundfahrtbus offen oder geschlossen gibt es natürlich auch

2.1.7 Stadtbesichtigung

Citybereich

Zuerst zum Golden Gate

Als Sehenswürdigkeit Nummer Eins San Franciscos gilt zu Recht die faszinierende ***Golden Gate Bridge***. Wer nur wenig Zeit hat, sollte sich – gleich zu welcher Jahreszeit – als erstes auf den Weg zur Brücke machen, wenn die Wetterverhältnisse zunächst gut sind. Wenn nicht, muss man die Chance zur Besichtigung bei nächster Gelegenheit, d.h., bei klarer Sicht, sofort nutzen. Denn oft legt sich schnell wieder Nebel über das »Goldene Tor« und bleibt gleich mehrere Tage hängen. Weitere Details ➤ unten.

Downtown

Generell ist die Ecke Market/Powell Street (*Tourist Information*) ein hervorragender **Ausgangspunkt** zum Kennenlernen der Stadt. Die diagonal durch die City verlaufende breite **Market Street** trennte früher *Downtown* von südlichen, heruntergekommenen Straßenzügen, *South of Market* genannt.

South of Market/SoMa

MOMA

www.sfmoma.org

Seit den 1990er-Jahren wird ***South of Market*** kräftig saniert. Architektonische Schmuckstücke der Hochhaus-Postmoderne verdrängten dort die Slums. Auch das ***Museum of Modern Art*** entstand schon 1995 in *SoMa*: 151 3rd Street; geöffnet 11-18 Uhr, Do bis 21 Uhr. Das San Francisco MOMA zeichnet sich durch ungewöhnliche Architektur und eine große Sammlung von Kunstwerken des 20. Jahrhunderts aus, die nur vom New Yorker MOMA übertroffen werden dürfte. Eintritt $10, Kinder unter 12 frei.

Cartoon Art Museum

Nicht für jeden interessant ist das dennoch originelle und für *Comic Fans* unverzichtbare ***Cartoon Art Museum*** in der 655 Mission St, ✆ (415) 227-8666, Di-So 11-17 Uhr; $6; cartoonart.org.

Steinhart Aquarium

In der 875 Howard Street ist die *California Academy of Science* mit dem ***Steinhart Aquarium*** temporär (und in abgespeckter Form) untergebracht worden, bis der bombastische Neubau im *Golden Gate Park* fertiggestellt sein wird (Anfang 2007 spricht man von Ende 2008 als Termin, ➤ auch Seite 332). Immerhin verdienen die Hai- und Pinguinbecken auch an diesem Standort Beachtung. Geöffnet 10-17 Uhr, im Sommer bis 18 Uhr; Eintritt $7, bis 17 Jahre $4,50. Info, auch zur Rückkehr in den **Golden Gate Park**: www.calacademy.org, ✆ (415) 750-7145.

Union Square

An der Einmündung der Powell in die Market Street befindet sich eine der **Wende- bzw. Endstationen der *Cable Car***, die ihre – meist in langen Schlangen geduldig wartenden – Passagiere zur *Fisherman's Wharf* befördert. Auf der **Powell Street**, wo sich ein *Shop* an den anderen reiht (darunter diverse bestens sortierte **Buchläden**), erreicht man nach ca. 300 m den **Union Square**, eine palmenbestandene, oft bunt belebte Plaza und Mittelpunkt der San Francisco Geschäftswelt mit den Filialen der größten Kaufhausketten in unmittelbarer Nähe (*Nordstrom, Fifth Avenue, Macy's, Neiman Marcus*) und vielen Hotels.

Chinesischer Drachen in einem Kaufhaus der Chinatown

2

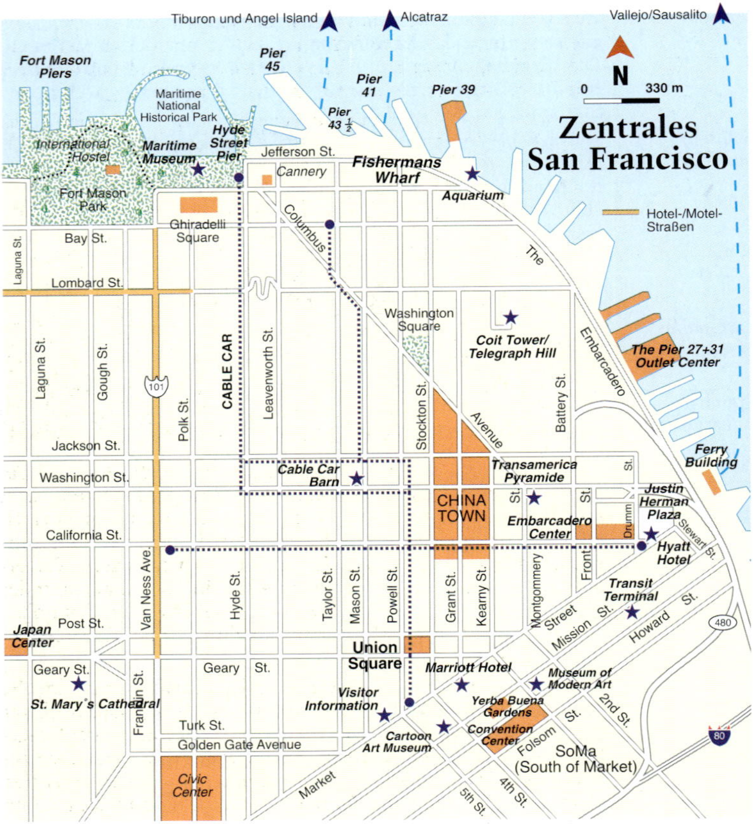

Chinatown

www.sanfranciscochinatown.com

Nur wenige Blocks weiter nördlich liegt die berühmte ***Chinatown*** San Franciscos, etwa zwischen Bush Street und Broadway sowie Stockton und Kearney Streets. Am besten steuert man *Chinatown* über die Grant Street an, auf der man sein Ziel durch ein buntes chinesisches Tor (***Dragon Gate***) betritt. Zwar ist die *Chinatown* mehr auf das Touristengeschäft eingestellt, als manchem lieb sein dürfte, aber trotzdem sehenswert. Einen Bummel vorbei an den farbenprächtigen Auslagen der 'zig Shops mit einem sagenhaften Angebotssammelsurium und an zahllosen Restaurants voller exotischer Wohlgerüche sollte man unbedingt machen, und dabei auch einmal einen Blick auf die Fassaden oberhalb der Geschäftsebene werfen. **Nebenbei: Shoppen ist hier 3x spannender als auf der Fisherman's Wharf**. Was die chinesische Küche betrifft ➤ 2.1.5.

Café de la Presse

Wer nach einem Bummel durch die Chinatown Entspannung sucht, findet im *Café de la Presse*, 352 Grant Ave schräg gegenüber des *Dragongate,* auch **deutsche Zeitungen und Zeitschriften**, mit Glück sogar neuesten Datums; http://aqua-sf.com/cdlp.

In San Francisco gibt es deutschsprachige Zeitungen und Magazine relativ druckfrisch

Financial District

Unweit östlich der Chinatown beginnt die ***Wall Street of the West*** (offiziell: *Financial District*), das Finanz- und Bankenviertel mit einer verdichteten »Wolkenkratzer«-Bebauung im Dreieck zwischen Washington, Kearney und Market Streets. Am nördlichen Rand dieses Bereichs steht unübersehbar das schon 1972 errichtete pyramidenartige ***Trans America Building*** (Endpunkt der diagonal City und *Fisherman's Wharf* verbindenden Columbus Ave, Ecke Washington/Montgomery St) durch seine – 1989 bewiesene – erdbebensichere Eleganz.

Es überragt mit 260 m Höhe alle anderen, darunter zahlreiche Hochhäuser neueren Datums. Stach das Bauwerk jedoch noch vor kurzer Zeit als auffälliges Wahrzeichen einsam aus seiner Umgebung heraus, wird es heute von massigen Nachbarn allseitig bedrängt. Im Erdgeschoss ersetzt heute ein **virtuelles *Observation Deck*** die früher mögliche Auffahrt. Sehr angenehm sitzt man im **Restaurant am Minipark** des TA-Building.

Embarcadero

Zwei Blocks weiter östlich stößt man auf das ***Embarcadero Center***, ein **Büro-Laden-Restaurant-Komplex** am Ostrand der City mit versetzten Ebenen, Terrassen, Grünanlagen, Wasserspielen und viel **Kunst am Bau**.

Das *Center* erstreckt sich bis zur **Justin Herman Plaza** gegenüber dem ***Ferry Building*** (von dort regelmäßige Fährverbindung nach Sausalito und Larkspur im Norden der Bucht und außerdem ein ***Marketplace*** mit ***Eateries*** und ***Food Shops***). Insbesondere zur werktäglichen Mittagspausenzeit, wenn sich Gänge und Miniparks des Embarcadero Center füllen, lohnt sich der Besuch. Bei gutem Wetter finden dann auf der Herman Plaza vorm avantgardistisch gestalteten ***Villancourt-Brunnen*** häufig Konzerte und Vorführungen statt; www.embarcaderocenter.com.

Hyatt Hotel

In der äußeren Ecke der Herman Plaza an der Market Street beeindruckt das in dieser Umgebung nicht besonders auffällige ***Hyatt Regency Hotel*** durch sein »Innenleben«, ein achtzehn Stockwerk hohes Atrium. In der Cafeteria sitzt man ausgesprochen angenehm (bei gehobenem Preisniveau). Wem nach *Cocktail* oder gediegenem *Dinner* zumute ist, findet in der ***Equinox Lounge*** (Drehrestaurant) im obersten Stockwerk des Hauses ein distinguiertes Ambiente mit Weitblick über die Bay und *Skyline von* San Francisco. Hinauf geht es im nahezu geräuschlos vom Atrium aus verkehrenden gläsernen Fahrstuhl.

Parken/ Transport

Im *Embarcadero Park Deck* kann man beim Einkauf oder Restaurantbesuch im *Center* preiswerter parken als anderswo. Da die ***Cable Car*** (*Washington Street Line)* am *Embarcadero Center* endet/beginnt, gelangt man von dort auch ohne lange Fußmärsche rasch in die zentrale City. Im Gegensatz zur *Powell Street Line* gibt es dort selten Warteschlangen.

Gute 20 min (rund 1,5 km) läuft man vom *Embarcadero Center* bis zum *Coit Tower* auf dem 100 m hohen ***Telegraph Hill***. Per Auto erreicht man diese Sehenswürdigkeit am besten über die Grant Ave/Lombard Street, sieht sich aber am Ziel meist Parkproblemen gegenüber.

Coit Tower

Bei diesem Turm (68 m) handelt es sich um ein 1934 erbautes ***Memorial*** für die örtliche Feuerwehr, dessen Inneres durch Wandmalereien (*Murals*) mit – teilweise sozialkritischen – Szenen aus dem Arbeitsleben der 1930er-Jahre geschmückt ist. Der Turm dient heute ausschließlich dem *Sightseeing* (täglich 10-19 Uhr, $4, bis 12 Jahre $1,50). Seine günstige Position sorgt für einen hervorragenden Überblick über Teile der Stadt, die Bucht und hinüber zur *Golden Gate Bridge*. Oft warten lange Schlangen vor den Fahrstühlen. Wer keine Lust hat, sich anzustellen, oder den Eintritt sparen möchte, kann sich mit der fast ebenso guten Aussicht von der Terrasse vor dem Turm begnügen. Auch die lohnt schon Anfahrt oder Fußmarsch.

Orientierung

Der Blick vom *Coit Tower* bzw. *Telegraph Hill* erlaubt nebenbei eine gute Vororientierung (bis zur *Golden Gate Bridge*) für alle, die den bereits erwähnten ***Scenic Drive*** abfahren wollen. Der **Turm** ist ein guter **Ausgangspunkt** für dieses Vorhaben.

Scenic Drive

Die ab hier gewählte Reihenfolge der Beschreibung der weiteren Sehenswürdigkeiten San Franciscos entspricht dem **Verlauf des *Scenic Drive***. Man kann ihn bei nur kurzen Zwischenstopps an den wichtigsten Anlaufpunkten zur Not innerhalb eines Tages bewältigen. Bei etwas gründlicherer Besichtigung der Zwischenziele benötigt man für die komplette Bewältigung aber leicht zwei volle Tage. ***Karte des Scenic Drive*** ➤ Seite 329. Bei der *Tourist Information* gibt es die **sehr brauchbare *SFO-Visitors Map***, die ihn genauer abbildet. **Die Route lässt sich wegen einiger *Oneways* nur unter Umwegen und ohne narrensichere Ausschilderung in Gegenrichtung fahren**.

Karte im Netz: www.sfvisitor.org/maps/html/49MileMap.html

Auf dem Scenic Drive durch die Stadt

Fisherman's Wharf

Erstes Ziel auf dieser Rundstrecke ist der *Fisherman's Wharf* Bereich (ca. 800 m Fußgängerdistanz vom *Coit Tower*), eine komplett kommerzialisierten **Touristenfalle**. Die Bezeichnung *Fisherman's Wharf* bezieht sich auf ein relativ kleines Gebiet rund um den ehemaligen Fischereihafen San Franciscos an der Jefferson Street. Die Fischerboote und Werften sind lange verschwunden; an ihrer Stelle liegen Privatyachten und Charterboote fürs Hochseeangeln an den Stegen. Eine **weiße Flotte** – www.blueandgoldfleet.com – wartet mit Bayrundfahrten, Touren hinüber zur berüchtigten Zuchthausinsel *Alcatraz* und Linienverkehr nach Tiburon und Angel Island auf Passagiere. An Land beherrschen unzählige *Souvenir Shops*, Bouti- quen, Bars, *Fast* und *Sea Food Restaurants*, dahinter Hotels und Parkplätze/-häuser das Bild.

Cable Car Endstation Fisherman's Wharf neben dem Ghiradelli Square. Wendemanöver von Hand, wie eh und je.

Im Hintergrund der berüchtigte Seenebel

Bootstrips

Ob einer der ***Baytrips*** mit/ohne Unterdurchfahrt der *Golden Gate Bridge* interessant erscheint, hängt sicher von der subjektiven Bewertung solcher Bootstouren ab. Wer sie machen möchte, findet im Fischereihafen die preiswerteren Angebote. Auf jeden Fall empfehlenswert ist die *Alcatraz-Tour*:

Alcatraz

Die **Boote** hinüber zu dieser einst berüchtigten, heute **unter Nationalparkverwaltung** (www.nps.gov/alca) stehenden Zuchthausinsel fahren **ab Pier 33** im 30-min-Takt 9.30-2.15 Uhr; letzte Rückfahrt 16.30 Uhr. $22/$20 Seniors/$14 Kids. Weitere geführte Tour am Spätnachmittag für $29/$26/$17. **Die Trips sind im Sommer oft lange im voraus ausgebucht**. Auskunft/Reservierung unter ✆ (415) 981-7625 oder unter www.alcatrazcruises.com

Pier 39

Die einleitende Kennzeichnung der *Fisherman's Wharf* gilt im Prinzip auch für die ***Pier 39*** am Ostende der *Wharf* – www.pier39.com. Dort gibt es auf den oberen Arkaden ein ***California Welcome Center*** mit jeder Menge Infomaterial und Broschüren zum Touristenziel Kalifornien. Als **Publikumsattraktion** gelten u.a.

- das ***Hard Rock Café*** gleich eingangs der Pier

- das ***Musicaltheater 39*** mit wechselndem Programm
- das ***Aquarium of the Bay***, das man in transparenten Röhren durchquert und damit die Unterwasserwelt aus der Taucherperspektive erlebt; 9/10-20.30 Uhr; $14/$7.
- das Simulationstheater ***Turbo Ride***, in dem die Besucher virtuell durch eine Dinosaurierwelt, eine verwunschene Mine und Wildwasser rasen; 10-20.30 Uhr; Eintritt $18/$14.

An der Westseite der Pier 39 befindet sich eine Art **Seelöwenreservat** auf verbundenen Schwimmpontons, wo die Essensreste der Restaurants ganze Hundertschaften dankbarer Abnehmer finden.

Open-air **Darbietungen** vielerlei Art (Artisten, Zauberer u.a.) sorgen bei gutem Wetter für Zuschauerbelustigung.

Wenn **Speis und Trank** im *Wharf*-Bereich, dann auf dieser Pier: die besten Optionen sind ***Neptune's Palace*** und das ***Sea Lion Café*** am äußersten Ende. Besonders am frühen Abend kurz vor Sonnenuntergang sitzt man dort, unmittelbar über dem Wasser, goldrichtig. Bereits empfohlen wurde Forbes Island, ➢ Seite 318.

Shopping

Schon seit 2001 plante die ***Mills Corporation***, der größte *Outlet Mall*-Betreiber der USA, die verlassenen **Piers 27-31** mit ***shop-til-you-drop-Kommerz*** und Freizeitanlagen wieder zu beleben. Aber statt der für 2006 angekündigten Eröffnung tat sich nichts; *Mills* zog sich aus dem Projekt zurück. Ein neuer Investor plant weiter.

Cannery/ Ghirardelli

Unterhaltung durch Pantomimen, Musikgruppen und Puppentheater zum Nulltarif findet man in der Touristensaison und an Wochenenden außer auf der Pier 39 in den einstigen Fabrik- und Lagerhallenkomplexen ***Cannery*** und ***Ghirardelli Square***, die schon in den 1970er-Jahren zu schicken Einkaufs- und Restaurantzentren umgestaltet wurden; www.ghirardellisq.com.

Blick über die Bay, die Hyde Street hinunter etwa auf Höhe der Lombard St. Vorn eine Cable Car, im Hafen der Segler »Balclutha«, mitten in der Bay die ehemalige Zuchthausinsel Alcatraz

Besuchszeit

Den *Wharf-Bereich* sollte man vorzugsweise ab Nachmittag und in den frühen Abendstunden erkunden, wenn auf Straßen und Plätzen mehr »los« ist als am Morgen.

San Francisco National Historical Park

Dem *Ghiradelli Square* gegenüber befindet sich das ***Maritime Museum*** in einem Bau, der wie ein Dampfer gestaltet ist. Es gehört zum ***San Francisco National Historical Park***. Die Ausstellung von Modellschiffen und allerlei maritimen Utensilien war nur mäßig interessant. Zur Zeit ist das Museum wegen Renovierungsmaßnahmen bis 2009 geschlossen; ein *Visitor Center* befindet sich an der Ecke Hyde Street/Jefferson; www.nps.gov/safr.

Sehenswerter sind ohnehin die nostalgischen Originale draußen an der ***Hyde Street Pier***, die zusammen mit der halbrunden ***Municipal Pier*** ein ruhiges Wasserbecken bildet. Der ***Aquatic Park*** und ein schmaler Badestrand säumen das hier meist ruhige Ufer. Am Kai der Pier (Eintritt $5; Kinder bis 16 Jahren mit Vollzahlern frei. Frei ebenfalls mit ***America the Beautiful Pass***, ➤ Seite 26) liegen der **Dreimaster *Balclutha*** aus dem Jahre 1895, die alte **Fähre *Eureka***, der Raddampfer ***Eppleton Hall*** und drei weitere Schiffe.

Nicht zum Nationalpark gehört das vielleicht sehenswerteste Schiff an der *Wharf*, das **Pazifik-U-Boot *USS Pampanito***. Es liegt ein wenig weiter östlich vertäut am **Pier 45**; im Sommer 9-20 Uhr, sonst bis 18 Uhr, $9, bis 12 Jahre $3; www.maritime.org.

Nur **für Schiffsfans**: Das letzte Exemplar eines Weltkrieg-II-Versorgungsfrachters der *Liberty- Klasse,* die ***Jeremiah O'Brien***, ist ebenfalls am **Pier 45** zu besichtigen, 9-16 Uhr; Eintritt $8.

Parken

Parken an der *Fisherman's Wharf* ist ein schwieriges Unterfangen, wählt man nicht eines der teuren Parkhäuser (bis $20/Tag). Die relativ besten Chancen auf einen Gratisparkplatz oder eine der preiswerten Parkuhren hat man im toten Ende (Richtung *Municipal Pier*) der Van Ness Ave zwischen Fort Mason Park und *Maritime Museum*. Besser dran ist, wer sein Auto von vornherein in größerem Abstand stehenlässt, und den Rest des Weges **zu Fuß oder per *Cable Car*** zurücklegt. Eine andere Alternative bietet der Parkplatz des Exploratoriums (nächste Seite). Von dort fährt Bus #30 zur *Wharf.*

Cable Car Museum

Vielleicht noch interessanter als die Berg- und Talfahrt selbst ist die Besichtigung des ***Cable Car Museum*** (Ecke Washington/Mason Street. Kein Eintritt, aber Spende, täglich 10-17/18 Uhr, www.cablecarmuseum.org), in dem sich die **Antriebsmaschinerie** der Kabelbahn mit einer Besuchergalerie befindet.

Die Anlage stammt im Prinzip noch aus dem 19. Jahrhundert und demonstriert die – wenn auch modernisierte – Funktionalität von Großmechanik der industriellen Frühzeit.

Lombard Street

Auf der Strecke *Powell-Hyde* kreuzt die *Cable Car* nach fünf Blocks die Lombard Street, deren Abschnitt östlich der Hyde Street man den schönen Namen ***Crookedest Road of the World*** verliehen hat. In engen Serpentinen, die nur von Personenwagen

Golden Gate Bridge aus ungewohnter Perspektive (Baker Beach)

und kleineren *Vans* nachvollzogen werden können, geht es – durch Blumenbeete und vorbei an gepflegten Anwesen der lokalen Oberschicht – steil hinunter zur Leavenworth Street. Vom oberen Punkt an der Hyde Street hat man einen schönen Blick über Lombard Street und den *Telegraph Hill* auf die Bucht.

Marina Boulevard

Von der *Fisherman's Wharf* führt der ***Scenic Drive*** durch schöne Wohnviertel voller verschnörkelter viktorianischer Holzhäuser zunächst in Richtung *Golden Gate Bridge*. Zwischen Marina Blvd und Van Ness Avenue liegt das in die *Golden Gate National Parks* integrierte, mit dem *Maritime Museum* über einen Fußweg verbundene Parkgelände des ***Fort Mason***. Im zweiten Weltkrieg war die Anlage Einschiffungsstation der Kampftruppen für den Pazifik. Im Park befindet sich heute in beneidenswerter Lage eine der beiden **Jugendherbergen** San Franciscos. Die Gebäude an den Piers wurden zu einem Kunst- und Kulturzentrum umfunktioniert mit Galerien, Werkstätten, experimentellen Bühnen, kleinen Museen und Restaurants.

Exploratorium

Auf der Bayseite des Marina Boulevard dümpeln im *East* und *West Harbor* – getrennt durch den Park *Marina Green* – Hunderte von Privatyachten an den Stegen. Weiter dem *Scenic Drive* folgend erreicht man über die Baker Street den bombastischen ***Palace of Fine Arts***, ein auf die Weltausstellung von 1915 zurückgehendes Gebäude, das einem griechisch-byzantinischen Tempel ähnelt. Das Gebäude hinter dem Palast beherbergt das ***Exploratorium***, ein Wissenschaftsmuseum der experimentellen Art im Stil der *Science Center*, ➤ Seite 51. Eintritt $13, Jugendliche bis 17 $10, bis 12 Jahre $8; Di-So 10-17 Uhr, www.exploratorium.edu.

El Presidio

Weiter läuft der *Scenic Drive* (Lombard Street West/Lincoln Blvd) kurvenreich durch das **parkartige Gelände *El Presidio***, das früher als Hauptquartiers der 6. US-Armee diente, aber nun zu den ausgedehnten *Golden Gate National Parks* gehört. Der Lincoln Blvd passiert das ***Visitor Center*** (www.nps.gov/goga), das über Karten der zum Gesamtkomplex gehörenden Areale diesseits und jenseits der Bay verfügt, u.a. auch für die sog. ***Marin Headlands*** hinter der *Golden Gate Bridge*.

Fort Point

Den ausgeschilderten Abstecher zur alten Befestigungsanlage *Fort Point* unterhalb der **Auffahrt zur *Golden Gate Bridge*** kann man leicht übersehen. Der Blick aus der ungewöhnlichen Perspektive am Fuße der gewaltigen Brückenkonstruktion (Länge 2.700 m) beeindruckt ebenso wie das Innere (nur Fr-So 10-17 Uhr) der heute als ***National Historic Site*** ausgewiesenen Befestigung, die indessen niemals Kampfhandlungen sah.

Zu Fuß über die Golden Gate Bridge

Neben sechs Autospuren verfügt die Brücke über Fuß- und Radweg. Die **Brückenüberquerung zu Fuß** oder **Bike** (Verleih z.B. an der *Wharf Pier 41*) sei allen ans Herz gelegt, die eine Extrastunde dafür erübrigen können. Leider wurde die Treppe hinauf zur *Golden Gate Bridge* gesperrt, und vor der Zulassung als Passant/Biker steht ein *Security Check*; www.goldengatebridge.org/visitors.

2

Nordrampe auf die Golden Gate Bridge; im Hintergrund jenseits der Brücke der groß ausgebaute Aussichtsbereich (Viewpoint)

Golden Gate Bridge/ Marin Headlands

Um per Auto zur und über die Brücke zu gelangen, muss man vom *Scenic Drive* hinter der Stichstraße zum *Fort Point* gleich wieder rechts abbiegen oder nach der Unterführung unter der #101 den ausgeschilderten Weg zur *Golden Gate Bridge* nehmen. Der bei guter Sicht immer äußerst betriebsame ***Viewpoint*** auf der Nordseite des Goldenen Tors (ausgeschilderte Abfahrt nach der Überquerung) bietet bereits einen großartigen Blick auf die City von San Francisco, aber fürs »**Spitzenfoto**« gibt es noch bessere Positionen entlang der Zufahrt zu den ***Marin Headlands***: gleich hinter der Aussichtsterrasse verlässt man dazu die Autobahn (Alexander Ave nach Sausalito), unterquert sie aber sofort wieder nach links. Die linke Spur führt zurück auf die Brücke, rechts geht es auf der Conzelman Ave steil den Hang hinauf.

Von der Straße fällt der Blick durch und über das rote Wunderwerk auf die *Skyline* der City. Dort standen bis zum 2. Weltkrieg Küstenbatterien, im Kalten Krieg sogar noch Nike-Flugabwehrraketen; die Abschussrampe SF 88 kann seit kurzem besichtigt werden: www.nps.gov/goga/nike-missile-site.htm.

Toll

Nebenbei: Die **Brückenüberquerung kostet $5/Auto**, wird aber nur einmal auf der Südseite bei in Richtung Süden fahrenden Fahrzeugen kassiert. **Fußgänger und Radfahrer kosten nichts**, für sie ist aber keine Überquerung der Brücke bei Dunkelheit möglich.

Abstecher zur Nordseite der Bay

Auf dieser Seite der Bay liegen mit **Sausalito**, **Tiburon** und der ***Angel Island*** hübsche Ziele für einen etwas ausgedehnteren San Francisco-Besuch. Bei ausreichender Zeit sind auch die *Redwood*-Bestände des ***Muir Woods National Monument***, ***Mount Tamalpais, Stinson Beach***, das »Aussteigerdorf« **Bolinas** und die ***Point Reyes National Seashore*** einen Abstecher wert, ➤ Seiten 335f.

Napa Valley/ Vallejo

Weitere Ausflüge im Bereich nördlich der Bucht ließen sich ins ***Napa Valley*** unternehmen, dem kalifornischen Weinanbauzentrum, oder nach Vallejo zur ***Six Flags Discovery Kingdom***, einem Tierpark mit Seelöwen- und Killerwalvorführungen, ergänzt durch Wasserzirkus und Jahrmarkt. Eintritt $50, online-Tickets nur $40,

Kinder $30; www.sixflags.com. Am bequemsten gelangt man dorthin von der *Fisherman's Wharf* per Katamaran. Im Sommer täglich, sonst nur Wochenenden. Lohnt eher mit Kindern.

Golden Gate Strände

In San Francisco geht es weiter auf dem ***Scenic Drive***: man folge zunächst wieder dem Lincoln Boulevard, später dem *Camino del Mar* durch beste Wohnlagen oberhalb der Pazifikküste bis zum *Palace of the Legion of Honor*. Am Wege liegen mehrere ***Beachparks*** mit Sandstränden. Besonders populär ist die ***Baker Beach***, die eine neue interessante Perspektive für den Blick auf die *Golden Gate Bridge* bietet, ➤ Foto vorletzte Seite. Die **Wassertemperaturen** des Pazifik sind leider **nie badefreundlich**.

Kunstmuseum

Der California ***Palace of the Legion of Honor*** ist dem gleichnamigen Pariser Vorbild nachempfunden und wurde 1924 zu Ehren der im 1. Weltkrieg gefallenen Kalifornier errichtet. Er beherbergt heute ein sehenswertes Kunstmuseum (Di-So, 9.30-17.15 Uhr, Eintritt $10; gilt auch für de Young Museum, ➤ Seite 332; www.thinker.org/legion), das überwiegend Werke europäischer Künstler ausstellt, darunter *Rubens, Rembrandt, Picasso*. Stark vertreten sind Impressionisten wie *Manet* und *Renoir*; eindrucksvoll ist die Menge der *Rodin*-Skulpturen.

Gemälde in der Legion of Honor

Cliff House

Nach dem Monument der Ehrenlegion erreicht man über die Geary Street/Point Lobos Ave das hoch über Strand und Meer gelegene ***Cliff House*** mit dem ***Sutro Seafood Restaurant*** und ***Bistro***, ➤ Seite 318. Der Küste vorgelagert sind dort die ***Seal Rocks***. Von einer Aussichtsplattform kann man die Seehundfelsen, die vor allem in den Monaten September bis Juni belebt sind, gut beobachten. *Ranger* des *National Park Service* informieren über Tier- und Pflanzenwelt dieses Küstenstrichs.

Zoo

Weiter führt der Rundkurs hinunter auf den *Great Highway*, der schnurgerade am breiten Strand der ***Ocean Beach*** entlangläuft. An dessen Südende befindet sich der Hagenbeck nachempfundene ***San Francisco Zoo*** mit einem erstklassigen Primatengehege (Gorillas und Orang-Utans), Koalas und Pinguinen. Auch ein Kinder-Streichelzoo ist vorhanden; 10-17 Uhr, Eintritt $11; Kinder $5/$8 für Altersgruppen bis/über 11; www.sfzoo.org.

Drachenflieger

Südlichster Anlaufpunkt ist der ***Fort Funston Park*** mit Steilhängen über dem Ozeanstrand, der **Drachenfliegern** als Absprung- und Übungsgelände dient. Vor und über einem eigens geschaffenen Beobachtungsdeck demonstrieren *Hangglider*-Piloten dem staunenden Publikum aus nächster Nähe, was sich mit den bunten Fluggeräten so alles machen lässt. Der meiste Betrieb herrscht beim *Fort Funston* am späten Nachmittag und an Wochenenden, so das Wetter mitspielt. Denn über diesem Teil der Stadt hängt – wie bereits bemerkt – oft Nebel, selbst wenn jenseits der Hügel von *Haight Ashbury* und *Diamond Heights* die Sonne scheint.

Golden Gate Park

Der rund 5 km lange, aber nur 800 m breite *Golden Gate Park* gilt als eine der Sehenswürdigkeiten San Franciscos. Tatsächlich besitzt er hübsche Ecken, aber das hindurchführende, stark frequentierte Straßennetz stört. Nur wenn **sonn- und feiertags** der Verkehr weitgehend unterbunden wird, zeigt der Park *Flair*. Eine ähnlich »farbige« Mischung seiner Besucher und ihrer Aktivitäten findet sich dann allenfalls noch in New Yorks *Central Park*. Besonders an solchen Tagen lohnt sich der Besuch, idealerweise mit **Leihfahrrad** (z.B. *Stow Lake Bike & Boat Rentals* im Park, *Lincoln Cyclery*, 772 Stanyan Street, Ostabschluss des Parks, und *Golden Gate Park Bike & Skate*, 3038 Fulton Street).

Anlaufpunkte im Park

Im **Westteil** ist das **Büffelgehege** (*Bison Paddock*) interessant. Die holländischen **Windmühlen** begeistern eher Amerikaner. Anziehungspunkt im Osten ist das ***Conservatory of Flowers*** (9-17 Uhr), ein nostalgisches Gewächshaus am Kennedy Drive. Die alten Museumsbauten am ***Music Concourse*** unweit des *Conservatory* sind verschwunden und mach(t)en bombastischen Neubauten Platz.

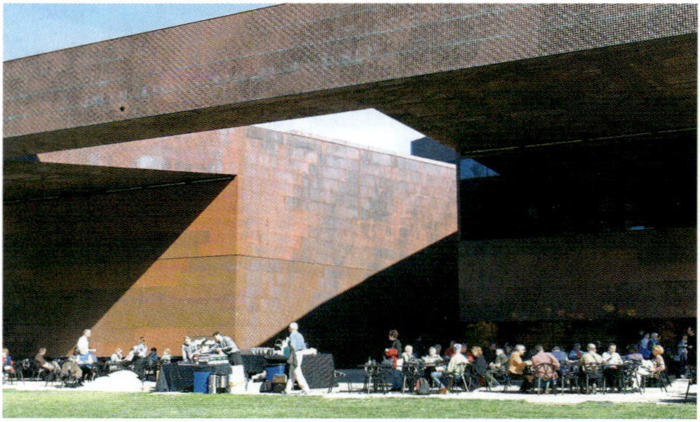

Terrasse der Cafeteria des neuen de Young Museum

de Young Museum

Bereits Ende 2005 eingeweiht wurde das neue ***de Young Museum of Fine Arts***. Allein schon architektonisch ist dieses Kunstmuseum außen wie innen eine Offenbarung. In erster Linie beeindrucken die Ausstellungen zur – im wesentlichen amerikanischen – Kunst des 20. Jahrhunderts, aber auch die Abteilungen zur *Native Art* der Amerikas und anderer Erdteile überzeugen. Sehr angenehm ist die große **Cafeteria** mit Terrasse im angrenzenden kleinen Skulpturenpark. Geöffnet Di-So, 9.30-17.15 Uhr, Eintritt \$10; Senioren ab 65 \$7; Jugendliche 13-17 \$6. Ticket gilt am selben Tag auch für das Museum im *Palace of the Legion of Honor*; ➤ Seite 331; www.deyoungmuseum.org.

Aquarium

Der neue Großkomplex der ***California Academy of Sciences*** mit dem ***Steinhart Aquarium*** gegenüber dem de Young Museum macht sichtbare Fortschritte, soll aber erst Ende 2008 bezugsreif sein, ➤ Seite 321, und www.calacademy.org. Das früher auch in *Golden Gate Park* beheimatete ***Asian Art Museum*** residiert nun an der Civic Center Plaza, ➤ übernächste Seite.

Teehaus

Im hübschen ***Japanese Tea Garden*** mit einem echten japanischen Teehaus (Eintritt $4/Kinder $1,50) oder am **Stow Lake** rund um den *Strawberry Hill* mit künstlichem Wasserfall, Boot- und Bikeverleih kann man sich von den touristischen Anstrengungen des Tages erholen.

Konzerte

Jeden Sonntag um 13 Uhr spielt die ***Golden Gate Park Band*** seit dem Jahr 1882 ein Potpourri aus populärer Klassik, Märschen, Broadway, Swing und mehr. Die meisten Bandmitglieder sehen so aus, als seien sie schon von Anfang an mit dabei. Ein besonderes Erlebnis, das sich Sonntagsbesucher nicht entgehen lassen sollten. Info: www.goldengateparkband.org. Im Jubiläumsjahr 2007 kehrt die Band wieder in den ***Spreckles Temple*** zurück, ihrem traditionellen, nun aber frisch renovierten Auftrittsort.

Haight Ashbury

Unmittelbar **östlich des *Golden Gate Park*** unterhalb der schmalen Parkverlängerung ***Panhandle*** liegt der zu Hippiezeiten berühmt gewordene Stadtteil ***Haight Ashbury***. Viel blieb nicht von der herrlichen *Flower Power*-Zeit, aber Reste der alten Blüte findet man noch an der **Haight Street** (Höhe Ashbury Street) mit witzigen Läden, Cafés und Restaurants, darunter dem riesigen Platten- bzw. heute CD-Laden ***Amoeba Music***.

Twin Peaks

Der ***Scenic Drive*** führt vom *Golden Gate Park* **auf etwas verschlungenen Wegen** (Hinweisschilder teilweise links und unklar; Karte hilft!) zu den 300 m hohen ***Twin Peaks***. Die Aussicht von dieser höchsten Erhebung San Franciscos ist bei Tag und Nacht großartig. Auch wer nicht den ganzen *Scenic Drive* abfährt, sollte den von der City relativ kurzen Abstecher hierher einplanen.

Fasssade und beliebtes Fotomotiv in Haight Ashbury

Mission District/ Murals

Auf der Fahrt von dort zurück in Richtung City auf dem Roosevelt Way und der 14th St liegt die Wiege San Franciscos fast am Wege, die ***Mission Dolores*** (auch *Mission San Francisco de Asis*, Dolores/16th St), ein eher schlichter Bau aus dem Jahre 1776. Das mexikanisch angehauchte, aber mitnichten insgesamt sonderlich malerische **Viertel *Castro/Mission*** ist bis auf seine historische Bedeutung und zahlreiche **Wandbilder** (***Murals)*** eher weniger interessant.

Im *Mission District* stößt man u.a. in der Van Ness Ave, Ecke 22nd, in der 19th St zwischen Valencia und Guerrero Street und in der 24th St, Ecke Florida Street auf **sehenswerte Wandgemälde**. Wer sich dafür interessiert, schaut bei **Precita Eyes Mural Arts** vorbei (2981 24th St) oder auch ins Internet: www.precitaeyes.org.

Abkürzung Scenic Drive

Die Weiterführung des offiziellen *Scenic Drive* über die Dolores und Army Streets und zurück über die I-280 nach *Downtown* leuchtet nicht ein. Von der *Mission Dolores* sollte man ggf. den Kreis über die Market Street oder durch eine Querverbindung hinüber nach ***Japantown*** schließen (zwischen Geary und Post, Fillmore und Laguna Streets). Letztere besteht im wesentlichen aus einem ***Shopping Center*** mit einigen reizvollen architektonischen Akzenten, darunter die auffällige ***Peace Pagoda***. Rund um die Friedenspagode finden an Sommerwochenenden folkloristische Veranstaltungen statt; www.sfjapantown.org.

St. Mary's Cathedral

Ein kleiner Umweg führt von dort zum modern imposanten Marmorbau der ***St. Mary's Cathedral*** in der 111 Gough Street. Außer bei Messen kann dieser bemerkenswerte Bau So-Fr 7-16.30 Uhr und Sa bis 19 Uhr besichtigt werden; Spende; www.stmarycathedralsf.org.

Civic Center

Auf der Market Street, Bereich Van Ness Ave, passiert man das ausgedehnte ***Civic Center***, wo sich um eine zentrale, parkartige Plaza und die ***City Hall*** mit einem Säulenportal und einer dem Petersdom nachempfundenen Kuppel Verwaltungsgebäude und Kulturtempel gruppieren. Neben dem Rathaus verdienen speziell das ***War Memorial Opera House*** und die Architektur der ***Symphony Hall*** Interesse – beide Van Ness Ave.

City Hall in San Francisco mit einer Kuppel wie der Petersdom

Civic Center/ Asian Art Museum

Auch das ***Asian Art Museum*** logiert seit Ausquartierung aus dem *Golden Gate Park* hier (200 Larkin Street). Es verfügt über eine außergewöhnliche Sammlung asiatischer Kunstgegenstände, von denen immer nur ein Teil zur Ausstellung gelangt. Geöffnet Di-So 10-17 Uhr, Do bis 21 Uhr; Eintritt $10, bis 17 Jahre $6 oder *City Pass*, ➤ Seite 320, www.asianart.org.

Blick auf San Francisco von den Twin Peaks aus; die breite Achse ist die Market Street. Hinten rechts sieht man die doppelstöckige San Francisco Bay Bridge

2.1.8 Ziele nördlich der Golden Gate Bridge

Marin Headlands

Von den Aussichtspunkten jenseits der *Golden Gate Bridge* in den ***Marin Headlands*** war bereits die Rede (Abfahrt Alexander Ave von der #101, dann sofort links, ➤ Seite 330). Folgt man der Conzelman Road den Hang hinauf vorbei an den ersten *Viewpoints* weiter nach Westen, passiert man diverse alte Batteriestellungen (Einbahnstraße) und gelangt schließlich zum ***Bird Island Overlook*** hoch über dem Pazifik. Ganz in der Nähe befindet sich der ***Campground Battery Alexander*** (nur für Zelte). Zurück geht es – vorbei am *Visitor Center*– auf der Bunker Road. Am Westende dieser Straße liegt die sehr schöne ***Rodeo Beach*** mit Lagune.

Hostel

Unweit des *Visitor Center* steht das ***Marin Headlands-Golden Gate International Hostel***, ein prima Ausgangspunkt »im Grünen« für San Francisco-Besuche, ✆ (415) 331-2777, $20.

Sausalito

Hinter einem langen Tunnel stößt man bei Rückkehr von diesem Abstecher wieder auf die Alexander Ave. Sie führt nach Sausalito hinein, einem Vorort für Besserverdienende, der mit der größten **Yachthafenkonzentration** der *Bay* gesegnet ist. Die Durchgangsstraße, an der sich eine an **Yachtsport-** und ***Aprés Sail***-Bedürfnissen orientierte Infrastruktur drängt, verläuft gleich hinter den Marinas. Eine Sausalito-Besonderheit ist die am Nordende des Ortes verankerte **Armada von Hausbooten**. Ordnungsgemäß vertäut an endlosen Stegen liegen dort neben simplen Schwimmhäusern Luxusvillen und auf Flöße oder alte Schuten gesetzte Fantasiekonstruktionen.

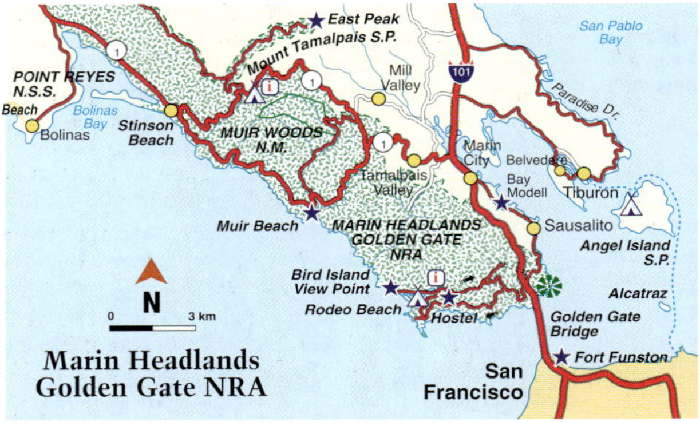

Bay Model

Für technisch Interessierte ist das ***Bay Modell*** des *U.S. Army Corps of Engineers* ein Leckerbissen, 2100 Bridgeway Blvd, Zufahrt ausgeschildert. Die Bucht von San Francisco mit allen Nebenarmen und Zuflüssen ist in einer riesigen Halle maßstabgerecht nachgebildet, um den Effekt von Ebbe und Flut zu simulieren. Ein 24-Stunden-Rhythmus kann in 14 min mit 500.000 Litern Wasser nachvollzogen werden. *Visitor Center* im Sommer Di-Fr 9-16 Uhr, Sa+So 10-17 Uhr, sonst Di-Sa 9-16 Uhr. Kein Eintritt. Ob und wann im Modell Wasser fließt, erfährt man unter © (415) 332-3871, www.spn.usace.army.mil/bmvc.

Tiburon

Den noch einige Meilen weiter nördlich gelegenen **Nobelvorort Tiburon** erreicht man über den gleichnamigen Boulevard; Abfahrt von der #101. Ein kleiner Umweg über **Belvedere** vermittelt Einblicke in den erfreulichen Lebenstandard in dieser Villensiedlung mit dem Bayblick. Den Bürgern von Tiburon geht es aber auch nicht schlecht. Das kleine Zentrum mit schicken Restaurants am Wasser liegt gleich am großen Yachthafen. Dort legt die Fähre nach San Francisco und zur vorgelagerten ***Angel Island*** ab, einem ***State Park***, in dem man mit Weitblick auf nach San Francisco wandern, joggen und *biken* (Verleih vor Ort) und sogar **campen** kann (➢ Seite 316). Die **Angel Island-Fähre** kostet $10,50 retour inkl. Eintritt in den *State Park*, nach San Francisco $14,50 (Wharf und Ferry Building). Sie ersetzt glatt eine Bayrundfahrt.

Muir Woods

Die Küstenstraße #1 von Norden stößt etwas oberhalb von Sausalito bei Marin City auf den Freeway #101. Folgt man der dort ***Shoreline Highway*** genannten Straße und dann dem ***Panoramic Highway***, gelangt man zunächst zum ***Muir Woods National Monument***, einem kleinen *Redwood-Bestand*, dessen Besuch zum festen Programm aller größeren Stadtrundfahrten gehört. Wer keine Gelegenheit hat, die noch weit eindrucksvolleren *Redwoods* in Nordkalifornien (➢ Seiten 601f) oder weiter südlich kennenzulernen (➢ Seite 343), sollte den *Muir Woods* einen Besuch abstatten.

Mount Tamalpais

Vom Nationalmonument geht es auf dem ***Panoramic Highway*** weiter nordwestlich zum ***Mount Tamalpais State Park*** und dort ggf. auf dem **Ridgecrest Blvd** bis zum Ostgipfel des *Mount Tamalpais*. Eine tolle **Aussicht** hat man von der Höhe meist selbst (oder sogar gerade) dann, wenn der typische Nebel über der *Golden Gate Bridge* und *San Francisco Bay* liegt. Weiße Wolkenberge unterhalb des Beobachters und die ferne Stadt in der Sonne sorgen oft für ein phänomenales Panorama.

Campen ist auf dem kleinen Platz am *Panoramic Highway* nur mit Zelt möglich ($18). Auf dem Parkplatz sind aber **Campmobile** über Nacht zugelassen, ➤ Seite 316.

Nach Stinson Beach

Mit oder ohne Stop an den *Redwoods* oder Fahrt auf den *Mount Tamalpais* ist bei Weiterfahrt in Richtung Stinson Beach der ***Panoramic Highway*** die beste Route für eine Hinfahrt. Zurück nimmt man dann die in diesem Sektor spektakuläre #1: Von den Serpentinen hoch über dem Pazifik fällt der Blick auf die ***Skyline*** von San Francisco. ***Stinson Beach*** mit allen Einrichtungen fürs Badeleben gilt als **der Strand** von San Francisco. An Schönwetter-Wochenenden baden dort Tausende in der Sonne und Abgehärtete sogar im Wasser.

Bolinas

Wenige Meilen weiter nördlich am südlichen Rand der *Point Reyes National Seashore* (ca. 1 mi von der #1, kein Hinweisschild an der Zufahrt vom nördlichen Ende der Lagune hinter Stinson Beach) liegt **Bolinas**, ein bis heute als solches noch erkennbares Dorf der Alternativkultur aus der Zeit der *Flower Power*-Bewegung. Die hübsche Ortschaft zwischen Wald, Hügeln und Meer wird nach wie vor von Leuten bewohnt, die ein Leben etwas **außerhalb des *American Way of Life*** bevorzugen. Die durch Bolinas führende Straße endet am **besten Strand** weit und breit.

Point Reyes National Seashore

Die ***Point Reyes National Seashore*** gilt als ein Mekka der Ornithologen. Von **Olema** sind es keine 2 mi zum ***Bear Valley Visitor Center*** mit einem Informationsprogramm zu Flora und Fauna des Parks und zur **Erdbebenproblematik** der Region, verursacht durch die Nähe des St. Andreas Grabens, ➤ Seite 341. Ein kurzer ***Trail*** führt zur Bruchlinie des Bebens von 1906, lange Wanderwege und einige Stichstraßen zu Steilküsten und endlosen Sandstränden (und ***Walk-in Campgrounds***, ein *Coast Camp* befindet sich in Parkplatznähe). Wind, häufiger Nebel und die Wassertemperaturen sorgen dafür, dass sich der Besucherstrom an der *Point Reyes* Küste in Grenzen hält. Empfehlenswert für Einsamkeitsfans: www.nps.gov/pore.

Einzige Unterkunft im Park ist das ***Point Reyes Int'l Hostel***, © (415) 663-8811, $18. In **Olema** gibt es *Lodges* und *Motels*.

Der ***Samuel Taylor State Park,*** einige Meilen landeinwärts von Olema auf dem Sir Francis Drake Boulevard, besitzt einen schön gelegenen *Campground* für Zelte und Campmobile.

Ein guter Privatplatz an der #1 ist der ***Olema Ranch Campground***; © (415) 663-8001.

Küste beim Samuel Taylor State Park

2.2 Startroute #1: Von San Francisco auf dem California Coast Highway nach Los Angeles

Zeitplanung

Viele Reisende wählen San Francisco als Ausgangspunkt für eine Fahrt auf dem berühmten *Coastal Highway* #1 nach Los Angeles (Autobahndistanz auf der #101: ca. 400 mi). Zur optimalen Etappenplanung spielt die dafür verfügbare Zeit eine ganz wesentliche Rolle. Bei knapper Vorgabe reichen **zur Not zwei Tage**. In diesem Fall sollte man auf eine Fahrt über Santa Cruz sowie Abstecher und Zwischenstopps wie im folgenden Abschnitt beschrieben ganz verzichten, auf schnellstem Weg (I-280/#101/#156/#1) Monterey ansteuern und **möglichst viel Reisezeit für das mit Abstand beste Teilstück im Gesamtverlauf der #1 von Carmel bis San Simeon** bemessen. Kurze Stopps in Monterey samt Aquariumsbesuch, im Nachbarort Carmel mit der *Mission*, im *Point Lobos*-Naturschutzgebiet, in Big Sur und ggf. am *Hearst Castle* lassen sich dabei ganz gut »einbauen«, wenn für den Rest nicht viel mehr als die reine Fahrzeit kalkuliert wird.

Drei Tage besser als zwei

Wer zusätzlich **Santa Barbara** und **Solvang**, vielleicht **Pismo Beach** und **Santa Cruz** besuchen möchte, braucht mindestens **3 Tage**. Erst bei einer Reisezeit *von* **4 Tagen** sind auch Strandpausen, kleine Wanderungen (*z.B. Point Lobos,* Big Sur, *La Purisima,* Dünen von Pismo Beach) und Besuche von Museen möglich (u.a. in den alten spanischen Missionen, in Monterey und Santa Barbara). Auch ein Abstecher zum ***Pinnacles National Monument*** könnte dann eventuell eingeplant werden.

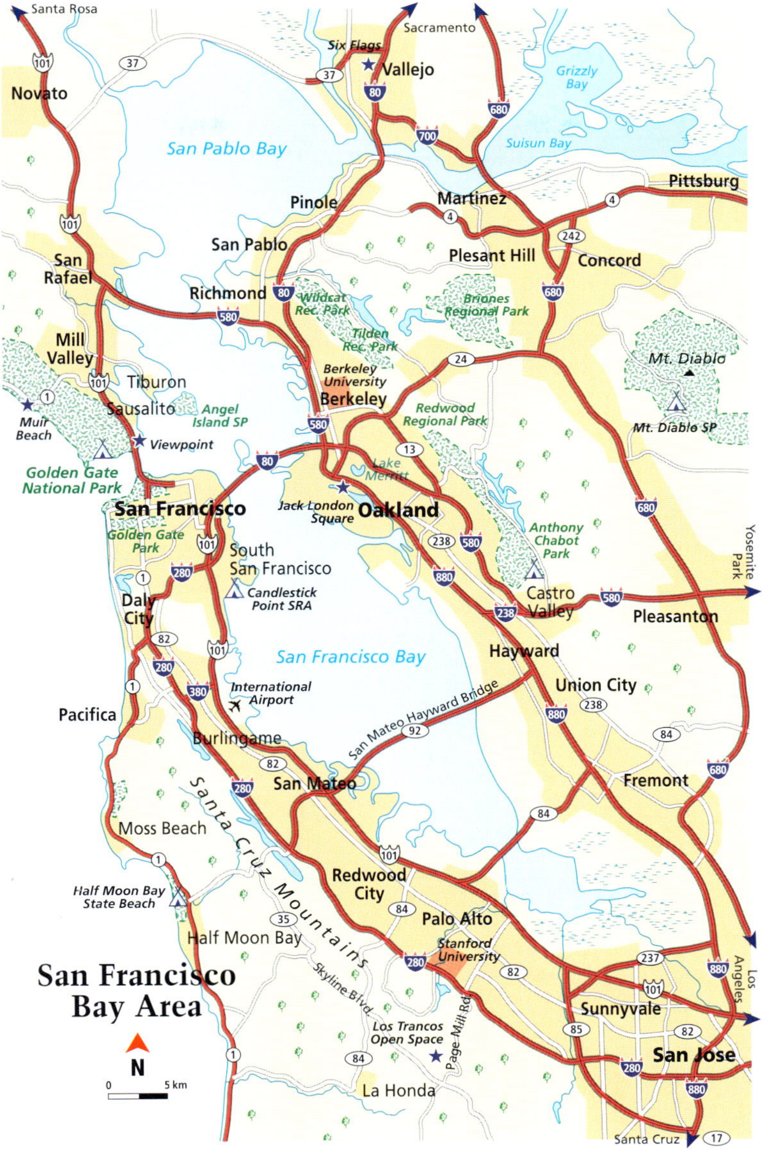
San Francisco Bay Area
Santa Rosa
Sacramento
Six Flags
Vallejo
Novato
Grizzly Bay
San Pablo Bay
Suisun Bay
Pittsburg
Pinole
Martinez
San Pablo
Plesant Hill
Concord
San Rafael
Richmond
Wildcat Rec. Park
Briones Regional Park
Tilden Rec. Park
Mill Valley
Mt. Diablo
Berkeley University
Berkeley
Tiburon
Sausalito
Angel Island SP
Redwood Regional Park
Muir Beach
Viewpoint
Mt. Diablo SP
Golden Gate National Park
Lake Merritt
San Francisco
Jack London Square
Oakland
Golden Gate Park
South San Francisco
Anthony Chabot Park
Yosemite Park
Candlestick Point SRA
Daly City
Castro Valley
Pleasanton
San Francisco Bay
Hayward
Union City
International Airport
Pacifica
San Mateo Hayward Bridge
Burlingame
San Mateo
Fremont
Santa Cruz Mountains
Moss Beach
Redwood City
Half Moon Bay State Beach
Palo Alto
Half Moon Bay
Stanford University
Los Angeles
Skyline Blvd.
Sunnyvale
Los Trancos Open Space
Page Mill Rd.
San Jose
La Honda
Santa Cruz
N
0
5 km
101
37
80
680
700
4
242
580
24
13
238
880
1
280
82
380
92
84
35
237
85
17

2

2.2.1 Von San Francisco zur Monterey Bay

Alternative Routen
Karte Seite 339

Für die Route von San Francisco nach Santa Cruz stellt sich bei ausreichender Zeit die Frage, ob man von vornherein der Küstenstraße #1 folgen oder zunächst dem schnelleren *Freeway* #101 bzw. der I-280 den Vorzug geben sollte.

Straße #1

Die **#1** erfordert **mehr Fahrtstunden**, ist aber vergleichsweise verkehrsarm und bietet – obwohl im Verlauf nicht durchgängig landschaftlich attraktiv – einige hübsche Abschnitte. Eine Reihe von *State Beaches* ermöglicht den Zugang zu Stränden unter Steilufern und in felsigen Buchten entlang dieses recht rauhen Küstenstrichs. Die ***Año Nuevo State Reserve*** südlich von *Pigeon Point* schützt die Paarungsgründe riesiger **See-Elefanten**. Man sieht die Tiere das ganze Jahr über, aber nur zwischen Dezember und März bekommt man die riesigen Bullen zu Gesicht. **Camping** bietet von den *State Beaches* nur ***Half Moon Bay*** oberhalb des gleichnamigen, zersiedelten Ferienortes. Die Anlage gehört nicht eben zur ersten Kategorie, liegt aber unmittelbar am Steilufer über einem endlosen Strand.

Butano State Park

Oft außerhalb der Nebelschwaden in Küstennähe befindet sich der (ebenfalls) Einfach Campingplatz des ***Butano State Park*** mitten in *Redwoods*, einige Meilen landeinwärts auf der *Cloverdale* (ab Pescadero) oder *Gazos Creek Road*. Mit unfreundlicher **Witterung** muss an dieser Küste genauso gerechnet werden wie weiter nördlich. Erst südlich Santa Barbara bessern sich die Aussichten auf überwiegend sonniges Wetter.

San Andreas Graben

Von den beiden Autobahnen auf der Ostseite der San Francisco Halbinsel verläuft die ***Interstate #280*** **südlich San Bruno** abseits der Ballungsräume. Sie führt entlang der Stauseen *San Andreas* und *Crystal Springs*, die mitten im San Andreas Graben angelegt wurden, der Erdspalte zwischen den für die Erdbebengefährdung der Region verantwortlichen tektonischen Platten. Verlässt man die I-280 südlich von Palo Alto auf der *Page Mill Road*, gelangt man nach ca. 7 mi zur ***Los Trancos Open Space Reserve*** mit dem *San Andreas Fault Trail* (Hinweisschild; Internet: www.openspace.org). Der Verlauf des 2,5 km langen Pfads an der Bruchlinie des Bebens von 1906 und Erläuterungen vermitteln noch einen Eindruck von den damals aufgetretenen Erdverschiebungen. Erwähnenswert sind um 2 m gegeneinander versetzte Zaunstücke.

Eine Weiterfahrt nach Santa Cruz über die Straßen #35 und #9 ist zwar zeitraubend, aber von der reizvollen Streckenführung her erwägenswert, ➤ Seite 343f.

Das Grab von Wyatt Earp

In Colma, direkt an der Straße #82 südlich Daly City (unweit I-280) befindet sich das Grab des Wildwest-Sheriffs *Wyatt Earp* auf den »*Hills of Eternity*«. Im Friedhofsgebäude hängt ein Lageplan der Gräber.

Erdbebenregion San Francisco (www.sfgate.com/earthquakes)

Das letzte schwere Beben in der Region von San Francisco ereignete sich im Oktober 1989. Es dauerte nur 15 Sekunden und erreichte eine Stärke von ca. 7 auf der Richter Skala. Dramatische Schäden wie die Einstürze der oberen Fahrbahn der *SF-Oakland Bay Bridge* und des Obergeschosses der I-880 auf mehreren hundert Metern Länge waren aber eher punktueller Natur. Das Funktionieren der seit Jahren praktizierten Bebenvorsorge wie z.B. der Flexibilisierung von Hochhauskonstruktionen, Gas- und Wasserleitungen wurde damit durchaus eindrucksvoll unter Beweis gestellt.

Ob jedoch die bislang realisierten und zusätzliche, aus jüngeren Erfahrungen in und bei Los Angeles abgeleitete Maßnahmen ausreichen werden, um auch in Zukunft Katastrophen zu verhindern, weiß niemand. Mit stärkeren Beben sei zu rechnen, behaupten die Seismologen, die das 1989er-Ereignis und das Epizentrum zwischen Santa Cruz und San Francisco damals einigermaßen korrekt vorhergesagt hatten. Die geologische Spannung im San Andreas Graben, der die »Nahtstelle« zwischen den tektonischen Platten des Pazifik und des nordamerikanischen Kontinents markiert, verminderte sich zwar durch die Erdverschiebung von 1989 um ca. 1-2 m innerhalb einer 50 km Zone, erhöhte sich jedoch in der Nähe San Franciscos und in Südkalifornien weiter. Denn bedingt durch den plötzlichen Abbau des aufgestauten Drucks, der seinerseits auf der Blockade einer gegenläufigen Bewegung der beiden Erdkrustenplatten von 5-6 cm pro Jahr beruht, kommt es anderswo zu verstärkter Spannung, die sich eines Tages ihrerseits entladen muss.

Beim schweren Erdbeben von 1906 (geschätzte 8,3 auf der damals noch nicht existierenden Richter-Skala), das eine erhebliche Zerstörung San Franciscos zur Folge hatte, wurden auf einer Zone von 450 km Länge Verschiebungen bis zu 6 m (!) gemessen. Damit war eine nahezu vollständige Entlastung des tektonischen Drucks eingetreten, und es dauerte mehrere Dekaden, bis sich eine neue Spannung nennenswerter Stärke entwickelte. Seit Ende der 1970er-Jahre wird Kalifornien nun wieder von Beben heimgesucht, zunächst in einer noch relativ harmlosen Größenordnung um den Wert 5, aber nach 1989 gab es weitere Beben über dem Wert 6.

Da auch dem 1906-Ereignis zahlreiche Beben mittlerer Stärke vorausgingen und die Grundmuster des Ablaufs seismologischer Ereignisse erfahrungsgemäß Parallelen zeigen, leben Kalifornier mit der Gewissheit, dass der »***Big Bang***«, der »***The Big One***« nicht mehr allzu fern ist. Das befürchtete Starkbeben zwischen 7,5 und 8,5 kann zwar theoretisch schon morgen eintreten, aber durchaus erst in zwanzig Jahren oder später. So wenig der Zeitpunkt vorherbestimmbar ist, lässt sich das künftige Epizentrum im Vorwege genau lokalisieren. Seismologen tippen auf Bereiche nördlich und südöstlich von Los Angeles, aber auch auf die San Francisco Bay Region.

Silicon Valley

Bei genereller Bevorzugung der Autobahn würde der Autor die **I-280** nicht nur wegen ihrer Streckenführung und des *Los Trancos*-Abstechers samt reizvoller Weiterfahrt empfehlen, sondern auch wegen ihrer geringeren Verkehrsdichte gegenüber der #101 durch das *Silicon Valley*. Unter diesem Begriff wurde ein heute weitgehend gesichtslos zersiedelter Landstreifen zwischen **Palo Alto** und **San José** bekannt, wo Anfang der 70er-Jahre erstmals die Herstellung von Mikroschaltkreisen auf Silikonplättchen gelang. In der Folge expandierte dort die amerikanische **Computer- und High-Tech-Industrie** zunächst explosionsartig und hat sich – nach schwankender Entwicklung – mittlerweile auf hohem Niveau stabilisiert. Wer sich dafür und den heutigen Stand der Dinge interessiert, findet im ***Silicon Valley Weekly Newspaper*** viele Hinweise. Der ***Palo Alto University Bookshop*** verfügt über eine sagenhafte Auswahl an EDV-Literatur.

Apropos Palo Alto: Aus dieser Stadt und weltbekannt sind die Namen ***Hewlett & Packard***. Die alte Garage in der 367 Addison Ave, in der diese beiden Studenten der *Stanford University* ihre ersten Computer zusammenschraubten, ziert heute die Bezeichnung ***National Historic Landmark***.

Stanford University

Untrennbar mit Palo Alto verbunden ist die hoch eingeschätzte (private) ***Stanford University***. Der ausgedehnte Universitätscampus befindet sich eine gute Meile außerhalb des hübschen Städtchens mit einer der höchsten Kriminalitätsraten Kaliforniens. Die einzelnen **Fakultäten** liegen weit verstreut. Die zentrale *Plaza* mit basilikaähnlicher Kirche und einigen Gebäuden in pittoreskem mexikanischen Stil ist sehenswert, eine Besichtigung ähnlich ergiebig wie im nahen Berkeley, ➤ Seite 359. Wer sich die Zeit für den Umweg nach Stanford nimmt, sollte vielleicht auch einen Blick ins (freie) ***Cantor Center for Visual Arts*** werfen (Mi-So 11-17 Uhr, Sa+So ab 13 Uhr, Mitte August bis *Labor Day* geschlossen). Eine Kollektion von Kunstwerken aller Kulturen ist zu bewundern, außerdem ein *Sculpture Garden* mit *Rodin*-Plastiken. Ein **Informationsbüro**, wo auch die Campusführungen starten, befindet sich am Ende des Palm Drive, ✆ (650) 723-2560; www.stanford.edu

Wer im Bereich Palo Alto noch ein Quartier sucht, findet in der ***Hidden Villa Ranch*** (26870 Moody Rd, Los Altos Hills) eine private ***Cabin*** (*Josephine's Retreat*, ab $49) und ***Hostel*** (33 Betten, $20-$24) in einem herrlich abgelegenen Gelände; ✆ (650) 949-8648; Exit Moody/El Monte von der I-280; www.hiddenvilla.org.

Santa Clara

www2.paramountparks.com/greatamerica

Was wären amerikanische Großstädte ohne ihre Vergnügungsparks! ***Paramounts Great America*** in Santa Clara (nördlich San Jose zwischen der 101 und der Straße # 237) bedient die Bewohner der unteren *San Francisco Bay Region* mit einem riesigen Gelände. Das ***Amusement*** für $47/Person über 3 Jahre besteht dort aus viel *Show* von Delphinspringen bis Bühnenglamour. Dazu gibt es die üblichen **Jahrmarkt-*Rides***, darunter **10 *Roller Coaster*** (Achterbahnen) und Schlauchboot-Trip über künstliche Stromschnellen, alles garniert mit jeder Menge Restaurants und Souvenirshops. Geöffnet Mo-Fr und So 10-21 Uhr, Sa bis 23 Uhr *Memorial* bis *Labor Day*; restliche Zeit nur Sa+So.

Wasserspaß

Der Planschpark mit den beliebten Wasserrutschen in vielen Varianten heißt im San José Bereich ***Raging Waters*** und liegt im ***Lake Cummingham Regional Park*** (*Capitol Expressway, Tully Rd*) unweit der *Freeways* I-680 und #101. Ab Juni bis *Labor Day* täglich 10-19, danach wetterabhängig. Tagespass $28, bis 1,20 m $22.

Winchester Mystery House

Eine originelle Attraktion ist das ***Winchester Mystery House*** westlich San José am Winchester Blvd zwischen I-280 und Stevens Creek Blvd. Die Witwe des Erfinders des Winchester-Gewehres verbaute in diesem Haus einen Teil ihres Vermögens im Glauben, durch unaufhörliches Anbauen Unsterblichkeit zu erlangen. Bevor sich dies als Irrtum herausstellte, waren in 160 Räumen 10.000 Fenster, 2.000 Türen, 40 Treppen und 47 Kamine eingesetzt. **Eintritt $24**, bis 12 Jahre $18 inkl. ***Winchester Historic Firearms & Antique Products Museum*** enthalten. Geöffnet 9-19 Uhr von Juni bis *Labor Day*, sonst kürzer; www.winchestermysteryhouse.com.

Nach Santa Cruz/Redwoods

Von San José stellt die als *Freeway* ausgebaute Straße #17 nach Santa Cruz eine Verbindung zwischen den Autobahnen I-280 und #101 mit der Küstenroute her. Wer sich Santa Cruz ansehen

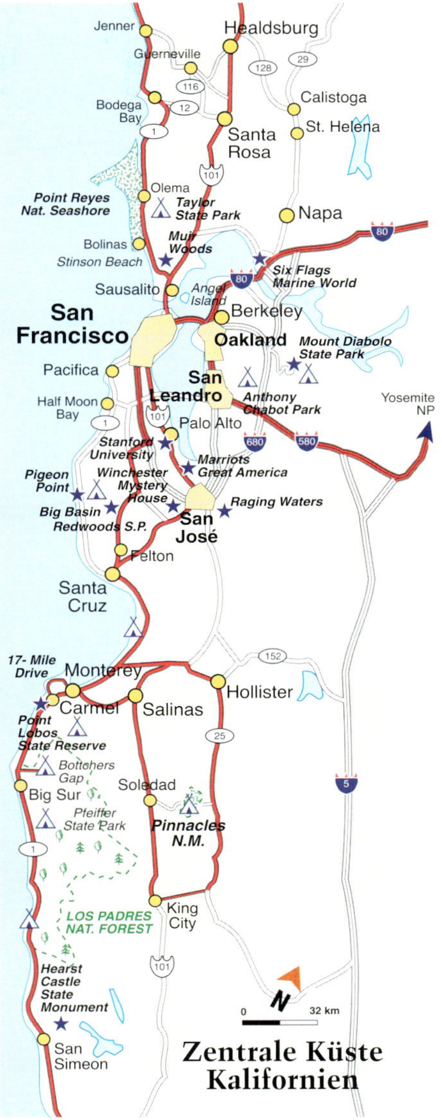

möchte, wählt mit der Kombination I-280/#17 den raschesten Weg dorthin. Ein Abstecher führt ab Scotts Valley nach Felton, wo die ***Roaring Camp* & *Big Trees Railroad*** mehrmals täglich durch die Wald- und Hügellandschaft der Santa Cruz Mountains dampft (ganzjährig, nach Bear Mountain $18, Kinder $12; nachSanta Cruz $20/$15). Von Felton gelangt man auf der #9 durch dem Kahlschlag entgangene ***Redwoods*** im ***Henry Cowell State Park*** direkt nach Santa Cruz.

Beste Strecke

Den besten und interessantesten, wenngleich zeitaufwendigsten Weg von San Francisco nach Santa Cruz bietet die **Kombination I-280/Straßen #35/#9**. Der ***Skyline Boulevard* #35** führt kurvenreich durchs Gebirge zwischen I-280 und der Küste und passiert den oben erwähnten *Los Trancos Park* (Page Mill Road) und die Zufahrten zu den beiden ***State Parks Portola*** und ***Castle Rock*** (keine Zufahrt an der #9, nur #35 südlich der Kreuzung). Einen noch relativ großen ***Redwood Forest*** schützt der ***Big Basin Redwoods State Park*** mit mehreren populären ***Campgrounds***. Man erreicht den Park über die Straße #236 (nach Westen erweiterte #9), die sich im oberen Bereich malerisch durch Eukalyptuswald schlängelt (**nicht für Campfahrzeuge über 21 Fuß geeignet**).

Santa Cruz

Santa Cruz steht als Ferien- und Studienort bei amerikanischen Teenagern und Studenten hoch im Kurs. Denn neben Stränden, tollen Surfrevieren und ***High Life* für *Teenies*** besitzt die Stadt einen **Campus** der ***University of California*** in hübscher Hügellandschaft (im Nordwesten). Bekanntester Anziehungspunkt von Santa Cruz ist aber der unverfehlbar am zentralen Strand gelegene *Amusementpark*, der ***Santa Cruz Beach Boardwalk***, ein fest installierter Jahrmarkt; www.santacruzca.org, www.ucsc.edu, mit Eintrittspreisen für die einzelnen *Rides*, aber sonst freiem Zugang wie hierzulande. Sieht man einmal ab von der nostalgischen ***Giant Dipper* Achterbahn** aus dem Jahre 1924, gibt es nichts Sensationelles zu sehen, aber das dort (täglich Juni bis *Labor Day*,

»The Big Dipper«, ein nostalgischer Roller Coaster am Boardwalk von Santa Cruz

sonst Wochenende) relativ bunte Leben und die **Kombination mit Strand und Meer** sorgten mit für Santa Cruz' Ruf als Prototyp einer Stadt des kalifornischen *Easy Going*. Hip und aufgeräumt ist ***Downtown Santa Cruz*** mit Straßencafés, Bistros und Buchläden.

Santa Cruz Westküste

Westlich des *Boardwalk* sind die ***Natural Bridges State Beach*** und die Strände entlang des ***West Cliff Drive*** populär. Selbst bei ruhigem Wetter läuft hier eine erstaunlich hohe Dünung aus den Weiten des Pazifiks ein, die sich zwischen Strand und Steilküste bricht. Am ***Lighthouse Point*** zeigen *Surfer* eine atemberaubende Brettbeherrschung, wenn sie scharf an den Klippen vorbeischießen. Kaum irgendwo sonst besteht eine derart gute Gelegenheit, **gekonntes *Surfing* aus nächster Nähe** zu beobachten. Der vorgelagerte Felsen beherbergt röhrende **Seelöwen**. Eine Zugabe ist dort der tolle Sonnenuntergang. In den südöstlichen Vororten lösen **Strände** und **Marinas** hinter Sommerhaussiedlungen des Wohlstands einander ab. Zufahrt über Portola Drive und den East Cliff Boulevard.

Capitola

Mehr schon ein eigenständiges Ziel als Vorort von Santa Cruz ist Capitola, ein vor allem **bei jungen Leuten beliebtes Städtchen** am Meer mit Yachthäfen, Kneipen und Discos. Capitola erreicht man über die Küstenboulevards oder auf der #1.

Camping

Zwischen Santa Cruz und Monterey führt die überwiegend als *Freeway* ausgebaute #1 (*Cabrillo Highway*) durch flache Obstanbaugebiete abseits der Küste. Wie auch weiter nördlich sind Strand und Dünen in erster Linie über *State Beache*s zugänglich. Die Campingempfehlung in diesem Bereich lautet: ***New Brighton*** vor ***Sunset State Beach***.

Pinnacles National Monument

Ein Abstecher für Leute mit einem **Tag Extrazeit** könnte dem *Pinnacles National Monument* gelten. Ab Watsonville geht es auf den Straßen #129/#156 nach **Hollister** und auf der #25 zur Südosteinfahrt dieses weniger beachteten Nationalmonuments (ca. 75 mi). Die #146 führt zum kleinen *Visitor Center;* unweit davon endet die Straße am Ausgangspunkt mehrerer *Trails*. Zu den ***Pinnacles***, den namensgebenden schroffen Felszack en, sind es von dort noch 4 km. Vorrangiges Besuchsmotiv ist jedoch der rauhe *Pfad* durch die ***Bear Gulch Caves*** zum mehrere hundert Meter höher liegenden *Reservoir*. Zwischen herabgestürzten, teilweise Höhlen bildenden Felsen geht es streckenweise steil bergauf (festes Schuhwerk und gute Lampen erforderlich). Wem die Kletterei durch den Felstunnel zuviel war, kann auf dem Rückweg den ***Rim Trail*** nehmen. Mit guter Kondition lässt sich vom Reservoir der Weg fortsetzen zu den *High Peaks* (dann insgesamt ca. 10 km).

Zur Erholung von der Anstrengung wartet ein **kühler Pool** im weitläufigen ***Pinnacles Campground*** (komfortabel und rustikal, ✆ (831) 389-4462; www.pinncamp.com). Der Campingplatz auf der Westseite ist weniger empfehlenswert. Zur Vermeidung der Rückfahrt auf identischer Strecke sollte man die – im übrigen auch schnellere – #101 wählen. Eine Durchfahrt durch den Park ist nicht möglich, man muss über **King City** (Straße #G13). Auf der #68 geht es von **Salinas** nach Monterey. Wenig befahren und lohnender, wenngleich mühsamer ist die Kombination **#G17/ #G16 über Carmel Valley**.

Salinas

John Steinbeck

Salinas besitzt keine touristischen Sehenswürdigkeiten, erwähnenswert ist aber, dass dort ***John Steinbeck*** (➤ rechts *Cannery Row)* geboren wurde und dass Teile seines Romans »Jenseits von Eden« (mit *James Dean*) in und um Salinas verfilmt wurden. Sein ansehnliches **Geburtshaus** steht in der 132 West Central Street, zwei Blocks entfernt vom beachtlichen ***John Steinbeck Center***, einem Museum über seine Werke, deren Hintergründe und Verfilmungen, das auch literarisch weniger Interessierten Spass machen dürfte. Ein Flügel des Museums ist der Bedeutung der Landwirtschaft in und um Salinas gewidmet, was nicht so spannend ist. Täglich 10-17 Uhr; Eintritt $11/$8/$6; www.steinbeck.org.

Ein anderer bekannter Bürger ist ***Monty Roberts***, Erfinder der Pferdesprache *Equus*, www.montyroberts.com.

2.2.2 Die besten 100 Meilen der Highway #1: Von Monterey nach San Simeon

Monterey

Von der **#1**, bei Monterey gleichzeitig **Stadtumgehung,** gelangt man am besten über den Del Monte Blvd (bzw. die Munras Ave aus südlicher Richtungt) nach **Downtown Monterey**. Vor dem zentralen Ortsbereich kreuzt dieser den Camino El Estero/Höhe Franklin Street, in dem sich ein Büro der ***Visitors Information*** befindet. Eine weitere ***Visitor Information*** befindet sich in der **380 Alvarado Street**. Wird man in den meisten Besucherinformationen allgemein mit Material bestens bedient: in Monterey wird man förmlich »erschlagen« mit Karten und Info-Schriften. Sehr gut ist der ***Monterey Peninsula Visitor's Guide*** mit einem kompletten Restaurant- und Unterkunftsverzeichnis inklusive *B & B, Campgrounds* etc. www.monteryinfo.org

Geschichte

www.historicmonterey.org

Das heute 33.000 Einwohner zählende Monterey blickt auf eine für amerikanische Verhältnisse sehr lange Geschichte zurück. Gegründet **1770 als Missionsstation** wurde sie bereits **1775 Hauptstadt** des spanischen, ab 1821 mexikanischen Kaliforniens und blieb es auch noch nach seiner Eroberung durch die Amerikaner 1846, bis 1854 Sacramento Kapitale des neuen US-Staates im Westen wurde. Die aus jener Zeit erhaltenen bzw. restaurierten Gebäude samt einiger frühamerikanischer Bauwerke wurden insgesamt zum **Monterey State Historic Park** erklärt und durch den ***Path of History*** (ca. 3 km) symbolisch miteinander verbunden.

Ein in der *Visitor Information* gratis ausgegebenes **Faltblatt** erläutert den Verlauf des historischen Pfades und die Bedeutung der Gebäude im einzelnen, von denen eine Reihe musealen Charakter besitzt. Ein Pauschalticket für $5, erhältlich u.a. im ***State Park Visitor Center*** an der zentralen *Custom House Plaza (*Öffnungs-

Publikumsmagnet Monterey Bay Aquarium in den Mauern einer einstigen Fischkonservenfabrik, einer Cannery

zeiten 10-17 Uhr), berechtigt zum Eintritt in alle *Historic Buildings* und zur Teilnahme an geführten Besichtigungen. Für einen europäischen Besucher ist der *Path of History* nur punktuell interessant; zu nennen sind in erster Linie die ***Custom House Plaza*** und die ***Royal Presidio Chapel*** (rekonstruierte erste Missionsstation) etwas abseits an der Church Street.

Fisherman's Wharf

Wie San Francisco besitzt auch Monterey eine ***Fisherman's Wharf***. Sie besteht hier indessen nur aus einer einzigen Pier mit Frischfisch-Verkauf, *Fast-Food*-Ständen sowie ein paar *Giftshops* und Restaurants. Es gibt dort nichts, was man unbedingt gesehen haben müsste. Östlich der ***Municipal Pier*** (Verlängerung der Figueroa Street) erstrecken sich schöne **Strände**.

Cannery Row

Der wichtigste Anziehungspunkt Montereys liegt eine gute Meile nordwestlich *Downtown* und der *Wharf* im ***Cannery Row*** genannten Bereich (gleichzeitig Straßenname): Vom Del Monte Blvd an der Ecke Washington Street halbrechts durch den Tunnel und weiter auf der Lighthouse Ave. Die ehemaligen *Canneries* (= Fischfabriken) zwischen David und Hoffman Ave, die einst ***John Steinbeck*** zum Titel seines weltbekannten Romans ***Cannery Row*** (»Straße der Ölsardinen«), inspirierten, wurden fürs touristische Shopping und die unvermeidliche Restauration schick umfunktioniert, soweit sie nicht Parkplätzen weichen mussten.

Aquarium

Trotz der hübschen Lage am Wasser wäre die »**neue**« ***Cannery Row*** jedoch kaum einen längeren Zwischenstop wert, beherbergte sie nicht das ***Monterey Bay Aquarium***, eines der besten Nordamerikas. Sowohl die Vielzahl der dort zu bestaunenden Meerestierarten als auch die Imitation ihrer Lebensräume bieten einen gelungenen Anschauungsunterricht zur Fauna der kalifornischen Pazifikküste (Broschüre auch in deutscher Sprache). Geöffnet täglich 9.30-18 Uhr. Im Sommer und an Wochenenden herrscht großer Andrang, zeitiges Kommen oder späte Ankunft (ab 16 Uhr) hilft, den Hauptbetrieb zu vermeiden. Etwa 2 Stunden benötigt man für eine gründliche Besichtigung; Eintritt leider sehr hoch: $25, Kinder bis 12 $16; www.mbayaq.org.

Scenic Drive

Pacific Grove

www.pg museum.org

Unverzichtbar in Monterey ist eine Rundfahrt im Stadtteil **Pacific Grove** entlang der überaus reizvollen Küste (**Ocean View Boulevard, Sunset Drive**: **Seehunde und -löwen auf den vorgelagerten Felsen**). Ein kurzer Halt könnte dem ***Museum of Natural History*** gelten (165, Forest Ave, Di-So 10-17 Uhr, eintrittsfrei) mit zahlreichen ausgestopften Vögeln der Region und besonderem Gewicht auf den ***Monarch*-Schmetterlingen**, die sich Pacific Grove für ihren jährlichen Winterschlaf von Oktober bis März ausgesucht haben. Ab 55°Fahrenheit (13°C) werden sie aktiv. Wer zur richtigen Zeit am Vormittag früh genug dort ist, erlebt ein bemerkenswertes Schauspiel. Die »**Schmetterlingsbäume**« sind auf der Karte der Touristeninformation eingezeichnet.

Monarch Trees

Natürlich wird dieses Naturschauspiel kommerziell genutzt. Vor allem entlang der sehr schönen Hauptstraße durch den Ort, der **Lighthouse Ave**, finden sich hübsche Restaurants und kleinere Motels und Hotels.

Der Monarch Butterfly ist eine Art Wahrzeichen von Pacific Grove

Seventeen-Mile-Drive

Auf dem Sunset Drive passiert man, wieder landeinwärts, das ***Lighthouse Gate***, eine der Zufahrten zum sog. ***17-Mile-Drive***, einer hochgespielten **Touristenattraktion** und Programmpunkt aller Monterey berührenden Busreisen. Die Straße führt durch den Privatbesitz der millionenschweren *Del Monte Forest Community*, welche für die Besichtigung ihres Areals **$8/Auto** kassiert, und verläuft größtenteils am Ufer des Pazifik entlang. Strände und Buchten bieten (an sonnigen Tagen) zwar einiges fürs Auge, aber die eintrittsfreie Umgebung in Pacific Grove und Carmel kann durchaus konkurrieren. Seehunde und Seelöwen tummeln sich indessen um und auf dem ***Seal Rock*** in großer Zahl, und das bekannte Fotomotiv der ***Lone Cypress*** auf vorgelagertem Felsen muss eben von jeder Kamera festgehalten werden. Die großenteils bombastischen **Anwesen** von Reichen und Prominenten liegen mehrheitlich abseits der Rundstrecke an schmalen Nebenstraßen und verbergen sich fast ausnahmslos hinter hügeligem Gelände, Wald und hohen Hecken, die neugierigen Blicken trotzen.

Anfahrt Carmel

Folgt man dem *17-Mile-Drive* von Norden (via Sunset Drive), gelangt man in dessen Südostecke an das ***Carmel Gate*** und befindet sich sogleich mitten im Städtchen. Wer die teure Rundstrecke auslässt, fährt vom Sunset Drive auf den Holman Highway #68, gelangt von ihr automatisch auf die #1 und nur wenig weiter südlich nach Carmel.

Carmel

Carmel ist der mit Abstand hübscheste (und teuerste) Ort der ganzen Westküste. Er gilt als Künstlerkolonie und besaß mit dem Filmschauspieler ***Clint Eastwood*** für einige Jahre einen äußerst publicitywirksamen Bürgermeister. Seither kümmern sich noch mehr teure Galerien, *fashionable Shops* und Restaurants um die zahlreichen Besucher Das kommerziell bestimmte Leben und Treiben spielt sich hauptsächlich in der (auf den Strand zulaufenden) **Ocean Ave** und Umgebung ab. Eine ***Visitor Information*** für Karten und und Broschüren (Faltblatt für eine ***60-min-Walking Tour***) befindet sich in der San Carlos Street zwischen 5th und 6th Ave; www.carmel-california.com.

Im dort erhältlichen ***Guide to Carmel*** findet man schöne, aber sagenhaft hochpreisige **Quartiere zwischen Villen und Beach**, eine Alternative zu den **Motels und Hotels** der Ketten entlang der #1. Ebenfalls gut bestückt ist Carmel mit besseren **Restaurants** mit schönen Open-air-Terrassen.

Der überwiegende Teil des Ortes besteht nichtsdestoweniger aus beneidenswert gelegenen und gestalteten Privathäusern inmitten einer von Kiefern und Zypressen bewachsenen, leicht hügeligen Landschaft. Die weißen **Strände** entlang der ***Scenic Road*** gehören zu den schönsten der USA. Am Südende dieser Straße stößt man auf die ***Carmel River State Beach*** mit Vogelschutzgebiet und Süßwasserlagune, die nur durch einen Dünenstreifen vom Ozean getrennt ist. Mit ein wenig Glück sieht man dort possierliche **Seeotter** unweit des Strandes in den Wellen spielen. Vor Jahren schienen sie fast ausgerottet, heute sind sie oft zahlreich vorhanden.

Carmel Mission

An der Rio Road, steht eine der attraktivsten der 21 spanischen Missionsstationen in Kalifornien. Die ***Mission San Carlos Borromeo del Rio Carmelo*** wurde 1770 erbaut. In ihr liegt der Gründervater der Missionen begraben, der Franziskanermönch ***Junipero Serra***. Zu besichtigen sind Kirche, Innenhof und Gärten + kleines Museum Mo-Sa 9.30-17 Uhr, So ab 10.30 Uhr; Eintritt $5; www.carmelmission.org.

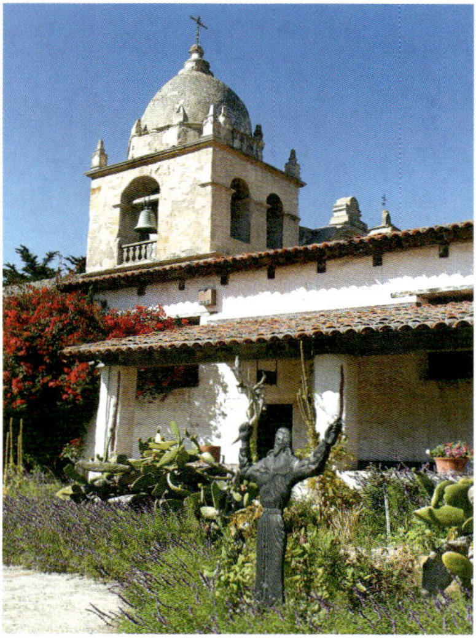

Arboretum

Hübsch ist auch das benachbarte ***Arboretum*** (Hatton Road).

Point Lobos State Park

Der Strand von Süd-Carmel endet mit der *Monastery Beach* an der Grenze zur ***Point Lobos State Reserve***, einem äußerst populären Naturschutzpark. **$8 Eintritt** pro Wagen sind dort im Grunde besser angelegt als für den *17-Mile-Drive.* Die Zufahrt erfolgt direkt von der Straße #1, etwa 4 mi südlich des Zentrums von Carmel. *Point Lobos* ist eine felsige Halbinsel mit einer zerklüfteten Küste, vorgelagerten Inselchen, Buchten und kleinen sandigen Einsprengseln. Sie wird durchzogen von ***Nature Trails***;ein Uferpfad umrundet die Halbinsel meist hoch über dem Ozean. Von ihm sichtet man garantiert Seehunde und Seelöwen, oft auch Otter, die sich gelegentlich rar machen, sowie viele Vogelarten. Das Minimalprogramm im Point Lobos Park sollte ein Spaziergang auf dem kombinierten ***Sand Hill/Sea Lion Point Trail*** sein (45 min). Zahlreiche Seelöwen bevölkern normalerweise auch die ***Sea Lion Rocks*** vor der Küste. Gleich nebenan läuft der ***Cypress Grove Trail***. Besonders zur Vogelbeobachtung (Kormorane) eignet sich der zum *Pelican Point* führende ***Bird Island Trail*** mit Startpunkt ganz am Ende der Stichstraße. Auch zu empfehlen ist der Aufstieg zum ***Cannery Point*** auf der Nordseite der Halbinsel. Die *Whalers Cove* unterhalb dieses Aussichtspunktes ist bekanntes und popläres **Tauchrevier**.

Camping

Campen kann man in *Point Lobos* nicht, dafür gibt es eine halbe Autostunde südlich von Carmel den großartig gelegenen **Einfach-*Campground Bottchers Gap*** hoch in den Bergen des *Los Padres National Forest.* Rund 13 mi südlich von *Point Lobos* zweigt die ***Palo Colorado Road*** von der #1 ab und führt auf kurvenreicher Strecke 8 mi (teilweise extrem) bergauf. Ganz an deren Ende liegt ***Bottchers Gap*** (oft ohne Wasser) über einem Steilhang. Schattige Plätzchen für **Zelte** befinden sich abseits im Wald ($12). Der Parkraum für RVs ist begrenzt; **3-4 *Van Camper*** finden aber Platz. Eine Alternative für **Zeltcamper** ist der ***State Park Andrew Molera*** nördlich von Big Sur mit einem *Walk-in Campground* in gut 500 m Entfernung vom Parkplatz (zum **Strand** 1.600 m).

An der Carmel Beach; im Blickfeld die Gelände der Del Monte Forest Community, durch die der 17-Mile-Drive läuft

Campmobilfahrer können dort zur Not die Nacht überbrücken, falls im Sommer – wie häufig – alle anderen Plätze der Region belegt sein sollten. Auch im ***Pfeiffer Big Sur State Park*** dürfen **RVs** über Nacht den Parkplatz nutzen ($18).

Straße #1 von Point Lobos bis Sant Simeon

Ab *Point Lobos* befindet man sich definitiv **auf dem schönsten und einsamsten Abschnitt der #1**, der erst 1937 nach 18 Jahren Arbeit (überwiegend durch Strafgefangene) fertiggestellt wurde. **Bis San Simeon** gibt es **keine echte Ortschaft** mehr (Achtung: nur 2 Tankstellen mit Extrempreisen). Die Orte in der Karte beziehen sich auf kaum erkennbare Siedlungen mit teilweise nur Motel und *Coffee Shop*. Großartige Ausblicke auf Buchten und Steilküste belohnen immer wieder die Serpentinenfahrt.

Tipp

Zwischen Point Lobos und Big Sur steht etwas abseits der #1 hoch über dem Pazifik das ***Rocky Point Restaurant***: Herrliche Open-air-Terrasse und voll verglaster Gastraum! Ein besseres Restaurant als Nepenthe (kein Plastik), teuer; www.rocky-point.com.

Skulpturengalerie beim Nepenthe Restaurant

Big Sur

Dies ist ***Big Sur Country***, das dank *Henry Millers* Buch »Big Sur oder die Orangen des Hieronymus Bosch« weltweit Bekanntheit erlangte. Auch **Big Sur** – www.henrymiller.org – ist kein »echter«, von der Straße erkennbarer Ort. Ein paar halb versteckte ***Lodges***, zwei private ***Campgrounds*** (gut *Big Sur Campground* und *Cabins*, © (831) 667-2322), ein ***State Park***, das legendäre ***Nepenthe Restaurant*** hoch über dem Pazifik (mit Bistro für den Nachmittagskaffee) und gegenüber eine tolle Skulpturengalerie sind fast einzig sichtbare Eckpunkte einer Ansammlung vieler verstreuter Anwesen in den Bergen und an der Zufahrt zur ***Pfeiffer Beach***.

Pfeiffer State Park

Der ***Pfeiffer Big Sur State Park*** (guter, aber auch sehr großer *Campground)* liegt landeinwärts am Big Sur River. ***Trails*** führen zum pittoresken *Big Sur Canyon* mit Wasserfällen (ca. 1 km) und kleinen natürlichen Badepools. Außerdem besitzt Big Sur die erwähnte ***Pfeiffer Beach***, **eine der schönsten Sandbuchten** zwischen

Carmel und San Diego: ***Sycamore Canyon Road*** (zweigt ohne weitere Kennzeichnung von der Straße durch Big Sur ab, ca. 200 m nördlich der Brücke über den Pfeiffer Canyon – keine RVs) hinunter zur Küste. Vom kleinen Parkplatz ($5) sind es 200 m bis zum malerischen, von Felsen eingerahmten Strand. Leider beträgt selbst im Hochsommer die Wassertemperatur nie über 16°C.

Strand mit Wasserfall im Julia Pfeiffer Burns State Park

Strecke bis San Simeon

Im weiteren Verlauf der Straße locken immer wieder neue Ausblicke und Fotomotive zum Anhalten. Spontane Entschlüsse zum Verweilen über Nacht fallen aber südlich von Big Sur schwer. Motels/Hotels gibt es gar nicht. Camper finden in den ***State Parks Julia Pfeiffer Burns*** und ***Limekiln*** ($20-$25) und den ***Forest Campgrounds Kirk Creek (!)*** und ***Plaskett Creek*** (ca. 35/30 mi nördlich von San Simeon) sehr schöne Stellplätze. Deren attraktive Lage sorgt für oft komplette Belegung, zumal alle bis auf Kirk Creek reserviert werden können, ➤ Seiten 199 bzw. 201.

Unterwegs lohnt auch ohne Campabsicht der Stopp im ***Julia Pfeiffer Burns SP***: Der etwa 500 m lange ***Waterfall Trail*** läuft durch einen Tunnel unter der #1 hindurch bis zu einem Aussichtspunkt hoch über dem Pazifik. Tief unten befindet sich ein Strand, auf den sich pittoresk ein Wasserfall ergießt. Der früher vorhandene steile Pfad hinunter von der Südseite der kleinen Bucht wurde nach einem Erdrutsch leider gesperrt.

Hearst Castle

Bei San Simeon ließ sich der Pressezar ***Randolph Hearst*** ab 1919 in 28-jähriger Bauzeit das Schloss seiner Träume errichten. Das enorme Bauwerk ist ein Verschnitt aus architektonischer Phantasie und Nachbau europäischer Vorbilder. Teilelemente des Schlosses sind sogar echt; sie wurden eigens aus der alten Welt herübergeschafft. *Hearst Castle* gehört heute dem Staat von Kalifornien, der es als ***Hearst San Simeon State Historical Monument*** der Öffentlichkeit zugänglich machte.

Besuchs-details

Ein **Kurzbesuch** des *Hearst Castle* ist nicht möglich, denn man kommt auf sich gestellt nur bis zum grandiosen Informationszentrum in respektvoller Entfernung. Das *Ticket* für jeweils eine der vier verschiedenen, etwa 2-stündigen **Führungen durch Teilbereiche des Palastes** kostet $24/$20 pro Person, Kinder bis 17 Jahre $12/$10 (Haupt-/Nebensaison) und schließt den Transport per *Shuttle-Bus* ein. Wer mehr sehen möchte, kann dies nur über die Buchung einer weiteren Tour. Entstehungsgeschichte und der phänomenale Prunk im Inneren machen *Hearst Castle* zwar interessant, für Europäer – die den Originalen relativ nahe sind – stellt sich aber die Frage, ob eine partielle Besichtigung des Schlosses das hohe Eintrittsgeld und ggf. Wartezeiten wert sind. Die **ausgezeichnete (eintrittsfreie) Ausstellung im *Visitor Center*** mit Fotos vom Innenleben des Schlosses vermittelt bereits einen guten Eindruck und mag vielen genügen. Wer mehr sehen will, kann sich auch den Film ***Hearst Castle, Building a Dream*** im *National Geographic Theatre* ansehen, jeweils zur halben Stunde ab 9.30 Uhr; Eintritt $10 oder Tourbuchung (dann ist der Film eingeschlossen). *Visitor Center* geöffnet März-Sept. täglich 8-18 Uhr; Winter 9-17 Uhr, Sa+So bis 15 Uhr. Erste Tour 8.20 Uhr, letzte reguläre Tour spätestens um 16 Uhr. Danach findet eine Abendtour statt ($30/$15). An Wochenenden sollte man unbedingt reservieren: ✆ 1-800-444-4445. An Wochentagen gibt es oft auch ohne zu langes Warten noch freie Plätze; www.hearstcastle.com.

Im Bereich Cambria/San Simeon warten zahlreiche ***Lodges*** und ***Motels*** auf Gäste, darunter hübsche, noch halbwegs preiswerte Häuser wie das ***Creekside Inn*** in Cambria, ✆ 1-800-269-5212, aber auch Häuser der Ketten *Motel 6, Best Western* und *Quality Inn*. Alle liegen unübersehbar an der Hauptstraße #1.

Ein guter *Campground* befindet sich im ***San Simeon State Park***, den man im Sommer tunlichst reserviert, ➤ Seite 199.

Neptune Pool im Hearst Castle

2.2.3 Noch 200 Meilen nach Los Angeles

Morro Bay

Ungefähr ab Morro Bay, das vor der Küste mit dem imposanten ***Morro Rock*** (176 m) ein weithin sichtbares Wahrzeichen besitzt, beginnt **Southern California**. Der kleine ***Morro Bay State Park*** (22 Stellplätze) liegt im Wald abseits der Küste; empfehlenswerter ist der relativ abgelegene und nicht so perfekt entwickelte ***Montana de Oro Park*** (Stichstraße von Los Osos ca. 5 mi). Einige Picknicktische stehen dort direkt am Strand. Wenn an der Küste alles voll ist: der ***NF-Campground Cerro Alto*** befindet sich 6 mi landeinwärts an der Straße #41.

San Luis Obispo

Hinter Morro Bay verlässt die #1 die Küste und vereinigt sich in San Luis Obispo für ein kurzes Stück gemeinsamen Verlaufs wieder mit dem ***Freeway #101***. Als wichtigste Sehenswürdigkeit dieses ganz attraktiven Ortes gilt die **Missionsstation** im zentralen Bereich (Chorro/Monterey St); sie ist jedoch kein touristisches »Muss«. Ganz anders das famose ***Madonna Inn*** an der gleichnamigen Road, in dem alle 130 Räume »thematisch« unterschiedlich hergerichtet sind. Für **Steinzeithöhle, Dschungel, Ritterkemenate, roten Salon** usw. zahlt man $168-$380 pro Nacht. Beispiele im Internet: www.madonnainn.com. Dort kann man auch mit **$30-$50 Discount** buchen (© 1-800-543-3000). Preiswert, gut und reichlich zu essen gibt es ganz in der Nähe im ***Old Country Buffet***, 485 Madonna Road.

Oceano Dunes SRA Beach Camping

Bei Oceano, einem kleinen Seebad, liegt das ausgedehnteste **Küstendünengebiet** Kaliforniens. Folgt man der sich hier wieder vorübergehend von der #101 trennenden #1, kann man südlich von **Oceano** die ***Pismo State Beach*** nicht verfehlen. Neben Komfortcamping an der #1 und *State Park* hinter den Dünen gibt es dort (nirgendwo sonst an der Westküste!) offizielles **Camping direkt am Strand** in der ein wenig südlicheren ***Ocean Dunes Recreation Area*** (keine Infrastruktur außer Chemietoiletten! Gebühr $12) für alle, die das Zelt zu Fuß oder per Bike in das vorgesehene Areal schleppen (ca. 1 km von der nächsten Einfahrt) oder einen ***Pick-up Truck*** oder **4WD** haben. Hart gefahrene Spuren machen das Autofahren im Prinzip zwar problemlos, aber zu viele trauten sich wohl in weichen Sand oder vergaßen die Gezeiten, daher gilt: **Campmobile und Pkw dürfen nicht mehr auf den Strand!**

ATV/ORV

Wie in den *Oregon Dunes* ist ein Teilgebiet der Dünen für *All Terrain/Off-road Vehicles* freigegeben. An den Zufahrten gibt es mehrere **ATV/ORV-Verleiher**. **Miete ab $30/Stunde**. An Wochenenden und zu gut besuchten Ferienzeiten stehen Verleiher mit Fahrzeugen praktischerweise auch im Campbereich. Indessen tummelt sich dann ganz Kalifornien gleichzeitig dort. Aber auch **ohne ATV** ist der Besuch eine schöne Sache. In den geschützten Bereichen kann man wunderbar ungestört herumwandern; von den Höhen hat man herrliche Ausblicke.

Pismo Beach: der einzige für Autos freigegebene Strand der Westküste (aber nur noch 4WD, keine RVs und Pkw mehr); dazu Beach Zelt-Camping vor Dünen am Meer

2

Von Oceano könnte man der schnelleren #101 folgen oder auf der #1 bleiben, die am Ostrand der *Vandenberg Air Force Base* durch (ebenfalls) weniger aufregende Landschaft führt.

Mission La Purisima

Am Wege liegt aber im Tal des Santa Ynez River eine weitere, Missionsstation (***State Historic Park Mission La Purisima***, www.lapurisimamission.org), ein ausgedehnter (restaurierter) Komplex mit authentisch wie um 1820 eingerichteten Gebäuden und Garten: Täglich 9-17 Uhr; Eintritt $4 pro Auto. Ganz interessant, aber kein Muss. Eine Stichstraße führt zur ***Jalama Beach*** mit prima **Camping** am Ozean, ✆ (805) 736-3500; Internet: www.sbparks.org

Weiterfahrt

Bei Gaviota stößt die #1 wiederum auf die vierspurig ausgebaute #101 und bildet bis Ventura mit ihr zusammen die **stark befahrene Küstenstraße**. Eine **Eisenbahnlinie** läuft ab Gaviota zwischen Straße und Meer. Die Küste ist hier nur noch über diverse ***State Beaches*** zugänglich, von denen ***Refugio Beach***, einige Meilen östlich von Gaviota, auch als **Campingplatz** den besten Eindruck macht. Er ist aber straßen- und schienennah.

Solvang: Dänemark in Amerika

www.solvangusa.com

Eine gute **Alternative zur Küstenroute** nach Santa Barbara ist ab Lompoc/La Purissima die **Straße #246** über **Solvang** und dann die **#154**. Mit Solvang, nur wenige Meilen westlich der #101, existiert mitten in Kalifornien **ein dänisches Städtchen** fast wie aus *Hans Christian Andersens* Märchenbuch. Der Ort entstand erst Anfang des Jahrhunderts als Gründung dänischer Einwanderer. Zwar ist kaum zu erkennen, welche Gebäude noch Originale und welche Nachbauten sind, aber es gibt in den USA kein anderes

»ethnisches« Städtchen, das ähnlich echt wirkt. Klar, dass es dort in den *Giftshops* von »dänischen« Waren nur so wimmelt, und die Restaurants ***Danish Food*** auftischen. Auch für Europäer ist das **»kalifornische Dänemark«** durchaus Stopp und Bummel wert.

Straße #154

Die #154 führt durch die *Santa Ynez Mountains* am ***Cachuma Reservoir*** vorbei (enges ***County Park Massencamping*** mit Vollanschluss-Komfort, Baden *und* Bootsverleih) und kurvenreich durch den *Los Padres National Forest* nach Santa Barbara. Südöstlich des Sees, noch in der Höhe, passiert man die ***Paradise Road*** (*Forest Rd* #5N18), an der – 3-5 mi von der #154 – drei gute ***Forest Campgrounds*** (Einfachklasse) liegen; am besten ist ganz unten ***Fremont*** mit Zugang zum Fluss.

Santa Barbara/ Info

Wirkte die 90.000-Einwohner-Stadt Santa Barbara nicht so makellos, könnte es sich fast um eine mexikanische Stadt handeln. Alle historischen Gebäude im Zentrum präsentieren sich mit roten Ziegeldächern, weiß getünchten Fassaden und Palmen. Die **Touristinfo** befindet sich am Cabrillo Boulevard gegenüber dem *Chase Palms Park* mit Beach und der *Stearns Wharf*, die die Yachtmarina nach Süden begrenzt, www.santabarbaraca.com.

Scenic Drive/ Downtown

Für eine **Besichtigung von Santa Barbara** macht es Sinn, dem ausgeschilderten ***Scenic Drive*** zu folgen. Von Norden gelangt man auf ihm zunächst über die La Cumbre Road auf die **State Street** und damit direkt in die Innenstadt. Zwischen ihr und der **Santa Barbara Street** liegen im Bereich zwischen Anapamu und Ortega Streets fast alle sehenswerten Bauwerke. Einen Stop sollte man mindestens einlegen am historischen ***Presidio*** von Santa Barbara (1 Block an der Ecke Cañon Perdido und Santa Barbara St), das auf den ersten militärischen Außenposten von 1782 zurückgeht, und am ***County Courthouse*** (1100 Anacapa St). Dort geht's nach Besichtigung der Außen- und Innenarchitektur per Lift in den 25 m hohen Uhrenturm (frei) mit toller Aussicht über Stadt und Meer.

Ein ***Historical Museum*** befindet sich in der De la Guerra St, einen Block westlich des Presidio (Di-Sa 10-17, So ab 12 Uhr, Spende).

Mission Santa Barbara

Das kulturhistorische Bonbon Santa Barbaras ist die *Mission* am Ende der Los Olivos/Laguna Streets. Wegen ihrer erhöhten Position mit früher vorhandenem Weitblick (heute zugewachsen) und der grandiosen Gesamtanlage wurde sie zu Recht als die *Queen of the Missions* bezeichnet. Die ***Mission Santa Barbara*** wurde erst 1786 und damit einige Jahre später errichtet als einige ihrer »Nachbarn« und 1820 vollendet. Sowohl der Komplex als solcher als auch das darin vorhandene **Museum** (9-17 Uhr, $4) und die Gärten sind unbedingt den Besuch wert; www.sbmission.org.

Wer Zeit und Freude an botanischen Gärten hat, findet 3 km weiter an der *Mission Canyon Road* den ausgezeichneten ***Santa Barbara Botanic Garden*** voller typischer kalifornischer Flora. Ein ca. 9 km langer Pfad windet sich dort durch das hügelige Gelände; geöffnet 9-16/17/18Uhr je nach Jahreszeit; Eintritt $8; www.sbbg.org.

Strände

Der *Scenic Drive* überquert weiter östlich die #101 (dort bei Anfahrt von LA die Rundfahrt beginnen) und passiert auf palmenbestandenen Alleen **Prachtvillen**, **Strände** und **Yachthäfen**. Am Cabrillo Boulevard am Hafen ist das Büro der ***Visitor Information*** (➤ links) nicht zu übersehen. Weiter geht es durch bemerkenswerte Wohngebiete, bevor man auf dem ***Cliff Drive*** den einzigen öffentlichen Zugang zum Strand unterhalb der Steilküste zwischen Goleta und *Santa Barbara Harbor* erreicht: ***Arroyo Burro*** ist die beste ***Beach*** im Großraum Santa Barbara.

Unterkunft Santa Barbara

Santa Barbara verfügt über enorme Motel- und Hotelkapazitäten. Leider ist das **Preisniveau relativ hoch**, besonders an Wochenenden. Unter $100-$120 läuft dann fast nichts mehr. Das Gros der Häuser befindet sich am nördlichen Ortsbeginn (State Street), im zentralen Bereich und vor allem zwischen dem *Freeway* #101 und dem *Santa Barbara Harbor*. Die preiswerte Alternative ist das ***Int'l Tourist Hotel***, 134 Chapala St, ✆ (805) 963-0154, Mehrbettzimmer $22-$25; EZ/DZ $55.

Surfen und Strände

Spätestens ab Santa Barbara wird klar, dass ***Surfing*** in Südkalifornien **Volkssport #1** ist. Was bis hinunter nach San Diego zahllose Könner auf ihren Brettern zeigen, fasziniert immer wieder. Aber viele **Strände** sind nicht sonderlich einladend.

Ojai/Lake Casitas

Ein kleiner Abstecher könnte dem Hinterland der ***Sierra Madre*** im Bereich Ojai gelten. Dort warten Wanderwege an klaren Flüsschen und versteckte kleine Wasserfälle. Im ***Farm Hostel*** bei Ojai kostet das Bett nur $16; ✆ (805) 646-0311. Am oberen Ende des Stausees **Lake Casitas** wartet eine ausgedehnte **Camping- und Freizeitanlage** – sehr gut für Familien.

Ronald Reagan Library

www.reaganlibrary.com

Hinter Ventura verlässt die Autobahn #101 die Küste und führt landeinwärts als ***Ventura***, später ***Hollywood Freeway*** bis *Downtown Los Angeles*, wo sie endet. Dieser Route muss zunächst auch folgen, wer sich für $12 Eintritt für die ***Ronald Reagan Library*** an der Straße #118 interessiert, ein weiteres *Presidential Center*, hier zu Ehren des Schauspieler-Präsidenten, ➤ Seite 265.

Die **#1** trennt sich von der #101 bei Oxnard und wird wieder zur **Haupt-Küstenroute**. Man kann auch bereits hinter **Ventura** gut die #101 verlassen und auf der #34 der Küste folgen. Auf der kurzen Strecke bis Oxnard passiert man diverse schöne ***State Beaches***, zum Campen am besten ***Mac Grath*** mit prima Stellplätzen.

Nach Los Angeles

Im Bereich zwischen Oxnard und Los Angeles bieten der ***Point Mugu State Park*** (gegenüber ***Thornhill Broom Campground*** am Strand) und die ***Leo Carillo Beach*** noch einmal gute (aber teilweise zu laute) **Campingplätze**. Zum **Baden** und **Surfen** sind vor Los Angeles nur die ***Point Dume State Beach*** und ***Zuma Beach (Regional Park)*** zu empfehlen. **Parken** kostet überall $6-$8.

Mit **Malibu/Topanga** wird *Metropolitan Los Angeles* erreicht, ➤ Seite 265. Der ***Malibu Beach RV Park*** bietet eine sehr gute Anlage auch für Zelte; oberhalb der #1 mit Ozeanblick; ✆ (310) 456-6052; www.maliburv.com; Zelt ab $25/Nacht; RV ab ca. $30.

Ziel der Startroute #2

2.3 Startroute #2: Von San Francisco über Oakland, Berkeley und Sacramento zum Lake Tahoe/Reno

Zur Route

Diese Startroute bezieht sich zunächst auf den kurzen Trip zum Lake Tahoe mit einer eventuellen Erweiterung bis zum Nevada-Spielerparadies Nr. 2, Reno. Sie ist aber ebenso als **Einstieg für weiterführende Reisepläne in Richtung Salt Lake City/*Yellowstone National Park*** oder **zu den Vulkan-Parks** im Kaskadengebirge (Nordkalifornien, Oregon und Washington State) gedacht. Nach den Zwischenzielen Lake Tahoe/ Reno kann man sich auch ohne weiteres nach Süden wenden und ab *Yosemite Park* den Anschluss an die im folgenden Kapitel beschriebene Startroute #3 suchen, ➤ Seite 371. Die Startroute #2 ist eine Alternative für alle, die den *Yosemite Park* schon kennen oder ihn erst später bzw. auf der Rückreise besuchen wollen.

Der erste Teil der Route behandelt die Nachbarstädte Oakland und Berkeley, die auch ohne weitere Reisepläne als Abstecher von San Francisco besucht werden könnten:

Oakland Bay Bridge

Nach Oakland geht es über die doppelstöckige ***Oakland Bay Bridge*** mit fünf Spuren in jede Richtung. Obwohl erheblich länger als die *Golden Gate Bridge*, wirkt sie bei weitem nicht so spektakulär. Die Bauweise als solche geriet in eine Diskussion, als sich während des Erdbebens 1989 ein Teilstück aus der oberen Fahrbahn löste, wodurch zahlreiche Autos ins Leere stürzten und andere unter den Trümmern begraben wurden. Als »**Mittelpfeiler**« der Brücke dient *Yerba Buena Island* in der Bay. Eine Unterbrechung der Fahrt dort (Abfahrt *Treasure Island*) wird mit schönem Blick auf die City belohnt.

Oakland

Oakland ist weit vor San Francisco wichtigste **Hafenstadt** der Bay Area und besitzt den nach Umschlagszahlen größten Hafen der Pazifikküste. Ein problematischer Superlativ betrifft den über 50%-igen schwarzen Bevölkerungsanteil, der von keiner anderen Großstadt im Westen der USA auch nur annähernd erreicht wird.

Er resultiert aus einer Zuwanderungswelle aus den Südstaaten während des 2. Weltkriegs, als die Rüstungsindustrie Arbeitskräfte benötigte. Arbeitslosigkeit, Armut und Elend sind heute in den von *Afro-Americans* dominierten Stadtteilen unübersehbar.

Internetinfo Oakland: www.oaklandcvb.com

Merritt Lake

Oakland hat denn auch im Gegensatz zum Nachbarn auf der Westseite der Bay wenig zu bieten. Nichts von den Schattenseiten der Stadt bemerkt man im ausgedehnten Park rund um den *Merrit Lake* in Stadtzentrumsnähe, einem einst tidenabhängigen Salzwassersee, der jedoch von den Auswirkungen der Gezeiten abgeschottet wurde. Einige Blocks entfernt in der 1000 Oak Street befindet sich das ***Oakland Museum*** (Mi-So, 10-17 Uhr) mit gut aufbereiteter Präsentation vieler Aspekte des Lebens in Kalifornien von den Anfängen bis heute; $8, www.museumca.org.

Jack London

Da der Schriftsteller *Jack London* (Der Seewolf, Ruf der Wildnis u.a.) Kindheit, Jugend und einen Teil der späteren Jahre seines nur 40-jährigen Lebens in Oakland verbrachte, wird dieser Umstand kräftig vermarktet. ***Jack London Square*** und ***Village*** im Hafenbereich (Webster und Embarcadero St/Broadway) bieten Shops, Restaurants (am Wasser, besonders attraktiv an warmen Sommerabenden) und den originellen ***First and Last Chance Saloon***.

Berkeley

Nördlich von Oakland liegt **Berkeley**, Sitz einer der bekanntesten Universitäten der USA. Anfahrt am besten über die I-80, *Exit University Ave*, oder mit den Zügen des BART-Systems.

www.berkeley.edu

Die staatliche ***University of California*** mit über 30.000 Studenten besitzt einen Campus, über den europäische Besucher nur staunen können. Wer sich dafür interessiert, sollte zunächst das ***Information Center*** der *Student Union* an der Sproul Plaza/Telegraph Ave ansteuern. Mit **Campus-Lageplan** in der Hand fällt ein gezielter Rundgang nicht schwer. Man kann sich auch geführten Berkeley-Besichtigungen anschließen. Nicht auslassen sollte man den Blick vom 94 m hohen ***Sather Tower*** (*Campanile*) zwecks Überblick über das Universitätsgelände (Auffahrt $2), San Francisco Bay und City. Von den verschiedenen Museen erscheint das **University Art Museum** (Mi-So, 11-17 Uhr, $8) mit wechselnden Ausstellungen vor allem moderner Kunst am sehenswertesten. Auch ohne spezifisches Interesse an botanischen Gärten lohnt sich der Besuch des ***UC Botanical Garden*** (*Strawberry Canyon*, 9-17 Uhr; $5), dessen Hanglage ebenfalls beste Ausblicke garantiert.

www.bampfa.berkeley.edu

http://botanicalgarden.berkeley.edu

Zahlreiche kulturelle Veranstaltungen auf dem Campus wie im Umfeld und eine gute **Kneipenszene** ergeben zusätzliche Motive für einen Abstecher nach Berkeley. In den Sommerferien (Juni bis Ende August) ist weniger los, dafür treibt man leichter eine **preiswerte Unterkunft** auf, u.a. in den ***University Residences*** Juni bis Mitte August; ggf. im ***Visitor Center*** der Universität auf dem Campus danach fragen.

Internetinfo Berkeley: www.visitberkeley.com

Vallejo

Weiter nördlich bei Vallejo hat sich der Vergnügungs- und Aquapark ***Six Flags Discovery Kingdom*** etabliert (im Sommer 9.30-18/19 Uhr, Eintritt $50, online $40; *Discount Coupons*), eine Art Zoo mit Seelöwen-, Hai-, Killerwal- und Delphinvorführungen ergänzt durch Wasserskizirkus und *Rollercoaster*. Lohnend eher mit Kindern ($30 bis 1,20 m Größe). Von der *Fisherman's Wharf* verkehrt ein Katamaran direkt dorthin; www.sixflags.com.

Sacramento

Etwa 100 im wesentlichen langweilige *Interstate*-Meilen sind es von San Francisco zur kalifornischen **Hauptstadt** Sacramento. Im Gegensatz zu Washington (Olympia), Oregon (Salem) und manch anderem US-Staat, wo die Regierung ebenfalls nicht in den wirtschaftlich bestimmenden Metropolen residiert, ist die Kapitale Kaliforniens kein farbloses Städtchen am Rande des Geschehens. Von ihren historischen Anfängen unter dem Schweizer *Johann August Sutter*, der 1838 am Sacramento und American River sein ***Neu-Helvetien*** gegründet hatte, entwickelte sie sich zu einer respektablen **City mit 410.000 Einwohnern** (Großraum über 1 Mio.) und **ungewöhnlich attraktivem Stadtbild**.

Old Town

www.oldsacramento.com

Die **Orientierung** ist im schachbrettartig angelegten Zentrum mit breiten, palmengesäumten Einbahnstraßen **einfach,** gleich aus welcher Richtung man in die von Autobahnen förmlich eingekreiste Innenstadt hineinfährt. Von der I-80 kommend passiert man automatisch die Zufahrt zur ***Old Town Sacramento*** zwischen Sacramento River und I-5. Die teils restaurierte, teils nach historischen Plänen neu errichtete Altstadt ist ein ***State Historic Park*** und bietet das aus Filmen bekannte typische Bild einer (größeren) alten ***Western Town***. Nur die vor den ***Saloons*** und ***Boardwalks*** geparkten Autos, Plastikartikel und *Fast Food* in den altmodisch dekorierten Shops und die Touristen passen nicht so recht zum nostalgischen Gesamtbild. Insgesamt aber gibt es nirgendwo sonst eine derart stimmige und gleich über mehrere Blocks gehende »originale« Westernstadt dieser Art. Der dazugehörige

Originelles Hotelschiff: das alte Riverboat Delta King

Bahnhof und das **Eisenbahnmuseum** ($8) mit Dampfloks und alten Waggons auf den Gleisen bilden einen recht sehenswerten Gesamtkomplex. Klar, dass von dort auch eine Rundfahrt durch den »Wilden Westen« (3 km für $8, Kinder $3) startet. Alternativ dazu schifft man sich auf Raddampfern zur ***River Cruise*** ein.

Fazit

Old Sacramento ist kein Museumsdorf mit begrenzter Besichtigungszeit, sondern ein Stadtteil, wo Kneipen, Restaurants und das ***Eagle Theatre*** auch von Einheimischen besucht werden.

Das riesige ***Delta King Riverboot*** dient als nicht ganz billiges, dafür nostalgisches Hotel; ab ca. $100 AAA für 2 Personen; © (916) 444-5464 oder © 1-800-391-KING; www.deltaking.com.

Info

Eine Visitor Information gibt's in *Old Town* natürlich auch in der 1104 Front Street; www.sacramento.cvb.org

Kunstmuseum

Von den Parkplätzen südlich der *Old Town* sind es nur ein paar Schritte zum ***Crocker Art Museum*** an der Ecke 3rd/O St, das in einer alten Villa mit fantastischer Innenarchitektur untergebracht ist (Mi-So 10-17, Do bis 21 Uhr; $6, So bis 13 Uhr frei). Das Hauptgewicht der Ausstellungen liegt auf – überwiegend sehr schönen – kalifornischen Kunstwerken des 19. Jahrhunderts. Aber auch europäische Meister sind gut vertreten; www.crockerartmuseum.org.

California State Capitol, wo zur Zeit »Arnie« Schwarzenegger regiert

Capitol Park

Höchst beeindruckend wirkt das ***State Capitol Building***, eines der schönsten Gebäude seiner Art in den USA. Auf der prächtigen ***Capitol Mall*** fährt man direkt auf diesen Sitz der kalifornischen Staatsregierung zu, die heute vom uns wohlbekannten ***Arnold Schwarzenegger*** (*Arnie*) geführt wird. Er liegt in einem herrlich angelegten Park voller subtropischer Vegetation. Man sollte sich nicht auf die Besichtigung von außen beschränken, sondern auch das bemerkenswerte Innere in Augenschein nehmen. Ein eigenes *Information Center* kümmert sich um die Besucher (Führungen stündlich) und verteilt Kartenmaterial (täglich 9-16 Uhr). Sozusagen gleich nebenan, nördlich des *Capitol Park*, liegt das schicke

Geschäftszentrum der Stadt mit einigen gut erhaltenen bzw. restaurierten Bauwerken aus dem 19. Jahrhundert, darunter der Gouverneurspalast ***Old Governor's Mansion*** an der H Street, Ecke 16th Street; 10-16 Uhr, $4; www.parks.ca.gov/?page_id=498.

Fort Sutter

Erwähnung verdient auch das pittoreske ***Fort Sutter*** (10-17 Uhr, $5, bis 16 Jahre $2), eine weiß getünchte Adobe-Festung an der Ecke L/27th Street; www.parks.ca.gov/?page_id=485. Der ***State Historic Park*** umfasst neben dem nach altem Vorbild wieder aufgebauten Fort des Sacramento-Gründers *Sutter* ein kleines nur mäßig interessantes **Indianermuseum** ($3) außerhalb seiner Mauern.

Motels

Wenn in Sacramento die Übernachtungsfrage anliegt, findet man im Bereich des ***Discovery Park*** (I-5 nördlich, Abfahrt unmittelbar südlich des American River, *Exit* Richards Boulevard) Motels und Hotels diverser Preisklassen und eine Restaurant-Ballung von *Fast Food* bis *Excellent Dining*.

Camping

Motorhome-Fahrer campen in Sacramento annehmbar auf dem ***CalExpo RV-Park***, 1600 Exposition Blvd, Exit der I-80 *Business* nördlich des Zentrums, © 1-877-CAL-EXPO.

Noch citynah und ruhig direkt am Fluss liegt der Platz der ***Sherwood Harbor Marina*** in West Sacramento, South River Road, I-80 *Exit* Jefferson Blvd, © (916) 371-3471.

Sehr schön ist der ***Folsom Lake State Park***, ca. 20 mi entfernt. Anfahrt auf *Freeway* #50, *Exit* Folsom Blvd, dann 6 mi nordöstlich.

Zum Lake Tahoe

Von Sacramento zum Lake Tahoe gelangt man am schnellsten auf der breit ausgebauten Ferien- und Wochenend-Rennstrecke des ***Highway #50***. Dabei passiert man das alte Goldrauschstädtchen **Placerville** und weitere Orte, die es 1848-1850 zu Berühmtheit brachten, ➢ Seite 373.

Wenn man auf den Besuch von Sacramento verzichtet, werden ab Stockton auf der **Straße #88** bzw. der **Kombination #26/#88** einige Meilen gespart. Gleichzeitig wählt man die – gegenüber der #50 – schönere und weit weniger verkehrsreiche Strecke über die Sierra Nevada. Man könnte in einem weiteren Schlenker durch das *Goldcountry* die Sierra auch noch weiter südlich auf der #4 überqueren und bei der Gelegenheit zusätzlich den ***Calaveras Big Trees State Park*** »mitnehmen« (➢ Seite 374). In beiden Fällen, d.h., Straßen #88 und #4, wäre ein kleiner Abstecher über **Markleeville** zu den ***Grover Hot Springs*** überlegenswert, ➢ Kasten rechts.

Über 150 Jahre Goldrausch

In vielen Orten der Sierra Nevada, in Sacramento und San Francisco fanden in den Jahren 1998-2000 zur 150-jährigen Wiederkehr des ***California Gold Rush***, der die amerikanische Besiedelung Kaliforniens einleitete, *Festivals*, Vorführungen etc. statt. Wegen des Erfolges werden einige dieser Programme nun alljährlich im Sommer wiederholt.

Shop und antikes Auto in Placerville, aber außer ein paar orginellen Läden und hübschen Fotomotiven hat dieser wie andere Orte des Bereichs wenig zu bieten

Exkurs: Vom Yosemite Park/Mono Lake zum Lake Tahoe

Straße #395

Wer sich nach Besuch des *Yosemite Park* nach Norden wendet, tut dies alternativlos auf der Straße #395. Was kein Schade ist, denn die etwa 50 mi ab der Bodie Road (#270) über den ***Devil's Gate Pass*** und weiter durch das **Tal des Walker River** bis zum Topas Lake/Nevada gehören zu den schönsten Abschnitten dieser Straße in Kalifornien. Danach verflacht die Strecke. Am Nordufer des warmen **Topas Lake** (erstes Kasino!) liegt ein guter ***Campground*** direkt am See.

Straße #89

Für den Abstecher zum Lake Tahoe verlässt man die #395 am besten über die Straße #89, auf der es rasch wieder hinauf in die Höhen der Sierra Nevada geht.

Grover Hot Springs

Vom etwas alternativen Dorf **Markleeville** (mit prima Kneipen!) sind es nur wenige Meilen auf einer Stichstraße zu den beliebten ***Grover Hot Springs***, einem *State Park* mit einem attraktiv zwischen Felsen angelegten **Campingplatz** (im Sommer ist Reservierung, ➤ Seite 199, unbedingt angezeigt). Der von *Memorial* bis *Labor Day* immer gut besuchte **Freiluft-Heißwasserpool** (geöffnet bis 21/22 Uhr) kostet gesonderten Eintritt.

Kommt man im *State Park* nicht unter, gibt es um Markleeville Ausweichmöglichkeiten. Neben dem kleinen ***NF-Campground*** am Carson River südöstlich des Ortes ist vor allem der **BLM-Platz *Indian Creek*** (mit Duschen) an einem kleinen See (Reservoir) nördlich von Markleeville empfehlenswert: nach kurzer Fahrt auf der #89 folge man der Straße rechts zum *Airstrip*.

Bis South Lake Tahoe sind es von Markleeville noch 33 mi.

South Lake Tahoe

Auf schöner Strecke erreicht man bei Anfahrt über die #88 oder #4, dann #89, bei Meyers den verkehrsreichen, aber ebenfalls streckenweise sehr schön geführten Hauptzubringer (#50) zum Lake Tahoe. Der Ort **South Lake Tahoe** auf der kalifornischen Seite empfängt die Besucher mit einer kompletten touristischen Infrastruktur. **Zahllose Hotels** und **Motels** säumen die #50 meilenweit. Außerhalb von Feriensaison und Wochenenden kommt man dort wegen der großen Konkurrenz oft günstig unter.

Stateline

Das wichtigste Ziel vor allem von Wochenendausflüglern liegt jedoch jenseits der Staatsgrenze. In geballter Form warten in **Stateline** sogleich **Spielkasinos**. Neben Las Vegas, Laughlin am unteren Colorado River und Reno ist der Lake Tahoe Bereich – mit Schwerpunkten in Stateline und Crystal Bay/Incline Village – **Nevadas vierte Glücksspiel-Hochburg**.

Lake Tahoe

Der in 1900 m Höhe liegende *Lake Tahoe* besticht durch das tiefe Azurblau seines Wassers. Er bedeckt eine Fläche von 520 km^2 und ist stellenweise fast **500 m tief**. Ringsum überragen den See die Berge der *Sierra Nevada* um bis zu 1200 m. Von der hochgelegenen Rundstraße (72 mi) bietet insbesondere das Ostufer herrliche Ausblicke auf ein grandioses Panorama. Rund zwei Drittel des Sees gehören zu Kalifornien, ein Drittel zu Nevada. Aber gleich, in welchem Staat man sich gerade befindet, die **Ufer des *Lake Tahoe*** sind – soweit nicht als *State Parks* oder öffentliche Ortsstrände dem Tourismus erschlossen – **in Privatbesitz** oder wegen steil abfallenden Geländes kaum zugänglich.

Internetinfo Lake Tahoe: www.visitrenotahoe.com

Die besten **Strände** (alle Eintritt) findet man rund um die ***Emerald Bay*** in der Südwestecke und etwa 4 mi südlich des Incline Village (***Sand Harbor Beach***).

Wassersport

Auf dem (zum Baden meist zu kalten) See wird Wassersport groß geschrieben. In **Tahoe City** erfreut sich das ***Inner Tubing* im Truckee River**, den man im Autoreifen oder Schlauchboot zum See hinunterpaddelt, größter Beliebtheit; Verleih der Reifen und Boote im Ort, Transport zum Ausgangspunkt in der Mietgebühr enthalten. Wer nicht selbst aktiv surft, segelt oder Wasserski läuft, kann auf Ausflugsbooten den *Lake Tahoe* genießen. Westlich und nördlich des Sees liegen bekannte Skigebiete. Populär ist **Squaw Valley**, Austragungsort der olympischen Winterspiele von 1960.

»Mississippidampfer« als Ausflugsboot auf dem Lake Tahoe

Blick auf den Lake Tahoe vom hoch gelegenen Ostufer aus bei Lakeridge/ Nevada – Viewpoint an der Straße #50

Unterkunft

Der Lake Tahoe ist im **Hochsommer** und an **Wochenenden stark besucht und teuer**. In den Brennpunkten des Tourismus wie etwa South Lake Tahoe, Kings Beach oder Incline Village findet trotzdem fast immer noch ein Motelzimmer, wer nicht erst am späten Nachmittag mit der Suche beginnt. Während der Woche stehen außerhalb der Saison große Kapazitäten leer. Die Übernachtung ist dann sogar in guten Häusern preiswert. Im Nevada-Bereich kommt hinzu, dass die **Kasinohotels** ihre **Preise von Sonntag bis Donnerstag** niedrig halten, um Spielkundschaft ins Haus zu ziehen. Zum Wochenende hierher zu fahren, empfiehlt sich weniger.

Die Campmöglichkeiten auf der Ostseite des Sees sind begrenzt; nur ***Nevada Beach*** (1,5 mi oberhalb Stateline) und der Privatplatz ***Zephyr Cove*** (4 mi nördlich Stateline) bieten **Camping am See**.

Am West- und Nordufer existiert dagegen eine ganze Reihe guter *Campgrounds*, vor allem in den ***State Parks***; sehr schön ist vor allem der ***Emerald Bay SP*** nordwestlich von South Lake Tahoe.

Nach Reno

Der **direkte Weg** von Incline Village*) nach Reno, die Straße #431, führt über den ***Mount Rose Pass*** (dort befindet sich ein herrlich gelegener ***Campground*** im *Toyabe National Forest*) von 2700 m hinunter auf 1350 m Höhe.

Die **interessantere Route** nach Reno ist allerdings die Straße #50 in Verbindung mit der #341 über Carson und Virginia City. Den Umweg über die alte Silberstadt sollte man möglichst einplanen.

Wer direkt von Süden kommt (#395), passiert südlich von Carson City die Zufahrt nach **Genoa**, einem historischen Nest mit tollem Saloon. ***Walley's Resort, Hot Springs & Spa*** laden dort zum Bade und bieten **Zimmer**, © (775) 782-8155; www.davidwalleys.com.

*) **Hinweis:** Großer Beliebtheit erfreute sich die dort nachgebaute ***Ponderosa Ranch*** aus der einst legendären **Wildwest-Fernsehserie *Bonanza***, die wohl nur noch den über 40jährigen bei uns wie in den USA bekannt ist. Mit Vergreisung der einstigen Zuschauer und der einst – in Anbetrachte der schlichten Machart – erstaunlich großen Fangemeinde ließ der Besuch nach. Die Ranch wurde schon vor ein paar Jahren geschlossen.

Carson City

Die Hauptstadt Nevadas (52.000 Einwohner) ist touristisch nicht so interessant. Wenn man Carson City aber ohnehin passiert, ließe sich ein Stop beim ***Nevada State Railroad Museum*** (schöne alte Wildwest-Lok im Freigelände, sie dampft zu wechselnden Zeiten über einen Rundkurs) ins Auge fassen. Das Museum liegt zusammen mit der ***Visitors Information*** an der #395 BR im Stadtsüden; www.visitcarsoncity.com

Museumslok in Carson City

Museen

Das ***Nevada State Museum***, an der Hauptdurchgangsstraße Carson Street etwas nördlich des (hier ausnahmsweise nicht prächtigen) *State Capitol*, thematisiert in erster Linie die Geschichte Nevadas und den Gold- und Silberbergbau – ansehenswert; geöffnet 8.30-16.30 Uhr, Eintritt $5, bis 17 Jahre frei. Schräg gegenüber im ***Carson Nugget Casino*** liegen hinter dicken Panzerglasscheiben in Nevada gefundene große **Original-Goldnuggets**.

Carson City eignet sich mit seinen moderaten Unterkunftstarifen gut für Zwischenübernachtungen. Zahlreiche **Motels und Hotels** finden sich **entlang der gesamten #395 *Business*** durch die Stadt. Speziell etwas nördlich des Zentralbereichs gibt es oft besonders preiswerte Angebote in der unteren Mittelklasse.

Gold Hill

Nach Virginia City geht es zunächst auf der Straße #50 einige Meilen nach Osten und dann auf der #341 hinauf in die Berge. Nach kurzer Strecke teilt sich die Straße: hier unbedingt den steileren westlichen Ast über Gold Hill fahren (auch für Campmobile kein Problem). Gold Hill besteht im wesentlichen aus dem nostalgischen **Gold Hill Hotel** und (dahinter) der Station für die alte ***Virginia-Truckee Railroad*** nach Virginia City. Das älteste Hotel Nevadas ist ein echter **Geheimtipp**. Die Zimmer sind à la Wildwest, der ***Saloon*** ist absolut urig, und das Restaurant macht sogar auf französische Küche, ➤ Foto Seite 61. Reservierung unter ✆ (775) 847-0111; ab ca. $65 mit Frühstück; www.goldhillhotel.net.

Virginia City

Virginia City war in den 70er-Jahren des 19. Jahrhunderts mit 30.000 Einwohnern die größte Stadt zwischen Chicago und San Francisco. Die ***Comstock Lode***, eine der ertragreichsten je gefundenen Gold- und Silberadern, hatte für das Entstehen der *Boomtown* gesorgt. Die Fassaden der im Gegensatz etwa zu Bodie (➤ Seite 61) nie ganz vergessenen Stadt entsprechen in der Hauptstraße bis heute weitgehend dem Aussehen von damals. Noch authentischer ist das Innenleben einiger ***Saloons***, überaus origineller

Wildwest-Kneipen. Von den großen Jahren von Virginia City's, in der sogar ***Mark Twain*** für den *Territorial Enterprise,* die erste Zeitung Nevadas, schrieb, künden ein Museum und mehrere historische Gebäude entlang der Straße #341 durch den Ort .

Internetinfo Virginia City: www.virginiacity-nv.org

Shops

Originell sortiert sind auch einige der Läden. Kaum irgendwo sonst mit Ausnahme von Tombstone/Arizona findet man ausgefallenere Souvenirs und Mitbringsel. Wer ein komplettes ***Cowboy-Outfit*** sucht, ist hier richtig. Gut ausgestattet mit Kostümen, Kulissen und Wildwest-Zubehör sind ebenfalls die drei (!) ***Old Tyme Foto Shops***, ➤ Seite 43. Wem so ein Souvenir Spaß machen würde: derart vielseitig und professionell gibt es das anderswo selten, darum hier zuschlagen!

Gold- und Silbermine

Den Kehrseiten der guten, alten Zeit könnte man hautnah bei einer Führung durch die engen Stollen der ***Chollar*** **Gold- und Silbermine** unter dem Ort in der F Street auf die Spur kommen. Die Attraktion steht jedoch gerade zum Verkauf: www.chollarmine.com.

Unterkunft Virginia City

Leider nimmt der **Tourismus** an manchen Tagen etwas überhand, und auch auf die **Spielautomaten** mag man nicht verzichten. Da aber Virginia City bis auf 2 Motels mit gerade 40 Zimmern keine nennenswerte Übernachtungskapazität besitzt, wird es ab spätem Nachmittag wieder ruhig; abends ist kaum noch etwas los. Dann sind Einheimische und Gäste in den Kneipen unter sich. Der ***Virginia City RV-Park*** befindet sich unterhalb der Hauptstraße (F Street) beim öffentlichen *Pool* und Kinderspielplatz (gegenüber). Zwar ist der Komplex etwas eng, hat aber schöne Stellplätze mit Weitblick; Reservierung unter ✆ (775) 847-0999.

Die bis Reno laufende **Straße #341** verwöhnt im Abstieg von der Höhe Virginia Citys mit Aussichtspunkten für den weiten Blick über das Reno-Carson Valley und hinüber zur *Sierra Nevada.*

Bombastische Einfahrt nach Reno von Süden auf der Hauptachse Viginia Street

Reno: Lage und Klima

Las Vegas' kleine Schwester **Reno**, die ***Biggest Little City in the World***, ist eine respektable Großstadt, die es zusammen mit dem Nachbarn **Sparks** auf gut 250.000 Einwohner bringt und sich mittlerweile über rund 130 km² Wüste erstreckt. Die Stadt liegt 15 mi östlich der kalifornischen Grenze und 30 mi nördlich der Haupt-

Lage Reno

stadt Carson City am Rande der Wüste von Nevada auf einer Höhe von 1.250 m. Zum Lake Tahoe sind es nur 40 mi. Aus dem See entspringt der Truckee River, ohne dessen Wasser Reno kaum lebensfähig wäre.

Klima Reno

Wegen der bis zu 3.000 m hohen Berge im Westen bilden Bewölkung und Niederschläge in Reno eher die Ausnahme. Sonnenschein überwiegt, wobei die Temperaturen dank der Höhenlage selbst im Hochsommer selten über 30°C steigen. Aber auch größere Hitze bleibt bei der normalerweise geringen Luftfeuchte erträglich, zumal es abends schnell abkühlt. Mai, Juni und September sind die besten Besuchszeiten.

Kennzeichnung

Reno stand nach seiner Gründung 1868 lange im Schatten der *Boomtown* Virginia City (➤ oben), bevor es sich nach der Jahrhundertwende eigenständig entwickelte. Aber erst mit der Zulassung des Glücksspiels in Nevada während der 1930er-Jahre begann der Aufstieg von Reno/Lake Tahoe zur zweitgrößten Kasinoballung des Staates. Im Gegensatz zu Las Vegas sind Glücksspiel und damit zusammenhängendes *Business* nicht die dominierenden Faktoren der lokalen Wirtschaft, auch wenn dies im grell-bunten *Downtown* und entlang der Hauptzufahrtstraße Virginia Street mit ihrer touristischen Infrastruktur auf den ersten Blick so aussieht. Außerdem ist Reno in den letzten 10 Jahren gegenüber der großen Konkurrenz Las Vegas arg ins Hintertreffen geraten. Denn mit den Superlativen dort kann man hier nicht mithalten.

Information

Das ***Reno Sparks Convention and Visitors Center*** residiert in der 4001 South Virginia Street, ✆ 1-800- 367-7366, und hat Info- und Werbematerial in Hülle und Fülle; www.visitrenotahoe.com.

Unterkunft

In der Spielerstadt Reno ist es generell nicht schwierig, eine passende Unterkunft zu finden. Zahlreiche **Motels aller Kategorien** – geballt entlang der **South Virginia Street** – konkurrieren mit relativ und absolut günstigen Preisen um Gäste. Man braucht die Straße nur einmal 'rauf und 'runter zu fahren. **Billigmotels** gibt's eine ganze Reihe nördlich der Kasinoballung. Discounttarife und -coupons finden sich speziell für Reno zahlreich in den *Exit-/Traveler Guides* (➤ Seite 180). Die Kasinohotels werbenSo-Do mit günstigen Sondertarifen. An Wochenenden wird's teurer.

Unter den **Kasino-Hotels** (Nettopreise in Reno +**12% *Tax***) sind

- ***Circus Circus***, ✆ 1-800-648-5010, 500 N Sierra St, traditionell eines der preiswertesten (ab $40); www.circusreno.com,
- ***Harrah's***, ✆ 1-800-427-7247, Center, eins der besten, ab $49; www.harrahs.com und das
- ***Grand Sierra Resort*** (früher *Hilton*), ✆ 1-800-916-2221, 2500 E 2nd St gleich östlich des Freeway #395, mit 2000 Zimmern größtes Kasino der Stadt, ab $60 AAA; www.grandsierraresort.com.

- Das ***Atlantis Hotel-Casino***, ✆ 1-800-723-6500, 3800 South Virginia St, liegt als unübersehbarer Großkomplex gut 3 mi südlich *Downtown* am Freeway #395, ab $49; www.atlantiscasino.com.

Unverfehlbar im Süden von Reno steht der Atlantis Komplex zwischen dem Freeway #395 und der Virginia Street

Camping

Kommerzielle **Campingplätze** der Komfortklasse gibt es gleich ein ganzes Dutzend. Ein **Gratis-Busservice** zur Innenstadt gehört bei den cityferneren Plätzen zum Gäste-Service. Der größte von allen wird von ***KOA*** auf dem Gelände des gigantischen ***Grand Sierra Resort*** betrieben: East 2nd und Mill Street/*Freeway* #395.

Ein **preiswerter Campingplatz** abseits der Straße im Wald ist der ***Davis Creek County Park*** (Duschen/*Hook-up*) am Fuße der *Sierra Nevada*, ca. 18 mi südlich von Reno (#395). Einige Meilen weiter befindet sich der ***Washoe Lake State Park***. Alle *Nevada Visitor Bureaus* haben eine Broschüre: ***Nevada Campsites & RV Parks***, die diese Campingplätze mit Details beschreiben.

Casino Row

Auch wer mit dem Glücksspiel wenig im Sinn und es eher auf Ziele in der Umgebung abgesehen hat, sollte auf einen Kurzbesuch der bunten Spielhöllen nicht verzichten. Am intensivsten wird man in der ***Casino Row*** bedient, einem ca. 400 m langen Teilstück der **Virginia Street**, aber auch in der parallelen **Sierra Street** und einigen Nebenstraßen. Dort befinden sich – bis auf die unter den Hotels gelisteten **Großkomplexe** ***Grand Sierra*** und ***Atlantis*** – alle wichtigen Kasinos der Stadt. Mögen die glitzernden Lichtreklamen draußen auch Unterschiede suggerieren, von innen wirken die riesigen Säle mit ihren *Slot Machines*, *Roulette-* und *Black Jack*-Tischen alle ziemlich gleich. Ansehenswert sind ggf.:

Ansehenswerte Kasinos

- das ***Silver Legacy***, 407 N Virginia St (unterhalb *Circus Circus*), das aufwendigste der – im Vergleich zu Las Vegas – bescheidenen Kasinos. Im *Silver Legacy* gibt es eine Goldminenanlage unter dem hohen Kuppeldach. Dort finden auch ***Shows*** statt.
- das ***Circus Circus***, N Virginia/5th St. Halbstündliche **artistische Vorführungen** unter einer Zirkuskuppel im zweiten Stock sind das Markenzeichen dieses Kasinos. Die ***All-you-can-eat-Buffetts*** im *Circus Circus* sind besonders preiswert.
- das ***Eldorado Casino***, N Virginia/4th St, wegen seiner ***Micro Brewery*** und des ***Mongolian Grill***, Fleisch *all-you-can-eat*.
- das ***Grand Sierra***, 2500 E 2nd St am *Freeway* #395 mit enormen Dimensionen, ➤ links. Freier ***Shuttle-Bus*** nach *Downtown*.

Heiraten

Neben den Kasinos gibt es in Reno so ganz viel nicht zu sehen, sieht man ab von den kitschig-originellen **Hochzeitskapellen** für die Nevada-Schnellehe (➤ Seite 403).

Auto Museum

www.automuseum.org

Das ***National Automobile Museum*** ist in einem architektonischen Vorzeigebau an der Mill Street, Ecke Lake Street, untergebracht. Es beherbergt eine wahrscheinlich weltweit (qualitativ wie quantitativ) **unübertroffene Ausstellung historischer Fahrzeuge**. Die Wagen aus aller Welt unter (zu) starker Betonung amerikanischer Modelle, die überwiegend so aussehen, als ob sie soeben die Fabrik verlassen hätten, wurden epochenweise geordnet und teilweise in ein ihrer Zeit entsprechendes Ambiente gestellt. Man muss kein Autofan sein, um den Besuch als lohnend zu empfinden (Eintritt $9, bis 18 $3). Einschließlich Multimedia-Show wird man dort kaum unter zwei, leicht mehr Stunden verbringen. Mo-Sa 9.30-17.30 Uhr, So 10-16 Uhr.

Was es in Reno sonst noch gibt:

Außer den Kasinos, ***Wedding Chapels*** und ***Shopping Malls*** (am größten die ***Meadowood Mall*** im Stadtsüden an der #395 mit mehreren Ladenkomplexen, und die ***Park Lane Mall*** an der Ecke South Virginia/East Plum Lane; gegenüber ***Shoppers Square***) fallen in Reno die vielen Parks auf. Attraktiv gestaltet ist der **Uferbereich** des Truckee River im Zentrum (*Wingfield Park*, über einen **Uferpfad** mit dem *Idlewild Park* verbunden).

www.maycenter.com
www.wildisland.com

Im *Rancho San Rafael Park* (Nordende Sierra Street) warten das ***Wilbur D. May Arboretum & Museum*** auf Besucher und nebenan, unter der Bezeichnung ***Great Basin Adventure***, ein Spielpark für Kinder. Bei Hitze liegt eher das Planschparadies ***Wild Island*** näher (11-19 Uhr; $23, bis 1,20 m $18; ab 15 Uhr $16), das jedoch im Sommer arg voll wird. Es liegt östlich von Sparks an der I-80.

Pyramid Lake

Als **Abstecher** von Reno kommt eine Fahrt zum ungewöhnlichen Pyramid Lake (480 km^2) in der gleichnamigen Reservation der *Paiute* Indianer in Frage. Der von Höhenzügen aus Sandstein eingerahmte See in der Wüste gilt als der Rest eines einst 20.000 km^2 umfassenden prähistorischen Gewässers. **Schwimmen** (bis Oktober warmes Wasser) und auch **campen** darf man überall am Seeufer. Man benötigt dafür aber ein ***User-Permit*** **($6 Day-use, $9 Camping)**, erhältlich in der *Ranger Station* in Sutcliffe und am Südende des Sees in Nixon. Aber in den letzten Jahren ist der Wasserstand stark gefallen und die Wasserlinie weit entfernt von den meisten Zugängen. In **Sutcliffe** existiert gleich hinter dem Strand und Bootsanleger ein ***Campground***; Info: www.plpt.nsn.us.

Weiterfahrt

Wer **von Reno nach Salt Lake City/zum *Yellowstone Park*** weiterfahren möchte, findet den Anschluss auf den Seiten 365ff.

Die **Kaskaden Park-Route** nach Norden ist ab der Seite 575 beschrieben. Das Folgekapitel behandelt ab Seite 367 den Verlauf der Straße #395 vom Mono Lake nach Süden.

2.4 Startroute #3: Von San Francisco zum Yosemite Park und weiter nach Death Valley/Las Vegas

2.4.1 Anfahrt zum Yosemite National Park

Zeitplanung

Viele Reisende zieht es ab San Francisco zunächst zum ***Yosemite National Park***. Von dort lässt sich die Fahrt sowohl gut in Richtung ***Yellowstone Park*** oder direkt zu den Nationalparks in Südost-Utah oder nach **Las Vegas** und zum ***Grand Canyon*** fortsetzen. Letzteres wird gerne mit der Möglichkeit verbunden, das ***Death Valley*** zu durchqueren. In beiden Fällen sollte man nicht zu zielorientiert reisen, denn die hier beschriebenen Routen haben neben den populären *Highlights* viele hervorragende, teilweise kaum bekannte und wenig frequentierte »kleinere« Attraktionen zu bieten. Es wäre schade, wenn bei zu knapper Planung für Zwischenstopps und kurze Abstecher keine Zeit bliebe. Nicht optimal wäre z.B., an einem Tag bis zum *Yosemite* durchzufahren und für die Strecke *Yosemite*–Las Vegas nur 2 Tage vorzusehen, ➤ ab Seite 387.

Route von San Francisco zum Yosemite

Zum *Yosemite National Park* (ca. 180 mi ab San Francisco) geht es über die *San Francisco Oakland Bay Bridge* und ab Oakland auf der ***Interstate* #580** (die I-880 ist oft extrem stark befahren). Die ebenfalls mögliche I-680 kommt bei einigen Umwegmeilen dann in Frage, wenn kurz hinter/vor San Francisco gecampt werden soll: der ***Mount Diablo State Park*** verfügt über einen umwerfend schön gelegenen *Campground*, ➤ Seite 316, der den Abstecher auch ohne Camping lohnt (Weitblick über die Bay).

Beste Route

Die **Straße #120**, **kürzeste und schönste *Yosemite*-Zufahrt**, erreicht man rund 70 mi östlich von San Francisco. Sieht man ab von der Überquerung der mit über **5000 Windgeneratoren** bepflasterten Hügelkette östlich Castro Valley (noch auf der I-580), ist der Straßenverlauf aber vor dem Aufstieg in die Höhe der Sierra Nevada (östlich von Chinese Camp) eher langweilig. Erwähnenswert sind nur die vielen (Straßen-)Verkaufsstände für ***Fresh Farm Produce*** (Obst und Gemüse) zu Erntezeiten.

*Einige Meilen nördlich von Merced liegt östlich der #99 das **Castle Air Museum** mit einer Reihe von sehenswerten alten Militärmaschinen; www.elite.net/castle-air*

Schnellste Route/Mariposa

Trotz einiger Mehrmeilen erreicht man das *Yosemite Valley* **am schnellsten** auf der **Autobahn #99** über Modesto/Merced und dann auf der gut ausgebauten **#140 über Mariposa**, das westliche Haupteingangstor zum Nationalpark bereits in den *Sierra Nevada Foothills*. Es ist mit zahlreichen Motels, Hotels, *Lodges* und Restaurants voll auf den *Yosemite*-Tourismus ausgerichtet. Von Mai bis Ende September ist dort Saison. Günstigstenfalls kommt man dann für $70-$90 unter, z.B. im ***Holiday Inn Express***. Aber kaum am Wochenende. Reservierung ist dann auf jeden Fall angezeigt. Ein gutes ***B&B*** in deutscher Hand ganz in der Nähe ist ***Boulder Creek***, © 1-800-768-4752; DZ ab $99.

Camping

Wer noch vor Erreichen des Yosemite bzw. (bei später Abfahrt) kurz hinter San Francisco campen möchte, erkennt die ***State Parks*** am Wege leicht auf der Karte. Von ihnen verfügt nur der ***Caswell Memorial State Park***, etwas abseits der #99/#120 am Stanislaus River (Baden) über einen richtig guten *Campground* mit schattigen Plätzchen in dichter Ufervegetation. Der nahe *Durham Ferry Park* ist weniger empfehlenswert. An heißen Tagen verspricht der **Tulloch Lake** nördlich der #120/#108 Abkühlung und einen guten **Campingplatz am See** mit *Hook-up*, © (209) 881-0107, © 1-800-894-2267. Zufahrt Tulloch Road zwischen Knights Ferry und Keystone.

Von den diversen Plätzen im ***Stanislaus National Forest*** vor Erreichen des Parks ist ***Lost Claim*** der beste (14 mi östlich Groveland an der #120). Einige Meilen abseits der #120 befinden sich die schönen Plätze ***Carlon*** und ***Middle Fork*** an der Evergreen Road. Sie füllen sich erfahrungsgemäß als letzte.

Voll belegte *Campgrounds* im Vorfeld des *Yosemite* signalisieren bereits Probleme im Park selbst. Wer noch ein freies Plätzchen findet, sollte es ggf. sichern oder sich im privaten Platz ***Yosemite Pines*** (www.yosemitepinesrv.com), etwa 20 mi östlich Groveland, einbuchen. Zwischen Mariposa und dem *Yosemite Park* (Straße #140) gibt es einen großen, aber engen und oft knallvollen ***KOA-Campground*** an der #140.

EXKURS: Vom Yosemite Park durchs Goldrauschgebiet

Besucher des *Yosemite*, deren weitere Reise im Richtung Norden gehen soll, könnten den Park statt über den ***Tioga Pass*** über die westliche Einfahrt ***Big Oak Flat*** (ggf. auch über Mariposa) verlassen. Zur besseren Orientierung in diesem Gebiet sollte man sich eine **genaue Karte** zulegen, so noch nicht geschehen. Sehr brauchbar ist die Autokarte ***Sierra Nevada Mountains Areamap*** von *Gousha Travel* für $6.

Gold Rush Country

Bei Zielrichtung Lake Tahoe/Reno wäre die **westliche Alternative** besonders dann zu erwägen, wenn eine Fahrt durch das kalifornische Goldrauschgebiet (1848-1850) mit seinen vielen historischen Relikten, Tropfsteinhöhlen und *Backroads* reizt.

Die Route

Eine hübsche, wiewohl etwas zeitraubende Route durch diese Region führt nach der Ausfahrt aus dem *Yosemite* über **Sonora** (Straßen #120/#108/#49) zunächst zum ***Columbia State Historic Park***, www.columbiacalifornia.com. Columbia war in den Jahren 1850-1870 eine der wichtigsten Goldminenstädte Kaliforniens. Ihr damaliger Zustand wurde wiederhergestellt und als relativ authentisch wirkendes ***Living Museum*** der Öffentlichkeit zugänglich gemacht. Zwar sind die einzelnen Gebäude und das Museum nur 10-17 Uhr geöffnet (Sommerhalbjahr, sonst kürzer), aber der Komplex als solcher ist nie geschlossen. ***City*** und ***Fallon Hotel*** (✆ 1-800-532-1479, ab $125 bzw. $90 bis $145, www.cityhotel.com) beherbergen in ihren historischen Wildwest-Gemäuern Gäste, und das ***Fallon House Theater*** gibt im Sommer täglich Vorstellungen humoriger Melodramen. Auch ein ***Saloon*** fehlt nicht.

Der 49er's Highway

Von Oakhurst/Mariposa schlängelt sich die #49 durch die Ausläufer der Sierra Nevada bis zur Straße #89 nördlich von Lake Tahoe. Sie verbindet einen Großteil der einst während des ***California Gold Rush*** berühmten und berüchtigten Städte wie **Sonora, Angels Camp, Jackson, Placerville**, **Nevada City** u.a. Der Bezug dieser Strecke zu den **49ers, den Goldsuchern von 1849**, wird extrem ausgeschlachtet. Wer die lokalen und regionalen Werbebroschüren liest, aber auch »objektive« Reiseliteratur, muss den Eindruck gewinnen, es handle sich bei der Straße #49 um eine Art touristischer Superroute, die zu versäumen überaus bedauerlich wäre. Das ist in Wirklichkeit nur begrenzt der Fall. Trotz zweifellos hübscher Teilstücke ist der Verlauf von Oakhurst bis Nevada City im Sierra Nevada-Maßstab eher durchschnittlich und obendrein sehr stark befahren.

In den Ortschaften am Wege gibt es eine Reihe ganz hübscher historischer Museen und manches mehr oder weniger sehenswerte Relikt aus der Goldrauschzeit, z.B. im ***Marshall Gold Discovery SP*** nördlich von **Placerville**. Diese Stadt, **Sonora** und vor allem **Nevada City** verfügen noch über viele pittoreske Gebäude. In ihnen warten überwiegend Restaurants und *Giftshops* auf Kunden.

Der beste Abschnitt der #49 von Nevada City zur #89 (Sattley) am einst (goldstaub-) ergiebigen **Yuba River** entlang (schöne ***Campgrounds***!) verlässt bald das Vorgebirge und führt über die Höhe der Sierra wie weiter südlich die oben empfohlenen Straßen #88 und #4. **Fazit**: Um die #49 durchgehend positiv zu bewerten, braucht man viel Interesse und Begeisterung für Kaliforniens Goldrausch.

Höhlen/ Murphys

www.showcaves.com/english/usa/showcaves/Moaning.html

www.mercercaverns.com

Von Columbia sind es unter Umgehung der Straße #49 über die Direktverbindung nach Vallecito nur wenige Meilen bis Murphys. Am Wege passiert man die enorm hohe Tropfsteinhöhle ***Moaning Cavern*** (9-18 Uhr im Sommer, sonst 10-17 Uhr, $13). Viele kleine Räume haben die ***Mercer Caverns*** in Murphys (9-17 Uhr im Sommer, sonst 11-16 Uhr, $11. Die Zufahrt führt durch das kleine Zentrum von Murphys etwas abseits der Straße #4. Auch ohne Absicht, die teure Höhle zu besuchen, sollte man einen kleinen Zwischenstop einplanen. Denn **Murphys ist das hübscheste Städtchen der ganzen Sierra Nevada**. Das nostalgische ***Murphys Hotel*** (historisches Monument) mit echten Einschusslöchern alter Pistolenduelle und einer prima **Wildwest Bar** ist mit Tarifen ab $79-$135 nicht zu teuer, ✆ 1-800-532-7684; www.murphyshotel.com. Sehr gut schmeckt das Eis im ***Ice Cream Parlor*** gegenüber.

Back Roads

Die kurvenreichen Landstraßen, typische *Backroads* nach Pioneer über Sheep Ranch/Rail Road Flat kosten viel Fahrzeit und lohnen nur, wenn man in Richtung Osten die Straße #88 über den ***Carson Pass*** der ebenfalls sehr schönen #4 vorziehen möchte.

Straße #4/ Sequoias

Auf der #4 passiert man den ***Calaveras Big Trees State Park*** mit mächtigen *Sequoias* im ***Big Trees Grove***, der durchaus mit dem *Mariposa Grove* des *Yosemite* mithalten kann. Ein Ablaufen des ***Loop Trail*** (etwa 45min) durch diesen Bestand ist die Fahrtunterbrechung auch wert, wenn man die Mammutbäume bereits in den Nationalparks bewundert hat. Der **Campingplatz** des Parks liegt schattig teilweise unter *Sequoias*. Im folgenden zeigt sich der Verlauf der #4 von seiner besten Seite. **Mit dem Erreichen der #89 stößt man auf die im Kasten Seite 363 beschriebene Route**.

Beurteilung der Route

Eine **Fahrt über das Goldrauschgebiet** besitzt den **Nachteil,** dass man entweder die *Tioga Road* im *Yosemite Park* auslässt oder sie doppelt fährt und gleichzeitig auf den Besuch des *Mono Lake* und ggf. der *Ghost Town Bodie* verzichten müsste. Für die meisten Touristen ist bei Fahrtrichtung Norden daher die Kombination **Tioga Road/#395 die bessere Alternative**.

Im Yosemite Valley beim Curry Village; im Hintergrund der Granitblock des Halfdome, höchste Prüfung für die Kletterelite der Welt

2.4.2 Yosemite National Park

Eintritt: $20/Fahrzeug bis 6 Insassen oder $10/Einzelperson oder ***America the Beautiful Pass***
Internet: www.yosemite.com und www.nps.gov/yose

Popularität

Der über 3000 km² großen ***Yosemite*** (**sprich *Jo-sé-mi-ti***) ist einer der attraktivsten und gleichzeitig vielseitigsten Landschaftsparks Nordamerikas. Sein populärster Teilbereich ist das malerische, tief in das Granit der *Sierra Nevada* eingeschnittene ***Yosemite Valley***. An manchen **Sommerwochenenden** kommt es dank der Nähe des Parks zu San Francisco und Los Angeles häufig zu einem derartigen Andrang, dass die Einfahrt ins Tal im Laufe des Vormittags (bis zum frühen Abend) gesperrt wird (nicht aber in bzw. durch den Park insgesamt). Die Radiostationen der Umgebung informieren an solchen Tagen laufend.

Yosemite Valley

Trotz durchdachter Organisation bei der **Besucherbewältigung** entsteht aber auch an »normalen« Sommertagen schon mal der Eindruck, dass das Tal mehr Verkehr und Besucher ertragen muss, als es eigentlich verkraften kann.

Weder das (Einbahn-) Straßensystem noch die Versorgungseinrichtungen in ***Curry*** und ***Yosemite Village*** sind der Situation jederzeit voll gewachsen. An welchem Tag auch immer man den *Yosemite* ansteuert, **die Fahrt** ins *Valley* hinein sollte man **am unverfehlbaren Zentralparkplatz des *Curry Village* beenden**. Im *Yosemite Village* Bereich (*Visitor Center*/Supermarkt) baut sich – trotz neuer Parkplätze links der Straße – leicht ein Stau von vergeblich nach Parkraum suchenden Fahrzeugen auf.

Vom Parkplatz geht es per ***Shuttle Bus*** (gratis) auf einem Rundkurs zu allen wichtigen Punkten im östlichen Teil des Tals. Die **Frequenz** (10-20 min) der 7-22 Uhr verkehrenden Busse wird dem Besucheraufkommen angepasst.

Situation

Trotz dieser zunächst etwas abschreckend wirkenden Hinweise gilt auch fürs *Yosemite Valley*, was eingangs zum Park insgesamt gesagt wurde: **Das Tal ist wunderschön**, selbst wenn im Spätsommer der mäandernde **Merced River** in manchen Jahren nicht mehr ganz so glasklar fließt wie im Frühsommer, und die Wiesen, Strände und Picknickplätzchen am Fluss dann hier und dort ein bisschen heruntergetrampelt sind.

Die Eindruckskraft der schroffen Felswände – vor allem das Granitmassiv des ***El Capitán*** – und der Wasserfälle leidet unter den Millionen von Besuchern nicht. Wichtig ist, auf die eventuell im *Yosemite* auftauchenden Probleme vorbereitet und nicht sofort enttäuscht zu sein, sollte eine hohe Erwartung nicht sogleich Bestätigung finden. Machen sich an Tagen mit weniger Andrang die skizzierten negativen Aspekte nicht bemerkbar oder sind weniger dramatisch, um so besser.

Information

An jeder Einfahrt bekommen Yosemite-Besucher nicht nur die übliche **Nationalpark-Karte**, sondern auch den zeitungsähnlich aufgemachten ***Yosemite Guide***. Die Zeitung enthält alle generellen Informationen zu Verkehrsregelungen, Transport, Unterkünften, Versorgungseinrichtungen und allen möglichen Aktivitäten. Außerdem erscheint im 2-Wochen Rhythmus ***Yosemite Today*** mit aktuellen Details zu Aktivitäten und täglich laufenden Programmen,wie Führungen und Vorträgen, außerdem mit detaillierten **Karten** der verschiedenen Parkbereiche. Im *Yosemite* gibt es relativ viel **Material in deutscher Sprache**, vorrätig in den ***Visitor Centers*** und den Einfahrten ***Big Oak Flat*** (Straße #120 Westseite), ***Arch Rock*** (#140), ***Tioga*** (#120 Ostseite) *und* ***Wawona*** (#41).

Camping

Umseitig wurde bereits auf das im Sommer immer wieder auftretende Überfüllungsproblem im *Valley* hingewiesen:

Dann darf man auch auf freie Kapazität auf den Campingplätzen im Tal ohne Reservierung nicht hoffen; nur als **Zeltcamper** hat man die Chance auf ein freies Plätzchen im ***Walk-in-Campground Sunnyside*** *(first-come-first-served)* und – mit ***Backcountry Permit*** für eine Wanderung am nächsten Tag – auf dem ***Walk-in Campground North Pines***.

Reservierung

Die Reservierung wird durch den zentralen ***National Park Reservation Service gehandhabt***, ➤ Seite 200, ✆ **1-888-444-6777** bzw. www.recreation.gov. Man kann bis 5 Monate vorausreservieren.

Ein Kurzfrist-***Reservation Counter*** befindet sich vor Ort im *Curry Village* und an der *Tioga Road* für ***Tuolumne Meadows***. Dort besteht eine kleine Chance, Plätze aus kurzfristigen Absagen und *No-Shows* zu ergattern, für 50% der *Tuolumne Meadows*-Kapazität ist eine *same-day-reservation* vorgesehen, die aber oft nur bei Ankunft morgens vor 9 Uhr klappt. (Im Internet läuft die Reservierung erst seit Anfang 2007 über www.recreation.gov.)

Wer unbedingt im *Yosemite Valley* unterkommen möchte, muss wissen, dass die Plätze dort (***Lower*** und ***Upper Pines***, die relativ bessere Wahl von beiden) durch Übernutzung ziemlich geschädigte unerfreuliche **Massen *Campgrounds*** sind.

Ebenfalls reservieren lassen sich ***Hogdon Meadow*** am Westeingang (Big Oak Flat), ***Crane Flat*** an der Abzweigung der *Tioga Road*, ***Tuolumne Meadows*** oben auf dem Tioga Plateau und ***Wawona*** an der Straße #41.

First-come-first-served

Viel reizvoller sind die in Reihenfolge der Ankunft – *first-come-first-served* – vergebenen Campingplätze an der *Glacier Point Road* (***Bridalveil Creek***) und im Bereich der *Tioga Road* (***White Wolfe, Tamarack Flat*** und ***Yosemite Creek***), wobei die letzten beiden nicht für *Motorhomes* geeignet sind. **Diese Plätze sind nur Anfang Juni bis ca. Ende September offen**.

Food Locker

Zu allen Stellplätzen gehören im Yosemite große, **bärensichere *Food Locker***, in die alle Lebensmittel und anderes, was durch Geruch Bären anlockt, eingeschlossen werden müssen.

Ausweichen bei vollen Campingplätzen

Ausweichmöglichkeiten westlich und südlich wurden vorstehend bzw. im Vorkapitel, ➢ Seite 307, bereits aufgezeigt. Östlich des Parks, insbesondere zwischen *Tioga Pass* und Mono Lake gibt es gleich mehrere am Wildwasser gelegene ***National Forest*** und ***Regional Campgrounds***, die vormittags meist noch nicht voll sind. Mit Glück kommt man mit einem Campmobil auf dem Platz ***Lower Lee Vining*** auch am Abend noch unter, wenn alle Stellplätze »eigentlich belegt« sind. Bei den Plätzen in der Höhe sollten **Zeltbesitzer** daran denken, dass auch dem besten Wetter selbst im Juli/August kühle, oft frostige Nächte folgen.

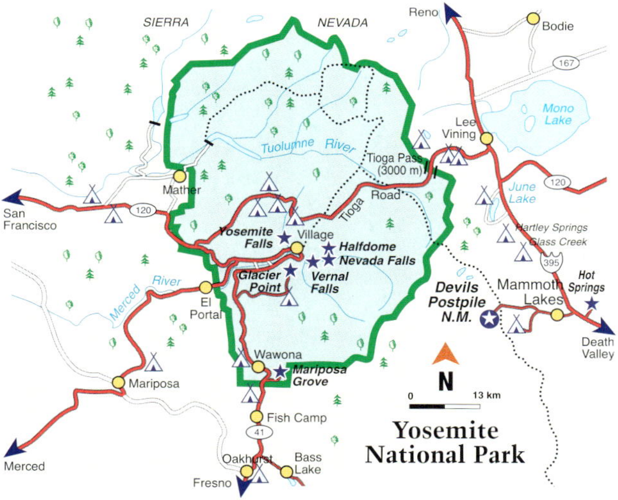

Motels/ Hotels

Für alle Arten von festen Unterkünften von der einfachsten ***Tent Cabin*** auf dem Campingplatz über ***Lodges*** in Wawona und an der Tioga Road bis hin zur Luxussuite im rustikalen ***Ahwahnee Hotel*** sind die ***Yosemite Concession Services*** zuständig, Fresno, CA 93727, Reservierung: ✆ **(559) 252-4848.**

Reservierung online: www.yosemitepark.com

www.webportal.com/ahwahnee

Die Übernachtungskosten liegen von Mai bis Oktober auf hohem Niveau, ab ca. $70 für die fest aufgebauten Zeltkabinen bis über $1000 (!) pro Nacht inkl. ***tax*** für eine Suite im ***Ahwahnee***, einem ideal gelegenen schönen Hotel im Blockhaus-Look. Selbst das Standarddoppelzimmer kostet dort im August schon über $400.

Die nächsten Orte **außerhalb des Parks** mit Motelkapazität sind das vorstehend besprochene **Mariposa**, **Fish Camp** und **Oakhurst** im Süden in noch größerer Entfernung, ➢ Seite 307. Vor allem ist die Fahrt dorthin sehr zeitaufwendig. **Lee Vining** am Mono Lake besitzt nur eine Handvoll Motels.

Zubringerbusse

Ab **Merced** fährt ***VIA***, © 1-800-842-5463, **4x täglich über Mariposa** ins *Yosemite Valley* ab *Amtrak Station* und Stop am *Airport* der Stadt ($20 retour). ***Y****osemite* ***G****ray* ***L****ine* Busse (*YGL*) verkehren auch **ab Fresno**, © wie oben. ***YARTS*** (***Y****osemite* ***A****rea* ***R****egional* ***T****ransport*), © 1-877-989-2787, betreibt einen weiteren Busservice ab Merced und Mammoth Lakes über Lee Vining/*Tioga Pass* ins *Yosemite Valley*: $10 einfach, $20 retour. Fahrpläne als *pdf-Files* im Internet: www.yarts.com.

Merced erreicht man mit ***Amtrak***-Zügen und per ***Greyhound*** von Los Angeles, Sacramento und San Francisco/Oakland mehrmals täglich, teilweise mit direktem Anschluss an die Busse in den *Yosemite National Park.*

Vernal Falls, siehe die Wanderempfehlungen auf der übernächsten Seite

Mariposa Grove

Bei Anfahrt von Süden im Rahmen der hier verfolgten Route passiert man – wie oben erwähnt – gleich hinter der Einfahrt die Stichstraße zum ***Mariposa Grove*** mächtiger Sequoias. Vom *Mariposa* Parkplatz befördert ein ***Shuttle-Service*** (9-16 Uhr, ca. eine Stunde, Gebühr) die Besucher mit kurzen Stopps zu den relativ verstreut stehenden Bäumen. Man könnte auch zu Fuß gehen, benötigt aber mehrere Stunden für An- und Rundmarsch.

Der Abstecher **ist ein »Muss«** für alle, die nicht den *Sequoia Park* besucht haben bzw. besuchen werden. Wegen der geringen Parkkapazität in Mariposa verkehrt im Sommer **zusätzlich ein *Shuttle Bus*** (gratis) von Wawona mit Zwischenhalt am Südeingang. Wegen der starken Frequentierung empfiehlt sich ein Besuch vor 10 Uhr oder nach 15 Uhr. Eine Sequoia-Besichtigung im gleichnamigen Park oder im ***State Park Calaveras Big Trees*** ist alles in allem weniger aufwendig, ➤ Seite 374. Das gilt auch für einen Abstecher in den ***Nelder Grove*** im *National Forest* südlich von Fish Camp ab Straße #41.

Glacier Point

Auf kurvenreicher Strecke erreicht man mehrere Meilen vor dem *Yosemite Valley* die ***Glacier Point Road*** (Stichstraße, ca. 25 mi). Hoch über dem Tal – die Felswand fällt 1.000 m steil ab – hat man vom *Glacier Point* einen sagenhaften Blick auf Wasserfälle und Granitmassive der Sierra Nevada, insbesondere auch hinüber zur »halbierten« Felskuppel des ***Halfdome***. Leider ist die Betriebsamkeit dort oben oft kaum auszuhalten. Am besten ist es im *Glacier Point*-Bereich am frühen Morgen, bevor die Busse kommen (idealer **Frühstücks-/Picknickpunkt**: das Gelände vor dem ersten bzw. unteren Parkplatz) oder am späten Nachmittag/frühen Abend, wenn sich Alpenglühen über die Sierra senkt.

Ein schöner, nicht allzu anstrengender ***Trail*** (ca. 1,5 km) führt zum ***Sentinel Dome***, einem Gipfel etwa 300 m über dem *Glacier Point*. Bei guter Kondition benötigt man nicht mehr als eine gute Stunde hin und zurück.

Trails im Tal

Im Tal gibt es eine ganze Reihe hübscher, nicht anstrengender Spazierwege am Merced River und im Bereich des *Yosemite Village*. Ein schöner *Trail* dieser Art führt von den *Stables* zum langsam austrocknenden ***Mirror Lake*** unterhalb des *Halfdome*. **Kurze *Trails***, etwas westlich des zentralen Hauptbetriebs, laufen von der Talstraße zu den ***Lower Yosemite*** (Ausgangspunkt mit dem *Shuttle Bus* erreichbar) und den ***Bridal Veil Falls***. Beide Wasserfälle führen im Spätsommer nur sehr wenig Wasser und fallen bisweilen auch ganz trocken.

Fahrrad/ Schlauchboote

Sehr gut lässt sich das *Yosemite Valley* auch per Fahrrad erkunden. Die Miete beträgt ab ca. $25/Tag, Verleih im ***Curry Village*** und an der ***Yosemite Lodge***.

An heißen Tagen paddelt es sich herrlich im Schlauchboot (*Raft*) den Merced River mit der Strömung über viele Meander langsam flussabwärts. Verleih ebenfalls im Curry Village.

Wanderwege

Für mehrtägige Wanderungen ist ein Permit nötig, ➤ Seite 382

Drei weitere, konditionell etwas **anspruchsvollere *Trails*** mitten hinein in die Traumlandschaft der Sierra Nevada seien hier wärmstens empfohlen. Sie sind von unterschiedlicher Dauer und Schwierigkeit, aber alle innerhalb eines bzw. halben Tages zu schaffen. Die beiden ersten Vorschläge beginnen am ***Happy Isles Nature Center***. Alle drei enden dort; Zeitangaben für Hin- und Rückweg ohne längere Pausen:

Vernal/ Nevada Falls

- Den Aufstieg bis zu den ***Nevada Falls,*** mindestens jedoch bis zu den ***Vernal Falls*** sollte man sich auf keinen Fall entgehen lassen, auch wenn bis zur Brücke über den Merced River (ca. 1,5 km) an bestimmten Tagen ganze Heerscharen unterwegs zu sein scheinen. Oberhalb der Brücke (Aussichtspunkt auf die *Vernal Falls*) wird der Strom der Wanderer etwas dünner. Mit Ziel *Nevada Falls* kann man statt dem ***Vernal Falls Mist Trail*** besser dem normalerweise weniger frequentierten, weiter oben verlaufenden ***John Muir Trail*** folgen. Zurück geht es dann am Merced River entlang über die Vernal Falls. Hinter beiden Wasserfällen, die zu jeder Jahreszeit ein großartiges Schauspiel bieten, findet man idyllische Badepools zur Abkühlung, leider gilt hinter den *Vernal Falls* nach Unglücksfällen »Baden verboten«.

Baden

Eine mit dem ***Emerald Pool*** oberhalb der *Vernal Falls* verbundene Besonderheit ist eine dahinter ansteigende Felsfläche, über die sich das Wasser in breitem Strom ergießt und eine wunderbare Rutschbahn bildet. Leider wurde auch das Rutschen dort untersagt. Wer sich weiter oben hinter den *Nevada Falls* abkühlen will, darf sein Badezeug nicht vergessen haben!

Zeitbedarf: *Vernal Falls*: ca. 2,5-3 Stunden;
(retour) *Nevada Falls*: ca. 4-4,5 Stunden.

Achtung Bären!!

Im Yosemite Park kommt es relativ häufig zu Begegnungen mit Bären. Hauptgrund sind Essensdüfte aus den Rucksäcken der Wanderer. Geruchs-und bärensichere *Food Container* kann man sich für $5 ausleihen und $75 Pfand hinterlegen.

Für Übernachtwanderer sind die *Container* obligatorisch.

Blick vom Glacier Point über die Sierra Nevada und auf den Half Dome

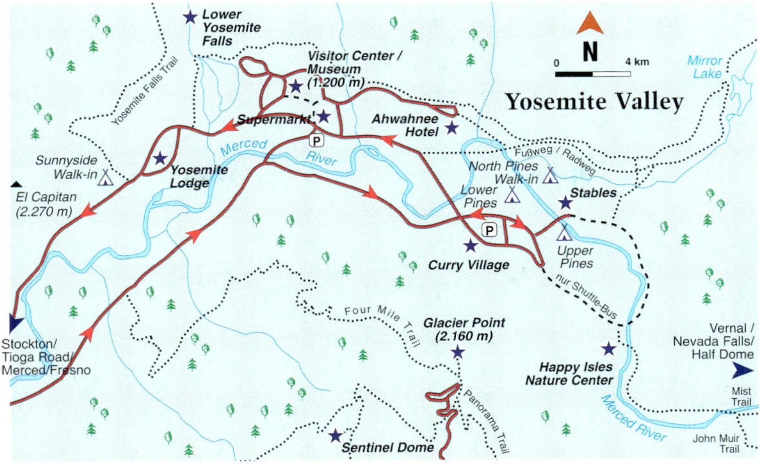

Weiter zum Halfdome

- Ein Fußmarsch für die wirklich erstklassige Kondition ist der **Aufstieg zum *Halfdome***, den alles überragenden Monolithen der südwestlichen Parkregion. Der Weg ist zunächst identisch mit dem *Nevada Falls Trail* (ca. 5 km) und erreicht nach weiteren 8 km die gerundete Rückseite der Felskuppel, die sich über einen nur mit Stahlseilen gesicherten, anstrengenden Aufstieg erklimmen lässt. Manchmal trifft man auf Kletterer, die den *Halfdome* an dessen Stirnseite bezwangen. Diese Wand ist nach dem *El Capitán* d i e Herausforderung für die Kletterelite. Zwischen *Nevada Falls* und dem Halbdom befindet sich in der bewaldeten Hochebene ein ***Campground*** für alle, die es etwas ruhiger angehen lassen möchten (*Permit* nötig, ➤ nächste Seite oben). Übernachtungsgepäck erschwert den Aufstieg allerdings.

  Zeitbedarf: mindestens 10 Stunden.

Panorama Trail

- Eine gut an einem Tag zu schaffende Wanderung beginnt am ***Glacier Point*** (➤ Seite 379). Mehrmals am Tag fährt ein Bus von den zentralen Punkten im Tal hinauf. Abfahrtszeiten im ***Tour Desk*** oder per Telefon: (209) 372-1240. Der ***Panorama Trail*** führt über die Sierra Nevada und ***Illilouette Falls*** von oben auf den *Nevada Falls* Trail (***John Muir Trail***). Dieser Weg besitzt den Vorteil, dass kein Stück zweimal gelaufen werden muss, und es überwiegend bergab geht (14 km). **Zeitbedarf**: ab 4 Stunden plus Anfahrt.

Weitere Trails

Weitere beliebte *Trails* sind der Abstieg vom ***Glacier Point*** direkt ins Tal über den ***Four Mile Trail*** (ca. 2 Stunden) und der Aufstieg zu den ***Upper Yosemite Falls*** (ca. 4-5 Stunden), die man aber erst in zweiter Linie in Betracht ziehen sollte.

2

Reiten

Außer auf Schusters Rappen kann man bestimmte *Trails* auch hoch zu Ross angehen. **Reitställe** gibt es außer im ***Valley*** in **Wawona, *White Wolf*** und ***Tuolumne*** (an der *Tioga Road*). Angeboten werden 2-Stunden-, Halb- und Ganztages-Trips. Sehr oft kommt man kurzfristig noch unter, speziell zu den 8 Uhr-Terminen; Reservierung unter ✆ (209) 372-1248.

Karten/ Permits

Zum Befahren der Straßen und Ablaufen der populäreren *Trails* genügt im allgemeinen das bei der Einfahrt erhaltene Kartenmaterial. Genaue **Wanderkarten** sind im ***Visitor Center*** im *Yosemite Village* erhältlich. Dort gibt es auch das obligatorische ***Wilderness Permit*** für alle, die im *Backcountry* **wandern und übernachten** wollen. Da diese nur in begrenzter Menge ausgegeben werden, kann man die ***Permits* reservieren: ✆ (209) 372-0740**; https://www.yosemitesecure.org/wildpermit. Dies führt leider dazu, dass spontane Entschlüsse für *Backcountry Trips* wegen ausgebuchter *Permits* oft nicht zu realisieren sind.

Visitor Center und Museum

Im Gegensatz zu vielen anderen Nationalparks macht es im *Yosemite* rein verkehrstechnisch keinen besonderen Sinn, nach der Einfahrt zuerst das Besucherzentrum anzulaufen. Es liegt ungünstig und hat Parkprobleme. Bei klaren Wander- und anderen Plänen im Südosten des Tals, kann man es ggf. besser bei der Ausfahrt ansteuern (geöffnet 8-18 Uhr).

Museum

Einen Besuch abstatten sollte man dem ***Visitor Center*** bzw. **Museum** aber durchaus. Die Ausstellungen zur Entstehung der Sierra Nevada und des *Yosemite Valley*, zu Geschichte, Flora und Fauna des Parks sind sehenswert. Hinter dem Museum befinden sich das ***Cultural Exhibit*** und rekonstruierte ***Ahwahnee Indian Village*** der *Miwok-Paiute*; beide enttäuschen.

Tioga Road

> **Tioga Pass**
> gesperrt ab ca. Mitte Oktober bis Ende Mai wegen Schnee, ➤ Kasten rechts oben

Die *Tioga Road* führt über das 2.500 m hoch liegende **Plateau der Sierra Nevada**, deren faszinierende Landschaft alljährlich Tausende von *Backcountry*-Wanderer anzieht. Während die Straße im Aufstieg durch dichten Wald führt, bietet sie nach Erreichen der Höhe **fantastische Ausblicke** und durchquert für die Sierra Nevada typische, glattflächige Felslandschaften (Bereich *Olmsted Point*) voller wie ausgestreut wirkender rundgeschliffener Felsbrocken. Dort können sich Kletterbegeisterte auch ohne Sicherungsseile und Gerät gefahrlos austoben.

Weiter östlich erstrecken sich die weiten ***Tuolumne Meadows***, ein ebenes, wildreiches Wiesen- und Waldgebiet.

Im Sommer verkehrt ein ***Gratis-Shuttle*** halbstündlich zwischen ***Olmsted Point*** (Aussichtspunkt) und Tuolumne Lake.

Tuolumne River

Die *Tuolumne Meadows* sind bester Ausgangspunkt für eine **Wanderung zum *Grand Canyon of the Tuolumne River*** mit den ungewöhnlichen ***Waterwheel Falls***. Die Schlucht erreicht man auf einem Teilstück des berühmten ***Pacific Crest Trail*** (➤ Seite 31) bis zum **Zeltplatz *Glen Aulin*** (6 mi), von dem es weiter am Fluss entlang geht bis zu den – besonders im Juni/Juli – gischtsprühenden Wasserfällen (+ 3 mi).

Schneegefahr ab Oktober bis Mai/Juni

Bei allen Plänen für eine ***Sierra Nevada*** **Überquerung** muss beachtet werden, dass ein Teil der Straßen einschließlich der ***Tioga Road*** von (spätestens) November, bisweilen schon Anfang Oktober bis mindestens Ende Mai (***Memorial Day***) wegen Schnee **gesperrt** sind. **Offengehalten** werden – soweit möglich – die Straßen **#88** und **#50**, natürlich auch die **I-80** von Sacramento nach Reno. Schneeketten sind dabei oft vorgeschrieben; www.dot.ca.gov/hq/roadinfo

Wetteransage mit Straßenzustandsinfo auch unter © 1-800-427-7623.

2.4.3 Vom Yosemite zum Death Valley National Park

Rund um den Mono Lake

Über den Tioga Pass

Ein besonderer Reiz der **Yosemite-Ostausfahrt** über den 3000 m hoch gelegenen *Tioga Pass* liegt im raschen Abstieg aus der Vegetation und den gemäßigten Temperaturen der *Sierra* in die Trockenheit und Hitze des 1000 m tieferen ***Mono Valley***. An dieser Strecke befinden sich einige schöne ***NF-Campgrounds***, u.a. direkt am Tioga und Ellery Lake.

Mono Lake

Lee Vining

Autofahrer sollten in LV nicht tanken müssen. Traditionell ist das Benzin dort das teuerste weit und breit (in Mammoth und Bishop normale Preise)

Der Mono Lake, mit 150 km^2 Ausdehnung weltgrößter **Kratersee**, steht seit Dekaden im Mittelpunkt heftiger Kontroversen, da sein Wasserspiegel durch **exzessive Entnahme von Grundwasser** (aus den unterirdischen Zuflüssen des Sees) **für Los Angeles** von 1941 bis 2002 um 15 m gefallen ist. Gegen die dadurch verursachte Zerstörung des Ökosystems kämpft das *Mono Lake Committee,* eine Umweltschutzbewegung mit ***Information Center*** in **Lee Vining** (an der Hauptstraße #395, geöffnet 9-21 Uhr im Sommer, sonst bis 17 Uhr). Die Schaffung der ***Mono Basin National Forest Scenic Area*** zum offiziellen Schutz der Mono Lake Region führte zwar zu kleinen Erfolgen, d.h., zu Reduktion der Wasserentnahme und einem temporären Anstieg des Wasserpegels. Aber zur Zeit ist der Wasserstand niedrig wie nie. Wer sich für den Fortgang des Tauziehens zwischen Wasserverbrauchern und Ökologie interessiert, findet die *latest news* des Committee unter www.monolake.org

Ein Trail führt zu – durch die Wasserstandsreduzierung – trocken gefallenen Tuffstein-Skulpturen des South Tufa-Bereichs

Mono Lake

Tatsächlich bietet der Mono Lake vor der grandiosen Kulisse der *Sierra Nevada* Gipfel ein eindrucksvolles Naturschauspiel, das sich aber aus größerer Distanz und im Bereich Leevining kaum erfassen lässt. Ein **Visitor Center** des ***National Forest Service*** liegt nur wenig außerhalb nördlich von Lee Vining im Uferbereich. Vom Park- und Picknickplatz des ***Mono Lake County Park***, ca. 2 mi weiter nördlich, führt ein **Holzbohlenweg** über sumpfige Uferareale zu den sogenannten ***Tufas*** (Tuffstein) am und im tiefblaugrünen Wasser. Die skulpturengleichen Kalziumkarbonatformationen entstanden durch Ablagerungen der hochdrängenden Quellflüsse. Sie wuchsen im Laufe der Jahrtausende aus dem Wasser bzw. wurden durch Reduzierung des Wasserstandes freigelegt.

Ein Gebiet voller ***Tufa Tower*** ist die ***South Tufa Reserve*** am Südufer; Zufahrt von der #120. Dort ist der Zugang geregelter unter *Ranger*-Führung mit Erläuterungen, Eintritt $2.

Wer den Bodie-Abstecher ins Auge fasst, könnte vom *County Park* aus die Straße #167 nehmen und am Wege noch die seltsamen ***Black Point Fissures*** sehen.

Bodie State Park

Von dort sind es noch insgesamt 15 mi zunächst auf der asphaltierten #167 und dann ca. 9 mi nach Norden auf einer arg rauen Gravelzufahrt zur ***Ghost Town Bodie***, einem ***State Historic Park*** im kargen *High Desert Country* im Grenzgebiet zu Nevada.

Diese einstige *Boomtown* entstand aus einem Goldrausch in den 70er-Jahren des 19. Jahrhunderts, verlor aber seine Bevölkerung von über 10.000 nach und nach und wurde in den 1930er-Jahren ganz verlassen. Dank geringer Luftfeuchte blieben viele Gebäude und Gerätschaften relativ gut erhalten. Seit 1962 wird Bodie im vorgefundenen Zustand konserviert und ist so eine Art Mittelding zwischen echter **Geisterstadt** und einem ***Living Museum***. Die Ausdehnung des Ortes und die Vielzahl der noch vorhandenen Relikte geben Bodie eine **Sonderstellung unter den *Ghost Towns***. Geöffnet 8-19 Uhr im Sommer, sonst bis 18/16 Uhr, sofern nicht eingeschneit; Eintritt $2. Die Zufahrtstraße #270 nach Bodie von Westen ist voll asphaltiert; www.parks.ca.gov/?page_id=509.

Die Relikte in der Bodie Ghosttown stammen überwiegend aus den ersten Dekaden des 20. Jahrhunderts. Viele Fotos auf www.bodie.com

EXKURS: Vom Yosemite Park nach Salt Lake City/Yellowstone oder direkt zu den Nationalparks im Süden Utahs

Routen von SFO/LA in den zentralen Nordwesten

Als Ausgangspunkt der Routen durch den zentralen Nordwesten wurde Salt Lake City gewählt, ➤ Kapitel 7. Die Stadt besitzt vor allem für Besucher des ***Yellowstone Park*** und umliegender Gebiete eine geographische Schlüsselposition. Wer seine Reise in Kalifornien startet, muss auf dem Weg nach oder von Wyoming fast zwangsläufig die Hauptstadt der Mormonen passieren. **Ab San Francisco** geht in Richtung Nordwesten kein Weg am *Yosemite Park* und der Überquerung der *Sierra Nevada* vorbei. Das gilt ebenso für Reisebeginn in Los Angeles. Zwar führt die Interstate #15 schnurstracks von LA über Las Vegas nach Salt Lake City (ca. 680 mi), aber der idealen Reiseroute in den zentralen Nordwesten entspricht sie sicher nicht. **Ab Los Angeles** verliefe eine touristisch sinnvolle Route zum *Yellowstone Park* auf dem Hin- oder Rückweg über *Sequoia/Kings Canyon/Yosemite Parks* oder zunächst am Ostrand der Sierra entlang mit Durchquerung Nevadas wie folgt:

Durch Nevada (Karte auf Seite 368)

Lässt man die bis auf Teilstücke nichtssagende ***Interstate* #80** von San Francisco über Sacramento/Reno nach Salt Lake City außer acht, bleiben im Prinzip zwei Routen als Alternativen, die sich in Ely/Ostnevada noch vor Erreichen des ***Great Basin National Park*** vereinigen, die **Straßen #6 und #50**. Beide vermitteln ein beeindruckendes Landschaftserlebnis auf nur wenig befahrenen Strecken:

Straße #6

- Wählt man **vom *Yosemite*** den direkten Weg ohne Abstecher über Lake Tahoe/Virginia City/Reno, geht es südlich des ***Mono Lake*** zunächst weiter auf der achterbahnähnlich geführten **#120** (Zwischenhalt ggf. in der *South Tufa Reserve*, ➤ nebenstehend), die bei Benton auf die **#6** trifft. Über **Tonopah**, eine alte Minenstadt im Niedergang, aber nicht ohne Reiz, führt sie durch trockene Halbwüsten und über Höhenzüge und erreicht nach 290 mi (ab der #395) mit **Ely** die einzige nennenswerte Ortschaft (5.000 Einwohner) zwischen Reno/Carson City und Provo/Utah.

Zum Zion Nat'l Park

Diese Route eignet sich auch für eine **direkte Fahrt zu den Nationalparks in Südost-Utah** (***Zion**, **Bryce Canyon, Grand Staircase Escalante etc.***) unter Umgehung von Las Vegas: Ab Warm Springs geht es – statt auf der #6 weiter in Richtung Ely – auf der Straße #375 nach Süden, dann auf der #93 über Panaca zur Straße #319 (#56 in Utah).

Die #375 trägt die schöne Bezeichnung ***Extraterrestrial Highway***, da diese Gegend ein beliebter Landeplatz der Außerirdischen sein soll (➤ Roswell, Seite 506). Belege und überzeugende Ausstellungsstücke dafür finden sich im ***Area 51 Research Center*** in Rachel, Internet: www.aliensonearth.com.

Sandsteinformationen im Cathedral Gorge Park, die mit jedem Regen ihr Aussehen verändern; http://parks.nv.gov/cg.htm

Am Wege bei Panaca liegt der ***Cathedral Gorge State Park*** mit Sandsteinformationen, die entfernt an Kathedralen erinnern, und einem komfortablen ***Campground***.

Straße #50

- Eine noch ergiebigere, aber **zeitaufwendigere Alternative** in **Richtung *Yellowstone*** wäre, sich ab dem *Yosemite Park* zunächst nach Norden zu wenden (➤ Seite 363) und erst ab Carson City bzw. Reno auf der **Straße #50** Nevada zu durchqueren (bis Ely ca. 320 Meilen). An dieser Strecke liegt ca. 30 mi östlich von Fallon der ***Sand Mountain***. Die riesige Sanddüne lockt an Wochenenden ORV-Fans (➤ Seite 39) in Scharen an. Eingangs des Geländes darf man gegen Gebühr campen (aber weder Schatten noch Wasser).

Great Basin National Park

www.nps.gov/grba

Der ***Great Basin National Park*** entstand als Zusammenfassung der *Wheeler Peak Scenic Area* und des *Lehman Caves National Monument*. Abgesehen von der Tropfsteinhöhle, die nach ihrem deutschstämmigen Entdecker benannt wurde, besteht der **einzige Nationalpark Nevadas** nur aus Landschaft rund um den fast 4.000 m hohen *Wheeler Peak*. Wegen der Höhenlage herrschen schon am ***Visitor Center*** weit niedrigere Temperaturen als auf der Anfahrt. Man kann an 90-minütigen Höhlentouren teilnehmen mehrfach täglich, letzte Tour 15.30 Uhr) und dem ***Wheeler Peak Scenic Drive*** bis zu einer Höhe von über 3.000 m folgen und von dort in alpine Einsamkeit hineinwandern. Von den *Campgrounds* entlang dieser Straße ist vor allem der idyllisch gelegene Platz am ***Upper Lehmann Creek*** beidseitig des Baches empfehlenswert.

Little Sahara

In Utah verflacht auf den verbleibenden 200 mi bis Provo der Verlauf der Straße. Eintönigkeit bestimmt das Bild. Etwa 50 mi südwestlich von Provo passiert man die Zufahrt zur ***Little Sahara Recreation Area*** (ca. 8 mi). Es handelt sich um ein großes Dünengebiet, ein weiteres **Dorado für ORV-Eigner**. Jung und alt dürfen in der kleinen Sahara mit ihren Vehikeln nach Herzenslust durch die Sandhügel karriolen.

Auf dem ***Campground*** am Rand der Dünen besetzen (im Kiefernwäldchen) vor allem vehikelbewaffnete Besucher die Stellplätze. Von früh bis spät knattern die Motoren.

Provo

Die Mormonen-Großstadt Provo (80.000 Einwohner) am ***Utah Lake*** präsentiert sich mit einem gepflegteren Stadtbild als von Städten ähnlicher Größe sonst gewohnt. Die **Wasserqualität des Sees** war wegen Einleitung industrieller Abwässer schon nicht badefreundlich, als noch bessere Strände existierten. Sie wurden durch einen Anstieg des Wasserstandes in den 1980er-Jahren verdorben und sind bis heute nicht so ganz toll. Der ***State Park*** **Campingplatz** am See ist aber ganz in Ordnung.

Campen und ORV-Rasen am Sand Mountain bei Fallon/Nevada (Straße #50)

Mit Provo/Erreichen der Straße #189 wird der »**Kontakt**« zur **Route durch den Nordwesten** hergestellt, ➤ Kapitel 7.

Straße #395 von Lee Vining bis Lone Pine

Zur Route

Die überwiegend sehr gut (4-spurig) ausgebaute Straße #395 nutzen viele Touristen als rasche Verbindungsstrecke zwischen dem *Yosemite* und *Death Valley Park*. Und tatsächlich sind die **220 mi von Lee Vining bis zur Oase *Furnace Creek*** mitten im *Death Valley* ja auch locker an einem Tag zu schaffen. Wer das macht, fährt indessen an vielem vorbei. Ein 3-Tage-Trip lässt sich auf diesem Abschnitt locker abwechslungsreich gestalten; 2 Tage wären o.k.

Skigebiete

Ein Blick auf die Karte zeigt, dass nur wenig südlich von Lee Vining zwei Skigebiete liegen, **June** und **Mammoth Lakes**; beide sind gleichzeitig Sommerferienorte. Ein Hineinfahren nach June Lake lohnt weniger, es sei denn zum Übernachten oder campen. Wer mehr Wert auf Lage und geringe Kosten legt als auf Komfort, sollte als Campmobilist noch ein bisschen weiter fahren:

Lava

Etwa 2-3 mi südlich der Abzweigung nach June Lake (Straße #158, südliche Einfahrt) führt eine *Gravel Road* (Hinweisschild an der Straße, ca. 2 mi) zu einem gewaltigen *Lava Flow*, dem ***Obsidian Dome***, und zum ***NF-Campground Hartley Springs***. Die 20 m hohen Lavaströme – teilweise aus Glasbasalt – lohnen auch ohne Campabsicht die Zufahrt. Vom Parkplatz (Info-Tafel) kann man man auf die Lava steigen. Gut 1 mi nördlich davon liegt dieser

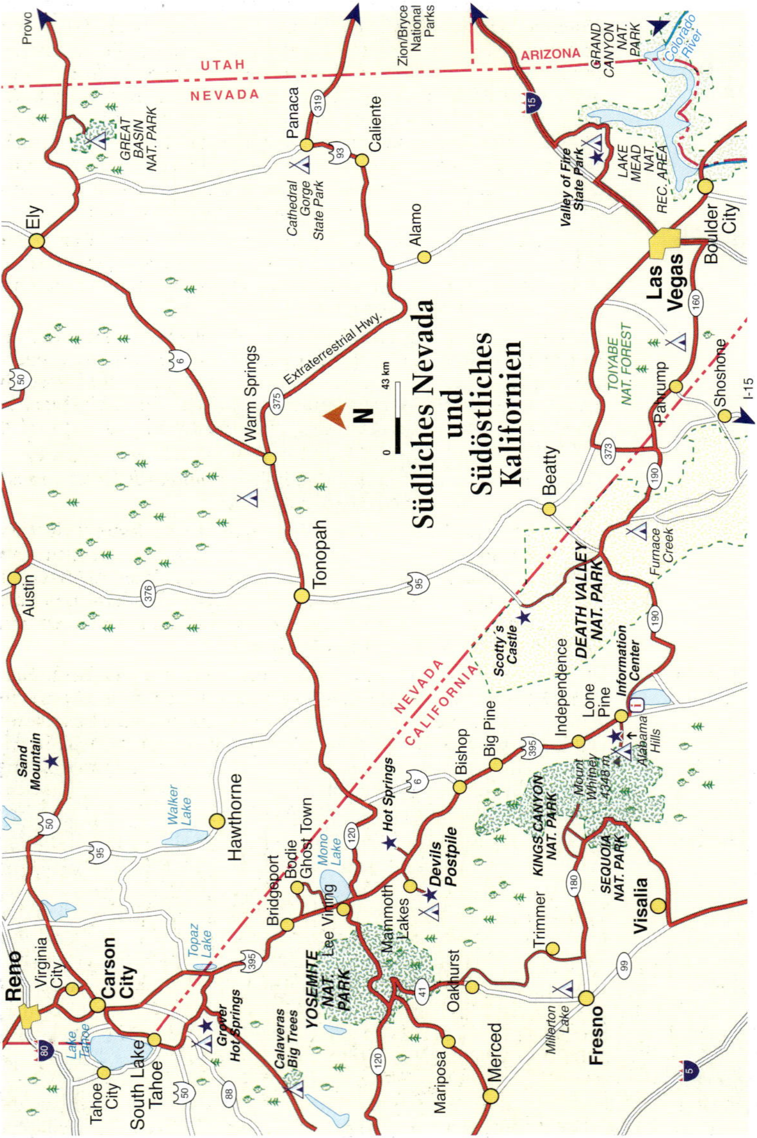
Südliches Nevada und Südöstliches Kalifornien
N
0
43 km
UTAH
NEVADA
ARIZONA
CALIFORNIA
Provo
Zion/Bryce National Parks
GREAT BASIN NAT. PARK
Ely
Panaca
Caliente
Cathedral Gorge State Park
Alamo
Extraterrestrial Hwy.
Warm Springs
Tonopah
Austin
Sand Mountain
Walker Lake
Hawthorne
Reno
Virginia City
Carson City
Lake Tahoe
Tahoe City
South Lake Tahoe
Grover Hot Springs
Topaz Lake
Calaveras Big Trees
YOSEMITE NAT. PARK
Bridgeport
Bodie Ghost Town
Mono Lake
Lee Vining
Mammoth Lakes
Hot Springs
Devils Postpile
Oakhurst
Mariposa
Merced
Trimmer
Millerton Lake
Fresno
Visalia
SEQUOIA NAT. PARK
KINGS CANYON NAT. PARK
Mount Whitney 4348 m
Alabama Hills
Bishop
Big Pine
Independence
Lone Pine
Information Center
Scotty's Castle
DEATH VALLEY NAT. PARK
Furnace Creek
Beatty
Pahrump
Shoshone
TOIYABE NAT. FOREST
Las Vegas
Boulder City
Valley of Fire State Park
LAKE MEAD NAT. REC. AREA
GRAND CANYON NAT. PARK
Colorado River
I-15
5
15
80
50
95
6
375
376
319
93
373
190
160
395
120
180
41
99
88

»unorganisierte«, weitläufige Campingplatz unter jungen ***Sequoia*-Bäumen**. Schwere ***Picnic Tables*** in großen Abständen definieren Stellplätze. Plumpsklos sind der einzige Komfort, **Übernachtung gratis**. Platz ist dort immer. Ebenfalls im **Campareal *Glass Creek***, nur wenige Meilen weiter südlich, dann ca. 500 m von der #395 auf der kurzen Glass Creek Road, kein Hinweis (gegenüber der Abzweigung befindet sich eine Straßenmeisterei). Am Glass Creek stehen RVs ungeordnet und kostenlos im kargen Waldareal (nur ein paar Tische und Plumpsklos) und sparen so die hohen Campgebühren im Umfeld (selbst auf NF-PLätzen meist $16).

Mammoth Lakes

Nur wenig weiter südlich zweigt die Straße #203 nach **Mammoth Lakes** ab, ein nicht nur sehr populäres Skiresort, sondern ein sehr weiträumig angelegter Ort, der – anders als June Lake – auch im Sommer einiges zu bieten hat.

Unterkunft

Neben einer sehr dichten **Motel- und Hotelinfrastruktur**, die im Sommer oft nicht voll ausgelastet und daher bei durchweg überdurchschnittlicher Qualität relativ preiswert ist (Mittelklasse ab ca. $60) gibt es eine große Restaurantauswahl. Sogar ein Jugendhotel, das ***Davison Street Guest House***, ist vorhanden, © (760) 924-2188, $25-$35; www.mammoth-guest.com.

Die Gondelbahn auf den 3.370 m hohen ***Mammoth Mountain*** ist auch im Sommer in Betrieb ($16).

Info

Das ***Mammoth Visitor Center*** und gleichzeitig ***Ranger Station*** des *Forest Service* liegen kurz vor dem östlichen Ortseingang an der #203. Man ist dort bei Unterkunfts- und Campingfragen in guten Händen, © 1-800-427-7623. Auf jeden Fall erhält man dort genaue **Karten**, die im etwas verwirrenden örtlichen Straßennetz hilfreich sind: www.visitmammoth.com.

Bergseen

Der **Sommerclou** von Mammoth Lakes besteht in den hoch über dem Ort auf mehreren Ebenen liegenden Seen, an deren Ufern sich **große Campingplätze** befinden (ab $16). Zufahrt ist die **Lake Mary Road** in Verlängerung der Main Street. Die unteren **Twin Lakes** sind im Sommer warm genug zum Schwimmen und *Rafting* (Schlauchbootverleih).

Abgestorbene Bäume

Die Stichstraße zu den oberen Seen, deren Wasser über malerische Fälle die zwei unten liegenden Twin Lakes speist, ist »Pflicht«. Unbedingt bis zum Straßenende an den Horseshoe Lake fahren, der von gespenstisch anmutenden Baumskeletten gesäumt wird und sich leicht zu Fuß umrunden lässt. Viele ***Trails*** führen von dort ins Hinterland, Karte in der *Ranger Station*. Die toten Bäume sind eine Folge anhaltender vulkanischer Aktivität mit CO_2-Emissionen durch den porösen Boden.

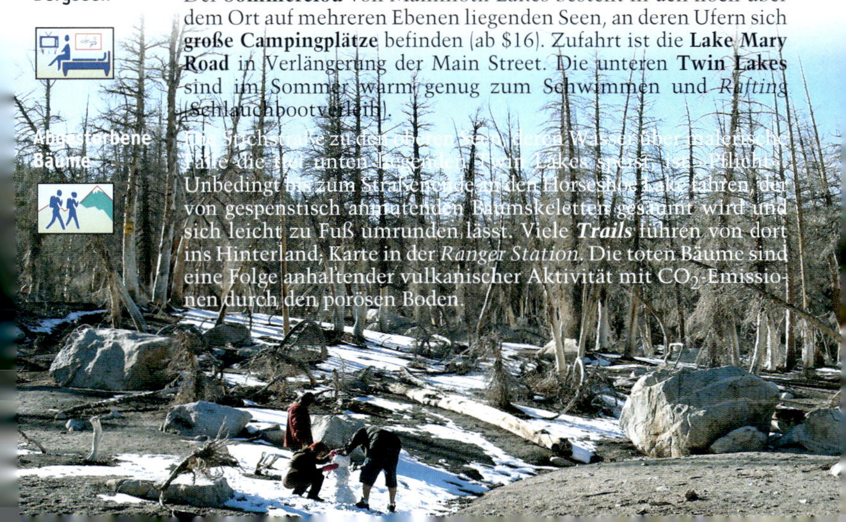

Devils Postpile National Monument

Am höchsten Punkt der Minaret Road stehen das *Mammoth Mountain Inn* (ab $140) und – gegenüber – die Talstation der Gondel auf den namensgebenden Gipfel. Die Fortführung der Straße – steil – hinunter zum ***Devils Postpile National Monument*** ist von etwa Mitte Juni bis *Labor Day* für den allgemeinen Verkehr gesperrt. Ein ***Shuttle Bus*** ($7, Kinder $4) befördert die Besucher ins Tal zu den Ausgangspunkten der ***Trails*** zu *Devils Postpile* und den *Rainbow Falls*. Ausgenommen von der Buspflicht sind Camper: eine Reservierung für einen der schön gelegenen ***NF/NM-Campgrounds*** im Tal gibt es in der *Ranger Station* wie auch an der Einfahrt-Kontrolle am *Mountain Inn* Parkplatz. Aber auch *Camper* zahlen die *Transportation Fee*, selbst wenn sie nicht den Bus benutzen. Etwa um 17.30 Uhr wird der Shuttle-Betrieb eingestellt, und die Strecke darf wieder befahren werden; www.nps.gov/depo

Trails

Der ***Devils Postpile*** ist ein pittoresker geologischer Aufschluss aus Säulenbasalt, ➤ Foto. Oberhalb der Säulen läuft man über deren Enden, die – wie auf einem gefliesten Boden – Flächen regelmäßig geformter Sechsecke bilden. Der Fußweg vom Bus-Haltepunkt zum *Postpile* beträgt nur ca. 500 m, so dass man inklusive Ersteigung des Scheiterhaufens maximal 1 Stunde benötigt. Der *Trail* zu den ***Rainbow Falls*** lohnt nur bedingt. Sie sind nicht sensationell, aber der Weg ist hübsch und kann bei Start am Straßenendpunkt verkürzt werden.

Devils Postpile heißt »Scheiterhaufen des Teufels«. In Wahrheit nichts weiter als ein ungewöhnlicher, geologischer Aufschluss vulkanischen Ursprungs.

Hot Creeks

Zurück auf der #395 passiert man etwas südlich von Mammoth Lakes einen Wegweiser *Airport/Hatchery/**Hot Creeks***. Früher ein Tip für *Insider* ist die 3-mi-Zufahrt nun zur Hälfte asphaltiert, ein Parkplatz ausgebaut und das Ziel leicht zugänglich. Das tut der einmaligen Situation dort aber keinen Abbruch: im Tal des Owens River blubbern heiße Quellen am Ufer und unter Wasser. In teichartigen Erweiterungen gibt es Zonen von kochend heiß bis lauwarm. Vom kalten Strom am Rand konnten sich Schwimmer mitnehmen lassen und abkühlen. Bessere heiße Quellen in natürlicher, leicht erreichbarer Umgebung sind kaum vorstellbar, noch dazu als Gratis-Erlebnis. Leider erhöhte sich Anfang 2006 die vulkanische Untergrundaktivität derart, dass die Pooltemperaturen anstiegen und giftige Gase entwichen. Seither ist dort das Baden (vorübergehend?) untersagt, hinfahren und gucken aber nicht.

Hot Creeks nur wenig abseits der #395, ein Badespaß inmitten freier Natur. Seit 2006 als Badestelle gesperrt.

Bishop

Zentralort der östlichen *Sierra Nevada* ist **Bishop**, ein Ort ohne Besonderheiten, sieht man vom **Kasino** der Paiute-Indianer am nördlichen Ortsende ab. Bishop bietet durchreisenden Touristen die weit und breit einzige komplette **Versorgungsinfrastruktur** (Vons Supermarkt, K-Mart, *Fast Food*, Banken etc.).

Motels/Hotels in Bishop haben relativ preiswerte Zimmer. **Ab ca. $49** (*Motel 6, El Rancho*) kommt man unter. Ein gutes Preis-Leistungsverhältnis hat das ***Comfort Inn*** (ab ca. $80); beste Häuser sind das ***Best Western Creekside Inn*** (ab $110) und gegenüber das neuere ***Vagabond Inn***.

Independence

Independence, Kreishauptstadt, dennoch nur ein kleiner Flecken 40 mi weiter südlich, besitzt mit dem historischen ***Winnedumah Hotel***, ✆ (760) 878-2040, in dem früher Filmstars abstiegen, die in den nahen *Alabama Hills* Western drehten, ein ganz originell-nostalgisches Quartier ab $85. Ein ***International Hostel***, $25/Bett, identisches ✆, gehört mit zum Komplex.

Winnedumah: B&B Hotel und Hostel zugleich in Independence; www.winnedumah.com

Lone Pine

Lone Pine spielt eine wichtige Rolle für den immer stärker werdenden *Mount Whitney*-Tourismus. Dennoch ist die Versorgungsinfrastruktur dort – wohl wegen der sehr kurzen Saison von Mitte Juni bis Mitte September – eher dürftig. Wer in Lone Pine übernachten möchte, findet mit ***Best Western*** und ***Comfort Inn*** etwas südlich des Ortes ordentliche Hotels der Mittelkasse, ab $69. Im Ort gibt es noch diverse Einfach-Motels und das ältere ***Dow Villa Hotel*** mit ein bisschen Wildwest-Flair; www.dowvillamotel.com.

Ein hübscher und ruhiger, während der Woche in der Regel nicht voller **Campingplatz** (ohne *Hook-ups*) befindet sich am **Diaz Lake** südlich des Ortes, nur wenig weiter der ***Boulder Creek Campground*** mit *Pool* und und den üblichen Einrichtungen für RVs direkt an der #395, © (760) 876-4243.

Alabama Hills

Eine tolle Angelegenheit sind die ***Alabama Hills***, unmittelbar westlich der Stadt. Einmalig abgerundete Felsen in tausenderlei Formen und Zusammensetzungen bilden dort charakteristische Hügel, die zahlreichen Western als Kulisse dienten. Mitten durch diese Landschaft führt die ***Movie Road***, die etwa 2 mi westlich Lone Pine von der Portal Road abzweigt. Es genügt, die – recht holprige – Schotterstraße samt einiger Verzweigungen 2-3 Meilen hineinzufahren. Man entdeckt ganz automatisch sensationelle Formationen und Fotomotive, dazu im Hintergrund die schneebedeckten Zacken der *High Sierra*. **Klettern** in den Felsen ist wegen ihrer extrem rauhen Struktur leicht, aber auch ein ziemlich hautabschürfendes Unterfangen, daher Vorsicht.

Information

Eine spezielle *Alabama Hills*-Karte und alles, was man über die hier gedrehten *Western* wissen möchte, gibt's im Büro der ***Chamber of Commerce*** in der 126 South Main Street (#395). Ein Buch »*On Location in Lone Pine*« hat noch mehr Details. Viele der einstigen Stars haben sich per Schnitzmesser in der Tür des *Lone Pine Indian Trading Post* verewigt.

Fahrweg durchs Western-Movieland Alabama Hills; im Hintergrund die Gipfel der Sierra Nevada

Infomaterial hat auch das sehr gut ausgestattete ***Interagency Visitor Center*** an der Abzweigung der #136 von der #395, u.a. Karten und Broschüren zu *Campgrounds* und *Trails* der Region.

Mount Whitney

Von Lone Pine aus kann man sich auf der *Whitney Portal Road* bis auf wenige Meilen dem 4.350 m hohen ***Mount Whitney*** nähern, dem höchsten, auch im Sommer schneebedeckten Gipfel der USA (ohne Alaska). Die ca. 13 mi von Lone Pine bis zum Ausgangspunkt des Gipfeltrails sind auf der bis oben asphaltierten Portal Road in 30 min bewältigt.

Whitney Portal

Am Ende befinden sich der im Sommer meist voll besetzte ***Whitney Portal Campground*** und eine herrliche ***Picnic Area*** am obersten Parkplatz (ganz durchfahren bis zum Straßenende). Ein rauer, schöner ***Trail*** am Wildbach entlang verbindet beides (20 min). An gut besuchten Tagen gibt es Parkprobleme. Speziell Sommerwochenenden sind weniger geeignet für diesen Abstecher.

Wer in diesem Bereich gern campen möchte, aber nicht unterkommt, ist mit den ***Lone Pine*** (traumhaft!) und ***Turtle Creek Campgrounds*** am Fuße der Sierra sogar besser bedient als oben.

Gipfeltrail

Der Gipfel des ***Mount Whitney*** ist vom Startpunkt etwa 18 km entfernt und als Tagesmarsch auf extrem gerölligen und steilen Pfaden retour nicht zu schaffen. En Route liegen einige *Camps*. Für den Gipfelsturm benötigt man ein ***Permit***, das in der ***NF-Ranger Station*** in Lone Pine (!) vergeben wird. Ohne *Permit* darf nur eine – durchaus erwägenswerte – Teilstrecke im unteren Bereich ohne Übernachtung abgelaufen werden.

Eine echte Alternative ist der **4-mi-*Trail*** vom Campingplatz *Lone Pine* hinauf zum *Mount Whitney Trailhead* bzw. von dort hinunter für alle, die den *one-way*-Transport organisieren können.

Beide Fotos wurden an nur ca. 8 mi voneinander entfernten Punkten innerhalb von 30 min aufgenommen. Hier die Portal Road in Richtung Mount Whitney 10 mi von Lone Pine entfernt

Zum Death Valley

Von Lone Pine zum *Death Valley* geht es auf den **Straßen #136/ #190** durch eine scheinbar endlose Einsamkeit.

Nach Las Vegas

Im Sommer durch die Backofenhitze des *Death Valley* zu fahren, ist aber nicht jedermanns Sache und mit gemieteten Campmobilen meist unzulässig. In beiden Fällen bleibt nichts anderes übrig, als den Nationalpark über Ridgecrest zu umgehen und Barstow an der I-15 (➤ Seite 308) anzupeilen. Diese 180-mi-Strecke ist eintönig und bietet keine Abwechslung.

Trona Pinnacles

Aber 17 Meilen östlich von **Ridgecrest** sind die ***Trona Pinnacles***, Drehort für eine Reihe von Szenen der ***Star Trek*** Serie, ein prima Ziel für einen **Abstecher** (Straße #178 und einige Meilen *Dirt Road;* Zustand vor Antritt der Fahrt erfragen). Nicht nur eigenartige **Tuffsteingebilde** wie am Mono Lake, jedoch in der Wüste, sind zu bewundern, sondern auch eine aus der Autowerbung bekannte einsame, eigens hierher versetzte und niemals betriebene **nostalgische Tankstelle**. Man darf dort auch campen. Ansichten: www.promisedplanet.com/Jupiter2000/TronaPinnacles.htm

Bei Lone Pine: Interagency Visitor Center

2.4.4 Death Valley National Park

Anfahrt von Westen

Wer von Westen ins *Death Valley* kommt, durchquert auf den **Straßen #136** und **#190** auf schier endlosen Talfahrten und Aufstiegen über zwei Höhenzüge (über 1500 m auf und ab) totale Einsamkeit voll sagenhafter Formationen im Blickfeld.

Death Valley NP

Das **Tal des Todes** ist der Boden eines ausgetrockneten Salzsees, dessen tiefster Punkt 84 m unter NN liegt (unweit der Straße #178 ca. 18 mi südlich Furnace Creek). Hohe **Gebirgszüge** zwischen Tal und Pazifik halten Niederschläge fast ganz fern. Die Sommer sind glühend heiß: Von Juni bis September über 40°C im Tagesdurchschnitt, bisweilen über 50°C; abends kühlt die Luft kaum ab. Annehmbare bis – im Winter – angenehme Temperaturen herrschen von Oktober bis April. www.nps.gov/deva

Durchfahrt

Die meisten Camper-Verleiher untersagen wegen der Hitze und des endlosen Anstiegs bei der Ausfahrt über die Straße #190 in beide Richtungen von Mai bis September Fahrten ins *Death Valley*. Ob nun im Campmobil oder Pkw, vor einer Fahrt ins *Death Valley*

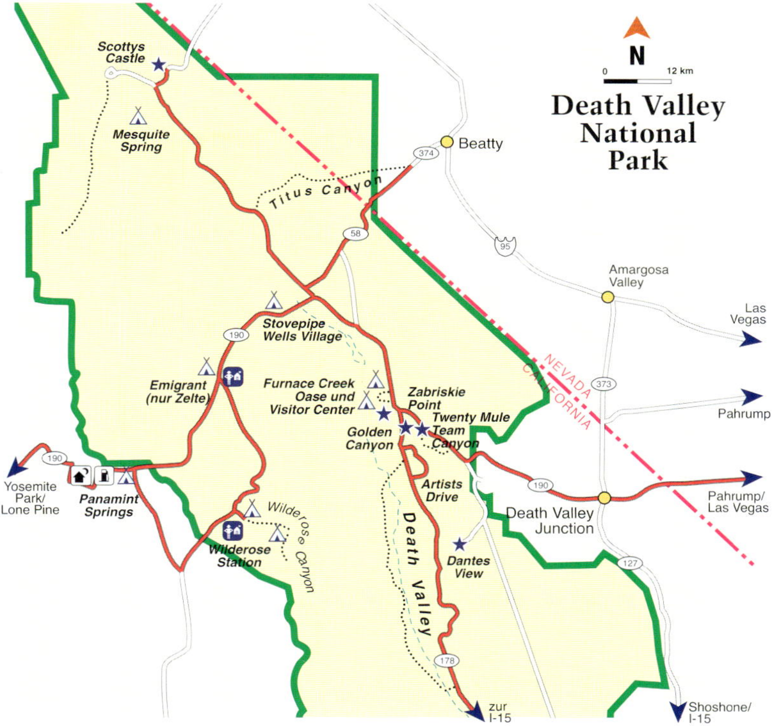

im Sommer sollte man **Kühlwasser, Olstand sowie Sitz des Keilriemens checken**. Im Fall einer Panne bei großer Hitze darf man nicht versuchen, zu Fuß Hilfe zu holen, sondern sollte am Auto warten. Eine gute Idee sind reichliche Vorräte an Trinkbarem und ein voller Tank. Bei Anfahrt von Westen, unbedingt in Lone Pine volltanken, denn vielleicht ist die nächste und einzige Tankstelle vor Stovepipe Wells in Panamint geschlossen oder *out of gas*.

Das ***Visitor Center*** in der Oase ***Furnace Creek*** informiert über die geologischen Ursprünge des Tals und den Artenreichtum von Flora und Fauna in scheinbarer Leere, 8-17 Uhr täglich. Dort ist auch der Eintritt für alle fällig, die noch nicht an den Einfahrten gezahlt haben (Automat oder Toll-Häuschen): **$10** pro privates Fahrzeug oder ***America the Beautiful Pass***; www.nps.gov/deva.

Camping und Unterkunft

Die Oase Furnace Creek verfügt über einen großen ***Campground*** der Einfachkategorie (Wasser, keine Duschen!). Die Plätze unter Bäumen sind immer als erste vergeben. **Reservierung** übers zentrale NP-System, ➢ Seite 200; Sommer $12, Winter $18.

2

Die ***Furnace Creek Ranch Lodge*** verfügt über einen von einer warmen Quelle gespeisten großen ***Pool*** und ein Steakhouse mit Bar: © (760) 786-2345; www.furnacecreekresort.com, $116-$193. Weitere Unterkunft im ***Stovepipe Wells Motel***: © (760) 786-2387; ab $111; www.stovepipewells.com.

Panamint Springs

Wer es einrichten kann, sollte überlegen, eine Übernachtung in ***Panamint Springs*** zu buchen. Der kleine Komplex aus **Restaurant, Motel mit *Cabins*, *Campground* und Tankstelle** liegt zwischen zwei Passhöhen, die von der Straße #190 im Westteil des Parks zu überqueren sind. Dort ist es wegen der Höhe bei weitem nicht so heiß wie im zentralen Teil, aber (auch abends) wärmer als etwa in Lone Pine. Die dort abends vorherrschende komplette Ruhe und Einsamkeit ist beeindruckend. Und den Durst löscht man auf der Terrasse mit herrlichem Weitblick, am besten zum Sonnenuntergang. Dort schmecken auch die Steaks viel besser als in der nächsten Stadt. **Reservierung** unter © (775) 482-7680; www.deathvalley.com/reserve/reserve.shtml. Die Übernachtung kostet ab $79; **Camping** für RVs ab $20; Zelt $15.

Mahagony Flat

In dieser Ecke des Parks kann man gratis (primitiv) **campen**, und zwar bei *Emigrant Junction* und auf kleinen Plätzchen im Bereich *Mahagony Flat*. ***Wildrose*** (ganzjährig) und ***Emigrant*** (nur Zelte) haben sogar Wasser und kosten dennoch keine Gebühren.

Sanddünen

Bei Stovepipe Wells im Straßendreieck #190/#267 erstrecken sich **30 m hohe Sanddünen**, die sich auf vielen Fotos im Abend-/Morgenlicht oder bei Vollmond gut machen. Sie sind von mehreren Punkten an der #190 am besten zu erreichen. Unmarkierte *Trails* laufen von Parkbuchten an der Straße hinüber zu den weithin sichtbaren gelben Wanderdünen (ca. 400-500 m).

Wichtigste Anlaufpunkte

Die reizvollste Strecke durch das Tal des Todes ist die **Straße #178** (Shoshone–Furnace Creek) in Verbindung mit dem Ostabschnitt der #190. Unbedingt sollte man den farbenprächtigen ***Golden Canyon*** durchwandern (ab 30 min retour zum Parkplatz) und den noch ein paar Meilen weiter südlichen ***Artist Drive*** abfahren. Die goldfarbene Schlucht liegt unterhalb des phänomenalen ***Zabriskie Point***, dem absoluten Muss jeden Besuchs, ➤ Foto rechts.

Gleich dahinter beginnt der ***Twenty Mule Team***-Rundkurs, eine raue Schotterstraße durch weitere Sandsteinformationen eines *Canyon*. Wer über Extrazeit verfügt, wird auch die 30 mi retour zum Aussichtspunkt ***Dantes View*** nicht bereuen.

Blick vom Zabriskie Point nach »hinten« bzw. Osten talauswärts; ins Tal hinein ➤ *auch Foto Seite 309*

Scottys Castle

Im nördlichen Death Valley kann man ***Scottys Castle*** bewundern, ein **schlossartiges Anwesen** in mexikanischem Stil. Für $11, bis 15 Jahre $6 Eintritt (geführte Tour, ggf. Wartezeit) gibt es in *Scottys* Palast sogar einen Wasserfall im und das Tunnelsystem unter dem Haus zu sehen. Dennoch: der hin- und zurück 72 mi weite (Um-) Weg auf teilweise kurvenreicher Strecke lohnt sich nur für Leute, die wirklich viel Zeit haben. Die Oase samt Castle und glasklarem Quellbach ist zwar durchaus sehenswert, erfordert aber für An-/Abfahrt leicht 2 Stunden. Mit Besichtigung, und sei es auch ohne Tourbuchung, aber Spaziergang hinauf zum Hügel mit Scottys Grab hoch über seinem Anwesen, ist schnell ein halber Tag vergangen. Tourinfo unter © (760) 786-2392.

Nach Las Vegas

Las Vegas ist von der *Furnace Creek Ranch* auf der Straße **#190 über Pahrump**, der schnellsten Route, ca. 120 mi entfernt. Wer den südlichen Teil des Parks mit dem tiefsten Punkt durchqueren möchte, fährt über Shoshone bis Baker allein 130 mi. Von dort nach Las Vegas sind es weitere 90 mi.

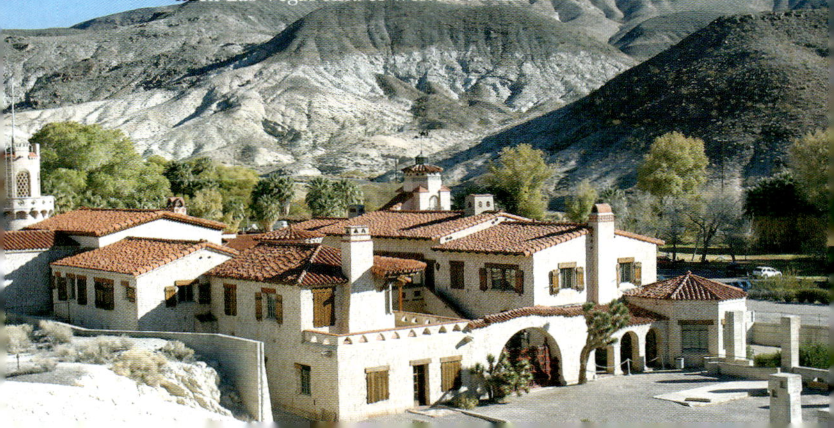

3. LAS VEGAS UND UMGEBUNG

3.1 Las Vegas

Kennzeichnung

Las Vegas im Südostzipfel von Nevada liegt in einer vegetationsarmen, flachen **Wüstenlandschaft** 600 m über NN. Im Osten der Stadt erstreckt sich der durch den Colorado River gebildete Stausee *Lake Mead*, im Westen erheben sich Gebirgsformationen bis 3.600 m Höhe, in denen im Winter sogar Ski gelaufen wird.

Auch wer keine Lust verspürt, »Daddelautomaten«, sog. *Slot Machines*, zu füttern, am Roulette-Tisch auf den großen Dollarsegen zu hoffen oder sich eine der vielen Shows anzusehen, sollte mindestens einen Tag und einen Abend für Las Vegas einplanen. Denn einen Besuch wert ist die Stadt in der Wüste, gleich wie am Ende das eigene Urteil ausfällt.

3.1.1 Geschichte, Klima und Orientierung

Geschichte

Las Vegas, entstanden um eine Oase an einem der *Immigration Trails* von Osten nach Kalifornien, war bis Beginn der 1930er-Jahre nur ein kleines Mormonenstädtchen mit Bahnstation an der Strecke Los Angeles–Salt Lake City. Als im Jahr **1931** in Nevada die **Aufhebung des** sonst landesweit geltenden **Glücksspielverbots** beschlossen wurde, begannen zufällig auch die Arbeiten für den Bau des ***Hoover Dam***. Scharen von Arbeitskräften strömten in die Las Vegas Region und kamen gerade recht, um an den Segnungen der liberalisierten Gesetzgebung zu partizipieren. Kein Wunder, daß dort die Kasinos besonders schnell aus dem Wüstensand wuchsen und – einmal vorhanden – mehr Spieler anzogen als jede andere Stadt. Die Fertigstellung der *Hoover*-Kraftwerke sorgte zudem für preiswerten elektrischen Strom, Voraussetzung für den Betrieb unzähliger Klimaanlagen und die üppige Beleuchtung der Fassaden und Spielsäle.

Zahlen heute

Erstaunlicherweise ist ein Ende der nur vom 2. Weltkrieg unterbrochenen Expansion nicht in Sicht. Jedes Jahr entstehen wieder neue Kasinos und bekannte Anlagen expandieren mit immer größeren Hoteltrakten, Show- und Amusementkomplexen der Superlative. So stockt das *Venetian* sein *Hotel Palazzo* gerade um 50 zusätzlich Etagen für 3000 (!) Luxussuiten auf, und zwischen *Bellagio* und *Monte Carlo* entsteht zur Zeit das *City Center* mit 4000 Zimmern in zwei neuen Hotels. Mit deren Fertigstellung wird die Zahl der in Las Vegas offiziell existierenden Hotelzimmer auf über 140.000 steigen – mit sicherlich über 300.000 Betten. Und als ob die zusätzlichen Kapazitäten automatisch mehr Besucher generieren: auch deren Zahl steigt von Jahr zu Jahr. Waren es 2004 noch 36 Mio, zählte man 2006 schon über 39 Mio. Keine Frage, dass 2007 die 40 Mio übersprungen werden. Nur die sich mittlerweile immer schärfer abzeichnende Wasserknappheit und Engpässe bei der Stromversorgung könnten dieser Entwicklung Abbruch tun.

Klima

Im Sommer wird es in Las Vegas häufig extrem heiß. Nahezu unerträgliche Hitze über 40°C ist zwischen Juni und Mitte September keine Seltenheit. Wegen der geringen Luftfeuchte lassen sich Temperaturen bis 30°C aber noch einigermaßen aushalten. Abends bleibt es wegen der aufgeheizten Asphalt- und Betonflächen, aber auch wegen der Abluft aus unzähligen Klimaanlagen in Las Vegas erheblich wärmer als außerhalb. Frühjahr (April/ Mai) und Herbst (Mitte September bis Mitte November) sind klimatisch am angenehmsten. In den kühleren Monaten Oktober bis April herrscht am meisten Betrieb. Als absolute Hochsaison gelten die Weihnachtstage/Neujahr und die Osterzeit. Da die Wüste von Nevada im Durchschnitt kaum mehr als 10 cm Niederschlag jährlich erhält, stehen an windigen Tagen mitunter riesige Sandwolken über der Stadt.

Orientierung

Durch die heute etwa 550.000 Einwohner zählende City (Großraum über 2.000.000) läuft in Nord-Süd-Richtung die – im Stadtbereich extrem belastete – *Interstate* #15. Nördlich des Zentrums kreuzt die Autobahn #95/I-515 die I-15. In südliche Richtung führt sie nach Boulder City und an den Lake Mead. Innerhalb dieses »Autobahn-Halbkreises«, der nach unten vom *Airport* und noch etwas weiter südlich durch den *Horizon Ridge Parkway* (I-215) in Richtung Henderson/Boulder begrenzt wird, befindet sich der Kernbereich von Las Vegas mit dem alten **Zentrum um die Fremont Street** und dem Las Vegas Boulevard, besser bekannt unter der Bezeichnung ***Las Vegas Strip***. Dieser verläuft **parallel zur *Interstate* #15** und ist nicht zu verfehlen.

Zwischen *Strip* und *Fremont Street Mall* liegt nördlich des *Stratosphere Tower* ein Stadtgebiet ohne Lichterglanz, das tagsüber »nur« schäbig wirkt und bei Nacht ganz gemieden werden sollte.

Kriminalität

Generell ist Kriminalität in Las Vegas aber kein Problem für die Besucher. Überfälle, Mord und Totschlag würden die Millionen fernhalten, ohne die Las Vegas nicht existieren kann. Die Brieftasche dennoch gut im Auge zu behalten, ist keine schlechte Idee.

Wasserballett nach klassischen Klängen vor dem Bellagio alle 15-30 min bis Mitternacht

3

Zentrum und »Strip«

Die jedes Jahr weiter ausufernde ***Action*** konzentriert sich mehr und mehr auf den **Las Vegas Boulevard**. Die Kasinos im **Zentrum** an der ca. 300 m langen ***Fremont Street Mall*** sind zwar mit ihrer lückenlosen Ballung von Leuchtreklamen und den ***Light Shows*** am **Kunsthimmel** nachts ein prima Motiv für die Kamera, aber **mehr los ist am *Strip***. Dort stehen alle der erst in jüngerer Zeit entstandenen Superpaläste mit integrierten *Amusement Parks*, Showbühnen und open-air Attraktionen. Zum Kennenlernen kann man den zentralen Bereich zwischen **Sahara** und **Tropicana Ave** (*Circus Circus* bis zum *Luxor*, von dort Gratisbahn bis *Mandalay Bay*) noch gut zu Fuß ablaufen (etwas über 3 km), sofern es nicht zu heiß ist.

3.1.2 Information und Besuchsplanung

Vorüberlegungen

In Las Vegas kommt ohne weiteres ohne Vorinformation aus, wer sich einfach am *Strip* »treiben« läßt. Aber mehr vom Besuch hat man mit einer **Karte in der Tasche**, in der alle **Kasinokomplexe** aktuell verzeichnet sind, und einer Vorstellung davon, was einen wo erwartet. Nur so kann man bei ja meist begrenzter Zeit das Beste aus seinem Aufenthalt machen. Ohnedem besteht die Gefahr, bei weniger spannenden Attraktionen Stunden zu »vertändeln«, die später fehlen. Hilfreich für eine gute Vorinformation und grobe Besuchsplanung mit Prioritäten, was man unbedingt sehen/machen möchte, ist – neben diesem Buch – das **Internet**.

Internet Portale

Gerade für Las Vegas gibt es **jede Menge Internet-Portale**, darunter auch **deutschsprachige Websites**. Sehr gut zur Information über fast alles und jedes wie auch zur Buchung (Shows, Hotels, Flüge und mehr) geeignet sind z.B.:

www.vegas-online.de, www.vegas4you.de, www.lasvegas-city.de

Informativ und originell ist die offizielle Seite der ***Las Vegas Convention and Visitors Authority***: www.visitlasvegas.com

Auch hilfreich sind www.vegas.com und www.lasvegas.com

Shows vorab online buchen

Insbesondere, wer die eine oder andere Show besuchen möchte, sollte sich im Vorwege zu Hause im Internet orientieren und ggf. zeitig online buchen. Für die besten Shows gibt es kurzfristig vor Ort oft keine Tickets mehr, und selbst wenn, dann bedeutet deren Beschaffung häufig Stress: der Favorit ist ausverkauft, die Alternative vielleicht zu teuer oder unpassend mit den Zeiten, man muß anstehen, telefonieren u.a.m. Mehr zu den Showtickets und deren Besorgung erst vor Ort weiter unten.

Wer weniger von Internetbuchungen hält, da es z.B. ohne Einspeisung der Kreditkartennummern ins Netz nicht geht, kann vieles auch schon bei uns im **Reisebüro** buchen.

Info vor Ort

Einmal in Las Vegas angekommen, hilft das Internet nur noch Reisenden, die ins Internet-Cafe gehen oder ihren *Laptop* dabei haben und das mittlerweile weit verbreitete **Wireless LAN** im Hotel, auf dem *Campground*, sogar in *Fast Food* Lokalen nutzen.

Info Center

So der so, ganz ohne **Gedrucktes** kommt man nicht aus. Und das gibt's am besten in den offiziellen Büros der ***Visitor*** oder **Tourist Information** (*Convention and Visitors Authority*):

- im ***Main Terminal*** des Flughafens und im **Concourse C**
- in der **3150 South Paradise Road** gegenüber *Hilton Hotel & Casino*, Mo-Fr 8-18 Uhr, Sa+So 17 Uhr; © 1-877-VISITLV

Die lokale ***Chamber of Commerce*** (»Handelskammer«) im 3720 Howard Hughes Parkway, Mo-Fr 8-17 Uhr, hat ebenfalls Material für Touristen. Wer von Süden mit dem Auto über dem Las Vegas Blvd anfährt, passiert diverse »*Tourist Informations*«, in Wahrheit Souvenirshops und Hotel-/Ticketagenturen, die ebenfalls jede Menge Unterlagen und viel Werbung haben.

Neben einem **Las Vegas Stadtplan** sollte man sich unbedingt mindestens eines der Info-Magazine ***Where to in Las Vegas, Showbiz, Vegas Visitor*** oder ***Las Vegas Show Guide*** besorgen. Damit dürfte einem nichts mehr entgehen. Es gibt sie auch in den Foyers vieler Hotels, bei den Autovermietern, sogar bei *McDonalds*.

Monorail als schnelle Verbindung zwischen den Kasinos auf der Ostseite des Strip

3.1.3 Transport in Las Vegas

Selbst fahren und parken

Wer per **Pkw/Minivan** nach Las Vegas kommt, hat kein Transportproblem, auch Parkplätze und Parkhäuser sind reichlich vorhanden, meist allerdings kostenpflichtig Wer am Strip logiert, läßt sein Auto aber am besten bei der Unterkunft stehen. Mit einem **Campmobil** größer als *Van Camper* muss man sich nicht unbedingt in den dichten Verkehr am *Strip* stürzen, auch wenn geübte Camperfahrer sagen »kein Problem«. Wer schrammenfrei durchkommt, hat **mit RVs mehr Probleme beim Parken**. Denn Camper passen nicht in die stripnahen Parkhäuser, sondern nur auf die **Plätze für *Oversized Vehicles***, die regelmäßig ein Stück zurück liegen und daher zusätzliche Lauferei bedingen.

Ab Airport

Erreicht man Las Vegas per Flugzeug, kann man vom ***McCarran Int'l Airport*** mit ***Shuttle Buses*** zum ***Strip*** ($5) und nach ***Downtown*** fahren ($7) oder man wartet auf die **Busse #108** bzw. **#109** von CAT, siehe unten.

Taxi

Das **Taxi** ist zu zweit nicht viel teurer: zum oberen Ende des Las Vegas Blvd (*MGM/Luxor*) ca. $10, in den zentralen Bereich (*Mirage/Venetian*) ca. $12, zum *Stratosphere Tower* ca. $15 und nach *Downtown* ca. $20 plus **15% *Tip***.

Öffentlicher Nahverkehr

Für den öffentlichen Nahverkehr ist **CAT** zuständig: © (702) 228-7433. Die normalen Vorortlinien kosten $1,25; die den ***Strip*** 'rauf und 'runter fahrenden **Busse $2** (alle 7-10 min im 24-Std-Takt). Zwischen ***Mandalay Bay*** und ***Stratosphere Tower*** verkehren alle 15 min sog. ***Trolleys***, äußerlich auf alt gemachte kleine klimatisierte Busse, Einzelfahrt $1,75, **Tagespass $5**.

Seit 2005 verbindet eine **Monorailbahn** die meisten Kasinos auf der Osteite des Strip ab/bis ***MGM Grand*** bis hinauf zum **Sahara** (Ecke Sahara Ave). Die Trasse läuft in teilweise großem Abstand zum Strip hinter den Kasinos entlang. Der Zur fährt im 15-min-Takt; Einzelfahrt ist sehr teuer mit $5, Tagespass $15. Verlängerungen zum *Airport* und nach *Downtown* sind geplant. Details im Interne unter www.lvmonorail.com.

Weitere separate Monorailbahnen verbinden schon seit Jahren **gratis** *Excalibur*, *Luxor* und *Mandalay Bay*, die Kasinos *Mirage* und *Treasure Island* und das *Bellagio* via Kasino *Boardwalk* mit dem *Monte Carlo*.

Von der Monorail Station geht es durch die Sphinx mitten hinein in die Luxor Pyramide

3.1.4 Unterkunft und Camping

Las Vegas verfügt über rund 140.000 Hotelzimmer, wenn aber zu den üblichen Besucherscharen auch noch 20.000 Kongressteilnehmer kommen, wird selbst diese Kapazität schon mal knapp. Generell sind an Wochenenden Zimmer durchweg erheblich teurer als ab Sonntag bis Donnerstag Abend und in den populäreren Kasinos häufig ausgebucht.

Unterkünfte sind grundsätzlich wie folgt zu unterscheiden:

Kasinohotels

Die **Kasinos** sind zwar daran interessiert, Spieler übers Hotel ins Haus zu bringen. Aber das bringt in den attraktiven Kasinopalästen keinesfalls (mehr) Niedrigstpreise für die Übernachtungen mit sich. Nur in weniger bekannten Kasinos gibt`s noch richtig billige **Betten ab ca. $30** (speziell im Bereich Fremont Street *Downtown*). Aber auch in den Kasinos der Mittelklasse, vor allem wenn sie nicht direkt in zentralen Bereich bzw. etwas abseits des Strip liegen, kommt man So-Do oft erstaunlich günstig unter. Außerhalb bestimmter Perioden in der Wintersaison und ohne Großkongress kosten dann die Zimmer, etwa im ***Sahara*** oder ***Stratosphere Tower***, nur um die $40. Hier eine **Auswahl populärer Kasinohotels am *Strip***, die So-Do mit moderaten Tarifen werben:

Neuere Kasinopaläste wie **Bellagio, Venetian, Wynn, Paris** oder **Mandalay Bay** sind auch So-Do deutlich teurer

- **Circus Circus,** © (702) 734-0410, © 1-800-444-2472, ab $42
- **Excalibur,** © (702) 597-7777, © 1-800-643-9956, ab $59
- **Luxor,** © (702) 262-4000, © 1-888-395-9435, ab $79
- **MGM,** © (702) 891-1111, © 1-800-388-2228, ab $89
- **Mirage,** © (702) 740-6969, © 1-800-723-1723, ab $99
- **NewYork, NY,** © (702) 791-7111, © 1-888-852-5683, ab $84
- **Treasure Island,** © (702) 894-7444, © 1-800-879-5361, ab $69
- **Monte Carlo,** © (702) 730-7777, © 1-800-822-8652, ab $69

Die angegebenen Minimalpreise sind nicht unbedingt jede Woche zu realisieren, sondern nur zu Zeiten geringerer Auslastung. Freitag und Samstag gelten doppelte bis dreifache Tarife. Hinzu kommen ***Hotel Taxes* in Höhe von 9%-11%**, kategorieabhängig.

»Normale« Hotels

Zahlreiche Hotels ohne Kasinobezug liegen preislich innerhalb ihres auch sonst üblichen Rahmens, passen aber die Effektivpreise der jeweiligen Buchungssituation flexibel an. Preiswerte Motels der Einfachkategorie gibt es am Südende des *Strip* gegenüber *Mandalay Bay* und zwischen Sahara Ave und *Downtown* am »Strip«.

Aktuelle Tarife/ Reservierungsportale

Tagesaktuelle Tarife für alle Kasino- wie auch »normale« Hotels samt Buchungsmöglichkeit findet man u.a. unter

www. vegas-online.de,

www.lasvegashotel.com,

www.VegasView.com

Zentrale Reservierung

Wer schon vor Ort ist und sich die Mühe individueller Suche sparen will, könnte eines der **Reservierungsbüros** am südlichen Ende des *Strip* ansteuern (von I-15 Abfahrten #33 oder #34) oder einige Tage vor Ankunft einen **Reservierungsservices** anrufen, z.B.

Reservation-Hotline © 1-888 -826-6548

Man kann für ein rasches Ergebnis einen Höchstpreis nennen oder nach dem billigsten Quartier fragen. Letztere sind oft die – gar nicht schlechten – Zimmer in den Kasinos im Bereich der ***Fremont Street Mall*** oder abseits des *Strip*; ab $30, ➤ oben.

Allein das MGM Grand Hotel und Casino mit dem goldenen Löwen vorm Portal verfügt über 5.000 Zimmer und Suiten

Hostels

Am 1208 Las Vegas Blvd nördlich der Kasinos befindet sich das ***SinCity Hostel***, © (702) 868-0222, www.sincityhostel.com. Im Mehrbettzimmer ab $19,50 pP; EZ/DZ ab $37.

Eine weitere Herberge ist ***USA-Hostels Las Vegas***, 1322 Fremont Street östlich der *Downtown Mall*, © (702) 385-1150 oder © 1-800-550-8958, in einem ehemaligen Motel mit Pool, Klimaanlagen etc. Das Bett kostet saison-/tagesabhängig $16-$26, www.usahostels.com; *free wireless* LAN (*Wifi*).

Camping am Strip KOA

Der einzige – sanitär sehr komfortable – *Campground* im Stripbereich (mit Pool, Whirlpool, Sauna, Wifi) ist ***KOA*** hinter dem ***Circus Circus*** Kasinokomplex (Einfahrt über Las Vegas Blvd oder Industrial Road, dann Circus Circus Drive, © **(702) 733-9707** bzw. © **1-800-562-7270**. Tarife $30-$80 je nach RV-Größe, Jahreszeit, ob So-Do oder Fr+Sa; www.lasvegaskoa.com. **Keine Zelte**! In Anbetracht des Preisniveaus fragt sich, ob man für diese Tarife nicht genausogut ein Hotelzimmer bucht, zumindest So-Do.

Aber: in dieser Lage ist KOA der optimale Las Vegas-Platz für alle, die den Strip auch abends besuchen möchten. Von anderen Plätzen muß man zu den Kasinos weit fahren oder – ab spätem Abend nur noch sporadisch verkehrende, wenn überhaupt – *Shuttle*-Busse benutzen oder ein wegen der großen Entfernung teures Taxi nehmen.

Camping in Vegas

Rund um die Stadt existiert eine ganze Reihe von Campingplätzen, überwiegend sterile RV-Parks. Am *Boulder Highway* (I-515/#95/#93 Exit #70) liegen u.a. die folgenden ersten beiden:

- ***Arizona Charlie`s***, 4575 Boulder Hwy, © 1-888-236-9066, © (702) 951-9000, $20-$25, guter Platz, nur RVs
- ***Boulder Lakes RV Resort***, 6201 Boulder Hwy, © (702) 435-1157, ein komfortabler Großplatz noch ein Stück weiter weg von der Action. Nur RVs; ab $25.
- ***American Campgrounds***, 3440 North Las Vegas Blvd, © (702) 643-1222, $20-$25; hier kommen auch Zeltcamper unter.

Ein riesengroßer RV-Park mit allen Schikanen samt Golfplatz und palmengesäumtem Pool existiert südlich der Abfahrt #33 von der I-15 und dem Las Vegas Blvd South an der Windmill Ave. Das **Oasis RV Resort** kostet ab $36; © **1-800-566-4707**.

Camping am Lake Mead

Ruhiger und rauher campt man für geringere Gebühren ab $10 am Lake Mead, z.B. ***Boulder Beach Campground***, ca. 8 mi östlich von Boulder City in unmittelbarer Seenähe zwischen viel Grün mit dem Vorzug, zur Abkühlung, in die Fluten springen zu können (wiewohl die bei den meist vorherrschenden Wasserständen des Lake Mead oft weit sind). Wem das Campen auf diesem Platz (vor allem bei Hitze) zu unkomfortabel ist, findet im nahen ***Lakeshore Trailer Village*** einen bequemeren Platz mit Wasser- und Stromanschluss in Seenähe; 268 Lakeshore Road, © **(702) 293-2540**. Die Lakeshore Road ist die Straße #166, die am *Visitor Center* des *Nat'l Park Service* für den Lake Mead von der Straße #93 in Richtung Hoover Dam/Kingman/Grand Canyon abzweigt.

Heiraten in Nevada

Das Gesetz verlangt, daß beide Partner mindestens 18 Jahre alt sein und dies durch eine ***Identification***, also z.B. den Reisepass, unter Beweis stellen müssen. Dann steht der umgehenden Ausfertigung einer ***Nevada Marriage License*** für $60 (in bar) nichts entgegen. Sie ist Mo-Do bis Mitternacht und Freitag bis Sonntag rund um die Uhr erhältlich im ***Court House***, 200 South 3rd Street, © (702) 455-4415. Beide Partner müssen dort immerhin persönlich erscheinen. Mit der »Heiratslizenz« geht man zu einer beliebigen ***Wedding Chapel*** (einige sind sogar in Kasinos integriert), wo der Bund fürs Leben je nach Ausstattung ab $50 aufwärts plus Spende für den Reverend (Pfarrer) besiegelt wird. Ein Trauzeuge wird bei Bedarf mitgeliefert – einer genügt, der Pfarrer gilt zur Not als der erste Zeuge. Wer die Gültigkeit der Eheschließung zu Hause anerkannt wissen möchte, muß zunächst eine Beglaubigung der erfolgten Eheschließung (*Certification* $10) durch das ***Clark County Registration Office*** besorgen (500 S Grand Central Parkway), außerdem sind $20 zu entrichten für die eigentliche **Heiratsurkunde** (***Apostille***), die zugeschickt wird. Die Gebührenzahlung muß mit einer beim Postamt zu kaufende *Money Order* erfolgen. Zurück in der Heimat muß man auch noch eine Beglaubigung und Übersetzung vorlegen; die gibt's für Deutsche und Österreicher gegen entsprechende Gebühren beim deutschen Honorarkonsul: ***German Consulate***, 900 E Desert Inn Road, Suite 103, Mo-Fr 10-12 Uhr, © 702-734-9700. Schweizer schicken ihre Unterlagen ans Konsulat in San Francisco. Im Internet findet man alle Details auch in deutscher Sprache auf vielen Websites: einfach *»Las Vegas Wedding«*, *»Las Vegas Marriage License«* o.ä. in eine Suchmaschine eingeben. Persönliche Erfahrungsberichte findet man unter www.zemann.de.

Wer sich die selbst in Nevada unvermeidliche Bürokratie und Organisation der eigenen Eheschließung ersparen möchte, bucht einfach das Las Vegas-Hochzeitspaket bei deutschen Profis: www.heirateninlasvegas.com.

Neben Las Vegas sind auch Reno und vor allem die Nevada-Orte am Lake Tahoe bevorzugte Standorte kommerzieller Hochzeitskapellen. Angeblich werden alljährlich über 50.000 Paare aus aller Welt in Nevada getraut. Abgesehen davon, kann man sich auch in Gottes freier Natur über dem Canyon des Colorado River bei den Navajos in Page/Arizona trauen lassen. Infos unter www.destinationusa.net, ➤ auch Seite 462.

Hier eine Drive-thru-Chapel am Strip, wo die Paare noch nicht einmal aussteigen müssen, um den Bund fürs Leben zu schließen.

3.1.5 Kasinos und was dazu gehört

In den Kasinos

Neben den Kasinos und den mit ihnen verbundenen Attraktionen findet man in Las Vegas nicht so ganz viel Sehenswertes. Glücksspiel, *Show* und *Entertainment* dominieren die Stadt. Spielen darf indessen erst, wer das 21. Lebensjahr vollendet hat. In den weitläufigen Spielhallen überwiegen ***Slot Machines*** (einarmige Banditen). Außerdem werden ***Poker***, ***Blackjack*** (17 und 4) ***Keno*** (Zahlenlotto), ***Bingo, Baccarat*** und ***Roulette*** gespielt. Für die meisten undurchschaubar ist das Würfelspiel ***Craps*** an langen, wannenartigen Tischen mit einer Mannschaft von gleich **4 Croupiers**.

> **Achtung:**
> Kinder/Jugendliche unter 21 haben selbst mit Eltern keinen Zutritt!!

Für – erkennbar aktive – Spieler sind die **Getränke gratis**, die Bedienung erwartet aber wenigstens $1 *Tip*. Nur-Zuschauer warten vergeblich auf den Drink; ihnen wird gesagt: ***You must be playing***!

Spielsäle

Einmal **im Inneren der Kasinos** wird man feststellen, daß sich die riesigen Spielsäle im Prinzip kaum voneinander unterscheiden, nur Architektur und Dekoration werden immer aufwendiger. Die einarmigen Banditen dominieren jede Etage. ***Roulette, Black Jack*** und ***Craps*** sind überall identisch. Nur die Anordnung der **Pokertische** und der Stuhlreihen für ***Keno*** – eine Art Lotto mit laufenden Ziehungen und schlechten Chancen – und ***Bingo*** differiert. Kurz, es bleibt sich ziemlich gleich, wo man spielt oder anderen über die Schulter schaut.

Gutscheine/ Coupons

Viele Kasinos locken Besucher mit Gutscheinen (***Coupons***) für kostenlose Spielchips, Bier oder Cocktails für $1 und manches mehr in ihre Häuser. Preiswerte Mahlzeiten oder freie *Drinks* bekommt man oft auch ohne Gutscheine, und der – in einigen Kasinos gebotene – Gratisgriff an spezielle *Slots* für Couponinhaber lohnt selten das Anstehen.

Leibliches Wohl

Viele Kasinos werben mit **Buffetmahlzeiten** für nur ein paar Dollar. Bekannt für seine ***All-you-can-eat*-Billigbuffets** wurde einst ***Circus Circus***. Als viel besser gelten heute die Buffets im ***Mirage***, im ***Golden Nugget*** und im ***Excalibur***. Exzellent ist das ***Seafood Buffet*** im ***El Rio*** in der Flamingo Road etwas abseits des Strip nahe der I-15. Abends baut auch das ***Flamingo Hilton*** im *Paradise Garden* ein tolles Buffet auf.

Zahl- und variantenreich sind auch die ***Cafeterias*** und ***Food Courts*** in den Spielkasinos von der ***McDonald`s*** Filiale bis zum schicken **Bistro**. Ob es nun ein

Ein Märchenschloß a la Disney ist das Excalibur mit mittelalterlichen Ritterspielen »Tournament of Kings« als Dinner Show

Steak Diner oder eher gesunde Kost von der *Salad Bar* sein soll, in Las Vegas ist das Sattwerden eines der geringsten Probleme. Werbehefte der *Tourist Information*, Leuchtreklamen und Handzettel weisen den Weg zu Sonderangeboten.

Kleine **Snacks** wie ein paar *Nachos*, Popcorn oder ein Glas Krabbencocktail gibt es – speziell nach Mitternacht – hier und dort umsonst oder zum symbolischen Niedrigpreis.

Restaurants

In keinem Kasino fehlen andererseits ein oder mehrere gute Restaurants mit oft origineller Ausstattung, am besten in den Kasinos der neuen Generation wie ***Mandalay Bay***, ***Venetian, Bellagio, Paris, Treasure Island, Mirage*** und ***Luxor***; attraktiv ist auch immer noch ***Caesar`s Palace***. Auf dem ***Stratosphere Tower*** gibt es in 250 m Höhe das ***Top-of-the-World-Restaurant***.

In den auf Seite 401 genannten Info-Magazinen findet man jede Menge Werbung auch für Restaurants und damit eine Übersicht, welche **Küche** wo geboten wird. Natürlich gibt es auch außerhalb der *Casino Row* Restaurants wie das unverfehlbare ***Hard Rock Café*** & ***Casino*** in der 4475 Paradise Road (gegenüber das **Hofbrauhaus!**) oder *Steven Spielbergs* ***Dive!*** im **Shopping Center der Superlative** von *Donald Trump*, der ***Fashion Show Mall***.

Bars

Zu jedem Kasino gehört zumindest eine Bar, oft sind es auch mehrere. Dort kann man sich seinen Drink bestellen und bezahlen oder als aktiver Spieler darauf warten, daß der **Drink auf Kosten des Hauses** kredenzt wird. Ähnlich wie mit Billigbuffets werben viele Kasinos auch mit preiswerten Drinks!

Las Vegas Shows

Zu Las Vegas und zu seinen Kasinos gehören ***Show*** und ***Entertainment***. Für **bekannte Shows** wie *David Copperfield* und Nachfolger, *Cirque du Soleil, Mystère, Blue Man Group, We will Rock You* (*Queen*), *Mamma Mia* oder *Neil Diamond Revival* muß man tief in die Tasche greifen und vor allem lange im voraus buchen – im Internet oder beim heimischen Reiseveranstalter, ➤ oben.

Vorstellungen ohne Reputation und illustre Namen kosten ab $20 als ***Cocktail Show*** (später Nachmittag) oder ***Late Night Performance*** (Beginn 22.30-24 Uhr). Hauptshows um 20/21 Uhr sind teurer. Die einstige ***Diner Show*** gehört weitgehend der Vergangenheit an. Es gibt sie immer weniger; eine der Ausnahmen ist das ***Tournament of Kings*** im *Excalibur* (18 Uhr und 20.30 Uhr, $55+tax).

Wichtig zum Schluß: die Platzanweiser erwarten und erhalten fürstliche **Trinkgelder**: ab ***$5 per Party***.

Die Blue Man Group: von New York über Las Vegas mittlerweile auch bei uns

Showtickets

Vor Ort gibt's Showtickets zu – manchmal bis zu 50% – herabgesetzten Preisen täglich ab 12 Uhr bei ***Tickets2Nite*** unweit des MGM bei der Riesen Coca Cola-Flasche (✆ 1-888-236-9066, www.tickets2nite.com) und bei der Konkurrenz mit gleich 4 Standorten (u.a. *Fashion Show Mall* und Fremont Street) Tix4Tonight (✆ 1-877-849-4868, www.tix4tonight.com) ab täglich 11 Uhr.

Casino Nachtclubs

Auch in Las Vegas ist die Nacht nicht nur zum Spielen da. Jedes bessere Kasino hat einen ***Night Club*** bzw. eine ***Disco***, wo es erst nach den letzten Abendshows richtig abgeht, z.B.:

»***Coyote Ugly***« im ***New York New York*** bietet Südstaatenflair in Anlehnung an den gleichnamigen New Orleans Club, 18-04 Uhr, $10 nach 20 Uhr, keine besondere Kleiderordnung.

»***TABU***« im ***MGM*** ist in Stil und Ausstattung sehenswert: Di-So 22 Uhr bis Morgendämmerung, $15, Kleidung: modisch.

»***Cleopatra´s Barge***« im ***Caesars Palace*** ist eine in Cleopatra´s Schiff integrierte luxuriöse Cocktail-Lounge und Tanzbar. Musik und Shows jeden Abend 20:30-04 Uhr.

Im ***Palms*** – 4321 Flamingo Rd – gibt's im »***Rain***« Wasser-, Feuer- und Nebeleffekte über 3 Stockwerke. So-Mi $10; Do-Sa $20.

Tatsächlich Amerika, nicht Ägyten. Hinter dem schwarzen Glas der Pyramide verbergen sich die Zimmer des Luxor Casino Hotels

3.1.6 Am Las Vegas Strip

Distanzen/ Transport

Der spannende Bereich des heute ansehnlich mit Palmen »aufgeforsteten« 6-8-spurigenLas Vegas Boulevard ist gute **3 km lang**. Rechnet man noch den etwas außerhalb der größten Ballung stehenden *Stratosphere Tower* dazu, sind es von dort bis zum *Mandalay Bay* Komplex ganz im Süden **an die 5 km**. Die wird man – speziell bei Hitze – nicht immer ganz zu Fuß abklappern wollen. Wer pflastermüde wird, hat die Wahl zwischen Bus, Trolley, Monorail und Taxi, ➤ Kapitel 3.1.3 ab Seite 401.

Stratosphere Tower

Das obere Ende des *Strip* markiert der über 300 m hohe ***Stratosphere Tower***, dessen ***Observation Deck*** ($10, Kinder bis 12 Jahre $6) einen weiten Blick über die Stadt bis Lake Mead und die Fels- und Wüstenlandschaften der Umgebung bietet. Ein Nervenkitzel da oben in über 250 m Höhe war schon die mittlerweile stillgelegte Achterbahn aber sie wurde ersetzt, was den »Kick« angeht, durch Schlimmeres, nämlich ***Insanity***, eine Art Kettenkarussell an einem Schwenkarm, der die Drehvorrichtung weit über den Rand der Plattform schiebt. Man kann sich für den ***Big Shot*** auch noch 45 m höher katapultieren lassen und für Sekunden den freien Fall erleben. Wer bis dahin nicht genug *Thrills* erlebte, bucht noch **X-Scream**, eine »Rutschbahn«, die 12 m über den Rand des *Observation Deck* hinausragt und dann abgesenkt wird. Die Passagiere rasen schräg abwärts in die Tiefe. Den Tod vor Augen werden sie am Ende der Schiene wieder abgefangen. Jeder einzelne dieser *Thrills* (Schrecken) kostet noch einmal $8.

Treasure Island

Die gut 10 Jahre täglich gelaufene»Seeschlacht« zwischen englischem Linien- und Piratenschiff in der *Bucaneer Bay* vor ***Treasure Island***, einer »Schatzinsel« im karibischen Stil, wurde vor einiger Zeit abgesetzt und durch ***Sirens of TI*** ersetzt. Die Piraten kämpfen nicht mehr, aber sind noch da und erliegen Sirenengesängen, und zwar mehrfach jeden Abend ab 19.00 Uhr. Show, Akrobatik und Pyrotechnik. Zutaten wie gehabt und auch spektakulär. Schon lange vor Beginn dieser Gratisshow muß man sich ein Plätzchen am »Rand der *Bay*« (am *Strip* oder auf einer Restaurantterrasse am Wasser) sichern, sonst sieht man nichts.

Mirage

Nachbar von *Treasure Island* ist das ***Mirage***, ehemalige Showheimat der deutschen Magier ***Siegfried & Roy*** und ihrer weißen Tiger. Seit dem Unfall 2003 gibt es die Show nicht mehr.

Ein Bummel durch die parkartig begrünten und blumenprächtigen Fluchten des Kasinos (*Tropical Rainforest*) gehört unbedingt aufs Las Vegas-Programm. Der beste Teil davon ist der *Secret Garden & Dolphin Habitat* für indessen $15 Eintritt. Die Hotelgäste genießen die nach dem *Mandalay Bay* beste Poolanlage von Las Vegas.

Vor dem riesigen Komplex bricht ab Dämmerung bis Mitternacht alle 15 min ein **Minivulkan** rotglühend aus.

Wynn

Noch ziemlich neu ist ***Wynn***, ein Kasino luxuriöser Superlative zwischen dem *Venetian* und der Desert Inn Road schräg gegenüber der *Fashion Show Mall.* Ein Fußgängerbrücke über den Strip verbindet beide Komplexe. Einzelheiten zum für $2,7 Mrd. errichteten *Wynn Resort* mit dem höchsten Hotelbau von Las Vegas (über 2.700 Zimmer für mindestens $200+/Nacht) stehen im Kasten Seite 412.

Venetian

Gegenüber dem Mirage gleiten Gondeln auf den Kanälen des ***Venetian*** unter der Rialtobrücke hindurch in einen stilechten italienischen Palazzo hinein. Auch die ***Campanile*** fehlt da nicht, und die Shops sind vom Feinsten ganz wie in Venedig.

Ceasar's Palace

Obschon in die Jahre gekommen, ragt der – römischen Palästen nachempfundene – Bau von ***Caesar's*** immer noch weit aus der Masse der Kasinos heraus und kann innen wie außen ohne weiteres mit neueren Attraktionen mithalten. Insbesondere der Edel-Einkauf in der hauseigenen *Mall* ***Forum Shops*** erfreut sich großer Beliebtheit. Ein Zuschauermagnet ist dort der IMAX 3D-Simulator ***Race for Atlantis*** ($10).

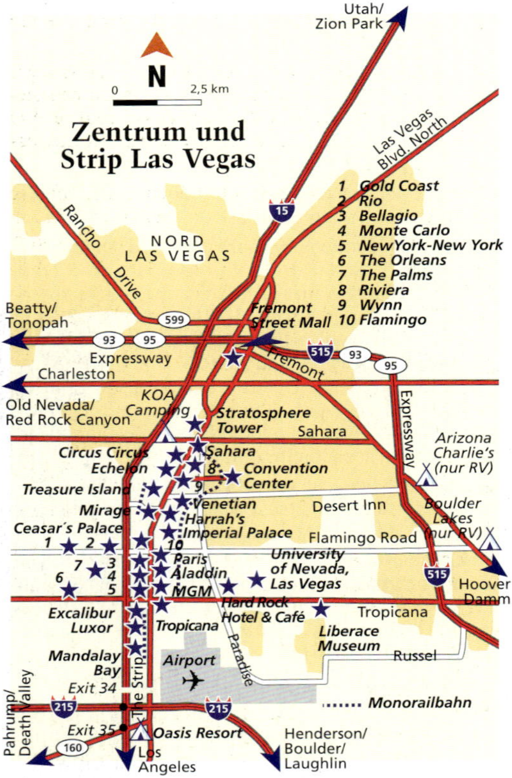

Bellagio

Nebenan steht das ***Bellagio*** mit einer geräuschärmeren Variante der Spielsäle. Hier gibt's auf dem See vor den Toren des Palastes alle 15-30 min bis Mitternacht ein »Wasserballett«: anmutig wechselnde Fontänen von `zig Metern Höhe zu klassischen Klängen, bei Dunkelheit in gleißendem Weiß. Ein großer Wintergarten im Casino quillt über vor Blütenpracht.

Paris

Wiederum schräg gegenüber steht im ***Paris*** der Eiffelturm zwar in einer 50%-Version, aber immer noch ziemlich eindrucksvoll und mit Aussichtsdeck. Unten sorgen französisch anmutendes Ambiente und die typischen Klänge von der Seine dafür, daß sich Besucher des P*aris, Paris* eine Reise nach Frankreich nun sparen können. Das Wichtigste hat man schließlich schon gesehen.

New York-New York

Der Komplex **New York-New York** an der Ecke Tropicana Ave wird von einer feingliedrigen steilen **Achterbahn** umrundet (gut erkennbar auf dem Foto unten, $12,50, dauert nur 2 Minuten). Eine 75%-Replika der **Freiheitsstatue** und eine 100 m lange ***Brooklyn Bridge*** sind die Zutaten zur *Skyscraper*-Kulisse. Die Gäste übernachten in Hochhäusern wie *Empire State Building*; zum Glück imitierte man keine *World Trade Towers*.

Excalibur

Ebensowenig wie *Treasure Island* verheimlicht das burgartige ***Excalibur*** die Anleihen bei *Disneyland*. Das ***Fairyland***, ein kleiner, auf kindliche Gemüter zugeschnittener *Indoor Amusementpark* im Tiefgeschoß. Beim 2x täglichen ***Tournament of Kings*** (18+20.30 Uhr, $45) sind in erster Linie die reiterischen Leistungen sehenswert, das mittelalterliche Dinner Nebensache. Reservierung unter ✆ 1-877-750-5464 oder online www.excalibur.com.

Luxor

Die Pyramide von ***Luxor*** mit der ***Sphinx*** am Eingang und nächtlichem Laserstrahl aus der Spitze ist eines der spektakulärsten Bauwerke am Strip und ein prima Fotomotiv. Hinter der verspiegelten Fassade verbergen sich die Hotelzimmer.

Diagonal gegenüber dem *Excalibur* sitzt der **MGM-Goldlöwe** vor einem Palast enormen Ausmaßes. Hinter dem Gebäude befindet sich der ***Grand Adventures Theme Park***, ein eher konventioneller Vergnügungspark im Jahrmarktstil. Einen Besuch wert ist hier das ***Lion Habitat***, 11-22 Uhr, eintrittsfrei.

Mandalay Bay

Erst wenige Jahre alt ist das ***Mandalay Bay*** südlich des *Luxor* und mit ihm und dem *Excalibur* über eine Monorail-Bahn verbunden. Kennzeichen dieses Komplexes ist eine große Strand-/ Badelandschaft in einem tropischen Park. Hinter den Spielsälen vesteckt sich das ***Shark Reef***, ein tolles **Aquarium** ($16).

Im ***Aureole Restaurant*** werden Weinflaschen nicht aus dem Keller, sondern von einer leichtgeschürzten am Seilzug aufgehängten Dame aus einem 15 m hohen »Weinturm« geholt.

New York in Las Vegas mit einer Super-Achterbahn rund um den Komplex

Weitere Kasinos

Die »Vorzüge« **anderer Kasinos** verblassen im Licht all dieser Attraktionen. Von ihnen ist noch ***Circus Circus*** mit dem ***Adventure Dome***, einem Jahrmarkt unter einer Riesenkuppel, ggf. besuchenswert, außerdem der ***Imperial Palace*** (gegenüber *Mirage*) wegen seiner ***Antique and Classic Auto Collection*** mit über 250 tollen Oldtimern. Der Zugang dorthin ist leider vom Eingang am Strip extrem weit und kompliziert.

Das Wynn Resort Casino von Markus Hundt, Bonn

Das neue *Wynn Resort* (2005), benannt nach seinem Erbauer, *Steve Wynn*, setzte mit seinem verschwenderischen Luxus selbst im diesbezüglich nicht leicht zu beeindruckenden Las Vegas tatsächlich noch einmal neue Maßstäbe. Dabei hatten Anlagen wie das *Venetian*, das *Bellagio* und andere in den letzten Jahren das Anspruchsniveau schon ganz schön hochgehängt.

Was ist nun so grandios an dieser Anlage, von der man vom Strip aus fast nur den hoch aufragenden geschwungenen Hotelquader mit der braungoldenen Glasfassade sieht?

- Zunächst ist da die fulminante **Innenarchitektur** in Kombination mit edelster Einrichtung und Dekoration: Kronleuchter, Gemälde, Marmor, Bodenmosaike, teure Teppiche und eine Pracht exotischer Blüten und Pflanzen. In der Rezeption hing bis vor kurzem das \$50-Mio-Gemälde *»Le Rêve«* (Der Traum) von *Pablo Picasso*. Nachdem Wynn es bei einer Präsentation mit seinem Ellbogen rammte und beschädigte, scheiterte dessen Verkauf zum anvisierten Rekordpreis von \$139 Mio.
- sagenhaft gut gestaltete **Zimmer und Suiten** unterstreichen das luxuriöse Flair; alles zu betrachten unter www.wynnlasvegas.com.
- eine geschwungene (!) Rolltreppe führt zur ***Parasol Down Bar***, wo vom Außenbereich der Blick auf den ***Lake of Dreams*** mit Wandwasserfall fällt, über den abends eine spektakuläre Lasershow projiziert wird.
- den Hotelgästen, und nur ihnen, steht eine **traumhafte Poollandschaft** mit privaten Cabanas (ab \$300!) zur Verfügung.
- die **18 Restaurants und Bars** des Hauses sind alle vom Feinsten, versteht sich; desgleichen die visuell effektvolle Showbühne (Eintrittskarten ab \$80) und die Nachtclubs *»Tryst«* und *»Lure«*.
- auch nur für Hotelgäste ist der sagenhafte von *Tom Fazio* (amerikanischer Stararchitekt) gestaltete **Golfplatz** mit 36 *Fairway Villas*

für VIPs gleich hinter dem zentralen Gebäudekomplex. *Steven Spielberg* und *Richard Branson* sollen dort schon genächtigt haben für bis zu $5.000 pro Nacht. Eine Runde Golf (18 Löcher) kostet $500, auch beachtlich.

Und dann gibt's da noch die ***Esplanade Shops*** mit dem einzigen Geschäft von *Manolo Blahnik* außerhalb von Manhattan, den **Ferrari-Maserati Ausstellungsraum** ($10 Eintritt) mit Bestellfunktion und natürlich auch die unvermeidlichen Kasinosäle – hier in besonders luxuriöser Gestaltung. Speziell die Pokertische bei *Wynn* besitzen einen ganz besonderen Ruf. Noch bis vor kurzem war **Pokerchampion *David Negreanu*** bei *Wynn* angestellt. Wer wollte, konnte gegen ihn antreten. Bedingung waren Spieleinsätze zwischen $100.000 und $500.000!

3.1.7 Fremont Mall und andere Ziele

Fremont Street Mall

Die Kasinos in ***Downtown*** (*Fremont Street* Fußgängerzone) sind weit weniger spektakulär als die Konkurrenz am Strip, liegen aber dicht an dicht und bilden im abendlichen Lichterglanz seit eh und je ein prima **Fotomotiv**. Bei Dunkelheit wird jeweils zur vollen Stunde eine tolle ***Light & Sound Show*** unter die gesamte Dachlänge von ca. 300 m projiziert, ein Spektakel mit dem Zweck, die Las Vegas Besucher nicht ganz an die Superpaläste der Konkurrenz am *Las Vegas Strip* zu verlieren.

Abseits des Strip

Speziell von der I-15 erkennt man gut, daß weitere sehenswerte Paläste auch abseits des *Strip* stehen, darunter das ***The Orleans*** mit originalem ***French Quarter*** an der Tropicana Ave und die Glasfassade des ***Rio Hotel*** an der Flamingo Road unweit der I-15.

Sehenswert im Rio sind die kostenlose ***Masquerade Show in the Sky*** (mehrfach täglich; letzte Aufführung um 21:30 Uhr) und die ***Voodoo Lounge*** im 51. Stock des Rio mit Weitblick über die Stadt ($10 *Admission Fee*; Auffahrt mit gläsernem Außenaufzug).

Im 55. Stock des ***The Palms*** – 4321 Flamingo Rd – hat man von der ***Ghostbar*** (www.ghostbar.com) einen 360-Grad Blick auf Vegas. Spektakulär ist hier der gläserne Boden des Außenbereichs, durch den man in schwindelnde Tiefe blickt.

Liberace Museum

Das ***Liberace Museum*** ist ein weitere Las Vegas-Verrücktheit. Es liegt an der 1775 East Tropicana Ave ziemlich weit weg vom Strip und bezieht sich auf das Leben des Entertainers *Liberace*, der 1987 gestorben ist. Unglaublich diese Sammlung! Mo-Sa 10-17 Uhr, So 12-16 Uhr; www.liberace. com. Eintritt mit $12,50 zu teuer, aber ***Discount Coupons*** in Zeitungen zum Ausschneiden oder Ausdrucken im Internet bieten »*pay one, get two*«: www.lasvegas-nv.com/las-vegas-coupons.htm.

Shopping & Outlet Malls

Wie überall in Amerika findet man auch in Las Vegas große Einkaufszentren an den Ausfallstraßen. Direkt am *Strip*, 3200 South Las Vegas Blvd, liegt in Ergänzung der zahlreichen Einkaufspassagen in den Kasinos die enorme ***Fashion Show Mall*** mit 250 Läden, darunter 7 Kaufhäuser, ➤ Foto Seite 53.

Eine gute Meile südlich der letzten Kasinos befindet sich das ***Las Vegas Outlet Center*** (vormals *Belz Factory Outlet Mall)* und noch 2 mi weiter passiert man die ***Factory Stores of America***. Nördlich des Strip liegen ***Las Vegas Premium Outlets*** am Charleston Blvd (*Exit* 41B von der I-15).

»Nachtleben«

Überraschend für eine Stadt wie Las Vegas ist das Schattendasein »härterer« Abendunterhaltung. Zwar gaukeln Werbung und gratis überall ausliegende einschlägige Magazine ein aufregendes Nachtleben vor, aber nur eine Handvoll ***Gentlemen Clubs*** existieren in respektvoller Entfernung zum »sauberen« *Strip*, wo in den spätabendlichen Shows der Kasinos schlimmstenfalls oben ohne getanzt wird. Ein paar solcher Clubs liegen an der Industrial Road zwischen *Strip* und I-15, andere weit außerhalb. ***American Tabledance*** wird laut *Playboy* am besten im ***Palomino Club*** präsentiert (North Las Vegas Boulevard einige Meilen nordöstlich der Kasinos). Am südlichen Ende des Strip bietet der ***Olympic Garden*** Ähnliches (1531 South Las Vegas Blvd).

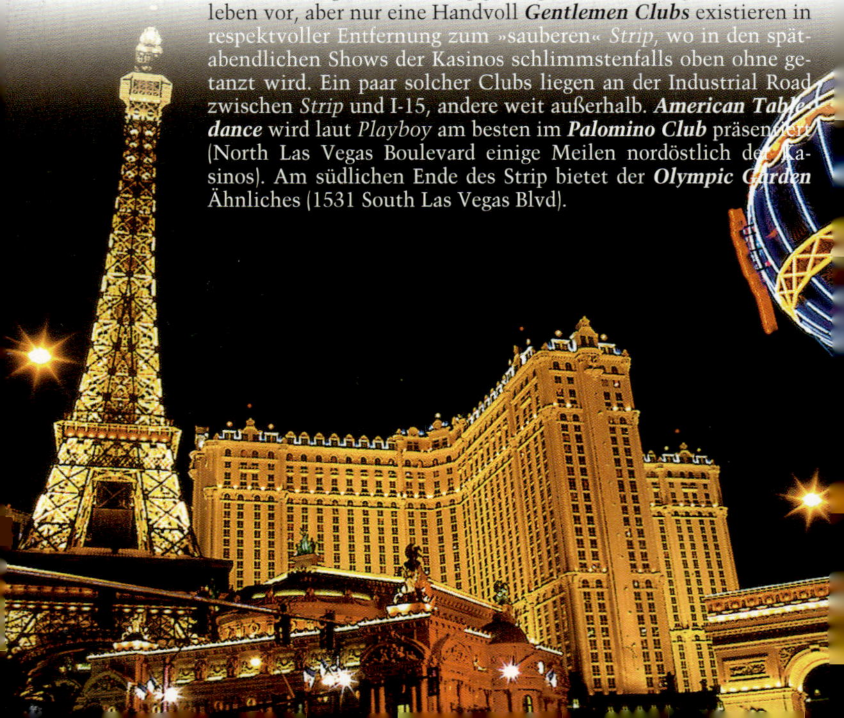

3.2 Ziele in der Umgebung

Die Umgebung von Las Vegas besteht durchaus nicht nur aus flacher Wüstenlandschaft:

Red Rock Canyon

Die ***Red Rock Canyon Recreation Lands***, gute 20 mi westlich von Las Vegas, erreicht man über Straße #159 (Charleston Blvd). Eine *Scenic Road* läuft ca. 13 mi durch grau- rote Sandsteinformationen. **Wanderwege**, Kletterfelsen und *Mountain Bike Trails* sorgen für (weitgehend lokale) Frequentierung. Mit ***Permit*** *(vom Visitor Center)* darf dort gezeltet werden; www.redrockcanyonlv.org.

Folgt man der #159 einige Meilen weiter, gelangt man zur ***Bonnie Springs Ranch***, einem Ausflugslokal mit **Pferdeverleih** für Ausritte in die pittoreske *Red Rocks*-Region: www.bonniesprings.net

Zum Death Valley

Die #159 stößt nur ein wenig weiter westlich auf die Straße #160 nach **Pahrump**, der Hauptzufahrt von Las Vegas zum *Death Valley Nat'l Park*, ➢ Seite 395ff.

Bei Anfahrt von anderen Bereichen orientiert man sich an der I-15 in Richtung Los Angeles (oder aber am Las Vegas Blvd South) und fährt Exit #33 ab (Blue Diamond Road). Wer den Besuch von *Scottys Castle* (➢ Seite 397) beabsichtigt, fährt schneller auf der #95 über **Beatty** an, ein Nest mit ein paar originellen Fotomotiven (Sourdough Saloon) und der oft genannten, aber alles in allem nicht sonderlich spannenden ***Ghost Town Rhyolite*** in der Nähe (ein paar Meilen abseits der Straße #374 in Richtung Death Valley).

Hoover Dam

Der bereits 1936 fertiggestellte, 223 m hohe ***Hoover Dam*** ist immer noch die #1-Touristenattraktion außerhalb der Stadt (30 mi östlich an der Straße #93 über Boulder City, der einzigen Stadt in Nevada mit Glücksspielverbot!). Vor allem die Einbettung des Damms zwischen steil aufragenden Canyonwänden macht ihn zur viel fotografierten Sehenswürdigkeit. Der für den Bau notwendige Beton hätte für eine Straße von San Francisco nach New York ausgereicht. Hochinteressante halbstündige **Führungen** ($10) durch Staumauer und Kraftwerk finden kontinuierlich statt: 9-17 Uhr.

Blick vom Visitor Center der Lake Mead Nat'l Recreation Area über Kaktusgarten und – in der Ferne – den vom Hoover Dam aufgestauten Lake Mead

Security Hoover Dam

Oft treten dafür jedoch lange Wartezeiten auf, zumal nach 9/11, da ***Security Checks*** wie am Airport installiert wurden. Denn wegen seiner exponierten Lage und großen Bedeutung für die Stromversorgung des nahen Las Vegas gilt der Damm als ein durch terroristische Anschläge potenziell gefährdetes Objekt.

Etwa 1 km vor dem Canyon des Colorado und der Staumauer wurden daher auch an der Straße #93 auf beiden Seiten Kontrollposten eingerichtet, vor denen sich oft Staus bilden. Nach wie vor kann der Damm aber mit Auto überquert werden – zumindest bis Ende 2007. In Bau und weit fortgeschritten ist eine **Hoover-Umgehungsbrücke** (www.hooverdambypass.org), nur wenig südlich des Staudamms, die dann fertig sein soll. Danach wird es vermutlich keine Fahrten mehr über die Brücke geben.

Besichtigung

Hat man die Straßenkontrolle überstanden, stellt man sein Auto entweder im **Parkhaus** ($7) ab, das man am Hang in die Felsen sprengte, um der Besuchermassen Herr zu werden, oder sucht einen Parkplatz jenseits der Brücke, solange das möglich ist.

Auch ohne eine Teilnahme an der Staumauertour »*Inside the Dam*« lohnt der Besuch, denn das Bauwerk als solches ist schon sehenswert. Im ***Visitor Center***, in dem man alles Wissenswerte zum Damm von der Planung über den Bau bis zur Situation heute erfährt, gibt es zudem ein interessantes Damm-Modell (frei).

Lake Mead NRA

Der durch den Bau des *Hoover Dam* entstandene 185 km lange *Stausee* ist die ***National Recreation Area Lake Mead***. Sie ist Vegas' Wasserreservoir und bietet mitten im heißen Wüstenklima ein riesiges Bade- und Wassersportrevier.

Zwischen *Visitor Center des National Park Service* (Straße #93 ca. 4 mi östlich von Boulder City; geöffnet im Sommer bis 18 Uhr, sonst 16.30 Uhr) und Overton am Nordende des Sees läuft die ***Northshore Road*** (#166) durch eine ausgedörrte Landschaft. Felsformationen und -farben wechseln mit jedem Kilometer. Eine Fahrt wie durchs *Death Valley*.

Boulder Beach

Kurze Stichstraßen führen zu **Marinas** (teure Leihboote und Badeplattformen; Mindestalter des Mieters 25 Jahre!), zu – dank niedriger Wasserstände – immer breiter werdenden Stränden und Campingplätzen. Das größte, wiewohl nicht sonderlich einladende Strandgebiet und ein akzeptabler ***NRA-Campground*** (ohne Hookup, aber mit Duschen) befindet sich an der ***Boulder Beach***. Komfortabler ist das ***Lakeshore Trailer Village***, auch in Seenähe an der Lakeshore Road # 268, © (702) 293-2540.

Attraktiver als an der *Boulder Beach* ist es an den etwas weiter von der City entfernten Seezugängen. In **Overton Beach** liegt ein komfortabler ***Campground*** *für* ***RVs*** auf einer Landzunge mit Stellplätzen am Seeufer, © (702) 394-4040.

Valley of Fire

Rund 10 mi westlich von Overton Beach, auf etwa halber Strecke zur Interstate #15, durchquert die Straße #169 den ***Valley of Fire State Park***. Pittoreske Gesteinsformationen, die das frühe und späte Sonnenlicht leuchtend rot reflektieren, gaben diesem Gebiet seinen Namen. Das *Valley of Fire* ist eine Sehenswürdigkeit, für die allein sich schon die Anfahrt von Las Vegas lohnt (ca. 55 mi). Wer ohnehin auf der I-15 unterwegs ist, sollte den Abstecher dorthin auf keinen Fall auslassen; http://parks.nv.gov/vf.htm.

Die fantastisch zwischen Felsen plazierten zwei ***Campingareale*** (sogar mit solarbeheizten Duschen) gehören zu den nachdrücklichsten Campingempfehlungen dieses Buches.

Ein wenig östlich davon informiert ein ***Visitor Center***, © (702) 397-2088, über Geologie und (präkolumbische) Besiedelung des »Feuertals«, geöffnet täglich 8.30-16.30 Uhr. **$6 Fee** für den *Day-use*.

Mehrere schöne ***Trails*** warten darauf, entdeckt zu werden, darunter – ab ***Rainbow Vista Point*** – der Weg zu den wundersam geformten sog. ***White Domes*** (ca. 2 km retour).

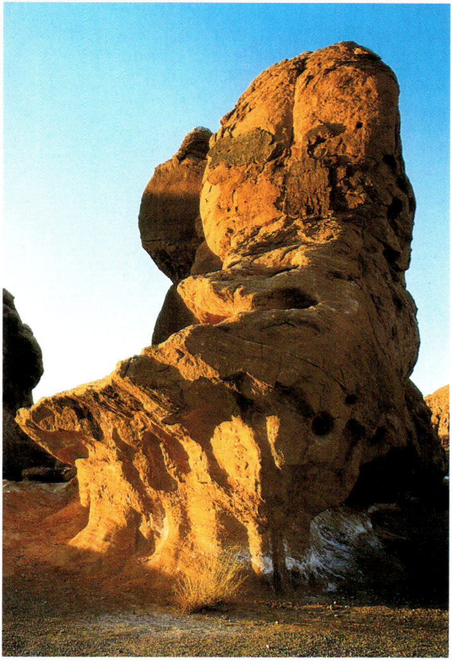

Wie Feuer leuchten die Felsen im Valley of Fire in der Abend- und Morgensonne. Im Sommer werden sie auch heiß wie Feuer und strahlen nachts viel Hitze ab .

4. RUNDREISEN DURCH DEN SÜDWESTEN

Konzeption

Im folgenden sind **zwei grundsätzlich unabhängige Routen** durch den Süden von Utah und den Südwesten von Colorado und durch die Staaten Arizona und New Mexico beschrieben. Sie weisen mit dem Streckenabschnitt Grand Canyon–Las Vegas und umgekehrt einen kurzen gemeinsamen Verlauf auf, eine **Nahtstelle** sozusagen, und lassen sich darüber – wie auch über eine Reihe von Fast-Berührpunkten (*Canyon de Chelly/ Monument Valley; Chaco Canyon/* Durango/*Mesa Verde; Taos Pueblo/Great Sand Dunes*) – leicht miteinander verknüpfen. Ein Beispiel dafür liefert der Routenvorschlag #2, ➢ Kapitel 9. Grund für die Zweiteilung im geographisch gar nicht so außergewöhnlich groß erscheinenden Reisebereich dieses Kapitels (➢ vordere Umschlagklappe) ist die **hohe Dichte der Sehenswürdigkeiten im Südwesten**.

4.1 Zu den Routen

Startpunkte:

- Für **Route 4.2** Las Vegas oder Los Angeles; ggf. kommt in Verbindung mit der **Erweiterung 4.3** auch Denver in Frage.
- für **Route 4.4** ebenfalls Las Vegas, jedoch ebensogut Phoenix, Tucson oder Albuquerque. Wie im Fall der Route 4.2 könnte man auch in Los Angeles oder San Diego beginnen.

Gesamtstrecken:

- Ab Las Vegas ohne Anfahrt von der Westküste (zusätzliche 550 mi von Los Angeles hin und zurück) ergeben sich rein rechnerisch für die **Route 4.2** in ihrer kürzesten Form ohne Umwege und Abstecher 1.500-1.800 mi. Realistisch erscheinen **2.000-2.200 mi**. Die **Erweiterung 4.3** ab Grand Junction über Denver und die *Great Sand Dunes* nach Durango kostet mindestens 800 weitere Meilen, über den *Black Canyon of the Gunnison* noch einmal plus 200 mi.
- Unter Einschluss des *Grand Canyon* läuft die **Route 4.4 ab Phoenix, Tucson** oder **Albuquerque** über rechnerische 1.800-2.300 mi, jedoch realistische 2.200-2.600 mi. Dabei wurden reizvolle Umwege w.z.B. über *El Morro Rock*, die *Carlsbad Caverns* u.a. nicht gezählt. Bei **Start in Las Vegas** ergeben sich **plus 400 mi**, bei **Start in Los Angeles noch einmal zusätzliche 750 mi** gegenüber dem Start in Phoenix (Rückfahrt über das *Joshua Tree National Monument*).

Zeitbedarf:

- Trotz der scheinbar geringen Meilenzahl für die **Basisroute unter 4.2** sollte man in Anbetracht der vielen Nationalparks und -monumente nicht unter 3 Wochen kalkulieren, zumal mindestens 2 Tage für Las Vegas und die Umgebung benötigt werden (*Lake Mead* und *Hoover Dam, Valley of Fire*, ➤ vorstehend; ggf. liegt auch noch ein Abstecher zum *Death Valley* an). Bei Beginn in Los Angeles und kleinen »Schlenkern« oder Zwischenaufenthalten (etwa am *Lake Powell,* für die *Hot Springs* von Ouray o.ä.) lassen sich spielend vier Wochen allein für die unter 4.2 beschriebenen Ziele »verbrauchen«. Auf jeden Fall 4 Wochen sind notwendig unter Einschluss der **Erweiterung 4.3** (*Cripple Creek* und *Great Sand Dunes*, siehe dort).

- Für die volle **Route 4.4** ab/bis Las Vegas benötigt man leicht 3 Wochen (einschließlich *Carlsbad Caverns,* aber ohne weitere Abstecher wie etwa *Canyon de Chelly, Big Bend NP, Gila Cliffs*). Eine schöne Tour für 4 Wochen ergibt diese Route, wenn man sie in Los Angeles beginnt und einige der möglichen Erweiterungen einbaut.

Reisezeit:

- Für die **Route 4.2** Ende Mai bis Ende September. Im Juli/ August steigen die Temperaturen in den tiefer gelegenen Gebieten schon mal auf über 30°C, sind aber bei der vorherrschenden Trockenheit erträglich. Bis in den Juni hinein und ab September muss man mit sehr kühlen Nächten in den Hochlagen (*Grand Canyon, Bryce, Arches, Mesa Verde*) rechnen, ebenso während – normalerweise recht kurzer – Schlechtwetterperioden. Spätestens ab Oktober wird es ohnehin nachts lausekalt und bei bedecktem Wetter auch tagsüber ungemütlich (außer Las Vegas und Umfeld). Außerdem sind dann und vor Mitte Mai Schneefälle keine Seltenheit. Optimal wäre ein Reisebeginn Mitte Juni oder Mitte-Ende August; bei Start im Mai/Anfang Juni besser gegen die hier gewählte »Fahrtrichtung«.

  Die **Erweiterung 4.3** ist eine **Sommerroute.** Bis auf den Bereich der *Great Sand Dunes* sind die Wetterbedingungen selbst im Juli/August mitunter recht wechselhaft.

- Für den nördlichen Abschnitt der **Route 4.4** gilt dasselbe wie unter 4.2. Für den südlichen Teil kann die Fahrt auch noch im Oktober oder schon im April/Mai (Blütezeit in der Wüste) stattfinden. Auf keinen Fall sollte man sich den Süden von Arizona und New Mexico im Hochsommer vornehmen. Optimal sind also Mai/Juni (dann möglichst gegen die hier gewählte »Fahrtrichtung«) und September/Oktober; Starttermin vorzugsweise im jeweils erstgenannten Monat. Die Erweiterung zu den *Carlsbad Caverns* und ggf. zum *Big Bend Park* lässt sich sowohl im April/Mai als auch noch im Oktober machen. Bei Reiseplänen spät im Jahr muss bedacht werden, dass es recht früh dunkel wird (Ende Oktober in Süd-Arizona/New Mexico ca. 17.30 Uhr).

Big Cities:

- **Route 4.2:** keine; **Erweiterung 4.3**: Denver
- **Route 4.4:** Phoenix

Großstädte:

- **Route 4.2:** Las Vegas; **Erweiterung 4.3**: keine
- **Route 4.4:** (Las Vegas), Albuquerque, El Paso, Tucson

Mittelgroße Städte:

- **Route 4.2:** Grand Junction; **Erweiterung 4.3:** keine
- **Route 4.4:** Flagstaff, Santa Fe, Las Cruces

Nationalparks:

- **Route 4.2:** Zion, Bryce Canyon, Capitol Reef, Canyonlands, Arches, Mesa Verde, Grand Canyon
- **Erweiterung 4.3:** keine
- **Route 4.4:** Grand Canyon, Petrified Forest, Carlsbad Caverns, Guadalupe Mountains, Big Bend/Texas, Saguaro

Wichtige Nationalmonumente und Recreation Areas:

- **Route 4.2:** Cedar Breaks, Grand Staircase-Escalante, Glen Canyon, Natural Bridges, Colorado, Black Canyon of the Gunnison, (Monument Valley), Navajo
- **Erweiterung 4.3:** Great Sand Dunes (Florissant Fossil Beds)
- **Route 4.4:** Wupatki, Sunset Crater, Walnut Canyon, Canyon de Chelly, El Morro, El Malpais, Chaco Culture, Bandelier, (Taos Pueblo), Pecos, Quarai/Gran Quivira, White Sands, Gila Cliffs, Chiricahua, Organ Pipe Cactus, Montezuma Castle, Tuzigoot

Routenverläufe:

- Die **Route 4.2** entspricht der klassischen Route durch die Landschaftsparks von Utah unter Einschluss des *Mesa Verde Park* in Colorado, des *Monument Valley* und des *Grand Canyon*. Die Verbindungsstraßen führen streckenweise durch großartige Landschaften, z.B. zwischen *Zion, Bryce Canyon, Grand Staircase-Escalante* und *Capitol Reef* und in den *San Juan Mountains* in Colorado, aber auch durch öde Halbwüsten. Abwechslung bietet der *Lake Powell* mit badefreundlich warmem Wasser bis Ende September. Die eindrucksvollen Klippendörfer im *Mesa Verde Park* und im *Navajo National Monument* legen Zeugnis ab von der untergegangenen Kultur der *Anasazi* Indianer. Städte nennenswerter Größe werden nicht berührt, jedoch mit Silverton und Durango Touristenorte mit einem Touch Wildwest-Atmosphäre. Die vorgeschlagene **Erweiterung 4.3** durch die Colorado *Rocky Mountains* bezieht die *Big City* Denver und Relikte der Goldrauschzeit in den Reiseverlauf ein. Die *Great Sand Dunes* sind der Höhepunkt dieses Umwegs.
- Auf der **Route 4.4** liegt neben den Nationalparks *Grand Canyon, Petrified Forest, Carlsbad Caverns, Guadalupe Mountains* und *Saguaro* eine Vielzahl von Nationalmonumenten mit unter schiedlichsten landschaftlichen wie kulturellen (*Pueblo*-Indianer, Klippendörfer) Sehenswürdigkeiten.

Im Gegensatz zur Route 4.2 fehlen städtische Attraktionen hier nicht: Santa Fe, Albuquerque, Phoenix und Tucson bieten amerikanisches *City-Life* mit mexikanisch angehauchter Südwest-Prägung. Wüstenerfahrungen besonderer Art macht man im *White Sands* Gebiet und – ganz anders – in den Kakteen-Parks *Saguaro* und *Organ Pipe*. Mit Tombstone und Old Tucson kommt auch der Wilde Westen nicht zu kurz. Die Atom-Museen in Los Alamos und Albuquerque sowie die Flugzeug- und Raketen-Museen in bzw. bei Tucson setzen zu Landschaftserlebnis und Südwestkultur sehenswerte nüchtern-technische Kontrapunkte.

Insgesamt ist die Route 4.4 noch abwechslungsreicher als Route 4.2, auch wenn auf der die absolut sensationellsten Landschaftsparks von *Zion* bis *Arches* liegen. Die hier wirklich pausenlose **Abfolge von Felsformationen** aller Art bewirkt aber unterwegs bei vielen Reisenden einen gewissen **Ermüdungseffekt**.

Karte

Die **ideale Karte** für die Route 4.2 mit Erweiterung 4.3 und ebenso den Nordarm der Route 4.4 ist ***Indian Country*** des **AAA**, die hier und dort auch im freien Verkauf außerhalb der AAA-Büros für $5-$6 zu haben ist. Auf dieser Karte sind noch die kleinsten Nebenstraßen (*Dirt Roads*) und praktisch **alle öffentlichen Campingplätze** im Bereich des Großen Plateaus genau eingetragen. Auf der Rückseite findet man Kurzhinweise zu den wichtigen Sehenwürdigkeiten, Adressen und Telefonnummern von Veranstaltern von Wildnis-Trips und Informationen zu den Indianerstämmen der Region mit indianischem Fest- und Veranstaltungskalender.

Auf der Cottonwood Canyon Road zwischen Cannonville und Paria im Grand Staircase-Escalante National Monument

4.2 Durch die Nationalparks im Süden von Utah und Südwest-Colorado

Die Nationalparks auf dieser Route liegen alle im Bereich des Großen Plateaus (➢ Seite 18), das weite Gebiete im Osten von Utah, im westlichen Colorado und Nord-Arizona umfasst.

Start

Ausgangspunkt ist Las Vegas. Bei Anfahrt von **Los Angeles** oder **San Francisco** siehe zunächst die jeweiligen Startrouten von dort nach Las Vegas.

4.2.1 Von Las Vegas zu den Nationalparks Zion und Bryce Canyon

I-15

Zwischen Las Vegas und dem Südwesten Utahs ist die ***Interstate* #15 einzige Straßenverbindung**. Sie führt in Nevada eintönig durch die Wüste und bietet zunächst als einzige Abwechslung den Umweg über das ***Valley of Fire*** und den ***Lake Mead/Overton Beach***, ➢ vorstehendes Kapitel. In **Mesquite** locken in der letzten Nevada-Wüstenoase noch einmal Kasinos und eine komplette Infrastruktur, bevor es ins lasterfreie Utah geht. Noch im kurzen Verlauf der *Interstate* durch Arizonas Nordwestecke beginnt der scheinbar endlose Anstieg aus der Wüstenebene auf die Höhe von rund 1000 m über NN.

Utah

St. George ist auf dieser Route die einzige Stadt (28.000 Einwohner) vor Grand Junction in Colorado. Besorgungen lassen sich dort noch gut erledigen; die nächsten 500 mi – sieht man vom ca. 17 mi entfernten **Hurricane** ab – bis Moab am *Arches Park* trifft man nur noch auf dörfliche Strukturen. In St. George und Hurricane ist die **Motel- und Hoteldichte** groß mit erfreulichen Folgen für das Preisniveau. Man kommt dort auch im Sommer noch um $45-$60 unter; die Mittelklasse (*Days Inn, Hampton, Comfort, Best Western, Ramada*) ist dort für $60-$80 zu haben, zumindest gilt das So bis Do; www.stgeorgechamber.com/Lodging.htm.

In den Ausläufern der *Pine Valley Mountains* bei St. George laden die ***State Parks Snow Canyon*** (Straße #18, ca. 7 mi) und ***Gunlock*** (ca. 25 mi, Schwimmen) zum Campen ein.

Der ***Quail Creek State Park*** liegt am gleichnamigen Stausee nördlich der #9, unverfehlbar bei Fahrt über die I-15, *Exit* #16.

Einer der schönsten Plätze weit und breit befindet sich einige Meilen weiter auf der Westseite der *Interstate*: Man passiert den *Quail Creek Park*, gelangt wieder an die Autobahn und unterquert auf halber Strecke nach Leeds eine enge Unterführung, die entgegen dem Anschein sogar für *Motorhomes* passt. Die Anfahrt ist auch ab Exit #22 über die I-15 Frontage Road möglich, ca. 3 mi nach Süden bis zur Unterführung.

Der ***BLM Campground Red Cliffs*** liegt eine Meile abseits an einem Creek wunderschön zwischen Felsen und Grün.

Zum Zion National Park

Zum ***Zion Canyon***, der wichtigsten Sektion des *Zion National Park*, führt die Straße #9 über Hurricane, wo es viele preisgünstige Motels gibt. Von dort sind es noch 25 mi auf schöner Strecke am Virgin River entlang. Bereits weit vor Springdale mit einer voll auf den Zion-Tourismus eingestellten Infrastruktur, fallen die zahlreichen ***Bed* and *Breakfast*-Angebote in *Ranches*** und kleinen ***Inns*** ins Auge, ➤ auch Foto auf Seite 189.

Ghosttown

In **Rockville** zweigt – ohne ein Hinweisschild – in südliche Richtung eine Straße über den Virgin River ab, die zurück nach Westen zur ***Ghosttown Grafton*** in typischer Wildwest-Umgebung führt (ca. 4 mi für Leute mit Zeit); www.graftonheritage.org.

Springdale

Das langgestreckte Springdale bietet viele attraktive Quartiere in allen Preisklassen, aber kaum Kettenmotels. Ab $65 (AAA) kostet im Sommer die ***Terrace Brook Lodge***, ✆ 1-800-342-6779 (www.terracebrooklodge.com); ab $95 die sehr schöne ***Driftwood Lodge***, ✆ (435) 772-3262 (www.driftwoodlodge.net), und ab ca. $100 (AAA) das erstklassige **BW *Zion Park Inn***, ✆ 1-800-934-7275. Einen guten Eindruck machen das ***Bumbleberry Inn***, ✆ 1-800-828-1534, ab $89 (www.bumbleberry.com), und das ***Desert Pearl Inn***, ✆ 1-888-828-0889, ab $125 (www.desertpearl.com). Alle Preise April-Oktober. Die Unterkünfte liegen allesamt an der in den *Zion* führenden #9.

Zion Lodge

Für stilvolles Übernachten **im** *Zion Park* empfiehlt sich die ***Zion Lodge*** im Blockhaus-Look, Reservierung unter ✆ **(435) 772-3213** oder ✆ **(303) 297-2757**. Die Zimmer (ab $150) sind teurer als die meisten *Motels* und *Inns* in Springdale; www.zionlodge.com.

Camping

Erste Campingwahl ist der gleich nördlich von Springdale gelegene ***South Campground* im Nationalpark**. RVs sind komfortabel, gut und teuer aufgehoben im Superplatz ***Zion River Resort***. Er liegt ca. 10 mi südlich des Ortes; ✆ 1-888-822-8594; www.olwm.com/zionriverresort. Weitere mittelmäßige Kommerzplätze an der #9.

Ein guter Platz liegt auch jenseits der Ostausfahrt aus dem *Zion*: der ***Mukuntuweep Campground*** hat außerdem *Cabins* und indianische *Hogans* ✆ (435) 648-3012.

Ortsbild

Springdale ist eines der angenehmsten »Einfallstore« zu einem *National Park*. Dank hübscher Cafes, Restaurants, Musikkneipen und origineller Shops entlang der grünen Zufahrt kann man auch nach dem Parkbesuch am Abend hier noch etwas unternehmen und sogar problemlos zu Fuß unterwegs sein. Während der Saison (Juni bis September) ist in Springdale mehr los, als die Größe des Ortes vermuten lässt – *Playhouse* & Amphitheater. Im ***Giant Screen Theatre*** (gleich nördlich des Ortes vor der Zion-Einfahrt) läuft stündlich 11-20 Uhr der tolle *Zion-* und *Canyonlands*-Film ***Treasure of the Gods***; www.zioncanyontheatre.com.

In den Zion Canyon geht es nur noch zu Fuß, per Bike oder im Shuttle Bus ab Visitor Center.

Zion Park, Zugangsregelungen

Gleich hinter der **Einfahrt** in den Nationalpark (**Eintritt $25/Fahrzeug** bzw. **$12/Person** oder **Jahrespass**) liegt rechterhand ein großzügiges ***Visitor Center*** (das frühere Besucherzentrum etwas nördlicher ist jetzt ein **Museum**), zugleich Startpunkt für die ***Shuttle Busse***. Hier ist Schluss für alle Autofahrer, die in den zentralen Teil des Parks, den ***Zion Canyon***, hineinwollen. Trotz großer **Parkplätze** wird es oft eng. Wer in Springdale logiert, kann dort (6 Haltestellen) den Zubringer zum Park besteigen (ebenfalls gratis). Die Busse verkehren im Sommerhalbjahr 5.30-23 Uhr in kurzen Abständen (minimal alle 7 min) und haben Platz für Fahrräder und Rucksäcke; www.nps.gov/zion; www.zionpark.com.

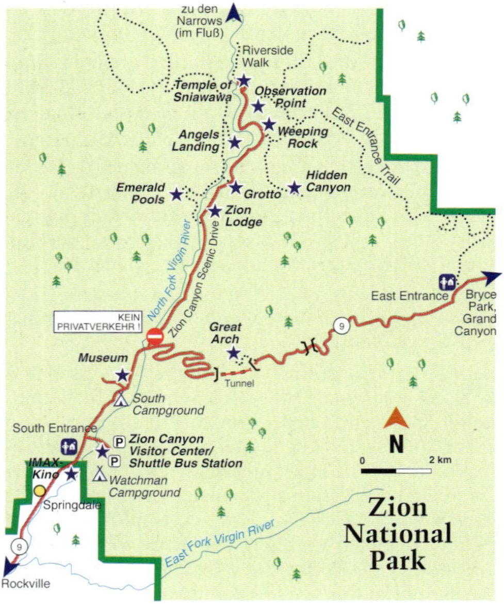

Der ***Zion Canyon Scenic Drive***, eine ca. 7 mi lange Stichstraße, folgt dem Virgin River in das enger werdende, üppig grüne Flusstal. Beidseitig beeindrucken gewaltige, hoch aufstrebende Felsflächen in allen Rot- und Brauntönen; sie sind fantastische Motive für die Kamera. Der Bus hat 8 Haltepunkte.

Am Straßenende beginnt der ***Riverside Walk***. Der befestigte Teil des Weges endet nach 1,5 km, wo zwischen Fels und Virgin River kein Raum mehr bleibt.

Bei niedrigem Wasserstand kann man den Fluss leicht überqueren und einem Pfad noch ein ganzes Stück weiter bis zur ersten, komplett von Wasser ausgefüllten Enge folgen.

Zion Canyon Narrows

Die wirklichen ***Zion Canyon Narrows***, wie sie oft auf Fotos zu sehen sind, liegen noch eine gute weitere Meile entfernt. Dorthin gelangt man nur durch mühsames Waten und Kraxeln. Der Lohn des kaum unter 45 min zu bewältigenden Weges sind bis zu **600 Meter hohe Sandsteinwände**, deren Abstand stellenweise auf nur ein paar Meter zusammenschrumpft. Machbar nur bei guter Kondition und geübter Balance im fließenden Wasser (nur teilweise kann man seitlich ausweichen). Voraussetzung für dieses kleine Abenteuer ist gutes Wetter rundherum! Regen in der Umgebung lässt den Wasserstand rasch steigen. **Stärkere Schauer machen aus dem Flüsschen in kürzester Zeit ein reißendes Gewässer**.

Rote Felswände im Zion Canyon

WeitereTrails

Zwei weitere Herausforderungen für sportliche Wanderer sind der Aufstieg zur ***Angels Landing,*** 450 m über der *Grotto Picnic Area*, oder zum ***Observation Point*** gegenüber und noch einmal 200 m höher (*East Rim Trail* durch den *Echo Canyon*), beide mit sagenhaftem Blick in das Tal hinein und über die Zion-Landschaft. Bei 8 km bzw. 12 km Gesamtstrecke beträgt der minimale Zeitbedarf 3 bzw. 4,5 Stunden. Weniger anstrengende, aber gleichwohl schöne Wanderungen führen hinauf zu den ***Emerald Pools*** (60 min) und am ***Weeping Rock*** vorbei zum ***Hidden Canyon*** (2 Stunden).

Wer die ***One-Way*** **Problematik** (Fahrt zum Osteingang) lösen kann, findet mit dem ***East Entrance Trail*** durch die felsige Höhenlage zum *Observation Point* und dann den *Echo Canyon* hinunter ins Tal eine tolle Ganztages-Wanderung. Östlich des kilometerlangen Tunnels des *Zion-Mt.Carmel Highway* beginnt ein kurzer *Trail* (1,5 km retour) zum ***Zion Canyon Overlook*** mit fantastischem Blick übers Tal. Zum Felsbogen ***Great Arch*** ist es von dort nah.

Ostausfahrt

Achtung Restriktion: Fahrzeuge über 2,40 m Breite (7 Fuß 10 Inches) einschließlich der Spiegel und/oder über 3,40 m Höhe (11 Fuß 4 Inches) können den Tunnel auf der Ostausfahrt nur von 8-20 Uhr im Konvoi passieren. Praktisch bedeutet dies für alle ***Full-size Motorhomes*** Wartezeit und **$15 Gebühren**.

Ostareal des Zion

Im weiteren Verlauf führt die Straße mitten durch die **Wunderwelt der Farben und Formationen** des *Zion*-Hinterlandes. Man sollte unbedingt ein wenig Extrazeit für diesen Bereich einplanen. Die besten **Fotomotive** liegen einige Schritte abseits der Straße. Auch andere Nationalparks sind sensationell, aber auf eine solche Felslandschaft stößt man nicht wieder.

Kolob Canyons

Neben dem *Zion Canyon* existiert im Parkwesten ein mit dem Auto erreichbarer Parkzugang, die ***Kolob Canyons Road***; eigene Abfahrt #40 von der I-15. Diese Stichstraße (ca. 5 mi) windet sich hinauf zum ***Kolob Canyons Viewpoint*** mit Weitblick auf mächtige Massive. Vom Ausgangspunkt ***Lee Pass*** zum **weltgrößten, freistehenden Felsbogen**, dem ***Kolob Arch***, sind es 11 km auf abschüssigem Weg (213 m Höhendifferenz). Für die gesamte Strecke benötigt man retour 6-8 Stunden. Diese Wanderung wäre wichtigstes Motiv für den Besuch der Westsektion. Nicht minder eindrucksvolle *Felsbögen* warten aber auch im *Arches Park*.

Cedar Breaks Nat'l Monument

Das ***Cedar Breaks National Monument*** nördlich des *Zion* rechtfertigt keine Umwege. Die Attraktion von *Cedar Breaks* sind **erodierte, rote Sandsteinformationen**, wie sie ähnlich, aber vielfältiger im *Bryce Park* vorkommen, www.nps.gov/cebr. Immerhin führen sowohl die Straße #14 von Cedar City nach Long Valley Junction als auch die Verbindung Cedar Breaks–Panguitch (#143 über 3000 m hoch!) durch schöne Gebirgs- und Waldlandschaft. An dieser Route liegen mehrere gute ***NF-Campgrounds***

Coral Sand Pink Dunes

Ein **Abstecher** nach Verlassen des *Zion* könnte dem ***State Park*** *Coral Pink Sand Dunes* gelten. Die 12-mi-Zufahrt zweigt südlich der ***Mount Carmel Junction*** von der #89 ab. Der ***State Park*** ist mit seinen rötlichen Sanddünen ein **Dorado der ORV-Fans** (➤ Seite 39). In der Sommersaison und an Wochenenden ist der **Campingplatz** brechend voll. Ein wenig abseits der *Gravelroad* nach Kanab zwischen dem *State Park* und der #89 befindet sich der einfache ***BLM-Campground Ponderosa Grove***; www.utah.com/stateparks/coral_pink.htm.

Kanab

Kanab am Straßendreieck #89/#89A mit vielen Motels (***Super 8***, ***Best Western***, ***Shilo***, ***HI-Express***, preiswertere Unabhängige) und Supermarkt ist eine typische »Etappe« am Wege für die *Grand Canyon*- und *Bryce*-Touristen. Wer als Motelübernachter dort in der Saison abends noch *Vacancy*-Schilder entdeckt, sollte nicht mehr weiterfahren. Denn die Kapazitäten in der Umgebung sind – gleich in welche Richtung – begrenzt; www.go-utah.com/Kanab.

Zum Grand Canyon

Wer sich entscheidet, vom ***Zion Park*** weiter in Richtung ***Lake Powell*** oder zum ***Grand Canyon*** **North Rim zu** fahren, findet den Anschluss auf Seite 441.

Vom Zion zum Bryce Park

Etwa 0,5 mi östlich der Ostaus-/einfahrt des Zion Park liegt an der Straße #9 das ***Utah Trails Resort***, in dem man **in Wigwams übernachten** und allerhand Indianisches machen kann; © 1-800-871-6811. Ideal mit Kindern; www.utahtrailsresort.com

Straßen #89 und #12

Zum *Bryce Canyon* geht es ab ***Mount Carmel Junction*** (Touristenetappe mit Tankstellen, einigen originell sortierten Souvenirshops, preiswerten **Motels** und ***B&B***), zunächst auf der Straße #89 nach Norden. Am Wege in Orderville befindet sich an der #89 ein guter ***KOA-Campground***. Das ***Smith Hotel*** in Glendale hat Zimmer ab $45, ✆ 1-800-528-3558; www.historicsmithhotel.com.

Rund 45 mi sind es bis zur Abzweigung der #12, die durch den pittoresken ***Red Canyon*** führt. Mit seinen roten Felsformationen (tolle Straßentunnel, ➤ Foto Seite 233) liefert er einen guten Vorgeschmack auf den *Bryce Canyon*. Man passiert diverse *Trailheads*, Ausgangspunkte für Wanderungen in die Sandsteinwelt. Am Weg liegen die ***NF-Campgrounds Red Canyon A/B***.

Blick auf das Bryce Park Amphitheater of Standing Rocks vom Sunrise Point aus

Bryce Canyon National Park

Nach Durchquerung des *Red Canyon* findet man sich bald in der flachen Prärie eines Hochplateaus wieder. Der *Bryce Park* kündigt sich durch eine dichter werdende touristische Infrastruktur an. **Zentraler Anlaufpunkt** vor den Toren des Parks ist nach Erreichen des Abzweigs #63 ***Ruby's Inn & Campground*** mit großen Parkplätzen. Dort starten auch die Busse des ***Bryce Shuttle***. Zur Zeit ist es motorisierten Besuchern noch freigestellt, ob sie den Bus nehmen oder selbst in den Park fahren. Dazu muss man wissen, dass bereits an mäßig gut besuchten Tagen die **Parkplatzkapazität** hinter den verschiedenen **Aussichtspunkten/*Trailheads*** im *Bryce Park* vorn und hinten nicht reicht und lange Wege zu Fuß unvermeidlich sind; www.nps.gov/brca.

Eintritt und Shuttle

Auch der *Bryce Park* kostet **$25/Fahrzeug** bzw. **$12/Person** Eintritt bzw. man hat/kauft einen ***Interagency Jahrespass***. Innerhalb des Parks ist der **Bus frei**, aber Wartezeiten sind programmiert.

Nach der Einfahrt erreicht man bald das große ***Visitor Center*** im Rustikalstil. Dort gibt's den informativen Einstieg in Natur und Geschichte des Nationalparks u.a. mit einem Videoprogramm. Wer $0,50 anlegt, erhält die **Parkinfos sogar in deutscher Sprache**.

Kennzeichnung Bryce Canyon

Zu Recht gilt der ***Bryce Canyon National Park* neben dem *Grand Canyon*** als ***der spektakulärste Park*** des Südwestens. Die Bezeichnung *Canyon* erzeugt indessen leicht falsche Vorstellungen. Es handelt sich keineswegs um eine Schlucht im üblichen Wortsinn. Der Begriff bezieht sich hier auf die östliche Abbruchkante des ***Paunsaugunt Plateaus***, das sich einige hundert Meter über das östliche *Tropic Valley* und sich daran anschließende Tallandschaften erhebt. Zwischen dem Rand der Hochebene und dem tiefer gelegenen Gelände erstreckt sich auf etwa 40 km Länge ein **Gebiet bizarr-skurriler Formationen erodierten Sandsteins**.

Im Laufe vieler Jahrtausende entstanden im rot-gelb-rostbraunen Gestein höchst eigenartige Säulen, Türme und Skulpturen. Besonders bei tiefstehender Sonne am frühen Morgen und am späten Nachmittag bietet dieser Park ein faszinierendes, mit den Lichtverhältnissen wechselndes Farbspiel.

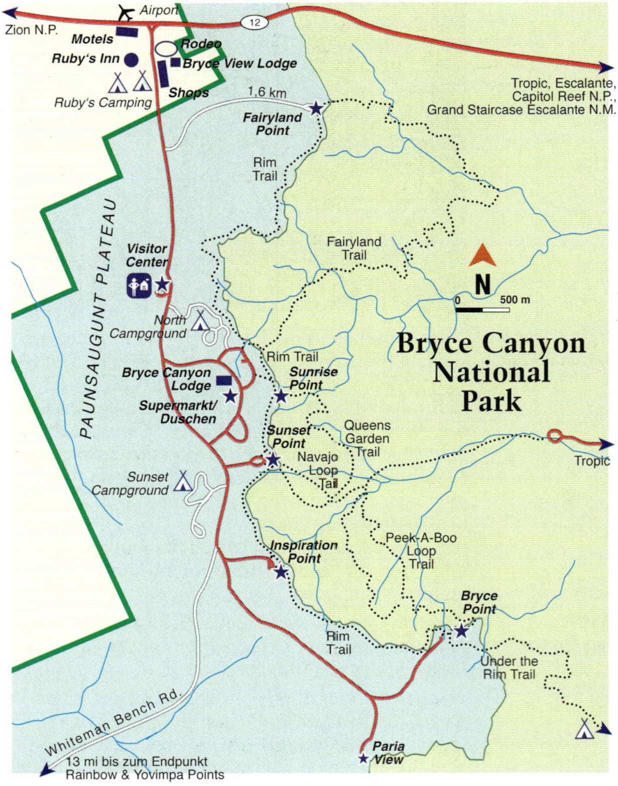

Bryce Amphitheater

Von der ***Whiteman Bench Road***, einer kurvigen 17-mi-Straße bis zum Südrand des Plateaus, zweigen Stichstraßen zu *Viewpoints* und Ausgangspunkten für Wanderungen in die Tiefe ab. Das attraktivste, dicht mit Skulpturen »bevölkerte« Parkareal ist das ***Bryce Amphitheater*** (➤ Foto vorletzte Seite) ein wenig südlich des Besucherzentrums. Oberhalb dieses Bereichs befinden sich die parkinternen **Versorgungseinrichtungen** vom **Campingplatz** über die ***Bryce Lodge*** und den Shop bis zu öffentlichen Duschen.

Trails

Das ***Bryce*-Kurzprogramm** (etwa 1 Stunde) besteht aus einem Spaziergang am ***Rim Trail*** zwischen ***Sunrise, Sunset*** und ***Inspiration Point***. Zum großen Erlebnis wird der Besuch des *Bryce Park* erst auf einer Wanderung mitten hinein in die geologische Wunderwelt. Der kürzeste (rund 2,5 km), ziemlich steile Pfad hinunter in das Felslabyrinth ist der ***Navajo Loop Trail*** vom *Sunset Point* aus. Wer sich mehr als die dafür nötige Stunde Zeit lassen möchte, dem sei der fantastische ***Peek-A-Boo Trail*** (an sich ein *Loop Trail*, wobei der obere, dem Plateau zugewandte Abschnitt des Pfades gewählt werden sollte) vom *Sunset* bis zum *Bryce Point* empfohlen (7 km plus 3 km Rückweg auf dem *Rim Trail*; insgesamt kaum unter 3 Stunden). Der ***Peek-A-Boo Loop*** kann gut mit ***Queens Garden*** und/oder ***Navajo Trail*** kombiniert werden (alles zusammen ca. 4 Std.).

Noch ein wenig länger (5-6 Std.) ist der ebenfalls schöne ***Fairyland Trail*** durch wieder andersartige Formationen vom gleichnamigen zum *Sunrise Point* (mit Rückweg am Rand entlang insgesamt ca. 13 km). Es gibt auch die Möglichkeit, in das »Amphitheater der stehenden Felsen« **von unten** hineinzuwandern, und zwar vom – östlich des *Bryce Park* gelegenen – **Tropic** aus. Der ***Trailhead* liegt 3 mi von der #12 durch Tropic** entfernt: Man folge (vom Bryce kommend) gleich der ersten Straße rechts durch das Dorf an der Schule vorbei (Bryce Way). Vom Straßenendpunkt zum *Sunset Point* sind es etwa 4 km.

Eine besondere Erfahrung macht, wer am Fuß der erodierten Felsen übernachtet (*Permit* erforderlich). In bequemen Abständen existieren mehrere *Campsites* am ***Under-the-Rim-Trail*** zwischen *Sunset Point* und *Rainbow Point* am Straßenende.

Unterkunft im Park

Die ***Bryce Canyon Lodge*** im Park, © 1-888-297-2757, ab $140, www.brycecanyonlodge.com, besitzt außer der Lage keine besonderen Vorzüge. Die beiden ***Campgrounds*** im Bryce sind guter Nationalpark-Durchschnitt und bieten wenig Komfort; wegen der Höhe (ca. 2500 m) ist es nachts ziemlich kalt auf dem Plateau. Reservierung ➤ Seite 200, freie Plätze nach *first-come-first-served*.

Quartiere um Bryce

Ruby's Inn (***Best Western***), ein Riesenbesucherkomplex vor der Parkeinfahrt, kostet im Sommer ab $110, sonst ab $70, und bietet unteren Mittelklasse-Standard, © 1-866-866-6616; www.rubysinn.com. Die ansehnliche ***Bryce View Lodge*** gegenüber hinter dem Rodeo Gelände/der Shopping-Zeile hat ordentliche Zimmer für $50-$80, © 1-888-279-230; www.bryceviewlodge.com.

Eine Reihe von **Motels** findet man an der Straße #12 westlich des *Bryce Park*, in größerer Zahl in **Panguitch** (preiswert **ab $40**: ***Rocking Horse***, ✆ (435) 676-2287; ***Marianna Inn***, ✆ (435) 676-8844; ***Panguitch Inn***, ✆ (435) 676-8871) und vor allem in **Tropic**. Neben einer Handvoll *Motels* und *Inns* gibt es dort viele ***Bed & Breakfast***-Angebote, Ausschilderung im Ort. Empfehlenswert sind das ***Bullberry Inn***, ✆ 1-800-249-8126, www.bullberryinn.com, und das ***Bryce Trails B&B***, ✆ 1-866-215-5043, www.brycetrails.com, ab $80. In **Cannonville** wartet das ***Grand Staircase Inn***, ✆ (435) 679-8400, ca. $50-$90; www.grandstaircaseinn.com.

Infrastruktur bei Bryce

Der erwähnte ***Ruby's* Komplex** ist auf fast alle Bedürfnisse der Nationalparkbesucher vom Tanken und der Autoreparatur über den Waschsalon bis zum abendlichen *Entertainment* eingestellt. Klar, dass auch ein **Campingplatz** dazugehört, der zwar riesengroß, aber komfortabel und gut organisiert ist. Wer will, kann im ***Teepee*** schlafen. **Campingreservierung** ist hier angezeigt: ✆ **1-866-866-6616** oder www.brycecanyoncampgrounds.com.

Zur Infrastruktur gehören natürlich auch Restaurants (ganz o.k. das ***Steakhouse***) und einige Souvenirläden, darunter ein gut sortierter ***Rock Shop***. Im Sommer findet allabendlich ein **Rodeo** statt. Große reiterische Leistungen darf man dort nicht erwarten, dafür aber von der Tribüne die Aussicht auf einen grandiosen Sonnenuntergang. Eine Alternative für den Abend sind die ***Chuckwagon Diner Rides***, ➤ Seite 44.

Dem Massenkomplex entgeht, wer ein paar Kilometer weiter nach **Tropic** fährt. Dort gibt es mehrere kleine Restaurants.

Kodachrome Basin

Ist der *Bryce Park* nicht Umkehrpunkt der eigenen Route, sondern nur Zwischenziel auf der Weiterfahrt in Richtung *Capitol Reef/Arches Parks*, lohnt sich für einen optimalen *Campground* die Weiterfahrt auf der #12 bis Cannonville und von dort auf dem asphaltierten ersten Teilstück (8 mi) der *Cottonwood Canyon Road* zum ***Kodachrome Basin State Park*** 500 Höhenmeter tiefer. www.stateparks.utah.gov/parkindex.php?id=*KDSP*.

Kodachrome Basin: Traumhafte Landschaft und ein ebensolcher Campingplatz mittendrin

Grosvenor Arch im Grand Staircase-Escalante National Monument, ➤ *Seite 435*

Ein großartiger, sogar mit Duschen versehener **Campingplatz** befindet sich zwischen rotbunten Felswänden. Nicht nur die Bilderbuchlandschaft dort lässt den Abstecher – mit oder ohne Campabsicht – reizvoll erscheinen: Ein **Reitstall** bietet *Horseback Rides*; und auch ***Mountain Biker*** finden ein tolles Revier.

Grosvenor Arch

Die bis Kodachrome asphaltierte Straße führt in akzeptabler *Gravel-Qualität* weiter zum ***Grosvenor Arch***, einem eindrucksvollen Bogen aus gelbem Sandstein – schönes **Campen** auf **Einfachstplatz** mit 3 Stellplätzen in der Einsamkeit – und danach als rauhe ***Dirt Road*** durch den ***Cottonwood Canyon*** bis zur Straße #89, etwa 20 mi nordwestlich von Page/Arizona.

Interessant ist diese Route durch das im folgenden beschriebene *Grand Staircase Escalante National Monument vor* allem dann, wenn die weiteren Reisepläne nicht der hier verfolgten Strecke entsprechen. Denn bei Einbeziehung des *Bryce Park* in eine südlicher verlaufende Rundfahrt, z.B. in Kombination mit der Route 4.4, lässt sich ohne diese Abkürzung eine Rückfahrt auf weitgehend gleicher Route (Straße #89) nicht vermeiden.

Alternativroute in Richtung Lake Powell

Für die 46 mi von **Cannonville** zur #89 benötigt man je nach Straßenzustand +/– 2 Stunden. Insbesondere der *Cottonwood Canyon* Bereich ist von Fahrzeugen ohne Vierradantrieb nur nach gut einer Woche ohne Regen befahrbar, dann auch mit Pkw, und **nicht machbar mit Campmobilen größer als *Van Camper***. Auf jeden Fall sollte man vor einer Fahrt den aktuellen Zustand der Straße bei den Rangern des *Kodachrome Park* erkunden. Sie ist etwas für Abenteuerlustige, die sich mal richtig abseits der (Haupt-) Straßen begeben möchten (nicht mit Mietfahrzeugen!). Mit Vorsicht und umsichtiger Fahrweise geht man dabei kein extremes Risiko ein. Außer gesparten Meilen ist der Lohn eine herrliche *Canyon*- und Felswildnis, ➤ Foto Seite 421.

Von dort nach Page oder *Grand Canyon* Nord ➤ Seite 466f.

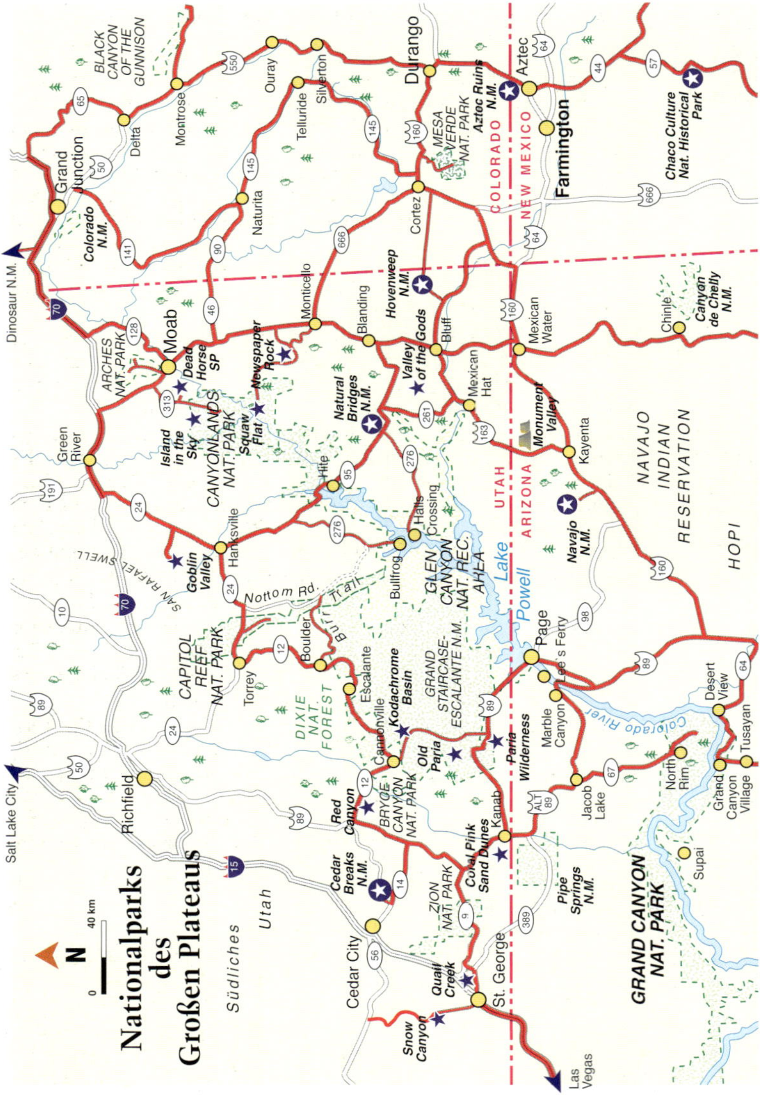

Wegen der hohen Informationsdichte wurde hier auf die Darstellung von Campingplätzen verzichtet – siehe Hinweise im Text und Karte Seite 434

4.2.2 Vom Bryce über den Capitol Reef Park nach Moab

Dixie National Forest

Die **Straße #12** in Richtung *Capitol Reef Park* durch den hochgelegenen *Dixie National Forest* **kann gar nicht genug empfohlen werden**. Sie ist heute zwar sehr gut ausgebaut, aber weniger befahren als andere touristische Hauptrouten. Zwischen **Escalante** und **Grover** läuft sie abwechslungsreich durch **Felslandschaften** und Hochwald mit z.T. sagenhafter Straßenführung, etwa auf dem schmalen Kamm einer geologischen Auffaltung, dem sog. *Hogback,* südlich von Boulder. Der nördliche Abschnitt bietet von der Höhe der Boulder Mountains erste Ausblicke auf die fernen Massive des Nationalparks. Aber Achtung: **Ab Ende Oktober/bis Mai kann die Strecke ohne Schneeketten schon/noch unpassierbar sein**; www.fs.fed.us/dxnf.

Escalante

Nachdem in Escalante das ***Interagency Visitor Center*** für das ***Grand Staircase Escalante National Monument*** (➤ Kasten Seite 435) eröffnet wurde, hat sich dort der Tourismus zwar verstärkt. Die Infrastruktur ist aber immer noch relativ dünn.

Escalante State Park

Sehr gut angelegt, schön gelegen und mit allem Komfort ausgestattet ist der ***Escalante State Park Campground*** westlich des Ortes. Aus den meisten Karten geht nicht hervor, dass der Campingplatz am kleinen ***Wide Hollow Reservoir*** liegt, in dem man im Sommer schwimmen kann, wenn der Wasserstand es zulässt. Der ***Petrified Forest Nature Trail***, der dort startet, ist lang und anstrengend. Nur eine Handvoll versteinerter Baumreste liegt am Wege. www.stateparks.utah.gov/park/index.php?id=ESSP.

Unter diversen Unterkünften im Ort ist das witzige ***Prospector Inn***, © (435) 826-4653 o.k., ab $50; www.prospectorinn.com. Ein günstiges B&B ist ***Rainbow Country*** ($60-$90) am Südende des Ortes, © (435) 826-4567; www.bnbescalante.com.

Devils Garden

Ein paar Meilen östlich von Escalante zweigt die **Hole-in-the-Rock Road** in Richtung Lake Powell ab. Die Straße ist bis zum ***Devil's Garden*** mit ungewöhnlichen **Felsskulpturen** und ein paar prima **Campplätzen** gut in Schuss. Die Weiterfahrt jedoch zu den versteckten ***Peek-a-Boo*** und ***Spooky Slot Canyons*** ist eine Tortur für Fahrer und Wagen und nur nach aktueller Straßeninformation im *Visitor Center* machbar (keine Campmobile).

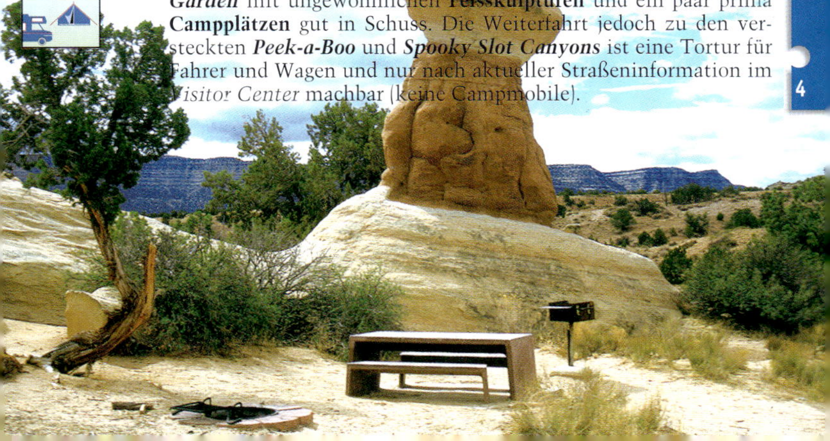

Calf Creek

Nach Verlauf durch sagenhafte Landschaften und Querung des Escalante River passiert die Straße #12 etwa 15 mi nordöstlich von Escalante die mit einem umwerfenden ***Campground*** am glasklaren Bach angelegte ***Calf Creek Recreation Area*** (*RVs* nur 22 Fuß), von der ein 4 km-Trail zu den pittoresken ***Calf Creek Falls*** führt.

Boulder/ Burr Trail

Boulder ist ein kleines Nest am Wege, das mit der weiteren Entwicklung des ***Grand Staircase Escalante NM*** an Bedeutung gewinnen dürfte. Dort zweigt der ***Burr Trail*** nach Bullfrog am Lake Powell ab. Er wurde bis vor den *Capitol Reef Park* geteert und ist so weit problemlos befahrbar. Auch ein großer Teil der Strecke östlich des *Capitol Reef* ist befestigt. Problematisch sind aber der rutschige Abstieg aus den Höhen des Parks und zwei Bachdurchfahrten. Nur möglich mit 4WD und bei Trockenheit (unbedingt mit Wettervorhersage im *Visitor Center* erkunden).

➢ Foto Seite 15

Doch allein schon das Abfahren der ca. 30 mi Asphaltstraße durch den grandios einsamen ***Long Canyon*** lohnt sich. Eine tolle Route, die auch auf der Rückfahrt nur Freude macht.

Am Wege liegt der ***Deer Creek Campground***, und an der Abzweigung des *Burr Trail* bietet die **Boulder *Mountain Lodge*** eines der besten (und teuersten) Quartiere zwischen *Bryce* und *Capitol Reef Park* ($92-$175); ✆ 1-800-556-3446; www.boulder-utah.com. Originell sind die **2 *Cottages*** mit Kamin und Aussichtsterrasse ($160) des ***Kiva Koffeehouse*** bei Escalante, wo man sowieso eine Pause zum Kaffee einlegen sollte, www.kivakoffeehouse.com.

Anasazi Village

Im ***Anasazi Indian Village State Park*** nördlich von Boulder sind die Relikte eines vorkolumbischen Indianerdorfes zu besichtigen. Im Museum wird das Leben der *Anasazi* vor 800 Jahren demonstriert, ➢ Seite 455; Sommer 8-18 Uhr, sonst 9-17 Uhr, Eintritt $3/ Person; www.stateparks.utah.gov/park/index.php?id=ANSP.

Straße #12 zum Capitol Reef

Weiter geht es auf der phänomenalen #12 durch eine nun ganz andere Landschaft als im Escalante Bereich. Die Straße klettert durch den ***Dixie National Forest*** auf über **2.800 m Höhe** und bietet herrliche Ausblicke auf die fernen Formationen der ***Waterpocket Fold***, Teil des *Capitol Reef Park*. Mehrere ***NF-Campgrounds*** *(Pleasant, Oak Creek)* säumen die Abfahrt; der nationalparknächste davon (***Single Tree)*** hat tolle Stellplätze mit freier Sicht. Wer dort nicht unterkommt, findet 1 mi westlich Torrey den prima ***1000 Lakes RV Park*** (auch Zelte, *Cabins; Wifi, Pool*) vor pittoresken Felswänden, ✆ 1-800-355-8995; www.thousandlakesrvpark.com.

Um den Kreuzungsbereich eine Meile östlich von Torrey stehen Tankstelle und mehrere Hotels und Motels, darunter ein ***Days Inn*** und ***Best Western***, sehr ordentlich ist das ***Wonderland Inn*** mit *Pool,* Cafeteria (+RV-Park), ✆ 1-800-458-0216; www.capitolreefwonderland.com. Sehr schön liegt ***Austin's Chuckwagon Motel***, ✆ 1-800-863-3288, im Sommer $70, *Cabins* $125; www.austinschuckwagonmotel.com. Und wer noch ein paar Meilen nach Westen fährt, findet in **Bricknell** mit dem ***Aquarius Inn*** eine preiswerte, tolle Unterkunft mit *Wintergarden Pool*; ✆ 1-800-833-5379.

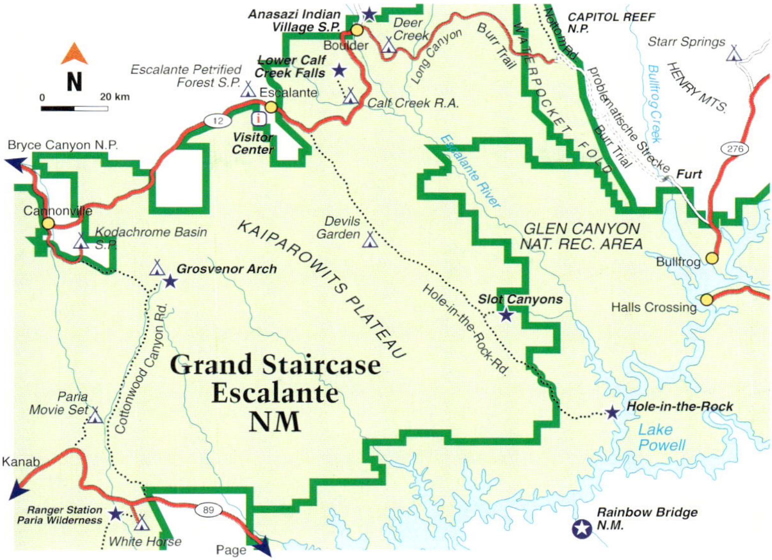

Grand Staircase-Escalante National Monument

Im September 1996 setzte sich *Bill Clinton* an einen Tisch am Rand des Grand Canyon und unterzeichnete in der Abendsonne das Gesetz zur Schaffung eines neuen ***National Monument* im Süden Utahs**. Mit diesem Federstrich stellte er ein gewaltiges **Gebiet von 6.800 km² Ausdehnung** zwischen den Nationalparks *Bryce Canyon* und *Capitol Reef* und der *Glen Canyon National Recreation Area* rund um den *Lake Powell* (➤ Karte) unter den Schutz der Parkgesetzgebung. Die Landschaften im ***Grand Staircase-Escalante National Monument***, dem zur Zeit flächenmäßig größten der USA, sind atemberaubend schön und aufregend. Nicht *eine* spezifische Besonderheit wie z.B. im Fall *Bryce Canyon* wird hier geschützt, sondern ein Vielfalt an Naturwundern zwischen Hochgebirge und Wüste. Mittendrin liegen der bereits beschriebene *Kodachrome Park* und der *Cottonwood Canyon*; www.ut.blm.gov/monument.

Der Verlauf der Straße #12 entspricht etwa seiner Nord-, der Straße #89 seiner Südgrenze. Touristisch spielt das Monument noch keine größere Rolle, aber eine gewisse Infrastruktur ist bereits vorhanden, wie das ***Visitor Center*** und mehr in Escalante zeigen. Des weiteren wurden einige früher nur mit Jeep passierbare *Dirt Roads* zu markanten Anlaufpunkten schon verbessert (so die legendäre *Hole-in-the-Rock-Road* zu tollen ***Slot Canyons***, die den *Antelope Canyons* bei Page, ➤ Seite 462, kaum nachstehen) und **teilweise** sogar asphaltiert, wie etwa der legendäre ***Burr Trail*** zwischen Boulder und Bullfrog am Lake Powell durch den ***Long Canyon*** hindurch bis zum *Capitol Reef Park*.

4

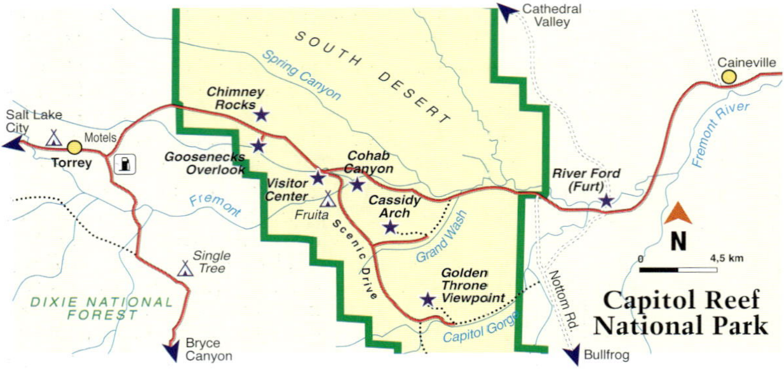

Capitol Reef National Park

Die Einfahrt in den ***Capitol Reef Park*** von Westen vorbei an Felswänden und -formationen ist – besonders in der Abendsonne – beeindruckend. Als **Mindestprogramm** »erfordert« der Park ein Abfahren des ***Scenic Drive*** (10 mi ebene Straße am Westrand des *Capitol Reef* ab ***Visitor Center***; www.nps.gov/care). Auf halber Strecke geht es links ab zum ***Grand Wash***, vom Ende des Asphalts auf rauhem Schotter weitere 3 mi in die ***Capitol Gorge*** hinein. Die beiden Bezeichnungen stehen für tief in den Fels geschnittene trockene Schluchten, die nur nach Regenfällen Wasser führen.

Trails

Eine sehr empfehlenswerte Kurzwanderung läuft durch den sich auf wenige Meter verengenden ***Capitol Gorge Canyon***. Ca. 1 km vom Parkplatz erreicht man Felsflächen mit regenwassergefüllten Auswaschungen. Sie waren namensgebend für die bereits erwähnte ***Waterpocket Fold***, ein Faltengebirge, das sich bis zum *Lake Powell* erstreckt. Am selben Parkplatz beginnt auch der Weg zum auf den Felsmonolithen ***Golden Throne*** (6 km retour).

Etwa gleich lang, aber noch reizvoller ist der *Trail* vom *Grand Wash*-Parkplatz hinauf zum ***Cassidy Arch***, benannt nach dem Bankräuber *Butch Cassidy*, der sich dort einst versteckt hielt. Eine Einweg-Wanderung bietet das Bett des ***Grand Wash*** (7 km), wofür ein Transport an der Straße #24 organisiert werden muss.

Für einen ebenfalls pittoresken *Trail* braucht man nicht weit zu fahren: der Einstieg in den ***Cohab Canyon*** liegt beim Campingplatz (nebenstehend); er läuft ca. 3 km hinüber zur Straße #24. Auf den ersten 500 m geht es gleich steil bergauf, der Rest ist dann nicht mehr sonderlich anstrengend.

Abenteuer

Für die Fahrt zum ***Cathedral Valley*** im Norden des Parks benötigt man Abenteuerlust. Die **65-mi-Rundstrecke** (bzw. Verbindung zur *Interstate* #70) auf abschnittsweise schlechter *Dirt Road* (***Backcountry Camping!***) ist bei gutem Wetter und niedrigem Wasserstand des Fremont River (Furtüberquerung an der *River Ford* genannten Stelle) gerade noch Pkw-geeignet, wenngleich nicht mit Mietfahrzeugen erlaubt (aktuelle Situation im *Visitor Center*). Man kann auch über die ***Caineville Wash Road*** fahren.

Unterkunft

Im *Capitol Reef Park* gibt es keine Quartiere. Die nächsten Motels befinden sich – wie erwähnt – westlich des Parks am Straßendreieck #12/#24, in Torrey und Bricknell. Östlich gibt es in Caineville (18 mi) die ***Luna Mesa Oasis***, wo man in ***Motel*** oder ***Teepee*** unterkommt, © 1-800-629-9141, ca. $30-$60; auch ***Campground***.

Camping

Der ***Fruita Campground*** mit dichtem Baumbestand, liegt ca. 1 mi vom *Visitor Center* entfernt am Fremont River. Ein Problem des oasenähnlichen Fremont Tals (**Obst** von Juni bis Oktober **zum Selberpflücken** umsonst bei Verzehr oder preiswert an der ***Self-Pay Station***!) sind bis Mitte Juli lästige Fliegen. **Alternativ-*Campgrounds*** gibt es in/bei Torrey oder an der Straße #12, ➤ oben, oder »wild« und gratis am Creek ein Stück die ***Nottom Road*** hinunter.

Nach Hanksville

Der einzige nennenswerte Ort zwischen *Capitol Reef Park*, *Lake Powell* und Green River ist **Hanksville** mit einer Handvoll preiswerter **Motels**, zwei Tankstellen, RV-Park, kleinem Supermarkt und ein paar Shops ums Straßendreieck #24/#95. Der **Charakter der Strecke** bis Hanksville ist ganz anders als bisher gewohnt. Sie führt durch eine **eigenartige Landschaft aus grauschwarzen, Formationen** bildenden Sandhügeln, deren Aussehen mit jedem Regen variiert.

Zum Arches Park/ nach Moab über die I-70

Entscheidet man sich für die **direkte Route** vom ***Capitol Reef*** zum ***Arches Park***, geht es auf der Straße #24 nach Norden zur I-70. Die Strecke selbst bietet zunächst keine landschaftlichen Reize mehr und kann, wenn es sein muss, in gut 3 Stunden bewältigt werden (ca. 140 mi). Erst auf den letzten 10 mi vor Moab und dem *Arches Park* wird es wieder interessant.

Goblin Valley

Aber immerhin ist auf dieser Route ein schöner Abstecher zur ***Goblin Valley State Reserve*** am Fuße des *San Rafael Reef* drin. Er kostet minimal eine zusätzliche Stunde. Das *Goblin Valley* erhielt seinen Namen der drolligen »Kobolde« wegen, seltsamer von der Erosion geschaffener Sandsteinskulpturen. Die Fahrt zum Die Fahrt zum ***Goblin Valley*** (13 mi einfacher Weg ab der #24, Teerstraße) lohnt sich allein schon zum Fotografieren. Außerdem ist der *State Park* eine Übernachtungsoption für Camper; den Besucher erwartet ein einsamer schlichter ***Campground*** (aber mit Duschen) vor Sandsteinformationen.

Sandstein-»Kobolde« im Goblin Valley

4

Green River

Einen im Gegensatz dazu grünen, gepflegten Campingplatz am Fluss (mit *Hook-ups)*, der selten voll besetzt ist, findet man bei **Green River** im gleichnamigen ***State Park*** ($16).

Die Straße #191 passiert vor Erreichen des *Arches Park* die Zufahrt zum ***Island in the Sky District*** der *Canyonlands* und den ***Deadhorse Point State Park***. Dazu mehr auf Seite 449.

Zum Arches Park über Lake Powell

Erheblich reizvoller als die Route über Green River, aber auch zeitaufwendiger als die dabei zusätzlichen 100 mi vermuten lassen, ist die **Straße #95 East** über den Colorado und die *Natural Bridges*.

Fähre Lake Powell

Der erste Streckenabschnitt von Hanksville bis zur Brücke über den Colorado führt zunächst ebenfalls durch eher langweiliges Terrain. Aber das Panorama der *Henry Mountains* im Westen sorgt für Abwechslung. Ein Umweg über **Bullfrog/Halls Crossing** ist weniger zu empfehlen, außer man möchte dort ein Hausboot mieten (*Aramark Services*, ➤ Seite 464 für Details). Fähre Mitte April bis Mitte Oktober 5-6 x täglich; Fahrzeug mit 2 Personen $24-$34; Aktuelle Info: © (435) 684-7000 oder 3088.

Weder der Straßenverlauf der #276 noch der *Lake Powell* in der Bullfrog-Region können mit der #95 über die ***Colorado River*** **Bridge** bis zu den *Natural Bridges* »mithalten«. Einen Abstecher wert ist indessen der schattige ***Starr Springs Campground***, etwa 16 mi westlich der #95 (plus Zufahrt auf 3 mi *Gravelroad*). Dank klarer Quellen entstand mitten in der Trockenheit ein kleines Eichenwäldchen als grüne Insel. Sinn macht die Fahrt nach Bullfrog natürlich auch, wenn eine Rückfahrt in westliche Richtung über den ***Burr Trail*** erwogen wird, ➤ Seite 434.

Ein **Höhepunkt der Fahrt** auf der #95 von Hanksville zum Colorado sind die 10 mi durch Felsmassive bis zur *Colorado River Bridge*.

Colorado River bei Hite

An den Ufern des Colorado kann man beim einst nördlichsten Lake Powell Bereich **kostenfrei in der Landschaft campen**. Die Zufahrt ist auf beiden Seiten kein Problem. Am Ostufer sind die Reste der einstigen Bootsmarina Hite noch zu erkennen (betonierter Bootslip). Nach dramatischen Wasserstandsminderungen beginnt das Nordende des Sees heute weiter südlich, aber noch in Sichtweite (vom früheren Hite aus).

Brücke über den Colorado zwischen Moab und Glen Canyon Damm (Page), als der Lake Powell noch bis über Hite hinaus reichte

Situation heute wegen geringer Niederschläge in den Rocky Mountains über mehrere Jahre und extensiver Wasserentnahme (u.a. in Las Vegas)

Straße #95

Die Weiterfahrt – wiederum – an hochaufragenden Wänden zur Rechten mit Blick über eine weite Landschaft mit dem tief eingeschnittenen *White River Canyon* zur Linken bleibt bis *Fry Canyon* aufregend. Noch schöner fährt sich diese Route indessen in Gegenrichtung auf den Lake Powell zu.

Natural Bridges National Monument

Im Mittelpunkt des ***Natural Bridges National Monument*** auf halbem Wege nach Blanding stehen drei eindrucksvolle **natürliche Felsbrücken** über den ***White & Armstrong River Canyon***. Sie entstanden im Gegensatz zu den *Arches* durch Unterspülung von Felsbarrieren und stetige, überwiegend vom Wasser verursachte Erosion. Kurze *Trails* (bis zu einer Stunde) führen von Parkplätzen an der ***Loop Road*** (beginnt am ***Visitor Center***, guter Videofilm zur Einstimmung) zu den gelbbraunen ***Bridges Sipapu***, ***Kachina*** und ***Owachomo***. Ein Wanderweg im Flussbett verbindet die Brücken (insgesamt 14 km ***Loop Trail***); www.nps.gov/nabr.

Der schön angelegte ***Campground*** ($10) mit nur 13 Stellplätzen (keine Fahrzeuge über 26 Fuß) füllt sich rasch. Die ***Overflow Area*** für abgewiesene Camper außerhalb der Parkgrenzen unweit der Kreuzung #261/#95 (Zufahrt von der #261 ca. 1 km) ist nur eine geschotterte Fläche und keine echte Alternative. Besser steht man in der Landschaft ab der #275 in Richtung Monument, dann rechts ab (Schild *San Juan County/Deer Flat*) und ca. 1 mi.

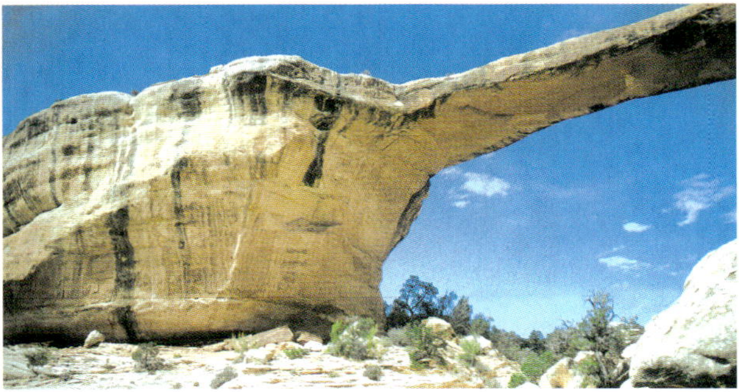

Owachomo Natural Bridge im gleichnamigen National Monument

Straße #261 zum Monument Valley

Vom *Natural Bridges Monument* führt die Straße #261 direkt zum ***Monument Valley***, das auf dieser Route erst später angesteuert wird (➤ Seite 459). Der Serpentinenabschnitt (**Achtung *Gravel***: problematisch für größere Campfahrzeuge und bei/nach viel Regen; vorher erkunden) beim Abstieg in das ***Valley of the Gods*** (➤ Seite 457) mit großartiger Aussicht über das weite Tal ist einziger Höhepunkt der Strecke bis Mexican Hat. Gleich eingangs der ***Dirt Road* durch das *Valley of the Gods*** liegt in der Einsamkeit am Rande der monumentalen Landschaft eine ***Bed & Breakfast Ranch***, die dafür etwas teurer ist als üblich, ➤ Seite 458.

Straße #95 bis Blanding

Der ***Bicentennial Highway* #95** zwischen *Natural Bridges* und der #191 beeindruckt vor allem im Bereich des ***Combrigde*** Höhenzuges. Unmittelbar vor Erreichen der Höhe überquert die Straße den ***Comb Wash***, an dessen Ufern beidseitig des oft trockenen Baches sehr gut gecampt werden kann und darf.

Gleich östlich davon passiert die Straße die ***Butler Wash Ruins***, indianische *Cliff Dwellings*. Ein hübscher, wenig frequentierter *Trail* (ca. 1,5 km retour) führt zu den Ruinen am Hang.

Blanding/ Monticello

Auch die #191 führt in nördliche Richtung wieder streckenweise durch herrliche Landschaft. Die einzigen Ortschaften am Wege, Blanding und Monticello, sind ohne eigenen Reiz, besitzen aber wieder **Supermärkte und Motels**. Die Übernachtung in beiden Orten ist deutlich preiswerter als in Moab; das gilt besonders außerhalb der Kernsaison (Juni bis *Labor Day)*.

Während auch dann in Moab noch einiger Betrieb herrscht, ist in der »Nachbarschaft« noch nichts bzw. nichts mehr los. Im ***Edge of the Cedars State Park***, etwas außerhalb von Blanding, findet man einige restaurierte präkolumbische Ruinen, eher eine kleinere Sehenswürdigkeit für besonders Interessierte.

Gratis übernachtet man am Nordufer des **Recapture Lake**, 4 mi nördlich von Blanding. Der ***NF-Campground Devil's Canyon***, 10 mi weiter, kostet $10, ist aber ein gepflegter, gut angelegter Platz.

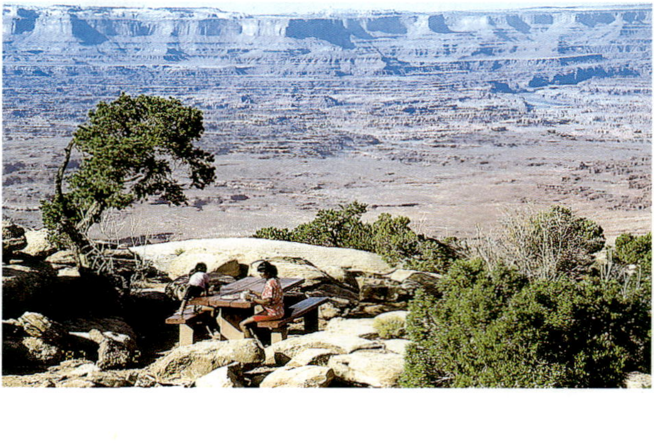

Picnicktisch in traumhafter Position am Needles Overlook des Canyonlands National Park

In Monticello stößt man auf ein erstaunlich großes neueres ***Visitor Center*** mit viel Unterlagen und Information zum Südosten Utahs. U.a. zeigt man dort ein **Video** zu Utahs Nationalparks.

Harts Draw Road zum Needles District des Canyonlands National Park

Wer die empfehlenswerte Absicht hat, den ***Needles District*** der ***Canyonlands*** zu besuchen, sollte ab **Monticello** die bestens ausgebaute neuere ***Harts Draw Road*** nehmen, die am *Newspaper Rock* auf die Stichstraße #211 stößt. Die Strecke ist reizvoller und kürzer als die #191 und dann #211 ab dem ***Church Rock***. Zunächst geht es nach Westen in die Höhe der Abajo Mountains an Monticello Lake und diversen ***NF-Campgrounds*** vorbei (teilweise gratis) und dann nördlich bergab (16 mi ab Monticello).

Newspaper Rock

Der ***Newspaper Rock*** ist eine Felswand voller Petroglyphen (➤ Foto Seite 49), den interessantesten über Straßen erreichbaren ihrer Art. In seiner Umgebung ist unorganisiertes **Camping** am Flüsschen unter schattigem Grün erlaubt. Für sich ist der Zeitungsfelsen kein Ziel für einen Abstecher, aber auf dem Weg in den Nationalpark ein guter Zwischenstopp. Bis zum Endpunkt der Straße in den Canyonlands sind es von dort noch 32 mi.

Squaw Flat

Ein **Campingplatz der Extraklasse**, was seine landschaftliche Einbettung angeht, ist der um eine Felskuppe herum angelegte ***Squaw Flat Campground***. Wer jedoch nicht früh am Morgen kommt, hat von Mai bis Oktober kaum Aussicht auf einen Stellplatz.

Mehrere ***Trails*** (Karte an der *Visitor Station*) und nur für 4WD-Fahrzeuge zugelassene Wege in die *Canyonlands*, u.a. zu den namensgebenden ***Needles*** und mehreren ***Arches***, nehmen dort ihren Ausgang. Die ***Elephants Hill Road*** führt zu weiteren *Trailheads*, u.a. zum Ausgangspunkt für eine Hauptwanderroute zu den eindrucksvollen Formationen des ***Chesler Park***; www.nps.gov/cany.

Der Campingplatz ***Needles Outpost*** vor den Grenzen des Parks bietet ein Ausweichquartier vor roten Felsen. Dort sitzt man in der Abendsonne, vor sich die Silhouette der Felsnadeln. Dieser Platz lässt sich zum Vermeiden einer vergeblichen Anfahrt auch reservieren: ✆ (435) 979-4007; www.canyonlandsneedlesoutpost.com.

Mit Anfahrt, Wanderung usw. sollte man für den *Needles District* mindestens einen vollen Tag einplanen (Eintritt ➤ Seite 449).

Needles Overlook

Wenn die Zeit für Fahrt und Aufenthalt im *Needles District* nicht reicht, sollte man sich wenigsten den Abstecher zum fantastischen Aussichtspunkt ***Needles Overlook*** gönnen (ca. 22 mi auf weitgehend ebener Straße, die nördlich der #211 von der #191 abzweigt). Gäbe es einen Preis für den **bestplatzierten Picknicktisch** der USA, er müsste dort vergeben werden. Vom ***Rim Trail*** an der Abbruchkante hoch über dem *Colorado* schaut man über eine sagenhafte Landschaft und hinüber zum *Grandview Point* des ***Island in the Sky District*** (➤ Seite 449).

Eine Fahrt zum ***Anticline Overlook*** »gegenüber« dem *Dead Horse State Park* lohnt in Anbetracht der weiten Strecke und der *Gravel Road* nur bei viel Zeit. Ein guter **Campingplatz** (***Wind Whistle)*** des BLM liegt nur ca. 5 mi von der #191 entfernt.

4.2.3 Moab, Arches National Park und Islands in the Sky-District der Canyonlands

Moab

Das kleine Städtchen **Moab** (knapp 5.000 Einwohner und dennoch die größte Ortschaft im Südosten Utahs) fungiert als Besucherzentrale inmitten felsiger Naturwunder und besitzt eine **für seine Größe erstaunliche touristische Infrastruktur**.

Aktivitäten

In Moab lassen sich alle erdenklichen Exkursionen per Flugzeug, Helikopter, Ballon, Jeep, Schlauchboot, Kanu und Pferd buchen. Populär sind vor allem ***Jeep Tours*** in die *Canyonlands* (auch auf eigene Faust mit Miet-Jeeps) und – bei hohen Wasserständen eher langweilige – ***River Rafting Trips*** auf dem Colorado. Die meisten einschlägig tätigen Firmen residieren unübersehbar an der Straße #191. Beide Besucherinformationen (➤ unten) haben jede Menge Unterlagen und eine Liste der Anbieter (***Tours & Recreation, Services & Rentals***) und ***Discount Coupons***! Die Übersicht findet man auch im Internet unter www.discovermoab.com.

Bike Trails

Moab nennt sich zu Recht **Hauptstadt des *Mountain Biking***. U.a. führt oberhalb der Stadt der tolle, aber schwierige ***Slickrock Trail*** (10 mi; 2-3 Std; $3 Gebühr) durch die wilde Landschaft. Eine weiße Linie über nacktem Fels zeigt, wo's langgeht. Der Startpunkt liegt am Ende der *Sand Flats Road*, ➤ Camping, Seite 444. Zum Üben gibt's einen ***Practice Loop*** (2,2 mi). ***Bike Rental***, Anfängerkurse und geführte Touren – alles ist zu haben.

Vorbereitung zum Start auf dem Parkplatz beim Slick Rock Mountain Bike Trail

Information

Das ***Moab Visitor Center*** an der Ecke Main/Center St (zurückgesetzt gleich neben *Eddie McStiff's Brew Pub*), © **1-800-635-6622**, und die ***Chamber of Commerce*** an der 805 North Main/#191 Richtung *Arches Park*, haben ausführlichste Info-Flyer, Broschüren samt Unterkunfts-/Campinglisten (***Guide to Lodging/Camping***) und sogar die **Restaurantspeisekarten** des Ortes in einem Heft; www.discovermoab.com/pdfbrochures.htm.

Events

In Moab ist viel los, sehr reizvoll u.a. das ***Moab Music Festival*** Anfang September, teilweise *open air* vor grandioser Kulisse; www.moabmusicfest.org.

Unterkunft

Über 70 ***Motels, Hotels, Inns, Bed & Breakfast-Places*** und ***Ranches*** warten auf Gäste. Die Mehrzahl der Quartiere hier ist unabhängig, aber auch einige der großen Kettenmotels sind vertreten: ***Motel 6, Super 8, Ramada, Best Western, Comfort Suites, Sleep*** und ***Days Inn***. In Moab sollte man einige Tage vor Ankunft reservieren, zumindest aber am Vormittag anreisen, wenn normalerweiser noch *Vacancies* zu finden sind. Die Kettenmotels sind über ihre 800-Nummer zu erreichen (➤ Seite 183). **Alle Unterkünfte** einschließlich vieler ***B&B*** **und Ranch-Quartiere** lassen sich auch über eine **zentrale Reservierung** buchen:

✆ **1-800-505-5343**; **Email**: info@moabutahlodging.com; www.moabutahlodging.com.

Die **Zimmerpreise in Moab** liegen zwar höher als sonst in der Region üblich, sinken aber in Zeiten geringerer Auslastung auf ein Niveau um $40-$50 für die untere Mittelklasse. Die Hauptsaison läuft hier von Juni bis ca. Mitte Oktober. An schwachen Tagen in dieser Zeit und davor und danach kann man zu moderaten Tarifen unterkommen. Zu empfehlen sind neben den Kettenmotels:

- ***Apache Motel***, 166 S 400 East St, 4 Blocks abseits der Hauptstraße, ✆ 1-800-228-6882; schlicht und sauber, $29-$79; www.apachemotel.net
- ***Virginian Motel***, 70 East 200 South St, ✆ 1-800-261-2063, zentral gelegenes, ganz akzeptables Haus, $25-$89; www.moabutah.com/virginian
- ***Aarchway Inn***, neueres Motel der gehobenen Mittelklasse am nördlichen Ortsende (Durchgangsstraße #191) nah am *Arches Park*, ✆ 1-800-341-9359; $110-$209; www.aarchwayinn.com
- ***Lazy Lizard Hostel*** südlich des Ortes, 1213 South #191; ✆ (435) 259-6057. Ab $9/Bett; auch EZ/DZ ($23-$33); sogar Zelte dürfen bei diesem Hostel aufgeschlagen werden ($6); www.lazylizardhostel.com

Camping/ Situation

Am schönsten campt es sich im Moab-Bereich im ***Arches Park***, in den ***Sand Flats*** und im ***Deadhorse Point State Park***, ➤ weiter unten. In allen zusammen gibt's aber nur knapp über 200 Stellplätze mit Minimalkomfort. Die Mehrheit der Camper bucht einen der – privat betriebenen – Plätze in Moab. Tatsächlich gibt es im ganzen US-Westen keinen weiteren Ort mit einer derartigen Ballung an Campingmöglichkeiten.

Kommerzielle Plätze

Relativ ortsnah ist der ***Slickrock Campground*** am nördlichen Ortsende; ✆ 1-800-448-8873. Der ***Portal RV Resort*** ganz in dessen Nähe besitzt den Vorteil, abseits der Straße zu liegen, ✆ 1-800-574-2028. Der ***Riverside Oasis CG & RV Park*** (für Zelte gibt's Rasenplätze) ist komfortabel und liegt parknah am Fluss, ✆ 1-877-285-7757. Auch ein Komfortplatz ist das ***Moab Valley RV Resort*** an der Abzweigung der #128, ✆ (435) 259-4469, der zudem über ***Cabins*** verfügt ($39). Der sanitär und auch sonst gute **KOA-Platz** liegt 3 mi südlich von Moabs Zentrum etwas ungünstig.

Campground Reservierung

Eine Reservierung spätestens einen Tag oder zwei vor Ankunft kann nicht schaden. Ein Risiko, auf Moabs Campingplätzen nicht mehr unterzukommen, besteht jedoch kaum. Man könnte also auch erst einmal schauen und erst dann entscheiden.

BLM Colorado River/#128

Ausweichmöglichkeit und billige Alternative sind **7 gute Einfach-*Campgrounds*** der ***Colorado Riverway Recreation Area*** an der Straße #128, etwa 1,5 mi bis 9 mi von der Ecke #191 entfernt, **$5-$10**; Info-Stand am ersten Platz *Goose Island*; www.blm.gov/utah/moab/riverway.html.

Sand Flats Camping

Schön ist auch die Campmöglichkeit im Bereich des ***Slickrock Bike Trail***. In den ausgedehnten ***Sand Flats*** sind vom BLM 140 Stellplätze in einer Fels- und Dünenlandschaft ähnlich der des *Arches Park* markiert. Einziger Komfort sind Plumpsklos; kein Wasser ($8). Wer duschen möchte, campt im ***Lions Back Campark*** an der Zufahrt Sand Flats Road fast ebenso schön. Die Auffahrt aus dem Zentrum ist einfach zu finden: beliebige Querstraße nach Osten, dann 400 East nach Süden und weiter über Mill Creek Drive.

Restaurants und Kneipen

Dank der vielen Gäste kommt in Moab das leibliche Wohl nicht zu kurz. *Fast Food Places* und Restaurants sind zahlreich. Ein Haus mit Geschichte und Aussicht ist das ***Sunset Grill Restaurant*** am Nordende des Ortes hoch über der Hauptstraße (www.moab-utah.com/sunsetgrill). Ebenfalls am nördlichen Ortsende steht das ***Grand Old Ranch House*** für's ***Candle Light Dinner***.

Sehr beliebt und meist rappelvoll ist die ***Moab Microbrewery*** mit Restaurant neben *McDonald's* an der South Main Street (www.themoabbrewery.com). Jüngere Gäste bevorzugen das ***Poplar Place Restaurant & Pub*** und das ***Slick Rock Café***, beide unverfehlbar an der Main Street. Gleich mehrere in Moab gebraute Biersorten gibt's in ***Eddie McStiff's Brew Pub*** (www.eddiemcstiffs.com) im Zentrum neben der *Visitor Information*. Ein reiches Buffett bietet ***ZAX's Pizzeria*** im Zentrum; www.zaxmoab.com.

Auch die ***Ranch*** fürs ***Chuckwagon Supper*** (➤ Seite 44) fehlt nicht; in Moab heißt sie **Bar M** und bietet ***Cowboy Supper*** mit ***Gunfight*** vor und ***Western Show*** nach dem Essen, April-Oktober. Pistolenduell pünktlich um 19 Uhr; kostet ca. $20, Kinder 50%. *Bar M* liegt am Ende der Mulberry Lane unterhalb Mill Creek Drive. Zufahrt über 400 East; www.barmchuckwagon.com.

Der einmalige Delicate Arch. Im Hintergrund die schneebedeckten Manti La Sal Mountains

Double Arch in der Windows Section

Arches National Park

Eintritt
$10/Auto
$5/Person
oder
Interagency Jahrespass

Von Moab zur Einfahrt in den ***Arches National Park*** sind es nur 3 mi. Dieser Park bietet mit seinen – durch Erosion in Wind und Wetter entstandenen – Felsbögen selbst in dieser an Naturwundern so reichen Region ein wiederum anderes und ganz besonderes Landschaftserlebnis.

Die Details der *Arches*-Entstehung werden im ***Visitor Center*** gleich hinter der Einfahrt anschaulich erläutert; auch deutsch-sprachiges Material ist verfügbar. Eine kurze ***Park Orientation Show*** stimmt halbstündlich auf den Besuch ein www.nps.gov/arch.

Stichstraße

In das Parkgelände hinein führt eine Stichstraße (ca. 20 mi), an der sich ***Viewpoints*** und **Startpunkte für *Trails*** zu den abgelegeneren *Arches* befinden. Ein Teil der Bögen und andere Felsmonumente liegen zwar an oder in der Nähe der Straße, die spektakulären Exemplare erfordern aber kurze oder längere Fußmärsche.

Windows Section

Am leichtesten zugänglich sind die Felsbögen der ***Windows Section***, die alle relativ nah am abschließenden *Loop* einer nach 9 mi von der Hauptstraße abzweigenden Zufahrt stehen (2,5 mi). Kurze Pfade führen zu den Felsbögen. Am spektakulärsten sind dort ***Double Arch*** und die beiden ***Windows***.

Delicate Arch

Obwohl der Aufstieg zunächst beschwerlich erscheint, und sogar ein mit dem Auto erreichbarer Aussichtspunkt existiert (auch von dort 20 min-*Trail*), gehört der ***Trail* zum *Delicate Arch* ab Startpunkt *Wolfe Ranch*** (etwa 2 mi östlich der Hauptstraße, Pfad ca. 5 km hin und zurück) zusammen mit dem *Devils Garden Trail* zum **Pflichtprogramm**. Nichts geht über den sich urplötzlich öffnenden Blick auf den schönsten aller *Arches* über einer trichterartig ausgewaschenen Felsfläche vor dem Hintergrund der *Manti La Sal Mountains*. Ein wirklich atemberaubendes Farbspiel belohnt bei klarem Himmel den späten Wanderer und Fotografen, der geduldig auf den Sonnenuntergang wartet.

4

Fiery Furnace

Wenige hundert Meter abseits/unterhalb der Straße ballen sich im *Fiery Furnace*-Gebiet gewaltige **Felsblöcke und -türme** und bilden eine Art **Irrgarten**. Ein angelegter *Trail* hinunter existiert nicht; der Zugang erfolgt über Trampelpfade. Wer nicht aufpasst, verliert bei einer Kletterpartie zwischen den bizarren Formationen und Felsspalten leicht die Orientierung. Die dadurch ausgelösten Such- und Rettungsaktionen wurden den Rangern wohl zuviel, und so darf man nur noch unter »Aufsicht« hinunter. Die geführten Touren finden mehrmals täglich statt und kosten $10, Kinder bis 12 Jahre $5 (Anmeldung im *Visitor Center*).

Devils Garden

Die Straße endet am *Trailhead* für den ***Devils Garden***, das Gebiet mit den meisten Felsbögen. Jeder einzelne von ihnen und auch der Weg als solcher, der ab dem ***Landscape Arch*** (ca. 1,5 km) zu einem rauhen, aber reizvollen Geländepfad wird, sind die Mühe des Anmarsches wert. Man sollte sich dafür mindestens 3-4 Stunden Zeit nehmen (viel fürs Fotografieren! Extra-Filmrolle einstecken bzw. vor dem Start den verbliebenen Speicherplatz auf dem Chip prüfen)) und auch das letzte Wegstück bis zum ***Double-O-Arch*** (rund 3 km) auf keinen Fall auslassen. Die Strecke ist nicht ganz ohne und setzt Kondition und Schrittsicherheit voraus. Das letzte Stück zum *Dark Angel Arch* muss nicht sein. Der *Trail* bietet keinen Schutz vor der im Sommer stark sengenden Sonne. Man benötigt unbedingt **Kopfbedeckung** und einen ordentlichen **Getränkevorrat**.

Camping im Arches Park

In Nachbarschaft zum *Devils Garden*-Parkplatz befindet sich der Eingang zum ***Devils Garden Campground***, einem der schönsten und deshalb populärsten Campingplätze Amerikas. Seine Reservierung ist im Internet unter www.recreation.gov möglich, ➤ Details und Foto auf Seite 200/201.

Gute Chancen auf einen der freien Plätze ohne Vorreservierung hat nur, wer morgens ab **6 Uhr am *Visitor Center*** ist. Dort erfolgt eine ***Pre-Registration***, nach der man schnurstracks zum *Campground* fahren muss. Oft ist der Platz um 8 Uhr morgens schon wieder voll für die nächste Nacht vergeben. An der Einfahrt, gleich unten unweit der Straße #191, kann man die aktuelle Situation erfragen.Tatsächlich ist nicht nur die Lage des *Campground* insgesamt traumhaft; auch viele der Stellplätze liegen exquisit.

Im hinteren Bereich des Platzes beginnt ein **60 min-*Trail*** zum ***Broken Arch***. Dieser und der ***Sand Dune Arch*** können aber auch direkt von der Stichstraße aus erreicht werden.

Besuchsplanung/ Tag 1

Der **optimale Tag** im *Arches Park* beginnt **für Camper** früh am Morgen mit der Sicherung eines Platzes im *Devils Garden Campground*. Danach ist Zeit für die ***Arches*** in diesem Umfeld. **Nichtcamper** sollten ebenfalls dort beginnen. Wer eine Tour am frühen Nachmittag reserviert hat, könnte sich am selben Tag noch den Felsgarten ***Fiery Furnace*** vornehmen. Den späten Nachmittag bis zum Sonnenuntergang sollte man unbedingt für den ***Delicate Arch*** reservieren. Vielleicht gibt's abends einen ***Ranger*-Vortrag** am Lagerfeuer *im Amphitheater* vor dem ***Skyline Arch***.

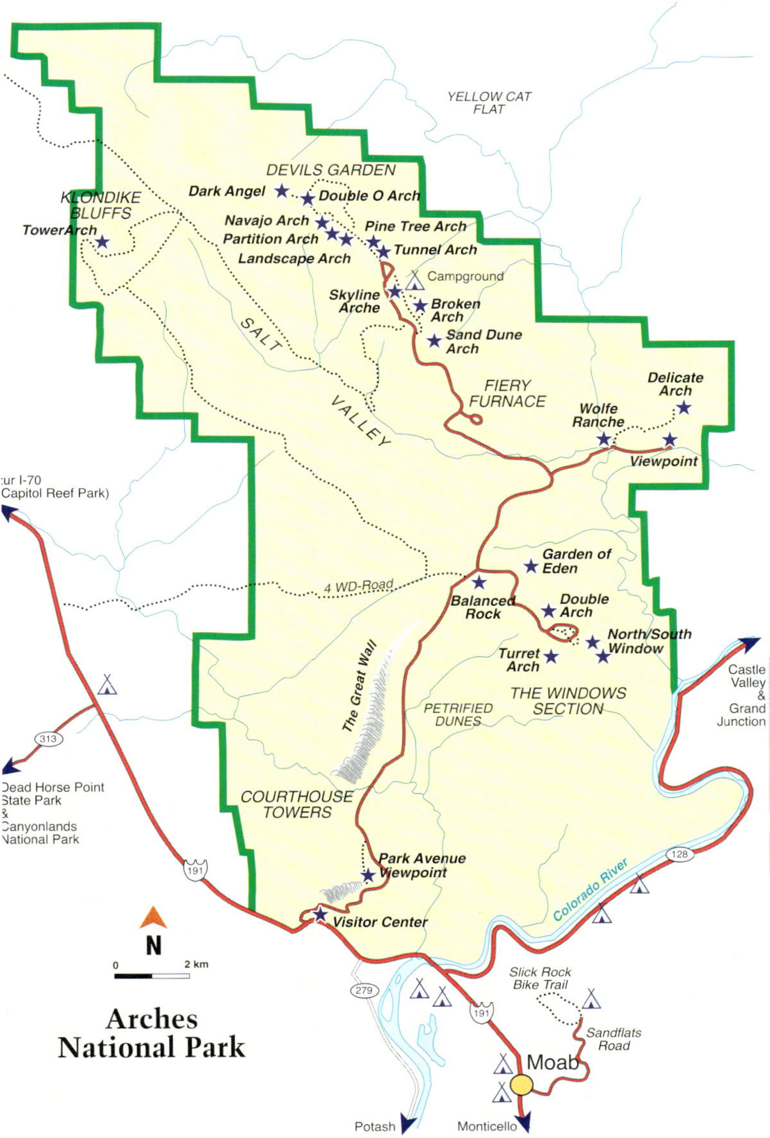
YELLOW CAT FLAT
DEVILS GARDEN
KLONDIKE BLUFFS
Tower Arch
Dark Angel
Double O Arch
Navajo Arch
Partition Arch
Landscape Arch
Pine Tree Arch
Tunnel Arch
Campground
Skyline Arche
Broken Arch
Sand Dune Arch
SALT VALLEY
FIERY FURNACE
Delicate Arch
Wolfe Ranche
Viewpoint
ur I-70
Capitol Reef Park)
Garden of Eden
4 WD-Road
Balanced Rock
Double Arch
North/South Window
Turret Arch
The Great Wall
PETRIFIED DUNES
THE WINDOWS SECTION
Castle Valley & Grand Junction
313
Dead Horse Point State Park & Canyonlands National Park
COURTHOUSE TOWERS
Park Avenue Viewpoint
191
128
Colorado River
Visitor Center
N
0
2 km
279
Slick Rock Bike Trail
Sandflats Road
Moab
Potash
Monticello

Arches National Park

Besuchsplanung/ Tag 2

Bei der **Rückfahrt am nächsten Tag** stoppt bzw. fährt man an/zu den noch nicht näher in Augenschein genommenen Sehenswürdigkeiten, vor allem in der ***Windows Section*** und bei den ***Courthouse Towers*** unweit der Einfahrt. In eineinhalb Tagen lassen sich so alle wichtigen Ziele im *Arches* »abhaken«. Sofern die Zeit knapp ist, sei hinzugefügt. Viel besser wäre gerade in diesem Park ein wenig mehr Muße.

Potash Road

Wenn die Zeit reicht, könnte man auch noch eine Fahrt nach **Potash** am Straßenende #279 »dranhängen« (eine Strecke ca. 16 mi). Sie führt pittoresk unter steilen Felswänden am *Colorado* entlang, passiert Aussichtspunkte und erreicht nach ca. 10 mi den ***Trailhead*** für einen Pfad zu den ***Arches Corona*** und ***Bowtie***, die gute 2 km von der Straße entfernt stehen.

La Sal Loop Road

Ein weiterer Abstecher könnte der ***La Sal Loop Road*** gelten, die sich von der #191 südlich von Moab durch die ***Manti La Sal Mountains*** – in 2.700 m Höhe der ***Warner Lake NF-Campground*** – nach Castleton und durch das *Castle Valley* schlängelt, auf die Straße #128/Colorado River stößt und nach Moab zurückführt. Der Reiz dieser Strecke liegt im raschen Übergang von Vegetations- und Klimazonen auf kürzester Distanz und (wiederum) Felswundern im ***Castle Valley***, wo Teile des ***John Wayne-Western »Rio Grande«*** gedreht wurden.

Canyonlands National Park www.nps.gov/cany

Island in the Sky (Nordteil)

Einen halben Tag benötigt man mindestens für den Abstecher zum ***Island in the Sky District***, einem Hochplateau zwischen Green und Colorado River im ***Canyonlands National Park***. Vom Eingang des *Arches Park* bis zur Zufahrtstraße #313 sind es etwa 8 mi. Die #313 führt zunächst durch den *Sevenmile Canyon* (dort **BLM-Einfachcamping** am Creek) zum ***Dead Horse Point State Park*** (*Day-use Fee* $7) am Rand der Mesa mehrere hundert Meter über dem Bett des *Colorado River*; www.utah.com/stateparks/dead_horse.htm.

Blick vom Deadhorse Point Overlook auf einen Mäander (Horseshoe Bend) des Colorado River und die Canyonlands

Deadhorse Point State Park

Ein *Trail* hinter dem **Besucherzentrum** läuft direkt an den Steilwänden der Schlucht entlang. Die Straße endet am ***Dead Horse Point Overlook***, der weite Ausblicke über den ***Meander Canyon*** des Colorado und die felsige Umgebung bereithält. Ein prima **Picknickplatz** bietet sich dort für eine Rast an. Der ***Campground*** gehört zur Extraklasse ($15); nur bei früher Ankunft hat man eine Chance. Anmeldung im *Visitor Center* oder unter ✆ 1-800-522-6848 bzw. www.reserveamerica.com.

Eintritt National Park:
$10/Auto
$5/Person
oder
Interagency Jahrespass

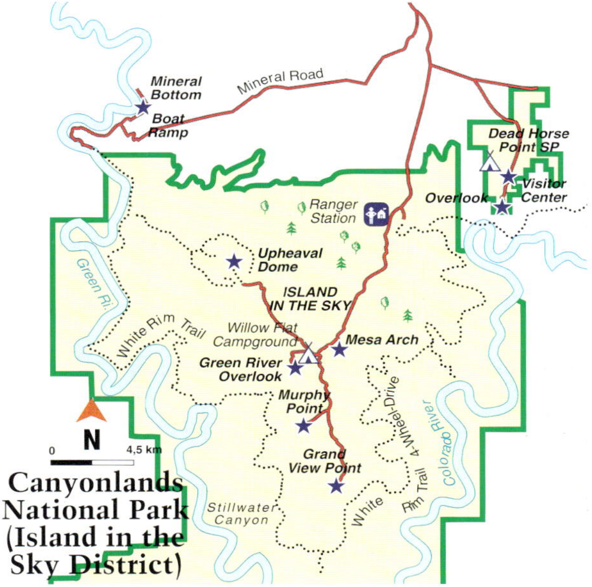

Mesa Arch

In den Nationalpark geht es auf einem ausgebauten ***Scenic Drive***. Vor Erreichen der Nord-Süd-Straße (➤ Karte oben) unbedingt anhalten muss man am ***Mesa Arch***; das Foto Seite 19 sagt alles.

Viewpoints

Von den Aussichtspunkten der »Himmelsinsel« überblickt man den zerklüfteten ***Stillwater Canyon*** des **Green River**. Vom ***Grand View Overlook*** erkennt man tief unten auch den **Colorado River**. Dort beginnt ein kurzer **Pfad** auf eine vorgelagerte Felsnase (auf keinen Fall auslassen!). Die Stichstraße in nördliche Richtung mit dem abschließenden Aufstieg zum ***Upheaval Dome*** (*Trail* ca. 30 min. retour) ist – einmal hier – die zusätzliche Zeit und kleine Anstrengung auch unbedingt wert.

Der **Campingplatz *Willow Flat*** kann nicht mit dem *Campground* im *State Park* konkurrieren, ist aber dennoch ebenso oft schon früh am Tage voll belegt (*first-come – first-served*).

4.2.4 Vom Arches zum Mesa Verde National Park

Straße # 128

Die Straße #128 am *Colorado River* entlang in Richtung I-70/ Grand Junction ist zu Recht als ***Scenic Highway*** ausgewiesen: eine wahrhaft angemessene Route zum Abschluss der Fahrt durch die Utah-Nationalparks! Etwa auf halber Strecke passiert sie die zum ***Castle Valley*** (➤ Seite 448) gehörenden Felstürme ***Fisher Towers***. Eine kurze *Gravel Road* führt zu ihnen. Ca. 15 mi nach Überquerung des *Colorado River* stößt man auf die I-70. Nach Grand Junction, dem westlichsten »Vorposten« des Staates Colorados, sind es nun noch 50 mi.

Colorado National Monument

Südwestlich der Stadt liegt das ***Colorado National Monument***, eine weitere Canyonlandschaft mit steilen Felswänden und pittoresken Monolithen. Über die Straße #340 (ab Fruita) erreicht man den ***Rim Rock Drive***, an dem auch das *Visitor Center* und ein hübsch angelegter **Einfach-*Campground*** zu finden sind. Der kleine Umweg (etwa plus 30 mi gegenüber der *Interstate)* lohnt sich allemal, auch wenn man nach dem Erlebnis der Utah-Parks nicht mehr »umgeworfen« wird; www.nps.gov/colm.

Grand Junction

(Karten Seiten 432 und 471)

Grand Junction, die größte Stadt Colorados westlich der *Rocky Mountains*, besitzt für Reisen, die *Yellowstone* und Utah-Parks verbinden, eine **geographische Schlüsselposition**. Denn über die Straße #139 und das *Dinosaur Monument* lassen sich diese und die Rundstrecke durch Wyoming ideal miteinander verknüpfen. Grand Junction ist zudem wieder eine städtische »Etappe« nach den vielen Landschaftsparks. An **Hotels** und **Motels** (Hauptstraßen durch die Stadt, I-70 *Business Loop* und Straße #6) fehlt es nicht; das Preisniveau ist moderat. Sogar ein ***International Hostel*** gibt es, und zwar im nostalgischen ***Melrose Hotel***, 337 Colorado Ave, ✆ (970) 242-9636, ab $20; www.hotelmelrose.com.

Anlaufpunkte

Die Stadt als solche ist eher gesichtslos. Allenfalls die verkehrsberuhigte, hübsch begrünte Hauptgeschäftsstraße (Main Street) verdient Aufmerksamkeit. Einen Besuch abstatten könnte man dem ***Museum of Western Colorado*** (unweit der Main St: 4th/Ute Ave, 9-17 Uhr, So 12-16 Uhr, $6, bis 12 Jahre $3) mit Ausstellungen zu Geschichte und Geologie der Region sowie zur **Indianerkultur** im Bereich des Großen Plateaus; www.wcmuseum.org. Vom 26 m hohen ***Sterling Tower*** überschaut man Stadt und Umgebung; www.visitgrandjuntion.com.

Grand Mesa

Das in Richtung Durango/*Mesa Verde National Park* nächste südliche Ziel ist der *Black Canyon of the Gunnison*, wobei der schnelle direkte Weg am Gunnison River entlang (42 mi bis Delta) bei ausreichend Zeit durch eine schöne Fahrt über die ***Grand Mesa*** (Straße #65, ca. 95 mi bis Delta) ersetzt werden kann. Nach einer längeren Reise durch Halbwüsten bieten die grünen Wälder und Seen der Hochlage schöne Abwechslung, dazu viele **NF-Campgrounds**. Ein ***Visitor Center*** des *Forest Service* (Karten für Wanderungen und Lage der *Campgrounds*) befindet sich in Edward Lake.

Black Canyon of the Gunnison

Nach steiler Fahrt von Montrose auf die 2.500 m hohe ***Vernal Mesa*** (ca. 15 mi) öffnet sich überraschend der ***Black Canyon***, benannt nach seinem überwiegend dunklen bis schwarzen Gestein. Das *National Monument* schützt die verbliebenen 20 km einer einst über 80 km langen Schlucht, die der Südarm des **Gunnison River** durch die Hochebene geschnitten hat. Der längere östliche Teil verschwand unter einigen hintereinandergeschalteten Stauseen. Diese *Reservoirs* erfreuen sich zwar bei Anglern und Wassersportlern großer Beliebtheit, sind aber nicht sonderlich reizvoll.

Damit Flora und Fauna der verbliebenen Canyonlandschaft möglichst wenig gestört werden, existiert kein (offizieller) Pfad hinunter zum Fluss. Allerdings gelangt man per Auto auf der serpentinenreichen ***East Portal Road*** in die Tiefe (Versorgungszufahrt zum Damm am Ostende der Schlucht und auch zum ***East Portal Campground*** in schöner Lage).

Außer für Kraxelfreudige, die sich vor dem Abstieg in den *Canyon* im ***Visitor Center*** anmelden und instruieren lassen müssen (*Wilderness Permit* obligatorisch), bleibt den Besuchern des Südrandes nur das Abfahren der ***Rim Road*** zu den diversen Aussichtspunkten und ggf. Camping auf dem ***South Rim Campground*** ($12-$21). Der Blick über die zerklüftete Felslandschaft der bis zu 700 m tiefen Schlucht ist überall beeindruckend. Ein kurzer ***Trail*** führt vom Straßenende zum *Warner Point* (ca. 1 km). **Eintritt $15/Auto, $7 pP** oder Jahrespass; www.nps.gov/blca.

Ouray

In einem Talkessel der ***San Juan Mountains***, eines westlichen hochalpinen Ablegers der *Rockies*, liegt mit **Ouray** eines der hübschesten Gebirgsstädtchen der USA (www.ouraycolorado.com). Außer für die attraktive Lage zwischen Gipfeln und Steilwänden ist die einstige ***Mining Town*** bekannt für ***Mineral Hot Springs***. An der #550 eingangs des Ortes kann man den großen öffentlichen ***Pool*** nicht verfehlen ($8, Becken mit verschiedenen Wärmebereichen, im Sommer bis 22 Uhr, sonst 21 Uhr). Die Gäste einiger Hotels tauchen in die von eigenen Quellen gespeisten Exklusivpools, z.B. ***Best Western Twin Peaks*** (© 1-800-207-2700) oder ***Box Canyon Lodge & Hot Springs*** (© 1-800-327-5080; www.boxcanyonouray.com), beide ab ca. $70.

Etwa 2 mi nördlich von Ouray (ausgeschildert) kann man in eine stillgelegte Mine einfahren (***Bachelor-Syracuse Gold & Silver Mine***); Mai-September 9-16 oder 17 Uhr; © 1-800-227-8545. Der Besuch ist interessant, aber der Eintritt mit $16 ziemlich hoch. Unbedingt einen Halt verdienen die ***Ouray Box Canyon Falls*** (südlicher Ortsausgang, $3), wo der *Canyon Creek*, ein Zufluss des Uncompahgre River, tosend durch eine enge Felsspalte bricht.

Oberhalb der Stadt befindet sich der wunderbar gelegene ***NF-Campground Amphitheatre*** ($16). Von einer Aussichtsplattform überblickt man das *Ouray Valley*. Ein sehr guter Privatplatz ist der ***KOA-Campground Ouray*** einige Meilen nördlich der Stadt; es gibt dort auch ***Cabins***.

Million Dollar Highway

Die im Abschnitt bis Silverton **überwältigende Straße** durch die Berge von Ouray nach Durango trägt den schönen Namen ***Million Dollar Highway***. Sie entstand Ende des 19. Jahrhunderts, als aus den Gold- und Silberminen dieser Region unglaubliche Reichtümer gezogen wurden, und soll mit goldhaltigem Erzgeröll gepflastert gewesen sein. Die Spuren der einstigen Schürfaktivitäten sind bis heute überall sichtbar. Neben einer letzten noch intakten Mine säumen zerfallendes Gerät und verlassene Schächte die Hänge oberhalb der #550.

Wenige Meilen vor (nördlich) Silverton zweigt die Zufahrt zum einsamen *NF-Campground* ***Southmineral Creek*** ab (rund 5 mi, wegen der Höhe nachts sehr kalt). Die Campingplätze zwischen Silverton und Durango sind weniger einladend.

Silverton

Vom alten Silverton, einer ehemaligen **Silberminenstadt** in einem 2.700 m hoch gelegenen, landschaftlich wenig reizvollen Tal, existieren nur noch ein paar windschiefe Gebäude. Der Rest des Ortes besteht überwiegend aus restaurierten und falschen Fassaden im ***Wildwest-Look***; www.silvertoncolorado.com. Sie gelten samt den *Shops* und Restaurants der Neuzeit dahinter im wesentlichen den täglich mit der ***Durango-Silverton Railroad*** für ein paar Stunden einfallenden Touristen. Neben der Linie Cumbres-Toltec (➤ Seite 474) ist sie mit ihrer Streckenführung die beste historische Eisenbahn des US-Westens. Von Mai bis Oktober verkehrt sie je nach Saison 2-4 mal täglich. Der 3-Stunden-Trip kostet $65 hin und zurück, Kinder $35; www.durangotrain.com.

In Silverton gibt es eine Handvoll Motels, Inns und *B&Bs*, außerdem das ***Silverton Hostel***, © (970) 387-0115, ab $15.

Sentimental Journey von Hans Löwenkamp

Durango & Silverton Narrow Gauge Rail Road. Das klingt nach Ruß und schwitzenden Chinesen, nach High Noon, nach endlosen Schienensträngen durch Staub und flimmernde Hitze, nach schwer bewachten Geldkisten und Great Train Robbery.

Die Einstimmung beginnt bereits am Fahrkartenschalter. Die Ticketmiss strahlt Geruhsamkeit aus, sie hat es nicht eilig. Ungeachtet der Schlange vor ihrem Fenster erwägt sie friedlich und umständlich, in Kladden blätternd und Listen von Vorbestellungen mit dem Finger nachfahrend, ob noch etwas zu machen sei für den kommenden Tag. Und – man ahnt es längst – es ist etwas zu machen.

Allerletzter Einstiegstermin eine halbe Stunde vor dem Anpfiff. Los geht es sozusagen mitten auf der Dorfstraße. Man sitzt der Landschaft zugewandt quer zur Fahrtrichtung, der Mittelgang im Rücken bleibt dem vier Fuß breiten Brakeman vorbehalten, damit er vor dem Gefälle rechtzeitig die Kurbel erreicht.

Von ihm kommt auch der Rat:
»Do not lean out! Das Tal ist enger als du denkst!«

Aber wir fahren noch durch die Vorgärten und Hinterhöfe, ausreichend mit Schrottautos bestückt, vorbei an malerischen Einkaufszentren und der städtischen Kläranlage mit der hübschen Nationalflagge und der Warntafel »Do not fish!« Im Rücken weiß man das idyllische Tal des Animas River, der für den auf der falschen Seite sitzenden Fahrgast besser Anonymous River heißen sollte. Aber so bleibt es nicht: Die Stiefkinder der ersten Bahnkilometer werden zu Königen, als der Zug das Ufer wechselt. Man begreift, warum das Unternehmen heute noch floriert. Schluchten, Gebirgsbäche und Kaskaden, herrliche Wildnis, selbst in 3.000 m Höhe noch voller Baumbestand, Eichen, Espen, Fichten. Dazu der Bandwurm von Zug, der sich – das Klischee sei verziehen – mitunter in den Schwanz zu beißen droht. Eine stets wechselnde Szenerie, abseits jeder Zivilisation, wenn man die Schiene selbst gütig übersieht, die das Eindringen der Menschen in diese Wunderwelt erst möglich gemacht hat.

Dreieinviertel Stunden sind bald vorbei. Silverton hält nicht, was die Landschaft versprach. Das Städtchen lebt offenbar von der mittäglichen Invasion. Gottseidank pfeift der Zug um 3 Uhr wieder ab.

Pünktlich setzt der tägliche Platzregen ein. Das Leben im offenen Wagon konzentriert sich auf den Mittelgang. Zähneklappern übertönt die Fahrgeräusche, es bleibt nur die Hoffnung: Es geht im Prinzip bergab, wärmeren Gefilden entgegen.

Lange hält sich der Regen nicht. Mit der Nachmittagssonne erwachen die Passagiere zu neuem Leben; die abenteuerlichen Regenhäute, die vorn und hinten von den Attraktionen Silvertons berichten, verschwinden. Das Baby wird aus Mutters Schal gewickelt und lacht wieder, Bänke und Hosenbeine trocknen. Fröhlich geht die Fahrt zu Ende; schließlich sitzen wir diesmal auf der richtigen Seite.

Durango

Durango verdankt wie Ouray und Silverton seine Entstehung vor über hundert Jahren (1880) den Gold- und Silberfunden in den San Juan Mountains. Von der *Boomtown* entwickelte sich die heute 12.500 Einwohner zählende Stadt zum kommerziellen Mittelpunkt der Südwestecke Colorados; www.durango.org.

Dank der nostalgischen Eisenbahn, vielfältiger Urlaubsmöglichkeiten im Sommer wie im Winter wurde Tourismus zu Durangos Einnahmequelle #1. Dem entspricht die Infrastruktur. Im Zentrum beeindruckt die ***Main Street*** mit einer kleinen Kneipen-, Restaurant- und Shoppingszene im Stil der Jahrhundertwende. Durango wirkt dort – wie auch in den Wohnstraßen östlich davon – ein bisschen wie Bilderbuchamerika aus einer anderen Zeit.

Eisenbahn

Mitten im Ort (Ende der Hauptstraße) liegt der Bahnhof der ***Durango-Silverton Railroad***. Aktuelle Abfahrtszeiten, Preise und Reservierung unter © 1-888-TRAIN-07 (➤ oben unter Silverton). Die Passagiere der zurückkehrenden Züge sorgen ab spätem Nachmittag für Betrieb im Zentrum.

Melodrama

Am Abend erfreuen sich die Vorstellungen ($22) des ***Diamond Circle Theater*** (im ***Strater Hotel***) regen Zuspruchs. Sie finden nur im Sommer statt (Mo+Mi-Sa 19.45 Uhr, So 17, Sa auch 14 Uhr, © (970) 247-3400, $18; www.diamondcirclemelodrama.com).

Western Show

Die bodenständige Alternative des *Entertainment* ist das ***Bar D Chuckwagon Supper*** mit ***Western Show***, ca. 8 mi nördlich von Durango. Reservierung unnötig. *Supper* 19.30 Uhr, *Memorial-Labor Day*, $18/$9), © 1-888-800-5753; www.bardchuckwagon. com.

Information

Unterlagen über Aktivitäten (u.a. ***River Rafting***) und *Events* in und um Durango gibt's im ***Visitor Center*** (Mo-Sa 8-18 Uhr) mit **Kinderspielplatz** am Animas River (Straße nach Aztec).

Unterkunft

In Durango unterzukommen, ist selbst in der sommerlichen Hochsaison meist kein Problem, aber deutlich teurer als in der weiteren Umgebung. Zahlreiche **Hotels und Motels** säumen die Ausfallstraßen, speziell die #550. Im nostalgischen ***Strater Hotel*** (➤ oben, © 1-800-247-4431; www.strater.com) kostet die Nacht in Sommer und Herbst ab $130. Fast alle der bekannnten Ketten sind hier mit Häusern vertreten. Es gibt auch diverse hübsche *B&B*-Quartiere, z.B. das **Rochester Hotel**, 721 E 2nd Ave, © 1-800-664-1920, ab $110; www.rochesterhotel.com.

Camping

Die Plätze rund um Durango verfügen über beachtliche Kapazitäten. Fürs Komfortcamping ist der ***Lightner Creek Campground*** empfehlenswert. Er liegt ruhig am Wildbach etwa 5 mi vom Zentrum entfernt: 3 mi westlich auf Straße #160, dann Lightner Creek Rd 2 mi, © (970) 247-5406, ab $25; www.camplightnercreek.com.

Der großzügig aufgeteilte ***NF-Campground Junction Creek*** befindet sich ca. 6 mi nördlich des Zentrums im *San Juan National Forest*. Die Zufahrt erfolgt von der #550 North: an der 25th Street steht ein Hinweisschild des *National Forest*. Von dort über die Junction Creek Road noch rund 5 mi.

Mesa Verde National Park

Eintritt
$15/Auto
$8/Person
oder
Interagency Jahrespass

Zurück in der Ebene westlich der *Rocky Mountains* erreicht man ***Mesa Verde***, den kulturhistorisch bedeutsamsten Nationalpark der USA. Von der Einfahrt bis hinauf zum ***Far View Visitor Center*** auf einer dicht bewaldeten, grünen Hochfläche (bis zu 600 m über der Umgebung), die dem Park zu seinem Namen verhalf, sind es ca. 16 mi. Leider sorgten Waldbrände in den letzten Jahren für große schwarze Flächen im Erscheinungsbild. In den *Canyons* dieser Tafel entdeckte man erst Ende des vorigen Jahrhunderts die sogenannten ***Cliff Dwellings***, unter höhlenartigen Überhängen angelegte Steinbehausungen. Sie wurden von Stämmen der präkolumbischen ***Anasazi*** vor rund 800 Jahren errichtet, aber noch vor Entdeckung Amerikas aufgegeben. Im ***Far View Visitor Center*** wird die *Anasazi*-Kultur detailliert vorgestellt. www.nps.gov/meve

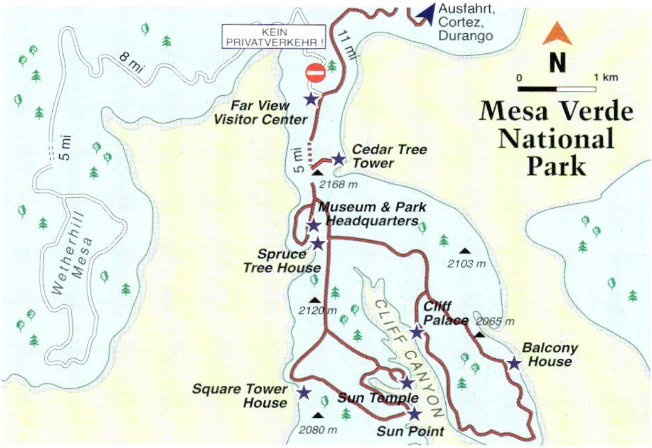

Cliff Dwellings

Im sehenswerten **Museum** auf der ***Chapin Mesa*** bei den *Park Headquarters*, 5 mi südlich des Besucherzentrums am *Spruce Canyon*, vermittelt eine Ausstellung ein plastisches Bild von den Klippendörfern, ihrer Entstehung, Bauart der Häuser und Lebensweise ihrer Bewohner. Umfangreiche Funde an Tongeschirr, Waffen und Kleidung halfen beim Rekonstruieren der *Anasazi*-Kultur.

Neben einigen größeren Dörfern existieren Überreste vieler kleinerer Anwesen in den gelbfarbigen Felswänden. **Eine Besichtigung** des besonders gut konservierten Dorfes ***Spruce Tree House*** unterhalb des Museums ist individuell möglich. *Ranger* beaufsichtigen die Ruinen und stehen für Erläuterungen zur Verfügung. Alle weiteren *Dwellings* liegen an zwei separaten Rundstrecken. Die attraktivere ist der östliche *Loop* an ***Cliff Palace*** und ***Balcony House*** vorbei. Für deren Besichtigung benötigt man je ein Tourticket ($3), das im ***Far View Visitor Center*** erhältlich ist. Hinweise für alle, die nur für eine Tour Zeit und/oder Lust haben: ***Balcony-Tour*** ist besser!

Weitere Cliff Houses

Zur westlichen ***Wetherhill Mesa***, die von der *Chapin Mesa* durch mehrere Canyons und die *Long Mesa* getrennt liegt, verkehrt vom ***Far View Visitor Center*** ein Bus (keine individuelle Fahrt möglich; Anmeldung nötig). Größere Ruinen im *Wetherhill* Bereich sind das *Long* und *Step House*, beide aber nach einer Besichtigung der *Chapin Mesa Dwellings* nur bei großem Enthusiasmus für die Kultur der *Anasazi* sehenswert.

Unterkunft

Direkt im Park gibt es nur die ***Mesa Verde Far View Lodge*** (ab $118), ✆ 1-800-449-2288; www.visitmesaverde.com. Im ca. 10 mi von der Parkeinfahrt entfernten **Cortez** findet man eine auf den *Mesa Verde* Tourismus eingestellte Infrastruktur mit zahlreichen Motels/Hotels an der Durchgangsstraße, ebenso im kleinen Ort Mancos östlich des Parks. Unter www.mesaverdecountry.com/tourism/lodging.html findet man eine aktuelle Liste mit allen Details und Tarifen. Das Preisniveau ist niedriger als in Durango.

Der große (schlichte) ***Morefield Campground*** kurz hinter der Einfahrt in den Nationalpark (noch unterhalb des Plateaus) bietet sowohl einfaches Camping als auch Stellplätze mit *Hook-up*; Reservierung unter ✆ 1-800-449-2288; ab $20. Ein gute Ausweichmöglichkeit bietet neben RV-Parks der Region der ***Mancos State Park***, ca. 5 mi nördlich des Ortes am *Jackson Gulch Reservoir*.

Dolores

Wer sich stärker für *Anasazi*-Kultur interessiert, könnte einen Abstecher nach **Dolores** (ca. 10 mi nördlich Cortez) zum ***Anasazi Heritage Center*** erwägen, täglich 9-16/17 Uhr; $3 (www.co.blm.gov/ahc). Dolores liegt en route für alle, die über **Telluride** fahren.

Umweg über Telluride (Karte Seite 432)

Die **#145** ist in Verbindung mit den Straßen #90/46 eine reizvolle **Alternativstrecke zur #666** in Richtung *Arches Park*, aber auch – in Verbindung mit der Straße #141 – zur beschriebenen Strecke Ouray–Durango–Mesa Verde. **Telluride**, an sich eine *Skitown*, besitzt als Ort diverser sommerlicher **Musik- und Filmfestivals** einen guten Ruf und zudem eine (im Sommer freie) Seilbahn. Es gibt wunderbare ***Trails*** hinauf zu Wasserfällen und alten Minen in alpiner Umgebung; www.visittelluride.com, www.telluride.com.

Verbindung zur Route 4.4

Über Shiprock oder Aztec (beide bereits in New Mexico) und die Santa Fe Region kann die hier beschriebene Route von *Mesa Verde* bzw. Durango aus leicht mit der Rundstrecke unter 4.4 verbunden werden, ➤ Seite 495f.

Cliff Palace

4.2.5 Über das Monument Valley, Lake Powell/Page und den Grand Canyon zurück nach Las Vegas

Direkte Route

Die übliche Route von Cortez zum *Grand Canyon* führt auf der Straße #160 über die einzige **4-Staaten-Ecke** der USA. Ein Bronzemonument markiert diesen Punkt, über dem man sich **auf allen Vieren gleichzeitig in Colorado, New Mexico, Arizona und Utah** niederlassen kann. Bunte **Verkaufsstände** für Navajo-Schmuck, Gewebtes, Keramik etc. sorgen für Farbtupfer im ansonsten öden Gelände. Eintritt zu den 4-*Corners* $3.

Übers Monument Valley

Zum ***Monument Valley*** müsste man auf der Weiterfahrt von Kayenta/Arizona ca. 25 mi auf der #163 nach Norden und zurück fahren. Sinnvoller ist die **Straße #262**, die in Montezuma Creek auf die #163 stößt. Sie zweigt – in Colorado als **#41** – ca. 8 mi vor den *Four Corners* von der Straße #160 ab. Wer auf den Besuch der *Four Corners* (nicht sehr aufregend) verzichtet, sollte schon beim *Airport Cortez* (Straße #160) in Richtung Cajon fahren (***County Road G*** bzw. #21), die entgegen der Aussage älterer Karten durchgehend asphaltiert ist.

Hovenweep National Monument

Beide Straßen (#41/#262 und CR-G) sind nicht nur abwechslungsreicher und vermeiden Doppelfahrten, sondern passieren (#262 in einigem Abstand) das ***Hovenweep NM*** und außergewöhnliche Felsformationen. *Hovenweep*, das »verlassene Tal« im Grenzbereich zwischen Utah und Colorado, umfasst die Überreste mehrerer präkolumbischer Siedlungen. Sie gehen auf dieselbe mysteriöse Indianerkultur zurück wie die *Cliff Dwellings* von *Mesa Verde*. Der #262 am nächsten liegen die ***Cajon Canyon Ruins*** (ca. 3 mi). Das ***Visitor Center*** und ein ***Campground*** befinden sich bei den Ruinen des ***Square Tower*** (ca. 20 mi nördlich von Aneth). Alles eher nachgeordnet sehenswert; www.nps.gov/hove.

Bluff

Ab Montezuma Creek geht es auf der #163 nach Bluff (www.bluffutah.org), einem Dorf mit ***Motels*** – gut sind das ***Kokopelli Inn***, © 1-800-541-8854, www.kokoinn.com (ab $40), und ***Desert Rose Inn*** westlich hinter der Brücke, © 1-888-475-7673, www.desertroseinn.com ($69-$109) – einigen *B&Bs*, Tankstellen, Cafeterias, *RV-Parks* – am besten ***Cadillac Ranch*** – und *General Store*. Die Sehenswürdigkeit des Ortes sind die Sandsteintürme ***Navajo Twins***, die auf der #191 unverfehlbar ins Blickfeld kommen. Am *San Juan Rive*r 2 mi südwestlich (#163/#191) liegt die ***Sand Island Recreation Area***: Schönes Campen am Fluss zu Einfachstbedingungen, $8.

Valley of the Gods

Movie Location »Forrest Gump«

Etwa 15 mi südwestlich von Bluff zweigt von der #163 eine *Dirt Road* zum ***Valley of the Gods*** ab, einer Landschaft ähnlich dem *Monument Valley*. Sie diente vor Jahren im **Film *Forrest Gump*** als Kulisse. Die 17-mi-Strecke führt in wildem Verlauf durch eine einsame, kaum weniger sensationelle Felslandschaft. Die z.T. sehr rauhe *Road* ist nur bei Trockenheit machbar (vorher ggf. erkunden), dann auch für Pkw und mit (eigenem) *Van Camper*, auf keinen Fall mit *Motorhomes*.

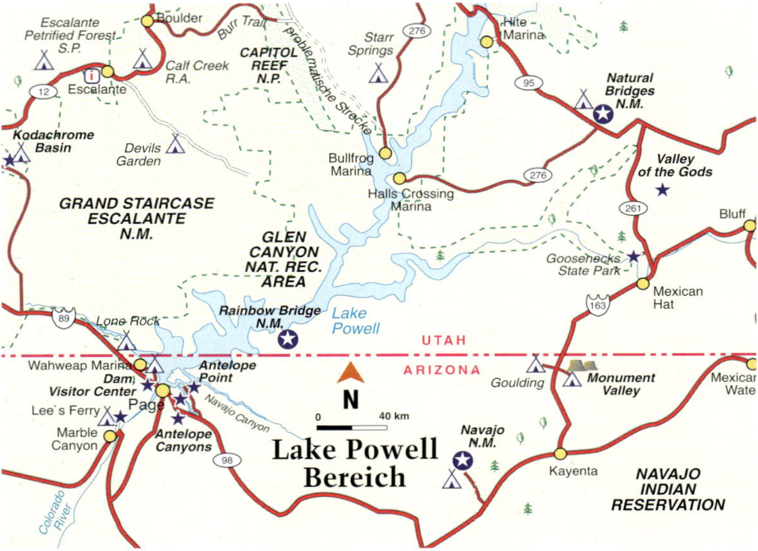

Valley of the Gods B & B

Die Straße durch das Gottestal endet an der #261 etwa 10 mi nordwestlich von Mexican Hat. Dort befindet sich auch die ***Lee Ranch*** mit ***Bed & Breakfast*** in einem aus Felsen errichteten Solarenergie-Haus. Von den Terrassen des einzigen Gebäudes weit und breit schaut man überss unendliche *Red Rock Country*. An kühlen Tagen wärmt ein offener Kamin. Bei Hitze bucht man am besten das *Outhouse* (mit eigener Terrasse), wo die Betten im kühlen Keller stehen. Leider etwas teuer geworden: DZ inkl. Frühstück ab $120, © (970) 749-1164; www.zippitydodah.com/ vog.

Goosenecks

Auf dem Rückweg zur #163 passiert man die Zufahrt zum ***Goosenecks State Park***; 6 mi retour. Vom *Viewpoint* überschaut man die tief in den Sandstein eingeschnittenen Mäander des *San Juan River*. **Camping** am Canyon-Rand ist erlaubt und gratis, dafür eine Chemietoilette der einzige Komfort.

Mexican Hat

Seinen Namen verdankt Mexican Hat einem auffälligen Sandsteingebilde, das an einen mexikanischen Sombrero erinnert. Der Ort besteht aus Restaurant & Steakhaus, ein paar Motels und zwei Tankstellen mit *Trading Post*. O.k. sind das ***San Juan Inn***, © 1-800-447-2022, www.sanjuaninn.net, an der Brücke über den River ($54-$80, einige Zimmer mit Blick in den Flusscanyon), ***Canyonlands Inn***, © (435) 683-2221, ab $39, und ***Burch's Inn*** ab $35.

Von dort geht es zum ***Monument Valley***. Zwar sind es bis zur Zufahrt noch über 20 mi, aber bereits kurz hinter Mexican Hat kommen die wohlbekannten Felsmonumente ins Blickfeld.

Monument Valley und Navajo National Monument

Kennzeichnung Monument Valley

Das **Kerngebiet** der spektakulären Massive, als Überbleibsel einer vor Jahrtausenden zusammenhängenden Hochebene auch **»Zeugenberge«** genannt, liegt einige Meilen östlich der #163 bereits auf Arizona-Territorium. Eine Stichstraße (3 mi) führt zum ***Visitor Center*** mit Aussichtsplattform hoch über dem Tal. Das *Monument Valley* ist nicht etwa Teil des US-Nationalparksystems, sondern wird von den ***Navajo***-Indianern verwaltet, der Tourismus dorthin allein von ihnen gemanagt. Der *Interagency Pass* gilt daher nicht. Der **Eintritt** beträgt **$5** pro Person, ab 60 Jahren nur noch $3, Kleinkinder unter 7 Jahren frei. Er wird an der Zufahrt, in der Nebensaison im *Visitor Center* kassiert (Sommer 8-19 Uhr, sonst bis 17 Uhr). www.desertusa.com/monvalley, www.navajo. org

Zufahrt zu den Monumenten

Das Besucherzentrum liegt am Startpunkt für die oft staubige Fahrt hinunter zu den rostroten Monolithen und Felsnadeln. Die Befahrbarkeit der 17 mi-Strecke ist bei Trockenheit weitgehend unproblematisch und auch für (kleinere) Campmobile machbar. Mit Mietfahrzeugen, in deren Vertragsbedingungen das Befahren von ***Dirt Roads*** untersagt ist, darf man strenggenommen nicht ins *Valley* hinunter. Dafür stehen die Navajos mit *Pick-ups* und Jeeps bereit, um für satte Tarife (ab ca. $18/Person) die Besucher durch ihr Tal zu kutschieren.

Geführte Touren

Die geführten Touren haben den Vorteil, dass sie sich nicht auf den freigegebenen Teils der *Loop Road* beschränken. Bis zu den aus *Western* bekannten Felsnadeln *Totem Pole* und *Yei Bi Chei* kommt man nur auf *Guided Tours*. Aber die wichtigsten *Viewpoints* sind auch individuell erreichbar. So es sich einrichten lässt, wählt man für die eigenen Tour – gebucht (*Sunset/Sunrise Tours*) oder auf eigene Faust – den späten Nachmittag oder frühen Morgen. Dann herrschen die besten Lichtverhältnisse fürs Superfoto.

Unterkunft

Direkt am *Valley* gibt es **keine Hotels oder Motels**. Dafür bietet das einzige Quartier weit und breit beim Navajodorf Gouldings Zimmer, von deren Balkonen man einen vollen Blick auf die – wenn auch von dort relativ fernen – Monumente hat.

Die ***Gouldings Lodge*** liegt 2 mi westlich der #163 vor einer Felswand in Navajo-Dorf. Einigermaßen erschwinglich ist sie nur im Winter; April-Okt. kostet das Mittelklasse-DZ $150-$175. Reservierung unter © (435) 727-3231 am besten langfristig im voraus. Zum Hotelkomplex gehört ein kleines, ganz interessantes **Navajo Museum** (eintrittsfrei); www.gouldings.com.

Gewitterstimmung über dem Monument Valley

Reisegruppe mit Autor vor der Silhouette des Monument Valley

Camping

In seiner Lage unschlagbar ist der ***Mitten View Campground* am *Visitor Center***. Der Platz besitzt zwar keine *Hook-ups*, aber gute Duschen und *Dump Station*; nur $10! Bei Ankunft am Vormittag besteht sogar die Chance, einen der Stellplätze mit ungestörter Aussicht direkt am Hang zu ergattern. Wer keinen Platz mehr findet, darf nach Klärung im *Visitor Center* auch jenseits der Abfahrt hinunter ins *Valley* auf einem dort vorhandenen Freiraum stehen bzw. sein Zelt aufschlagen. Zwar ohne Campingtisch, Grillrost oder Sonnendach, aber ebenfalls mit Blick auf die Monolithen.

Ein Komfort-**Campingplatz** für Wohnmobile mit *Hook-up* und *Pool*, aber ohne freien Weitblick, befindet sich auch ganz schön zwischen roten Felswänden in **Gouldings**, ein paar hundert Meter hinter der *Lodge*, © (435) 727-3280, ab $22.

Kayenta

Der schlichte Navajo-Zentralort Kayenta bietet nur Versorgung (keine Alkoholika!) und teure Quartiere (*Holiday Inn, Hampton, Best Western* im Sommer/Herbst ab ca. $100).

Navajo National Monument

Obwohl ebenfalls mitten im Navajo-Reservat stehen die bestens erhaltenen Klippendörfer ***Betatakin, Keet Seel*** und ***Inscription House*** unter Nationalpark-Verwaltung. Sie bilden zusammen das ***Navajo National Monument*** und sind von der Straße #160 über den Zubringer #564 erreichbar, Eintritt frei; www.nps. gov/nava.

Die ***Navajo Dwellings***, weitere Relikte der ***Anasazi*-Kultur**, entsprechen in Anlage und Aussehen weitgehend den Gemeinwesen im *Mesa Verde Park*. Ein **Aussichtspunkt** für *Betatakin* liegt nur einen kurzen Fußweg hinter dem *Visitor Center*. **Geführte Wanderungen** hinunter finden in der Sommersaison bedarfsabhängig mehrmals täglich statt. Der Besuch von *Keet Seel* und *Inscription House* ist auf teuren Trips hoch zu Ross oder auf eigene Faust per pedes möglich (8 mi einfacher Weg). Buchung bzw. *Permit* im *Visitor Center*. Nur eine kleine Zahl von Wanderern ist pro Tag zugelassen. **Aber weder *Betatakin* noch die anderen Dörfer dürfen betreten werden. 2 Campingplätze** (keine RVs über 25 ft) liegen wunderbar und sind **gratis**.

Page und Glen Canyon National Recration Area

Kennzeichnung Glen Canyon NRA

Die Route führte bereits über das nördliche Ende des *Lake Powell* (➤ Seite 439) und damit durch die ***Glen Canyon National Recreation Area*** (www.nps.gov/glca). Mit Fertigstellung des ***Glen Canyon Dam*** und Absperrung des *Colorado River* wurde ab 1962 eine Canyonlandschaft gewaltigen Ausmaßes überflutet. Das zerklüftete Wüstengelände sorgte für einen 150 km langen See (Luftlinie) mit zahllosen Seitenarmen und Buchten (**3000 km Uferlinie!**), der nur an wenigen Stellen per Auto zugänglich ist; asphaltiert in Bullfrog/Halls Crossing und bei Page (*Wahweap, Lone Rock* und *Antelope Point*, ➤ Karte Seite 458).

Page

Über die **Straße #98** erreicht man **Page**, die **touristische Drehscheibe** für den Lake Powell. Page entstand erst mit dem Bau des *Glen Canyon* Damms ab den 1950er-Jahren und erlebte mit der Entwicklung der *Glen Canyon Area* zum größten Wassersportdorado der USA einen rasanten Aufschwung.

Der Glen Canyon Dam staut den riesigen Lake Powell. Führungen mehrmals täglich; genauso interessant wie der überlaufene Hoover Dam bei Las Vegas

Eine Fahrt über Page bietet sich auch an bei Plänen zum Besuch der **Nordseite des *Grand Canyon*** (➤ ab Seite 467f, besonders, wenn man von dort weiter **zur Südseite** will, ➤ Seite 480.

Die ***Visitor-Info*** der *Chamber of Commerce* in Page erreicht man unter © (928) 645-2741, *toll-free* © 1-888-261-7243. Ein ***Information Center*** ist integriert in das kleine *Wesley-Powell Museum* am die Stadt umrundenden Lake Powell Blvd. im Zentrum; © (928) 645-9496, *toll-free* © 1-888-597-6873. Eine ebenfalls gut sortierte *Visitor Information* existiert im ***Visitors Center* des *Glen Canyon Dam*** (Straße #89 westlich Page); www.pagelakepowell tourism.com, www.cityofpage.org.

Unterkunft

Motels und Hotels in Page sind zahlreich. Selbst im Sommer kommt man im einfachen Motel ab $40 unter, die Mittelklasse kostet dann ca. $60-$90 für 2 Personen.

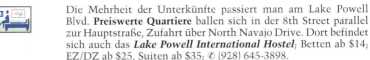

Die Mehrheit der Unterkünfte passiert man am Lake Powell Blvd. **Preiswerte Quartiere** ballen sich in der 8th Street parallel zur Hauptstraße, Zufahrt über North Navajo Drive. Dort befindet sich auch das ***Lake Powell International Hostel***; Betten ab $14; EZ/DZ ab $25, Suiten ab $35; ✆ (928) 645-3898.

Bestes Hotel der Stadt ist das ***Marriott Courtyard*** in schöner Lage am Ortsrand mit vielen Zimmern mit Lake Powell-Blick, und Steakhouse ***Pepper's***. Ab $69; www.courtyard.com.

Camper stehen am besten am Lake Powell, ➢ Seite 465.

Touren und Aktivitäten

In Page gibt es viele Firmen, die Exkursionen verschiedenster Art anbieten und Wassersportgeräte verleihen. In erster Linie interessant sind **Kanu-/*Rafting*-Trips** auf dem Colorado River unterhalb des *Glen Canyon Dam* nach Lees Ferry inkl. Rücktransport und **Touren zur *Rainbow Bridge***. Leider bewegen sich die Miettarife für Boote etc. heute auf einem Niveau, das vielen nahezu absurd hoch erscheinen dürfte, ➢ Seite 464/Wahweap.

Deutscher Service/ Heiraten am Canyon des Colorado

Bei der Firma ***Trading Post*** in Page kann man sich in deutscher Sprache beraten lassen und alles buchen, was im Raum Lake Powell/Grand Canyon verfügbar ist einschließlich ***Open-air*-Hochzeit** durch einen Navajo-Standesbeamten hoch über dem Canyon des Colorado River mit allem Drum und Dran (besser als Vegas); ✆ **(928) 645-9197**; www.destinationusa.net.

Lower Antelope Canyon mit Lichteinfall zur Mittagszeit

Antelope Canyons

Auf gar keinen Fall auslassen darf man die ***Antelope Canyons***. Deren Besichtigung lässt sich »organisiert« ab Page buchen, aber flexibler geht das mit eigener Anfahrt. Die Zugänge zu den unter Navajo-Verwaltung stehenden ***Lower*** (***Corkscrew***) und ***Upper Antelope Canyons*** liegen beidseitig der Straße #98, ca. 3 mi östlich der Stadt, unverfehlbar wegen der Kraftwerksschlote in der Nähe. Der Parkplatz zum *Upper Canyon* befindet sich an der #98, für den *Lower Canyon* folgt man der **Straße zum *Antelope Point*** (➢ nebenstehend), dann gleich links.

Beide unter eintöniger Landschaft verborgene »**Schlitzschluchten**« sind bekannt für sagenhafte durch

Auswaschung entstandene Formen und Farben, aber auch für ihre **Gefährlichkeit**. 1997 ertranken im *Lower Canyon* über 20 Touristen in einer – durch ein fernes Gewitter verursachten – Flutwelle (*Flash Flood*). Erst danach wurde ein Notausgang installiert.

Beide und weitere *Slot Canyons* stehen unter Verwaltung der Navajo-Indianer, hier: ***Navajo Parks and Recreation Antelope Canyon Unit***, ✆ **(928) 871-6647**; www.navajonationparks.org.

Zugangsregelungen

Aktuell zahlt man für das ***Tagespermit*** für beide und weitere *Canyons* (➤ unten) $6, hinzu kommen für Transport vom Parkplatz und Führung je $13 für den *Lower* und $20 für den *Upper Canyon*. Wer beides machen möchte und das an einem Tag, spart also $6. Beide Canyons sind absolut »umwerfend«.

Für den engeren ***Lower Canyon*** spricht, dass es für den Aufenthalt dort kein Zeitlimit gibt. Im *Upper Canyon* ist der Besuch auf maximal eine Stunde beschränkt. Für den Besuch des *Lower Canyon* eignet sich am besten der Vormittag bis zur **Mittagszeit**, da dann der Lichteinfall am besten ist.

Man kann die Besichtigung der Canyons komplett »organisiert« ab Page buchen, aber flexibler geht das mit eigener Anfahrt. Angebote für Touren nicht nur zu den *Antelope Canyons*, sondern zu weiteren kaum bekannten ***Slot Canyons*** auf Navajo Gebiet findet man vor Ort in Page wie im Internet

- www.antelopecanyon.com
- www.overlandcanyon.com

Strand und Wassersport beim Antelope Point des Lake Powell. Faktisch sitzt man hier am vollgelaufenen Colorado River Canyon.

Antelope Point

Beim ***Antelope Point*** handelt es sich um einen heute großräumig ausgebauten Zugang (Parkplätze/Marina) an das alte Flussbett bzw. den voll mit (klarem!) Wasser gefüllten Canyon des Colorado River. Dort kann man wunderbar baden – bei niedrigem Wasser an Stränden. Die Einfahrt kostet hier wie in Wahweap $10/Auto bzw. $3/Person oder *Interagency Pass*, ➤ umseitig.

4

Water Holes Canyons

Auch einen Besuch wert ist der ***Water Holes Canyon*** südlich von Page an der #89, ca. Meilenstein 542, ebenfalls unter *Navajo*-Aufsicht, daher ist hier auch das *Permit* erforderlich ($6, ➤ oben), ansonsten auf eigene Faust in eine sich verzweigende Schlucht.

Horseshoe Bend

Von vielen Fotos her bekannt ist die enge Kehre des Colorado River ***Horseshoe Bend***. Ein Parkplatz befindet sich an der #89 südlich Meile 545. Von dort sind es zum Aussichtspunkt (am Südufer) hoch über dem Fluss noch ca. 500 m zu Fuß. Am Nachmittag gelingen hier bei tiefstehender Sonne die besten Bilder vom grünen Colorado, der tief unten mäandert.

Ein Mäander des Colorado River, hier »Horseshoe Bend« genannt (»Hufeisenkurve«), wenige Kilometer westlich des Lake Powell

Staudamm

Einmal in Page bzw. am *Lake Powell*, ist auch der Besuch des ***Carl Hayden Visitor Center*** am Nordende des *Glen Canyon Dam* ein Muss. Dort werden Dammbau und das System der *Colorado River* Stauseen eindrucksvoll erläutert; geöffnet täglich 8-18 Uhr im Sommer, sonst bis 17 Uhr. Touren stündlich im Winter, im Sommerhalbjahr halbstündlich, frei; www.glencanyonnha.org.

Glen Canyon National Rec. Area/ Wahweap Bereich

Wenig westlich des Damms zweigt von der Straße #89 die erste Zufahrt zum ***Wahweap* Bereich** der ***Glen Canyon Nat'l Recreation Area*** ab. Dort befindet sich ein Riesenkomplex mit Hotel, Restaurants, Shops und autobahnartig ausgebauten *Boat Ramps*, vor allem aber eine Hausboot Marina, ➤ Foto Seite 34. Sämtliche Aktivitäten kreisen um den Wassersport. Vom *Surfboard* bis zum Hausboot lässt sich vom Monopolisten ***ARAMARK Leisure Services*** alles mieten, was schwimmt; www.nps.gov/glca.

Eintritt
$15/Auto
$7/Person oder Interagency Jahrespass

Wiewohl zu Preisen, die sich gewaschen haben. Sieht man ab vom wackeligen Kajak für $30/Tag, kostet in der Saison das billigste »Schiff«, eine Badeplattform für 8 Personen mit 80 PS-*Outboarder*, über $200/Tag plus Versicherung, Steuern und Sprit. Für das kleinste 6-Personen-Hausboot muss man im Sommer ab $2.000/ Woche hinblättern. Finanzkräftige mieten die schwimmende Villa mit Beiboot und allerlei *Water Toys* für fast zehn Mal soviel Geld. Bootsreservierungen und Auskünfte unter ✆ **1-800-528-6154** oder www.lakepowell.com.

Hinweis: Die Marinas **Bullfrog** und **Halls Crossing** stehen der in *Wahweap* kaum nach. Die Versorgungskosten sind aber noch höher. Die Marina **Hite** am Nordende des Sees existiert nach Wasserstandsrückgang nicht mehr.

Baden und Boating

Tatsächlich lassen sich der *Lake Powell* und seine Ufer so recht nur vom Wasser bzw. Boot aus genießen. Bei fast immer strahlender Sonne bietet der See beste Voraussetzungen für aktiven Badeurlaub. Das klare Wasser ist ab Juni bis Ende September badewarm. Selbst in der Hochsaison »verläuft« sich der Betrieb mit der Distanz von den Versorgungspunkten rasch. Jeder findet seinen ganz privaten Ankerplatz und Badestrand. Natürlich gibt es auch **Ausflugsboote**. Lohnenswert sind die ***Rainbow Bridge*** (ein riesiger Felsbogen, **das** Fotomotiv, aber 50 mi von Wahweap entfernt und $88 pP) und ***Sunset Dinner Cruises***; www.nps.gov/rabr.

Resort

Sieht man von den Tarifen ab, so gibt es am Lake Powell keine bessere Unterkunft als das ***Lake Powell Resort*** direkt am See und der *Wahweap Marina*. April-Okt. ab $160, sonst ab $110. Reservierung: © **1-800-528-6154** oder unter www.lakepowell. com.

Camping

In **Wahweap** betreibt derselbe Anbieter einen sehr großen ***Campground*** mit mehreren Arealen und Komfortabstufungen. Viele Stellplätze haben Weitblick über den Lake Powell; $20-$35. Reservierung ebenfalls unter © **1-800-528-6154**.

Außerhalb der auf ausgebauten Straßen zugänglichen Zonen ist das Campen in der *Glen Canyon Area* ausdrücklich überall gestattet, kostet aber $6. Ebenso am Strand beim ***Lone Rock*** im Nordwesten der Bucht (hier $8 zusätzlich zum generellen Nationalparkeintritt). Im *Lone Rock*-Bereich existiert neben Plumpsklos immerhin auch eine Sanitärstation mit kalten Duschen. Wen das nicht schreckt, campt auf dem Strand direkt am Wassser in prima Lage, sofern dort Platz ist, ➤ Foto Seite 202. Zufahrt von der #89 ca. 9 mi nordwestlich von Page.

Rainbow Bridge, ein National Monument in der Einsamkeit der Ufer des Lake Powell (in Utah) und nur per Boot oder 4WD zu erreichen

Via Grand Canyon North Rim zum Südrand des Grand Canyon NP

Zu den Parks Zion und Bryce

Folgt man vom *Lake Powell* weiter der **Straße #89** in westliche, ab Kanab nördliche Richtung, schließt sich ein Kreis zum Ausgangspunkt dieses Kapitels (*Zion Park*).

Zum Grand Canyon Nordrand

Der **Nordrand des *Grand Canyon*** liegt als Abstecher an einer schönen »Schleife«, die von der direkten Verbindung ***Monument Valley–Grand Canyon South Rim*** über Page, Kanab, Marble Canyon und die *Vermilion Cliffs* ebenfalls zum Südrand des *Grand Canyon National Park* führt:

Cottonwood Canyon Road

Ca. 25 mi westlich von Page passiert man die Einmündung der bereits beschriebenen ***Cottonwood Canyon Dirt Road*** des *Grand Staircase-Escalante NM* zum/vom *Bryce Canyon* über *Grosvenor Arch* und *Kodachrome Basin*, ➤ Seiten 430f.

Paria Canyon Wilderness

Etwas weiter östlich befindet sich auf der Südseite der Straße die ***Paria Contact Station*** unweit der berühmten *Paria Canyon Wilderness*, die weiter unten in die ***Vermilion Cliffs*** übergeht. Die ***Paria Wilderness*** ist erst in den letzten Jahren so richtig bekannt geworden. Es gibt dort **zwei Attraktionen**:

Zum einen sind das die ***Coyote Buttes***, eine Ansammlung skurril geformter, runder Sandsteindome. Über ihre Oberfläche ziehen sich parallele Rippen aus hellem Stein. Kaum ein Südwest-Fotoband, zumindest neueren Datums, in dem diese Formationen nicht abgebildet wären. Aber es ist nicht einfach, zu den *Coyote Buttes* zu gelangen. Sie sind nur ein kleiner Teil der *Paria Wilderness*. Zu den meistfotografierten Felsen – ***The Wave***! ➤ auch **Titelfoto** dieses Buches – sind es ca. 5 km (*one-way*).

Die zweite Attraktion dieses Bereichs sind die ***Canyons of the Paria River***. Sie ziehen sich vom südlichen Utah bis nach **Lees Ferry**, wo der Paria River in den Colorado mündet. Über weite Strecken handelt es sich um ***Slot Canyons*** (wie *Antelope*, ➤ Seite 462), an einigen Stellen nicht mal 1 m breit und Dutzende von Metern hoch, die häufig mit tiefen Tümpeln durchsetzt sind. Ihre Durchquerung sollten sich nur erfahrene *Backpacker* vornehmen; www.blm.gov/az/rec/PARIAVER.HTM.

Felswunder »Mystery Gardens» in der Paria Wilderness, Bereich South Coyote Buttes

Permits für Paria und Vermilion Wilderness

Ein ***Permit*** ($5) benötigen alle Besucher für die ***North*** und (separat) ***South Coyote Buttes*** (Tageswanderungen). Chancen darauf haben nur Anmelder **im Internet 4 Monate im voraus**, wobei oft für den Bereich *North Coyote Buttes* mit den aufregendsten Formationen schon in den ersten Stunden z.B. des Februar alle *Permits* für den gesamten Mai vergeben sein können: www.blm.gov/az/arolrsmain.htm (Ortszeit beachten: sie liegt 8 Stunden hinter MEZ; 9 Uhr morgens ist dort 1 Uhr nachts!). Über dieselbe Internetadresse müssen auch Interessenten für **Mehrtageswanderungen** durch die ***Paria River Slot Canyons*** ihre *Permits* beantragen. Man kann nur mit **Kreditkarte** buchen!

Anfragen auch unter ✆ (435) 644-4600 oder (435) 688-3246. In der ***Paria Contact Station*** erfolgt täglich um 7 Uhr die Ausgabe der vorher im Internet reservierten ***Permits*** (samt Karte und Gefahrenbelehrung) und von ***Permits*** von ***No-Shows*** an *Stand-by*-Interessenten.

Wer die Welt der felsigen Formen und Farben in der *Paria Wilderness* **ohne *Permit*** erleben möchte und gut zu Fuß ist, kann auch **Tageswanderungen** machen, für die man am *Trailhead* eine Gebühr ($5 oder *Interagency Pass*) bezahlt und dann loslaufen darf. Infos in der ***Contact Station***, aber auch auf der links angebenen Internetseite. Gleich neben der *Station* führt eine *Dirt Road* (2 mi) zum ***White House Trailhead***. Einige Meilen westlich zweigt die ***House Rock Valley Road*** von der #89 ab. An ihr liegen ***Buckskin*** und ***Wire Pass Trailheads***.

Nicht genug damit, liegt in dieser Gegend ein weiteres Gebiet sagenhafter Formationen, das jedes Fotografenherz höher schlagen lässt, das ***Valley of White Ghosts***, ➤ Kasten Seite 469.

Der am nächsten gelegene ***Campground*** ist ***White House*** ($5) mit wenigen Stellplätzen und ohne Komfort, aber in einem schönen Umfeld. Bei der ***Paria Canyon Adventure Ranch*** etwas westlich der *Contact Station* an der #89 kann man auch sein Zelt aufschlagen, außerdem ein ***Teepee*** mieten oder ein Bett im ***Hostel*** buchen, ✆ (928) 660-2674; www.pariacampground.com. Ein rustikales **Restaurant** ist auch vorhanden.

Old Paria

Einige Meilen weiter westlich (ab ***Historic Marker***) geht es auf einer guten, aber steilen *Dirt Road* (nicht bei Regen!) nach ***Old Paria***, einer früheren *Movie Location*. Der 5-mi-Abstecher lohnt bei Picknickabsicht in malerischer Umgebung, ➤ Foto Seite 11.

Straße #89A

In Kanab wendet sich die #89 nach Norden; südwärts geht es auf der #89A nach **Jacob Lake** und dann durch Hochwald und später pittoreske Felslandschaft der *Vermilion Cliffs* in Richtung Flagstaff. In diesem Bereich sind **Motels** knapp. Nur in **Kanab** gibt es eine gute Auswahl an Quartieren, ➤ Seite 426.

Grand Canyon Nordrand

Von Jacob Lake sind es 90 mi retour zum Nordrand des *Grand Canyon* durch den ***Kaibab National Forest*** (www.fs.fed.us/r3/kai). Von den Aussichtspunkten an der ***North Rim Road*** überblickt man andere Bereiche des *Grand Canyon* als vom Südrand aus.

4

Vom ***Bright Angel Point***, erreichbar über einen schmalen Gratweg vor der *Grand Canyon Lodge*, liegen im Blickfeld die Weite der Schlucht, die *Indian Gardens* gegenüber und der *Bright Angel Trail*. Die Fahrt bis zu den Straßenendpunkten ***Cape Royal/Angels Window*** und ***Point Imperial*** lohnt unbedingt. Zu empfehlen ist zwischen diesen Punkten nur die kurze Wanderung (ca. 1 mi retour) zu den ***Cliff Springs***, *Trailhead* kurz vor Cape Royal.

Gut zu erkennen ist vom Nordrand der *North Kaibab Trail*. Ab der ***Phantom Ranch*** im Tal bis zum Nordrand misst er 23 km bei rund 1.700 m Höhendifferenz. Für Wanderer, die den *Grand Canyon* von Nord nach Süd oder umgekehrt bezwingen wollen, gibt es einen ***Rim-to-Rim Bus*** zur Rückbeförderung an den Ausgangspunkt: ***Transcanyon***, © (928) 638-2820.

Lodge

Die ***Grand Canyon Lodge*** im Blockhaus-Look in »Randlage« gehört neben dem *Old Faithful Inn* im *Yellowstone* und der *East Glacier Lodge* zu den wenigen »unverzichtbaren« Nationalpark-Hotels, klappte nur die Reservierung, hier unter © **1-888-297-2757**. Eine relativ höhere Chance unterzukommen hat, wer am Wunschtag ab 10 Uhr morgens des öfteren direkt anruft. Mit viel Glück »springt« man dann in unerwartete Abreisen und Absagen. **Direkt-Telefon**: (928) 638-2611. Zimmer – und *Cabins* für bis zu 4 Personen – kosten ab $100. Auch **Nicht-Hotelgäste** können Restaurant und Terrasse der *Lodge* nutzen und/oder Sonne und Canyonblick genießen. Selbst in der Hochsaison herrscht hier nicht das Getümmel der Südseite; www.grandcanyonnorthrim.com.

Camping

Der beste ***Campground*** im *North Rim*-Bereich ist ***DeMotte*** im *Nat'l Forest* ($12), einige Meilen nördlich des Nationalparks. Der ***Nat'l Park Campground*** liegt in Randnähe schattig unter Bäumen ($18). Ob dort noch Platz ist, erfährt man im *Visitor Center* in Jacob Lake. Der große ***Kaibab NF-Campgrounds*** bei *Jacob Lake* ist wenig einladend. Im Umfeld finden sich aber Gratisplätze im *National Forest* (*Dispersed Camping*, ➤ Seite 29); z.B. FR #220.

Vermilion Cliffs NM

Die ***#89A*** bildet nach Verlassen der Waldzone die Grenze des *Vermilion Cliffs Wilderness*, Info ➤ vorstehend. Bis Marble Canyon passiert man weitere rot-braun-gelbe Felslandschaften und kleine *Cliff Dwellings*, die Ruinen alter Klippendörfer.

Marble Canyon/Lees Ferry

Beim Nest **Marble Canyon** am Nordufer des Flusses (Tankstelle, *Store* und Motels) überquert die **einzige Brücke** zwischen *Glen Canyon* und *Hoover Dam* den dort nur etwa 50 m tiefen *Colorado River Canyon*. Auf einer kurzen Stichstraße geht es hinunter nach **Lees Ferry**, einer grünen Oase am Ufer des Colorado und Ausgangspunkt der ***Rafting Trips*** durch den Grand Canyon. Der einfache ***Lees Ferry Campground*** ($10) liegt auf einer Anhöhe vor einem herrlichen Panorama; www.nps.gov/glca/lferry.htm.

Abschluß

Mit dem Straßendreieck #89/#64 bei Cameron wird die im Kapitel 4.4 behandelte Route erreicht. Die Beschreibung des *Grand Canyon National Park* und die Streckenführung in Richtung Kingman und Las Vegas findet sich ab Seite 452.

White Hoodoos of Wahweap Creek von Markus Hundt, Bonn

Bis vor kurzem kannte kaum jemand die »*Wahweap Hoodoos*«. Zwar gab es einige Publikationen mit Fotos dieser Gebilde aber ohne Angabe des Standorts (so z.B. im *Page-Lake Powell Official Visitors Guide* 2004). Um ihr Auffinden zu erschweren, wurde nur vom »***Valley of White Ghosts***« gesprochen, das Wort »*Wahweap Creek*« ausgeblendet. Das führte dazu, dass Personen mit Kenntnis des *Hoodoo-Standorts* glatt $150 pro Person für Führungen dorthin verlangten und erhielten. Die Kommerzialisierung von öffentlichem Land durch Privatpersonen war aber nicht im Sinn des zuständigen *Bureau of Land Management* (BLM). In der ***Paria Contact Station*** und im ***Visitor Center*** in Kanab, ✆ (435) 644-4680, gibt es daher heute Karten, in die der *Trail* zu den *White Ghosts* eingezeichnet ist. Im Internet findet man (speicherintensive) Karten im Maßstab 1:24.000 der *Utah Division of Water Rights*, die ebenfalls eine sehr gute Orientierung erlauben: Glen Canyon City (Q 4221), Nipple Butte (Q 4121), Lower Coyote Spring (Q 4120), Bridger Point (Q 4220) – gelistet auf http://nrwrt1.nr.state.ut.us/cgi-bin/quadview.exe?Startup.

Obgleich mehrere Wege zu den *Wahweap Hoodoos* führen, sollte nur der vom BLM in der Karte eingezeichneten Streckenführung gefolgt werden. Los geht's bei **Big Water**, ca 17 mi westlich von Page, auf der ***Nipple Creek Road***. Vom Ende des mit Pkw bei Trockenheit befahrbaren Abschnitts sind noch ca. 7 km zu laufen (90-120 min). Beste Zeiten Frühjahr und Herbst.

Es gibt drei verschiedene Hoodoogruppen. Während die südlichste mit den größten *Hoodoos* zu bieten hat, besteht die mittlere Gruppe aus einem Gewirr kleinerer »Geister«.

Am spektakulärsten ist die nördlichste Gruppierung mit den daher meistfotografierten »Ghosts« des Tales. Wegen der Zerbrechlichkeit dieser ungewöhnlichen Formationen verteilt das BLM mit der Karte ein Merkblatt mit Verhaltensregeln, die zu beachten sind.

Weitere Informationen gibt es im Spezialführer »*Hiking and Exploring the Paria River*«, 4. Auflage, 2004, Seiten 158-163. Im Internet schaut man am besten in die Webseite des brillanten Fotografen Stefan Synnatschke, eine Fundgrube für Fans der *Wonderlands of Rocks* im US-Südwesten.

Tolle Fotos dazu unter

www.synnatschke.de/wh/wh.html

White Ghosts am Rande der Paria Canyon Wilderness

4

4.3 Erweiterungen der Route 4.2 in Colorado

Touristische Bewertung Colorados

Im Rahmen der in diesem Buch zusammengestellten Hauptreiserouten ist Colorado – sowohl geographisch gesehen als auch gemessen an der Seitenzahl – eher am Rande berücksichtigt. Das mag manchen Leser verwundern, der gerade in Colorado und den *Rocky Mountains* vielleicht zahlreiche landschaftliche Höhepunkte erwartet. Die Routenauswahl und die zurückhaltende Bewertung sogar des häufig sehr positiv beschriebenen *Rocky Mountain National Park* (➤ Kapitel 7.2.8) deuten aber bereits an, dass Colorado (sommer-) touristisch – zumindest aus der Sicht des Autors – insgesamt weit weniger zu bieten hat als die Nachbarstaaten. Die herausragenden und auch im Rahmen der Routen dieses Buches entsprechend gewürdigten Ziele, der ***Mesa Verde Park*** und das ***Dinosaur Monument***, liegen weit entfernt voneinander in der Südwest- bzw. Nordwestecke Colorados außerhalb der *Rocky Mountain* Region. Alle weiteren nennenswerten Sehenswürdigkeiten finden sich vergleichsweise verstreut und sind – vielleicht mit Ausnahme der ***Great Sand Dunes*** – bei weitem nicht so eindrucksvoll wie zum Beispiel die Nationalparks in Utah, für deren Besuch man gar nicht genug Zeit mitbringen kann.

Colorado hat es trotzdem – unterstützt durch die Popularität einer Reihe von Wintersportorten – fertiggebracht, sich ein Image als Ferienland aufzubauen. So bezeichnet etwa die touristische Werbung die *Rockies* als die »Schweizer Alpen der USA« und den Staat Colorado daher als die »Schweiz Nordamerikas«. Selbst wenn der Vergleich zuträfe: Für europäische Besucher läge dann sicher das Original näher. Aber er stimmt nicht! Die Alpen bieten viel mehr, sind nicht nur landschaftlich, sondern vor allem auch historisch-kulturell attraktiver. Mit der gewachsenen Infrastruktur der Alpenländer kann man es in den USA sowieso nicht aufnehmen.

Fazit

Die (subjektive) Feststellung für Colorado lautet: Bei begrenzter Zeit besteht kein wichtiger Grund, dort mehr als *Mesa Verde, Dinosaur* und die beschriebenen Hauptstrecken »zu machen«. Südlich der *Interstate* #70 sehenswert (nördlich der I-70 Kapitel 7.2.8) sind in erster Linie das bereits erwähnte ***Great Sand Dunes National Monument*** und das Goldrauschgebiet um ***Cripple Creek***. Außerdem – je nach individueller Bewertung – auch noch die Großstadt. Denver und Umgebung.

Abstecher nach Denver

In die **Route 4.2** lässt sich **Denver ab Grand Junction** rein entfernungsmäßig (ca. 250 mi) leicht einbeziehen. Für eine Ost-West-Durchquerung Colorados gibt es auch **landschaftlich keine bessere Strecke als die I-70**. Als Verbindung von Denver mit der – in den folgenden Absätzen beschriebenen – Rundstreckenerweiterung empfiehlt sich die sehr schöne Straßenkombination #285/#67 oder #77 durch den ***Pike National Forest***: Von der #285 kann man ab Pine Junction sowhl die ***Pine Valley Road* nach Deckers** nehmen (von dort #67) als auch etwas weiter südlich die #77 ab Jefferson nach Lake George. Speziell diese Route im Tal des Toryall Creek verläuft durch eine herrliche Landschaft. In beiden Fällen geht es auf der Straße #24 ein Stück nach Westen bzw. Osten und auf der weiterlaufenden #67 bis **Cripple Creek/Victor**.

Colorado Springs

Die scheinbar schnellere Route von Denver nach Colorado Springs auf der I-25 und dann weiter auf der #24 bringt außer mehr Meilen nichts. Die Vorzüge (im wesentlichen kommerzialisierte Attraktionen) von **Colorado Springs** werden in den einschlägigen Werbebroschüren der *Tourist Offices* hochstilisiert, sind aber letztlich so toll nicht. Das gilt auch für den ***Garden of the Gods***, der allen von hier Anreisenden einen Vorgeschmack auf die Utah-Felsparks vermittelt, aber bereits zu parkartig ist.

Umweg zu den Great Sand Dunes

Die naheliegendste **Erweiterung der Basisroute** durch das südwestliche Colorado führt vom ***Black Canyon*** weiter nach Osten, ab Poncha Springs über die Straßen #285 und #17 zum ***Great Sand Dunes National Monument*** und von dort auf der **#160 durch die *San Juan Mountains*** nach Durango (mindestens plus 1 Tag, an der Route zahlreiche ***NF-Campgrounds***). Der Verlauf der #160 entschädigt durchaus für das dabei entgehende Erlebnis des oben behandelten *Million Dollar Highway* von Ouray nach Durango.

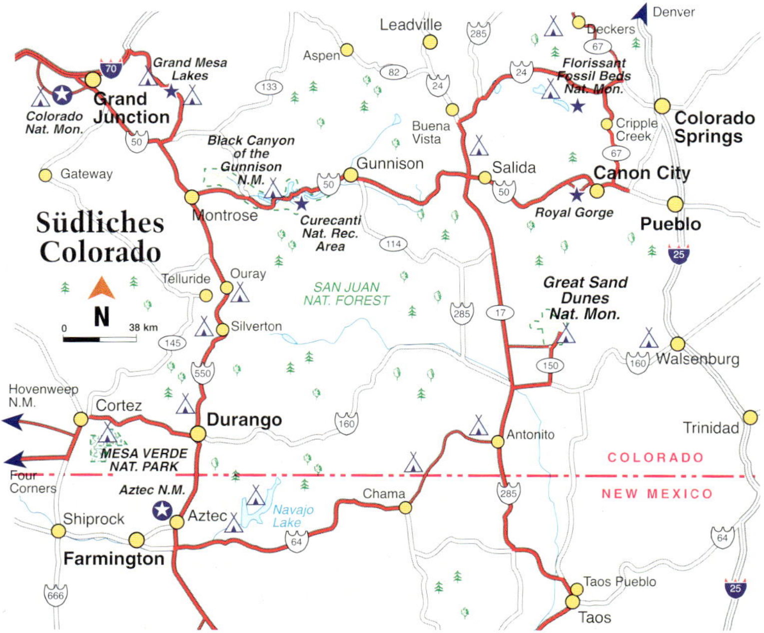

4

Zur Cripple Creek Region

Interessant und vom Streckenverlauf her abwechslungsreich wäre auch die **Erweiterung des *Sand Dunes*-Umweges** um einen Besuch in der Region des zur ***Historical Area*** erklärten Minenstädtchens **Cripple Creek**, wo heute **Spielkasinos** tonangebend sind: Die Straße #50 überquert die *Rocky Mountains/Sawatch Range bei Poncha Springs* in fast 3500 m Höhe. Auf der #285 geht es dann nach Norden und auf der #24 in Richtung Colorado Springs.

Florissant Fossil Beds

Wer so oder über die #77 anfährt, passiert das ***Florissant Fossil Beds Nat'l Monument*** mit ein paar versteinerten Baumstümpfen entlang eines Naturlehrpfades ($3 oder Jahrespass; www.nps.gov/flfo). Der Besuch lohnt kaum. Von dort aus kann man einer direkten *Gravel Road* (*Mount Pisgah Scenic Drive*) nach Cripple Creek folgen; die asphaltierte Straße #67 erreicht man 12 mi östlich von Florissant. Aus hübscher Waldlandschaft geht es auf ihr in eine von kahlen Bergkuppen umgebene Hochebene (3.000 m).

Cripple Creek

Cripple Creek war für fast 20 Jahre um die Jahrhundertwende **Zentrum des Colorado-Goldrausches**. Trotz stark nachlassender Ausbeute des geförderten Erzes existierte Cripple Creek als Minenstadt weiter und verödete nicht zur *Ghost Town* wie einige Nachbarorte. Der Reichtum allerdings verschwand; und ohne Tourismus hätte es dort wahrscheinlich ähnlich bedrückend ausgesehen wie immer noch in Victor, 6 mi südlich. Seit der **Zulassung des Glücksspiels** ist in Cripple Creek wie in Black Hawk und Central City (➤ Seite 662) der Dornröschenschlaf endgültig vorüber; www.cripple-creek.co.us. Die historischen Fassaden in der Hauptstraße ***Bennett Ave*** erhielten nach einem Volksentscheid 1991 über Nacht einen frischen Anstrich, und neue entstanden. Seither gilt bis heute: ***Slot Machines* allerorten**! Kneipen und Restaurants muss man nicht mehr mit der Lupe suchen, die Gästebetten vervielfachten sich. Am besten übernachtet man immer noch im nostalgischen ***Hotel Imperial***, ✆ 1-800-235-2922; www.imperialcasinohotel.com. Zur Geschichte von Cripple Creek ist das ***District Museum*** im alten Bahnhof aufschlussreich ($5; www.cripple-creek.org). Wer sehen möchte, woher das viele Gold kam, fährt für 45 min. in die ***Molly Kathleen Mine*** ein; 9-17/18 Uhr, letzter Trip 1 Stunde vor Torschluss, $15/$10. Touren in der Saison alle 10-15 min; www.goldminetours.com.

In Cripple Creek fehlt auch nicht die alte Eisenbahn

Phantom Creek Road

Von Cripple Creek geht es über Victor zur ***Phantom Creek Road***, die im ehemaligen Schienenbett der Erzeisenbahn hinunter nach **Cañon City** führt (35 mi; www.canoncitycolorado.com). Die Schotterstrecke ist zwar abschnittsweise eng und rauh, aber von Pkw bis *Van Camper* bei Trockenheit ohne weiteres machbar. Ihr an hoch aufragende Felswände angelehnter Verlauf und die alten Eisenbahntunnel entschädigen für die bisweilen beschwerliche Fahrt. Weiter unten am Bach, dem Phantom Creek, finden sich Plätzchen zum Campen. Ein guter ***Campground*** auf einem riesigen Areal am unteren Ende der Straße ist ***Indian Springs***.

Royal Gorge/ Buckskin Joe's

Etwa 10 mi westlich von Cañon City lässt sich die Abzweigung zur ***Royal Gorge*** nicht verfehlen. Das Gelände um eine vom Arkansas River gebildete Schlucht wird dort gnadenlos vermarktet. Für den Blick in die Tiefe (320 m), die Überquerung des königlichen *Canyon* auf einer Hängebrücke und per Seilbahn, den Fahrstuhl hinunter und ein bisschen Jahrmarkt sind $23 bzw. $19 Eintritt ein offenbar akzeptierter Preis; www.royalgorgebridge.com. $13 kostet der Besuch von ***Buckskin Joe's Frontier Town***, einer künstlichen Wildwest-Stadt. Attraktionen sind *Gunfights*, Postkutschenfahrten und eine künstliche Goldmine. Ein ***Railroad Loop*** mit Blick in die Schlucht kostet $10 extra; Kombiticket fü+r beides $17. *Memorial Day* bis Ende Sept. 9/10-17/18 Uhr; www.buckskinjoe.com.

Zu den Great Sand Dunes

In Richtung *Great Sand Dunes* folgt man am besten der Straße #50 durch den malerischen ***Arkansas River Canyon*** nach Poncha Springs über Salida, weiter auf der #285 und dann #17. Von der Höhe des *Poncha Pass* (3.500 m) geht es hinunter in eine trockene Ebene zwischen *Sangre de Christo* und *Garita/San Juan Mountains*, die sich auf schnurgerader Straße schnell durchfahren lässt. Ca. 13 mi nördlich von Alamosa zweigt die Straße zu den weithin sichtbaren ***Great Sand Dunes*** ab. An ihr liegt auf halber Strecke der ***San Luis Lake State Park*** mit ***Campground***, eine Ausweichmöglichkeit, falls der Platz in den *Sand Dunes* besetzt sein sollte.

Great Sand Dunes NM

Vor den Gipfeln der südlichen *Rocky Mountains* hat sich ein riesiges Dünenfeld von rund 80 km^2 Ausdehnung mit bis zu 230 m hohen Sandbergen gebildet. Bereits aus der Distanz ist der Anblick der gelbbraunen Dünen faszinierend. Ein ***Visitor Center*** informiert über das Wie? und Warum? ihrer Entstehung, $3; www.nps.gov/grsa. Besucherparkplatz und *Picnic Area* befinden sich direkt an den Ausläufern des wüstenartigen Areals. Von dort kann man unbegrenzt in die Einsamkeit der Sandberge hineinwandern. Fahrzeuge sind nicht zugelassen. Geführte **Jeeptouren** auf einer *Primitive Road* (*Gravel* und Sand) durch Randgebiete des Monuments werden von privaten Veranstaltern angeboten.

Auf dem schattig am Hang angelegten ***Campground*** (oberhalb der *Picnic Area)* hat man von vielen Stellplätzen einen tollen Panoramablick über die Dünen ($14). **Primitives Camping** am Rand der Sandberge ist an einigen Plätzen weiter nördlich erlaubt; Zugang nur per pedes oder mit 4WD-Fahrzeugen.

Great Sand Dunes National Monument im Süden Colorados kurz vor einem Gewitter

Nach Durango

Über **Alamosa**, ein Städtchen mit deutlich mexikanischem Einschlag (www.alamosa.org), und die bereits oben herausgehobene Straße #160 durch die *San Juan Mountains* (viele ***NF-Campgrounds*** an der Strecke und etwas abseits) findet man in Durango (➤ Seite 454) wieder Anschluss an die Route 4.2.

Eine schöne Möglichkeit, den Abstecher 4.3 noch weiter auszubauen, ist eine Fahrt über Antonito, Chama und Aztec:

Cumbres Toltec Railroad

Antonito, ein Nest unweit der Grenze zu New Mexico, zeichnet sich durch nichts anderes aus als die Endstation der ***Cumbres-Toltec Railroad***. Die schwärzesten Ruß verqualmende Schmalspurbahn dampft täglich um 10 Uhr im 15-Meilen Zuckeltempo durch die *Toltec*-Schlucht und über die *Cumbres*-Passhöhe nach Chama. Auf halber Strecke in **Osier** begegnet ihr der Gegenzug (ebenfalls 10 Uhr ab Chama): Lunchpause in schöner Umgebung und Umsteigen der Passagiere, die zum Ausgangspunkt zurückkehren. Wer die ganze Strecke (rund 100 km) gebucht hat, fährt per Bus zurück. Das Ganztagesvergnügen kostet je nach Buchungsklasse und Saison $62-$130. *Cumbres-Toltec Railroad* ist die **urigste nostalgische Eisenbahn des US-Westens**; höchstens die Durango-Silverton Bahn kann mit ihr konkurrieren. Aktuelle Infos/ Reservierung: © 1-888-286-2737; www.cumbrestoltec.com

In der Nähe von Antonito liegen bei Mogote (Straße #17) zwei ordentliche **Campingplätze** im grünen Tal des Rio Conejos.

Aztec Ruins National Monument

Von Chama führt die Straße #84 nach Pagosa Springs und da-mit auf die Strecke nach Durango. Nur kulturhistorisch stark Interessierte sollten hier an einen Umweg über **Aztec** denken. Das gleichnamige *National Monument* liegt nur wenig nördlich der Stadt unweit der Straße #550 und schützt gut erhaltene Ruinen eines vorkolumbischen Pueblos, ähnlich denen im *Chaco Culture Historical Park* (➤ Seite 496). Im Mittelpunkt steht eine besonders **große, restaurierte *Kiva***, der für die Pueblo-Kultur typische Zeremonienraum, $5; www.nps.gov/azru.

Umweg über Taos

Statt von Antonito den Anschluss an die Basisroute 4.2 rasch wieder herzustellen, könnte man auch an einen etwas weiter ausholenden **Schlenker nach Taos Pueblo und Santa Fe** denken. Über Los Alamos und das *Bandelier National Monument* ergäbe sich eine reizvolle Route zurück nach Durango über Aztec. Ebenso besteht hier die Möglichkeit zum **Übergang auf die Route 4.4 in Richtung Süden** (➤ Seite 490) oder zurück nach Westen in Gegenrichtung zur Routenbeschreibung.

Oasengefühle von Hans Löwenkamp

Gewiss, du bist auf den Anblick von Wüsten vorbereitet als US-Reisender, auf Saguaro Kakteen und Joshua Trees und öde Landstriche, du hast ja genug darüber gelesen. Aber das? Da juckt es dich wirklich, auf das Flugticket zu sehen, ob du nicht doch für das Königreich Saudi-Arabien gebucht hast. Aber der Wegweiser belehrt dich, dass du nicht den Kamelpfad von Djidda nach Er-Riad entlangzuckelst, sondern einen Highway mit der Nummer 150, schön ordentlich mit Teerdecke und Mittelstreifen, und dass du auf das Great Sand Dunes National Monument zusteuerst, im Süden von Colourful Colorado.

Soeben bist du noch das fruchtbare Tal des Rio Grande hinaufkutschiert und hast nicht recht wahrhaben wollen, dass da vom Skifahren die Rede war; du hast dich erst mal auf der Straßenkarte überzeugen müssen, dass sich die so harmlos dreinschauenden Buckel ringsum Viertausender nennen dürfen, und jetzt steckst du mit einem Mal bis zu den Ohren im Sand. Great Sand Dunes östlich von Alamosa. Eine Wüstenei, wie sie im Bilderbuch steht. Richtige Dünen zum Durstkriegen, zum Fata-Morgana-Sehen. Da lässt du dir Bierreklamen einfallen.

Nur weil der Wind nicht weiter kann an der Ostwand der Sangre de Christo Mountains und in seiner Schwäche alles fallen lässt, was er so mit sich führt, hat sich hier auf ca. 80 km² ein stabiles Wüstchen gebildet. Zur Freude der Nationalparkbehörde, welche die Sandberge zum Naturschutzgebiet und National Monument erklärte und auch noch mit einem wunderschönen Campground versah.

Da sitzt du abends unter harzduftenden Pinien und siehst dem Sonnenuntergang zu. Du sitzt in der ersten Reihe. Nichts steht dem freien Blick im Weg bis auf die hübsche Fotografin. Sie zog schon vor einer Stunde hinaus und harrt nun auf halber Höhe der ersten Schatten, auf dass der Sandkasten endlich Konturen zeige. Zwanglos integriert sie sich in das Naturschauspiel.

Struppige Blauhäher krächzen ihr Abendlied und machen den Grillen Konkurrenz. Wenn du nun auch noch daran gedacht hast, dass es hier 40 Meilen im Umkreis keine Bar gibt, und ein Fläschlein von Jack Daniel's Zwölfjährigem mitführst, und wenn du obendrein dein Campmobil pfleglich austariert hast, und der Kühlschrank funktioniert, dann darfst du mit himmlischem Klingeln der Eiswürfel zum Konzert beitragen und Frieden einziehen lassen in deine Seele und dir einbilden, dass jeden Augenblick eine Karawane um die Ecke kommt, ein Kamel nach dem anderen.

4.4 Durch Arizona und New Mexico

Diese besonders im **Frühsommer (Ende Mai/Juni) oder Herbst ideale Rundstrecke** deckt einschließlich der vorgeschlagenen Abstecher alle wichtigen attraktiven Ziele und Landschaften beider Staaten ab, soweit sie nicht im vorstehenden Kapitel 4.2 (*Monument Valley, Navajo National Monument, Lake Powell*) bereits behandelt wurden. Als **Ausgangspunkt** kommen wie bei **Route 4.2** sowohl **Los Angeles** als auch **Las Vegas** in Frage, ➤ Seite 418. Man könnte ebenfalls in **Phönix** starten.

4.4.1 Von Las Vegas zum Grand Canyon und nach Flagstaff

Routen

Die naheliegendste und **kürzeste Route** von Las Vegas zum Grand Canyon führt auf der **Straße #93** über Boulder City/*Hoover Dam* zunächst nach Kingman/Arizona und dann auf der *Interstate* #40 nach Williams. Eine andere Möglichkeit wäre, auf den **Straßen #95/#163** über **Nevadas Spielerparadies No. 4 Laughlin** (nach Las Vegas, Reno und Lake Tahoe) am Colorado River unterhalb des dritten Colorado Stausees ***Lake Mohave*** im Drei-Staaten-Eck Arizona/California/Nevada zu fahren und von dort die **Schnellstraße #68** oder die ***Route 66*** über **Oatman** nach Kingman zu nehmen.

Straße #95 über Laughlin

Für »Laughlin« spricht im Frühjahr und Spätherbst eventuell **das warme Klima** im tiefer gelegenen *Colorado River Valley*. Wer in dieser Zeit vor einer Fahrt zum hochgelegenen und kalten *Grand Canyon* noch eine Pause am Wasser einlegen will, kann oberhalb von **Bullhead City** direkt am Fluss (***Davis Camp*** mit viel Betrieb von Wassersportlern) oder (wasserferner) am **Lake Mohave** (***Katherine Landing***) unter Palmen gut campen, ebenso weiter oben östlich von Searchlight auf dem ***Cottonwood Cove Campground***.

Laughlin, www.visitlaughlin.com, besteht im wesentlichen aus einigen **Kasino-Hotelkomplexen** und Parkplätzen am Westufer des Colorado und an der Hauptstraße durch Laughlin, ➤ Seite 46.

Oatman/ Route 66

Von Laughlin sind es auf direkter Route noch knapp 30 mi nach Kingman bzw. bis zur I-40. Ca. 20 mi mehr, aber mindestens eine volle Stunde Fahrzeit zusätzlich, kostet der Umweg über Oatman. Auf der Straße #95 über Bullhead City fährt man zunächst nach Süden und noch vor Mohave Valley links ab nach Oatman. Nach 9 mi trifft man auf die *Route 66* und erreicht kurz danach mit Oatman eine Art **Wildwest-Gebirgsdorf** inmitten rauer Landschaft mit einigen Kneipen und originellen Souvenirshops hinter den alten Fassaden entlang einer kaum mehr als 200 m langen Durchfahrt. Aber immerhin, in Oatman ist das ***Route 66-Flair*** noch nachzuvollziehen; www.oatmangoldroad.com.

Straße #93 über den Hoover Dam

Mit der **Straße #93** wählt man nicht nur die **kürzere Route zum *Grand Canyon***, sondern auch die landschaftlich abwechslungsreichere Strecke durch die ***Eldorado Mountains***. Obendrein führt sie über den ***Hoover Dam*** bzw. – nach Fertigstellung der neuen Brücke über den *Colorado River Canyon* – daran vorbei.

Hoover Dam Wie unter Las Vegas erläutert, entstand der Damm bereits in den 1930er-Jahren und hinter ihm der ***Lake Mead***, nach dem *Lake Powell* der zweitgrößte unter den *Colorado Reservoirs.* Der Bau dieses Damms im tiefen Flusscanyon gilt als technische Meisterleistung. Seine konstruktiven Details kann man im Besucherzentrum (Westseite) studieren und die Turbinen auf Führungen besichtigen, ➤ unter Las Vegas, Seite 415; ebenso *Glen Canyon* Seite 461. Zum Brücken-/Straßenbau zur Umgehung des *Hoover Dam* (Ende 2007/2008) siehe www.hooverdambypass.org.

Kingman Mit rund 13.000 Einwohnern ist Kingman für Arizona-Verhältnisse eine der größeren Städte. Es bietet außer zahlreichen preiswerten **Motels** touristisch nichts. Wer noch eine Arizona-Straßenkarte und Information braucht, fährt zunächst noch nicht auf die *Interstate,* sondern folgt der #93 (Beale St) durch den Ort und stößt dabei automatisch auf das Büro der ***Visitor Information***, 120 W Route 66, ✆ 1-866-427-RT66; www.kingmantourism.org.

I-40 Die **I-40 nach Flagstaff** weist viele landschaftlich attraktive Abschnitte auf. Nicht zuletzt die 25 mi zwischen Williams und Flagstaff, die von den meisten wegen des *Grand Canyon* Abstechers nicht befahren werden, sind eine erfreuliche Strecke.

Route 66 www.national66.org - www.historic66.com

Diese einst von Chicago nach Los Angeles führende **transkontinentale Landstraße** hatte mit der Eröffnung von *Interstate*-Autobahnen, die teilweise über Hunderte von Meilen ihrer alten Trasse folgten (etwa von Flagstaff bis Albuquerque), ausgedient. Die verbliebenen Teilabschnitte und die an ihnen liegenden Orte mit einer auf den Fernverkehr ausgerichteten Infrastruktur verkamen. Die *Route 66* bzw. das, was davon übrigblieb, wird nichtsdestoweniger gerne verklärt. Dabei bilden nur die ca. **50 mi zwischen Topock an der I-40 und Kingman über Oatman** ein auch landschaftlich reizvolles Teilstück. Die Strecke von Kingman nach Seligman – gegenüber der I-40 nur 25 mi Umweg und mit kleinen (Foto-) Stopps kaum mehr als eine zusätzliche Stunde Fahrzeit – vermittelt einen gewissen Eindruck vom Verlauf der alten #66.

Generell gilt: außer ein paar alten Schildern, dem einen oder anderen *Diner* im Stil der 1950er-Jahre (z.B. in Albuquerque, ➤ Foto auf Seite 212) und heruntergekommenen und deshalb wieder reizvollen Saloons hier und dort kennzeichnet eher Verfall die alte Hauptstraße. Die «Orte« am Wege bestehen überwiegend aus nichts weiter als einer Handvoll gammliger Strukturen aus besserer Zeit.

Speziell in Seligman findet man originelle Überbleibsel aus der »guten, alten Zeit«

Grand Canyon Skywalk www.grandcanyonskywalk.com

Bereits 2003 begann man mit dem Bau. Jetzt war es endlich soweit. Am 21. März 2007 wurde die ***Glass Bridge at Grand Canyon*** eröffnet. Aber wer annimmt, der hufeisenförmige über den Rand der Schlucht ragende Glasbogen (aus Deutschland) sei im Nationalpark angesiedelt, irrt. Die Supai Indianer haben ihn sich auf ihr Gebiet weitab bekannter Regionen im Bereich ***Grand Canyon West*** bauen lassen. Wer gern 1.200 m Nichts zwischen sich und dem Colorado River sehen möchte, muss über die ***Straße #93*** und dann (auf halber Strecke zwischen *Hoover Dam* und Kingman) die ***Pierce Ferry Road*** nach Nordosten nehmen, von dieser die ***Diamond Bar Road*** bis zum Ende (Airstrip und Helilandeplatz). Ab Las Vegas oder (vermutlich bald auch) Tusayan kann man Flüge buchen, ab Las Vegas auch kombinierte Boots- und Helikopter- plus 4WD-Touren. Das kostet ab ca. $150. Wer selbst im Auto kommt, ist ab $29 dabei, sieht dann aber noch keinen *Skywalk*, der Blick darauf wurde in teurere Angebote gepackt. Das nun mögliche Betreten dürfte wohl alles in allem unter $75 nicht zu haben sein. Alle Einzelheiten finden sich unter www.destinationgrandcanyon.com + Adresse oben.

Route 66

Wer Zeit hat oder ohnehin einen Besuch des **Havasu Canyon** anstrebt, nimmt ab Kingman statt der I-40 die alte ***Route 66***.

Havasupai Indian Reservation

Ein wegen abseitiger Lage und hoher Kosten nur von wenigen angesteuert wird der Abschnitt des Grand Canyon westlich des Nationalparks in der ***Havasupai Indian Reservation***. Der Clou sind dort wunderbare **Wasserfälle** und **Badepools** in üppiger Vegetation. Von Kingman sind es auf der heute wieder sehr gut ausgebauten #66 und der Stichstraße #18 zur *Havasupai Indian Reservation* gut 120 mi; hinter Peach Springs gibt es keine Tankstelle mehr (nächste in Seligman). Die Straße endet ca. 8 mi vom ***Supai Indian Village*** entfernt auf dem ***Hualapai Hilltop***. Dorthin geht's auf anstrengendem Pfad (800 m Höhendifferenz) zu Fuß oder per **Maultier** ($75 pro Person one-way inkl. Gepäck bis ca. 60 kg), Abmarsch täglich zwischen 10 Uhr und 12 Uhr. Reservierung unter © (928) 448-2141. Bei Ankunft im Dorf Supai sind **inkl. Steuern $38,50 Eintritt/Person** fällig; www.havasupaitribe.com.

Von dort geht es weiter durch den ***Havasu Canyon*** mit den pittoresken Wasserfällen. Der **Zeltplatz am *Havasu Creek*** ist 2 mi vom Dorf entfernt und kostet $17/Person. Er muss unbedingt reserviert werden: © (928) 448-2120. Die ***Havasupai Lodge*** ist ein Motel am Dorfrand; bis zu 4 Leute zahlen $145, © (928) 448-2121 oder 2174.

Beurteilung

Der ***Havasu Canyon Trip*** zu Fuß ist eine tolle Sache für Leute mit Zeit, Kondition (plus ggf Extra-Dollar für den Muli-Trip), die sich ein besonderes Abenteuer in spektakulärer Landschaft gönnen wollen. Die Preispolitik ist hier letztlich unakzeptabel.

Williams

Der kleine Ort Williams fungiert mit zahlreichen ***Motels***, ***Inns*** und ***Campgrounds*** als Grand Canyon-Touristenetappe. Das **Preisniveau** der Hotellerie ist stark auslastungsabhängig. Einfache Motels kosten im Sommer $50-$70; die Mittelklasse $80-$120, Vor- und Nachsaison teilweise erheblich preiswerter bis unter $40.

Die meisten Häuser liegen unverfehlbar aufgereiht an den Hauptstraßen durch Williams (*one-way* jede Richtung). Die bekannten **Ketten** sind gut vertreten (*Budget Host, Super 8, Days Inn, Best Western, Fairfield, Holiday, Travelodge, Econolodge, Fairfield, Motel 6* u.a., © ➤ Seite 183); www.williamschamber.com.

Der ***Campground Cataract Lake*** (*County Park*) liegt nur 2 mi von der I-40, Exit #161, entfernt. Am selben See befindet sich noch ein kleiner, gleichnamiger ***NF-Campground***. Der große ***NF-Campground Kaibab Lake*** an der Straße #64 ist die beste Wahl. Keiner dieser Plätze verfügt über *Hook-up*/Duschen. Der an sich gute KOA-Platz an der *Interstate*-Ausfahrt #167 liegt unmittelbar an der Autobahn und ist »lärmverseucht«.

Tusayan

Hotels im Park ➤ Seite 484

Kurz **vor den Toren des Nationalparks** liegt Tusayan, ein reines **Hotel- und Restaurantdorf** zur Ergänzung der Park-Infrastruktur. Wer hier unterkommen will, sollte reservieren (www.tusayan-az.worldweb.com) – was auch für Quartiere im *Grand Canyon Village* gilt.

Noch relativ günstig sind die ***Moqui Lodge*** (dennoch ab ca. $110), © (303) 297-2757, und das ***Rodeway Inn Red Feather Lodge***, © (928) 638-2414. Teurer, aber auch komfortabler sind u.a. das ***Best Western Squire Inn***, das ***Quality Inn*** und das ***Holiday Inn Express***.

Zu Fuß ins Paradies

Vom ***Hualapai Hilltop*** geht es über einen breiten Maultierpfad hinunter in den Havasu Canyon. Nach gut 2 1/2 Stunden erreicht man das Supai Village.

Wenige Minuten nördlich des Dorfes passiert man die ***Navajo Falls***, mehrere nebeneinanderliegende Katarakte, die sich kaskadenförmig in einen Teich ergießen. Wenig weiter stürzt das Wasser über die ***Havasu Falls*** 30 m tiefer. Der türkis leuchtende Badepool am Fuße der Fälle wird von terrassenförmig angeordneten Becken mit Rändern aus Mineralablagerungen eingerahmt.

Das lange grüne Tal dahinter ist der ***Campground***. Noch ein wenig weiter stürzt der Havasu Creek 60 m tiefer über die ***Mooney Falls*** in einen malerischen *Canyon*.

Eine abenteuerliche Stiege führt fast senkrecht in die Tiefe zum Pool zwischen den Felsen.

Ein ganzes Stück hinter dem letzten Wasserfall, den ***Beaver Falls***, öffnet sich der *Grand Canyon*.

Camping

Mitten in Tusayan befindet sich das ausgedehnte ***Camper Village*** mit allen üblichen Komfortdaten zwar, aber alles andere als ein schöner Campingplatz. Dafür liegen *Steakhouse, Store* und *IMAX*-Kino in Fußgängerdistanz. Zelte $17; RVs ab $22; Reservierung unter © (928) 638-2887;

Die rustikale Alternative bietet der ***NF-Campground Ten-X*** eine gute Meile südlich Tusayan, ein großer, gut angelegter Platz im Wald mit Minimalkomfort (mit Plumpstoiletten und einer Handvoll Wasserpumpen), $12. ***Dispersed Camping*** im Wald ist gebührenfrei möglich, Mindestabstand zur Straße 400 m.

Flüge über den Canyon

Vom Airport in Tusayan nur wenig südlich des Ortes direkt an der Straße starten die **Hubschrauber** zu Flügen über den *Canyon* in kurzen Abständen (ab $100 für aufregende 30 min). ***Sightseeing* per Flugzeug** ist mit Tarifen ab $75 etwas billiger.

IMAX-Kino

Ein ebenfalls empfehlenswertes, wenn auch ein bisschen teures Vergnügen ($13, bis 12 Jahre $10) bietet das **IMAX-Kino** mit dem eindrucksvollen Film ***Grand Canyon***; ganzjährig, 8.30-20.30 Uhr in den Sommermonaten, sonst 10.30-18.30 Uhr. Beginn stündlich zur halben Stunde; www.grandcanyonimaxtheater.com.

Grand Canyon National Park

Geschichte des Grand Canyon National Park

Im *Grand Canyon* und beidseitig der Schlucht gibt es zahlreiche Spuren vorkolumbischer Indianer-Besiedelung. Aber als eine erste spanische Expedition im Jahr 1540 die Schlucht erreichte, war sie menschenleer. Weitere Gruppen folgten und berichteten enthusiastisch vom *Grand Canyon*. Unsterblichen Ruhm erwarb sich der einarmige *Major* ***John Wesley Powell***, als er es 1869 fertigbrachte, mit 4 Booten und einer Handvoll Leuten den Colorado River zu bezwingen (➤ IMAX-Kino). 1876 erkannte ein *Fred Harvey* die touristische Attraktivität des *Grand Canyon* und errichtete 1882 das erste Hotel am *Grand View Point*. 1893 wurden die Schlucht und Umfeld zur *Forest Preserve*, **1908** zum ***National Monument*** erklärt. **1919** erfolgte die Aufwertung zum ***National Park***, dessen Gebiet 1975 auf die heutige Ausdehnung erweitert wurde; www.nps.gov/grca.

Situation im Park

Am Parkeingang erhält man die ***Park Map*** und ***The Guide***, die aktuelle zeitungsartige Informationsschrift der Parkverwaltung mit allen Veranstaltungen, Regelungen, Hinweisen für Wanderungen, Öffnungszeiten etc.

Eintritt
$25/Auto
$12/Person
oder
Interagency Jahrespass

Vom Südeingang (Tusayan) erreicht man als ersten Aussichtspunkt am Rand des *Grand Canyon* den ***Mather Point***. Dort wie von fast allen *Viewpoints* ist der Blick über die 10 mi breite und 1.350 m tiefe Schlucht überwältigend, sind die vielfältigen Farben und Formationen faszinierend.

Vom – für den Besucheransturm zu kleinen – *Mather Point*-Parkplatz sind es gut 300 m Fußweg hinüber zum neuen ***Visitor Center***, das nicht direkt per Auto erreichbar ist.

Visitor Center/ neuere Entwicklung

In der auch konzeptionell neuen ***Information Plaza*** werden Historie, Geologie und andere Phänomene nicht mehr in endlos wiederholten Diashows und Filmen vorgestellt, sondern durch sich selbst erklärende eingängige Darstellungen, Karten und Fotos mit Texten im Großformat in der Aussenanlage wie auch im Servicegebäude. Außerdem werden prophylaktisch typische Besucherfragen beantwortet. Hintergrund ist die Notwendigkeit der Bewältigung großer Besuchermassen. Der Autoverkehr in den Park soll demnächst stark reduziert werden. Gelände und Zufahrten für Shuttle Busse am Besucherzentrum sind im Entstehen begriffen, ebenso Auffangparkraum außerhalb und neue Zufahrten von Süden zu den Campingplätzen. Das Gros der Parkbesucher soll das *Grand Canyon Village* und die meisten Aussichtspunkte nur noch per Bus und dann weiter zu Fuß erreichen können.

Visitor Center mit Information Plaza, erste Anlaufstelle für alle Besucher des Nat'l Park. Die Grand Canyon Zeitung »The Guide« gibt's dort auch auf Deutsch

Shuttle Bus/ Rim Trail

Internet Info zum aktuellen Stand der Dinge:
www.nps.gov/grca/planyourvisit/gettingaround.htm

Von ***Memorial Day*** (oder noch früher) **bis mindestens *Ende September*** ist die ***West Rim Road*** (westlich des Dorfes) für den Individualverkehr gesperrt. Ein ***Shuttle-Bus Service*** sorgt dann (gratis) für den Transport der Besucher bzw. ermöglicht ein **Ablaufen des *Rim Trail*** von Aussichtspunkt zu Aussichtspunkt (ab ***Yavapai Point Observation Station*** bis zum westlichen Ende der Randstraße, ***Hermit's Rest***, und darüber hinaus rote Busse) und die **Rückfahrt per Bus**. Die Entfernung vom *Village* bis zum Straßenendpunkt beträgt etwa 10 km. **Weitere Busse** fahren – ebenfalls frei – vom *Village* zum *Mather Point* und zum Ausgangspunkt des ***South Kaibab Trail***, blauer Bus. Im Sommer um 5/6 Uhr, sonst 8/9 Uhr geht ein spezieller ***Hiker's Bus*** dorthin.

Zudem wird zur Zeit am ***Grand Canyon Greenway*** gebaut, ein Netz von neuen Wander- und Radwegen zwischen den Aussichtspunkten am *South Rim*. Bereits fertig sind die Routen zwischen der ***Information Plaza*** und dem Grand Canyon Village und ein kurzes Stück am Rand des Canyons. Weitere Routen sind geplant bis ***Hermits Rest*** und (in Richtung Osten) bis ***Desert View***. Ein ähnliches *System* soll auch am **North Rim** angelegt werden.

Marsch in die Tiefe

Allein mit den grandiosen Ausblicken mögen sich viele nicht zufrieden geben. Der Abstieg zum von oben kaum erkennbaren Colorado River ist schon hart, aber der Aufstieg gerät rasch zur Tortur. Im Sommer herrscht selbst bei moderaten Temperaturen am Rand (2100 m über NN beim *Village* weiter unten eine erhebliche Hitze. Bis Ende Mai und ab Mitte September, wenn es oben noch/schon recht kühl sein kann, sind die Temperaturen im *Canyon* erträglich. Dann bezwingen Leute mit guter Kondition den Canyon sogar an einem Tag. Die *Ranger* raten dringend davon ab und weisen darauf hin, dass ***one-day-hikes*** verboten seien. **Wer schlapp macht, muss die Rettung per Hubschrauber teuer bezahlen**.

Trails

Vom Südrand existieren ***zwei Wege*** nach unten:

- Dem populären, weil etwas weniger steilen ***Bright Angel Trail*** mit drei **Wasserstellen** (*Rest Houses)* ist im ersten Teil seines Verlaufs das Blickfeld eingeschränkt, da er in einem Seiten-*Canyon* beginnt. Zudem wird er (noch) stärker als der *Kaibab Trail* von den Muli-Expeditionen genutzt (Details unten rechts). Andererseits liegen an diesem *Trail* auf halber Höhe die ***Indian Gardens*** mit Wasserstelle und *Campground* (unten).

  Gesamtdistanz: 14,9 km über 1.335 m Höhe. Abstieg machbar in 3-5 Stunden. Aufstieg je nach Kondition 5-8 Stunden.

- Auf dem steileren ***South Kaibab Trail*** (bei Sommerhitze gesperrt!) gibt es keine Wasserstelle, dafür aber die Weite des Blicks von Anfang an. Die Distanz ist mit 11 km deutlich geringer, und Muli-Karawanen stören seltener. Der Abstieg ist bei guten Gelenken in 3 Stunden möglich, in 3,5-4 Stunden üblich, der Aufstieg bei 13% durchschnittlicher Steigung aber eine arge Schinderei; Zeitbedarf ab 5 Stunden. Hier noch wichtiger: salzhaltige Verpflegung (Erdnüsse u.ä.) und **jede Menge zu trinken mitnehmen**, Minimum eine Gallone, besser mehr.

Übernachten im Canyon

Wer den vollen Weg retour machen möchte, muss unter Beachtung des 1-Tages-Verbots mindestens einmal übernachten:

Fürs Zelten – sei es in den *Indian Gardens* oder im *Bright Angel Campground* ganz unten – benötigt man ein ***Permit*** ($10 pro Gruppe). Man erhält es nur per Post und sollte sich 4 Monate vor dem Wunschdatum darum kümmern! Das Formblatt ***Backcountry Permit Request Form*** am besten im **Internet herunterladen** (Englisch). Die Gebühr + $5/Person zahlt man per Kreditkarte. Falsch oder unvollständig ausgefüllte Formulare landen im Papierkorb; zur Prozedur: www.nps.gov/grca/planyourvisit/backcountry-permit.htm.

Permit Request Form

Blatt: www.nps.gov/grca/planyourvisit/upload/permit-request.pdf

Das ausgefüllte Formblatt am besten **faxen: 001-928-638-2125**.

Eine ***Backcountry*-Karte** mit allen Übernachtungsplätzen gibt es unter ähnlicher Adresse: .../upload/backcountry_map.pdf.

Zum Versuch vor Ort (Vergabe von *Permits*, die bis 8 Uhr nicht abgeholt wurden): das ***Backcountry Information Center*** befindet sich bei der *Maskwik Lodge* im *Village*.

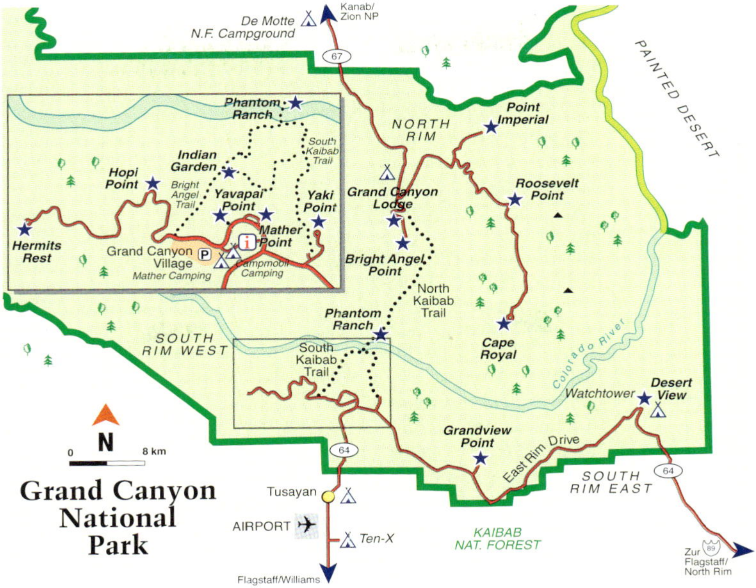

Phantom Ranch

Mit einer Reservierung für die ***Phantom Ranch*** (jenseits der Hängebrücke über den Colorado) in der Hand, benötigt man kein *Backcountry Permit* mehr. Die Übernachtungskosten in der *Phantom Ranch* betragen $28 pro Person im Schlafsaal und $72 für die *Cabins* (1-2 Personen). Hinzu kommen ggf. Verpflegungskosten (extrem hoch). Buchung möglichst schon ein Jahr im voraus, sonst hat man kaum eine Chance. **Langfrist-Reservierungs-Service**: © 1-888-297-2757; Internet: www.grandcanyonlodges.com. Am frühen Morgen werden in der ***Bright Angel Lodge*** die Reservierungen von ***No-Shows*** vergeben. Das Vergabesystem unterliegt Veränderungen. Mal liegt eine Liste zum Eintrag bereits am Vortag aus, mal muss man sich um 6 Uhr morgens beim ***Bright Angel Transport Desk*** anstellen.

Zum Nordrand

Wer den **Trip von Rand zu Rand** machen möchte (33 km auf dem *South+North Kaibab Trail*), kann den Rücktransport bei ***Transcanyon Shuttle*** buchen, © (928) 638-2820, $68.

Muli-Trips

Die Alternative zu Schusters Rappen sind ***Muli-Trips***. Bei den 2-Tage-Trips ist ein **Schlafplatz auf der *Phantom Ranch*** garantiert. Reservierung auch über © 1-888-297-2757. Bevor man jedoch $360 (inkl. Verpflegung/EZ oder $600 bei 2 Personen im DZ) ausgibt, sollte man wissen, worauf man sich einlässt. Für Reitunkundige ist der Ritt ein strapaziöses Abenteuer, dennoch angeblich bis zu 2 Jahren im voaraus ausgebucht.

Schlauchboot-Trips

Die populären (und extrem teuren) **Wildwasserfahrten** mit Schlauchbooten durch den *Grand Canyon* starten in **Lees Ferry bei Marble Canyon** (➤ Seite 468). Da die von der Parkverwaltung zugelassene Zahl von Teilnehmern/Jahr weit unter der Nachfrage liegt, sind die *Rafting Trips* immer schon langfristig ausgebucht.

Zentrale Reservierung für alle *Raft Trips* durch den *Grand Canyon* bei ***Rivers & Oceans***, © 1-800-473-4576 und © (928) 526-4575. Internet: www.rivers-oceans.com.

Unterkunft im Nationalpark

Wie gesagt, darf man im Bereich *Grand Canyon* ohne Reservierung zwischen Mai und Oktober nicht auf ein Quartier hoffen. Sämtliche Unterkünfte im Nationalpark (*Grand Canyon Village*) können über © **1-888-297-2757**, www.grandcanyonlodges.com, gebucht werden. Unmittelbar am Rand liegen ***Kachina*** und ***Thunderbird Lodge*** (ab $128) und das teurere, aber sehr schöne ***El Tovar Hotel*** ($135-$300). Etwas billiger ist die ***Maskwik Lodge*** ($80-$125); sie liegt aber deutlich weniger exklusiv.

Camping

Der **Groß*campground Mather*** ($18) und das ***Trailer Village*** ($22 mit *Hook-ups)* beim *Grand Canyon Village* sind von Mai bis Ende September spätestens mittags voll belegt.

Ohne Reservierung besitzt man nur bei Ankunft am Vormittag eine Chance. **Reservierungen** für ***Mather*** übers Nationalparksystem, ➤ Seite 200. Fürs ***Trailer Village*** ruft man *Xanterra Reservations* an (➤ auch oben): © 1-888-297-2757.

Der ***Desert View Campground*** am Ostausgang operiert auf *First-come-first-served*-Basis ($12). Außerhalb des Parks liegen, wie erwähnt, eine gute Meile südlich von Tusayan der angenehme ***NF-Campground Ten-X*** im Wald (nur wenige Wasserpumpen) und der Campingplatz in Tusayan.

Busverbindung

Von ***Greyhound*** und **AMTRAK** bedient wird nur Flagstaff. ***Open Road Tours*** sorgt ab Bahnhof Flagstaff 2x täglich um 8.30 Uhr und 15 Uhr für die Verbindung zum Nationalpark. Das *Ticket* kostet $20 einfache Fahrt, retour $40, © 1-877-2226-8060.

Eisenbahn

Vor einigen Jahren wurde die nostalgische **Eisenbahnlinie** von Williams zum *Grand Canyon* reaktiviert und verkehrt einmal täglich zum happigen Touristentarif von $60. Landschaftliche Höhepunkte gibt es auf der Strecke nicht, © 1-800-843-8724.

Aussichtspunkt Mather Point

Zum Nordrand?

Vom *Grand Canyon South Rim* eigens zum *North Rim* sollte man nur dann fahren, wenn die Parks im südlichen Utah auf dem Programm stehen, ➤ Seite 468. Ist die Reiseplanung mehr nach Osten und Süden orientiert, erscheint der Umweg zu weit. Der fast 400 m höhere Nordrand bietet trotz einer gewissen Andersartigkeit im Prinzip nichts Neues. Bis April, gelegentlich **bis in den Mai hinein und nicht selten bereits im Oktober** erfolgt wegen Schneefalls eine **Sperrung der Zufahrt**.

Ostausfahrt

Gleich, ob man sich für den Besuch auch noch der Nordseite entscheidet oder nicht, empfehlenswert ist immer ein Verlassen des *South Rim* über den Ostausgang. Am ***East Rim Drive*** passiert man weitere Aussichtspunkte (***Grandview Point*** wurde bereits oben herausgehoben, des weiteren wäre ***Lipan Point*** zu nennen) und vor allem am ***Desert View*** den ***Watchtower***, von dessen Aussichtsplattform und Umfeld man einen grandiosen Blick über den sich dort weit öffnenden *Canyon* genießt.

Navajo Handicraft

An der **Straße #64** zwischen der *Grand Canyon*-Ostausfahrt und Cameron am der #89 passiert man viele Verkaufsstände für ***Indian Handicraft and Jewelry*** - in geballter Form am Aussichtspunkt über den Canyon des Little Colorado River. Die Preise liegen dort unter denen in Touristen-Shops für vergleichbare Ware.

Indianerschmuck und -keramik an einem der Stände entlang der Straße #64

Wupatki und Sunset Crater National Monuments

Nach Flagstaff auf der #89

An der Strecke nach Flagstaff liegen etwas abseits der #89 die Nationalmonumente ***Wupatki*** und ***Sunset Crater***. Ihr Besuch ist in Verbindung mit dem Abfahren des *East Rim Drive* die rund 40 mi Umweg gegenüber der direkten Straße #180 wert. Ca. 30 mi nördlich Flagstaff passiert man die nördliche Zufahrt zu beiden. Zunächst führt die Straße durch das *Wupatki* Gelände und läuft dann am Rand der ***Painted Desert*** (übersetzt »Bunte Wüste«, eine pittoreske, von Felsformationen durchsetzte Ebene, deren Gesteinsfärbung mit den Lichtverhältnissen wechselt) in einem Bogen über das Gebiet des *Sunset Crater* zurück zur Hauptstraße.

Wupatki National Monument

Wupatki, www.nps.gov/wupa, besteht aus einer Reihe nur bedingt sehenswerter frühindianischer **Ruinen** (»bedingt« im Vergleich zu anderen Relikten ähnlicher Art im Südwesten w.z.B. *Chaco Canyon*), von denen das ***Tall House*** mit über 100 Räumen noch am eindrucksvollsten ist. Ein ***Visitor Center*** informiert über die Geschichte der Besiedelung und die Lebensumstände seiner Bewohner, die eng mit dem Ausbruch des benachbarten *Sunset* Vulkans im 11. Jahrhundert zusammenhängen.

Sunset Crater National Monument

Das **Lavafeld** um den ***Sunset Crater*** bildet dank des pechschwarzen Gesteins einen faszinierenden Gegensatz zur Umgebung. Das Gelände ähnelt bei geringerer Ausdehnung dem des *Craters of the Moon National Monument* in Idaho (➤ Seite 686). Auf einem kurzen **Lehrpfad** (*Lava Flow Trail)* gelangt der Besucher zu den interessantesten Punkten unterhalb des Kraters, der aus ökologischen Gründen nicht mehr bestiegen werden darf. Von **Besucherzentrum** und **Campingplatz** zwischen Wald und Lava sind es 2 mi bis zur Straße #89 und noch 15 mi nach Flagstaff; www.nps.gov/sucr.

Flagstaff

Kennzeichnung

Flagstaff, mit 53.000 Einwohnern größte Stadt zwischen Phoenix und Provo/Salt Lake City (1000 km Straßendistanz), liegt am Südrand des *Great Plateau* und ist **Knotenpunkt des *Grand Canyon* Tourismus**. Zahllose *Motels, Shopping Malls* und *Fast Food Places* dominieren die Durchgangsstraßen. Der alte, hübsch restaurierte **Ortskern mit Kneipenszene** (Aspen Ave, San Francisco St) wird von vielen Touristen übersehen; www.flagguide.com.

Lowell Observatory

Ein paar Blocks westlich liegt der ruhige ***City Park*** (Verlängerung der Santa Fe Ave), dahinter auf der Höhe das ***Lowell Observatorium***, das manchen interessieren mag. Besucherzentrum im Sommer 9-17 Uhr, sonst erst ab 12 Uhr. Eintritt inklusive Führung $5, bis 17 Jahre $2. *Lowell* wurde bekannt durch die Entdeckung des Planeten Pluto im Jahr 1930; www.lowell.edu.

Museum

Nordwestlich von Flagstaff, an der #180 durch die *San Francisco Mountains*, der meilenmäßig kürzesten und schönsten Zufahrt zum *Grand Canyon*, fällt das Blockhausgebäude des ***Museum of Northern Arizona*** am *Canyon* des Flag River kaum auf. Die Kollektion zu Archäologie, Geologie und Biologie der Region ist ausgezeichnet . Wechselnde Ausstellungen zu **Kunst und Kultur der *Navajo, Hopi* und *Zuni* Indianer** ergänzen die permanente Kollektion. Geöffnet 9-17 Uhr, Eintritt $5/$2. Beeindruckende, jedoch ziemlich teure *Indian Handicraft* gibt es im großen Museumsshop; www.musnaz.org.

Unterkunft

Trotz *Grand Canyon* sorgt die große Konkurrenz in Flagstaff für relativ moderate Moteltarife, sieht man ab von Hochsommer und verlängerten Wochenenden. Vor allem **preiswertere Motels** annoncieren ihre Angebote an der Straße. Die meisten findet man an der #89/#66 (Einfahrt von Norden). Jedoch wird die Nachtruhe an der Route #66 vom **Zugverkehr häufig** arg gestört.

Mittelklasse

Von den Mittelklassehäusern sind u.a. ***Econo Lodge East*** und das ***Hampton Inn*** an der #89/#66/Ecke Lockett Road im Norden und das ***Fairfield Inn*** (*Sizzler Steakhouse* nebenan) am südlichen Ortsausgang zu empfehlen. Von beiden Standorten ist es nicht weit zu Restaurants und Läden. Ansonsten sind so ziemlich **alle Motel-Ketten** mit einem Ableger vertreten. Zentrale Reservierung: www.flagstaffrooms.com, © 1-800-527-8388.

Die nostalgischen ***Hotels Weatherford***, 23 North Leroux, © (928) 779-1919, www.weatherfordhotel.com,und **Monte Vista**, 100 N San Francisco, © 1-800-398-7112, www.hotelmontevista.com, haben Old-West Flair und kosten ab ca. $60 bzw. $70.

Hostels

Zentral liegen auch das ***Dubeau International Hostel***, 19 West Phoenix St, ©1-800-398-7112, www.dbeauhostel.com; und das ***Grand Canyon International Hostel***, 19 N San Francisco Street, © 1-888-442-2696, www.grandcanyonhostel.com; beide ab $18.

Camping

Ein guter Campingplatz ist der ***J&H RV-Park*** an der #89, ca. 5 mi nördlich des Zentrums, einfach und billiger ***Fort Tuthill County Campground*** (mit *Hook-up*) am südlichen Ende der Stadt, Straße #89 A(lt) Richtung Sedona, I-17 *Exit* 337. Wenn's in Flagstaff noch/schon zu kalt und ungemütlich ist, kann es unten im *Oak Creek Canyon* noch angenehm sein. Zum Camping dort, ➤ Seite 545.

Oak Creek Canyon

Ohnehin liegt es in Flagstaff vor einer Fahrt in östliche Richtung ggf. nahe, einen Extratag für den ***Oak Creek Canyon***, Sedona und Umgebung zu opfern; ➤ Seite 545.

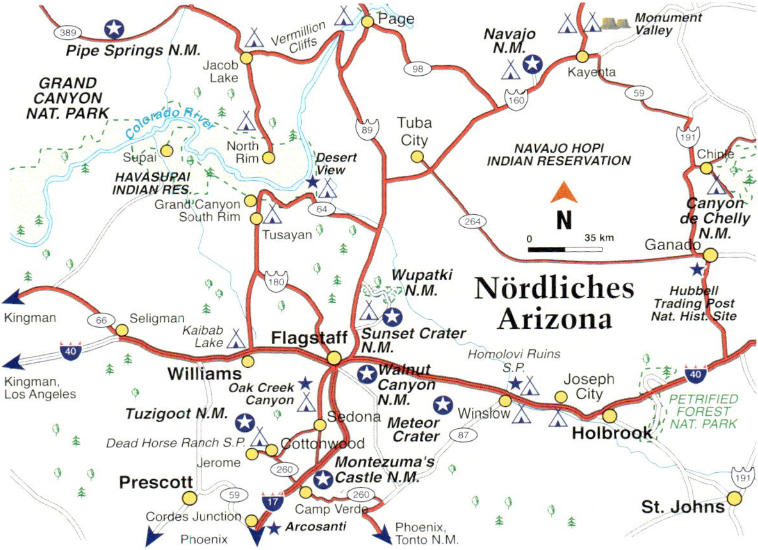

4.4.2 Von Flagstaff nach Albuquerque

Die Route folgt bis Albuquerque der ***Interstate* #40**, die in Arizona eintönig verläuft, in New Mexico aber abwechslungsreich durch ungewöhnliche Fels- und Lavalandschaften führt.

Walnut Canyon

Etwa 16 mi östlich Flagstaff (*Exit* #204 von der I-40 südlich der Autobahn) sollte man am kaum bekannten ***Walnut Canyon National Monument*** nicht vorbeifahren. Vom *Visitor Center* führt ein hübscher ***Trail*** hinunter in zwei tief eingeschnittene, bewaldete Schluchten und durch die sehr gut erhaltenen ***Cliff Dwellings*** der präkolumbischen *Sinagua*-Indianer. Für den Abstecher mit Besichtigung/Abstieg genügt 1 Stunde; www.nps.gov/waca.

Meteor Crater

Der ***Meteor Crater*** markiert die Stelle, wo vor etwa 50.000 Jahren ein Meteor mit der Erde kollidierte. Zwar handelt es sich hier um den größten Meteoritenkrater der Welt, aber zu sehen gibt es nur ein großes »Loch« von 170 m Tiefe und 1,3 km Durchmesser. Der Umweg (etwa 6 mi südlich der I-40) lohnt sich nur für geologisch Interessierte, denen $10 Eintritt für dieses kommerziell genutzte ehemalige *National Monument* nicht zuviel sind (inkl. ***Meteor Crater Museum*** mit ***Astronauts Wall of Fame*** mit einer Ausstellung zum Astronautentraining für die Mondlandung, das hier stattfand). Ein begrünter ***RV-Park*** macht das *Meteor Crater* Areal ggf. zu einem geeigneten Zwischenstopp für Motorhomefahrer; www.meteorcrater.com, © 1-800-478-4002.

Petrified Forest National Park

Eintritt
$10/Auto
$5/Person
oder
Interagency Jahrespass

Für den Besuch des landschaftlich relativ reizlosen, aber von der Sache her faszinierenden ***Petrified Forest National Park*** ist es sinnvoll, bei **Holbrook** (preiswerte Motel-Etappe u.a. mit ***Wigwam Motel***) die *Interstate* zu verlassen und über die Straße #180 anzufahren. Der Park umfasst einen Teil der *Painted Desert* (➤ oben unter *Wupatki*, Seite 486) und schützt die in seinem südlichen Areal vorhandenen Reste versteinerter Wälder aus dem Triaszeitalter (200 Mio Jahre vor unserer Zeit). Einfahrt täglich **8-17 Uhr** möglich, im Sommer länger; www.nps.gov/pefo.

Das ***Rainbow Forest Museum*** in der Nähe des Südeingangs verfügt über eindrucksvolle Ausstellungsstücke aus polierten Abschnitten versteinerter Stämme. Ein Lehrpfad führt durch ein kleines Feld von ***Petrified Logs*** (Baumstämmen). Entlang der Parkstraße und am Ende kurzer Zufahrten befinden sich viele Haltepunkte zur weiteren Besichtigung urzeitlicher und präkolumbischer Relikte. Besonders lohnenswert sind die ***Long Logs*** (*Trail* ca. 1 km), der ***Jasper*** und ***Crystal Forest***, die ***Agate Bridge*** und die ***Blue Mesa*** (ebenfalls 1 km langer, schöner *Trail* durch Versteinerungen und eigenartige Sandsteinformationen).

Die **Aussichtspunkte** im nördlichen Parkareal gewähren einen schönen Überblick über die *Badlands* der *Painted Desert* mit ihren tageszeitabhängigen Farbnuancen. Sehr instruktiv ist der 15-minütige **Film** zur Entstehung der Versteinerungen im Besucherzentrum am Nordeingang.

Keine Quartiere im Park

Im *Petrified Forest Park* existiert keine Camp-, geschweige denn eine andere Übernachtungsmöglichkeit. Alle Fahrzeuge müssen bis eine Stunde nach Einfahrtschluss den Park wieder verlassen haben. **Wohnmobile** können bei den – nebenbei phänomenal gut mit Souvenirs aus poliertem *Petrified Wood* sortierten – *Shops*/ Restaurant **vor der Südeinfahrt kostenlos über Nacht parken**.

Campingplätze* entlang der I-40** sind in Arizonas Osten dünn gesät. In Joseph City wartet der *Dream Catcher RV-Park* auf Gäste ($12). Weiter weg vom Lärm der *Interstate* liegen der ***Homolovi Ruins State Park abseits der #87, 2 mi nördlich von Winslow und der ***McHood Park***, 6 mi südlich an der Straße #99.

Versteinerte Baumstämme, Petrified Logs, in der Abendsonne

Zum Canyon de Chelly

Mitten im Navajoland liegt das ***Canyon de Chelly National Monument*** abseits der üblichen Reiserouten. Für den Besuch benötigt man als Abstecher einen vollen Extratag. Wer jedoch von hier zur Route 4.2 (*Monument Valley* etc.) hinüberfahren möchte, kann den *Canyon de Chelly* gut ohne Umweg in seine individuelle Route einbauen. Die Anfahrt von Südwesten erfolgt am besten – ab Chambers an der I-40 – auf der Straße #191 über Ganado. Bis **Chinle**, der inoffiziellen Navajohauptstadt in unmittelbarer Nähe des Nationalmonuments sind es 76 mi auf überwiegend öder Strecke. Die **Anfahrt aus Richtung *Monument Valley***, Straße #59, ist erheblich reizvoller, die beste Strecke jedoch die Kombination #64/#12 (+ggf. #134) von bzw. nach Osten, auf die noch zurückgekommen wird.

Hubbell Trading Post

Wer über Ganado anfährt, passiert ca. 1 mi westlich des Ortes die Zufahrt zum ***Hubbell Trading Post National Historic Site.*** Es handelt sich um den ältesten noch wie anno 1878 betriebenen Handelsposten auf Indianerland. Klar, dass es dort heute jede Menge indianische *Handicraft* zu bewundern und kaufen gibt. Nebenbei erläutern *Ranger* die historische Bedeutung des kleinen Komplexes und veranstalten Führungen. *Visitor Center* geöffnet im Sommer 8-18 Uhr, sonst 17 Uhr, $2; www.nps.gov/hutr.

4

Canyon de Chelly: grünes Tal am Grund zwischen schroff aufragenden Wänden und Formationen

Canyon de Chelly National Monument

Der ***Canyon des Chelly*** (sprich: Tscheji) ist die südliche von zwei zusammenhängenden je 40 km langen und bis zu 300 m tiefen Haupteinschnitten in die flache Tafellandschaft. Der Charakter der Schluchten hier unterscheidet sich wegen ihres ebenen, grünen Grundes, der bis heute landwirtschaftlich genutzt wird, erheblich von anderen Canyons der Region.

Das ***Visitor Center***, www.nps.gov/cach, des Monuments befindet sich unverfehlbar östlich des kleinen Ortskerns von Chinle (5.000 Einwohner). Dort gibt's Karte und die **Info-Zeitung *Canyon Overlook***, außerdem eine recht gute informative Ausstellung. Alle Touren in den *Canyon* hinein beginnen dort.

Das Minimalprogramm eines Besuchs ist das Abfahren der ***South Rim Road*** zu zahlreichen ***View Points*** über den *Canyon de Chelly* bis zum Ende des asphaltierten Abschnitts der Straße #7. Am *Spider Rock Overlook* geht's vom Parkplatz noch ein bisschen tiefer auf einem schönen **Kurztrail**. Die besten Fotos gelingen über der Südschlucht am Nachmittag.

Trails und Touren

Ohne Führer **in** den *Canyon* darf man nur auf dem ***Trail*** zum *Cliff Dwelling* ***White House Ruin*** (ab *White House Overlook Trailhead* ca. 4 km retour, ca. 170 m Abstieg). Wer noch mehr – etwa zu weiteren Ruinen frühindianischer Besiedelung oder zu Felszeichnungen – wandern möchte, muss für $15/Stunde einen ortskundigen ***Navajo Guide*** anheuern. Richtig tief in die *Canyons* hinein geht es nur per **Jeep;** Halbtagestouren ca. $40. Man kann sich auch einen Privatjeep mit Fahrer mieten: $100 für 3 Stunden plus $30 jede Zusatzstunde. Ab 3 Personen ist dies vielleicht die beste Option für das ultimative Chelly-Erlebnis. Besser in die Landschaft passt der Ausflug hoch zu Ross, **Reiter** können ab 2 Stunden bis einen ganzen Tag unterwegs sein. Das Pferd kostet $12/Stunde plus $15/Stunde für den Führer der Gruppe. In der Regel gibt es keine Engpässe. Ankunft und Buchung am Vorabend für Vorhaben am nächsten Tag machen aber Sinn.

Canyon del Muerto

Der **Nordcanyon** wird als Todesschlucht bezeichnet, weil die Spanier Anfang des 19. Jahrhunderts dort Frauen und Kinder niedermetzelten, die sich in den Klippen unter der Kante versteckt gehalten hatten. Später brachen die *Yankees* den letzten Widerstand der in die Canyons geflohenen Navajos durch Aushungerung. Im Gegensatz zur *South Rim Road* ist die Zufahrt (Straße #64) zu den diversen *Viewpoints* am *Canyon del Muerto* recht zeitraubend. Ggf. verzichten könnte man auf den *Ledge Ruin Overlook*. Alle anderen sind sehenswert und mit kurzen Spaziergängen verbunden. Besonders reizvoll ist der ***Trail*** zum ***Antelope House Overlook***.

Unterkunft

Die Hotelkosten in Chinle (***Holiday Inn, Best Western, Thunderbird Lodge***, © 1-800-679-2473), sind hoch. Unter $100 ist im Sommerhalbjahr bis Oktober kein Zimmer zu haben.

Der ***Campground Cottonwood*** des *National Park Service* in der Nähe des *Visitor Center* gehört zwar nicht zu den ganz tollen Anlagen, ist aber schattig und **gratis**. Wasser wie auch eine *Dump Station* sind vorhanden. Sollte der voll sein, gibt es den ***Spider Rock Campground*** am Ende der *South Rim Road*, $10.

Bewertung/ Weiterfahrt Straße #12

Die Frage, ob sich der ggf. anfallende Umweg zum Besuch des *Canyon de Chelly* lohnt, ist nur schwer zu beantworten. Mit einer gehörigen Portion Interesse für indianische Kultur und Geschichte wird man begeistert sein, auch unter dem Aspekt schöner Fotomotive (bei sonnigem Wetter). Ganz reizvoll ist – nach der langweiligen #191 – eine Weiterfahrt nach Osten über die #64 und dann vor allem auf der #12 durch eine bewaldete hübsche Gebirgslandschaft. Sie führt am ***Wheatfields Lake*** vorbei (einfacher ***Campground*** nah am See) nach **Window Rock**, einem weiteren Zentralort der Navajos. Das pittoreske namensgebende **Felsloch** mitten im Ort (Zufahrt ausgeschildert) ist einen kleinen Zwischenstopp wert; www.explorenavajo.com/windowRockTour.asp.

Das »Fenster im Fels« war namensgebend für die Navajostadt Window Rock

Zu Fahrten durch die Navajo-/Hopi Reservate

Dass die immensen Prärien zwischen der I-40 und der Straße #160 im Nordosten Arizonas insgesamt weder wirtschaftlich noch landschaftlich attraktiv sind, klang bereits an. Wohl deshalb wurden sie den Indianern als Reservat zugewiesen. Das ***Hopi*-Reservat** mitten im *Navajoland* stellt dabei eine besondere Bosheit dar, denn beide Stämme lieben sich nicht eben. Beeindruckt von Fotos der alten Hopi-Dörfer in pittoresker Position auf schwer zugänglichen Tafelbergen (*First*, *Second* und *Third Mesa*) könnte man vielleicht Umwege über das *Hopi*-Reservat erwägen (z.B. Straße #264 von Tuba City nach Window Rock/Gallup). Die Realität dieser Dörfer ist eher ernüchternd (ganz ähnlich ***Sky City***, ➢ Seite 494); www.hopi.nsn.us.

Gallup

Der alte Handelsposten Gallup, bereits in New Mexico, zieht heute seine wirtschaftliche Bedeutung aus der Lage am Rande der riesigen *Navajo*- und unweit der kleinen *Zuni-Reservation* südlich der Stadt. Er ist **Versorgungszentrum der Indianer** (dort gibt es im Gegensatz zu den Stammesgebieten Alkohol) und Marktplatz für indianische Produkte. Als Ort besitzt Gallup keinen Reiz; www.gallupnm.org. Daran ändert auch der Umstand nichts, dass die parallel zur *Interstate* verlaufende ***I-40 Business*** ein altes Teilstück der legendären ***Route 66*** ist (➢ eingangs Seite 477). Immerhin findet man an ihr zahlreiche **Quartiere zu günstigen Tarifen**, darunter das nostalgische ***El Rancho Hotel***, in dem einst die Western-Filmstars abstiegen. Unbedingt sollte man mal in die Halle 'reingucken, auch wenn man nicht übernachten möchte! Reservierung unter © 1-800-543-6351 oder © (505) 863-9311; www.elranchohotel.com. DZ ab ca. $70. Ansonsten gibt's in Gallup viele *Shops* für ***Indian Handicraft***. Sie sind alle extrem teuer.

Nur 7 mi auf der #66 oder I-40 nach Osten sind es von Gallup zum ***Red Rock State Park*** mit einem komfortablen **Campingplatz**, © (505) 863-1329, vor roten Felswänden und einer Felslandschaft, aus welcher der ***Church Rock*** fotogen herausragt. In den Sommermonaten führen dort allabend-lich *Navajos* ihre Stammestänze vor. Ein kleines Indianermuseum und Pferde zur Miete ergänzen das touristische Angebot. In der 2. Augustwoche findet im *Red Rock Park* ein ***Pow-Wow*** der Indianerstämme der Umgebung statt.

Abstecher

Wer sich einen langen Tag Zeit lässt, kann die verbleibende, an sich in 2-3 Stunden zurückzulegende Strecke nach Albuquerque (ca. 140 mi) abwechslungsreich gestalten. Um **alle drei** im folgenden beschriebenen **Abstecher** von der I-40 »mitzunehmen«, wären rund 100 Mehrmeilen zu fahren und insgesamt mindestens 5-6 zusätzliche Stunden einzuplanen.

El Morro National Monument

Ein schöner **Umweg ab Gallup** führt über das historisch und landschaftlich bemerkenswerte ***El Morro NM*** (Straßen #602/ 53, rund 100 mi bis Grants statt 65 mi *Interstate*, **$3**/Person bzw. *NP Pass*). Vom ***Morro Rock*** herunterrieselndes Wasser füllt ein natürliches Becken unterhalb steiler Felswände; www.nps.gov/elmo.

Morro Rock

Bereits die präkolumbischen Indianer benutzten den Teich als **Wasserstelle** und schleppten das Nass hinauf zu ihren Dörfern auf dem Hochplateau (***Mesa Top Trail*** ca. 3 km, Ruinen sind noch vorhanden). Später kamen spanische Eroberer, Soldaten und Abenteurer, die am nie versiegenden Quell ihr Lager aufschlugen und Inschriften im Stein hinterließen. Der Rundgang zu ***Pool*** und ***Inscription Rock*** dauert ca. 30 min;

Vom einfachen, aber sehr schön gelegenen ***Campground*** des ***Nat'l Monument*** hat man einen herrlichen Weitblick.

Wasserstelle Morro Rock

El Malpais National Monument/ Grants

Auf der #53 passiert man im weiteren Verlauf die ***Bandera & Ice Caves*** (in Privatbesitz: $9 Eintritt für Eishöhle und Aufstieg auf den Kraterrand, ca. 150 m hoch) am Rande des ***Malpais Lava Flow***, einem weiteren ***National Monument***; www.nps.gov/elma. Unweit der *Ice Caves* liegt das ***El Malpais Information Center***.

Ein großes ***New Mexico Visitors Center*** befindet sich **in Grants** an der Hauptstraße. Interessant ist dort das ***Mining Museum*** mit einer realistisch nachgebauten **Uranmine** (Santa Fe/Iron Ave); geöffnet Mo-Sa 9-16 Uhr, Eintritt $3, bis 18 Jahre $2; www.grants.org.

Die **beste Zufahrt** zum schwarzen ***Lava Flow* Areal** ist die Straße #117, an der sich auch eine ***Ranger Station*** befindet. Ca. 12 mi südlich der I-40 liegt der Felskomplex ***Sandstone Bluffs*** mit einer fantastischen Aussicht über den *Lava Flow*. Einige Meilen weiter südlich ist der ***La Ventana Natural Arch*** zu bewundern, ein großer Felsbogen vor einer höhlenartigen Öffnung im Gestein (siehe dazu *Arches National Park*). Ein kurzer, steiler *Trail* führt unter den Naturbogen, kein Eintritt. ***Permits*** für ***Backcountry Camping*** gibt`s in den Infostellen.

Acoma Pueblo, die Sky City

Ein weiterer Abstecher könnte dem ***Acoma Pueblo*** gelten, einem **Indianerdorf in Pueblobauweise** (➤ Seiten 49/500), das malerisch auf einem Plateaufelsen südöstlich von Grants liegt – daher die Bezeichnung ***Sky City***. Von der I-40 gibt es eine westliche (am besten *Exit* #96, Straßen #33/#124) und eine östliche **Zufahrt** (*Exit* #108, Straße #23); beide ca. 13 mi; www.skycity.com.

Trotz des schwierigen Zugangs blieb Acoma Pueblo über Jahrhunderte (seit 1150) bis heute bewohnt. Die Spanier errichteten schon ab 1629 eine Mission mit Kirchengebäude dort. Eine Besichtigung ist nur unter (enger) indianischer Führung möglich. Vom ***Visitor Center*** (mit kleinem Museum) unterhalb des Plateaus geht es gruppenweise **per Bus auf die Mesa**. Die Frequenz der Touren ist nachfrageabhängig, $9 pro Person; **Fotografier-*Permit*** $10 zusätzlich. Lohnenswert sind vor allem die Landschaft der Umgebung und die außergewöhnliche Lage der Siedlung. Das Dorf selbst mit seinen ineinander verschachtelten Adobe-Häusern wirkt aus der Nähe weit weniger pittoresk, als es aus der Distanz den Anschein hat;

Kasino

Neuerdings ist wohl auch der Tourismus zur Sky City nicht mehr die Haupteinnahmequelle der Acoma-Indianer. An der I-40, Exit#102 steht seit einiger Zeit das stammeseigene **Spielkasino**, ➤ Seite 46, eine Art Riesenlagerhalle vollgepackt mit *Slot Machines* und Spieltischen. Wer mag, darf dort sein *Motorhome* über Nacht parken, Spieler oder nicht; www.skycitycasino.com.

Nach Albuquerque

Von **Grants nach Albuquerque** sind es auf direkter Route – alternativlos I-40 – noch 80 mi, keine 2 Stunden Fahrt mehr. Das **Kapitel Albuquerque** findet sich ab Seite 480.

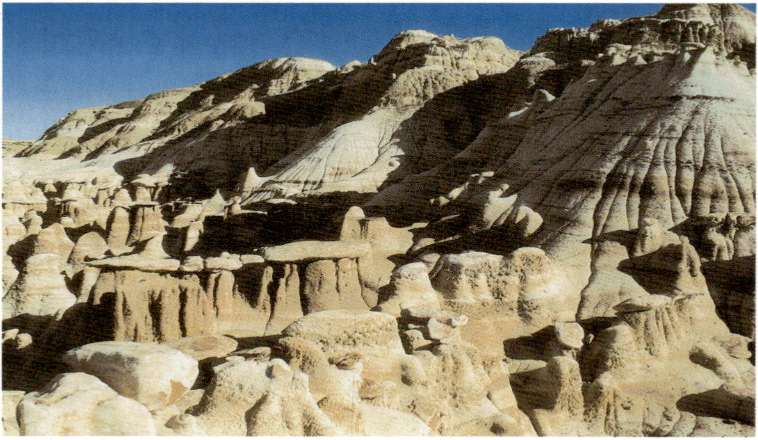

Bisti Badlands *zwischen Aztec und Chaco Canyon abseits der hier beschriebenen Routen unweit der Straße #44, ➤ Karte rechts, mit einfachem Campground*

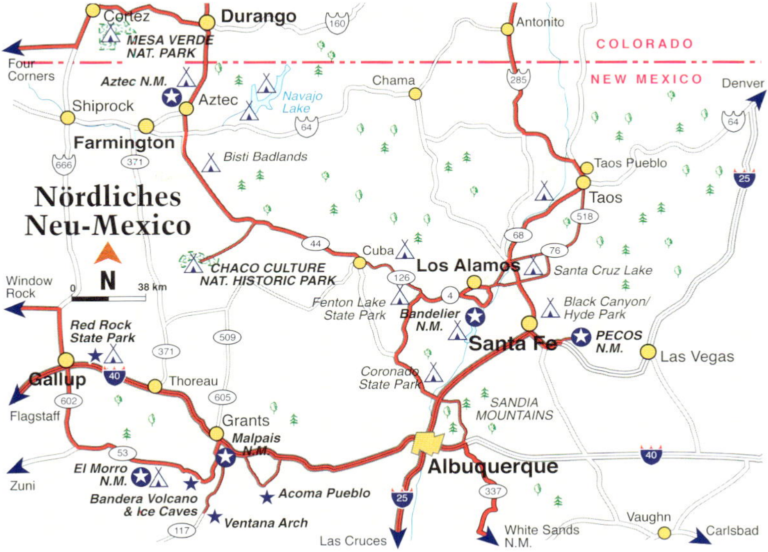

4.4.3 Über Chaco Canyon, Taos und Santa Fe nach Albuquerque

Zur Route

Von Vielen ins Auge gefasste **Ziele in Neu-Mexiko** sind **Santa Fe** und das **Taos Pueblo**, rund 80 mi nördlich der Hauptstadt. Zur Fahrt nach Santa Fe über Albuquerque (auf der I-25 nur eine gute Stunde bzw. 60 mi) gäbe es an sich keine vernünftige Alternative, wenn da nicht mitten in der Einsamkeit des nordwestlichen New Mexico der ***Chaco Culture National Historical Park*** läge. Entschließt man sich zum Umweg dorthin, entfallen ggf. die empfohlenen Abstecher. Dafür gibt es faszinierende ***Anasazi* Relikte**, eine schöne ***Backroad*** und am Wege nach Santa Fe/Taos das *Bandelier Monument* sowie Los Alamos, die einst geheime Stadt in der Wildnis. **Ohne *Chaco Canyon*-Besuch** wäre die danach beschriebene Strecke auch von Albuquerque aus zu »machen«: Über die **Straße #44** nach San Ysidro, dann auf der #4 weiter nach Los Alamos, oder sogar über einem Ort namens Cuba durch besonders reizvolle Landschaftsbilder, ➤ umseitig.

Zum Chaco Canyon

Von der I-40 (Abfahrt Thoreau) geht es auf der **Straße #371 oder #605/#509** (im Fall eines Umwegs über Grants) zunächst durch karstige Hügel- und Gebirgslandschaft nach Norden, dann auf der #9 und der #57 weiter zum *Chaco Park*. **Die letzten 20 mi bis zum Park sind unbefestigt** und bei Regen und nach Schlechtwetterperioden **ohne 4WD nicht passierbar**. Die Straße vom/zum Park nach Norden ist teilasphaltiert und auch bei ungünstiger Witterung noch einigermaßen zu befahren.

Parkinfo
zum Straßenzustand unter
✆ 505-786-7014

4

Chaco Culture Nat'l Historical Park

Kennzeichnung

Der ***Chaco Culture Park*** liegt im ***Chaco Canyon***, einem in die Hochebene eingekerbten breiten Tal, an dessen Rändern die **Ruinen mehrerer *Anasazi* Dörfer** aus der Zeit um die Jahrtausendwende gefunden wurden (➢ *Mesa Verde Park*, Seite 455). Das prächtigste von ihnen ist das ***Pueblo Bonito***, ein zitadellenförmiger Rundbau, der in über 600 Räumen mehr als 1.000 Bewohner beherbergt haben soll. Auch die Ruinen *Chetro Ketl* und das gut erhaltene *Kiva* der *Casa Rinconada* sind sehenswert. Das ***Visitor Center*** mit Museum informiert über die einst dort blühende und während einer Trockenperiode untergegangene *Anasazi* Kultur; www.nps.gov/chcu.

Eintritt
$8/Auto
$4/Person
oder
Interagency Jahrespass

Der Park verfügt über einen zwar populären, aber weitgehend schattenlosen **Campingplatz** ($10), der sich früh am Tag füllt. Sobald die Sonne über den Rand des Tales steigt, wird es dort im Sommer unerträglich heiss. Wer nicht mehr unterkommt, muss sich außerhalb des Parks »seitwärts in die Büsche schlagen«. **Unterkünfte** gibt es im oder in der Nähe des *Chaco Canyon* keine.

Kiva im Chaco Canyon; im Hintergrund Pueblo Ruinen

Weiterfahrt

Statt nach dem Besuch des *Chaco Canyon* die Fahrt auf der #44 in südöstliche Richtung fortzusetzen, könnte über Aztec auch leicht der Anschluss zur Route 4.2 hergestellt werden (nach Durango bzw. zum *Mesa Verde Park*, ➢ Seite 454).

Santa Fe National Forest

Die hier beschriebene Route führt vom Chaco Canyon zur Straße #44, verlässt sie aber wieder in **Cuba** und folgt der wunderbaren **Straße #126 durch den *Santa Fe National Forest***. Sie steigt aus der Wüstenumgebung rasch auf über 2000 m Höhe und bietet in der Waldregion herrliche ***Camp-*** und ***Picknick-Plätze*** an glasklaren Seen und Bächen: zunächst die ***NF-Campgrounds Clear Creek*** und ***Rio de las Vacas*** und außerdem noch den ***Fenton Lake State Park***. Indessen sind ca. 22 mi der Strecke nicht asphaltiert und im Zustand eines besseren Waldweges, für RVs nicht zu empfehlen.

Camping/ Hot Springs

Bereits wieder im Abstieg stößt man auf die **Straße #4**, an dessen oberen Bogen weitere ***NF-Campgrounds*** liegen.

Nur wenig südlich der Kreuzung (Richtung San Ysidro) befindet sich eine heisse Quelle mitten im Wald. Ein Pfad dorthin beginnt etwa 700 m unterhalb der *Dark Canyon Picnic Area* an einer Ausbuchtung der Straße. Dort weist ein unauffälliges Schild ***Spence Hot Springs*** die Richtung zum kleinen ***Pool*** etwa 50 m über dem Tal (von der Straße nicht auszumachen).

Bandelier Nat'l Monument und Los Alamos

Anfahrt

Lässt man Los Alamos zunächst links liegen, erreicht man rund 80 mi östlich Cuba das ***Bandelier National Monument***, www.nps.gov/band, die sehenswerteste Hinterlassenschaft vorkolumbischer Kulturen in der Santa Fe Region

Eintritt
$10/Auto
$5/Person
oder
Interagency Jahrespass

Die Straße führt von der Hochebene tief hinunter in das Tal des Rio de los Frijoles (Bohnenfluss). Hinter dem ***Visitor Center*** (kleines Museum; im Sommer bis 18 Uhr, sonst kürzer) beginnt der ***Frijoles Ruins Trail*** vorbei an den Relikten von *Kivas* und mehrstöckigen Lang- und Rundbauten zu Höhlenwohnungen, die mit Anlehnhäusern kombiniert wurden. Stufenpfade und hölzerne Leitern erlauben das Durchklettern der gut erhaltenen Quartiere in und an den Felswänden aus porösem Tuffstein. Zwei Stunden sollte man dort schon einplanen, am besten spätnachmittags, wenn der Betrieb nachlässt und intensive Lichtverhältnisse fürs optimale Foto herrschen.

Oberhalb des Canyons liegt der schön angelegte ***Juniper Campground*** ($10). Von dort gibt es einen 2,5 km langen ***Trail*** hinunter zu den ***Cave Dwellings***. Ein sporadischer Busservice sorgt für den Rücktransport (Zeiten an der *Entrance Station*).

Los Alamos

Die künstliche Stadt Los Alamos, im 2. Weltkrieg eigens in der (damaligen) Abgeschiedenheit des *Pajarito Plateau* für das Forscher- und Militärteam zur **Entwicklung der Atombombe** geschaffen, liegt vom *Bandelier Monument* aus gesehen sozusagen um die Ecke (10 mi). Nach Abschluss des ***Manhattan Project*** blieb der ***Brain Trust***, um weiter an wichtigen Projekten wie H-Bomben, Neutronenwaffen, *Cruise Missiles* und *Stealth* Bombern zu arbeiten. Die heutigen ***National Laboratories*** befassen sich auch mit zivilen *High-Tech* Projekten in den Bereichen Regenerative Energien, Medizin etc.; www.losalamos.com.

Museen

In der weiträumig angelegten **Stadt ohne Zentrum**, ohne arme Viertel und die sonst übliche Pflasterung der Straßen mit Tankstellen, *Shopping Malls* und *Fast Food* Restaurants sind zwei Museen an der Central Ave touristische Hauptziele:

- Das ***Historical Museum*** in der früheren *Ranch School*. In den engen Räumen des alten Blockhauses finden sich bemerkenswerte Dokumente zur unglaublichen Geschichte von Zustandekommen und Ablauf des ***Manhattan Project***, u.a. der Brief von

Albert Einsteins an Präsident *Roosevelt*, der den Anstoß zur Entwicklung der Bombe gab; www.losalamoshistory.org.

Atom-Museum

- Das ***Bradbury Science Museum***, das sich mit dem historischen Museum thematisch und in der Präsentation überschneidet, dazu aber jede Menge Technik demonstriert, an der die *National Laboratories* mitwirkten; www.lanl.gov/museum.

  Das eigentlich Interessante ist ein laufend gezeigter Film, der die Unausweichlichkeit und Berechtigung zu Produktion und Einsatz der Bomben mit den hübschen Bezeichnungen ***Little Boy*** und ***Fat Man*** auf Hiroshima und Nagasaki dokumentiert. Zweifel gibt es nicht einmal im Ansatz. Auch wenn man der Argumentation folgt, nach der ohne den Einsatz der Atombombe der Krieg erst viel später hätte beendet werden können, die Frage bleibt: Warum musste nach der Explosion der ersten auch noch die zweite Bombe fallen?

Öffnungszeiten: ***Historical Museum*** im Sommer Mo-Sa 9.30-16.30 Uhr; So 11-17 Uhr, sonst kürzer; kleine Spende. ***Science Museum*** Di-Fr 9-17 Uhr, Sa-Mo ab 13 Uhr, beide kein Eintritt.

Hotels/Motels gibt es nur ein paar ab Mittelklasse ab ca. $75.

Kasinos

Nicht nur die *Acoma*-Indianer haben sich ihr Spielkasino an die Autobahn gestellt, auch einige der nördlichen Pueblos konnten aufs eigene Kasino wohl nicht verzichten (Straße #285 und I-25).

Nach Taos

Von Los Alamos geht es auf der Straße #30 (Abstecher zu den ***Puye Cliff Dwellings*** auf der #565 möglich. Die Höhlenwohnungen dort bieten trotz ihrer ungemein großen Zahl nach einem Besuch von *Bandelier* keine neuen Eindrücke mehr, kosten aber $5/Person), danach auf der #68 am Fluss entlang nach Taos, einer streckenweise attraktiv durch den *Rio Grande Canyon* laufenden Straße. Abseits der Hauptstraße, an der #567 direkt am Ufer des Flusses, gibt es gleich mehrere **Einfach-*Campgrounds*** des BLM hintereinander, ca. 15 mi südwestlich von Taos.

Zur Pueblokultur

Blättert man in der **USA-Reiseliteratur**, so scheint die Pueblo-Kultur sakrosankt gegen jedwede objektivierende Beurteilung zu sein. Tatsächlich weisen alle **Pueblo-Gruppierungen** individuelle Besonderheiten auf, beeindrucken an Festtagen durch eigene Tanzrituale und Trachten und bringen immer wieder Künstler hervor, die handwerkliche Spezialitäten in bewundernswerter Form kultivieren (Schmuck, Lederartikel, Tongeschirr und anderes mehr).

Sehenswert sind die *Pueblos* (Dörfer) heutzutage dennoch nur sehr bedingt. Die meisten von ihnen besitzen zwar einige konservierte oder restaurierte Adobebauten der überlieferten Art, bestehen jedoch überwiegend aus weniger attraktiven Anwesen mit Wellblechdach. Seien es nun ***San Ildefonso, San Juan, Santa Clara***, das gelobte ***Picuris Pueblo*** (San Lorenzo) oder andere, man muss schon viel spezifisches Interesse mitbringen, um Besuche als gewinnbringend zu empfinden. Die einzige (leider kostspielige) **Ausnahme** bildet das **Taos Pueblo**.

Taos und Taos Pueblo und weitere Dörfer

Taos

Der Künstlerort Taos im totalen ***Pueblo Adobe-Look*** ist auf den ersten Blick sehr attraktiv. Speziell die hübsche ***Plaza***, die **Bent Street** und die **Kit Carson Road** wirken lebhaft und bunt. Über **50 Galerien** findet man allein im engeren Umfeld des kleinen Zentrums, dazu zahlreiche *Shops*, speziell Mode- und Schmuckboutiquen, Kneipen, Cafes und Restaurants.

Bei genauerem Hinsehen wird man indessen rasch feststellen, dass sich wohl auch einiges an Spreu unter den Weizen der Kunstschaffenden gemischt hat. Neben durchaus vorhandenen umwerfend guten (und teuren) Werken ist das Mittelmaß nicht zu übersehen. Aber die Touristen merken es vielleicht nicht. Für **Indianer Artesanias** werden in Taos **Preise** verlangt, die weit über dem liegen, was man anderswo zahlt; www.taosvacationguide.com oder wwwtaosguide.com.

Ein kurzer Besuch genügt, vielleicht eine Tasse Kaffee oder einen Snack im hübschen Garten des ***Caffe Tazza*** in der 122 Kit Carson Road genießen, aber dann weiter zum eigentlichen Ziel, dem ***Taos Pueblo*** einige Meilen nördlich von *Taos Town*.

Unterkünfte

Wer hier ein Quartier sucht, hat die große Auswahl, nicht zuletzt deshalb, weil Taos zugleich beliebtes Wintersportziel ist. Leider ist das Preisniveau recht hoch. In einem der attraktiveren Häuser im ***Pueblo Look*** unterkommen heisst oft $100 und teilweise erheblich mehr für die Nacht. Es gibt auch eine Reihe guter *B&B*-Angebote. Was für originelle und architektonisch interessante Unterkünfte in Taos warten, kann man sich gut ansehen unter »*Lodging*« in www.taoswebb.com und www.taosnet.com.

Preiswert ist nur das ***Abominable Snowmansion Hostel (HI)***, Ski Valley Rd in Arroyo Seco (8 mi nördlich), ✆ (505) 776-8298, ab $18; DZ ca. $42. Auch ***Teepees*** sind als EZ/DZ verfügbar ($30), außerdem darf gezeltet werden ($12); www.snowmansion.com

Taos Pueblo

Das Taos Pueblo hat seit seiner Aufnahme in das Register der ***World Heritage Society*** als ***Historical Cultural Landmark*** (1987) eine erhebliche Aufwertung erfahren. Die mehrstöckigen, festungsartigen Gebäude mit ihren stufenförmig übereinander konstruierten Wohntrakten wirken dank der intensiven Restaurierung vor dem Hintergrund der *Sangre de Cristo Mountains* pittoresker denn je. Vor allem leben heute mehr Indianer als noch vor einigen Jahren permanent in ihren Taos-Wohnungen.

In die allerdings darf der Tourist seinen Kopf nicht hineinstecken; ihm ist für harte **$10/Person** im Sommer 8-16.30 Uhr (sonst kürzer) nur folgendes erlaubt (http://taospueblo.com/visiting.php):

- den Wagen zu parken und ein bisschen herumzulaufen
- zu fotografieren (**$5 extra je Kamera**)
- mit der **Videokamera** zu filmen (**$5 extra**)
- in den dezent untergebrachten *Shops* einzukaufen, speziell *Indian Jewelry*, *Pottery* und die Produkte der *Bakery*.

Taos Pueblo, ein Historical Cultural Landmark der World Heritage Society

Die Gebührenerhebung wird zwar als **Beitrag zur Erhaltung von Taos Pueblo** erklärt, ist aber trotz der kürzlichen Reduzierung der Kameragebühren immer noch ein *tourist rip-off* (2 Personen + Kamera zahlen $25 für 30-60 min Besichtigung). Auch wer sich wirklich intensiv für die Kultur der Pueblo Indianer interessiert, dürfte darüber nachdenken, ob der unvermeidbar oberflächliche Besuch dafür lohnt.

Verbindung zur Route 4.3

Wie bereits unter 4.3 angemerkt, wäre **Taos** ein weiterer **guter Anknüpfpunkt zur Route 4.2 bzw. 4.3**. Rund 60 mi sind es bis Antonito in Colorado, der Endstation der *Cumbres-Toltec* Eisenbahn, 120 mi zum *Great Sand Dunes National Monument*, ➤ Seite 474.

Nach Santa Fe

Für eine Fahrt von **Santa Fe nach Taos** (rund 70 mi auf der #68) muss in Anbetracht meist starken Verkehrs mit bis zu zwei Stunden Fahrzeit gerechnet werden. Zur Vermeidung doppelter Fahrkilometer auf identischer Strecke könnte man für die (Rück-) **Fahrt nach Santa Fe** ab Ranchos de Taos die **Straßenkombination #518/#76/#503** wählen. Diese schöne, aber kurvenreiche und zeitraubende Strecke durch die *Foothills* der Sangre de Cristo Mountains berührt die ***Pueblos Picuris*** und ***Nambe***, ein zusätzliches Motiv zugunsten dieser Route für Reisende, die sich etwas intensiver mit der Pueblo-Kultur auseinandersetzen möchten.

Bei Chimayo passiert man die Zufahrt (über die #503) zur reizvoll eingebetteten ***Santa Cruz Lake Recreation Area***. An heissen Sommertagen ist das eine gute Gelegenheit zum Baden. Zwei ***Campgrounds*** des BLM sind außerdem vorhanden.

Santa Fe

Lage

Santa Fe, eine der – hinsichtlich der weißen Besiedelung – ältesten Städte der USA, liegt auf einer **Höhe von 2000 m** und dehnt sich immer weiter in die Ausläufer des östlichen Hochgebirges aus, erstreckt sich aber vor allem im Tal des Santa Fe River, einem Nebenfluss des Rio Grande, und der sich daran anschließenden südlichen Ebene.

Stadtbild

Die attraktive Kapitale Neu Mexikos (rund 62.000 Einwohner weist ein ganz **anderes Stadtbild** auf als sonst in den USA gewohnt. Der ein- bis dreistöckige, von der Pueblokultur inspirierte **Adobebaustil** überwiegt nicht nur im Zentrum der Altstadt, sondern dominiert fast die gesamte Architektur von der Familienvilla in allen Vororten über die öffentlichen Gebäude und Hotels bis zu den *Shopping Malls*. Die spanisch-mexikanische Epoche, obwohl nach fast 250-jähriger Dauer seit 1846 beendet, hat Santa Fe bis auf den heutigen Tag stärker geprägt, so scheint es, als der *American Way of Life* danach.

Kunstszene/ Canyon Road

Ganz sicher ihren Teil dazu beigetragen haben die zahlreichen Künstler, die sich – angezogen vom ganzjährig sonnigen, angenehmen **Höhenklima** dieser Stadt – seit den 20-er-Jahren dort niederließen und Santa Fe zu einem der größten Kunst- und Designzentren der Vereinigten Staaten machten. Was man in den **Galerien** rund um die ***Plaza***, in der ***Canyon Road*** und anderswo sieht, gibt es qualitativ und quantitativ in den USA kaum ein zweites Mal. Nicht von Pappe sind allerdings die Preise für all die schönen Dinge aus Künstlerhand; sehr gut dazu die Website http://insideSF.com.

Zentrum/ Plaza

Erster Anlaufpunkt in Santa Fe sollte die zentrale ***Plaza*** sein, um die sich die Mehrheit der Sehenswürdigkeiten gruppiert. Dank guter Ausschilderung findet man leicht dorthin. Da die engen Straßen im Zentrum immer vollgeparkt sind, sollte man das Auto, so vorhanden, auf einem der (gebührenpflichtigen) **Parkplätze rund um das Zentrum** abstellen. Gebührenfrei parkt nur, wer lange sucht oder weit laufen mag. Für Kurzbesuche gibt's Parkuhren.

Shopping

Im Plazabereich drängen sich Souvenir- und Modeboutiquen, vor allem für die touristische Kundschaft. Tatsächlich reizen wunderschöne Textilien, Schmuck-, Leder- und Töpferwaren und andere kunsthandwerkliche Artikel zum Kauf, vorausgesetzt die Bereitschaft und Fähigkeit, nicht auf den Dollar zu schauen. Eine **Santa Fe-Besonderheit** sind die staatlich kontrollierten und konzessionierten **Verkaufsstände der Indianer unter den Arkaden des**

Lebensgroße Wildwestszene als Installation am Museum Hill von Santa Fe

Palace of the Governors an der Nordseite der Plaza. Dort kann man einigermaßen sicher sein, dass der angebotene Schmuck und auch alle anderen Produkte indianische Handarbeit sind und die Qualität bestimmten Vorgaben entspricht. Obwohl auch dort ***Indian Handicraft*** seinen Preis hat, ist doch ein vergleichsweise angemesseneres Preisniveau zu beobachten als in manchen Läden und vor allem in Taos oder *Old Town* Albuquerque.

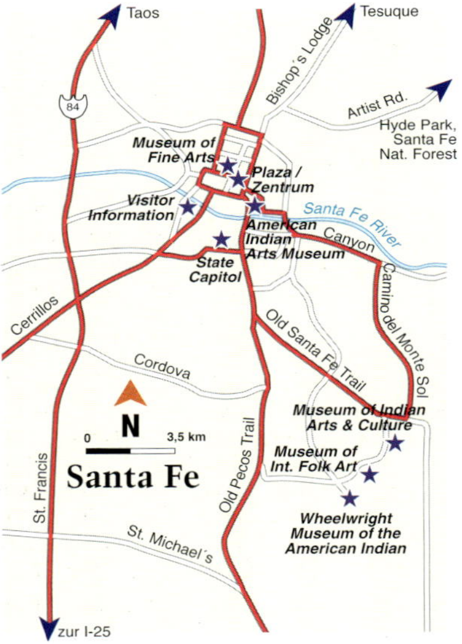

Ohne Shopping, Cafe- und/oder Museumsbesuche lässt sich das zentrale Santa Fe in gut einer halben Stunde »erlaufen«. Achten sollte man bei einem ersten Rundgang auf:

- die ***St.Francis Cathedral***
- das Innenleben des ***La Fonda Hotel***
- das **Museum** im *Palace of the Governors*
- das ***Museum of Fine Arts*** (alle an oder nahe der Plaza)
- das ***Oldest House in the USA***
- die ***San Miguel Chapel*** (beide an der Ecke Old Santa Fe Trail/Vargas Street)

Für **Museumsbesuche gibt es ein Kombiticket für $15**, das innerhalb von 4 Tagen zum Eintritt in die staatlichen Museen berechtigt, alle täglich 9-17 Uhr; Einzelticket je $6-$7.

Was bieten nun die Museen?

Museen im Zentrum

Das historische Museum (Santa Fe/New Mexico) im ***Palace of the Governors*** ist ganz aufschlussreich, gehört aber nicht zu den hervorragenden seiner Art. Das ***Museum of Fine Arts*** beeindruckt eher durch seine Architektur als durch die permanente Kollektion (***New Mexico Art***); die Qualität temporärer Ausstellungen wechselt naturgemäß. Manche größere Galerie im Umfeld kann mit diesem Museum mithalten; www.gosantafe.com/museums.

Museum Hill

Ein **Museumskomplex** befindet sich im Südosten der Stadt auf dem ***Museum Hill***. Man erreicht ihn am leichtesten (ausgeschildert) über den ***Old Santa Fe Trail***, kann aber auch über die erwähnte ***Canyon Road*** anfahren, an der in üppiger Vegetation eine Vielzahl von **Galerien**, ***Shops*** und **Restaurants** liegt.

- Das auffälligste der Museen ist das für ***Indian Arts & Culture***. Der gelungen Bau lenkt ein wenig von der Qualität der Ausstellung ab, die den Pueblokulturen gewidmet ist, aber höheren Ansprüchen nur zum Teil gerecht wird; www.miaclab. org. Von der **Caféterrasse** vor dem Museum genießt man einen weiten Blick.

- Im ***Museum of International Folk Art*** im Gebäude gegenüber hat die Thematik nicht unmittelbar mit der Region zu tun, aber die Ausstellung steht auf hohem Niveau. Sehenswert ist die ***Giraud Collection of Folk Art*** vieler (Entwicklungs-) Länder mit Szenen aus dem täglichen Leben. Besonders **Kinder** werden in diesem Museum Freude haben; www.museumhill.org.
- Im ***Wheelwright Museum of the American Indian*** gibt es eine kleine Ausstellung indianischer Korbmacher-, Töpfer- und Webkunst im (Erd-) Obergeschoss des Gebäudes, das einem indianischen *Hogan* nachempfunden wurde. Im Tiefgeschoss befindet sich ein *Trading Post* mit museumsartigen Elementen, und Qualitätsprodukten und Literatur zum Thema »Indianer«.
- Das ***Museum of Spanish Colonial Art*** gehört nicht zu den prioritären Anlaufpunkten für einen Santa Fe-Besuch

Information

Im ***Lamy Building*** am 491 Old Santa Fe Trail südlich des Zentrums befindet sich eine große **New Mexica+ Santa Fe Besucherinformation**, eine spezielle *Santa Fe* ***Tourist Information*** in der ***Santa Fe Outlet Mall*** an der 8380 Cerrillos Road, www.santafe.org; © 1-800-777-2489. In der ***First National Bank*** auf der Westseite der Plaza öffnet Mai-Oktober ein Info-Schalter; Mo-Sa 9-16.30 Uhr.

Unterkunft

Als Touristenhochburg verfügt Santa Fe über zahlreiche Hotels und Motels. Die **Übernachtungskosten** liegen besonders im Innenbereich **über dem sonst üblichen Niveau in New Mexico**. Auffällig ist die große Zahl besserer Hotels mit attraktiver Architektur außen wie innen (z.B. das ***Loretto Hotel***). Außerhalb des Zentrums ballen sich an der **Cerillos Road** (Straße #85 in Richtung Süden) Motels aller Preisklassen. Von dort verkehrt ein Bus alle 15 min zur Plaza, Tageskarte für Mehrfachnutzung $1/Person.

Auch das ***International Hostel*** im Adobe-Look steht an der Cerrillos Road (#1412), © (505) 988-1153, ab $15. EZ/DZ $35.

Camping

RVs dürfen für $10 auf dem **Großparkplatz** hinter der Plaza über Nacht stehen. *Full Hook-up* bietet ***Los Campos de Santa Fe RV-Park***, 3574 Cerrillos, © 1-800-852-8160, ab $24. Schöner sind die Plätze des ***Hyde State Park*** und des angrenzenden ***National Forest*** nordöstlich der Stadt: Nach 7 mi erreicht man auf kurvenreicher Anfahrt (#570) den ***Black Canyon Campground***, weitere Plätze kurz dahinter.

Im Sommer ist es dort nachts kühl, in Frühjahr und Herbst lausekalt. Ca. 10 mi südlich (*Exit* #290 von der I-25 befindet sich der private ***Rancheros de Santa Fe Campground***, ✆ 1-800-426-9259.

Pecos NHS

Ein gern empfohlener Abstecher bezieht sich auf den ***Pecos National Historical Park***, rund 30 mi östlich von Santa Fe (**attraktive Strecke** überwiegend auf der I-25). Die Geschichte der ehemaligen **Missionsstation *Pecos*** ist zwar ganz interessant, es existieren aber nur noch die Ruinen einer Kirche und Reste umliegender Gebäude einschließlich einer rekonstruierten *Kiva*. Lohnenswert nur bei viel Zeit; www.nps.gov/peco.

Coronado State Monument

Unweit der *Interstate* von Santa Fe nach Albuquerque liegt bei Bernalillo (Abfahrt von der I-25 auf die #44) mit dem ***Coronado State Monument*** ein ähnliches historisches Relikt am **Westufer des Rio Grande**. Nur einige Grundmauern und ***Kivas*** sind geblieben vom *Pueblo*, das der Abenteurer *Coronado* auf der Suche nach den legendären sieben goldenen Städten Cibolas bereits 1540 als Standquartier benutzte. Auch ein kleines Museum ist vorhanden. Zum ***State Park*** gehört ein **Campingplatz**, der sich ggf. als **Basis für einen Albuquerque-Besuch** eignet. Hübscher und ruhiger als auf dem Areal mit *Full Hook-up* campt es sich weiter hinten auf dem Gelände in Flussnähe.

Von Norden in die Höhe der Sandia Mountains

Für einen etwas abenteuerlichen **Umweg** verlässt man die I-25 an derselben Abfahrt, wendet sich aber in Richtung Placitas. Von dort geht es auf einer abschnittsweise recht steilen und schlechten Straße (die letzten 10 mi *Gravel)* kurvenreich durch den ***Sandia Canyon*** hinauf in die Berge (Auffahrt nicht für Campfahrzeuge größer als *Van Camper*). Aber bei Trockenheit ist die Strecke unproblematisch und eine **erhebliche Abkürzung** gegenüber der Anfahrt von Albuquerque aus. Oben stößt man auf die gut ausgebaute Straße zur ***Sandia Crest*** **Aussichtsterrasse** über die Stadt und halb New Mexico. Ein ***Trail*** führt vom Parkplatz am Rand der Höhe entlang zur gut 2 km entfernten **Gipfelstation der Seilbahn**, ➤ Seite 510.

Um einen Innenhof herum gruppierte Ladenpassage mit Cafeteria in der Old Town von Albuquerque

Riesiges Mural in Downtown Albuquerque im südwestlichen Dreieck zwischen I-40 und I-25

4.4.4 Albuquerque

Entwicklung, Lage und Klima

Mit Albuquerque erreicht man New Mexicos einzige echte Großstadt (fast 500.000 Einwohner). Nach einem Vizekönig von Mexiko einst edel benannt, heißt sie heute auf verbal-amerikanisch profan ***Elbukörki***. Nicht zuletzt dank der *Air Force*, die im Südosten der Stadt über eine große Basis verfügt, Uranfunden in der Nähe und eines Kernforschungszentrums ist die Stadt während und nach dem 2. Weltkrieg rasch gewachsen und hat sich im weiten Tal des *Rio Grande* enorm ausgedehnt. Der größte Teil des Stadtgebietes befindet sich zwischen dem Fluss und den *Sandia Mountains*, einem Gebirgszug der südlichen *Rocky Mountains* mit Gipfeln von über 3000 m Höhe. Mitten im heißen Wüstenklima bieten die Berge im Sommer mit moderaten Temperaturen und einer Vegetation, die man sonst in gemäßigten Breiten findet, Erholung von Hitze und Dürre und Dezember bis März beim Wintersport.

Information

Im Plaza-Bereich residiert ein **Informationsbüro**, © (505) 768-2000, das Besucher mit Karten und allem Material versorgt; www.abqcvb.org und www.newmexico.org. Nützlich ist der jährlich neu aufgelegte ***New Mexico Vacation Guide*** mit Übersichten zu sämtlichen touristischen Attraktionen und dem aktuellen Veranstaltungskalender. Das Heft enthält außerdem eine kurze Charakteristik der in Neu-Mexiko beheimateten Indianerstämme sowie eine Kennzeichnung der Pueblo-Gruppen. Ein separates Magazin ***Albuquerque Travelhost*** bezieht sich nur auf die Stadt.

Unterkunft

Die Tarife der Motels und Hotels sind saisonabhängig moderat bis teuer. Während der *Balloon Fiesta* in der 1.Oktoberwoche steigen die Preise kräftig; und trotzdem ist alles ausgebucht. Preiswertere **Motels** findet man entlang der **Central Ave**, die von Ost nach West quer durch die Stadt läuft. An den Ausfahrten der I-40/I-25 stehen vor allem Häuser der Mittelklasse-Ketten. Gut besetzt ist u.a. das Umfeld der Ausfahrten #165, #166 und #167 der I-40; Preis/Leistung sind o.k. in den folgenden Unterkünften:

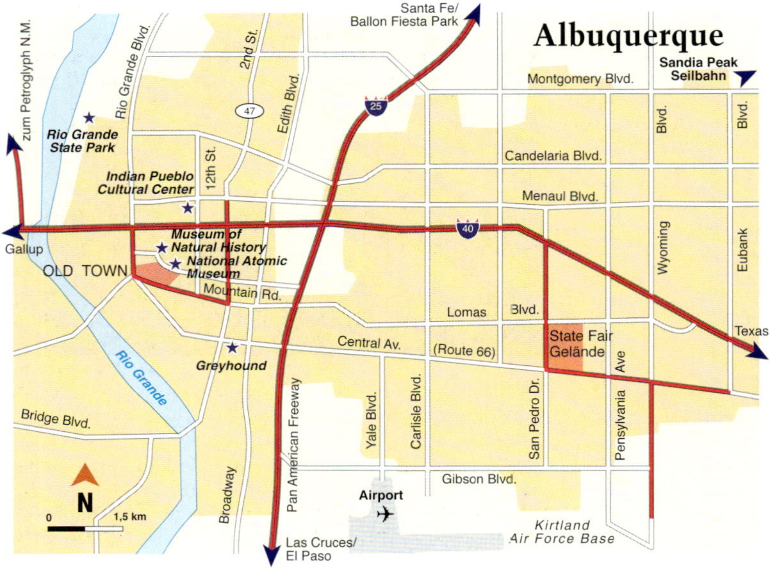

- **Monterey Non-Smoke**, 2402 Central SW, ✆ (505) 243-3554, ab $47
- **Econolodge Old Town**, 2321 Central Ave, ✆ (505) 243-8475, $50
- **Best Western American Motor Inn**, 12999 Central Ave NE, Exit #167, ✆ (505) 298-7426, ab $69 (**Motel mit RV-Park**)

Beim ***Airport*** ballen sich Kettenmotels mit moderaten Preisen:

- **Comfort Inn**, 2300 Yale Blvd, ✆ (505) 243-2244, ab $49
- **Ramada Ltd**, 1801 Yale Blvd, ✆ (505) 242-0036, ab $59;
- **Hampton Inn**, 2231 Yale Blvd, ✆ (505) 246-2255, ab $79
- **La Quinta**, 2116 Yale Blvd, ✆ (505) 243-5500, ab $79;

Zentrale Hotelreservierung Albuquerque:
✆ (505) 766-9770 oder ✆ 1-800-466-7829.

Hostels

Es gibt in/bei Albuquerque zwei Hostels:

- ***Route 66***, 1012 West Central Ave, ✆ (505) 247-1813, ab $17
- ***Sandia Mountain*** in Cedar Crest, I-40 *Exit* 175, ✆ (505) 281-4117

Camping

Diverse Campingplätze im Stadtbereich liegen an den lauten *Freeways* und sind daher kaum zu empfehlen. Die beste Ausnahme: ***KOA Albuquerque North/Bernalillo***, Ausfahrt #240 von der I-25, ca. 8 mi nördlich des Zentrums.

Als Übernachtungsplatz für Albuquerque kommt, wie bereits erwähnt, auch der ***Coronado State Park*** in Frage, ca. 18 mi nördlich am Rio Grande unweit der I-25, ➤ Seite 504.

Old Town

Albuquerques spanisch/mexikanische Vergangenheit (das Jahr der Gründung war 1706) blieb in der ***Old Town*** erhalten, südlich der I-40/Ausfahrt Rio Grande Blvd. Die hübsche **Adobe-Architektur** und Laubengänge vor den restaurierten Gebäuden um die palmenbestandene Plaza können indessen nicht verbergen, dass es in *Old Town* in erster Linie um die Dollars der Touristen geht. **Indianische Handarbeit** kostet in den Läden von Albuquerque viel mehr als an den Ständen der *Navajo, Hopi* und *Pueblo* Indianer in ihren Reservaten oder an der Plaza von Santa Fe.

Östlich der Old Town gruppieren sich – von ihr getrennt durch Parkplätze – **drei große Museen** um die Nordecke des Tiquex Park (Mountain Road/19th Street):

Naturkunde-Museum

Das ***New Mexico Museum of Natural History*** besitzt eine Reihe von originellen Demonstrationen (Modellvulkan, Eiszeit-Höhlenleben, Dinosaurier und simulierte Fahrt durch den Weltraum), täglich 9-17 Uhr; $7, bis 12 Jahre $4. Ein **Dynamax-Filmtheater** (Weiterentwicklung von IMAX; kostet extra) ist ebenso in den Bau integriert wie eine **Cafeteria** mit sonniger Terrasse; www.nmnaturalhistory.org.

Atom Museum

Das hochinteressante ***National Atomic Museum*** steht einen Block weiter westlich (1905 Mountain Rd). Täglich 9-17 Uhr, Eintritt $5, bis 18 Jahre $4. Dort sind die Atom- und H-Bomben von den ersten bis zu verfeinerten Modellen aus jüngerer Vergangenheit in natura zu bewundern, außerdem die Trägerwaffen.

Bedrückend ist die emotionsfreie Sachlichkeit der Ausstellung. Der Bezug zum ***Manhattan Project*** (➤ Seite 498) wird über den mehrfach täglich gezeigten 50-Minuten-Film ***Ten Seconds that Shook the World*** deutlich; er ist hintergründiger und informativer als die Dokumentation im *Bradbury Museum* von Los Alamos. Eine Reflektion zur Problematik des Einsatzes von Atombomben unterbleibt hier wie dort; www.atomicmuseum.com.

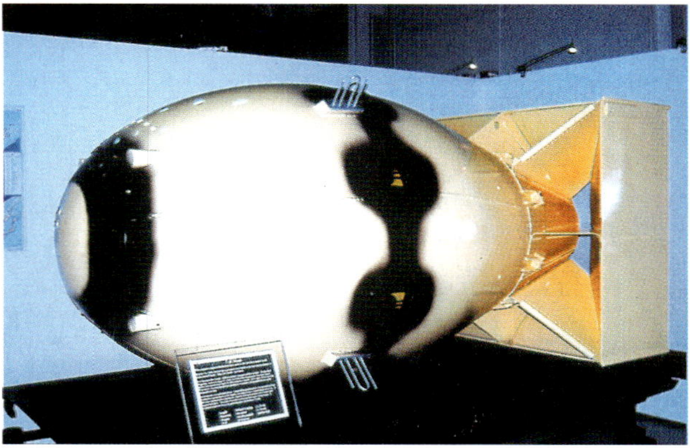

Fat Man, Replika in Originalgröße der Atombombe, die einst auf Nagasaki fiel, im Atomic Museum

Museum of Art & History

Die neueste Errungenschaft Albuquerques an der Tiquex Plaza ist das avantgardistische ***Albuquerque Museum*** das sich draußen mit abstrakten Kunstwerken wie auch lebensecht gestalteten Bronzeskulpturen umgibt und sich zwischen Geschichte und Kunst ansiedelt. Die Kollektion ist nicht schlecht, hält aber nicht ganz, was der bombastische Bau zu versprechen scheint: Täglich 9-17 Uhr, Eintritt $4, bis 12 Jahre $1. www.cabq.gov/museum.

Petroglyph National Monument

Jenseits, also westlich des Rio Grande erstreckt sich das Gelände des ***Petroglyph National Monument***, Anfahrt über den North Coors Blvd (Exit #155 von der I-40; von Westen kommend bereits vor der Stadt Exit #154 nehmen), dann der Ausschilderung folgen, die über den Unser Blvd zum ***Visitor Center*** führt (8-17 Uhr). Dort besorgt man sich erst einmal eine Karte. Auf dem ausgedehnten Areal finden sich zwar zahlreiche indianische Felszeichnungen und – so heißt es – Inschriften spanischer Siedler, aber sonderlich beeindruckend ist nicht, was man dort zu sehen bekommt. Die am besten erhaltenen Inschriften und Strichzeichnungen finden sich auf dem kleinen Rundkurs bergauf am ***Boca Negra Canyon***, rund 1 mi nördlich des Besucherzentrums; www.nps.gov/petr.

Indian Pueblo Cultural Center

Ausgesuchte **indianische Kunst** zeigt und verkauft man im ***Indian Pueblo Cultural Center*** in der 12th Street nördlich der I-40 unweit der *Old Town*. Die Indianer der **19 Pueblos von New Mexico** haben dieses Kulturzentrum errichtet, für dessen Architektur das ***Pueblo Bonito*** im *Chaco Canyon* Pate stand. Der Begriff des *Pueblo* steht dabei nicht nur für das Dorf, sondern auch für bestimmte unterschiedliche Lebensweisen und Fähigkeiten der Bewohner. ***Pueblo-Indianer*** als Sammelbezeichnung bezieht sich auf alle indianischen Gruppierungen und Stämme, deren Gemeinwesen Pueblobauweise zeigen, siehe Foto vom Taos Pueblo auf Seite 500. Pueblospezifische **Handwerkskunst** präsentiert das *Center* in aufschlussreichen Schaukästen im musealen Untergeschoss. Überirdisch befinden sich Galerien und ***Giftshops*** der anspruchsvolleren Kategorie für alles, was mit Indianerkultur zu tun hat, aber mit noch erträglichen Preisen. Geöffnet tägl. 9-16.30 Uhr, Eintritt $6, Jugendliche $1; www.indianpueblo.org.

In der **Cafeteria** des Center werden u.a. (amerikanisierte) **indianische Gerichte** serviert (bis 15 Uhr).

State Fair

Sehr groß ist in Albuquerque der ***State Fair* im September** ab dem Wochenende nach *Labor Day* bis zum 3. Septemberwochenende. Auf den ***Fairgrounds*** (San Pedro Dr nördlich *Airforce Base*) läuft in dieser Zeit ein Mischprogramm aus Jahrmarkt, Landwirtschaftsschau, Rodeo und *Entertainment*.

Neben Ballons, die so aussehen wie sie heißen, nutzen während der Balloon Fiesta Firmen die Gelegenheit zur Werbung mit originellsten Gebilden

Balloon Fiesta

Das absolute ***Super Event*** Albuquerques indessen ist die ***Balloon Fiesta*** wenig später. **In der ersten vollen Oktoberwoche** wird Albuquerque alljährlich für 9 Tage (Samstag bis Sonntag) Schauplatz des größten **Heißluftballontreffens** der Welt. Wer sich das Spektakel, d.h. die täglichen Starts von Hunderten von bunten und häufig kurios geformten Ballons ansehen möchte, muss früh aufstehen. Vorausgesetzt, dass das Wetter mitspielt, beginnen die Aktivitäten im Morgengrauen um 5.30 Uhr, die Brenner werden angeworfen (*Balloon Glow*), und ab 7 Uhr geht die ***Mass Ascension*** los, der Massenaufstieg; www.balloonfiesta.com.

Fiesta Park Camping

Da ist es ganz praktisch, wenn man seinen Camper dabei hat. Zusammen mit einigen tausend (!) anderen Campmobilen steht man gegen hohe Gebühren ($15) dichtgedrängt und ohne jeden Komfort auf weitläufigem Gelände am **Alameda Blvd** (Exit #233 von der I-25) rund um das Flugfeld (zwischen Alameda und Tramway Blvd) und kann gemütlich vom Campingstuhl aus über sich schauen. Wer zahlt, darf sogar mitfliegen.

Während der *Balloon Fiesta* um Albuquerque ohne Reservierung ein **Zimmer** zu finden, ist Glücksache. Wie bereits angemerkt, passt die Hotellerie die Preise flexibel der Nachfrage an, d.h. man zahlt leicht das Doppelte als sonst und mehr.

4

Seilbahn/ Sandia Mountains

Prima beobachten lässt sich das Schauspiel des Ballonaufstiegs auch vom Gebirgskamm ***Sandia Crest*** aus, der bereits auf Seite 474 erwähnt wurde: Von Albuquerque fährt man zunächst auf der I-40 ca. 15 mi nach Osten und dann auf der breiten Zufahrt #14/ #536 in die ***Sandia Mountains Recreation Area***. Die Alternative ist eine Auffahrt mit der ***Sandia Peak Aireal Tramway***, angeblich längste Seilbahn Nordamerikas. Deren Talstation erreicht man am besten über die I-40 und die #556, den Tramway Blvd, nach Osten. Das Retourticket kostet $15/Person, Kinder bis 12 Jahre $10; one-way $8. Ob mit oder ohne Ballons, von oben ist (bei gutem Wetter) ein toller Blick garantiert und spektakulär bei Sonnenuntergang, www.sandiapeak.com.

Himmel über Albuquerque zur Zeit der Balloon Fiesta

4.4.5 Von Albuquerque zu den White Sands, den Carlsbad Caverns und Guadalupe Mountains National Parks

Nach Alamogordo

Die Entfernung von Albuquerque zum ***White Sands National Monument*** südwestlich von Alamogordo entspricht einer guten Tagesetappe (230 mi). **Am schnellsten** geht es auf der **I-25** nach Süden und ab San Antonio auf der **#380** in östliche Richtung. Im Schatten der *Sierra Oscura*, etwa 16 mi südlich der Straße, befindet sich der ***Trinity Site***, das heute gesperrte Testgelände für die von den Los Alamos Forschern konstruierte A-Bombe. Kurz vor **Carrizozo** wurde in einer Lavalandschaft ähnlich der des *El Malpais National Monument* (➤ Seite 493) der ***Valley of Fires State Park*** eingerichtet: ***Trails*** und komfortabler ***Campground*** über dem ***Lavaflow***).

Quarai und Gran Quivira National Monuments (Salinas Pueblo Missions)

Beschaulicher und auf den ersten Meilen bis zur Straße #55 auch abwechslungsreicher als die rasche *Interstate*-Verbindung ist die **Straßenkombination #337/#55** ab Tijeras an der I-40, etwa 15 mi östlich von Albuquerque. Auf ihr passiert man die Nationalmonumente ***Quarai*** und ***Gran Quivira Ruins at Salinas***, einstige Dörfer der *Anasazi* (wie *Mesa Verde NP*) und spätere Missionsstationen, ww.nps.gov/sapu. Beide sind keine »sensationellen«. Ziele, aber durchaus einen Stop wert. Vor allem *Gran Quivira* lohnt bei kulturhistorischem Interesse den Umweg. Am Wege liegen im *Cibola National Forest* mehrere ***Campgrounds***, am straßennächsten (ca. 4 mi von der #55) der ***Manzano Mountains State Park***. Kurz vor Carrizozo passiert man die Zufahrt #349 zur früheren *Mining Town* **White Oak**, wo als Relikt aus besseren Tagen fast nur noch der originelle ***Mini-Saloon*** steht.

Alternative Routen

Der einzige ***National Park*** in Neu-Mexiko sind die ***Carlsbad Caverns*** in der Südostecke des Staates. Nach Carlsbad gelangt man rascher über **Roswell**, Wallfahrtsort aller UFO-Anhänger, als über Alamogordo und die Straße #82. Bei einer Weiterfahrt über den *Guadalupe Mountains National Park* und El Paso ließe man aber dabei das *White Sands Monument* aus.

Roswell

Wer die **Höhlen** und ***White Sands*** besichtigen möchte, könnte deshalb erwägen, erst Carlsbad über Roswell anzufahren und dann über die – im Gebirge sehr schöne – **Straße #82** und Alamogordo die Reise fortzusetzen. Für diese Variante spricht, dass man sich in ***Roswell*** im **UFO-Museum** (täglich 9-17 Uhr, frei) von der Stichhaltig- und Glaubwürdigkeit der in dieser Gegend geballt vorkommenden Berichte über **außerirdische Besuche** überzeugen kann; www.iufomrc.com.

Die **Straße #380 nach Roswell** führt auch durchs Gebirge (dort hübsche Künstlerkolonie **Lincoln**), ist aber nicht halb so attraktiv wie die #82 und schnell zu fahren.

Dieses sensationelle Foto gelang dem Autor im Stadtpark von Roswell bei einer weiteren überraschenden UFO-Annäherung

Für die Fortsetzung der Route wurde hier die **Reihenfolge Alamogordo/*White Sands*-Carlsbad-El Paso** gewählt:

Alamogordo

Museum zur Raumfahrtgeschichte

Einzige Sehenswürdigkeit von Alamogordo, einer weitläufigen Stadt am Fuß der *Sacramento Mountains*, die von der nahen *Holloman Air Force Base* lebt, ist das ***New Mexico Museum of Space History*** etwa 2 mi östlich der Durchgangsstraße #70/#82. Im auffälligen Hauptgebäude wird dem Besucher die Entwicklung der Raumfahrt mit Modellen, Originalstücken und zahllosen Fotos und Namen nahegebracht. Draußen stehen ein paar Raketen der Raumfahrtvorgeschichte und -frühzeit; 9-17/18 Uhr, \$3/\$2; www.spacefame.org.com. Das benachbarte **IMAX-Theater** zeigt Weltraum- und *Space-Shuttle* Filme der NASA (\$6) und *Lasershows*.

Internetinfo Alamogordo: www.alamogordo.com.

Die **Motels** der Region stehen fast ausnahmslos und unverfehlbar an der Hauptstraße durch Alamogordo und sind preiswert. Eine komplette Liste findet man unter der Internetadresse oben.

Camping

Mitten im Ort liegt der ***Roadrunner Campground*** mit großem beheizten *Pool* (24th Street), © 1-877-437-3003. Ein schöner Campingplatz (Duschen/*Hook-up*) befindet sich eingangs des ***Oliver Lee State Park*** (10 mi südlich auf der #54, dann 4 mi auf der *Dog Canyon Road*); \$10-\$14. ***Trails*** führen in den *Canyon* hinein.

White Sands National Monument

> **Eintritt**
> **\$3/Person oder Interagency Jahrespass**

Eine der ungewöhnlichsten Landschaften unter der Obhut des *National Park Service'* ist das aus dem riesigen ***White Sands Raketenversuchsgelände*** herausgeschnittene, gleichnamige *Nat'l Monument* 14 mi südwestlich von Alamogordo. An der Straße nach Las Cruces liegt das ***Visitor Center***. Im kleinen Museum wird die Entstehung des schneeweißen Dünengebiets erklärt: Aus Gipsablagerungen entstandene Sandkristalle aus dem ***Lake Lucero*** am südwestlichen Rand des Monuments sorgen kontinuierlich für Neubildungen, während die bestehenden, bis zu 15 m hohen Hügel mit dem Wind unablässig ihre Gestalt verändern und in nordwestliche Richtung wandern; www.nps.gov/whsa.

Eine **Besucherstraße**, die an windigen Tagen von **Schneepflügen** (!) freigehalten wird, führt mitten hinein in das blendende Weiß. Am Ende erweitert sie sich zu großflächigen Parkplätzen mit geschützten Picknicktischen. Von dort kann man nach Belieben die

In den Gipsdünen

Gipsdünenlandschaft erkunden. Weht es, sind die Spuren schnell verwischt. Bereits nach wenigen hundert Metern umfängt einen das Gefühl völliger Einsamkeit. Am intensivsten erlebt man die *White Sands* **am frühen Morgen** (Einfahrt ab 7 Uhr möglich) und am **Spätnachmittag** bis zur Dunkelheit. An schönen Tagen lassen sich tolle Sonnenuntergangsfotos schießen. Die Straße wird bis 60 min nach Sonnenuntergang, im Sommer bis 21 Uhr (bei Vollmond länger) offengehalten. Man darf **innerhalb des Dünengebietes** an einer Stelle ca. 1 mi von der Stichstraße entfernt **zelten**. Anmeldung und *Permit*-Erteilung (gratis) im *Visitor Center*.

Das ganze Arsenal historischer Offensiv- wie Abwehrraketen von der V-2 bis hin zur modernen Patriot steht auf dem Freigelände des Missile Range Museum

White Sands Missile Range Museum

Etwa 44 mi südwestlich von Alamogordo liegt die ***White Sands Missile Range***, das Raketenerprobungsgelände der US-Streitkräfte. Eine Stichstraße führt von der #70 nach Süden bis vors *Main Gate* des Militärkomplexes (4 mi). Gleich dahinter liegt ein Museum zu den hier erprobten und seit der Erbeutung der V-2 weltweit eingesetzten Raketen. Unübersehbar ist der ***Rocket Park*** schon auf der Anfahrt. Man kann nach akribischem Auto- und Personencheck bis dorthin fahren, aber besser parkt man vor dem *Main Gate*, erspart sich die Kontrollen und geht 200 m zu Fuß. Museum und die Raketen draußen sind in dieser Art und Zusammenstellung einmalig. Wer sich intensiver interessiert: eine Liste mit Details aller Raketen dort findet man unter www.wsmr-history.org/missilepark.htm. Museum Mo-Fr 8-16 Uhr; Sa+So 10-15 Uhr; frei. Der *Rocket Park* ist von Sonnenauf- bis -untergang zu besichtigen.

Aguirre Springs

Ein zwar meist wasserloser, aber hervorragend angelegter ***BLM-Campground*** mit schönem Baumbestand ist ***Aguirre Springs*** am Fuße der ***Organ Mountains*** mit herrlichem Weitblick über das *Tularosa Valley*. ***Trails*** führen in die schroffe Gebirgswelt hinter dem Platz. *Aguirre Springs* eignet sich auch gut als **Picknick-Platz** für die Pause zwischendurch (*day-us fee*, Achtung: Tor schließt um 20 Uhr, im Winter 18 Uhr). Von der Straße #70 nach Las Cruces zweigt die asphaltierte Zufahrt gleich östlich der San Agustin Passhöhe nach Süden ab (ca. 46 mi ab Alamogordo).

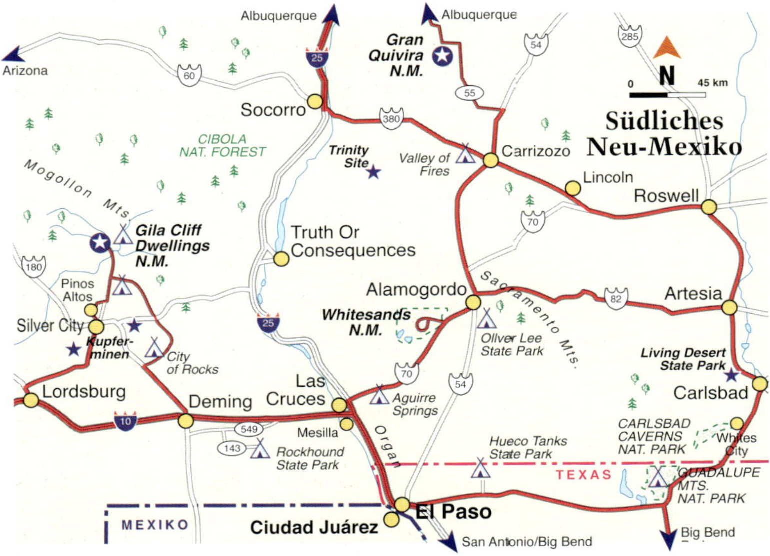

Nach Westen Wer auf den Besuch der *Carlsbad Caverns* und weiterer der im folgenden beschriebenen Ziele verzichtet, setzt die Fahrt von dort fort in Richtung Las Cruces, wo man auf die südlichste Transkontinentalautobahn I-10 stößt, ➤ Seite 521.

Straße # 82 **Von Alamogordo nach Carlsbad** geht es auf der **Straße #82** in östliche Richtung. Gleich hinter der Stadt steigt sie hinauf in die ***Sacramento Mountains***. Zwischen High Rolls und Mayhill läuft die Straße in ca. 2.600 m Höhe durch eine Gebirgsregion, in der im Winter Ski gelaufen wird (Cloudcroft), und danach durch ein grünes Hochtal, bevor sie wieder in trostlose **Halbwüste** hinunterführt. Für die rund 150 mi nach Carlsbad benötigt man wegen der Gebirgsstrecke leicht 4 Stunden.

Living Desert Noch vor den Toren der Stadt passiert man die Zufahrt zum ***Living Desert Zoo & Gardens***, einem Botanischen Garten, zu dem ein mittelgroßer Zoo gehört; Sommer 8-20 Uhr, sonst 9-17 Uhr, $9-12, Kinder $4,50-$7; saisonabhängig; www.livingdesert.org. Trotz guter Tiergehege (*Prairie Dog Town/Giraffen!*) überzeugt die Anlage nicht so ganz. Besser ist das *Arizona-Sonora Desert Museum* bei Tucson mit fast identischer Thematik, ➤ Seite 534.

Carlsbad Carlsbad hieß bis zum Ende des 19. Jahrhunderts schlicht **Eddy**. Als man aber eine (heute bedeutungslose) Mineralquelle entdeckte, die in ihrer Zusammensetzung der des weltberühmten tschechischen Kurortes Carlsbad entsprach, nahmen die Bürger dies zum Anlass, ihr Wüstendorf umzutaufen.

Carlsbad

Abgesehen von einer auf den Höhlentourismus zielenden dichten **Motel- und *Fast Food* Konzentration** an der Durchgangsstraße hat Carlsbad nicht ganz viel zu bieten. Immerhin findet man am aufgestauten Pecos River (***Carlsbad Lake***) eine ***Swimming Beach*** und am Fluss entlang einen 7 km langen ***Riverwalk***.

Unweit des Carlsbad Lake liegt der kleine ***Pecos River RV Park***, © (505) 887-9835, Komfort inkl. *Wifi*. Anfahrt über #62/#180 E.

Auch am **Lake Avalon**, 3 mi nördlich der Stadt kann man campen (Canal St über den Fluss, dann links Avalon Rd). Besser ist der *Campground* des ***Brantley Lake State Park***, ca. 10 mi nördlich.

Internetinfo Carlsbad: www.carlsbadchamber.com.

Whites City

Nach den zahlreichen auffälligen **Werbetafeln für White's City** an der Zufahrt zu den *Carlsbad Caverns* (18 mi südlich von Carlsbad direkt an der Straße #62/#180) erwartet man ein Städtchen. Tatsächlich aber besteht White's City nur aus ein paar Shops, Restaurants und Kneipen, einem *Opera House (!)* und zwei ***Motels*** (***Best Western Inn*** und ***Walnut Inn*** mit *Water Park*, beide ab $80), alles im *Western Look*; wwwwhitescity.com. Gerade das Richtige, um dort den Abend zu verbringen. Hinter der Shoppingzeile befindet sich ein akzeptabler **Campingplatz**. **Reservierung** für Motels und Camping unter © 1-800-CAVERNS.

Carlsbad Caverns Nat'l Park

Zum ***Visitor Center*** der *Carlsbad Caverns*, den größten zugänglichen Höhlen der Erde, sind es von White's City 7 mi. Das große ***Visitor Center*** informiert ausführlich über das unterirdische Naturwunder; www.nps.gov/cave.

Eintritt
$6/Person
bis 15 frei
oder
Interagency Jahrespass

Die Carlsbad Caverns dürfen erfreulicherweise **individuell** besichtigt werden. Dafür gibt es **zwei Alternativen**:

- Die ***Natural Entrance Tour*** beginnt am Höhleneingang und bezieht sich zunächst auf den serpentinenreichen Abstieg durch tunnelartige, nur von der Fledermaushöhle unterbrochene, später zum *Main Corridor* mit bis zu 60 m Deckenhöhe erweiterte Bereiche. 250 m unter der Erde liegen der *Kings Palace* und die *Queens Chamber*. Mit ihren filigranen Formationen aus Stalagtiten und Stalagmiten sind sie die schönsten Räume der Höhle. Sie dürfen allerdings nur unter Ranger-Führung betreten werden (Buchung der ***Kings Palace Tour*** im *Visitor Center*, $8). Von dort ist es nicht weit zum *Big Room* mit *Snack Bar* und Fahrstuhl.
- Die ***Big Room Tour*** (Einstieg und Verlassen der Höhle per Fahrstuhl) entspricht einem rund 2 km langen Rundweg ohne größere Niveauunterschiede durch die riesengroßen Haupträume der Höhle in etwa 220 m Tiefe.

Zeitbedarf

Für beide Touren gilt: **Die benötigte Zeit** wird in den Broschüren des Parks und von den *Rangern* etwas übertrieben. Selbst wer es in Ruhe angehen lässt und alles gebührend bewundert, dürfte kaum mehr als eine Stunde für den Abstieg durch den natürlichen Eingang benötigen. Eine weitere Stunde für den *Big Room* ist ebenfalls gut bemessen.

Zeitbedarf Die offiziellen Zeitangaben beziehen sich auf Tage mit viel Andrang und unterstellen ein ausgiebiges Verweilen an allen in kurzen Abständen eingerichteten »Erläuterungspunkten«. **CD-ROM-Abspielgeräte** am Trageband mit Kopfhörer sorgen für die Detailinformation, **Leihgebühr $3**. Das Wesentliche lässt sich ebensogut kleinen Schrifttafeln entnehmen.

Empfehlung Wer den kleinen Fußmarsch bergab nicht scheut, sollte sich für den natürlichen Eingang entscheiden. Man muss jedoch auf **rechtzeitige Ankunft** achten. Im Sommer ist am Höhleneingang letzter Einlass um 15.30 Uhr, am Fahrstuhl hingegen um 17 Uhr. Vor *Memorial* und nach *Labor Day* gelten die Zeiten 14 Uhr und 15.30 Uhr. Öffnung ganzjährig um 8.30 Uhr.

Eintritt Der ***Interagency Pass*** gilt auch für die Höhlenbesichtigung in Carlsbad (für bis vier Erwachsene). Kinder bis 15 Jahre zahlen keinen Eintritt. Nur geführte Touren kosten $7-$20.

Fledermäuse Ein Erlebnis sind die Fledermäuse, die zwischen Frühjahr und Oktober zu Millionen in der ***Bat Cave*** leben, 50 m tief unter dem Eingang. Bei Sonnenuntergang steigen sie mit frenetischem Lärm auf (6000 pro Minute) und kehren im Morgengrauen zurück. Auf dieses Schauspiel zu warten, lohnt sich. Oberhalb der Höhlenöffnung wurde dafür eine Zuschauertribüne eingerichtet. *Ranger* erläutern das Phänomen.

Natürlicher Eingang der Carlsbad Caverns

Weitere Höhlen Neben der Haupthöhle können auf **geführten Trips** auch noch Nebenhöhlen besucht werden. Attraktiv ist vor allem die ***Lower Cave*** mit *Pools*. Auch die ***Slaughter Canyon Cave*** (ca. 24 mi südwestlich des Hauptbereichs am Ende der Straße #418) gilt als reizvolles *Spelunking*-Revier. Mit Laternen steigen die Besucher (nach 1,5 km Fußweg bis zum Eingang) zu einer **2-Stunden-Tour** in die Höhle. Im Sommer 10 Uhr und 13 Uhr, Rest des Jahres nur Sa+So, $20/$15. Für beide Touren Anmeldung im *Visitor Center*, unter © **1-800-967-2283** oder im Internet: http://recreation.gov.

4.4.6 Über die Guadalupe Mountains und El Paso nach Tucson

Guadalupe Mountains Nat'l Park

Eintritt
$5/Person bis 15 frei oder Interagency Jahrespass

Von White's City sind es keine 40 mi zum ***Guadalupe Mountains National Park*** auf der Grenze zwischen New Mexico und Texas. Die Straße #62/#180 führt durch die südlichen Ausläufer des Guadalupe Gebirges in Richtung El Paso. Lediglich **zwei Zufahrten** erschließen diesen kaum berührten Landschaftspark.

- Die nördliche Stichstraße endet nach wenigen Meilen am Eingang zum ***McCittrick Canyon***, in den ein besonders im Frühjahr (frische Vegetation/Blütezeit) und im Oktober/November (Herbstlaubfärbung) reizvoller *Trail* hineinführt (rund 4 km zum Umkehrpunkt *Pratt Cabin*, 5,5 km bis zur *Grotto Picnic Area*).
- Hauptzufahrt ist die Straße zum ***Visitor Center*** (www.nps.gov/gumo) und schön gelegenen ***Campground Pine Springs*** ($8). Der Parkplatz am Straßenende ist *Trailhead* für ***Wilderness Trails*** in die meist knochentrockenen *Guadalupe Mountains*.

Trails

Kurzwanderungen führen zu ***Manzanita Springs***, einer hochgelegenen Oase mit Weitblick (Ausgangspunkt *Frijole Ranch History Museum*, ein wenig nördlich des alten *Frijole Visitor Center* an der Hauptstraße, maximal 1 Stunde) und im *Pine Springs* Flussbett zum tollen ***Canyon*-Engpass *Devils Hall*** (vom Parkplatz etwa ab zwei Stunden retour, erweiterbar).

Hueco Tanks

Auf der (eintönigen) Weiterfahrt vom *Guadalupe Park* nach El Paso passiert man westlich der *Hueco Mountains* die Zufahrt (ca. 6 mi) zum ***Hueco Tanks State Park***, einem Dorado der ***Rockclimber***; www.huecotanks.com. Die in abflusslosen Felsauswaschungen entstandenen Wasserstellen bildeten für Indianer und Einwanderer wichtige Etappen. Vorkolumbische *Petroglyphen* und Felsinschriften durchziehender Immigranten blieben erhalten. Der **wunderbar angelegte *Campground*** ist bereits für sich allein ein gutes Motiv für den Besuch; Reservierungen unter © (915) 849-6684 oder © (512) 389-8900. Achtung: in Texas gilt Eintritt plus Campgebühr, hier $20. Wer auf den Felsen klettern möchte, benötigt ein ***Permit*** – das gibt's nur nach Lehrvideo!

Günstiges Ausweichcamping bietet der Platz der ***Hueco Rock Ranch*** ($5/Person); © (915) 855-0142; www.huecorockranch.com

Von den *Hueco Tanks* **bis El Paso** sind es nur rund **30 mi**:

El Paso

El Paso, **City am Rio Grande**, www.elpasocvb.com und www.visitelpaso.com in der äußersten Westecke von Texas, besitzt heute fast 600.000, im Großraum auf amerikanischer Seite rund 1 Mio. Einwohner. Auf der anderen Seite des Flusses liegt **Ciudad Juarez**, mit über 500.000 Köpfen die größte mexikanische Stadt an der langen Grenze. Für einen Besuch – Hauptmotiv ist preiswerter Einkauf – stellt man sein Auto am besten auf einem der **Parkplätze** zwischen *Downtown* und den Brücken über den Rio Grande ab. Die Entfernung ist zu Fuß kein Problem, aber bei Hitze fährt es sich angenehmer im **Taxi**; der **grüne *Sun Metro Trolley*** durch *Downtown* und **bis** zur Grenze kostet nur $0,25!

Über die Grenze

Eine gute Transportalternative bietet der stündlich verkehrende Bus ***Border Jumper*** nach *hop-on-hop-off*-Prinzip, der über die Grenze fährt und an wichtigen Zielpunkten stoppt; www.borderjumper.com ($12,50).

Missionsstationen

Die Stadt El Paso als solche bietet nicht so ganz viel. Herausgehoben werden gern die alten Missionsstationen, aber nur die ***Ysleta Mission*** von 1681 südöstlich von El Paso (von Osten Straße #659/Zaragosa Rd) könnte man besuchen; www.ysletamission.org. Sie gehört zur ***Tigua Indian Reservation Ysleta del Sur Pueblo***. Das rekonstruierte *Adobe Pueblo* der *Tigua* Indianer beherbergt einen *Shop* mit Töpferware und Schmuck im formschönen ***Tigua Design***. Museum Di-Fr 9-16 Uhr, Sa bis 17 Uhr; Eintritt.

Fort Bliss

Bei uns wurde El Paso durch *Western* und als Standort eines Trainingscenters für die Luftwaffe der Bundeswehr bekannt. Der heutige ***Army* und *Airforce* Stützpunkt *Fort Bliss*** entstand 1848 aus einem vorgeschobenen Posten der US-Armee. Die rekonstruierten schlichten Gebäude des einstigen ***Fort Bliss*** der *Frontier*-Jahre sind mitten im Militärgelände zu besichtigen; Pleasanton Road/ Sheridan Drive, 9-16.30 Uhr. Gleich nebenan befindet sich die ***Air Defense & Artillery Gallery*** mit *open air* ausgestellten Raketen; www.bliss.army.mil/Museum/fort_bliss_museum.htm.

City

Beim ***Visitor Center*** an der *Civic Center Plaza* (Ausfahrt #18 von der I-10; ✆ 1-800-351-6024) gibt es Informationsmaterial und vor allem den Stadtplan, Voraussetzung für das Abfahren des sehr empfehlenswerten ***Scenic Drive*** (*Rim Road*) oberhalb (nördlich) der City. Von mehre ren **Aussichtspunkten** überblickt man fast ganz El Paso, den Rio Grande und den mexikanischen Nachbarn.

Unterkunft

Übernachten in El Paso ist nicht zuletzt wegen der Konkurrenz auf mexikanischer Seite relativ preiswert. An **Hotels** und **Motels** herrscht kein Mangel. Die **Campingplätze** in City-Nähe liegen alle nahe an der I-10 und sind daher sehr laut. Der beste Campingplatz der Umgebung, wenn auch weit, ist *Hueco Tanks* (ca. 30 mi entfernt, ➤ vorstehende Seite). Auf der Strecke dorthin (Straße #54) ist der ***Desert Oasis Park*** akzeptabel.

Keramikhandlung in Las Cruces; einer der wenigen attraktiven Blickfänge in dieser Stadt ohne echte Sehenswürdigkeiten

Zum Big Bend National Park

Ein (mindestens) **3-Tage-Umweg** könnte von den *Guadalupe Mountains* (oder bereits ab Carlsbad über Pecos) zum ***Big Bend National Park*** führen, lohnenswert ab Mitte September und bis maximal Mitte Juni. Im Hochsommer ist das Gebiet zu heiß. Zum einsamen Nationalpark im »großen Bogen« (daher *Big Bend)* des Rio Grande sind es auf der landschaftlich **optimalen Straßenkombination #54/I-10/#118** über Fort Davis und Alpine bis zum ***Big Bend Visitor Center*** rund 280 mi.

Eine bei Hitze überaus angenehme Abwechslung bietet der ***Balmorhea State Park*** östlich der *Davis Mountains* mit seinem riesigen, von den **glasklaren *Solomon Springs*** gespeisten ***Pool***: *Memorial* bis *Labor Day*, komfortabler ***Campground*** und **Apartment-Motel** ganzjährig, Reservierung unter © (512) 389-8900 oder per E-mail und Kreditkarte unter https://www2.tpwd.state.tx.us/park. Bei Fahrt über Pecos liegt *Balmorhea* am Weg, bei Anfahrt über die *Guadalupe Mountains*/Van Horne sind mit dem Besuch 15 mi Umweg verbunden; www.tpwd.state.tx.us/park/balmorhe.

In **Fort Davis**, einem idyllischen Dorf, scheint die Zeit stehengeblieben zu sein; www.fortdavis.com. Die gepflegten Reste des alten Militärpostens ***Fort Davis (National Historic Site)*** sind einen kleinen Zwischenstop allemal wert; www.nps.gov/foda. Einige Meilen nördlich des Ortes, an der Straße #118, liegt der ***Davis Mountains State Park*** mit sehr schönen **Campingarealen** und der ***Indian Lodge***; © (432) 426-3254 , ab $90, in den Bergen hoch über dem *Campground*; www.tpwd.state.tx.us/park/davis.

In Fort Davis kann man gut im nostalgischen ***Limpia Hotel***, © 1-800-662-5517, www.hotellimpia.com, übernachten, ab ca. $80.

Auf der Straße #118 geht es über **Alpine**, einer Universitätsstadt in der Einöde des westlichen Texas, zur Westeinfahrt des Big Bend. Etwa 15 mi vor dem Park liegt das ***Longhorn Ranch Motel*** (mit RV-Parking), eine ordentliche Unterkunft für die Gegend mit Zimmern ab $49, © 1-888-522-2542.

Der ***Big Bend Park*** umschließt ein rund 3.000 km^2 großes Gebirgsareal (*Chisos* und *Santiago Mountains*; www.nps.gov/bibe). Von der Durchgangsstraße zweigen Zufahrten zu drei Bereichen ab:

- ***Rio Grande Village*** mit ***Campground*** in der Uferoase
- ***The Basin***, eine Hochebene im zerklüfteten *Chisos* Gebirge
- ***Santa Elena***, am Endpunkt des *Ross Maxwell Scenic Drive*

In allen Regionen gibt es lohnenswerte ***Trails***. Besonders zu empfehlen sind der hübsche Pfad durchs Uferschilf des Rio Grande zum Eingang des ***Boquillas Canyon*** und der *Trail* in den ***Santa Elena Canyon*** hinein. Von der *Rio Grande Road* zweigt eine miserable Schotterstraße ab (nicht für Camper und flachliegende Pkw geeignet) zu **heißen Quellen** am Ufer des Flusses. Vom *Village* führt dorthin ein Trampelpfad.

Abgesehen von ser ***Chisos Mountain Lodge*** (ca. $70) auf der Höhe des *Basin*, © 915-477-2352, kleinen *Stores* und den ***Campgrounds*** am Ende aller Stichstraßen (Rio Grande mit *Hook-up*) gibt es im Park außer 2 Tankstellen keine weitere Versorgungs-Infrastruktur.

In den Chisos Mountains des Big Bend National Park

Einziger Ort in Parknähe mit einer Handvoll **Motels**, *Stores* und einfachen Campingplätzen ist die Doppelsiedlung **Study Butte/Terlingua**. Aber besser campt es sich in Lajitas.

Das Nest **Lajitas** am Ufer des Rio Grande verfügt über eine Handvoll Motels und das ***Badlands Hotel*** in einem Komplex im *Western Town Look* mit *Boardwalk*, Restaurant und Shops, © 1-877-525-4827 (auch für weitere Unterkünfte und den – teuren – ***Maverick Ranch RV-Park***). Grund für ein Verweilen in Lajitas wäre z.B. die Buchung eines ***Schlauchboot-Trips*** durch den ***Santa Elena Canyon*** des Rio Grande in den *Big Bend Park* hinein, etwa bei ***Big Bend River Tours***, © 1-800-545-4240, ca. $130 ganztägig; www.bigbendrivertours.com.

Zur **Weiterfahrt nach El Paso** sollte man unbedingt die attraktive, (leider) heute bestens ausgebaute, früher wie eine Achterbahn geführte **Straße #170 am Rio Grande entlang** über das halb-mexikanische Grenzdorf Presidio wählen. Am Wege liegt kurz vor Presidio das restaurierte *Fort Leaton* mit Picknickplatz, ein geeigneter Ort für eine Pause.

Nach Überquerung der *Cuesta Del Burro Mountains* landeinwärts »verflacht« die Strecke. Es folgen ab **Marfa** auf der Straße #90 und – ab **Van Horne**, dort zahlreiche **preiswerte Motels** an der I-10 Business – rund 200 mi ohne nennenswerte Abwechslung. Rund 30 mi östlich von El Paso (*Exit* 49) liegt das ***Cattleman's Steakhouse***, eines der besten in ganz Texas, auf der ***Indian Cliffs Ranch*** mitten in einer Wildwest-Landschaft, © (915) 544-3200. Wer im **Campmobil** vorfährt und in rustikaler Atmosphäre Steaks und Budweiser genießt, darf auf dem großen Parkplatz über Nacht stehen bleiben; www.cattlemanssteakhouse.com.

4.4.7 Von El Paso bzw. Alamogordo nach Tucson

Zur Route

Von El Paso geht es alternativlos auf der I-10 nach Westen. Wer die *White Sands* ausgelassen hat, kann dies von El Paso aus mit halbtägigem Zeitaufwand nachholen. Auf der Straße #54 gelangt man auf gerader Strecke durch ein wüstenartiges Gebiet rasch nach Alamogordo und von dort – nach Abstecher in die weißen Dünen – über die *Organ Mountains* nach Las Cruces, ➤ Seite 513.

Las Cruces/ Mesilla

In Las Cruces, einer nicht übermäßig sehenswerten weitläufigen **Universitätsstadt**, www.lascrucescvb.org, treffen die kurze direkte Strecke ab Alamogordo und die um den südlichen Schlenker Richtung Carlsbad/El Paso erweiterte Route wieder aufeinander. Auch der oft gelobte Las Cruces-Vorort **Mesilla** südlich der City bietet in Wahrheit außer einer mäßig attraktiven Plaza und ein paar mit *Shops* und Restaurants besetzten Adobestrukturen nichts, was Umwege und Verweilen rechtfertigte.

Abstecher

Man sollte daher in diesem Bereich keine Zeit verlieren, die sich anderweitig besser einsetzen ließe, etwa für einen Abstecher zu den Gila Cliffs, nach Silver City oder auch nur zur *City of Rocks*.

Via Straße #152

Statt der hier verfolgten Route via I-10 könnte man nach Silverton/zu den *Gila Cliffs* unter Auslassung der *City of Rocks* auch die reizvollere Strecke I-25 North und ab Exit #63 die Straße #152 wählen, Teil des ***Geronimo Trail*** durch New Mexico. Sie steigt westlich vom niedlichen Städtchen Hillsboro serpentinenreich hoch in die ***Mimbres Mountains*** und folgt dann dem *Railroad Creek* durch eine malerische Canyonlandschaft. Bei San Lorenzo zweigt die #35 zu den Gila Cliffs ab. Bleibt man auf der #152, passiert man kurz vor Silvertom die ***Santa Rita Copper Mine***, die ein mehrere 100 m tiefes »Loch« in der Landschaft hinterlassen hat.

City of Rocks

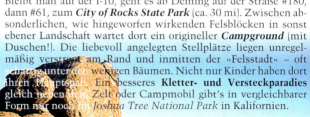

Bleibt man auf der I-10, geht es ab Deming auf der Straße #180, dann #61, zum ***City of Rocks State Park*** (ca. 30 mi). Zwischen absonderlichen, wie hingeworfen wirkenden Felsblöcken in sonst ebener Landschaft wartet dort ein origineller ***Campground*** (mit Duschen!). Die liebevoll angelegten Stellplätze liegen unregelmäßig verstreut am Rand und inmitten der »Felsstadt« – oft schattig unter den wenigen Bäumen. Nicht nur Kinder haben dort ihren Hauptspaß. Ein besseres **Kletter- und Versteckparadies** gleich neben dem Zelt oder Campmobil gibt's in vergleichbarer Form nur noch im *Joshua Tree National Park* in Kalifornien.

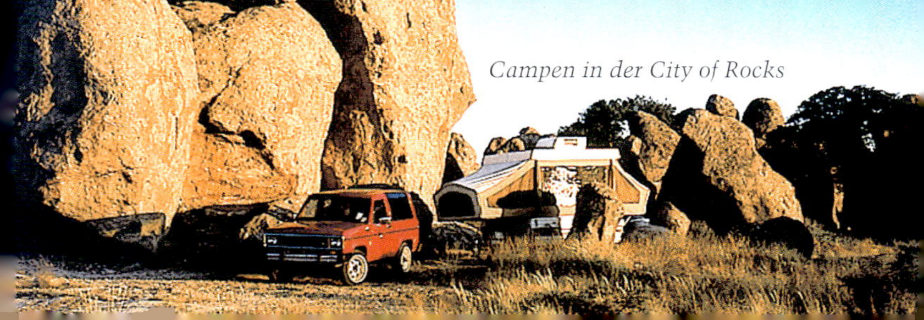

Campen in der City of Rocks

Gila Cliffs

> **Achtung:** Straße #15 für RVs über 25 Fuß problematisch; Info in Ranger Station bei Mimbres

Von der *City of Rocks* weiter auf der #61 durch das hübsche Tal des Mimbres River, dann auf der #35/#15 zum ***Gila Cliff Dwellings National Monument***. Zwar sind es vom *State Park* dorthin nur 70 mi, wegen des serpentinenreichen Verlaufs der schmalen Gebirgsstraßen sollte man aber mit 2 Stunden reiner Fahrtzeit rechnen. Mit Besichtigung und Stopps erfordert der gesamte Umweg **einen vollen Extratag**, der sich lohnt: Schon die Strecke durch den hochgelegenen, einsamen *Gila National Forest* ist großartig. Das Ziel besteht aus gut erhaltenen und restaurierten **Ruinen der *Mogollon*-Indianer** in mächtigen Felsüberhängen über einem malerisch bewachsenen Canyon. Der ***Trail*** hinauf und durch die *Cliff Dwellings* lässt sich leicht in 1 Stunde bewältigen (Zugang im Sommer 8-18 Uhr, sonst 9-16 Uhr). Am Eingang befindet sich nur eine *Ranger Station*, das ***Visitor Center*** mit Ausstellung liegt ca. 2 mi vorm Straßenende etwas abseits; www.nps.gov/gicl; Eintritt $3 oder ***Interagency Pass***.

Zwei kleine **NF-*Campgrounds*** befinden sich an der Zufahrt (*Grapevine & Lower Scorpion*). Eine schöne ***Wilderness Lodge*** liegt ca. 4 mi südlich der *Cliffs* an den ***Gila Hot Springs***, rustikale DZ mit Frühstück ab ca. $68, Suite $95; empfehlenswert; © (505) 536-9749; zum Ansehen im Internet: www.gilahot.com.

Pinos Altos

Der Weg zurück zur I-10 über Silver City (am Cherry Creek ***NF-Campgrounds***) führt an Pinos Altos vorbei, einer früheren Minenstadt. Dort passiert man eine der urigsten Kneipen des Westens, den ***Buckhorn Saloon*** mit stimmungsvollem **Steak-Restaurant** (erst ab 15/16 Uhr geöffnet) und nebenan dem (von innen) sehenswerten ***Opera House*** (Fr+Sa Programm); www.pinosaltos.org.

Silver City

Silver City ist eine alte ***Boomtown***, die das Versiegen seiner Silberadern dank großer Kupfervorkommen überlebte.

Silver City selbst besitzt mit dem ***Big Ditch Park*** parallel zur historischen Hauptstraße eine geologisch interessante Sehenswürdigkeit: Wo um die Jahrhundertwende noch die *Main Street* verlief, befindet sich heute ein breiter, 15 m tiefer Graben. Innerhalb kurzer Zeit sackte dieser Streifen einst nach starken Regenfällen und daraus resultierenden Fluten auf das jetzige Niveau ab. Ansonsten zehrt die Stadt vom zweifelhaften Ruhm, Heimat des berüchtigten Killers ***Billy the Kid*** zu sein, der zusammen mit seinem Verfolger, **Sheriff *Pat Garrett***, in die Wildwestgeschichte eingegangen ist; www.silvercity.org.

Nach Arizona

Auf der Straße #90 (bei Tyrone weitere Kupfermine im Übertageabbau) geht es **zurück zur I-10**. Über **Lordsburg**, letzte Etappe in New Mexico vor der Einfahrt bzw. Rückkehr nach Arizona gibt es nichts zu berichten, außer dass sich das Städtchen (abseits der I-10) durch **die niedrigsten Motelpreise der Region** auszeichnet. Die ***Ghosttown Shakespeare***, einige Meilen südlich des Ortes, hat wenig zu bieten; www.shakespeareghostown.com. Malerisch verwaist ist die ***Ghosttown Steins*** direkt an der I-10; www.ghosttowngallery.com/htmd/steins.htm.

Fort Bowie

Rund 50 mi westlich von Lordsburg (**Exit #362** von der I-10) verbindet eine **Schotterstraße nach Süden über den *Apache Pass*** das Nest Bowie mit der Straße #186. Auf dem Weg zum *Chiricahua National Monument* spart man auf dieser Abkürzung 35 mi. Die Strecke ist zwar staubig und streckenweise recht rauh, aber bei Trockenheit unproblematisch. Im Passbereich befindet sich der Ausgangspunkt eines *Trails* zu den Resten des ***Fort Bowie*** (retour etwa 5 km), das hier vor über 100 Jahren als Außenposten gegen die Apachen fungierte, Eintritt frei; www.nps.gov/fobo.

Chiricahua National Monument

Von der Erosion durch Wind, Wasser und Eis skurril geformte, in vielen Fällen an Gegenstände und Lebewesen erinnernde **Felsskulpturen** sind die Attraktion des ***Chiricahua Park*** im *Coronado National Forest*. Nach der Fahrt über den *Apache Pass* und durch vegetationsarme Ebenen überrascht der dichte Baumbestand des Chiricahua Höhenzuges.

Eintritt
$6/Person
bis 15 frei
oder
Interagency Jahrespass

Eine Karte und weitere Informationen gibt's im ***Visitor Center*** unweit der Einfahrt in den Park. Auf dem ***Bonita Canyon Drive*** geht es zum 450 m höheren ***Massai Point***. Bereits entlang der Straße fallen seltsame Formationen ins Auge. Vom *Massai Point* und dem ***Nature Trail*** dort oben sieht man hinab auf unzählige der eigenartigen Chiricahua Felsen. Wanderungen hinein in das **Wunderland der Formen und Farben**, der Türme, Höhlen und Schaukelfelsen bieten ein großartiges Erlebnis, das man sich nicht entgehen lassen sollte; www.nps.gov/chir.

Bei begrenzter Zeit eignet sich am besten der obere Abschnitt des ***Echo Canyon Trail*** mit Ausgangspunkt ein Stück unterhalb des *Massai Point* (an der Stichstraße zum ***Sugarloaf Mountain***).

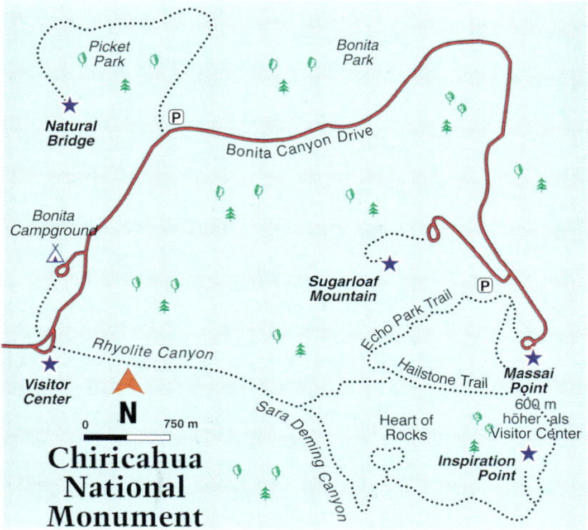

Trails im Chiricahua

Zwei Stunden braucht man aber **mindestens**. Schon die ersten 2 km bieten **sagenhafte Eindrücke**. Mit ein bisschen mehr Zeit könnte man den *Echo Canyon* ganz ablaufen und über den ***Hailstone Trail*** zum *Echo Canyon* Parkplatz zurückkehren (ca. 6 km). **Ein voller Tag im *Chiricahua* wäre angemessener**. Mit Pausen zum Klettern und Fotografieren benötigt man für die optimale Rundwanderung *Echo Canyon/Sarah Deming Canyon/Totem Canyon* mit Abstecher zum ***Heart of Rocks***, dem **Höhepunkt** der *Chiricahua*-Skulpturen, leicht 6-7 Stunden (Beginn wie oben, ca. 14 km). Eine weniger anstrengende Möglichkeit wäre, morgens den ***Shuttle Bus*** ab *Visitor Center* zu nehmen – Abfahrt 8.30 Uhr, keine Reservierung, nur Platz für 14 Leute – durch die felsige Wunderwelt zu wandern und über den ***Rhyolite Trail*** abzusteigen.

Am oberen Abschnitt des Echo Canyon Trail

Camping

Chiricahua verfügt über einen hübschen, aber relativ beengten ***Campground*** mit begrenzter Kapazität. Auf der (leider) miserablen ***Pinery Canyon Road*** kann man aber in den ***National Forest*** ausweichen. Nach ca. 5 mi endet das private Land. Am ausgetrockneten Bachbett gibt es dann Plätzchen, wo sich »unorganisiert« übernachten lässt. Eine **Weiterfahrt bis Portal** unter Einsparung vieler Meilen auf dem Weg nach Westen ist möglich, aber wegen der üblen Schlaglochpiste nicht zu empfehlen.

Von Chiricahua nach Tombstone

Vom *Chiricahua* sind es bis Tombstone nur 65 mi auf direkter Strecke, wobei die breite ***Gravel Road*** von Elfrida (Main Road) über die ***Ghosttown Gleeson*** und die *Dragoon Mountains* oft in miesem Zustand ist. 10 mi mehr sind es auf Asphalt über McNeal.

Bisbee

www.discoverbisbee.com

Rund 40 mi mehr fährt man über **Bisbee** (Quartier auf dem ***Shady Dell Campground*** in nostalgischen **Wohnwagen** der 1930er-50er-Jahre **mit *Art Deco*-Einrichtung**; Straße #80 westlich des Ortes, ab $45; www.theshadydell.com). Bisbee lohnt wegen seiner schönen alten Fassaden und Lage einen Zwischenstopp. Die ***Queen Mine***, eine Kupfermine, bietet 60-min-unter-Tage-Touren ($12; www.queenminetour.com). Die Einfahrt liegt an der Hauptstraße #80 in unmittelbarer Nähe des Zentrums von Bisbee.

Tombstone

Dank ***Wyatt Earp, Doc Holliday*** und dem legendären ***Gun Fight at O.K.Corral*** gegen den ***Clanton Clan***, der mehrfach verfilmt wurde, ist kaum eine andere (reale) *Old West Town* so bekannt wie das Städtchen mit dem schönen Namen »Grabstein«. Die ***town too tough to die*** ging wohl nur deshalb nicht unter, weil ein kontinuierlicher Touristenstrom die Einnahmen fürs Überleben sicherte, nachdem die Silberadern, die Tombstone groß gemacht hatten, erschöpft waren. Seit die Stadt sich ***National Historic Landmark*** nennt, hat der Tourismus sogar noch zugenommen, wenngleich so richtig »was los« nur an den Wochenenden ist.

Info Tombstone: © **1-888-457-3929** und © **1-800-457-3423**; www. tombstone.org und www.cityoftombstone.com.

Allen Street

Im wesentlichen besteht Tombstone neben der Durchgangsstraße #80 aus seiner historischen, heute verkehrsbefreiten Hauptstraße, ***Allen Street***, wo sich ***Saloons***, Restaurants und *Gift Shops* aneinanderreihen. Ein paar kleine Museen (u.a. das ***Bird Cage Theater*** im Originalzustand der wilden Jahre (da spukt's: www.ghostin mysuitcase.com/places/birdcage) und das ***Courthouse*** als ***State Historic Park*** ($4, nicht so spannend) fehlen nicht, und am ***O.K. Corral*** stehen die Helden von damals in Wachs und schussbereiter Position, Besichtigung 9-17 Uhr. **Täglich um 14 Uhr** findet das historische ***Shoot-out*** zusätzlich ***live*** statt. Aber die Toten ruhen nicht: Ein Nachfahre der *Clantons* beschreibt den wahren Hergang: www.clantongang.com/oldwest/gunfight.html.

Nebenan im ***Historama*** bringt eine kurze Multimedia-Show den Touristen die Geschichte Tucsons und die Hintergründe der *O.K.Corral-Story* nahe; www.ok-corral.com. Kombiticket für alles $8.

Die Opfer der einst bleihaltigen Luft liegen eingangs der Stadt auf dem ***Boothill*** Friedhof. Dessen Besichtigung kostet $2 und ist nach Beseitigung alter authentischer Unordnung und Neuanlage aller Gräber in Reih' und Glied nun eher uninteressant.

In der Allen Street

4

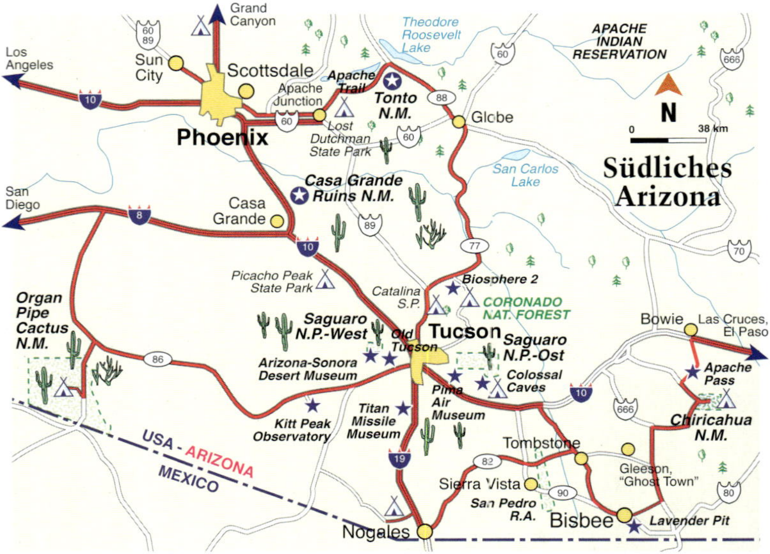

Tombstone wirkt dank der starken Kommerzialisierung nicht wirklich authentisch. Aber die ***Shops*** sind sehr originell sortiert vor allem mit ***Indian Jewelry*** und **Western-Artikeln** (Hüte, Gürtel, Stiefel etc.). Und am Abend sorgt an guten Tagen das pralle **Kneipenleben** für Freude; und fast alle der ***Saloons*** (zugleich Restaurants) sind ohne Frage echt Wildwest, so z.B. ***Big Nose Kate's***.

Ende Mai finden die ***Wyatt Earp Days*** statt und übers *Labor Day Weekend* die ***Wild West Days*** mit allerlei Cowboy- & Indianer-Programm und Rodeo.

Eine Handvoll preiswerter **Motels**, z.B. ***Trail Riders Inn*** ab $40, © 1-800-574-0417, www.trailridersinn.com; und diverse ***B&Bs*, z.B. »Bordello«**, www.TombstoneBordello.com; gewähren Unterkunft. Die ***Best Western Lookout Lodge*** ist teurer (ab ca. $80) hat dafür aber die schönste Telefonnummer: © **1-877-OK CORRAL**.

Der komfortable ***Tombstone Hills Campground*** liegt 1 mi nördlich, der ***Stampede RV-Park*** im Zentrum ist indessen für abendliche Saloonzüge zu Fuß günstiger positioniert, © 1-866-409-4778; www.tombstone-stampede.com.

Abstecher nach Nogales

Von Tombstone in Richtung Tucson lohnen sich Abweichungen von der schnellsten Route (I-10) kaum. Anders wäre es nur, wenn die Absicht zu einem Grenzübertritt besteht. Die landschaftlich streckenweise hübsch verlaufende #82 führt zur Grenzstadt **Nogales**. Auf der amerikanischen Seite der Doppelstadt gibt es so gut wie nichts zu sehen. Auf mexikanischer Seite wartet die Realität

Nogales Mexico

eines lateinamerikanischen Entwicklungslandes. So richtig pittoresk wirken Straßen und Läden nur am Abend, wenn die Probleme nicht mehr so krass ins Auge springen. Aber Lederprodukte und allerhand Mexikanisches lassen sich dort preiswert erstehen, ebenso *Tequila* und Backwaren. Der Grenzübertritt ohne Fahrzeug macht keine Schwierigkeiten. Details dazu und zur Einreise nach Mexiko mit Auto ➢ Kapitel San Diego, Seite 297; außerdem unter www.nogaleschamber.com/Nogales_mex.htm.

Nach Tucson

Noch ca. 70 mi verbleiben auf dem direktem Weg (Straße #80 und I-10) von Tombstone nach Tucson.

Saguaro National Park/Ostteil

Eintritt
$10/Auto
$5/Person oder Interagency Jahrespass

Etwa 20 mi vor Tucson könnte man die I-10, *Exit* #279 (Vail), verlassen und auf dem **Old Spanish Trail** das Ostareal (***Rincon Mountain Unit***) des zweigeteilten ***Saguaro National Park*** besuchen (direkter ist die **Straße #275/Houghton Road**, *Exit* #275 von der I-10, sie passiert nicht die Colossal Cave). Dort stehen die oft vielarmigen **Saguaro-Kakteen** heute aber bei weitem nicht mehr so dicht wie früher. Der ***Cactus Forest Drive*** durch den Ostteil kann daher mit dem Rundkurs im Westteil nicht mehr »mithalten«, bietet dafür aber Ausblicke über das gesamte *Tucson Valley*, besonders schön vor Sonnenuntergang. ***Visitor Center***, ***Nature Trail*** und ein **Picknickplatz** sind auch vorhanden; www.nps.gov/sagu.

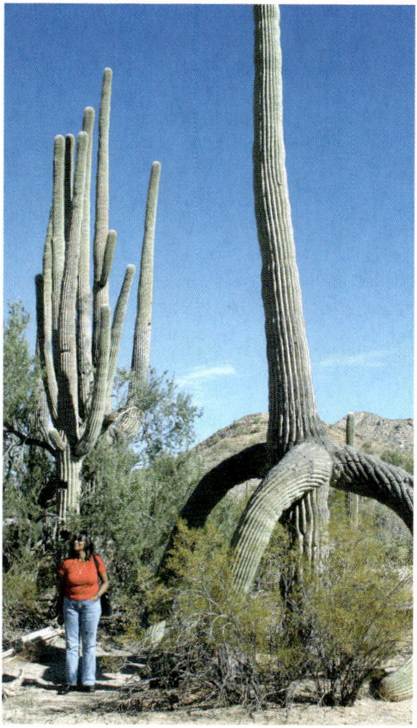

Die **beste Zeit für den Besuch** sind die Monate April bis Juni, wenn die Wildblumen und Kakteen blühen. **Öffnungszeiten** täglich: Park 7 Uhr bis Sonnenuntergang; *Visitor Center* 9-17 Uhr. Mit *Permit* darf im *Backcountry* gezeltet werden.

Colossal Cave

Auf dem Weg zum *Saguaro Park* passiert man 5 mi nordöstlich von **Vail** die Zufahrt zur ***Colossal Cave***, einem riesigen Höhlensystem. Geöffnet im Sommer täglich 8-18/19 Uhr, Winter 9-17/18 Uhr, $5 pro Auto, Führung $9/$5; www.colossalcave.com

Auf dem Gelände des ***Colossal Cave Regional Mountain Park*** befinden sich unweit der Höhle zwei einfache, aber sehr schön in die Landschaft eingebettete **Campingplätze**. Deren Tore werden bereits um 18/19 Uhr geschlossen (wie der benachbarte Höhleneingang). Eine spätere Ankunft ist daher nicht möglich. In Nachbarschaft zur Höhle liegt die ***Posta Quemada Ranch***, wo man Pferde mieten und an geführten Ausritten teilnehmen kann, ✆ (520) 647-3450; .

Mural zur Stadtgeschichte in Downtown Tucson

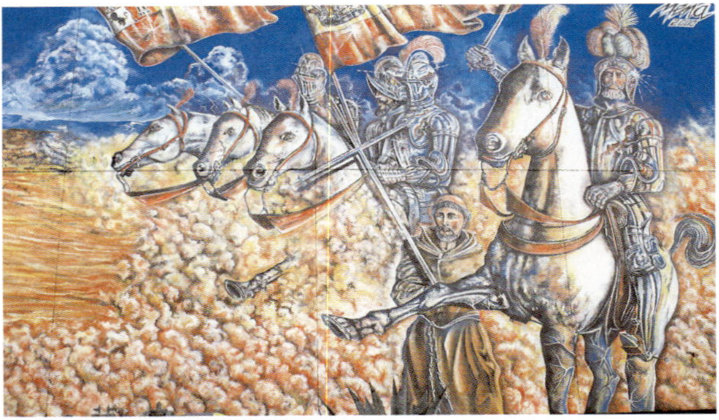

4.4.8 Tucson

Übersicht

Lage und Geschichte

Die zweitgrößte Stadt Arizonas liegt rund 100 mi südöstlich von Phoenix und 65 mi nördlich der mexikanischen Grenze auf etwa 700 m Höhe. Sie wird im Norden, Osten und Westen von Gebirgszügen eingerahmt. Die bis zu 2.700 m hohen nördlichen *Catalina Mountains* bieten Abkühlung im Sommer und im Winter sogar Schnee, Abfahrten und Skilifte. Die mit den ***Catalina Mountains*** verbundenen ***Tanque Verde Mountains*** sind weitgehend unerschlossene Wildnis, zugänglich nur über Wanderpfade. Hinter den rauhen, spärlich bewachsenen ***Tucson Mountains*** im Westen erstreckt sich die Kakteenlandschaft der ***Sonora Desert***, nach Süden hin eine weite, mit dieser verbundene Ebene.

Bis dato Verwaltungszentrale des ***Arizona Territory*** wurde Tucson mit der Proklamation des Gebiets zum 48. Bundesstaat 1912 Hauptstadt, verlor diese Funktion jedoch später an Phoenix, erhielt dafür die ***University of Arizona***, die heute für die Stadt eine bedeutsame Rolle spielt. Dank milder Wintertemperaturen und trockener Wüstenluft gewann Tucson ähnlich wie Phoenix Popularität bei Pensionären und Überwinterern, obwohl die Stadt nicht als superfeine Adresse gilt und nicht ganz den Wohlstand Scottsdales ausstrahlt. Aber immerhin: Ausfall- und Geschäftsstraßen wirken (noch) großzügiger als die anderer amerikanischer Cities. Hinzu kommt die üppige Vegetation und der unverkennbare mexikanische Einfluss auf die Architektur. Um Tucson prägen **Saguaro-Kakteen** zu Hunderttausenden das Bild der Wüste und bilden eine pittoreske Bereicherung des Stadtbilds.

Orientierung

Die City of Tucson zählt heute fast 600.000, der Großraum über 900.000 Einwohner. Wegen dessen kolossaler Ausdehnung entsteht der Eindruck, es noch mit einer weit größeren Stadt zu tun zu haben. Das Zentrum und der größere Teil Tucsons liegen östlich und nördlich der von Nordwesten im Bogen nach Südosten verlaufenden Ost-West-*Interstate* #10. Den zentralen Bereich mit dem *Presidio* erreicht man über die Abfahrt #258/ Broadway. Die Orientierung fällt leicht, da mit Ausnahme der in die Berge führenden Straßen die Stadt schachbrettartig angelegt wurde.

Information

Das bunte ***Tucson Visitors Bureau*** befindet sich in Downtown im Placita Village, Ecke Broadway/Church Ave (Exit #258 von der I-10, ausgeschildert), Mo-Fr 9-17 Uhr, Sa+So 9-16 Uhr; ✆ 1-800-638-8350. Sehr hilfreich für einen Tucson-Besuch sind vor allem der ***Official Visitors Guide to Metropolitan Tucson*** mit aktuellen Daten zu Transport, Unterkunft, Restaurants etc. und die Broschüre ***Self-guided auto tours from Tucson***; www.visittucson.org.

Unterkunft, Camping, Shopping

Situation

Autofahrer finden zahlreiche preiswerte und auch bessere **Motels** an den Ausfallstraßen und entlang der *Interstate Freeways* (speziell an der **Westseite der I-10** zwischen Congress Street und Abzweigung der I-19, South Freeway Road/Starr Pass Boulevard (**Exit #259**). Weitere **Motelballungen** findet man an den **Ausfahrten #250** (nördlich) und **#264** (südöstlich des Zentrums). Viele Hotels der Mittel- und Oberklasse mit schönen Poolanlagen und -gärten werben ab Mai bis Oktober mit Zimmerpreisen ab $69, erhöhen aber zur Hauptsaison (ab Dezember, speziell ab Weihnachten bis April/ Mai) ihre Tarife um das Doppelte und mehr.

Situation

Der **Flughafenbereich** ist in Tucson auch kein schlechter Standort. Besonders an Wochenenden sind dort (außer Januar-April) die Chancen gut, in etwa zu Tarifen wie angegeben unterzukommen:

- **Hampton Inn**, ✆ (520) 918-9000, 6971 S Tucson Blvd, ab $69; www.hamptoninn.com/hi/tucson-airport
- **Clarion Hotel**, ✆ 1-800-526-0550, 6801 S Tucson Blvd; ab $77, gutes Preis-/Leistungsverhältnis; www.clariontucsonairport.com
- **La Quinta**, ✆ (520) 573-3333, 7001 S Tucson Blvd, ab $75; www.945.lq.com
- **Fairfield**, ✆ 1-800-224-0023, 6955 S Tucson Blvd, ab $69; www.fairfieldinntucsonairport.com

Weitere empfehlenswerte Häuser sind die

- **Ghost Ranch Lodge**, ✆ (520) 205-8957, 801 W Miracle Mile, nördlich *Downtown*, ab $56, www.ghostranchlodge.com
- **La Quinta Inn at Starr Pass**, ✆ 1-800-531-5900, 750 W Starr Pass Blvd, Exit #259 von der I-10, ab $79
- **Red Roof Inn**, ✆ (520) 571-1400, 3700 Irvington Road, Exit #264B von der I-10, überdurchschnittliches Motel der Kette, ab $69.
- **Congress Hotel**, ✆ 1-800-722-8848, 311 Congress Street, nostalgisches Haus in Downtown; ab $59, www.hotelcongress.com

Die einzige verbliebene Herberge ist das ***Roadrunner Hostel***, 346 East 12th Street, ✆ (520) 628-4709, ab $20, DZ/EZ ab $38; www.roadrunnerhostelinn.com.

Camping

Tucson ist förmlich eingekreist von – teilweise riesigen – Komfort-Campingplätzen für große und größte *Motorhomes*. Sie sind nur in den Monaten November bis April mehr oder weniger voll belegt und z.T. im Hochsommer geschlossen. Wer vor allem auf hohen Platzkomfort, weniger auf ansprechende Lage und/oder landschaftlich reizvolle Einbettung Wert legt, kann diese Plätze nicht verfehlen. Sie sind alle in den ***Campbooks*** verzeichnet; ebenso findet man ihre Werbung bei der *Tourist Information*.

- Wenn **Komfortcamping**, dann ist das ***Beaudry RV Resort*** mit allen Schikanen einschließlich Wifi (WLAN) mit moderaten Tarifen ab $25 schwer zu toppen. Er liegt südlich der I-10, *Exit* #264B, 5151 S Country Club Rd/Irvington Road, © 1-888-500-0789, $16-$20; www.beaudryrvresort.com.
- Etwas erhöht mitten zwischen Kakteen liegt der rustikale ***Gilbert Ray Campground*** im städtischen *Tucson Mountain Park* in der *Sonora Desert*. Er befindet sich zwischen *Old Tucson* und dem *Desert Museum* (Kinney Road, Anfahrt via Straße #86 West). Die recht großzügigen Stellplätze haben nur Stromanschluss (ein paar Wasserhähne am Rundweg; keine Duschen). ***First-come-first-served***, © (520) 883-4200, $16-$20.
- Nordöstlich der Stadt liegen entlang der Auffahrt zum Mount Lemmon nördlich der Stadt im ***Coronado National Forest*** einfache *Campgrounds* ohne *Hook-ups*/Duschen, erreichbar über den **Catalina Highway** (weiter oben *General Hitchcock Highway)*. Er führt im Stadtnordosten (Speedway/Wilmot/Tanque Verde Road) aus der Wüstenvegetation hoch hinauf in die *Catalina Mountains*. Der erste NF-Platz in 1.300 m Höhe, ***Molina Basin***, ist zugleich der beste, eine tolle Anlage für nur $10.

Mexico Shops/ Malls

Wer nicht über die Grenze fährt, wird in Tucson in vielen *Mexico Shops* mit allem bedient, was das Nachbarland bietet, wenngleich zu höheren Preisen. **Indianische Handarbeit** ist ebenfalls vielerorts erhältlich. Die größten Shopping-Komplexe sind: ***Tucson Mall***, 4000 N Oracle Rd, www.tucsonmall.com; ***El Con Mall***, 3601 Broadway East, und die ***Park Place Mall***, 5870 E. Broadway Blvd. Die ***Foothills Mall***, 7401 North La Cholla Blvd, ist ein höherklassiges Shopping-/Kinocenter; www.shopfoothillsmall.com.

Ausrangierte Kampfflugzeuge, soweit das Auge reicht rund um die Monthan Air Force Base herum auf riesigen Stellflächen

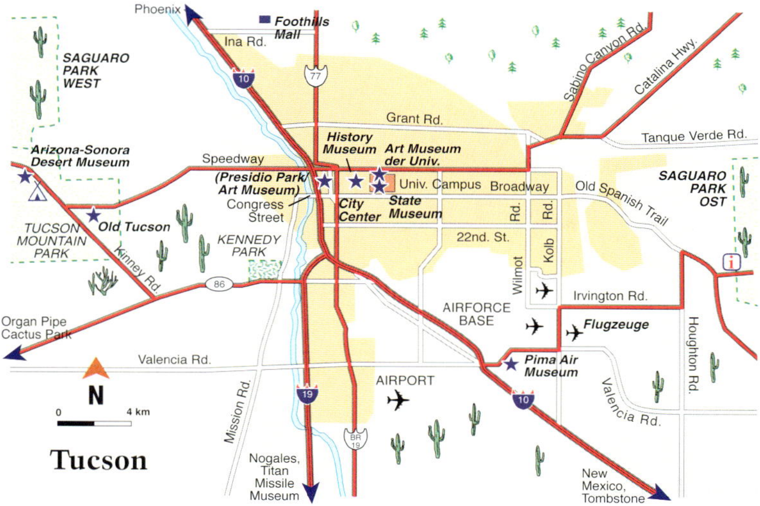

Sehenswürdigkeiten

5000 ausrangierte Kampf-Flugzeuge

Folgt man vom *Saguaro Park* weiter dem *Old Spanish Trail* in Richtung Tucson, stößt man bald auf die Houghton Road, von der 2 mi weiter südlich die Irvington Road abzweigt. An ihr und an der Kolb Road erstrecken sich immense Freiflächen der ***Davis-Monthan Air Force Base***, auf denen Tausende eingemotteter und ausgeschlachteter Flugzeuge vom Weltkrieg-II-Bomber bis zu Jets der 1980er-Jahre stehen. Von den Straßen rings um die Basis hat man einen guten Blick auf einen Teil der Bestände (am besten Kolb Road fahren, dann nach Westen auf die Escalante Road). Insgesamt sollen fast 5.000 (!) Flugveteranen in Tucsons Umgebung auf Verschrottung, Verkauf oder Wiedereinsatz warten (vor Jahren standen dort sogar bis 20.000 Luftveteranen herum). Die *Airforce* offeriert Mo-Fr sog. ***Boneyard Tours*** ab dem *Pima Air Museum* ($6; in Kombination mit Museum $16,50); Reservierung unter © **(520) 574-0462**. Aber Achtung: scharfe *Security* und Reisepasskontrolle; www.pima air. org (links auf AMARC Tour klicken).

Pima Air Museum

Das ***Pima Air & Space Museum*** (Wilmot/Valencia Road, *Exits* #267 oder #269 von der I-10; www. pimaair.org.) verfügt über die vermutlich weltgrößte Flugzeugausstellung. In Hallen und einem riesigen Außengelände stehen über 200 gepflegte, überwiegend militärische Originalmaschinen aller Jahrgänge, Raketen (u.a. eine V-1) und Drohnen wie auch das Präsidentenflugzeug von *John F. Kennedy*. Ein absolutes Muss nicht nur für Flugzeugfans. Zeitbedarf 2-3 Stunden. Täglich 9-17, Einlass bis 16 Uhr, $12-$14/ Kinder $8-9 ($2 *Discount Coupon* bei der *Visitor Information*);

4

Fighter Jet der US-Airforce mit »Kriegsbemalung« auf dem Gelände des Pima Air Museums

Titan Missile Museum

Organisatorisch verbunden mit dem *Pima Air Museum* ist das weltweit einmalige ***Titan Missile Museum*** bei Green Valley (auf der I-19 ca. 20 mi südlich von Tucson, *Exit* #69). Es handelt sich um das komplette Abschusssilo einer mit Atomsprengköpfen bestückten ***Titan-II*-Interkontinentalrakete**, das von 1963 bis 1984 rund um die Uhr einsatzbereit war. Die Führung geht durch alle Details der technisch faszinierenden Anlage einschließlich der Kommandostelle, wo im Ernstfall der rote Knopf gedrückt worden wäre. Man muss dieses Gruselkabinett gesehen haben, um zu glauben, dass es sich nicht um eine Filmattrappe handelt, sondern real existiert(e). Täglich 9-17 Uhr; letzte Führung ab 16 Uhr; Eintritt $9 (mit AMARC & Pima Air Museum $25). Reservierung möglich: © (520) 625-7736; www.pimaair.org (oben auf Titan klicken).

Museen

In der City von Tucson sind folgende Museen von Interesse:

Court House am El Presidio Park

- Das ***Tucson Museum of Art & Historic Block***, Main Street gegenüber dem ***El Presidio Park*** (mit dem sehenswerten nostalgischen ***Courthouse***), beeindruckt durch seine Architektur. Die Kollektion umfasst ***Southwestern*** und ***Modern American Art***. Sehr gute Einzelstücke, insgesamt aber mäßig. Geöffnet Di-Sa 10-16 Uhr, So ab 12 Uhr; $8; www.tucsonarts.com. Die Eintrittskarte fürs Museum gilt auch für die Besichtigung einiger historischer Gebäude im Umfeld.

Interessant kann das ***Museum of Art*** der Universität sein, im *Fine Arts* Komplex, Speedway Blvd/ Olive Road, u.a. mit Werken von *Rodin, Picasso, Henry Moore* und Wechselausstellungen. Di-Fr 9-17 Uhr, Sa+So 12-16 Uhr, während Uni-Ferien geschlossen, Eintritt frei; www.artmuseum.arizona.edu.

Geschichte

- Das Museum der ***Arizona Historical Society***, East Second St/ North Park Ave am Universitätscampus, gehört zu den sehr guten Geschichtsmuseen einzelner US-Staaten. Das Hauptgewicht liegt hier auf Arizonas Bergbau. Eintritt $5, bis 18 Jahre $4, Mo-Sa 10-16 Uhr; www.azhs.gov.

Ethnologie

- Das ***Arizona State Museum*** (auf dem Campus/Haupteingang, dann gleich rechts) thematisiert in aufschlussreicher Form Ethnologie und Kultur der Ureinwohner des Südwestens. Konservative und gründliche Präsentation. Kein Eintritt, aber Spende von $3 wird erwartet, Mo-Sa 10–17, So ab *Noon*; www.statemuseum.arizona.edu.

Lasershow

- Das ***Flandrau Science Center*** mit ***Laserium***, ebenfalls auf dem Campus/Cherry Ave, bietet Sternenprogramme; abends *Lasershows*, an Wochenenden mehrfach täglich; www.flandrau.org.

Trail Dust Town

Teilweise musealen Charakter hat auch die kommerzielle ***Trail Dust Town***, eine kleine künstliche Western-Stadt voller Restaurants und Shops, mit *Opera House* und *Town Plaza* für die unvermeidlichen *Gun Fights*; 6541 Tanque Verde Road zwischen Ende Pima und Grant Road; ✆ (520) 886-5012.

Sabino Canyon

Überaus populär ist der pittoreske ***Sabino Canyon***, eine für den Autoverkehr gesperrte ***Recreation Area***, die ein paar Meilen in den *Coronado National Forest* hineinführt. Mit zunehmender Höhe sind die Temperaturen milder und die Luft sauberer als unter der Dunstglocke von Tucson. Eine Großparkplatz ($5 oder *Interagency* Jahrespass) und ein ***Visitor Center*** erwarten Besucher am Ende des frei befahrbaren Abschnitts der Sabino Canyon Road. Von dort geht es nur noch per Bike (nur vor 9 Uhr oder nach 17 Uhr), zu Fuß oder mit dem *Shuttle Bus* ($7,50; Kinder bis 12 Jahre $3) entweder in den ***Sabino Canyon*** (ca. 4 mi bis Endpunkt) oder ***Bear Canyon*** (ca. 2 mi). Die Busse halten an Aussichtspunkten, ***Trailheads*** und Picknickplätzen; www.sabinocanyon.com.

Zum Tucson Mountain Park/ Gates Pass

Weit außerhalb, rund 14 mi westlich der Stadt liegt das nicht zu versäumende famose ***Arizona-Sonora Desert Museum*** im *Tucson Mountain Park*. Die kürzeste Zufahrt ist der verlängerte **Speedway** (von der I-10 *Exit #257*) über den ***Gates Pass***. Am Wege passiert man das ***International Wildlife Museum*** in einer burgartigen Anlage, dessen Displays und Dioramen weit über die Tierwelt der Wüste hinausgehen; Mo-Fr 9-17 Uhr, Sa+So bis 18 Uhr; $7, Kinder $2,50; www.thewildlifemuseum.org.

Gates Pass

Von der Höhe des ***Gates Pass*** mit einem ausgebauten Aussichtspunkt (Parkplätze, Toiletten) hat man einen weiten Blick über die kakteenbestandene *Sonora Desert*. Besonders bei Sonnenuntergang ist der Platz wegen der Blickrichtung Westen bei Fotografen beliebt.

Desert Museum

Der Begriff **Wüstenmuseum** trifft nach deutschsprachigem Verständnis nicht ganz, was den Besucher erwartet. Tatsächlich handelt es sich um die gelungene Kombination eined großen Botanischem Gartens mit Kleintierzoo unter der Thematik **»Flora und Fauna der Wüste«**. Dazu gibt es nirgends Besseres: Über 300 in der Wüste beheimatete Tierarten sind vorbildlich untergebracht, über 1000 Pflanzenarten, darunter zahlreiche Kakteen, zusammengetragen. Eintritt $9 im Sommer, sonst $12, Kinder bis 12 Jahre $2/$4, geöffnet 7.30-17 Uhr im Sommer, Juni-August Sa bis 22 Uhr; vor *Memorial*/nach *Labor Day* ab 8.30 Uhr; www.desertmuseum.org. Die kolossale Parkkapazität zeugt von der mittlerweile hohen Beliebtheit dieses einstigen Geheimtipps.

Saguaro National Park Westareal

Das Westareal des ***Saguaro National Park*** grenzt an den *Tucson Mountain Park*. Im Gegensatz zum Ostareal stehen hier die Saguaros in großer Dichte, darunter vielarmige Exemplare von beachtlicher Größe. Das ***Red Hills Visitor Center*** (9-17 Uhr, Eintritt ➤ Seite 527; www.nps.gov/sagu) liegt ca. 2 mi östlich des Wüstenmuseums. Der an sich empfehlenswerte ***Bajada Loop Drive*** (6 mi Schotter) noch etwas weiter östlich läuft zwar durch schöne Saguarobestände, ist aber rau und staubig, daher ziemlich mühsam zu befahren. Eine Alternative bietet die ***McCain Loop Road*** außerhalb südlich des Nationalparks mit ebenfalls vielen Saguaros.

Old Tucson Studios

Zwischen der Straße #86 und *Desert Museum* liegt die künstliche ***Western Town Old Tucson***. Dieser 1939 zunächst für den Western-Klassiker »Arizona« errichtete Nachbau von Tucson vor der Jahrhundertwende ist eine 100%ige Western-Kulisse mit *Railroad Station, Sheriffs Office, Saloon* und einem Galgen vor dem Panorama der *Tucson Mountains*. Zum Zuschauen gibt es *Cowboy Stunt-Shows*, Bankraub und Rodeo, zum Mitmachen Postkutschenfahrten, Goldwaschen und Ausritte. Täglich 10-18 Uhr, Eintritt $17; bis 11 Jahre $11; www.oldtucson.com.

Wildwest-Bahnstation Old Tucson. Auf einem Rundkurs geht es durch den Tucson Mountain Kakteen-Park

Indianerfriedhof am Wege auf der Fahrt von Tucson zum Organ Pipe Cactus National Monument

4.4.9 Von Tucson über Phoenix zurück nach Las Vegas

Routen Tucson–Phoenix

I-10 nach Phoenix

Für die Fahrt in Richtung Phoenix liegt die Benutzung der *Interstate* #10 als direkte Route nahe. Sehr pittoresk unter der gleichnamigen Höhe liegt der ***Picacho Peak State Park*** mit einem wiederum schönen Bestand an *Saguaros*, ***Campingplatz*** und mehreren *Trails*, von denen man weit über das Land schaut.

Bei Interesse an den ***Casa Grande Ruins***, den Resten einer mehrstöckigen, präkolumbischen Adobekonstruktion, verlässt man die I-10 bei *Exit* 211. Das *Nat'l Monument* befindet sich nördlich von Coolidge beim Straßendreieck #87/#287, $5; www.nps.gov/cagr.

Umweg über Organ Pipe

Auf der I-10 benötigt man für die 115 mi von Tucson nach Phoenix nur gute zwei Stunden reine Fahrzeit. Die Streckenlänge erhöht sich um etwas mehr als das Doppelte bei mindestens verdreifachter reiner Fahrzeit, wählt man den Umweg über das ***Organ Pipe Cactus National Monument***, einen weiteren Kakteenpark mit dem Vorzug der abgeschiedenen Lage. Sofern man einen Extratag erübrigen kann (möglichst mit Übernachtung auf dem in ein Kakteenfeld eingebetteten ***Campground***), sollte man diesen Abstecher in Erwägung ziehen. Bereits die Straße #86/#85 durch die Einsamkeit der ***Sonora Desert/Papago Indian Reservation*** – wiewohl gleichzeitig ermüdend – ist ein Erlebnis für sich.

Kitt Peak Observatory

Am Wege passiert man die Zufahrt zum *Kitt Peak* Observatorium mit einer Kollektion gewaltiger Teleskope (***Telescope Alley***). Wer die steile Strecke (ca. 20 mi retour) nicht scheut, findet oben ein ***Visitor Center*** mit Filmvorführung und darf die Anlagen auf einer *Self-Guided-Tour* oder mit Führung (3x täglich 10, 11.30 und 13.30 Uhr) bestaunen; Zeiten 9-16 Uhr; $2. Einen **Picknickplatz** unter Eichen passiert man an der Auffahrt; www.noao.edu/kpno.

Organ Pipe National Monument

Der namensgebende ***Organ Pipe Cactus***, ein ansonsten in den USA nicht so sehr verbreiteter, loser Strauß stachliger Arme ist nicht einmal die überwiegende Kaktusart im Nationalmonument. Seine Vegetation umfasst die ganze Vielfalt der Wüstengewächse,

Eintritt
$8/Auto
$4/Person
oder
Interagency Jahrespass

wie sie in anderen, zivilisationsnäheren Parks kaum mehr zu finden ist. Die kaktusspezifische Einführung zu Flora und Fauna des Gebietes erhält man im ***Visitor Center*** (8-17 Uhr), 22 mi südlich von Why, und auf einem ***Nature Trail***. Minimalaktivität sollte ein Ablaufen des ***Desert View Trail*** sein (ca. 2 km), am besten am Abend kurz vor Sonnenuntergang. Besser für die Morgenstunden spart man sich den ***Ajo Mountain Drive*** auf (21 mi), eine wild geführte, streckenweise sehr raue Schotterstrecke durch fantastisches Gelände (große RVs besser nicht); www.nps.gov/orpi.

Ajo

Bei Weiterfahrt über **Ajo**, einer einst reichen Kleinstadt, sollte man die Auffahrt (Indian Village Road) hinauf zur stillgelegten **Kupfermine** nicht übersehen. Am Rande dieses Riesenlochs in der Landschaft wurde ein altes Kirchlein in ein **Museum** umfunktioniert. Der zentrale Bereich um die palmengesäumte Plaza herum erinnert an die einst mexikanische Periode.

Nach Phoenix über den Apache Trail

Ein in seiner Charakteristik ganz anderer **östlicher Umweg**, der vom Zeitbedarf her ähnlich wie der westliche einzuschätzen ist, entspräche der **Straßenkombination #77** (Oracle Road)/**#88** von Tucson über Oracle und Globe. Auf ihr steuert man Phoenix über den ***Roosevelt*** **Stausee** und den ***Apache Trail*** an.

Biosphere 2

An dieser Strecke passiert man kurz vor Oracle die Zufahrt zu ***Biosphere 2***, wo einst 8 Männer und Frauen 2 Jahre in einem geschlossenen, mit der Umwelt nicht verbundenen ökologischen System lebten. Später übernahm die *Columbia University* die wissenschaftliche Betreuung des nun ohne »Bionauten« weitergeführten Projekts. Touristen dürfen die künstlichen Ökosysteme für viel Geld bestaunen. Geöffnet täglich 9-16 Uhr, $20, Kinder bis 12 Jahre $13; www.bio2.com. Lohnt nur bei großem Interesse.

Tonto Nat'l Monument

Auf der **Straße #77** geht es durch eine einsame Gebirgslandschaft voller Saguaro-Kakteen bis Globe und weiter **auf der #88** zum ***Roosevelt Lake***. Kurz vor Erreichen des Staudamms liegt linkerhand das ***Tonto National Monument***, ein ***Cliff Dwelling*** hoch in der Felswand. Im Gegensatz zum ähnlichen *Montezuma Castle* (➢ Seite 544) darf man es über Stiegen begehen (8-17 Uhr, $3 oder *Interagency Pass*); www.nps.gov/tont.

Camping neben einem Exemplar der Organ Pipes

Apache Trail

Die Straße folgt nach Westen dem alten ***Apache Trail*** durch eine schroffe Bergwelt hoch über den *Apache, Canyon* und *Saguaro Lakes*. **Tolle Strecke**, aber ein längeres Teilstück (ca. 30 mi) ist nicht asphaltiert, z.T. sehr steil, eng und oft in üblem Zustand. Mit ***Motorhomes*** abzuraten, andere Fahrzeuge nur bei gutem Wetter. Am Wege liegt der ***NF-Campground Burnt Corral*** unmittelbar am **Apache Lake**. Sehr schön campt man auf grünem Rasen am **Canyon Lake** (gepflegter ***Lakeside Campground***, © (480) 288-9233; www.canyonlakemarina.com/campground/index.htm), Zelte stehen separiert von den RVs nah am Ufer; $20/$30.

Die **Alternativroute** zum *Apache Trail* ist die Straße #60, die ebenfalls schöne Teilstrecken aufweist.

Apache Junction

Etwa 5 mi nördlich von Apache Junction liegt der ***Lost Dutchman State Park*** vor den *Superstition Mountains*. Er verfügt über ***Campground*** (Duschen) und Picknickplatz zwischen Kakteen. In Nachbarschaft zum *State Park* befindet sich die originelle ***Goldfield Ghost Town*** im perfekten **1990er-Jahre *Look*** des 19. Jahrhunderts. *Steakhouse, Saloon,* Goldwaschen und eine echte alte Goldmine sorgen für Betrieb. Der Zutritt ist frei, Goldmine und Aktivitäten kosten entsprechend; www.goldfieldghosttown.com.

Mietboote auf dem Canyon Lake, eines der Wasserreservoirs für Phoenix: offenes Boot mit Outborder $75/Tag, Badeplattform für bis zu 8 Personen $300/Tag

Phoenix mit Scottsdale

Kennzeichnung, Information, Unterkunft und Camping

Situation der Stadt

Phoenix, die Metropole in der Wüste mit rund 1,5 Mio. Einwohnern (Großraum 2007 fast 4 Mio.), verdankt ihre Prosperität den Stauseen in den Bergen nordwestlich und -östlich des ***Valley of the Sun***. Ein System von Kanälen sorgt für die Bewässerung des Tals, das ausgedehnte Obst- und Gemüseplantagen beherbergt. Auch an Wasser für die zahllosen Pools und üppig begrünten Gärten besteht scheinbar kein Mangel. Die Verbindung solcher Wasserreserven mit dem Wüstenklima und die attraktiven Freizeitmöglichkeiten der Region machten das Sonnental über Jahre zur *Metropolitan Area* mit den höchsten Wachstumsraten der USA.

Klima

Bei Durchschnittstemperaturen um 20°C und »ewigem« Sonnenschein von November bis März ist die Expansion u.a. auch auf die Beliebtheit der Wüstenkapitale als **Winterresidenz** zurückzuführen. Wohlhabende Rentner und andere Leute, die sich das leisten können, verbringen den Winter gern in Arizona. Aber selbst die **Sommerhitze** lässt sich mit ***Air Condition*** in Haus und Auto und dem ***Pool*** im Garten ganz gut ertragen. Die **Energiekosten** dafür sind übers Jahr geringer als für die Heizung in vom Wetter weniger begünstigten Gebieten.

Information

Visitor Center Phoenix & Valley of the Sun an der Ecke 2nd/Adams Street unweit ***Arizona Center***, Mo-Fr 8-17 Uhr. © 1-877-225-5749 oder © (602) 254-6500; www.phoenixcvb.com.

Winterresorts Phoenix/Scottsdale

Wer Wochen oder Monate im Winter oder Frühjahr unter der warmen Sonne Arizonas verbringen kann, gehört nicht zu den Armen im Lande. Das Angebot an **Resorthotels** der Ober- bis Luxusklasse in Phoenix und vor allem Scottsdale ist daher enorm. Es gibt aber auch viele ordentliche H/Motels in mittlerer Preislage.

Saisonpreise

Die hohe, auf die Winternachfrage ausgerichtete Kapazität führt **zu günstigen bis niedrigsten Hoteltarifen ab Mai bis Mitte Oktober**. Preiswert kommt man u.a. im Bereich der Ausfallstraßen unter, z.B. an der **I-17 North/*Black Canyon Hwy***, ***Superstition Freeway*** und ***Apache Trail/Blvd*** in **Tempe** und **Mesa**. Auch die luxuriösen Hotelkomplexe etwa in der Scottsdale Road reduzieren in der Nebensaison ihre Preise um 50% und mehr.

Airport

Im relativ zentral gelegenen **Airportbereich** sind die Tarife etwas saisonunabhängiger, aber auch dort gibt's Mai-Oktober gute Angebote, so z.B. die üblichen ***Weekend Specials***.

Der Übergang von Airportnähe zum **zentralen Bereich** ist wegen der kurzen Distanz fließend. Viele billige (und einfache), aber auch Häuser der unteren Mittelklasse stehen an der **Van Buren Street *East*** flughafen- **und** zentrumsnah, Mittelkasse- und bessere Quartiere an der 44th Street (Straße #153). Man braucht die Van Buren bzw. die #153 nur abzufahren. Ein gutes Preis-/Leistungsverhältnis bietet an der Van Buren u.a.

- **Travelodge Airport**, © (602) 275-7651, 2900 Van Buren, östlich *Downtown*, ab $56, kürzlich renoviertes Motel mit Wifi, ab $69

In der Nähe liegen ***Super 8***, ***Econolodge*** und ***Days Inn***, ab $59.

Wer sich in bei Phoenix etwas gönnen möchte, bucht das

- **The Buttes Tempe Resort**, 2000 Westcourt Way in Tempe nur wenig südlich der I-10, ca. 3 mi vom Airport entfernt, © 1-888-867-7492, eine tolle Anlage über Phoenix mit Weitblick, versetzten Ebenen, Pools und Wasserfall; im Sommer ab $139; http://marriott.com/hotels/travel/phxtm-the-buttes-a-marriott-resort.

Das ***International Hostel*** (HI) in Phoenix heißt

- **Metcalf House**, © (602) 254-9803, 1026 N 9th St, $18-25, DZ ab $30, Juli/Aug. wegen Hitze geschlossen! www.phxhostel.com.

Hotels in Scottsdale

In und um Scottsdale ist – wie gesagt – die Auswahl an *Resort Hotels* besonders groß. Wer solche Quartiere buchen möchte, sollte nicht direkt auf deren Internetseiten suchen, sondern über Hotelbuchungsportale oder hiesige Veranstalter vorbuchen oder sich bei Ankunft vor Ort informieren. Platz ist April-November immer. Eine Gefahr, nicht unterzukommen, besteht nicht.

Auch in Scottsdale gibt es auch ganz normale Hotels und Motels ohne Poollandschaften etc.pp. zu relativ normalen Preisen:

- Das **Days Inn Fashion Square**, ✆ (480) 947-5411, 4710 N Scottsdale Road zwischen der *Shopping Mall Fashion Square* und Old Town Scottsdale, ist eine praktische Adresse und ganz o.k., ab $79, aber preiswerter (ab 42 Euro) bei hiesigen Veranstaltern.

Camping

Nördlich von Phoenix fährt man von der I-17, *Exit* 223, durch Wüstenlandschaft auf dem *Carefree Highway* zum Stausee ***Lake Pleasant***. Der schön gelegene und angelegte ***Desert Tortoise Campground*** im *Regional Park* auf der Westseite des Sees zwischen Kakteen kostet $10 ohne Anschlüsse, $18 mit *Hook-ups*. Campen an diesem Stausee ist die beste Option im Großraum Phoenix; ✆ (602) 372-7460, www.peoriaaz.com/lakepF.htm.

In Tempe und Mesa ballen sich **RV-Komfortplätze**; sie sind vor allem am ***Apache Trail*** (Straße #88) nicht zu verfehlen.

Anlaufpunkte und Sehenswürdigkeiten

Im Großraum Phoenix sind »echte« Sehenswürdigkeiten dünn gesät. Wegen der großen Entfernungen dürfte man für die hier genannte ziemlich überschaubare Zahl an »Anlaufpunkten« kaum unter 3 Tagen benötigen, würde man sie alle gebührend wahrnehmen. Abgesehen von ausgeprägten Sonderinteressen, wären prioritäre Anlaufpunkte der ***Desert Garden***, das ***Heard***-, ggf. noch das ***Art Museum*** und – als kommerzielles Kontrastprogramm mit Shops und Kneipen – die ***Old Town*** in Scottsdale.

Anfahrt

Auf der bisher verfolgten Route ab Tucson, sofern man nicht über das *Organ Pipe Cactus NM* fährt, erreicht man den Großraum Phoenix von Casa Grande (I-10) oder Apache Junction (Autobahn #60 oder *Apache Trail* #88) aus, d. h., zunächst Phoenix' Schwesterstadt **Tempe**. Nördlich »darüber« liegt **Scottsdale**.

Scottsdale

Scottsdale ist die anspruchsvollste Adresse im ***Valley of the Sun***. Wohnanlagen mit allen Schikanen und – wie erläutert – Resorthotels sind in Scottsdale noch zahlreicher als ohnehin schon, die Alleen noch grüner und die Einkaufszentren noch aufwendiger.

Eine kleine **Altstadt im *Western Look*** (Scottsdale Road unterhalb Indian School Road) und die ***5th Ave Shopping Area*** (verkehrsberuhigte Zone) oberhalb der Indian School Road und unterhalb des *Arizona Canal* markieren das Zentrum von Scottsdale. Originelle **Souvenirshops** und sehr schöner Schmuck sind dort zuhauf zu finden, dazu **Galerien**, jede Menge ***Eateries*** und **Kneipen**. Ganz hübsch und bei Hitze zur Abkühlung geeignet (Teiche und Wasserläufe für die Füße) ist der an die *Old Town* anschließende ***City Park*** mit den Gebäuden der Stadtverwaltung drumherum und einigen Lokalen mit Open-air Terrasse. Die klimatisierte ***Fashion Square Mall*** liegt nur einen Steinwurf entfernt jenseits des *Arizona Canal* an der Scottsdale Road. Ein gratis verkehrender ***Trolley*** verbindet die Bereiche in Scottsdales Downtown.

Einfahrt zur Scottsdale Old Town

Desert Garden/ Zoo

Am Galvin Pkwy/McDowell Rd liegt der ***Desert Botanical Garden***, ein ausgezeichneter Park voller Kakteen und Sukkulenten, den besuchen sollte, wer das *Arizona-Sonora Desert Museum* bei Tucson verpasst (hat). 7/8–20 Uhr, $10; www.desertbotanical.org. Vom Botanischen Garten führt der Galvin Parkway vorbei am ***Phoenix Zoo*** (8-17 Uhr im Winter, Sommer 7-14/16 Uhr, $14, bis 12 Jahre $6) zur Van Buren St; www.phoenixzoo.org.

Zentren in Phoenix

Die Van Buren Street läuft weiter westlich durch das relativ kleine **City Center** rund um die Central Ave/Washington Street. Eine Art **zweites Geschäftszentrum** hat sich im Bereich der Central Ave oberhalb der McDowell Road entwickelt.

National-heroisches »naives« Kunstwerk zum Golfkrieg 1991 im Park beim Arizona State Capitol

Downtown

In ***Downtown* Phoenix** steht im Gegensatz zu anderen Cities dieser Größe nur eine »Handvoll« der üblichen Glas- und Betonpaläste. Sehenswert sind eigentlich nur das ***State Capitol*** (Adams St/17th Ave) und der gegenüberliegende Park mit künstlerischer Interpretation der jüngeren Geschichte der USA, u.a. mit ***Vietnam*** und ***Gulf War Memorial***.

Museen

Außerhalb des Zentrums bietet Phoenix nicht ganz viel. Sehenswert ist die Stadt und ihre Anlage als solche. Die folgenden Phoenix-Museen verdienen aber Interesse:

- Das ***Arizona Mining und Mineral Museum***, 1502 Washington Street beim *State Capitol*, zeigt die Bodenschätze Arizonas und Abbaumaschinerie; Mo-Fr 8-17 Uhr, Sa 11-16 Uhr, $2; www.admmr.state.az.us.
- Das ***Phoenix Art Museum***, 1625 Central Ave, ein riesiger Komplex, besitzt eine beachtliche Sammlung europäischer Meister des späten Mittelalters und einige Impressionisten, Werke von Picasso und ansonsten moderne Amerikaner. Eintritt $10, bis 17 Jahre $4, Di-So 9-17 Uhr, Di 15-21 Uhr frei;www.phxart.org.
- Das ***Heard Museum***, 2301 N Central Ave/Encanto Ave (einige Blocks nördlich des Kunstmuseums) beeindruckt schon durch seine mexikanisch inspirierte Architektur, mehr noch durch

eine sehr gut präsentierte Ausstellung zu Leben und Kultur der Südwest-Indianer (*Pueblo/Navajo/Hopi/Apache*). Eintritt $10, bis 12 Jahre $3, geöffnet täglich 9.30-17 Uhr; www.heard.org.

Soleri Windbells in der Cosanti Foundation

Cosanti Foundation

Die Ergänzung zur eventuellen späteren *Arcosanti*-Besichtigung wäre ein Besuch in der ***Cosanti Foundation***. Die Gebäude der Stiftung, eingebettet in einen grünen Garten an der 6433 Double Tree Ranch Road nördlich von Scottsdale, waren zum Zeitpunkt ihrer Errichtung durch *Paolo Soleri* in den 1950er-Jahren revolutionär, heute wirken sie etwas vernachlässigt, aber immer noch extravagant. Im Laden gibt es (teure) ***Soleri Wind Bells*** sowie Broschüren zur Vision *Arcosanti*. Öffnungszeiten Mo-Sa 9-17, So ab 11 Uhr, aber variabel. Vor der Anfahrt klären: © (928) 632-6212; www.arcosanti.org.

Taliesin West

Von der *Cosanti Foundation* ist es nicht mehr sehr weit nach ***Taliesin West***, der Architekturschule von ***Frank Lloyd Wright*** in den *McDowell Mountains* oberhalb der City (Cactus Rd E, dann 108th St nach Norden zur Taliesin Rd West). Der Weg lohnt sich nur für Architekturenthusiasten mit Vorkenntnissen. Führungen $18-$35. Zeiten und Details auf www.franklloydwright.org.

Sun City West

Das **Kontrastprogramm** zur ideenreichen Architektur von *Wright* und *Soleri* wurde in Sun City verwirklicht, dem **Rentnerparadies** im Einheitslook nordwestlich von Phoenix an der Straße #60/#89. Die von vornherein für Pensionäre geplante Stadt ist größtenteils von Mauern umfriedet. Das Klima, die Makellosigkeit von Straßen und Gärten, gepflegte Golfplätze, glasklare *Pools*, perfekte medizinische Betreuung sowie eigene Renter-Hilfssheriffs scheinen der Realisierung des amerikanischen Traums vom Altenteil voll zu entsprechen. »*The most beautiful place on earth*«, versicherte einst ein älterer Herr dem Autor; www.scwaz.com.

Auch für die »**Alten**« **im *Motorhome*** ist gesorgt: U.a. in **Surprise** zwischen Sun City und Sun City West findet man den Riesen-Super-Komfort Platz (vorzugsweise für Senioren) im ***Sunflower Resort***, 16501 N El Mirage Road, © (623) 583-0100, www.calam.com/subpages/sunflowerhome.asp.

Von Phoenix nach Los Angeles und nach Las Vegas

Nach Los Angeles

Phoenix könnte durchaus **Start- oder Endpunkt** dieser Rundstrecke sein. Eine **rasche Verbindung** besteht über die ***Interstate* #10 mit Los Angeles** (ca. 380 mi). Die I-10 verläuft eintönig, bietet aber in Tagesetappendistanz den eindrucksvollen ***Joshua Tree National Park*** als Zwischenziel, ➤ Seite 271.

Routen nach Las Vegas

Die **schnellste Route** von Phoenix zurück zum hier zugrundegelegten Ausgangspunkt Las Vegas ist die recht ereignislose Straßenkombination #89/#93 (ca. 300 mi). Ein **Umweg** über die Stauseen am unteren Colorado River über **Parker** und **Lake Havasu City** lohnt sich nur bei viel Zeit, eignet sich aber zum **Ausspannen vom Reisestress**, ➤ Seite 276.

Beste Alternative

Reizvoller wäre die Fahrt **über Sedona nach Flagstaff**, wo sich der Kreis einer Rundfahrt durch Arizona und New Mexico schließen würde. Dabei muss allerdings bei Ziel Las Vegas zusätzlich zur #93 ggf. ein bereits bekanntes Teilstück der *Interstate* #40 zum zweiten Mal gefahren werden.

Arcosanti

Das schon erwähnte ***Arcosanti*** wurde bei Cordes Junction, 50 mi nördlich von Phoenix unweit der I-17, in ein tristes Wüstenumfeld hineinkonstruiert. Eine Schotterpiste (2 mi) führt zur visionären **Wohnanlage *Soleris***. Die heutige Realität des Komplexes scheint kaum dem Anspruch vom kollektiven ökologischen Wohnen zu entsprechen. Aber der Idealismus der Bewohner hat offenbar unter den Problemen des Alltags nicht gelitten. Es existiert ein ansehnliches ***Visitor Center***, Informationsmaterial ist reichlich vorhanden. *Arcosanti* öffnet 9-17 Uhr; **Führungen** 10-16 Uhr stündlich; dafür »freiwillige« Spende $8; www.arcosanti.org.

Montezuma Castle NM

Das ***Montezuma Castle National Monument*** liegt nur 30 mi nördlich von Cordes Junction dicht an der *Interstate*. Die gute Erreichbarkeit lässt viele Ausflügler auf dem Weg zum *Grand Canyon* dort eine Pause einlegen (8-18 Uhr im Sommer, sonst bis 17 Uhr; **$5/Person** oder ***Interagency Pass***). Zu besichtigen gibt es

Arcosanti, Vision vom kollektiven Wohnstil der Zukunft in der Halbwüste Arizonas, ➤ *folgende Seite*

Mexikanische Musiker aus Alteisen in einem Shop für Schilder und Antiquitäten in Sedona

nicht ganz viel. Das irrtümlich von den Spaniern als **Aztekenschloss** interpretierte Gebäude in den Felshängen am *Beaver Creek* kann man nur aus der Distanz betrachten. Es ist nicht so sehenswert wie die ähnlichen Ruinen von Tonto, ➤ Seite 536; www.nps.gov/moca.

Montezumas Well

Viel weniger Touristen schauen sich, wohl wegen der größeren Distanz zur *Interstate* und der schlechten Zufahrt, auch noch ***Montezumas Well*** an. Dabei ist der kraterartige Teich, der seit Jahrtausenden von unterirdischen Quellen gespeist wird, in seiner Art einmalig. Die dichte Vegetation und landwirtschaftliche Nutzung der Umgebung wären ohne dieses Wasser nicht vorhanden. Ein **Picknickplatz** liegt am Wege.

Tuzigoot National Monument

In kulturhistorischem Zusammenhang mit dem *Montezuma Castle* ist das ***Tuzigoot National Monument*** zu sehen. Die ***Tuzigoot Ruins*** stehen hinter Cottonwood auf einem Hügel im Tal des Verde River. Fundstücke und museale Erläuterungen im ***Visitor Center*** (8-18 Uhr im Sommer, sonst bis 17 Uhr; **$5/Person** oder oder ***Interagency Pass***) und auch der Rundgang durch das kompakte ehemalige Dorf sind ergiebiger als im Fall *Montezuma*. Dennoch ist der Abstecher nur lohnenswert bei ausgeprägtem Interesse an der *Sinagua*-Kultur (➤ *Walnut Canyon* auf Seite 488); www.nps.gov/tuzi.

Jerome

Zwischen Prescott und Cottonwood führt die steile **Straße #89A** durch Jerome, ein Städtchen, das sich gerne und werbewirksam als »wiederauferstandene« ***Ghosttown*** bezeichnet. **In Wahrheit** handelt es sich bei Jerome um eine noch nicht sehr alte Kupfer-*Boomtown*, die nach Aufgabe der Förderung zunächst weitgehend verkam, bevor 1965 ein **Minenmuseum** eingerichtet und zum ***State Historic Park*** deklariert wurde. In der ***Old Town***, faktisch einer kurzen, nur teilweise originellen *Main Street*, gibt's ein paar alte ***Saloons*** und die üblichen *Giftshops*. Das Beste an Jerome ist der **Blick übers *Cottonwood Valley*** auf die fernen Felsen des *Oak Creek Canyon*; www.azjerome.com.

Sedona

Rund um Sedona beeindrucken rostrote **Monolithen** und die Steilwände des ***Lower Oak Creek Canyon***. Die Landschaft ähnelt der des *Monument Valley*, wobei hier Tal und Hänge bewaldet und in Privateigentum sind. Villenareale und Resorthotels haben das Gebiet zersiedelt: Anschauungsunterricht zur Frage, was geschieht, wenn attraktive Landschaften nicht unter Staats- oder Nationalparkschutz stehen; www.visitsedona.com.

Als touristisches Zentrum der Region und der ***Vortex-*** (Erd-Energiewirbel) und ***New Age*-Anhänger** wird Sedona von **Wochenendbesuchern** aus dem heißen Phoenix oft förmlich überflutet. So sind in den letzten Jahren zahlreiche neue ***Hotels***, ***Inns*** und auch romantische ***Bed&Breakfast Places*** zusätzlich in die Landschaft gesetzt worden mit der Folge eines ungewöhnlich hochwertigen Zimmerangebots. Es überwiegen Quartiere mit Tarifen weit über $100. Relativ preiswerter sind nur ein paar Kettenmotels wie ***Super 8*** oder ***Hampton*** mit Tarifen unter der ab $100-Marke.

Mit dem Edeltourismus hat sich auch eine dichte **Gastronomie** entwickelt. In Sedona gibt es viele **attraktive Restaurants** mit *Open-air*-Terrassen, zudem jede Menge Shops und Kunstgalerien.

Alles auf schönste miteinander verbindet das architektonisch gelungene und parkartig begrünte ***Arts & Crafts Village Tlaquepaque***. Es liegt auffällig an der #89A durch den Ort; www.tlaq.com.

State Parks

Attraktive Einzelziele bei Sedona sind u.a. die ***State Parks Red Rock*** (südlich) und ***Slide Rock*** (im Canyon Bereich nördlich des Ortes). Letzterer ist besonders beliebt wegen seiner pittoresken ***Pools*** im felsigen Bett des *Oak Creek*; www.azparks.gov/Parks/parkhtml/redrock.html. Campen kann man dort allerdings nicht.

Mehrere ***NF-Campgrounds*** (Zeltplätze, aber ***Cave Springs*** und ***Pine Flat*** auch für RVs) liegen an der #89A im unteren Bereich des bewaldeten *Canyon*.

Nach Flagstaff/ Las Vegas

Flagstaff, gut 800 m höher gelegen als Sedona, erreicht man nach 27 mi Serpentinenfahrt durch den – nur streckenweise so malerischen wie in vielen Veröffentlichungen beschriebenen – ***Oak Creek Canyon***. Den größten Teil der Strecke sieht man wegen des Waldes nicht ganz viel.

Nach Las Vegas sind es von dort rund 250 mi. Weiterfahrt nach Westen wie eingangs dieses Kapitels in West-Ost-Richtung erläutert, ➤ Seiten 476ff.

5. SEATTLE MIT STARTROUTEN

5.1 Seattle

5.1.1 Geschichte, Klima und Geographie

Geschichte

Die **Ursprünge** des heutigen Seattle liegen nur wenig mehr als hundert Jahre zurück: 1889 brannte die damals 30 Jahre junge 20.000-Seelen Stadt bis auf die Grundmauern nieder und wurde beim Wiederaufbau um rund 10 m »geliftet« (➤ *Underground Tours,* Seite 557). Die große Stunde Seattles schlug im letzten Jahrzehnt des 19. Jahrhunderts. Die Fertigstellung (1893) des nördlichsten transkontinentalen Schienenstrangs durch die USA kam gerade recht, um die Hafenstadt an der Elliott Bay ab 1896 für ungezählte Abenteurer zum Hauptausgangspunkt der Reise in die Goldrauschgebiete am Klondike und in Alaska zu machen und gleichzeitig in die weitere Versorgung des hohen Nordens einzusteigen. Der Schiffbau florierte, Seattle wurde zur maritimen Drehscheibe für den nördlichen Pazifik und später **Luftkreuz** für diese Region. Der größte Teil der dort startenden und landenden Flugzeuge wird in der Stadt selbst und im nahen Everett gebaut. ***Boeing*** ist bedeutendster Arbeitgeber nicht nur in Seattle, sondern aller Nordweststaaten (Geführte Besichtigung von *Boeing,* ➤ Seite 558). Eine seinerzeit international noch erhebliche Beachtung findende Weltausstellung brachte Seattle **1962** wichtige ökonomische und infrastrukturelle Impulse, die sich stark aufs Stadtbild auswirkten. Das *Seattle Center* und einige großangelegte Maßnahmen der Innenstadtsanierung gehen auf jenes Ereignis zurück.

Wer mehr zur Geschichte von Seattle und Washington State erfahren möchte, wird bestens informiert unter www.historylink.org.

Lage und Klima

Die nördlichste City (570.000, Großraum 1,7 Mio. Einwohner) der kontinentalen USA liegt auf einer im zentralen Bereich nur 4 km breiten, hügeligen Landenge zwischen einem tief nach Süden reichenden Meeresarm, dem ***Puget Sound***, und dem fast 30 km langen Binnensee ***Lake Washington***. Die **Kaskaden** im Osten und die ***Olympic Peninsula*** mit dem gleichnamigen Gebirge und Nationalpark im Westen bewahren Seattle vor extremen klimatischen Schwankungen. Warmes, wechselhaftes Sommerwetter mit Temperaturen, die selten 25°C übersteigen, und milde Winter mit hohen Niederschlägen sorgten für den schönen Ruf der Stadt als ***Rain Capital*** der Vereinigten Staaten. Gleichzeitig gibt es keine andere US-Großstadt, deren Einwohner ähnlich vielfältige Möglichkeiten zur Freizeitgestaltung haben. Jede Menge Salz- und Süßwasserreviere samt Inselwelt ringsum und Berglandschaften unterschiedlichster Charakteristik bieten beste Voraussetzungen für alle erdenklichen Sommeraktivitäten und Wintersport. Da sich das Wasser des *Puget Sound* (www.psat.wa.gov) stärker erwärmt als das des Pazifik, eignen sich auch die Salzwasserstrände der Stadt im Juli und August gut zum Baden.

5.1.2 Orientierung, Information und öffentlicher Transport

Freeways durch Seattle

Drei Autobahnen führen in Nord-Süd Richtung durch *Metropolitan Seattle*. Während die **I-405** als östliche Stadtumgehung für den Durchgangsverkehr konzipiert wurde, tangiert die **I-5** auf über einer Meile unmittelbar das Zentrum. Parallel zur I-5 wurde der ***Highway #99*** ausgebaut und verläuft im Citybereich auf Pylonen doppelstöckig zwischen Elliot Bay und Innenstadt. Nach Osten verbinden ***Interstate Freeway*** **#90** (Seattle-Boston) und die **Straße #520** (beide über den Lake Washington) Seattle mit der I-405.

Anfahrt

Bei Anreise mit dem Auto, aus welcher Richtung auch immer, sollte man erwägen, das Zentrum von Seattle über die I-405 und die #520 anzusteuern (statt auf direktem Wege auf der I-5, ggf. I-90). Die Fahrt über den Lake Washington auf der ***Evergreen Point Bridge*** und die aus dieser Richtung besonders eindrucksvolle ***Skyline*** der Stadt sind allein schon den Umweg wert, gleichzeitig bieten sich nach Passieren der Brücke bereits mehrere erste Besuchspunkte an, nämlich ***Washington*** und ***Volunteer Park*** und einige Museen. Die Mehrzahl der weiteren Sehenswürdigkeiten Seattles liegt relativ nah beieinander in ***Downtown*** (zwischen den beschriebenen *Freeways* #99/I-5 und Jackson/Pine Streets) oder im ***Seattle Center***, eine gute Meile entfernt vom Geschäftszentrum.

Transport ab Airport

www.portseattle.org/seatac

Die **Busrouten #174** (45 min) und **#194** (Express 30 min) verkehren nach *Downtown* Seattle/Westlake Plaza. Von Downtown zum *Airport* Abfahrt an der Ecke 4th Ave/Stewart Street (hinter *Macy´s*). Unter http://transit.metrokc.gov findet man die Fahrpläne; Infos auch unter © 1-800-542-7876 oder © (206)-BUS-TIME.

Parken

Wie in den meisten Großstädten gibt es während der üblichen Bürozeiten erhebliche **Parkprobleme**. Für einen kurzfristigen Besuch hat man an der ***Waterfront*/Alaskan Way** und südlich/östlich des ***Pioneer Square*** bzw. nördlich von *Downtown* noch die besten Aussichten auf eine **Parkuhr**. Pkw-Fahrer finden in *Downtown* viele (teure) Parkgaragen. Dank des gut ausgebauten öffentlichen

Parken am Seattle Center und Weiterfahrt per Monorail ins Zentrum (hier Endstation an der Westlake Mall, 5th Ave/Pine St) erspart Parkplatzsuche in der City

Transportsystems (nächster Absatz) könnte man das Fahrzeug weiträumig abstellen, etwa auf den großen Parkplätzen rund ums *Seattle Center* (während Veranstaltungen indessen teuer). Die ***Visitors Information*** hat eine Broschüre ***How to park in Seattle*** mit allen Parkmöglichkeiten in *Downtown* und weiteren Details; www.seattle.gov/transportation/parking.

Mit **Wohnmobilen** sollte man wegen der starken Steigung einiger Ost-West-Straßen mit *Stop-and-go*-Situationen die Innenstadt besser meiden bzw. nur die Nord-Süd-Achsen befahren.

Öffentliche Verkehrsmittel

Vom *Seattle Center* verkehrt eine ***Monorail*** ins Zentrum (Pine Street/5th Ave; *Ticket one-way* $2), ➤ Foto umseitig; www.seattlemonorail.com. Die **City-Busse** im zentralen Bereich zwischen I-5 und *Waterfront* (darunter eine unterirdisch geführte Linie ***Tunnel Bus***, z. Zt. bis Ende 2007 außer Betrieb, bis dahin Ersatzbusse überirdisch) ab 9th Ave unter der Pine Street und der 3rd Ave bis zur King Street Station sind **gratis (*ride free area***, Karte auf http://transit.metrokc.gov/ tops bus/ridefree.html). Busse außerhalb der freien Zone kosten $1,25-$2, **Tagesbesucherpässe $5**.

An der ***Waterfront*** (Alaskan Way) wird der bisherige Busersatzverkehr Mitte 2007 wieder von einer ***Streetcar*** (Straßenbahn) abgelöst. Eine weitere Linie zum *Lake Union* ist im Bau. Die Distanzen zwischen den wichtigsten Sehenswürdigkeiten der Innenstadt lassen sich aber ganz **gut zu Fuß** bewältigen.

Sightseeing

Wer Lust hat, im Amphibienfahrzeug durch Straßen und übers – in Seattle reichlich vorhandene – Wasser zu fahren, bucht für $25/$13 ***Ride the Ducks*** (➤ Seite 54), ✆ 1-800-817-1116 oder (206) 441-DUCK, www.rideth educksofseattle.com. Reservierung empfehlenswert. Abfahrten 10-17 Uhr halbstündlich.

Information

Das zentrale ***Seattle Visitors Bureau*** befindet sich im Erdgeschoss des *Convention Center*, 8th/Pike St, Mo-Fr 9-13/14-17 Uhr, (206) 461-5840. Hilfreich sind die mit Karten versehenen Gratisbroschüren »***Seattle/King County Visitors Guide***« (halbjährlich neu), ***Where Seattle*** (monatlich mit Veranstaltungskalender) und der separate ***Lodging Guide Seattle/King County*** für die Mehrheit der Unterkünfte in Seattle und Umgebung; www.visitseattle.org.

Vom *Seattle Center* ist es nicht weit zum **AAA-Büro** in der 330 6th Ave North zwischen Harrison und Thomas St (Mo-Fr 8.30-17.30 Uhr). Stadtpläne und Infomaterial auch dort.

5.1.3 Unterkunft, Camping, Essengehen

Die Tarife von Hotels und Motels variieren in Seattle stark.

Flughafenbereich

Der **Airport Bereich** (Straße #99) ist dicht besetzt mit Unterkünften: neben den üblichen Nobelherbergen vor allem mit Häusern ab unterer Mittelklasse. An Wochenenden stehen oft Zimmer leer, und das Preisniveau sinkt etwas. Für $89 findet man dann auch schon mal sehr gute Quartiere. Werktags gibt es Mittelklasse-Zimmer etwa **ab $80**: **Clarion Hotel, La Quinta, Holiday, Hampton u.a**. Etwas billiger sind

- **Red Roof Inn**, © (206) 248-0901, 16838 Int'l Blvd, ab $55
- **Rodeway Inn**, © 1-800-424-6423, 2930 S 176th St, ab $54
- **Econolodge**, © (206) 824-1350, 19225 Int'l Blvd, ab $59
- **Sleep Inn**, © (206) 878-3600, 20406 Int'l Blvd, ab $59
- **Motel 6**, © (206) 241-1648, 18900 47th Ave, ab $45

Downtown

Preiswerte Unterkünfte gibt es in der Innenstadt fast nicht. Erst in der **Aurora Ave** nördlich des *Seattle Center* beidseitig des Washington Channel findet man einfache **Motels mit regulären Preisen ab $45-$69**. Je näher man dem *Seattle Center* und *Downtown* kommt, umso teurer werden die Zimmer:

- **Pacific Plaza**, © 1-800-426-1165, 400 Spring St, ab $130; www.pacificplazahotel.com
- **Ace Hotel**, © (206) 448-4721, 2423 1st Ave, ab $75, angenehm durchgestylt: www.acehotel.com
- **Quality Inn Downtown**, © 1-800-255-7932, ab $80
- **Eigth Avenue Inn**, © (206) 624-6300, 2213 8th Ave, ab $80; sehr günstige Lage; www.eighthavenueinn.com
- **Moore Hotel**, © (206) 448-4851, © 1-800-421-5508, 1926 2nd Ave in der Nähe des Pike Place Market. Nostalgisches Haus; EZ ab ca. $52; DZ $64; www.moorehotel.com.
- **Travelodge Space Needle**, © (206) 441-7878, 200 6th Ave, ab $69; günstige Lage, Wifi; www.spaceneedletravelodge.com

Hotel Hotline: © 1-800-535-7071; www.seattle.com
Discount Hotels: © 1-800-964-6835

Von früher einer ganzen Anzahl *Hostels* verblieben nur zwei:

Hostels/ B & B

- **International Hostel (HI)**, © 1-888-622-5443, 84 Union St, $19-$29; unbedingt langfristig reservieren; www.hiseattle.org.
- **Green Tortoise Backpackers Hostel,** © 1-888-424-6783, 1525 2nd Ave, beste Lage zw. Pine und Pike St. $18-$27/Bett inkl. Frühstück/Internet. EZ/DZ $45/$60; www.greentortoise.net

Auch in Seattle hat sich die Zahl der ***B&B*-Quartiere** in den letzten Jahren erheblich vergrößert. Interessant ist in Seattle die (teure) Möglichkeit, auf einem der **Hausboote** auf dem Lake Union unterzukommen; www.seattlebedandbreakfast.com

Pacific Reservation Service, © 1-800-684-2932, vermittelt sowohl *B&B* als auch solche Unterkünfte.

Camping

Einigermaßen citynah lässt sich auch in Seattle nur auf Privatplätzen campen. Vergleichsweise preiswert (ab $22), aber sanitär so lala, nicht so ganz weit weg und auch schön gelegen ist der kleine ***Vasa Park*** direkt am Lake Sammamish (Strand) unweit der I-90, Exit 13 zur West Lake Road, © (425) 746-3260. Immer reservieren wegen geringer Kapazität und Schließung des Tors bei Einbruch der Dunkelheit; www.vasaparkresort.com.

In den stadtnahen *State Parks* gibt es zwar *Campgrounds*, doch der im hübschen ***Saltwater State Park*** (eigene *Beach*) südlich von Des Moines, Straße #509, war Anfang 2007 geschlossen und besitzt den kleinen Nachteil, dass er sich in der Einflugschneise des *Airport* befindet. ***Dash Point***, weiter südlich, ist eher unattraktiv.

Der ***KOA Seattle/Tacoma Campground*** liegt in der Nähe des *Int'l Airport* an der 5801 South 212th Street in Kent, 15 mi südlich vom Zentrum: I-5, *Exit* 152, ca. 2 mi nach Osten auf Orillia Rd; © 1-800-562-1892; $46 für *Hook-up* (!); www.seattlekoa.com.

Nördlich der City bietet der ***Silver Lake RV Park*** (Exit186 von der I-5, dann 128th St, 19th Ave nach Norden Silver Lake Road) einen guten Platz am See; © (206) 858-8138.

An der Straße #2 schon recht weit entfernt von der City, liegt der ***Wallace Falls State Park***, ca. 20 mi östlich von Monroe.

Restaurants

Das leibliche Wohl komt in Seattle garantiert nicht zu kurz. In *Downtown* sind (nicht nur) aus touristischer Sicht vor allem folgende Adressen eine gute Wahl:

- Der ***Pike Place Market*** mit einer unüberschaubaren Palette von Lokalen jeden Stils und jeder Küche, ➢ folgende Seiten.
- ***Planet Hollywood*** hat auch in Seattle eine Filiale (6th Ave/Pike)

Waterfront/ Pioneer Square

An der ***Waterfront*** steht ein ***Seafood Restaurant*** am anderen. Im ***Pioneer Square District*** geht es insgesamt niveauvoller zu bei ebenfalls großer Auswahl. Nach dem Diner sind es dort nur ein paar Schritte bis zur nächsten **Musikkneipe**.

Seattle Center

Im ***Food Court*** des ***Center House*** (im ***Seattle Center***) findet sich ein vielfältiges Angebot. Feiner und teurer ist das **Drehrestaurant** in der benachbarten ***Space Needle*** samt fantastischer Aussicht über Stadt und Puget Sound; Reservierung empfehlenswert: © (206) 905-2100; www.spaceneedle.com.

Tillicum Village

Teuren **Lachs** in der authentischen Umgebung eines Indianerdorfes speist man im ***Tillicum Village*** auf Blake Island, ➢ Seite 555. Lachs (und anderes) ohne Folklore und nicht so kostspielig, aber auch in indianisch gestylten Räumen oder auf einer Terrasse am See gibt's in ***Ivars Salmon House*** am Nordostufer des Lake Union, 401 NE Northlake Way unweit I-5; www.ivars.net.

> **Tipp**: Praktisch bei einem Seattle-Besuch ist der **City Pass für $40**, bis 12 Jahre **$24**. Er beinhaltet Eintritt in das ***Pacific Science Center***/IMAX-Kino, ***Seattle Aquarium***, ***Museum of Flight***, ***Woodland Park Zoo*** und Hafenrundfahrt; www.citypass.com/city/seattle.html.

5.1.4 Stadtbesichtigung

Vom Washington Park zum Seattle Center

Anfahrt

Bei Einfahrt nach Seattle auf der Pontonbrücke über den Lake Washington (Straße #520) erreicht man bereits ein Stadtgebiet (*University, Mont Lake* und *Capitol Hill*) mit Sehenswürdigkeiten, deren Besuch empfehlens- oder doch erwägenswert ist.

Geschichtsmuseum

Noch auf der Brückenrampe geht es hinter dem See rechts ab zum ***Seattle Museum of History & Industry*** (24th Ave/East Park Dr, 10-17 Uhr; $7/$5), in dem die Geschichte der Stadt mehr oder minder interessant aufbereitet wurde; www.seattlehistory.org.

Trail/ Kanumiete

Am Parkplatz des Museums beginnt der ***Marshland Trail***, ein Lehrpfad über Seerosenfelder, Sumpf- und Schilfinseln nach *Foster Island*, einem Ausläufer des ***Washington Park*** zwischen Union Bay und Madison Street. Man kann die Buchten rund um die Inseln per **Kanu** entdecken und im klaren Wasser schwimmen. Kanuverleih im Bootshaus auf der anderen Seite des Schiffskanals (dorthin geht's über den Montlake Blvd).

Burke Museum

Der Montlake Boulevard stößt auf die 45th Street, an der sich – auf dem Universitätsgelände, Ecke 17th Street – das ***Thomas Burke Memorial Museum*** befindet (10-17 Uhr, $8, bis 12 Jahre $5). Wichtigster Trakt ist die **anthropologische Abteilung**. Sie thematisiert die Völker des pazifischen Raums mit Schwerpunkt auf der nordamerikanischen Westküste. Nicht für alle lohnenswert. Der Besuch lässt sich auf der Terrasse der **Cafeteria** bei Vollwertsnacks abrunden; www.washington.edu/burkemuseum.

University

Abgesehen davon, dass der sagenhafte Campus der ***University of Washington*** (östlich 15th Ave und südlich 45th St; www.washington.edu, eigenes *Visitor Center*) ohnehin einen Besuch wert ist (gegenüber der für $10 Eintritt etwas entäuschenden ***Henry Art Gallery***, www.henryart.org), bietet sich vom Brunnen der Hauptplaza bei schönem Wetter ein phänomenaler **Blick auf den scheinbar nahen schneebedeckten *Mount Rainier*** – ein tolles **Fotomotiv** aus einer direkt auf den Berg zulaufenden Allee.

Washington Park

Foster Island, der ***Japanese Garden*** (Eintritt) und ein **sehenswertes *Arboretum*** in Hügellandschaft machen den ***Washington Park*** zum attraktivsten der Stadt. Ohne Umweg über das *Museum of History* führt der Lake Washington Blvd direkt in und durch diesen Park zu **Ausgangspunkten für Spaziergänge** in die üppig grüne Baum- und Pflanzenwelt; http://depts.washington.edu/wpa.

Volunteer Park

Vom Washington Park führt die **Madison Street** geradlinig vorbei am einst alternativen Stadtteil ***Capitol Hill*** mit seiner *Gay Community* nach *Downtown* Seattle. Man könnte aber zunächst auch einen Umweg über den **Interlaken Blvd** anschließen, eine kurvenreiche Parkstraße durch verwunschenen Regenwald mit nostalgischen Anwesen, und ggf. noch einen Abstecher zum ***Volunteer Park*** (15th Ave/Prospect Street) einlegen.

Volunteer Park

Im Park stehen das tempelartige Gebäude des ***Seattle Asian Art Museum*** (Ableger des ***Art Museum*** in der 2nd Ave; **$5**, aber frei mit Ticket vom *Seattle Art Museum*, Di-So 10-17 Uhr, Do bis 21 Uhr, sehenswerte Ausstellungen; www.seattleartmuseum.org) und das eintrittsfreie ***Conservatory*** (einheimische und tropische Pflanzen, Kakteen etc.). In erster Linie rechtfertigt der Blick über Stadt und Bucht vom alten Wasserturm aus den Abstecher.

Lake Union

Die Wasserfläche nördlich der City ist der Lake Union, dessen Ufer großenteils von **Hausbooten** belegt sind. Entlang der **Fairview Ave East** kann man diese bunte und eigenwillige Flotte näher betrachten. **Segelbootverleih** am Südende des Sees in der Valley St.

Seattle Center

Von dort wie überhaupt bei der vorgeschlagenen Anfahrt liegt es nahe, zunächst dem *Seattle Center* einen Besuch abzustatten, bevor man sich *Downtown*, der *Waterfront* und der Altstadt zuwendet. Der einst für Weltausstellungszwecke geschaffene Komplex zwischen Mercer und Broad Streets wurde über die Jahre zum ***Entertainment Center*** umgestaltet, wo neben ständigen Attraktionen viele wechselnde Veranstaltungen stattfinden. Eines der größten Ereignisse ist am ersten Wochenende im September (*Labor Day Weekend*) das ***Bumbershoot Arts Festival***. Vier Tage lang (Freitag bis Montag) läuft dann bis spät abends ein Musik- und Theaterprogramm auf den Bühnen, Straßen und Plätzen des *Center*, ergänzt durch Ausstellungen und den dort sowieso untergebrachten ***Fun Forest Amusement Park***; Übersichtskarte auf www.seattlecenter.com/information/map.asp

Als Wahrzeichen der Stadt gilt die 210 m hohe ***Space Needle***, eine elegante Stahlkonstruktion mit einer Aussichtsplattform und -restaurant, beim Haupteingang Broad Street und der Station der *Monorail* zur Innenstadt. Vom ***Observation Deck*** (Auffahrt $15, bis 13 Jahre $7) genießt man einen fantastischen Blick über Seattle und den *Puget Sound*, bei guter Sicht auch auf die *Olympic Mountains* und die Kaskadengipfel *Mount Rainier* und *Baker*.

Eine neuere Attraktion ist der futurische Komplex ***EMP*** (***Experience Music Project***) gleich nebenan – Irrsinn! Einst gedacht als *Jimi Hendrix Museum* wurde es zu einem mit dem Besucher interaktiven musikalischen (Rock'n Roll-) Abenteuer der Extraklasse; *Memorial* bis *Labor Day* täglich 10-20 Uhr, sonst 10-17 Uhr; $20, Kids bis 17 $15; www.emplive.org. Wer im selben Gebäude auch im ***Science Fiction Museum*** samt *Hall of Fame* (www.sf home world.org) noch nach dem Rechten sehen will, zahlt für ein *Comboticket* $27/$20. Echte *Trekkies* sparen sich die Musik natürlich, dann $13/$9. Dank Sponsor *Boeing* ist bei der *All Access Night* jeden 1. Donnerstag im Monat ab 17 Uhr beides gratis.

Daneben ist noch das ***Pacific Science Center*** sehenswert (www.pacsci.org). Es beherbergt ein eher auf Kinder und Jugendliche zugeschnittenes Wissenschaftsmuseum experimentellen Typs. Einfallsreich ist der separate »**technische**« **Kinderspielplatz**. Ein IMAX-Filmtheater und Planetarium mit *Lasershows* gibt's auch noch.

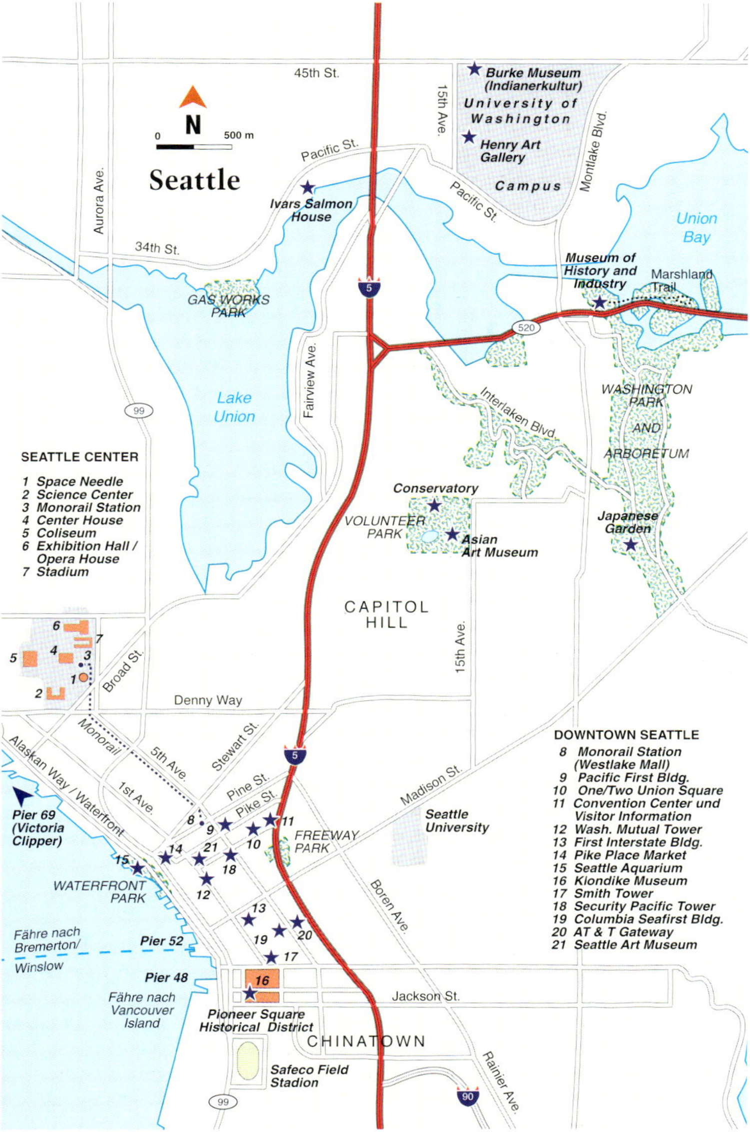
Seattle
N
0 500 m
45th St.
Pacific St.
34th St.
Aurora Ave.
15th Ave.
Montlake Blvd.
Burke Museum (Indianerkultur)
University of Washington
Henry Art Gallery
Campus
Ivars Salmon House
Union Bay
Museum of History and Industry
Marshland Trail
GAS WORKS PARK
Lake Union
Fairview Ave.
Interlaken Blvd.
WASHINGTON PARK AND ARBORETUM
Conservatory
VOLUNTEER PARK
Asian Art Museum
Japanese Garden
CAPITOL HILL
SEATTLE CENTER
1 Space Needle
2 Science Center
3 Monorail Station
4 Center House
5 Coliseum
6 Exhibition Hall / Opera House
7 Stadium
Broad St.
Denny Way
Monorail
5th Ave.
Stewart St.
Alaskan Way / Waterfront
1st Ave.
Pine St.
Pike St.
Madison St.
Seattle University
FREEWAY PARK
Pier 69 (Victoria Clipper)
WATERFRONT PARK
Boren Ave.
DOWNTOWN SEATTLE
8 Monorail Station (Westlake Mall)
9 Pacific First Bldg.
10 One/Two Union Square
11 Convention Center und Visitor Information
12 Wash. Mutual Tower
13 First Interstate Bldg.
14 Pike Place Market
15 Seattle Aquarium
16 Klondike Museum
17 Smith Tower
18 Security Pacific Tower
19 Columbia Seafirst Bldg.
20 AT & T Gateway
21 Seattle Art Museum
Fähre nach Bremerton/ Winslow
Pier 52
Pier 48
Fähre nach Vancouver Island
Jackson St.
Pioneer Square Historical District
CHINATOWN
Safeco Field Stadion
Rainier Ave.

5

Downtown Seattle, Waterfront und Altstadt

Downtown: Rundfahrt oder Rundgang

Um sich zunächst einen **Überblick** vom zentralen Seattle zu verschaffen, wäre eine Fahrt an den Piers entlang, verbunden mit einer »Runde« durch *Downtown* ein guter Einstieg. Vom *Seattle Center* führt die Broad Street hinunter zum *Alaskan Way*. Zurück ginge es dann z.B. über Yesler Way (ab Pier 48)/James Street und die 4th oder 6th Ave. Wer per ***Monorail*** ins Zentrum fährt, hat auch mit der Endstation ***Westlake Mall*** einen guten Startpunkt.

Hochhäuser

Eindrucksvoll ist in der sonst durchschnittlich attraktiven City vor allem die **Architektur** einiger neuerer Hochhäuser (einen Eindruck liefert www.skyscraperpicture.com/seattle.htm):

- ***Washington Mutual Tower*** (Seneca Street/2nd Ave)
- ***First Interstate Building*** (Marion Street/2nd Ave)
- ***Security Pacific Tower*** mit ***Rainier Square Shopping Mall*** (zwischen Union/University Streets und 4th/5th Ave)
- ***Pacific First Centre*** (Pike Street/5th Ave)
- ***One/Two Union Square*** (Union St/6th Ave/*Freeway Park*)
- ***Columbia/Seafirst Building*** (Cherry Street/4th Ave)
- ***AT&T Gateway*** (Cherry Street 6th Ave)

Convention Center

Zwischen Seneca und Pike Street wurde die I-5 komplett überbaut vom ***Freeway Park***, einer grünen Betonkreation mit Wasserspielen (www.seattle.gov/parks/parkspaces/FreewayPark.htm), und dem Glaspalast des ***Convention Center***, in dem zahlreiche **Kunstwerke** zu bewundern sind (www.wsctc.com). Im Parterre (Zugang Pike Street) befindet sich das Büro der ***Visitor Information***, ➤ Seite 548.

Shopping/ Malls

Ebenfalls viel Glas, Licht und Grün zeichnet das mehrstöckige Einkaufsparadies ***Westlake Mall*** *aus* (Pine Street/5th Ave; www.westlakecenter.com) – guter ***Food Court*** im 3. Stock; dort auch die ***Thomas Kinkade Gallery*** (www.thomaskinkadegallery.com) mit beachtlichen Werken des bekannten Künstlers. Benachbart sind die Kaufhäuser ***Macy's*** und ***Nordström***, neben letzterem befindet sich die elegante ***Pacific Place Mall*** (www.pacificplaceseattle.com) mit einem riesigem ***Barnes & Noble Bookshop***. Ein weiteres *Shopping Center* ist ***Century Square*** (Pike St/4th Ave).

Kunst-museum

An der Ecke First Ave/University St steht der noch neue Bau des ***Seattle Art Museum***. Die Kollektion – u.a. indianische, afrikanische Kunst, moderne Amerikaner – ist nicht hochklassig, aber sehr gut präsentiert. Di-So 10-17 Uhr, Do bis 21 Uhr; Eintritt $15, bis 17 Jahre $12. Das Ticket gilt 7 Tage auch im ***Asian Art Museum*** im *Volunteer Park*, ➤ Seite 552; www.seattleartmuseum.org.

Harbor Steps

Vom Kunstmuseum aus jenseits der 1st Ave erreicht man die ***Harbor Steps*** (www.harborsteps.com), einen Komplex, an dem von Galerien und Restaurants gesäumte Treppenstufen hinunter zur Western Ave führen.

Konzerthalle

Oberhalb des *Art Museum* (2nd Ave/University Street) steht die ***Benaroya Concert Hall*** (www.seattlesymphony.org/benaroya).

Vor dem klotzigen Gebäude des Seattle Art Museum mitten im Business District der City. Eine Kopie des Hammering Man ziert den Vorplatz des Messeturms in Frankfurt

Pike Place Market

Ein absoluter Publikums magnet ist in *Downtown* Seattle der ***Pike Place Market***, einer der besten Dauermärkte der USA, Haupteingang am Ende Pike Steet/Western Ave oberhalb des ***Alaskan Viaduct***, der Stadtautobahn #99), 10-18 Uhr, So 11-17 Uhr.

Im Kern handelt es sich um einen Obst-, Gemüse- und Fischmarkt (www.pikeplace fish.com), insgesamt um einen Riesenkomplex mit mehreren Stockwerken, Innenhöfen und Arkaden voller Shops, Galerien, Restaurants und Kneipen, der einen großen Block besetzt; www.pikeplacemarket.org.

Pike Place

Am 1912 Pike Place befindet sich der im April 1971 eröffnete erste ***Starbucks Coffee Shop***. Im Herzen des *Pike Place Market* (1517 Pike Place, Main Arcade, © 206-624-7166) bietet das Restaurant ***Athenian Inn*** einen tollen Blick über die Elliott Bay.

Waterfront

Als ***Waterfront*** am Alaskan Way unterhalb der hochgelegenen Innenstadt gilt ein Abschnitt von etwa 2 km Länge zwischen Broad St und dem **Fährterminal Pier 55**. Ausrangierte Piers wurden dort mit einer Unzahl von Restaurants, Boutiquen, Giftshops etc. bestückt. Ansehenswert ist im zentralen Bereich, dem sog. ***Waterfront Park***, in erster Linie das ***Seattle Aquarium*** (www.seattleaquarium.org) auf Pier 59, das hauptsächlich die Unterwasserwelt des Pazifiks thematisiert; 10-17/18 Uhr, $13, bis 12 Jahre $9.

Indian Village

Zum ***Tillicum Indian Village***, einem Museumsdorf auf **Blake Island**, geht es **per Boot ab Pier 56**; $79/Person inkl. Lachsessen und Tanz-Vorführungen (bis 12 Jahre $30). © (206) 933-8600, © 1-800-426-1205; www.tillicumvillage.com.

Fähren über den Puget Sound

Gleich südlich der *Waterfront*-Kommerzkonzentration legen vom **Pier 52** die **Fähren** nach **Bremerton** (ca. 15 x tägl., 60 min, Auto +Fahrer $12, jede weitere Person $7) und **Bainbridge Island** (mehr als 20 x tägl., 35 min, Tarif identisch) auf der gegenüberliegenden Seite des *Puget Sound* ab (etwas südlicher nach Vashon nur Passagiere); www.wsdot.wa.gov/ferries.

Fähre nach Victoria

Auch nach **Victoria** auf **Vancouver Island** gelangt man ab Seattle (kein Autotransport) mit dem Katamaran ***Victoria Clipper*** (2-3 x tägl., Dauer bis 3 Stunden, \$80-\$120 retour). Das Schiff liegt nördlich am **Pier 69**. Info/Reservierung unter © 1-800-888-2535 oder © (206) 448-5000; www.clippervacations.com/ferry_schedule.

Pioneer Square

Gleich hinter dem Pier 48 beginnt der ***Pioneer Square Historical District***, der ein paar Blocks **Alt-Seattle** zwischen Waterfront/2nd Ave und King Street/Yesler Way umfasst. Ein ehemals vernachlässigtes Viertel voller Backsteinfassaden wurde herausgeputzt, begrünt und mit Restaurants, Bars, Antiquitätenläden, Galerien und vielen Shops wiederbelebt; www.pioneersquare.org.

An der Ecke 1st Ave/Main befindet sich ***Elliott Bay Book Co. & Café***, fast schon eine Bibliothek mit einem überwältigenden Sortiment an Büchern, speziell zur Region Seattle.

Einen Block weiter die Main Street hinauf liegt an der Ecke 2nd Ave mit dem ***Waterfall Garden Park*** ein Kleinod des Viertels.

Klondike Gold Rush Historic Park

Unbedingt besuchenswert im *Pioneer District* ist das ***Visitor Center & Museum*** des ***Klondike Gold Rush National Historical Park*** (täglich 9-17 Uhr, frei) an der 2nd Ave/Ecke Jackson St, © (206) 220-4240; www.nps.gov/klse. Ansehen sollte man sich die laufend gezeigten Filme zum Goldrausch der Jahrhundertwende, für den Seattle als Haupthafen der Einschiffung der Prospektoren gen Norden eine wichtige Rolle spielte. Auch die Dokumentation und die Exponate im Kellergeschoss sind aufschlussreich.

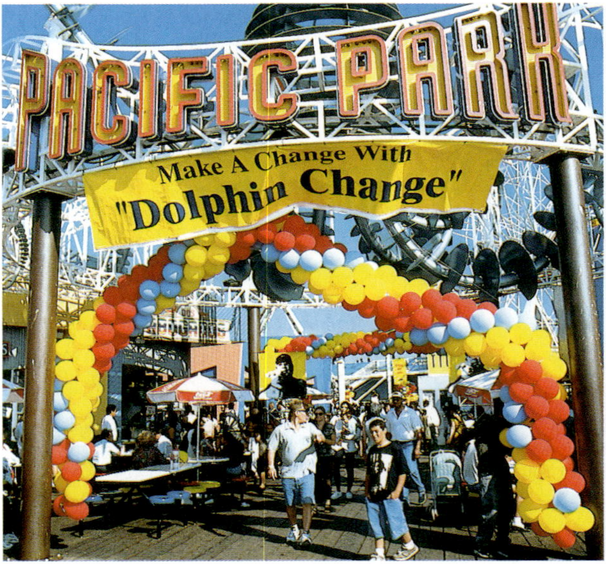

Buntes Leben und Treiben an der Seattle Waterfront

Glasbläser

Von dort sind es nur ein paar Schritte bis zum ***Glasshouse Studio*** (311 Occidental Ave; www.glasshouse-studio.com), in dem man Glasbläsern bei der Arbeit zuschauen kann.

City unter der City

Wer sich für die Geheimnisse der »City unter der City« interessiert, kann an einer ***Underground Tour*** (3-9x täglich, $11, bis 12/17 Jahre $5/$9; ✆ (206) 682-4646) teilnehmen, die in *Doc Maynard's Public House*, einem Lokal am *Pioneer Square Park* beginnt. Die Tour führt durch Teile der Stadt, die beim Brand 1889 zerstört wurden, aber unter dem darüber aufgebauten neuen Seattle erhalten blieben; www.undergroundtour.com.

Smith Tower

An der 2nd Ave, Ecke Yesler Way, steht der ***Smith Tower*** in nostalgischem Kontrast zu den nahen Hochhäusern. Das heute eher unauffällige Gebäude war bei Fertigstellung 1914 ***Tallest Building West of the Mississippi***; www.smithtower.com/History.html.

Abends

Während tagsüber die Altstadt den Touristen gehört, überwiegen abends die Einheimischen. Nirgendwo sonst in Seattle findet man vergleichbar viele **Kneipen mit *Flair* und *Live Music***.

Safeco Field

Südlich des *Pioneer District* steht heute als »Ersatz« für den gesprengten *Kingdome* eine neue riesige Mehrzweckarena mit »Schiebedach« über dem ***Safeco Baseball Field***. Dieser selbst für amerikanische Verhältnisse enorme Komplex kann 2-3x täglich besichtigt werden, $7, bis 12 Jahre $5; http://seattle.mariners.mlb.com/sea/ballpark/

International District

Südöstlich hinter dem *Pioneer Square* befindet sich in der Nachbarschaft der *International District*, manchmal auch als ***Chinatown*** bezeichnet, Zufahrt über Jackson oder Main St. Indessen vermitteln die verstreuten asiatischen Fassaden, Restaurants und Spezialitätenshops keine sonderlich exotische Atmosphäre wie z.B. die *Chinatown* in San Francisco. Aber vielleicht sieht man das anders nach einer ***Chinatown Discovery Tour***, 3 x täglich 90 min, $16, bis 11 Jahre $11; www.seattlechinatowntour.com.

Parks rund um die City

Uferparks und Strände

Sehenswürdig- und Annehmlichkeit zugleich sind Seattles **Uferparks** an *Puget Sound* und Lake Washington. Eine Fahrt etwa auf dem Washington Blvd vom inselartigen ***Seward Park*** im Süden bis zur Union Bay führt – vorbei an Badestränden, Picknick- und Spielplätzen und Marinas – durch beneidenswerte Wohnviertel. Unterhalb der Brücke über den See (I-90: *Sunset Highway*) passiert man den **Wasserflughafen**.

Von den **Salzwasserparks** beeindrucken ***Seahurst*** und vor allem ***Alki Park***, beide mit beliebten Stränden. Eine sehr **schöne seeseitige Rundfahrt** in West Seattle führt über den Fauntleroy Way hinunter zum attraktiven ***Lincoln Park*** (Jogging und Fitness Parcours, Steilufer, darunter Strand) und folgt von dort dem Beach Drive SW und der Alki Ave. Besonders empfiehlt sich die Fahrt dorthin zum **Sonnenuntergang**.

Northwest Seattle

Eine Besonderheit ist der riesige, weitgehend naturbelassene ***Discovery Park*** im nordwestlichen Stadtteil Magnolia unterhalb der *Shilshole Bay*. Zahlreiche **Wildnis-Wanderwege** durchziehen den Regenwald des hügeligen Parkgeländes. Beim gelegentlich als Indianermuseum ausgewiesenen ***Daybreak Star Indian Cultural Center*** in der Nordecke des Parks handelt es sich im wesentlichen um ein Zentrum für kulturelle Veranstaltungen mit einer kleinen Ausstellung indianischer Kunstobjekte – nur bedingt interessant trotz toller Website: www.unitedindians.com.

Ein Abstecher dorthin lohnt nur in Verbindung mit einem sowieso geplanten Parkbesuch, oder wenn man sich die ***Chittenden Locks*** ansehen möchte: Zufahrt diesseits des ***Lake Washington Ship Canal***, der den Puget Sound und die Binnenseen verbindet, über den Commodore Way zum Commodore Park. Die Schleusenanlage liegt am nördlichen Ufer des Kanals, kann aber auch von Süden her besichtigt werden. Über eine vielstufige **Fischleiter** mit Sichtfenstern (interessant speziell beim Lachsauftrieb im Herbst) und eine Staumauer führt ein Fußweg auf die andere Seite; www.seattle.gov/tour/locks.htm.

Golden Gardens Park

Mit Fahrzeug gelangt man über die *Ballard Bridge* und die Market Street zu den *Locks*. Bei Fortsetzung der Fahrt in Richtung Küste passiert man an der **Seaview Ave** die größten Marinas der Stadt und erreicht dahinter die eher unattraktiven Strände des ***Golden Gardens Park***. In diesem Teil der City ist der **Green Lake** mit seinen umgebenden Parks und *Beaches* einladender. Zum angrenzenden ***Woodlands Park*** gehören der »mittelprächtige« ***Zoo*** und ein hübscher Rosengarten.

Flugzeugmuseum und Boeing-Werke

Flugzeug Museum

Eine wichtige Sehenswürdigkeit gerade in Seattle liegt weit außerhalb, das ***Museum of Flight*** (10-17 Uhr, Do bis 21 Uhr). Verlässt man die City über die I-5 in südliche Richtung, passiert man zunächst die Boeing-Montagehallen mit *Airfield* rechterhand vor der Abfahrt #158. Der Weg zum Museum ist ausgeschildert. In der lichten Glashalle und draußen im *Airpark* fanden über 150 Flugzeugtypen vom Doppeldecker der Frühzeit bis zum modernen Abfangjäger Platz, darunter eine ***Blackbird SR71*** und Hornet F-18, auch eine ältere ***Air Force One***. Neuere Errungenschaften sind eine ***Concorde*** (Sonderführungen 11-15 Uhr) und ein **Mars-Landefahrzeug**; $14, bis 17 Jahre $7,50; www.museumofflight.org.

Boeing-Werke in Everett

Montiert werden die ***Boeing Typen 747, 767, 777*** & demnächst ***787*** in **Everett**, 25 mi nördlich von Seattle (4 mi westlich der I-5, *Exits* 186 oder 189, gut ausgeschildert; www.boeing.com). Vom ***Future of Flight Aviation Center*** startet die ***Boeing Tour*** durch riesige freitragende Montagehallen täglich 9-15 Uhr jeweils zur vollen Stunde; Dauer 90 min, früher mal gratis, jetzt **$15**; Kinder von 1,22 m bis 15 Jahre $8. Reservierung plus $2,50, aber empfehlenswert: ✆ 1-800-464-1476 oder unter www.futureofflight.org.

Exkurs: Von Seattle nach Canada/Vancouver Island

Für viele ist Seattle Ausgangspunkt einer Reise, die neben dem Nordwesten der USA auch durch Canada führt; dazu auch die Ausführungen im speziellen Kapitel 8.

Wer Vancouver Island anpeilt, hat die Wahl zwischen mehreren **Fährverbindungen:** ab Seattle, Anacortes und ab Port Angeles auf der Olympic Peninsula. **Ab Seattle** geht's (ohne Auto) am schnellsten, ➢ Seite 556, aber **mit Abstand beste Fährstrecke ist die von Anacortes durch die *San Juan Islands*.** Die Fähre **ab Port Angeles** (➢ Seite 580) macht Sinn für Leute, die vorher den *Olympic National Park* besuchen möchten.

Nach Anacortes

Von Seattle nach Anacortes geht's auf der I-5, Richtung Vancouver, und ab Mt. Vernon auf den Straßen #536 und #20. Die Fähre nach Sidney geht 1-2 x täglich und benötigt 3 Stunden (Pkw mit 2 Personen kosten $58; RVs nur 50% des Vorjahres, z.B. Camper 24 Fuß 2007 nur ca. $90). Aktuelle Zeiten, Tarife und Reservierung unter ✆ **1-888-808-7977**; www.wsdot.wa.gov/ferries.

Anacortes ist auch für sich ein schönes Ziel. Und zwar in erster Linie wegen des *Washington Park* in der westlichsten Ecke von *Fidalgo Island*. Gleich hinter dem Fährhafen an der ***Sunset Beach*** beginnt die schmale ***Loop Road*** (Achtung mit *Motorhomes*, maximal 23 Fuß) rund um und durch den Regenwald des Parks an herrlichen Stränden und ganz privaten Picknickplätzchen vorbei. Der **Sonnenuntergang** ist dort kaum zu übertreffen. Mittendrin versteckt sich ein komfortabler ***City-Campground*** mit *Full Hook-up*; www.anacortes.org.

Whidbey Island

Wer von dort weiter nach **Port Angeles** möchte, fährt über Whidbey Island nach Keystone. Die Fähre von **Keystone** nach **Port Townsend** (*Olympic Peninsula*) verkehrt 10-16x täglich (30 min); Pkw + 2 Personen: $12. Wartezeiten lassen sich am Strand überbrücken. Ein ***Campground*** befindet sich neben dem Schiffskanal; www.wsdot.wa.gov/ferries.

In **Port Townsend/Discovery Bay** stößt man auf die im Kapitel 6 beschriebene Route von Seattle zum *Olympic Park*.

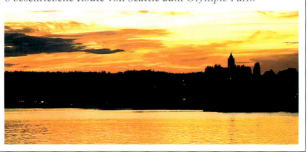

Sonnenuntergang über Port Townsend (von der Fähre aus)

5.2 Startroute #1 ab Seattle: Durch Washington State nach Montana zu den National Parks Glacier und Yellowstone

Interstate Freeway #90

Wenn Seattle Ausgangspunkt einer Reise durch den Nordwesten der USA ist, sind ***Glacier*** und ***Yellowstone National Parks*** oft wichtige Eckpunkte der Routenplanung. Mit der transkontinentalen Autobahn #90, die von Seattle nach Boston führt, gibt es einen raschen Zubringer zu diesen Nationalparks. Bis zum Anschluss an die im Kapitel 7 beschriebenen Routen durch Idaho und Montana in Missoula sind es etwa 500 mi, die sich mit ein paar Zwischenstopps leicht in zwei Tagen machen lassen. Der Verlauf der I-90 durch Washington State ist jedoch bis auf die ersten 60 mi nicht reizvoll, durch Idaho und Montana dafür umso attraktiver.

Alternative Routen

Mit genügend Zeit könnte man ab Seattle auf der nördlichsten Route auch durch den ***North Cascades National Park*** fahren (Exkurs ➤ Seite 565), dann über Grand Coulee in Spokane die I-90 ansteuern oder auch ganz auf Nebenstraßen bleiben.

Straße #2

Kürzer und schneller, aber kaum weniger pittoresk geht es auf der **Straße #2 durch die Kaskaden**. Man steuert sie von Seattle/Bellevue auf der I-405 North an; Exit #23Straße #522. Die #2 führt erst am ***Skykomish River*** entlang und weiter durch eine herrliche Gebirgslandschaft. Unbedingt (noch westlich des *Stevens Pass*) den ***Deception Falls Nature Trail*** durch Regenwald ablaufen (800 m). An der Strecke liegen mehrere ***NF-Campgrounds*** (sehr gut ***Tumbwater***, ca. 10 mi nordwestlich von Leavenworth). Auch der ***Lake Wenatchee State Park*** verfügt über einen schönen Campingplatz (Zufahrt Straße #207).

Bayern USA

Am Ostabhang der Berge passiert man **Leavenworth**, das sich zum ***Bavarian Village*** erklärt hat: ***Just like Bavaria, but so close***. Die Fassaden in diesem Städtchen ähneln tatsächlich deutschen Vorbildern. Wer dort die Nacht verbringen möchte, darf sich im ***Enzian Inn*** (teuer und gut), im ***Ritterhof***, in der ***Pension Abendblume*** oder im ***Haus Rohrbach*** wie in der Heimat fühlen. Das gilt auch fürs Essengehen; die Restaurants tragen Namen wie »**Katzenjammer**« und »**Rumpelstilzchen**«. Da lacht das deutsche Herz und ordert *Francforters and Potato Salad* oder *Knodels with Sauerkraut*. Das Preisniveau ist bei soviel *Gemutlichkeit* nicht niedrig und beginnt bei ca. $75 fürs einfache DZ; www.leavenworth.org.

Klima

Da östlich der Kaskaden geringe Niederschläge fallen, unterscheidet sich der Charakter des zentralen Washington klimatisch und landschaftlich dramatisch von der Westregion. Gutes warmes Wetter, das Wasser aus den Bergen samt Stauseen des Columbia River begünstigen den Obst- und Gemüseanbau.

Östlich der Kaskaden

Von Yakima bis Okanogan kann man allerorten an Straßenverkaufsständen ***Fresh Farm Produce*** einkaufen oder das Obst selbst pflücken. Dies kombiniert mit dem Klima, Wassersportmöglichkeiten und der Nähe der Berge zieht bis in den Herbst hinein viele Besucher an. Besonders der **Columbia River Bereich** nördlich von **Wenatchee** (Stausee Lake Entiat) besitzt eine stark auf den Tourismus ausgerichtete Infrastruktur.

Umweg über Lake Chelan

Touristischer Zentralort der Region mit allen Einrichtungen der kommerziellen Ferienfreude (zahlreiche Hotels/Motels) ist **Chelan**, 35 mi nördlich von Wenatchee am Südende des gleichnamigen Sees, der rund 80 km in die Kaskaden hineinragt. Lake Chelan füllt ein tiefes Gletschertal (Wassertiefe bis 450 m, im Schnitt um 300 m) und ist natürlichen Ursprungs. Zum Zweck der Stromerzeugung wurde sein Wasserstand durch einen Staudamm künstlich erhöht. Der Abfluss zum Columbia River erfolgt über den ***Chelan Gorge***, einen *Canyon*, der heute meist trocken liegt. Der von Hochgebirge eingerahmte See mit seinen vielen Meilen einsamer Ufer, ungezählten Buchten und Anlegestellen (viele ***NF-Campgrounds***) gilt als **eines der schönsten Bootsreviere des Nordwestens**; www.lakechelan.com oder www.cometothelake.com.

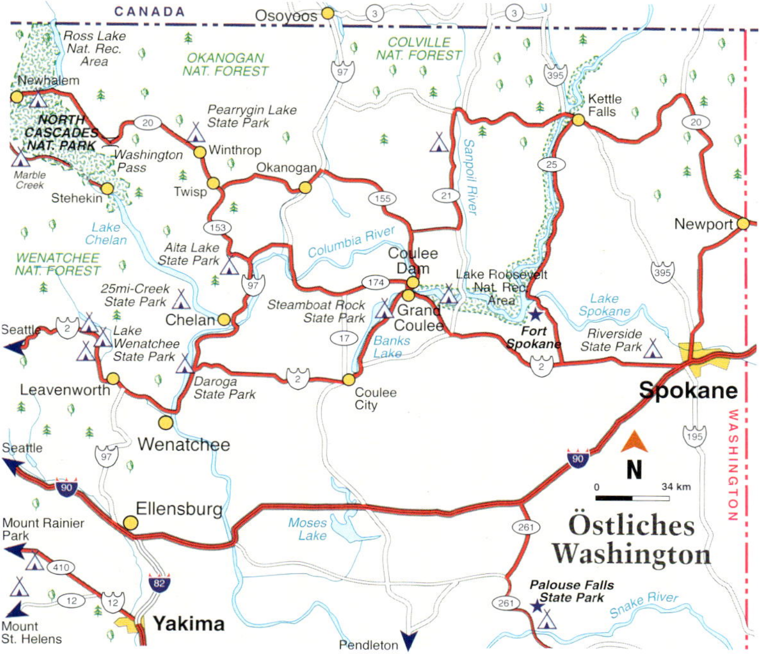

Sehr empfehlenswert ist zum **Baden** und **Campen** der ***Lake Chelan State Park***, ca. 8 mi westlich des Ortes; www.stateparks.com/lake_chelan.html. In Chelan befindet sich ein guter (und teurer) Campingplatz direkt am See.

Kasino

Wer hier dem Spieltrieb nachgeben möchte: An der Norduferstraße #150 gibt's ein **Spielkasino** der *Colville* Indianer.

Per Boot in den Kaskaden Park

Einzige Versorgungsbasis nördlich des ***25 Mile State Park*** (letzter per Straße erreichbarer Punkt) ist die Siedlung **Stehekin** am Nordende des Sees; www.stehekin.com. Stehekin dient als Ausgangspunkt für Wanderungen in die ***Lake Chelan National Recreation Area*** und für den populären ***Trail*** über den ***Cascade Pass*** hinüber nach Marblemount, Exkurs ➤ Seite 565. Von Juli bis Mitte September gibt es **3x täglich** einen ***Shuttle*** vom Anleger/ *Visitor Center* zum *Trailhead* nach *Cottonwood* (ca. 2 Std Fahrzeit). Nach Stehekin fährt ganzjährig täglich die schnelle ***Lady Express*** ($57 retour, gut 2 Stunden) und in der Hauptsaison zusätzlich die ***Lady of the Lake*** (4 Stunden, $38). Mit welchem Boot auch immer, ein **absolut toller Trip**! – © (509) 682-4584; www.ladyofthelake.com.

nach Grand Coulee

Mit einem Abstecher über Chelan lässt sich das nächste Ziel, Grand Coulee, am besten über die Straßenkombination #97/#17 und #174 erreichen. Ohnedem bleibt man ab Wenatchee auf der #2, überquert den Columbia River und fährt an dessen Ostufer bis Orondo. Dort verlässt man die Obstgärten und nimmt nach 50 mi hinter Coulee City die #155. Diese Straße zum ***Coulee Dam*** führt durch *Canyons* und Felsabbrüche am Ufer des *Banks Lake* entlang. Ein komfortabler **Campingplatz** mit Strand wartet im ***Steamboat Rock State Park***; www.stateparks.com/steamboat_rock.html.

Coulee Dam
http://de.wikipedia.org/wiki/Grand-Coulee-Talsperre

Der gewaltige ***Coulee*** **Staudamm** (Baujahr 1942) ist einer der größten seiner Art. Die Stromerzeugungskapazität seiner Turbinen gilt weltweit als unübertroffen. Hinter dem Damm staut sich der Roosevelt Lake mit einer Gesamtlänge von 250 km bis hinauf zur kanadischen Grenze. Seine Ufer und angrenzende Gebiete gehören zur ***Lake Roosevelt National Recreation Area***,

Der gewaltige Coulee Dam staut das Wasser des Columbia River zum 250 km langen Roosevelt Lake

einem Freizeit- und Wassersportparadies mit unzähligen Armen und Buchten; www.nps.gov/laro. Er ist das nördliche **Pendant zum *Lake Powell*** in Utah/Arizona mit dem Unterschied einer besseren Zugänglichkeit per Straße, obschon auch in diesem Fall weite Uferbereiche völlig einsam und nur mit Booten erreichbar sind.

Baden

Dank der Sommerhitze im zentralen Washington steigt die **Wassertemperatur** bereits Ende Juni auf über 20°C und sinkt nach weiterer Erwärmung erst Mitte September wieder unter dieses Niveau. In einigen Nebenarmen (Spokane River) werden im Juli/August bis zu 28°C gemessen.

Camping / Unterkunft

An den Seeufern gibt es viele *Campgrounds*. Ein schöner, das Wasser überblickender Platz ist ***Spring Canyon***, etwa 5 mi östlich Grand Coulee (mit Strand). Am hohen Ufer des Banks Lake kann man im ***Coulee Playland Resort*** in Electric City **zelten** oder eine Jurte mieten, © (509) 633-2671; www.couleeplayland.com.

Die Zahl der ***Motels/Lodges*** in den Ortschaften Electric City, Grand Coulee und Coulee Dam ist gering. Anziehungspunkt ist auch dort ein **Spielkasino** der *Colville*-Indianer.

Lasershow

Am Staudamm findet in den Sommermonaten allabendlich nach Einbruch der Dunkelheit ein tolles Laserspektakel statt. Vom großen **Besucherzentrum** (geöffnet im Sommer 8.30-22 Uhr, vor/nach *Memorial/Labor Day* 9-17 Uhr) unterhalb des Damms projiziert man zu Musik und erbaulichen Botschaften nationaler wie unternehmensbezogener Art eine **prächtige Farbenshow** auf die schneeweiß über die *Spillway* des Dammes stürzenden Wassermassen. Die Anfangszeiten ca. 22 Uhr im Juni/Juli, 21.30 Uhr im August, 20.30 Uhr im September; www.grandcouleedam.org.

Alternative Route

Wer über genügend Zeit verfügt, könnte vom *Coulee Dam* nach Spokane einen sehr schönen Umweg fahren (Zeitbedarf mindestens ein zusätzlicher Tag):

Zunächst ginge es auf der **Straße #155** nach Nespelem (dort das Grab des bekannten Indianerhäuptlings *Chief Joseph*) und weiter durch die ***Colville Indian Reservation*** (www.colvilletribes.com, ggf. Abstecher an den kleinen Owhi Lake) hinüber zur **#21**, einem »Geheimtip« dieses Region. Die Straße läuft parallel zum ***Sanpoil River***, der malerisch durch die *Kettle River Mountains* schneidet. **Republic**, ein altes Goldrauschstädtchen mit z.T. noch intakten Minen, ist der einzig nennenswerte Ort weit und breit.

Auf der **#20** überquert man die Kettle River Mountains und fährt ab Kettle Falls 84 mi auf der **#25 am *Roosevelt Lake*** entlang nach ***Fort Spokane***. Vom alten Fort existieren kaum noch Reste. Badestopps sorgen an Schönwettertagen für mehr Abwechslung.

Zum Glacier Park auf Nebenstraßen

Bei **Verzicht auf Spokane** (sollte nicht allzu schwerfallen) und Ziel *Glacier Park* entspricht dieser Schlenker in den Norden mit Verbleib auf der #20 und Weiterfahrt in Idaho/Montana auf der #2 (siehe unten) gleichzeitig der schönsten Route überhaupt, wiewohl sie relativ viel Zeit kostet.

Spokane

Die zweitgrößte Stadt von Washington State, Spokane, hat für ihre Größe (ca. 200.000 Einwohner) nicht ganz viel zu bieten. Die kleine, nicht besonders ansehnliche **Innenstadt** liegt zwischen Spokane River/I-90 und Browne/Monroe Streets.

Zentraler Anlaufpunkt ist der unverfehlbare ***Riverfront Park*** (Zufahrt von der I-90/Monroe Street, dann Spokane Falls Blvd), dem Überbleibsel einer seinerzeit kaum beachteten Weltausstellung 1974. Zu diesem Komplex am Fluss gehören ein IMAX-Kino und ein kleiner Dauerjahrmarkt. Eine Gondelseilbahn schaukelt Besucher über die heute wenig aufregenden *Spokane Falls*, denen eine Staustufe den Zahn gezogen hat; www.visitspokane.com.

Museen

Als kulturelles Aushängeschild der Stadt gilt das vor ein paar Jahren erweiterte ***Northwest Museum of Arts and Culture*** mit gemischt historischer, naturkundlicher und Kunst-Ausstellung einschließlich indianischer Abteilung. Eine restaurierte **Villa des 19. Jahrhunderts** im englischen Tudor-Stil mit zeitgenössischer Möblierung gehört mit zum Komplex. Geöffnet Di-So 11-17 Uhr, $7. Das Museum liegt am westlichen Ende der 1st Ave in einem schönen Villenviertel hoch über dem Spokane River; Anfahrt nur über die 2nd Ave; www.northwestmuseum.org.

Planschbad

Näher als Museumsbesuche liegt bei der in Spokane sommers vorherrschenden Hitze Abkühlung im Planschpark ***Splashdown Waterslide*** im *Valley Mission Park* südlich der I-90, Ausfahrt 289. Geöffnet 11-18, So ab 12, Di bis 20 Uhr; *Memorial* bis *Labor Day*, $14, Kinder bis 11 Jahre $12; www.splashdownwaterpark.net.

Unterkunft

Hohe Motel-/Hotelkapazitäten an den Ausfallstraßen sorgen in Spokane für eher moderate Tarife, ab $50 für Mittelklasse.

Der ***Riverside State Park*** legt ca. 6 mi nordwestlich auf der Sprague/Riverside Ave, dann Riverside Park Drive.

Zum Glacier Park

Bei Ziel *Glacier Park* könnte man auch noch ab Spokane der **Straße #2** folgen (➤ vorige Seite unten). Bis über Sandpoint/Idaho hinaus bringt diese Strecke aber zunächst wenig. Erst im einsamen Abschnitt zwischen Troy und Kalispell/Montana durch die ***Purcell Mountains*** wird man für den Umweg belohnt. Da auch die Autobahn und mögliche Abkürzungen in Richtung Norden landschaftlich überzeugen, sollte man ab Spokane die raschere Fahrt auf der **I-90** bevorzugen.

Coeur d'Alene

Am Wege liegt bereits in Idaho ein Ort mit dem hübschen französischen Namen Coeur d'Alene, laut einer Umfrage vor wenigen Jahren **eine der zehn schönsten Kleinstädte der USA**. Direkt am gleichnamigen See erstrecken sich europäisch anmutende Parkanlagen, Marinas und Apartmentkomplexe der Luxus-Kategorie. Das Zentrum ist auffallend gepflegt. Die Seeufer befinden sich überwiegend in Privatbesitz und stehen voller Ferienhäuser. Der öffentliche Zugang ist dadurch ziemlich beschränkt. Außerhalb des Strandbades in Coeur d'Alene kommt man östlich der Stadt am besten an den See heran; www.coeurdalene.org.

Abkürzung zum Glacier Park

Eine gute Abkürzung zum *Glacier Park* bietet die Straßenkombination **#135/#200/#28** ab St. Regis/Montana, die in Elmo am *Flathead Lake* auf die **Hauptzufahrt #93** zum Nationalpark und damit auf die **Rundstrecke 7.3** stößt.

Büffelpark

Bei Interesse am Besuch der ***National Bison Range*** (Büffelgehege; www.fws.gov/bisonrange) bei Ravalli könnte man weiter der #200 in östliche Richtung folgen (7 mi westlich von Ravalli geht's links zum *Visitor Center* bei Agency, ➤ Seite 689). Die #93 erreicht man in Ravalli. Bei Verbleib auf der I-90 ergibt sich der Anschluss an die Route 7.3 bei Missoula, ➤ ebenfalls Seite 689.

Exkurs: Über den North Cascades Highway zum Coulee Dam

Die nördlichste Route von Seattle nach Osten führt über den ***North Cascades National Park***. Auf der Ostseite der Kaskaden stößt die Straße in Chelan bzw. Grand Coulee auf die bereits beschriebene Route.

Die Anfahrt zum Nationalpark erfolgt auf der I-5 nach Norden, ab Burlington auf der #20 nach Osten. Die auch mögliche #530 ab Arlington bringt nichts. Ein ***Visitor Center*** für den ***North Cascades Park*** befindet sich an der #2 bereits in Sedro Woolley, ein weiteres in Newhalem; www.nps.gov/noca.

Lake Baker

In den Bereich des nördlichsten der immer schneebedeckten Kaskadenvulkane, ***Mount Baker***, führt die Stichstraße #11 ab **Birdsview** oder **Concrete**. An ***Shannon*** und ***Baker Lake*** und entlang der Straße passiert man mehrere gute, aber einfache ***NF-Campgrounds***. Direkt am Seeufer fast am Ende der Straße, ca. 20 mi nördlich Birdsview, liegt das ***Lake Baker Resort*** mit ***Lodge*** (*Cabins* ab $65) und Bootsverleih © 1-888-711-3033; www.bakerlakelodge.com. ***NF-Camping*** gegenüber. Ab dort führt ein ***Trail*** (ca. 30 min) zu einem heißen **Badepool** im Wald.

Camping

Der ***Rasar State Park***, 4 mi östlich Hamilton, bietet nur für Zelte schönes Camping; attraktiver ist der ***Rockport State Park*** fast unter Regenwaldbedingungen westlich Marblemount und die ***Recreation Area* am Fluss im Ort Rockport**.

Die *Cascade River Road* (geteert) führt von **Marblemount** bis in den Nationalpark hinein. 8 mi von Marblemount entfernt liegt der ***NF-Campground Marble Creek*** im dichten Regenwald; er gehört zur Einfachkategorie, bietet aber absolutes Naturerlebnis, am besten ganz am Ende des Platzes am Wildbach.

Nicht so romantisch, dafür nur 3 mi von Marblemount entfernt, gibt es ein paar einfache Plätzchen auf ***Cascade Island*** auf dem Westufer des Flusses.

Trail zum Lake Chelan

Die Straße endet nach 20 mi, ca. 2,5 mi vor dem ***Cascade Pass***, der nur zu Fuß überquert werden kann. Ab **Cottonwood** (5 mi südlich des Passes) verkehrt im Sommer 3x täglich der ***Shuttle Bus*** des *Park Service* nach Stehekin/Lake Chelan.

Ross Lake National Recreation Area

Von Marblemount führt der *North Cascade Highway* in die ***Ross Lake National Recreation Area***, die den Nationalpark in ein Nord- und Südareal teilt. Ein ***North Cascades Visitor Center*** befindet sich bei Newhalem, außerdem ein *Info Center* von *Seattle City Lights*, dem Betreiber der Wasserkraftwerke des hier dreifach gestauten Skagit River. Die Straße passiert weiter östlich die Dämme des **Diablo** und **Ross Lake**. Abgesehen von Zufahrten zu Marinas ist der 20 mi lange See nur per Boot oder auf Wanderwegen zugänglich (von Canada aus läuft eine 60-mi-Stichstraße an sein Nordende).

In Newhalem und am Lake Diablo gibt es diverse ***Campgrounds***; am besten: ***Colonial Creek*** am *Thunder Creek Arm*.

Washington Pass

Durch weiter grandiose Gebirgslandschaft geht es über den ***Washington Pass*** (auf etwa halber Strecke von Diablo nach Winthrop am Fuß der Berge). Die Auffahrt zum ***Pass Overlook***, einem exponierten Aussichtspunkt, darf man nicht auslassen. Etwas tiefer passiert man weitere ***NF-Campgrounds***.

Winthrop

In Winthrop warten einige originelle **Fotomotive**, denn der Ort – obwohl ohne Wildwest-Vergangenheit – hat sich einen typischen ***Western-Town-Look*** zugelegt. Am Abend ist dort dank diverser **Restaurants**, ***Saloon*** und ***Dance Hall*** mehr los, als man bei nur gerade 400 Einwohnern erwarten würde; www.winthropwashington.com.

Tagsüber verdient das ***Shafer Museum*** mit nostalgischem Sammelsurium einen Besuch, täglich 10-17 Uhr.

Quartiere sind in/bei Winthrop reichlich vorhanden, aber relativ teuer. Der ***Pearrygin Lake State Park*** ca. 5 mi nordöstlich von Winthrop verfügt über einen gut angelegten und komfortablen ***Campground***; www.stateparks.com/pearrygin lake.html. Ortsnäher campt man bei ***KOA*** südlich des Ortes. Klimatisch ein begünstigter ist die ***Recreation Area* in Twisp**, 11 mi südlich von Winthrop, mit einem Campingplatz am Twisp River.

Über Okanogan und dann Straße #155 (besser als #153/#17/#174) erreicht man den ***Grand Coulee Dam***, ➤ Seite 562.

5.3 Startroute #2 ab Seattle: Über Mount Rainier und Mount St. Helens durch Oregon und Idaho zum Yellowstone

Zur Route

Während man bei Entscheidung für Startroute #1 den *Yellowstone Park* von Norden oder Westen ansteuert, eignet sich die Startroute #2 besser für die Anfahrt von Süden her über Jackson/Wyoming und den *Grand Teton National Park*. Die Startroute #1 könnte dann die Rückroute für eine Nordwest-Rundreise sein. Umgekehrt entspricht die Startroute #2 einer geeigneten Strecke für die Rückreise, wenn die Rundreise ab/bis Seattle entsprechend der Route #1 begonnen wurde.

Startroute #2 als Einstieg für eine Westküste-Kaskaden-Rundreise (Kapitel 6)

Nach dem Besuch des *Mount St. Helens Volcanic Monument* und dem Erreichen des Columbia River besteht außerdem die Möglichkeit, die Reise noch gar nicht gleich nach Osten fortzusetzen, sondern erst einmal am Ostrand der Kaskaden entlang zu fahren und Oregon z.B. ab Bend zu durchqueren, ➢ Seite 623. Ebenso könnte die Startroute #2 der Einstieg zu einer Weiterfahrt nach Süden sein auf einer Route, die dem Verlauf der im folgenden Kapitel beschriebenen Rundreise entspricht – ab Portland in gleicher Richtung (➢ Seite 586) oder aber ab Hood River in Gegenrichtung, ➢ Seite 626.

Zum Mount Rainier National Park

(Karte auf ➢ Seite 579)

Erstes Ziel auf dieser Strecke ist der *Mount Rainier National Park*. Prinzipiell gibt es von Seattle dafür zwei meilenmäßig in etwa gleich weite Zufahrten. **Unter dem Aspekt der Fortsetzung der Reise nach Süden zum Mount St. Helens ist die Straße #410 zur nordöstlichen Parkeinfahrt vorzuziehen**. Die Straßenkombination #7 (ggf. #161) und #706 zum westlichen Haupteingang sollte nur wählen, wer entweder von vornherein auf den Besuch der *Sunrise*-Region verzichtet oder aber den *Mount St. Helens* auslässt zugunsten einer rascheren Reise über Yakima und dann I-82/I-84 nach Osten.

Achtung: Wegen Überflutungsschäden Ende 2006 dürften in der Saison 2007 noch nicht alle Straßen und Campgrounds im Mount Rainier Park wieder voll funktionsfähig sein

Zur Westeinfahrt des Mount Rainier National Park

Wer die landschaftlich – gegenüber der Straße #410 – gleichwertige, im Park schönere Route zur südwestlichen Haupteinfahrt wählt (Straße #161, dann #7 und #706), erreicht bei La Grande den **Alder Lake**, einen stark genutzten Freizeitsee, und damit das beste Teilstück der Strecke.

Am Alder Lake kann man vor den Toren des Parks am besten campen. Weiter westlich gibt es nur noch einige weniger attraktive kommerziell geführte Plätze. Zwischen La Grande und der Parkeinfahrt passiert man viele **Motels** und ***B&B***-Angebote, von denennicht alle in den Verzeichnissen zu finden sind. Außer an Wochenenden kommt man in diesem Bereich auch im Sommer im allgemeinen ganz gut unter; und die Tarife sind eher moderat.

Straße #410

Die **Straße #410** besitzt weitere **Vorteile**: Sie ist nicht so stark befahren, und bereits bei der Anfahrt von Seattle vermeidet man die Verkehrsbelastung im Bereich Tacoma durch rechtzeitiges Ausweichen vom *Freeway* #167 auf die #164 bei Auburn. Außerdem passiert man als erstes Zwischenziel im Park das *Sunrise* Gebiet (siehe unten) und muss dafür keine Doppelfahrt in Kauf nehmen. Das dann ggf. notwendige doppelte Abfahren der Straße zur *Paradise* Region ist weniger nachteilig, da sie durch den reizvollsten Bereich des Parks führt, der sich dem Auge bei Hin- und Rückfahrt ganz unterschiedlich präsentiert.

Mount Rainier National Park

Bis mindestens Sommer 2007 sind wegen Flutschäden 2006 **Einschränkungen** zu erwarten (Straßen, Camping). Aktuelles auf www.nps.gov/mora/parknews/november-2006-flooding.htm

Höchster Kaskadengipfel

Der Vulkan ***Mount Rainier***, mit fast 4.400 m höchster Berg der Kaskaden, bietet zu jeder Jahreszeit ein eindrucksvolles Bild. Die **Gletscher** reichen weit nach unten; der Krater ist immer schneebedeckt. Dünne Rauchspuren künden häufig von der in seinem Inneren noch brodelnden Aktivität, die – wie im Fall des *Mount St. Helens* – eines Tages zum Ausbruch führen könnte. Der **weißblaue Gipfel** ist bei klarer Sicht selbst im 70 mi entfernten Seattle noch deutlich zu sehen. Unberührte Wälder und Almen umgeben den majestätischen Berg; www.nps.gov/mora.

Eintritt
$15/Auto
$5/Person
oder
Interagency Jahrespass

Die durch den Park führenden Straßen (**#706, die schönste Strecke,** und #123/#410) laufen in einem weiten südwestlichen Bogen um den *Mount Rainier* und seine Ausläufer herum. Zwei Zubringer führen zu Ausgangspunkten für Wanderungen:

Paradise

- Eine *Loop Road* durch das ***Paradise Valley*** im Süden des *Mount Rainier* bringt die Besucher zum ***Paradise Visitor Center*** und zu den gletschernächsten ***Trails*** des Parks. Dort sollte man sich als Minimalprogramm den ***Nisqually Vista Nature Trail*** vornehmen. Noch besser wäre der sehr schöne ***Skyline Trail*** (ggf. mit ***Alta Vista Trail*** ab *Visitor Center*); für die Gesamtstrecke (ca. 5 mi) benötigt man ab 3 Stunden.

Mount Rainier im August von der Sunrise Region aus gesehen

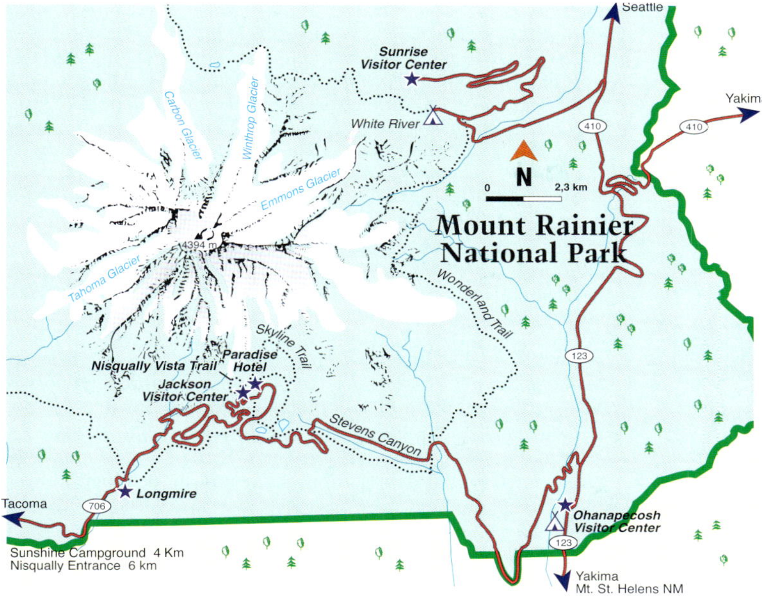

Sunrise

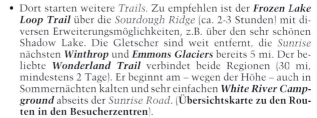

- Für die serpentinenreiche Straße (14 mi ab *Mather Memorial Pwy #410*) zur ***Sunrise Region*** im Parkosten muss man ein bisschen **Extra-Zeit** mitbringen. Bei gutem Wetter wird man für die Anfahrt reich belohnt: die schönsten Ausblicke auf den Gipfel hat man von dieser Seite. Hinter dem *Visitor Center* liegt ein **Picknickplatz** mit Traumpanorama.

Trails

- Dort starten weitere *Trails*. Zu empfehlen ist der ***Frozen Lake Loop Trail*** über die *Sourdough Ridge* (ca. 2-3 Stunden) mit diversen Erweiterungsmöglichkeiten, z.B. über den sehr schönen Shadow Lake. Die Gletscher sind weit entfernt, die *Sunrise* nächsten ***Winthrop*** und ***Emmons Glaciers*** bereits 5 mi. Der beliebte ***Wonderland Trail*** verbindet beide Regionen (30 mi, mindestens 2 Tage). Er beginnt am – wegen der Höhe – auch in Sommernächten kalten und sehr einfachen ***White River Campground*** abseits der *Sunrise Road*. (**Übersichtskarte zu den Routen in den Besucherzentren**).

Zum Gipfel

Wer Neigung zur **Erklimmung des Mount Rainier** verspürt, ohne selbst Bergspezialist zu sein, kann 3-tägige **Gipfeltouren** ab ca. $400 buchen. Ein Tag dient der Vorbereitung, zwei Tage dauert der eigentliche Trip. Die notwendige Ausrüstung wird weitgehend gestellt. Auskünfte und Buchung bei ***Rainier Mountaineering***, in Ashford: © 1-888-892-5462; www.rmiguides.com.

Unterkunft/Camping

Im Nationalpark gibt es zwei schöne Hotels: Das ***Longmire National Park Inn*** ($100-$134) im Tal des Nisqually River auf etwa halber Strecke zwischen Westeingang und *Paradise*, und das nostalgisch-rustikale ***Paradise Inn*** (2007 in Renovierung, Wiedereröffnung Mai 2008; dann unbedingt mal 'reingehen und die Halle bewundern), Reservierung unter © **(360) 569-2275**; http://rainier.guestservices.com. Wer dort nicht unterkommt, findet – wie gesagt, ➤ Kasten Seite 567 unten – viele Angebote vor den Toren des Parks im Westen.

Auf den ***White River Campground*** (110 Stellplätze) wurde bereits hingewiesen, er ist (war) nach ***Sunshine Point*** (klein, nur 18 Plätze am Fluss unweit des Westeingangs, wurde 2006 zerstört, Reparatur fraglich) die beste Wahl. Außerdem gibt's noch ***Cougar Rock***, einen großen *Campground* an der Straße #706. Vergabe der Plätze auf Basis *First-come-first-served*. Reservieren (➤ Seite 200) lässt sich nur der ***Ohanapecosh Campground***, ein nicht so einladender Massenplatz am Fluss in der Nähe der Südeinfahrt. Das dortige *Visitor Center* informiert zu **Ökologie und Geschichte** des Parks.

Unten am Cowlitz River liegt der ***Wis-Wis Campground*** des *National Forest Service* mit wunderbaren, aber oft voll belegten Stellplätzen am Wildwasser: nach Einfahrt auf den weitläufigen Platz (von der #12 südlich des Straßendreiecks mit der #123) folge man dem Schild »*Tent Camping*« bis zum Ende zu den besten Uferplätzen (auch für RVs). Sollte alles besetzt sein: die primitive Gratis-Ausweichlösung ist ***Summit Creek***, ein Plätzchen abseits der #12 Richtung Osten, Schild nach links kurz hinter der Kreuzung, dann 3 mi *Forest Road*.

Versorgung

Abschließend anzumerken ist, dass außer in **Longmire** (Laden mit begrenztem Sortiment) im *Mount Rainier Park* **keine Einkaufsmöglichkeit** besteht, wenn man von Snacks und Postkarten in den oben beschriebenen Bereichen absieht.

Zum Mount St. Helens Ostseite

Von der **südöstlichen Aus-/Einfahrt** des ***Mt. Rainier Park*** sind es rund 30 mi auf den Straßen #123/#12 am **Cowlitz River** entlang bis Randle, von wo ein Netz (von asphaltierten) Forststraßen die besonders reizvolle Ostseite des ***Mount St. Helens National Volcanic Monument*** erschließt.

Packwood

Ein kleiner Ort am Wege mit einigen noch preiswerten ***Motels/Lodges*** ist **Packwood**; www.destinationpackwood.com/lodging.cfm. Das alte einfache, ein bisschen nostalgische ***Hotel Packwood***, © (360) 494-5431, hat Zimmer ohne eigenes Bad ab $39; www.packwoodwa.com. Weitere Unterkünfte gibt es in **Randle**.

Der ***City Park*** in Packwood ist im wesentlichen identisch mit dem ***Campingplatz*** des Ortes (Duschen, teilweise *Hook-up*); schöne Plätzchen im Grünen befinden sich im hinteren Areal. Wer in diesem Bereich ans Campen denkt, sollte auch den ***NF-Iron Creek Campground*** unter riesigen Douglasfichten, 10 mi südlich von Randle, ins Auge fassen, nach *Wis-Wis* der beste Platz weit und breit, der sich aber auch oft früh füllt.

Mount St. Helens National Volcanic Monument und Maryhill

Ausbruch des Mount St. Helens

An den spektakulären Ausbruch des *Mount St. Helens* im Jahre 1980 wird sich mancher Leser noch erinnern. Drei Tage ununterbrochener Eruptionen und kleinere Nachbeben führten damals zu einer Verdunkelung des Himmels über Washington. Gletscher schmolzen und sorgten für Schlammfluten in der Umgebung. Viele Quadratkilometer Waldflächen im weiten Umkreis des Berges wurden total vernichtet, Lava ergoss sich auch nach Südosten. Das **Ergebnis** der vulkanischen Aktivitäten war **ein um 400 Höhenmeter reduzierter Berg** mit einem 1,5 km breiten, nach Norden aufgebrochenen Krater.

National Volcanic Monument

Der Krater selbst und das von Zerstörung am stärksten betroffene Gebiet wurden zur Sperrzone erklärt und schon 1982 ein großes Areal rund um den Berg als ***Volcanic Monument*** ausgewiesen. Man wollte die sich überraschend schnell abzeichnende Erholung der Natur in der ***Desaster Area***, in der zunächst alles Leben untergegangen zu sein schien, unbeeinflusst von menschlicher Einwirkung beobachten und auswerten.

In der Zwischenzeit, in nun 25 Jahren, ist bereits eine erhebliche Erholung der Natur eingetreten, wenn auch die großflächige Zerstörung noch erkennbar blieb. Die Forststraßen des Gebietes wurden zur Besucherbewältigung weiträumig ausgebaut und erlauben nun problemlose Fahrten bis hinauf zur ***Windy Ridge***.

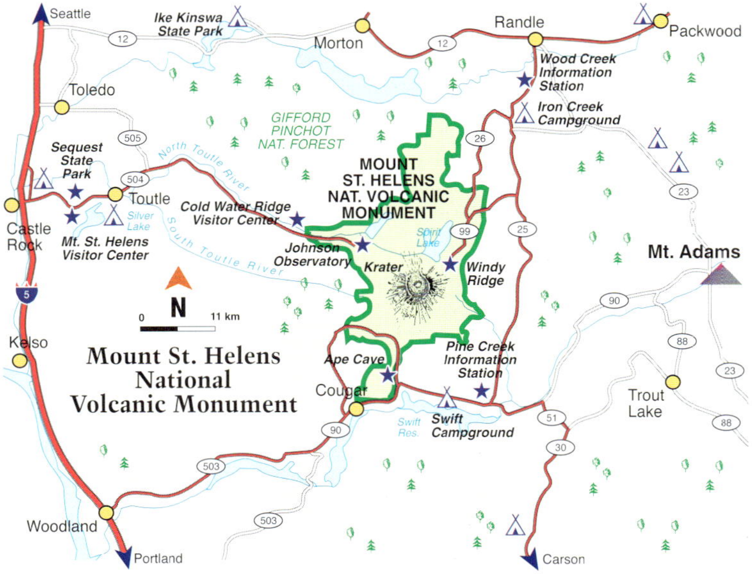

Visitor Center

Auf der **Westseite** existieren gleich **drei *Visitor Center*** (➤ Seite 584), auf der **Ostseite** ein – nur im Sommer besetzter – ***Info Container*** an der Auffahrt zur Windy Ridge.

Eintrittt

Das ***Mount St. Helens Monument*** wird gemeinschaftlich vom ***National Park*** und ***National Forest Service*** verwaltet und betrieben. Die Fahrt durch das Gebiet ist frei. Wer aber aussteigt und die Serviceeinrichtungen (*Visitor Center*, Parkplätze und Aussichtspunkte) benutzt, darf dies nur mit ***Monument Pass*** oder ***Northwest Forest Pass***. Letzterer kostet seit 2007 $8 pro Person und Tag (bis 15 Jahre frei) und gilt auf Ost- und Westseite.

Der *National Parks Pass* war hier früher nicht gültig. Aber der neue ***America the Beautiful Pass*** deckt auch **Mount St. Helens NM** ab, hier erkennt man den Sinn der Bezeichnung ***Interagency Pass***.

Die Tagespässe kann man in ***Visitor Centers***, in ***Information Stations*** am Wege (dort gibt es auch den informativen ***Volcano Review***, die offizielle Zeitung mit Karten und aktuellen Details) und in Läden rund um das *Mt. St. Helens Monument* kaufen. Den Interagency Pass gibt's nur in den *Visitor Centers*.

Details im Internet: www.fs.fed.us/gpnf/mshnvm.

Windy Ridge

Als Zufahrt zum Ostareal dient die Straße #25. Ca. 25 mi südlich von Randle geht es auf der #99 nach Westen hinauf zur ***Windy Ridge***. Der Gebirgskamm liegt über dem einst malerischen Bergsee ***Spirit Lake*** in größter Nähe zum Krater. Die Fahrt und der Blick von den diversen Aussichtspunkten vermitteln einen plastischen Eindruck von den Naturgewalten, die hier einst im Spiel waren. Die beste Foto- und Beobachtungsposition bietet der Hügel über dem Parkplatz ganz am Straßenende (langer Treppenzug nach oben). Zum Spirit Lake hinunter führt ein ***Trail*** ab dem *Harmony View Point*.

Trails

Auf einer Vielzahl von *Trails* kann man die im Hochsommer bisweilen stark frequentierten Zubringer und speziell die *Windy Ridge* rasch hinter sich bringen. Da man heute in die einst gesperrte Zone der größten Zerstörung hineinlaufen darf, sind die entsprechenden Wege am interessantesten. ***Trail Information*** im Internet bzw. an der Info Station vor Ort.

Permit für-Trails über 4800 Fuß

Man darf sogar (wieder; war 2005/2006 wegen neuerlicher vulkanischer Unruhe des Berges gesperrt) bis auf den **Gipfel des *Mount St. Helens*** (8.365 Fuß = 2.560 m) an den Rand des Vulkans.

Generell gilt: für alle ***Trails***, die auf Höhen über 4800 Fuß steigen, benötigt man ein **Permit** zu $15+$7 Servicegebühr (also $22), nur zu reservieren im Internet unter www.fs.fed.us/gpnf/recreation/mount-st-helens/permit-system.shtml. Pro Tag gibt es nur eine begrenzte Anzahl von *Permits*. Gückliche ***Permitholder*** müssen einen Tag vor dem reservierten Termin oder am Tag selbst mit dem Computerausdruck das eigentliche ***Permit*** in ***Jack`s Restaurant*** & ***Store*** bei Ariel an der Straße #503 abholen; ✆ (360) 231-4276.

Spirit Lake: früher ein idyllischer See im dichten Hochwald, jetzt aufgestaut in verkarsteter Landschaft. Tausende von Baumstämmen bedecken hier noch die Wasserfläche (Foto 1989, 9 Jahre nach Ausbruch!)

Ape Cave

Der Gipfeltrail beginnt im Südbereich des Monuments; dort stößt man auch auf ein **Wegenetz** durch eine auf frühere Ausbrüche zurückgehende **Lavalandschaft**, wie sie ähnlich in Oregon und Nordkaliforniens zu finden ist. Einen Besuch verdient die ***Ape Cave***, eine nach beiden Seiten hin offene, fast 1 km lange Lavahöhle. Die *Ranger Station* am Beginn des ***Ape Cave Trail*** verleiht Laternen ($2; 10-17.30 Uhr).

Zeitbedarf

Das Abfahren der nur scheinbar geringen Distanzen rund um den *Mount St. Helens* kostet wegen der kurvenreichen Straßenführung und Tempolimits relativ viel Zeit. Für einen Besuch, der eine Fahrt hinauf zur *Windy Ridge* und zur *Ape Cave* mit einschließt, benötigt man ab Randle leicht 5-6 Stunden. Einen ganzen Tag dauert eine »Vollumrundung« inkl. Fahrt zur *Cold Water Ridge* auf der Westseite, ➤ Seite 584.

Zum Columbia River

Auf dieser Route verlässt man die *Mount St. Helens*-Region bei der ***Pine Creek Information Station*** über die Straße #90, dann #51, und auf der #30 geht es letztlich nach Carson am Columbia River, eine schöne Route auf guter Straße durch den *Gifford Pinchot National Forest*. Eine besondere Übernachtung kann man sich in der ***Skamania Lodge*** gönnen, einem rustikalen Edelhotel in Alleinlage. Es liegt bei Stevenson, 7 mi westlich Carson, DZ ab ca. $160, ✆ 1-800-221-7117; www.skamania.com.

Straße #14 oder I-84?

Der schnelle Weg nach Osten entspricht nun dem Verlauf der I-84 auf dem Südufer des Columbia River, zu erreichen über die Brücke nach Cascade Locks oder Hood River. Wer sich schon hier für die *Interstate* entscheidet, kommt via Cascade Locks trotz Mehrmeilen schneller voran. Zu **Zwischenstopps** an der *Columbia River Gorge* ➤ Seite 626. Ein Verbleiben auf der #14, auf dem Nordufer des Flusses also, macht nicht viel Sinn, auch wenn einzelne Straßenabschnitte durchaus reizvoll sind. Man verbraucht dort zuviel Zeit.

Maryhill

Einzige echte Sehenswürdigkeit an der #14, die leicht auch als **Abstecher von der I-84** (ab Biggs) erreicht werden kann, ist das dort gänzlich unerwartete, an italienische Renaissance erinnernde Gebäude des ***Maryhill Art Museum*** (9-17 Uhr, Eintritt $7) hoch über dem Fluss. Es entstand als Privatvilla des Millionärs *Sam Hill* Anfang des Jahrhunderts. Nach seinem Tod wurde daraus ein Kunstmuseum mit einer zwar heterogenen Kollektion unterschiedlichster Objekte, darunter aber bemerkenswerte Einzelstücke und Sondersammlungen, u.a. Skulpturen und Gemälde *Auguste Rodins*, zahlreiche kunstvolle Schachspiele und russische Ikonen; www.maryhillmuseum.com.

Derselbe *Sam Hill* ließ einige Meilen östlich eine Replica des englischen ***Stonehenge*** als *Memorial* für Gefallene des 1. Weltkriegs errichten; Zufahrt geöffnet 7-22 Uhr, frei.

Unten am Fluss liegt der außergewöhnlich gute ***Campground*** des ***Maryhill State Park*** mit allem Komfort und Badestrand.

Nach Osten auf der I-84

Hitze und Trockenheit kennzeichnen die Ebene zwischen Kaskadengebirge und nordwestlichen Höhenzügen der Rocky Mountains. Nur intensive Bewässerung ermöglicht hier wie im zentralen Washington die landwirtschaftliche Nutzung. Besonderes zu sehen gibt es an der I-84 am Columbia River entlang nichts. Erst ab Erreichen der Blue Mountains wird das Landschaftsbild erfreulicher. Noch in der Ebene passiert die *Interstate* Pendleton, Zentralort des nordöstlichen Oregon.

Pendleton und Baker City

Pendleton Rodeo

Gäbe es nicht das ***Pendleton Round-up***, **eine der bekanntesten Rodeo-Großveranstaltungen Nordamerikas**, wäre die 15.000-Einwohner-Stadt in dieser entlegenen Ecke des Staates kaum jemandem ein Begriff. Alljährlich in der zweiten vollen Septemberwoche verwandelt sich Pendleton vom Provinznest in den Rodeo-Nabel der USA. Aber rund geht es so richtig erst ab Mittwoch (bis Samstag) mit dem täglichen Rodeo am frühen Nachmittag und der großen ***Wildwest-Show*** am Abend in der ***Happy Canyon Open Air Arena***. Anschließend finden Umtrunk und Tanz in der ***Happy Canyon Dance Hall*** bis zum frühen Morgen statt. Die Stadt »vibriert« in diesen Tagen mit ***Cowboys Breakfast*** und ***Barbecue***, Umzügen (vor allem die ***Westward Ho! Parade*** am Freitag Vormittag!) und vollem Programm in der *Main Street* vom Nachmittag bis zum Abend: ***Country Music, Square Dance*** und ***Gunfights.***

Die **Eintrittspreise** für Rodeo und Abendveranstaltungen sind moderat, Rodeo ab $14, *Happy Canyon* ab $9 (2007). Selbst die besten Plätze kosten nur $18 bzw $15. Indessen sind nicht nur die oft schon ein Jahr vorher ausverkauft. **Tickets** kann man bis zu 2 Jahren im voraus **reservieren**: © 1-800-457-6336 bzw. © (541) 276-2553. Auskünfte auch bei der ***Chamber of Commerce***, © 1-800-547-8911, 501 S Main Street; www.pendletonroundup.com.

Unterkunft

Die **Unterkunftsituation** in den Tagen des *Round-up* ist chaotisch. **Zentrale Buchung** von Privatquartieren ab August: ✆ 1-800-547-8911 (von außerhalb Oregons) oder 1-800-452-9403 (von Oregon aus). **Camping** wird auf *first-come-first-served* Basis zentral geregelt. Vergabebüro für die in diesen Tagen 1.500 ausgewiesenen Stellplätze unweit ***Exit* #207** von der I-84.

Zu anderen Zeiten übernachtet man in Pendleton im allgemeinen recht preiswert. **Motelzimmer** gibt es bereits unter $40.

Zum Hells Canyon

Östlich von Pendleton erreicht die I-84 die ***Blue Mountains*** und damit den besten Abschnitt ihres Verlaufs im östlichen Oregon. Im ***State Park Emigrant Springs*** campt man besser als auf einem der privaten Plätze bei Pendleton. Man kann dort – wie in *Farewell Bend* – im **Planwagen** übernachten; www.oregonstateparks.org/park_23.php.

Noch ca. 100 mi sind es bis **Baker City**. Am *Exit* 302 zweigt die Straße #86 zum ***Hells Canyon*** ab, die Route aus Kapitel 7.3 durch den zentralen Nordwesten, ab Seite 666.

Anfahrt nach Baker City ab Bend/Oregon ➢ Seite 623.

Baker City

Einige Meilen östlich der I-84 befindet sich an der #86 das hervorragende ***Oregon Trail Interpretive Center***, ein historisches Museum mit Außenbereich und *Trails*, an denen noch heute die tief eingefurchten Spuren der Planwagen der ersten nach Oregon strebenden Siedler zu besichtigen sind. Im Sommer 9-18 Uhr geöffnet, sonst bis 16 Uhr, $5/Person, Kinder bis 15 Jahre frei; www.blm.gov/or/oregontrail. **Auf keinen Fall versäumen!**

In Baker kann man relativ preiswert übernachten. Die Häuser der Motelketten sind nicht zu verfehlen (***Sleep Inn, Quality, Shilo, Super 8, Best Western, Budget Inn***); www.visitbaker.com. Gleich neben der *Interstate* steht das ***Oregon Trail Regional Museum***, nur eine Ergänzung, keine Alternative zum *Interpretive Center*.

Auf der Weiterfahrt nach Idaho auf der I-84 passiert man den ***Farewell Bend State Park*** am Snake River; www.oregonstateparks.org/park_7.php. Der Park verfügt über einen prima angelegten *Campground* und vor allem über **Planwagen** und ***Teepees***, die sich mieten lassen. Die *Wagons* stehen direkt über dem hohen Flussufer; Details auf Seite 191.

In Idaho bzw. **Boise** ist der Anschluss an die Routen durch den zentralen Nordwesten hergestellt, ➢ Seite 698.

Planwagen-Camp vorm Oregon Trail Interpretive Center bei Baker City

6. WESTKÜSTEN-KASKADEN-RUNDSTRECKE

6.1 Zur Route

Startpunkt: Seattle und San Francisco, ggf. Portland

Gesamtstrecke:
Rechnerisch 3.500-4.000 km, realistisch 4.500-5.500 km

Zeitbedarf:
Nicht unter 3, besser 4 Wochen, speziell, wenn eventuell noch der Besuch des *Yosemite NP* mit eingeschlossen werden soll. **Teilstrecken** mit kürzerer Dauer sind auch als Rundkurs leicht definierbar, etwa bis Portland und dann zurück über den *Mount St. Helens* und *Mount Rainier NP*, ➤ vorstehenden Abschnitt (etwa 6-9 Tage). Weitere Umkehrpunkte wären der *Redwoods NP* und Eureka in Nordkalifornien. Von ersterem kann man leicht zum *Crater Lake NP* hinüberfahren und sich dann wieder nördlich orientieren (9-14 Tage); ab Eureka gilt dasselbe in Verbindung mit der *Whiskeytown Shasta-Trinity NRA* und dem *Lassen Volcanic National Park* (ca. 14-20 Tage)

Beste Reisezeit:
Juli bis einschließlich September. Inlandstrecken auch Juni.

Big Cities: Seattle, San Francisco

Interessante mittlere Großstädte: Portland, Sacramento, Reno

Nationalparks:
Olympic, Redwood, (Yosemite), Lassen Volcanic, Crater Lake.

Wichtige Nationalmonumente und Recreation Areas:
Lava Beds, Muir Woods, Newberry Crater, Oregon Dunes, Point Reyes National Seashore, Whiskeytown Shasta-Trinity NRA

Sonstiges: **Schöne und abwechslungsreiche Strecken** entlang der Oregon-Küste, an der kalifornischen Küste nördlich von San Francisco, im nordkalifornischen Küstengebirge, in den Kaskaden in Kalifornien und Oregon und im *Columbia River Valley*.

Routenverlauf: Die beschriebene Rundstrecke **beginnt in Seattle** und führt **bis San Francisco an der Westküste entlang,** alternativ teilweise auch auf küstennahen Abschnitten mit Abstecher nach **Portland**. Zurück nach Norden geht es durch die Gebirgsregionen der **Kaskaden** und ggf. auch der **Sierra Nevada** (Beschreibung im Kapitel 2: Startrouten ab San Francisco).

Auf den – ohne Abstecher und Umwege – mindestens 4.500 km effektiver Fahrstrecke liegen mit San Francisco die interessanteste *Big City* des Westens und mit Portland, Sacramento und Reno weitere besuchenswerte Großstädte. Die **Nationalparks und -monumente** auf der Route zeichnen sich durch sehr unterschiedliche und in ihrer Art einmalige Charakteristika aus.

6.2 Von Seattle nach San Francisco

6.2.1 Die Küstenstraßen #101 und #1

Die im Kapitel 6.2 beschriebene Strecke folgt überwiegend dem Verlauf der **Straße #101** (Washington State und Oregon) und der **Straße #1**. Letztere zweigt in Leggett/Nordkalifornien von der #101 ab und endet unterhalb Los Angeles bei San Juan Capistrano. Sie läuft in Kalifornien parallel zur dort weitgehend landeinwärts geführten #101 unmittelbar an der Küste entlang, weist aber auch mit dieser identische Teilstrecken auf (hier nur über die *Golden Gate Bridge*).

Die **#101 beginnt in** der Hauptstadt Washingtons, **Olympia,** und führt nach einem »Schlenker« um die ***Olympic Peninsula*** herum als **pazifische Nord-Süd Achse** bis Los Angeles.

Kennzeichnung

Allein dieser Teil der Route bietet mit einigen Abstechern **Abwechslung** genug für eine 2-Wochen-Reise. Neben den Nationalparks in Küstennähe und den *Cities Portland und San Fancisco* liegen am Wege viele *State Parks* und kaum bekannte Regionen, die landschaftlich durchaus mit populären Naturschönheiten konkurrieren können.

Andererseits sei nicht verschwiegen, dass die Küste teilweise über eine stark ausgebaute **touristische Infrastruktur** verfügt. In einigen Badeorten und auf vielen Picknick- und Campingplätzen herrscht in den Sommermonaten ziemlicher Betrieb.

6.2.2 Das Küstenklima

Nebel und Sonnenschein

Klimatisch ist die Küstenroute nicht ganz unproblematisch. **Kennzeichen** des Wetters am Pazifik sind mit Ausnahme Süd kaliforniens **abrupte Wechsel**. Ein wunderschöner Tag kann urplötzlich in dichtem **Nebel** enden, der manchmal gleich für mehrere Tage Kälte und Feuchtigkeit mit sich bringt.

Diese Spezialität bleibt aber zum Glück oft in den Ausläufern der Küstengebirge hängen. Wenige Meilen landeinwärts strahlt dann schon wieder die Sonne. Das Risiko schlechten Wetters ist im **Sommer** größer als im Herbst, die ideale Reisezeit an der Küste ist daher Mitte August bis Ende September.

Landeinwärts

Aber nicht nur bei Küstennebel lohnen sich Abstecher in die Nationalforste und andere Teile des durchweg dünn besiedelten, manchmal völlig einsamen Hinterlandes.

Von Washington bis Südkalifornien erstrecken sich touristisch nur wenig beachtete mittelgebirgsartige Landschaften mit glasklaren Bächen und Seen. Die **Temperaturen dieser Gewässer** sind im Gegensatz zum eiskalten Ozean bis Mitte September und länger badefreundlich. Uund die dort regelmäßig vorhandenen **Campingplätze in den *National Forests werden*** bei einiger Distanz zur Küste deutlich weniger frequentiert als die im Sommer vielfach überlaufenen ***State Parks*** am Pazifik.

6.2.3 Olympic Peninsula und Washington-Küste

Olympic Mountains/ Wetter

Im Nordwesten fragt sich, ob ein Besuch des ***Olympic National Park*** den dafür kaum zu vermeidenden Umweg um die gesamte gleichnamige Halbinsel herum eigentlich lohnt. Zu kalkulieren sind dafür ohne größere Unternehmungen im Park ohne weiteres **2 Extratage**. Der hohe zeitliche Aufwand ergibt sich insbesondere daraus, dass neben der langsamen Fahrt auf der streckenweise sehr kurvenreichen #101 (von Seattle nach Aberdeen bei Fährbenutzung Seattle-Winslow ca. 250 mi) die verschiedenen Parkzonen nur über Stichstraßen erreicht werden können. Tatsächlich bietet der *Olympic Park* **bei gutem Wetter großartige Ausblicke** von den höheren Lagen und reizvolle Wanderwege durch Hochgebirge, Regenwald und wildromantische Uferlandschaften. **Aber bei Regen**, Nebel und damit verbundener trüber Sicht bleibt davon nicht viel. Schlechtwetter ist zwar auch für den Besuch anderer Naturparks ungünstig, die Aussichten dafür sind in dieser Ecke Washingtons jedoch besonders hoch. Vor jedem Fahrtantritt sollte unbedingt die Erkundung der **Wettersituation** stehen.

Fähren

Von Seattle aus führt der schnellste Weg zum *Olympic Park* über die **Fähre nach Winslow** (Bainbridge Island, 35 min), ggf auch nach Bremerton (50 min). Das Fährterminal befindet sich am Pier 52, mehr als 20 Abfahrten täglich ab ca. 5 Uhr morgens bis 2 Uhr nachts; die Überfahrt für einen Pkw mit zwei Personen kostet in beiden Fällen im Sommer ca. $18; für 2 Persen im Campmobil 20 bis 30 Fuß zahlt man $41. Aktuelle Information unter © 1-800-843-3779 oder im Internet: www.wsdot.wa.gov/ferries/fares. Bei **Umweg über Tacoma** (➤ Seite 583) kommt man ohne Fähre aus.

Strecke zum Olympic Park

Von Winslow/Bremerton geht es zunächst nach Port Gamble auf in beiden Fällen streckenweise hübscher, aber nicht besonders aufregender Straße. Wer in diesem Bereich einen *Campground* sucht, findet mehrere am Ufer des *Puget Sound* gelegene ***State Parks***. Eine schöne Anlage (Camping aber nur weitab vom Wasser im Wald) besitzt der ***Scenic Beach Park*** einige Meilen abseits der #16. Ein einfacher Platz mit geringer Kapazität, aber dafür direkt am Ufer und billig, liegt auf der Westseite der Brücke über den *Hood Canal*. Über den **besten *Campground* weit und breit** direkt am Wasser verfügt der ***Fort Flagler State Park*** an der Nordspitze von *Marrowstone Island* gegenüber Port Townsend; www.stateparks.com/fort_flagler.html.

Port Townsend

Am jenseitigen Ufer liegt **Port Townsend**, ein wegen seiner alten Klinkerfassaden gelobtes Städtchen; www.ptguide.com. Für Europäer ist Port Townsend aber einen besonderen Umweg kaum wert, auch das alte ***Fort Worden*** (*State Park*) nicht.

Auffällig sind die vielen ***B&B*-Angebote** in hübschen Privathäusern. Port Townsend hat auch ein ***International Hostel***, © (360) 385-0655 ($17-$20), 272 Battery Way.

Zur **Fähre** nach Keystone auf Whidbey Island ➤ Seite 559.

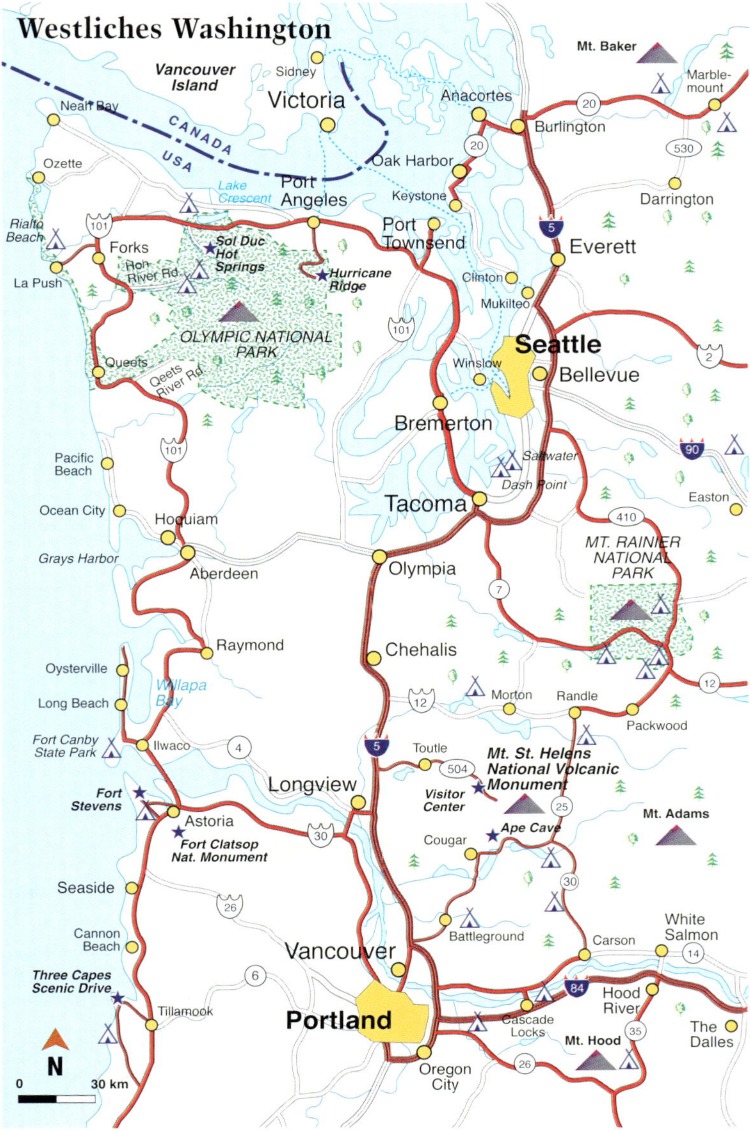
Westliches Washington
Vancouver Island
Sidney
Victoria
CANADA
USA
Neah Bay
Ozette
Rialto Beach
La Push
Forks
Hoh River Rd.
Sol Duc Hot Springs
Lake Crescent
Port Angeles
Hurricane Ridge
OLYMPIC NATIONAL PARK
Queets
Qeets River Rd.
Anacortes
Oak Harbor
Keystone
Port Townsend
Clinton
Mukilteo
Burlington
Mt. Baker
Marblemount
Darrington
Everett
Seattle
Bellevue
Winslow
Bremerton
Saltwater
Dash Point
Tacoma
Easton
MT. RAINIER NATIONAL PARK
Pacific Beach
Ocean City
Hoquiam
Grays Harbor
Aberdeen
Olympia
Raymond
Chehalis
Oysterville
Long Beach
Willapa Bay
Fort Canby State Park
Ilwaco
Morton
Randle
Packwood
Toutle
Mt. St. Helens National Volcanic Monument
Visitor Center
Longview
Fort Stevens
Astoria
Fort Clatsop Nat. Monument
Ape Cave
Cougar
Mt. Adams
Seaside
Cannon Beach
Battleground
Carson
White Salmon
Vancouver
Three Capes Scenic Drive
Tillamook
Portland
Cascade Locks
Hood River
The Dalles
Mt. Hood
Oregon City
N
0
30 km
101
20
530
5
2
90
410
7
12
4
504
25
30
26
6
14
84
35

Kurz vor **Discovery Bay** stößt die # 104 auf die #101. Ab **Sequim** (*Red Ranch Motel* mit prima ***Diner*** an der #101) geht es wegen des im Sommer meist dichten Verkehrs nur langsam voran. Ein Abstecher könnte der ***Dungeness Recreation Area*** auf einer weit in die *San Juan de Fuca Strait* ragenden Nehrung gelten. **Camping** dort auf bewaldeten Plätzen über der Steilküste.

Port Angeles/ Fähre nach Vancouver Island

Der mit 17.000 Einwohnern größte Ort auf der *Olympic Peninsula* ist Port Angeles (www.portangeles.org), touristisch nur bedeutsam als Ausgangspunkt für Fahrten in die Hochlagen des Nationalparks und als **Fährhafen** für die Verbindung mit **Vancouver Island** – im Sommer vier tägliche Abfahrten; Reservieren online unter www.cohoferry.com oder ✆ (206) 283-4400; aktuelle Zeiten unter ✆ (360) 457-4491. Ein *Pkw/Van* bis 18 Fuß mit 2 Personen kostet $56 *one-way*; Überfahrt 90 min. In nur 55 min geht's mit der *Victoria Express* 2-4 x täglich, aber nur für Personen ($12,50), Kajaks und Fahrräder ($5); www.victoriaexpress.com.

Ediz Hook

Erwähnenswert ist die Landzunge ***Ediz Hook***, die eine natürliche Bucht bildet. Zur Spitze des »Hakens« führt eine Straße über das Gelände des Kommerzhafens. Vom schmalen Strand unterhalb der *Coast Guard Station* kann man an schönen Tagen das Panorama der *Olympic Mountains* genießen.

Zahllose **Hotels und Motels** säumen in Port Angeles die Ausfallstraßen. Dort unterzukommen ist – außer an Wochenenden – kein besonderes Problem. Zum **Camping** ➤ nebenstehend.

Olympic National Park

Eintritt
$15/Auto
$5/Person
oder
Interagency Jahrespass

An der ausgeschilderten Zufahrt zum *Olympic Park* lässt sich das ***Visitor Center*** mitsamt dem kleinen Museum nicht verfehlen; www.nps.gov/olym. Die Besonderheit dieses Nationalparks liegt in seinen geographisch und klimatisch extrem unterschiedlichen Bereichen. Während die Höhenstraße zur ***Hurricane Ridge*** in eine »normale« Gebirgsregion in 1.600 m Höhe führt, gelangt man auf der Westseite in den ***Rain Forest***, den Regenwald. Aufgrund der extremen Niederschläge entstand dort eine dschungelartige Vegetationsdichte. Ein vom Zentralbereich rund um den *Mount Olympus* (2.428 m) völlig separiertes Gebiet ist ein rund 100 km langer, vor den Auswirkungen der Zivilisation auf die Ökologie weitgehend geschützter **Küstenstreifen**. An seinen Stränden türmt sich Treibholz in Mengen. Ihm vorgelagert sind zahllose kleine Felsinseln.

Hurricane Ridge

Die steile Auffahrt zum ***Hurricane*** **Höhenzug** (17 mi vom Besucherzentrum) bietet wunderbare Ausblicke auf die *Juan de Fuca Strait* und die Berge. Vom Parkplatz am oberen *Visitor Center* führt ein kurzer ***Trail*** zu weiteren Aussichten über die Meeresstraße und Vancouver Island. Eine Reihe von **Wanderwegen** startet und endet dort. Wer rasten möchte, findet im Abschnitt A am Ende der Straße einen **Picknickplatz** mit Gebirgspanorama.

Elwha River Valley

Eine weitere Straße von Norden in den Park zweigt von der #101 westlich Port Angeles ab ins hübsche *Elwha River Valley* und weiter zum **Lake Mills**. Zwei **Campingplätze** (*Elwha* und *Altaire*) liegen dort am Wege. Die Straße westlich des Sees passiert einen

Observation Point und endet nach wenigen Meilen. Früher lief sie bis zu den ***Olympic Hot Springs***, die aber jetzt nur noch zu Fuß erreicht werden können.

Lake Crescent

Die **10 mi am Ufer des *Lake Crescent*** – der Wassertiefen bis zu 200 m aufweisen soll, aber im Sommer mit angenehmen Temperaturen zum Bad einlädt (Badestelle am Ostende) – bilden den schönsten Teilabschnitt der #101 auf der Halbinsel. Nahe der *Storm King Information Station* beginnt ein hübscher ***Trail*** zu den ***Marymere* Wasserfällen**: ca. 3 mi retour, 30 min eine Strecke.

Am westlichen Ende des Sees verfügt der ***Fairholm Campground*** über einige hervorragende Stellplätze direkt am Wasser. Es ist dort aber wegen der nahen Straße etwas laut.

Sol Duc Hot Springs

Westlich von Fairholm geht es hinauf zu den ***Sol Duc Hot Springs*** mit (nicht eben übermäßig attraktiven, dennoch $11 teuren) **Badebecken**; www.visitsolduc.com.

Der Abstecher lohnt sich nur für Leute mit großer Vorliebe für heiße Quellen, oder wenn der dort vorhandene **Campingplatz** zur Beendigung der Tagesetappe gerade recht kommt. Der ist indessen ziemlich beliebt und oft voll besetzt ($14). Zur Vermeidung einer vergeblichen Anfahrt sollte man anrufen, bevor man sich auf den Weg macht: © (360) 327-3583/3534.

Abstecher nach Neah Bay

Ein aufwendigerer Abstecher könnte der ***Makah Indian Reservation*** in der äußersten Nordwestecke der USA gelten – Straße #112/#113 nach Neah Bay (Ab Sappho 80 mi retour). Noch vor dem Ort liegt das ***Makah Museum*** (10-17 Uhr, $5) mit attraktivem *Indian Shop*. **Hauptmotiv** für diese Fahrt wäre die **Kurzwanderung zum *Cape Flattery*** an der Spitze der Olympic Peninsula. Vom Museum sind es noch 9 mi bis zum Straßenendpunkt. Dort beginnt der ***Trail/Board Walk*** zum Kap (ca. 1 km); www.makah.com.

Küstenstreifen Olympic Park

Der attraktivste per Straße zugängliche Bereich der Nationalparkküste ist ***Rialto Beach*** mit steinigem Strand und Bergen von Treibholz (Abzweigung kurz vor Forks, dem einzigen Ort zwischen Port Angeles und Aberdeen mit guter Infrastruktur).

Am Parkplatz am Straßenende (Picknicktische und Grillstellen) beginnt der populäre **Küstentrail** nach Ozette, einer per Straße nur mühsam erreichbaren *Ranger Station* nördlich des gleichnamigen Binnensees (dort Camping gratis).

Rialto Beach gegenüber liegt – getrennt durch die Mündung des Quillayute River – das eher unattraktive **Indianerdorf La Push** (*Quileute* Indianer), am Ortseingang das ***Ocean Park Resort*** mit Duschen und Stellplätzen direkt am Meer (Zelt $15, RV ab $20; www.ocean-park.org).

Noch etwas weiter vom Ort entfernt weist ein Schild auf den Startpunkt des sehr schönen **Pfads zur einsamen *Third Beach***. Der landeinwärts angelegte große ***NP-Campground Mora*** ($12), ein paar Meilen vor Rialto Beach, verfügt im Wald am Quillayute River über schattige Plätzchen.

Rain Forest

Auf keinen Fall auslassen, so es nicht gerade in Strömen regnet, sollte man die Fahrt – rund 40 mi hin und zurück – auf der ***Hoh River Road*** zum ***Rain Forest Visitor Center***. Besser erlebt man die nasse Welt des von Moosen und Farnen überwucherten Regenwaldes auf keiner anderen Parkzufahrt.

Als Ergänzung zu den Informationen im Besucherzentrum darf ein Ablaufen des ***Hall of Mosses*** und des ***Spruce Trail*** nicht fehlen. Zwei ***Campgrounds*** warten an der Hoh River Road.

Int'l Hostel

In großartiger Lage zwischen Hoh River und der Küste liegt das kleine ***Rain Forest Hostel***, Mile 169 an der #101. Neben 20 Herbergsbetten ($9) gibt es einen *Private Room*. Reservierung unter © (360) 374-2270, Kay & Jim, oder www.rainforesthostel.com.

Weiter südlich führt die #101 unmittelbar an die Küste und passiert mehrere **Strandzugänge.** Ein empfehlenswerter **Campingplatz** ist ***Kalaloch*** zwischen Straße und Steilufer ($14-18) im hier »gemäßigten« Regenwald. Leider nicht mehr gratis ist der Platz oberhalb der schönen ***South Beach***, seit Wasserversorgung und sonstige Infrastruktur eingeführt wurde ($8).

Quinault Lake

Ein bei Urlaubern aus der Region außerordentlich beliebter See ist der *Quinault Lake*. An seinem Südufer findet man den ***Rain Forest Nature Trail***, **Campingplätze** des *Forest Service'* und in der Veranda der ***Lake Quinault Lodge*** eines der feinsten Restaurants auf der Olympic Halbinsel mit uriger Kneipe, © 1-800-562-6672; www.visitlakequinault.com.

In **Amanda Park** steht – direkt am Quinault River – eines der wenigen Motels des Bereichs mit preiswerten Zimmern (ab $49), © (360) 288-2237, samt einem kleinen **RV-Park**.

Pazifikküste Washington

Bis **Raymond** hat die #101 nun zunächst nicht mehr viel zu bieten. Den Städten **Hoquiam** und **Aberdeen** sieht man den Niedergang der einstmals blühenden Holzindustrie an. Beim Studium der Karte könnte man meinen, dass an der Küste, beginnend mit **Pacific Beach**, zahlreiche, vielleicht reizvolle Badeorte liegen. Abstecher dorthin enttäuschen aber. Endlose graue, flache Strände und in niedrigen Dünengürteln oder Waldstreifen gelegene Ferienkolonien bestimmen sowohl das Bild nördlich der Inlandsbucht ***Grays Harbor*** als auch weiter südlich über die ***Willapa Bay*** hinaus bis hinunter nach **Long Beach**. Die Ortschaften bestehen im wesentlichen aus **Aneinanderreihungen von Motels**, Tankstellen, Shopping Zentren und *Fast Food* Filialen.

Hier sollte man auch in Anbetracht der wunderbaren in Oregon wartenden Küstenstriche keine Zeit verlieren. Lediglich die Fahrt auf der streckenweise hübschen **Straße #105** ist ein Abweichen von der Hauptroute wert.

Seaview/ Ilwaco: Autostrand

Südlich von **Raymond** zeigt sich die #101 wieder von einer besseren Seite. Nach schöner Fahrt an der *Willapa Bay* erreicht man in **Seaview** das Meer. Dort darf man außerhalb der Sommersaison mit dem Auto auf dem Strand herumkurven.

Mit Treibholz übersäter Strand der Rialto Beach, ➤ *Seite 551*

Aber Achtung, es gilt *one-way* von Nord nach Süd. *Overnight-Parking*, Camping am Strand, ist nicht gestattet. .

Fort Canby

Ganz in der Nähe, im ***Cape Disappointment State Park***, gibt es gleich mehrere Campingzonen. Der Platz ist sehr beliebt und vor allem im Komfortbereich (*Hook-up*) am Meer im Sommer oft ausgebucht. Seine exponierte Lage an der Mündung des Columbia River und der historische Hintergrund des **Fort Canby** machen diesen *State Park* auch für alle, die keine Übernachtungsabsicht haben, besuchenswert.

Ein großes ***Interpretive Center*** ist den Entdeckern ***Lewis & Clark*** gewidmet, ➤ nächste Seite; www.fortcanby.org/ visit/lcic.html.

Nach Oregon

Von Fort Canby zur 6.500 m langen Brücke über den Columbia River nach Astoria sind es noch rund 15 mi, ➤ Seite 592.

6.2.4 Direkt oder über Portland an die Oregon-Küste

Ohne den Umweg über den *Olympic National Park* führt der direkte Weg zur Küste über die I-5 und ab Olympia über die ersten Meilen der #101, dann weiter auf der autobahnartig ausgebauten Straße #8.

Point Defiance Park

Auf dieser Route liegt ein Besuch im ***Fort Nisqually*** im *Point Defiance Park* bei **Tacoma** nahe, minimaler Zeitbedarf etwa eine Stunde. Den Park erreicht man am besten über die Ausfahrt #132 von der I-5. Zunächst geht es weiter auf der #16 und dann auf der Pearl Street nach **Ruston**. Der Park bedeckt die Landzunge vorm *Point Defiance* und ist durchzogen von Wanderwegen. Eine Parkstraße umrundet die bewaldete Halbinsel. Auf das **Holzpalisaden-Fort** (mit kleinem Museum, im Sommer täglich 11-17 Uhr, $4) stößt man fast automatisch; www.fortnisqually.org.

Fort Nisqually

Seine Lage über der *Narrows*-Wasserstraße und die authentische Rekonstruktion machen das ***Fort Nisqually*** zu einem der sehenswertesten seiner Art im ganzen US-Westen. Ein kleiner **Zoo mit Aquarium** gehört ebenfalls zum Park; www.pdza.org. Bei gutem Wetter lädt die ***Owens Beach*** zum Baden ein. Der Abstecher lohnt sich vor allem für Leute **mit Kindern**.

Olympia

Ein Zwischenstopp könnte Washingtons Hauptstadt, Olympia, gelten (www.visitolympia.com), zumal deren wichtigste Sehenswürdigkeit gleich an der I-5 liegt und gut ausgeschildert ist: das Regierungsviertel. Der ***Capitol Hill Campus*** beeindruckt zwar durch großzügige Anlage, die Gebäude im einzelnen sind aber nicht sehr aufregend. Im kleinen ***State Capital Museum*** (211 SW 21st Ave, Mi-Sa 11-15 Uhr, $2) gibt es einige interessante Stücke zur Indianerkultur; www.wshs.org/wscm.

I-5 nach Portland

Mount St. Helens Nat'l Monument Westareal

Eine bedenkenswerte **Alternative** zur Fahrt von Olympia an den Pazifik über Aberdeen wäre der schnelle Weg nach Süden auf der **I-5 bis Portland**, um erst von dort den Weg zur Küstenroute einzuschlagen. Dabei sollte man zumindest dem sehr guten **Silver Lake Besucherzentrum** des ***Mount St. Helens National Volcanic Monument*** des *Nat'l Park Service* (Näheres ➤ Seite 561f) einen Besuch abstatten. Es liegt etwa 6 mi östlich der I-5, *Exit* #49 Castle Rock, in Nachbarschaft zum ***Seaquest State Park*** (www.parks.wa.gov/mountsthelens.asp). Dort wird mehrfach täglich ein toller Film über den Ausbruch des Mount St. Helens gezeigt.

Karte auf Seite 571

Auf der einst zerstörten, heute bestens ausgebauten Straße #504 lässt sich der *Mount St. Helens* auch von der Westseite aus mit Blick auf den aufgebrochenen Krater des Vulkans nach wie vor anfahren. Hoch über der sog. *Desaster Area* steht das ***Coldwater Ridge Visitor Center*** des *Forest Service* mit Austellung und Aussichtsterrasse. Das interessantere ***Johnston Ridge Observatory*** befindet sich noch 8 mi näher am Berg. Dort gibt es denselben Film wie am Siver Lake, ein Museum und viele Informationen über den Ausbruch und vulkanische Aktivität; www.fs.fed.us/gpnf/04mshnvm/attractions.

Eintritt $8/Person ab 16 Jahre oder ***Interagency Pass***, der bis 4 Personen einer »Autoladung« das Eintrittsgeld erspart.

Wer zusätzlich die ***Windy Ridge*** (➤ Seite 572) erkunden möchte, benötigt nicht unter einem vollen Tag für die volle »Runde« um den Berg. Statt wie in der Startroute #2 ab Seattle beschrieben ab ***Pine Creek Information Station*** weiter nach Osten, hält man sich mit Ziel Portland/Westküste ab dort westlich. Am *Swift Reservoir* vorbei geht es dann über Cougar zurück zur I-5. Auch die 6 mi (Abzweigung Nähe *Swift Dam*) zur Lavahöhle ***Ape Cave*** sind den kleinen Abstecher unbedingt wert.

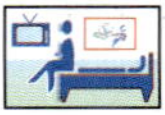

Zum Campen an der #504 bietet sich zunächt der ***Seaquest State Park*** an (siehe oben). Privat betriebene ***Campgrounds*** befinden sich am ***Silver Lake*** , z.T. mit Plätzchen direkt am Wasser.

Nach Portland und weiter

Portland ist zwar eine ansehnliche City, aber dennoch **kein absolutes »Muss«** der Reise. Man könnte z.B. auch bei Kelso/Longview die I-5 verlassen und – nach Überquerung des Columbia River – auf der schön geführten Straße #30 die **Oregon-Küste** über Astoria ansteuern. Entschließt man sich zum Besuch Portlands, wären die Straßen #26 oder #6 vorzuziehen. Die dabei weiter nördlich ausgelassenen Bereiche lassen sich zur Not »verschmerzen«. Die weiter südliche Strecke #99W/ #18 besitzt dagegen den Nachteil, dass man einige besonders attraktive Küstenabschnitte verpasst.

Lewis und Clark, Pioniere des Westens

Die Eroberung des amerikanischen Westens und die Namen **Meriwether Lewis** *und* **William Clark** *gehören eng zusammen. Jedes Schulkind in den USA kennt die Daten ihrer* 1804 in St. Louis *begonnenen Expedition. Im Gegensatz zu anderen bedeutenden Figuren der US-Geschichte drang der Ruf dieser beiden Männer kaum über den Atlantik. Von Lewis & Clark hören viele Touristen das erste Mal, wenn sie auf einen der zahlreichen »Historical Marker« entlang des* **L&C National Historic Trail** *stoßen, der von St. Louis bis zur Mündung des Columbia River ihren Spuren folgt; www.nps.gov/lecl.*

Offizieller Grund der Lewis & Clark Expedition war die Übernahme der Louisiana Territories von den Franzosen als Ergebnis einer Verhandlung, in der es ursprünglich nur um den Erwerb von New Orleans gegangen war. Die schlagartige **Erweiterung des US-Staatsgebietes um über 2 Mio. km²**, *die – weitgehend unbekannt und unerforscht – irgendwo im Westen bis in die Nähe des von den USA beanspruchten* **Oregon Country** *reichten, rechtfertigten endgültig den von* **Präsident Jefferson** *bereits vor dem vorteilhaften Deal mit Napoleon verfolgten Gedanken, eine Expedition auszurüsten. Sie sollte erkunden, ob und wie eine* **durchgehende Ost-West Verbindung** *auch* ***auf dem Landweg*** *hergestellt werden könnte.*

Die Wahl des Expeditionsleiters fiel auf den jungen Stabsoffizier und Berater des Präsidenten in West-Angelegenheiten Lewis, der Oregon Erfahrung mitbrachte. Lewis verpflichtete mit William Clark einen Freund aus der Zeit an der fernen Westküste als Mitstreiter für das Vorhaben und heuerte eine 45 Köpfe starke Crew an. Mit ihr legte er **im Frühjahr 1804** *von St. Louis ab und kämpfte sich mit drei Booten den Missouri flussaufwärts.*

Nach einem Winterlager im heutigen Süddakota setzte die Expedition im Frühjahr 1805 ihren Weg auf dem Missouri fort und überquerte im Spätherbst die Bitterroot Mountains. Per Kanu ging es danach über Clearwater, Snake und Columbia River flussabwärts zum Pazifik. **Fort Clatsop** *wurde als Winterquartier errichtet. Versuche, in Sichtweite des Cape Disappointment segelnde Handelsschiffe auf sich aufmerksam zu machen, blieben ohne Erfolg (daher der Name des Kaps) und so wählten Lewis und Clark auch für den Rückmarsch den Landweg. Sie erreichten St. Louis im* **September 1806**. *In fast zweieinhalb Jahren hatten sie und ihre Männer über 8.000 Meilen zurückgelegt. Ihre bemerkenswert exakten Aufzeichnungen erschlossen den ersten Weg nach Westen.*

www.lewis-clark.org, www.nationalgeographic.com/lewisandclark

6.2.5 Portland

Geographie, Klima und Geschichte

Kenneichnung und Lage

Portland liegt – rund 100 km von der Küste entfernt – unterhalb der *Tualatin Mountains* beidseitig des Willamette River kurz vor dessen Mündung in den mächtigen Columbia River. Insbesondere die Stadtteile am Westufer, die sich weit nach Süden und über die westliche Hügelkette erstrecken, haben den Ruf Portlands als einer **Stadt mit hoher Lebensqualität** geprägt.

Das **Stadtzentrum** wird eingeschlossen von Fluss und Umgehungsautobahn I-405. Die östlichen Vororte erreichen bereits Ausläufer der Kaskaden. Der immer schneebedeckte 3.700 m hohe Vulkan *Mount Hood* erhebt sich – bei klarem Wetter gut sichtbar – in rund 50 mi Entfernung.

Klima

Portland erfreut sich trotz der Binnenlage deutlich höherer Niederschläge als etwa das 1000 km entfernte San Francisco am Pazifik. Aber der Regen fällt im wesentlichen zwischen Spätherbst und Frühjahr. Im Sommer ist Portland **sonnenreicher und wärmer** als der große »Nachbar« im Süden, ansonsten etwas kühler, aber dennoch insgesamt mild. Frost und Schnee sind eher seltene Ereignisse in dieser Stadt mit dem winterlichen Nordseeklima

Geschichte

Gegründet wurde Portland im Jahr **1844** als **Etappe auf einer Kanuroute** zwischen den bereits bestehenden Handelsposten **Oregon City** (südlich der Stadt, zeitweise Hauptstadt, heute bedeutungslos, aber mit ***Oregon Trail Interpretive Center***) und Vancouver am Nordufer des Columbia River. Die Eisenbahn erreichte Portland 1883 und bewirkte eine rasante Entwicklung. Um die Jahrhundertwende besaß Portland eine Bevölkerung von 80.000 und war damit schon damals wichtigste Stadt zwischen San Francisco und Seattle. Die wirtschaftliche Kapitale Oregons hat heute rund 560.000 Einwohner im City- und über 2 Mio. im Einzugsbereich (von nur ca. 3,6 Mio. in Oregon insgesamt mit Hauptstadt Salem).

Orientierung und öffentliche Verkehrsmittel

Information

Die ***Visitor Information*** residiert nach Umzug nun am Pioneer Courthouse Square, 701 SW 6th Ave, © 1-877-678-5263 oder © (503) 275-8355; geöffnet im Sommer Mo-Fr 8.30-15.30 Uhr, Sa 10-16 Uhr. Sehr gut ist das Heft ***Travel Portland*** mit Stadtplänen und aktuellen Adressen, Hinweisen und integriertem Verzeichnis für Hotels/Motels ab unterer Mittelklasse. Es lässt sich als pdf-Datei herunterladen: www.travelportland.com/visitors.

Orientierung

Die **Orientierung** in Portland fällt leicht. Die Mehrheit aller touristisch interessanten Anlaufpunkte liegt entweder in der weitgehend schachbrettartig aufgebauten *Downtown*-Zone zwischen Willamette River und I-405 (Anfahrt über die I-5) oder im ***Washington Park*** oberhalb der City. Dorthin gelangt am schnellsten auf dem Sunset Highway #26, der von der I-405 abzweigt.

Man kann auch über die Burnside Street auf kurviger Strecke durch schöne Wohnviertel und den ***Rose Test Garden*** anfahren (ausgeschildert). Weitere **Parks** befinden sich südlich der Innenstadt. Nordwestlich dehnt sich der naturbelassene ***Forest Park*** aus, an dessen Westseite der Skyline Boulevard entlangläuft.

Öffentlicher Transport

Portland verfügt über ein gutes öffentliches Verkehrssystem. In der Innenstadt (***Fareless Square***)) ist die Benutzung aller Verkehrsmittel **kostenlos**. Darüberhinaus existieren Zonentarife $1,70-$2. **Tagespässe kosten $4,25**. Fast alle Buslinien führen durch die *Downtown* ***Transit Mall***. An den Haltestellen informieren Bildschirme über Abfahrtszeiten etc.; www.trimet.org.

MAX

Das Schmuckstück des öffentlichen Nahverkehrs aber ist **MAX**. ***Metropolitan Area Express***, eine moderne Straßenbahn, die erst in den 1980er-Jahren installiert wurde, als andere Städte ihre letzten Schienen stillegten. Für sie gilt dasselbe Tarifsystem wie oben, d.h., im zentralen Bereich fährt MAX gratis; www.trimet.org/ max.

Unterkunft, Camping, Essengehen

Situation

Airport

In Portland gibt es bis auf den Bereich um ***Convention*** und ***Lloyd Center*** keine spezifische Hotel- oder Motelzone. Die verkehrsgünstige, gut von der I-205 und I-84 erreichbare Hotellerie in der **Umgebung des Flughafens** besteht aus Häusern der gehobenen Klasse (***Sheraton, Marriott Courtyard, Hilton Garden*** etc., an Wochenenden Sondertarife ab $69) und Motelketten wie ***Days Inn***, ***La Quinta, Econolodge, Fairfield, Quality Inn*** und ***Hampton***. Zwischen *Downtown* und der I-205 liegen **günstige Motels** u.a. am **Sandy Blvd** und Nebenstraßen (*Exit Bypass* #30) im Nordosten.

Zentral

In der guten Mittelklasse im *Downtown*-Bereich sind o.k. das

- **La Quinta Inn – Convention Center**, © 1-800-531-5900, 431 NE Multnomah/Martin L. King Blvd unweit Lloyd Center, ab $89
- **Days Inn City Center**, © 1-800-899-0248, 1414 SW 6th Ave, zwischen *Downtown* und Universität, ebenfalls ab $64; www.the.daysinn.com/portland05313

Preiswert

Preiswerter, dafür etwas weiter weg sind

- **Thriftlodge**, © 1-800-578-7878, 949 E Burnside St, ab $59
- **The Viking Motel**, © 1-800-308-5097, 6701 N Interstate Ave, I-5 *Exit* 304, ab $39 *online special*; www.vikingmotelportland.com

Hostels

Billig kommt man wie folgt unter:

- **Portland Northwest Int'l Hostel (HI)**, © 1-888-777-0067, 1818 NW Glisan Street im *Historic District*, zentral, $17-$22; www.nwportlandhostel.com
- **Portland Hawthorne Int'l Hostel (HI)**, © 1-866-447-3031, 3031 SE Hawthorne Blvd, $17-$22, DZ $40/$48, ebenfalls zentral; www.portlandhostel.org
- **McMenamin's Edgefield,** © 1-800-669-8610, in Troutdale am Columbia River, $30, EZ/DZ ab $50; www.mcmenamins.com

Camping

Im engeren City-Umfeld gibt es keine staatlichen *Campgrounds*. Der ***Jantzen Beach RV-Park*** auf Hayden Island im Columbia River liegt am verkehrsgünstigsten, ist aber laut, ab $20. Der absolute Komfort-Platz ***Portland Fairview Park*** am East Sandy Blvd (I-84, *Exit* 13) ist gut erreichbar, liegt aber hinter einer auch nachts aktiven Bahnlinie, $35; www.portlandfairviewrv.com.

Etwa 15 mi östlich der City liegt der ***Campground*** des ***Oxbow County Park*** tief unten im Flusstal (Oxbow Parkway, Abfahrt Division Street von der I-205 Richtung Gresham, ausgeschildert, Duschen, aber keine *Hook-ups*). Der umwerfend angelegte *Campground* im ***State Park Milo McIver*** bei Estacada (Exit 12B von der I-205, dann Richtung Estacada) gehört zur Gruppe der etwas weiter entfernten empfehlenswerten Plätze ebenso wie der ***State Park Ainsworth*** an der #30 oberhalb der I-8; beide im Sommer oft früh voll; www.oregonstateparks.org/park_142.php und _146.php.

Eine gute Alternative in etwas größerer Entfernung ist der schön am Columbia River gelegene ***KOA Campground*** (mit Spielplatz) in Cascade Locks, unweit der Brücke (I-84, aber rund. 1 Stunde Fahrt, ab $20, www.koa.com/where/or/37105).

Restaurants

Zahlreiche Restaurants und *Fast Food*-Theken findet man im ***Yamhill Market*** und in den ***Pioneer*** und ***Galleria Shopping Malls*** im Zentrum der Stadt. Der kleine ***Old Town District*** beherbergt überwiegend ethnische Lokale, vor allem China-Restaurants und ***Chang's Mongolian Grill***, www.changsgrill.com, mit Fleisch- und Gemüsebuffet bis zum Platzen. Vielfältige *Food*-Stände sind ein wesentliches Element des ***Burnside Street Market*** am Samstag und Sonntag Vormittag.

Bier

Portland gilt als die Stadt mit den meisten ***Microbreweries*** der USA und zahlreichen Bieren. Wem nach *Beer Tasting* ist, findet aktuellste Gerstensaft-Nachrichten auf www.pdxbeer.blogspot.com und eine Adressenliste bei der *Visitor Info* oder hier: www.travelportland.com/media/mbmedkit/mb_brew_guide.html.

Historisches Museum mit einem bombastischen Wandbild

Stadtbesichtigung

Am besten zu Fuß

In Portlands Innenstadt fällt es im Gegensatz zu vielen anderen US-Cities leicht, den Wagen stehenzulassen. Denn die Entfernungen sind gut **per pedes** zu überbrücken, und außerdem ist die Beförderung mit **Bus/MAX** im ***Fareless Square* gratis** (siehe oben). In der Regel hat man gute Chancen auf einen Parkplatz am Naito Pkwy entlang des Uferparks.

Portlands Straßenbahn MAX verkehrt im zentralen Bereich gratis

Zentrum

Beginnt man eine Stadtbesichtigung von der *Visitor Information* aus (Salmon/Naito Pkwy), ist man mit wenigen Schritten im überschaubaren **Geschäftszentrum**. Es zeigt sich freundlich und einladend. Brunnen allerorten und viel Grün sorgen für eine angenehme Auflockerung des Stadtbilds. **Hochhäuser** konzentrieren sich auf die Blocks zwischen Main und Columbia Streets bis zur 6th Ave und dominieren das Zentrum weit weniger als anderswo. 1% aller Neubau- und Renovierungskosten müssen in Downtown Portland für künstlerische Gestaltungsmaßnahmen ausgegeben werden. Der Erfolg ist nicht zu übersehen. Den zentralen Bereich bilden ***Pioneer Courthouse Square*** und die ***Mall***, eine Fußgängerzone in der 5th und 6th Ave bis Jefferson Street: www.pioneercourthousesquare.org. Das Geschäftsviertel erstreckt sich von der 1st Street bis zum Broadway. Wer sich für **Bücher** interessiert, sollte in der Burnside Street/Ecke 11th Ave unbedingt ***Powell's*** besuchen, einen riesigen ***Bookshop*** mitsamt Lese-Café für antiquarische wie neue Bücher; www.powells.com.

Museen

An der Ecke Jefferson/Park Ave liegen sich ***Portland Art Museum*** und ***Oregon History Center*** gegenüber. Im historischen Museum (Mo-Sa 10-17 Uhr, $10, bis 18 $5; www.ohs.org) beeindruckt die Präsentation der historischen Phasen Oregons mehr als die Kollektion. Das **Kunstmuseum** (Di-Sa 10-17 Uhr, So ab 12, Do+Fr bis 20 Uhr, $10, bis 18 $6) zeigt Stücke aller möglichen Epochen und Kulturkreise ohne Schwerpunkte und besondere Stärken; www.pam.org. Südlich der Museen befinden sich die ***South Park Blocks***, das feine Portland, und das Gelände der ***State University***.

Modellschiff-Enthusiasten finden am 113 SW Naito Pkwy (Ecke Ash St) mit dem ***Maritime Center & Museum*** (Mi-Sa 11-16 Uhr, $5) ein lohnenswertes Ziel; www.oregonmaritimemuseum.org.

6

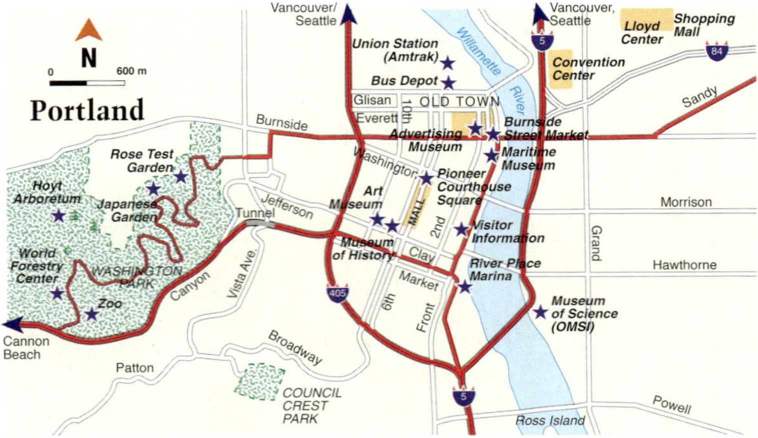

Burnside Market

Jeden Samstag und Sonntag Vormittag findet von März bis Dezember an der Burnside Street ein bunter **Markt** mit vielfältigen ***Food Stands*** und *Open-air-Entertainment* statt.

Parks

Laut Guinness weltkleinster Park in Portland am Naito Pkwy

Die lokale Werbung bezeichnet Portland mit Bezug auf die vielen Brunnen in der Innenstadt gerne als ***City of Fountains***, aber mit gleichem Recht auch als ***City of Parks***. Ungewöhnlich ausgedehnt sind der *Forest Park* in den westlichen *Tualatin Mountains* und der *Tryon Creek Park* mit Wildnischarakter und zahlreichen Wanderwegen. Unbedingt besuchen sollte man den ***Rose Test Garden*** im *Washington Park* (eintrittsfrei). Die Rosen blühen zwar im Mai und Juni am schönsten, aber der Garten ist auch in anderen Monaten eindrucksvoll. Unmittelbar gegenüber befindet sich der ***Japanese Garden*** (im Sommer 10-19 Uhr, $8 Eintritt); www.japanesegarden.com.

Washington Park

Folgt man den Serpentinen in die höhergelegenen Regionen des Parks, gelangt man zum ***Hoyt Arboretum*** (Fairview Blvd), einem separaten **Edelpark** mit sehr schönem Baumbestand, Besucherzentrum, Spazierwegen und Picknicktischen; www.hoytarboretum.org. Unterhalb des Arboretums (unweit *Freeway* #26, über den auch direkt anzusteuern) befinden sich der ***Oregon Zoo*** und das ***World Forestry Center***, das über Forst- und Holzwirtschaft informiert. Das Hauptgewicht liegt auf den Besonderheiten Oregons und der Westküste (10-17 Uhr, $7; www.worldforestry.org). Im **Zoo** werden u.a. Tiere des US-Westens und des hohen Nordens präsentiert. Ab 9 Uhr bis 18 Uhr im Sommer, Mitte Sept.-April bis 16 Uhr, $10, bis 11 Jahre $7; www.oregonzoo.org.

Scenic Drive

Ein schöner ***Scenic Drive*** führt durch den Washington Park und weiter über die **Vista Avenue** zum ***Council Crest Park*** mit der besten Aussicht über Stadt und Umgebung.

OMSI

Das ***Oregon Museum for Science & Industry*** (im Sommer täglich 9.30-19 Uhr, sonst Di-So bis 17.30 Uhr, $9, Kinder bis 13 Jahre $7) befindet sich in einem Bau am Ostufer des Willamette River: 1945 SE Water Ave unweit der *Marquam Bridge*, kompliziert anzufahren, aber von der I-5 gut ausgeschildert. Die Experimente funktionieren – wohl wegen der Dauerbelastung durch Schulklassen – nur teilweise, und die Dinoabteilung war früher aufregender.

Extra kosten ***Omnimax-Theater***, ***Lasershows*** und die Besichtigung des **U-Boots *USS Blueback*** ($6, filmbekannt aus »Die Jagd nach *Roter Oktober*« mit *Sean Connery*). Lohnenswert eigentlich nur mit heranwachsenden Kindern, nur Erwachsene weniger; www.omsi.edu.

The Grotto

Nur einen kleinen Abstecher von der I-84/I-205 erfordert ein Besuch im amerikanischen Lourdes ***The Grotto***, 85th Ave/Sandy Blvd, Haupteinfahrt Skidmore Street. Das schattige Gelände des ***Sanctuary of our Sorrowful Mother***, wie die Anlage offiziell heißt, wurde erst 1924 als Wallfahrtsort auserkoren und zu einem Park mit zahlreichen religiösen Skulpturen und Statuen umgestaltet, ➤ Seite 680. Das Herzstück der Anlage bildet eine künstlich geschaffene Grotte mit Altar unterhalb eines Steilhangs. Ein Fahrstuhl ($3) befördert die Besucher auf die obere Ebene, wo **Spazierwege** zu diversen Schreinen und Aussichtspunkte mit weitem Blick über den Columbia River warten. Natürlich fehlt auch ein religiöser *Gift Shop* nicht. Täglich 9 Uhr bis Dämmerung. Kein Eintritt; www.thegrotto.org, ➤ auch Seite 709.

Oregon City

Außerordentlich lohnenswert ist der Besuch des ***End of the Oregon Trail Interpretive Center*** in Oregon City, gut 20 *Interstate*-Meilen südlich von *Downtown* Portland (I-5, dann I-205, *Exit* 10, ab dort ausgeschildert; www.endoftheoregontrail.org). Drei überdimensionale Planwagen symbolisieren das »Ende des Weges« nach Oregon. Das Innenleben der Wagen besteht aus Filmtheater und Museum. Besichtigung mit einführendem Vortrag (nur bei guten USA- und Englischkenntnissen verständlich) und daran anschließend hervorragende **Multimediashow** über den beschwerlichen Weg der Siedler im 19. Jahrhundert in den Westen (➤ auch ***Oregon Trail Interpretive Center*** bei Baker City, Seite 575).

Zeitaufwand für den Umweg, ggf. Wartezeit und Besuch nicht unter drei Stunden kalkulieren. Geöffnet im Sommer täglich 9-17.30 Uhr, aber So ab 10 Uhr. Sonst bis 16 Uhr ; **Eintritt $7**, Kinder bis 17 Jahre $5.

6.2.6 Die Oregon Küste

Astoria

Ob man nun über die #101 oder von Osten her auf der #30 den nordwestlichen Zipfel Oregons ansteuert, Astoria an der Mündung des Columbia River liegt vor Erreichen der Pazifikküste am Wege. Östlich der enormen ***Columbia River Bridge*** hat das heute bedeutungslose Hafenstädtchen seiner Vergangenheit ein Denkmal gesetzt: das ***Columbia River Maritime Museum*** (9.30-17 Uhr, $8, bis 17 Jahre $4) präsentiert vielfältige Ausstellungsstücke zum Thema Seefahrt und Meer. Im Mittelpunkt steht die Strandung unglücklicher Schiffe auf den Sandbänken in und vor der Mündung des Columbia River; www.oldoregon.com, www.crmm.org.

Fort Clatsop NM

Unweit Astoria betritt man (wiederum) geschichtsträchtigen Boden. Im Jahre 1805 erreichten ***Lewis & Clark*** – wie im Essay auf Seite 555 berichtet – den Pazifik. Ihr Winterlager ***Fort Clatsop*** wurde innen wie außen pittoresk rekonstruiert und ist heute ein ***National Memorial***. Von Astoria zu erreichen auf der Straße *#101 Business*, dann Ausschilderung. Mit Anfahrt und Spaziergang ab *Visitor Center* zur kleinen Befestigungsanlage benötigt man inkl. Besichtigung der Ausstellung kaum mehr als eine Stunde. Empfehlenswert. Ein gut angelegter **Picknickplatz** ist auch vorhanden; www.nps.gov/lewi/planyourvisit/fortclatsop.htm.

Fort Stevens

Der nördlichste mit dem Auto anzusteuernde Punkt Oregons liegt im ausgedehnten ***Fort Stevens State Park***. Die Befestigungen des Forts sahen im Laufe ihrer langen Geschichte nur ein einziges, immer wieder erläutertes Ereignis: den Beschuss durch ein überraschend aufgetauchtes japanisches U-Boot, das aber keinen nennenswerten Schaden anrichtete. Das Interesse der meisten Besucher des Parks gilt denn auch eher **Dünen und Strand**. Von besonderem Reiz sind hier wie anderswo an dieser Küste die kleinen Süßwasserseen mitten im Dünengürtel, die mit angenehmen Badetemperaturen aufwarten, während der Ozean selbst im Hochsommer eiskalt bleibt. Der Popularität der ***Fort Stevens Beach*** entspricht eine auf **mehrere Plätze** verteilte Camping-Kapazität; www.oregonstateparks.org/park_179.php.

Über einen guten Campingplatz verfügt einige Meilen landeinwärts auch der exponierte ***Saddle Mountain State Park***.

Die Küste bis Tillamook

Auf den ersten Meilen zeigt sich die #101 in Oregon noch nicht von ihrer besten Seite. Sie läuft zunächst überwiegend abseits des Pazifik, aber spätestens südlich von Cannon Beach werden selbst hochgesteckte Erwartungen nicht enttäuscht.

Seaside

Erster größerer Ort am Wege ist das eher unattraktive Seaside, dennoch **eines der beliebtesten Seebäder Oregons**. Im Sommer, speziell an Wochenenden, ist dort enorm Betrieb. An der #101 und in Strandnähe ballen sich **Hotels** und **Motels**. Dabei gehören die Strände nicht zu den besten, aber das wird durch eine 2 km lange **Strandpromenade** aufgewogen. Anfang Juli findet jedes Jahr der Miss-Oregon-Wettbewerb dort statt; www.seasideor.com.

Cannon Beach

Sympathischer und viel hübscher ist **Cannon Beach**, 10 mi weiter südlich, mehr Familiensommerfrische als Seebad; www.el.com/to/cannonbeach. Die Attraktion von Cannon Beach ist der 70 m hohe ***Haystack Rock***, allgemeines Ziel der Strandwanderer bei Ebbe. Er ragt am südlichen Ortsende aus dem Wasser. Ein Hauptspaß sind die pedalgetriebenen **Dreiräder**, mit denen Jung und Alt über den Strand düsen. Gesteuert wird durch Gewichtsverlagerung. Verleihstationen im Ort, übrigens auch in Seaside.

Strandläufer bei Ebbe am Haystack Rock in Cannon Beach

Ein hübsches Ziel bei Cannon Beach ist der ***Ecola State Park*** (kein Camping) mit einer bewaldeten Küstenlinie, teils Steilküste, teils Strand mit vorgelagerten Felsen – *Indian* und *Crescent Beach*. Ein herrlicher ***Walk-in Campground*** existiert im ***Oswald West State Park***, einige Meilen südlich von Cannon Beach. Wer in den *State Parks* nicht unterkommt, sollte es bei der ***Jetty Fishery*** versuchen an der fantastischen *Nehalem Bay/Rockaway Beach* direkt an der #101 (durch eine Bahnlinie und abfallendes Gelände von der Straße separiert). Boots- und Angelverleih sind auch vorhanden. Bei Ebbe ist hier eine Strand-/Wattwanderung an die Mündung der Bucht möglich; www.oregonstateparks.org/park_188.php u. 195.php.

Tillamook

Die Stadt ist bekannt für ihren Käse. Man findet die Tillamook-Sorten in allen Supermärkten. ***Tillamook Cheese***, frisch vom Hersteller, gibt es im unverfehlbaren ***Visitor Center & Shop*** der Käsefabrik an der Durchgangsstraße; www.tillamookchamber.org. Wer hier campen möchte: Der große ***Barview Jetty County Park*** ist gut und liegt gut; www.co.tillamook.or.us/gov/Parks/Barview.

Three Capes Scenic Loop

Ab Tillamook sollte man unbedingt dem ***Three Capes Scenic Loop*** folgen und dabei auf keinen Fall den ersten Abstecher zur **Wochenendsiedlung *Cape Meares*** verpassen. Dort stößt man auf einen wildromantischen Strand voller Treibholz und abgestorbener Bäume. Eine tolle **Strandwanderung** führt bis zur Spitze (*Kincheloe Point*) der weit nach Norden in die *Tillamook Bay* hineinreichenden Landzunge.

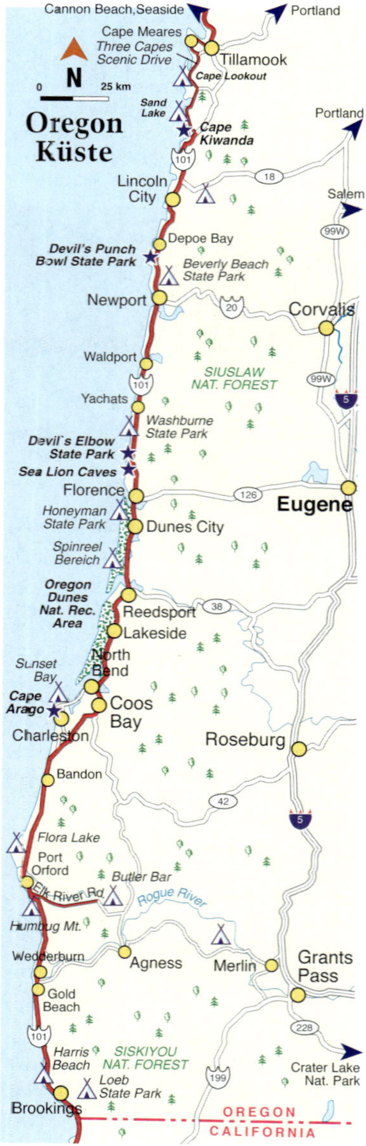

Die Straße über Oceanside, Sand Lake und Pacific City passiert in herrlichem Wechsel mit einem Verlauf durch dichten Regenwald **Steilhänge, Dünen und Strände**.

Cape Meares

Erster reizvoller Haltepunkt ist der ***State Park Cape Meares***. Eine kurzer Rundweg (knapp 1.000 m) am Hang der Steilküste mit Umkehrpunkt Leuchtturm erlaubt weite Blicke die Küstenlinie entlang. Der berühmte ***Octopus Tree***, über dessen Entstehung die Gelehrten rätseln, steht ebenfalls nur einige 100 m vom Parkplatz entfernt. Das winzige **Oceanside** etwas abseits der Straße gehört zu den Geheimtipps der Nordküste: es gibt fast nur private Refugien. Zwei relativ teure **Motels** und eine Handvoll Restaurants bilden das Gros der Infrastruktur.

Cape Lookout

Eine 8 km lange sandige Landzunge schützt die *Netarts Bay* vor den Wellen des Pazifik. Dahinter erhebt sich eine bis zu 150 m hoch aufragende Halbinsel mit dem ***Cape Lookout*** an der Spitze. Das gesamte Gelände gehört zum gleichnamigen ***State Park*** mit Campingplatz. Der Zugang zur *Beach* und zu den Dünen erfolgt nur über die Straße der Parkeinfahrt (Eintritt auch für *Day-Use*). Ein rauher **3-km-*Trail*** führt zum Kap. Wer die Wanderung machen möchte, folge von der Durchgangstraße dem Schild ***Wildlife Viewing Area***.

Sand Lake

Westlich des *Sand Lake* – einem flachen **Salzwassersee**, der bei Ebbe weitgehend trockenfällt – etwa auf halber Strecke zwischen *Cape Lookout* und *Cape Kiwanda* ist ein Dünengelände für **ATVs** und **ORVs** freigegeben. Im Sommer und besonders an Wochenenden geht's dort ebenso »rund« wie in den entsprechenden Arealen der *Oregon Dunes* (➤ Seite 597).

Einsames Strandstück an der Küste von Oregon abseits des Tourismus (Cape Meares) und der weiter landeinwärts laufenden Küstenstraße #101

Sand Lake

Dann stehen meist auch mobile Vermieter bereit, die ATVs stundenweise anbieten. Zwischen Sanddünen und dem Sand Lake liegt ein schöner **Campingplatz** der Einfachkategorie, in Ufernähe weit weg vom Motorenlärm eine ***Picnic Area.*** Gut geeignet für **Familien mit Kindern**: entweder zum Planschen im dort relativ warmen Wasser oder zum Entdecken von Meeresgetier im sandigen Wattboden des *Sand Lake.*

Cape Kiwanda

Das dritte Kap ist ***Cape Kiwanda*** nördlich des kleinen Pacific City. Vom breiten Strand (unverfehlbar an der Straße) blickt man auf einen weiteren ***Haystack Rock*** (nach Cannon Beach) und zugleich die Sandstein-Felsnase des Kaps. Wer Glück hat, sieht hier Drachenflieger abspringen oder kommt zur rechten Zeit, wenn die hohen, spitzen Brandungsboote ins Wasser geschoben werden bzw. (früher Nachmittag im Sommer) von Thunfisch- und Lachsfang zurückkehren. Ein ordentlicher Campingplatz mit *Hook-up* (***Cape Kiwanda RV-Park***) befindet sich gleich hinter dem Strand auf der anderen Straßenseite; www.capekiwandarvresort.com.

In Pacific City findet man ***Brew Pub*** und ***Restaurant Pelican*** direkt am Strand; neben Bier sind dort Fischgerichte angesagt.

Weiterer Verlauf #101 bis Yachats

Hinter Pacific City stößt man wieder auf die #101, die nun bis Yachats weit weniger spektakulär verläuft als weiter nördlich – trotz einiger hübscher *State Beaches* und *Waysides*. Vor allem zwischen **Lincoln City** und **Newport** stört die bisweilen zu dichte touristische Infrastruktur. Im Sommer wird es dort trotz großer Kapazitäten schon mal schwierig, Zimmer oder einen freien Campplatz zu finden. In solchen Situationen fährt man am besten einige Meilen landeinwärts, etwa ab **Kernville** die Straße #229 am Siletz River entlang. Nach wenigen Meilen stößt man auf den ersten ***Campground*** am Fluss.

Depoe Bay

Zwischen Lincoln City und Newport läuft die Straße durch das winzige Depoe Bay, ein Fischerdorf, das durch den Film »**Einer flog über das Kuckucksnest**« mit *Jack Nicholson* bekannt wurde; www. depoebaychamber.org.

Blick aufs Hectea Lighthouse

Depoe Bay

Nicht zuletzt der Film sorgte dafür, dass heute der Hafen überfüllt ist mit Sportbooten, und ***Giftshops*** die Bucht verzieren. In der Umgebung findet man zahlreiche teure Resort Hotels und private Villen. Etwa 6 mi südlich des Ortes liegt das *Cape Foulweather*, 140 m über dem Meer, und nur ein wenig weiter der ***Devil's Punchbowl State Park***, wo der Pazifik den Felsen derart unterspült hat, dass hineinschlagendes Wasser bei einer gewissen Fluthöhe röhrende Geräusche verursacht – naja!

Newport

Mit nicht einmal 10.000 Einwohnern ist Newport nach Coos Bay bereits zweitgrößte Stadt an der Küste; www.newportnet.com.

Sie verfügt entlang der #101 über die übliche *Shopping-* und *Fast Food*-Kulisse amerikanischer Städte. Zahllose **Motels** säumen die Straße durch Newport und South Beach jenseits der Brücke über die *Yaquina Bay*. Der ***Beverly Beach State Park***, ein paar Meilen nördlich der Stadt, verfügt über einen großen, gut angelegten ***Campground*** (teilweise *Hook-up*) abseits des Straßenlärms. Er ist aber wegen des langen breiten Strandes (jenseits der #101) sehr beliebt und im Sommer oft ausgebucht. Das gilt auch für den besten Platz dieses Bereichs im ***State Park Beachside***, südlich von Newport; www.oregonstateparks.org/park_122.php. Da der Hauptverkehr am Ortszentrum von Newport am Hafen vorbeifließt, hat man als kleine Attraktion dort viele Fassaden mit Wandbildern verschönt (*Murals*), ganz pittoresk.

Aquarium

Das ***Newport Oregon Coast Aquarium*** ist ein gut aufbereitetes *Indoor Aquarium* mit einem speziell für Kinder reizvollen Außenbereich, in dem Otter, Seehunde und -löwen und Seevögel leben (im Sommer 9-18 Uhr, sonst 10-17 Uhr; $14, bis 13 Jahre $8). Das Aquarium liegt unmittelbar südlich der *Yaquina Bay Bridge*; www.aquarium.org.

#101 Verlauf ab Yachats

Einer der besten Abschnitte der #101 beginnt hinter Yachats. Die Straße verläuft weitgehend direkt am Pazifik, teilweise hoch über dem Meer mit steil abfallenden Felswänden. Einen ersten Höhepunkt bildet das ***Cape Perpetua***. Ein eigenes ***Visitor Center*** des *National Forest Service* informiert über *Trails*, Zufahrt, Camping und Strände. Wer den beschwerlichen 6-km-Wanderweg hinauf zur Kaphöhe (240 m über dem Meer) nicht laufen möchte, kann auch mit dem Auto nach oben fahren (ausgeschildert, tolle Aussicht!). Bei Ebbe zieht ein ***Tide Pool***, bei Hochwasser ***Devil's Churn***, ein tosender Wellenbrecher, viele Besucher an. Originell ist das ***Spouting Horn***, ein Felsloch, das Wasserfontäne und Sirenengeheul verursacht, aber nur bei bestimmten Wasserständen »in Betrieb« ist; www.fs.fed.us/r6/siuslaw/recreation/tripplanning/capeperpetua.

Für einen weiteren Stop (Picknick) empfiehlt sich der wunderbar von Felsen eingeschlossene Strand des ***Devil's Elbow Park*** unterhalb des ***Heceta*** Leuchtturms, zum Campen – sozusagen gleich nebenan – der ***Washburne State Park***; www.oregonstateparks.org/park_123.php und ...124.php.

Seelöwenhöhle

Nur wenige Meilen weiter passiert man die ***Sea Lion Caves***, eine der meistbesuchten Sehenswürdigkeiten an der Oregon-Küste. Durch eine Riesen-*Giftshop*, über Fahrstühle und eine Aussichtsplattform geht es hinunter auf Meereshöhe in eine gewaltige Höhle, die über einen Durchbruch mit dem Meer verbunden ist. Höhle und umliegende Felsen befinden sich in Herbst und Frühjahr fest in der Hand Hunderter von Seehunden und -löwen. Im Sommer ist die Besatzung dünner. Trotz $9 Eintritt, bis 12 Jahre $5, für max. 60 min ist die Besichtigung lohnenswert. Täglich 9 bis 19 Uhr je nach Licht und Wetter; www.sealioncaves.com.

Oregon-Dünen

Mit **Florence**, einem Städtchen mit einer restaurierten sog. ***Old Town-Zeile*** am Siuslaw River, erreicht man das nördliche Ende der ***Oregon Dunes National Recreation Area***; www.florencechamber.com, www.fs.fed.us/r6/siuslaw. Einerseits sorgt der *National Forest Service* im über 60 km langen Wanderdünengürtel zwischen Pazifik und der #101 für den Schutz dieser Landschaft als solcher und seiner Flora und Fauna. Andererseits überwacht er die Nutzung von Teilflächen durch ***Off-Road-Vehicles (ORV)***, deren Einfall wohl durch nichts zu verhindern wäre. Denn die Oregon Dünen mit Sandhügeln, die über 100 m hoch sein können, und enormen Flächen ohne jeden Bewuchs sind ein tolles Gelände für den *Off-road*-Spaß.

Erlaubt, aber streng reglementiert: Off-Road Vehicles in den Oregon Dünen

Off-road Gebiete

Das erste von drei für ORVs freigegebenen Arealen (teilweise mit entsprechenden Strandanteilen!) liegt unmittelbar südlich von Florence, Zufahrt über die ***South Jetty Dune & Beach Access Road***. Ausgangspunkte für den Hauptspaß im Sand sind große Parkplätze, die den ORV-Fans genügend Platz für ihre Anhängergespanne und Dünenfahrzeuge bieten. An guten Tagen ist allein schon der Besuch auf diesen ***Staging Areas*** *ei*n Erlebnis. Neben den Serien-ATVS gibt es jede Menge im Eigenbau entstandene Vehikel, viele davon immer noch auf Basis alter VW-Käfer, ihrer Motoren und Achsen.

Vehikelvermietung

Wer mitmachen möchte, findet **ORV-Verleiher** vor allem bei Dunes City und am geeignetsten **im *Spinreel*-Bereich** südlich von Winchester Bay (inklusive Sturzhelm ab $35 pro Stunde). Bei dieser Verleihstation abseits der Hauptstraße kann man auch prima **Dünentrips** mit Fahrer in originellen kleinen und großen »**Passagier-ORVs**« buchen. Ohne Übung in der Handhabung der Klein-ORVs ist das vielleicht die beste Methode, durch die Dünen zu karriolen, speziell mit Kindern. Nebenbei ist es auch noch billiger. Solche Touren kosten ab $20/Person (ca. 30 min). Verleih der ORVs ab $36-$50/Stunde.

Typische Dünenvehikel mit Überschlagbügel bei einem der Verleiher (hier in der Spinreel Region)

Camping

In den bzw. am Rand der Dünen gibt es eine zahlreiche, überwiegend großartig angelegte und gelegene ***NF-Campgrounds*** der sanitären Einfachkategorie (*Dumping* zentral). Ein Teil von ihnen ist auch für ORV-Eigner zugelassen und damit für andere Benutzer wegen des Lärms bisweilen schwer erträglich (***Spinreel*** und ***Waxmyrtle Campground*** auf der Grenze zwischen Natur- und ORV-Gelände liegen indessen toll). Schöne Plätze ohne laute Dünenfahrzeuge bietet der ***Honeyman State Park*** am *Cleawox Lake* im Grenzbereich zwischen Wanderdünen und Tannenwald, ***Tahkenitch*** und ***Eelcreek Campground***. Auch an den landeinwärts gelegenen Seen östlich der #101 gibt es noch schöne Campmöglichkeiten; www.oregonstateparks.org/park_134.php.

Natur/ Trails

In den breiten Dünengebieten ohne Motorenlärm kann man herrlich wandern oder ganz einfach herumtollen. Die empfohlenen Campingplätze (bis auf *Honeyman)* sind gleichzeitig gute Ausgangspunkte für **Dünenwanderungen.**

Information

Ebenso der ***Oregon Dunes Overlook*** (zwischen Reedsport und Dunes City). Dort befindet sich ein begrenzt geöffneter Informationsstand. Das offizielle ***Visitor Information Center*** mit jeder Menge Unterlagen zu den Dünen, ORV-Regeln, Camping, Motels in der Umgebung etc. liegt an der #101 am nördlichen Ortsausgang von Reedsport.

6

Später Nachmittag im geschützten Bereich der Oregon Dünen

Oregons Südküste

Von **Coos Bay bis Port Orford** hat die #101 nicht mehr so viel zu bieten. Ein Umweg über Charleston lohnt sich vor allem bei Zielsetzung ***Sunset Bay State Park*** (Camping prima; herrlicher *Coastal Trail* nach *Cape Arago*) und ggf. weiter zum hübschen ***Cape Arago State Park*** (nur *Day Use*). **Charleston** ist andererseits ein Sommerfrische-Städtchen an der Coos Bay mit einer hübschen Hafenszenerie, das vielen gefallen wird.

Die enge ***Seven Devils Road*** führt von der Verbindung Charleston zur #101 in wildem Verlauf küstennah zur *Seven Devils* und weiter zur *Whiskey Run Beach*. Die fantasievollen Bezeichnungen versprechen aber mehr als sie halten. Auch in **Bandon** (www.bandon.com) lohnt sich nach allem, was die Küste weiter oben und unten bietet, ein Abstecher ans Wasser nur bedingt. Schon eher bei Langlois zum ***Flora Lake***, einem beliebten **Windsurfer See**. Das *Cape Blanco* ist eher langweilig.

Pittoresker Elk River

Die ***Elk River Road*** (County Road #208) zweigt 3 mi nördlich von Port Orford von der #101 ab und führt in die ganz andere Landschaft des *Siskiyou National Forest*. Dort kann es warm und sonnig sein, wenn Nebel und Kälte über der Küste liegen. Nach Erreichen des Flusses (glasklare Badepools, leider nur an wenigen Stellen zugänglich) windet sich die Straße scheinbar endlos am *Elk River* entlang und passiert mehrere »wilde« Campmöglichkeiten, bis nach 18 mi die Asphaltierung am (einfachen) *Forest Service* ***Campground Butler Bar*** endet.

Verlauf #101

Port Orford bietet im wesentlichen Versorgung und Motels, keine eigenen Sehenswürdigkeiten. Aber südlich der Stadt zeigt sich die #101 bis nach Kalifornien wieder von ihrer besten Seite. Sie folgt dem Auf und Ab der Küste vorbei an zahllosen Buchten mit verborgenen Stränden und malerisch vorgelagerten Felsen. Der ***Humbug Mountain State Park***, 6 mi südlich von Port Orford, besitzt schöne Stellplätze ganz in Strandnähe und viel Platz im rückwärtigen Bereich. Sportliche Naturen können den 500 m hohen *Humbug Mountain* auf dem gleichnamigen ***Trail*** bezwingen (ca. 5 km) und eine großartige Aussicht genießen.

Flusstrips

Gold Beach an der Mündung des **Rogue River** ist Ausgangspunkt populärer Trips per ***Jetboat*** den Fluss hinauf; www.goldbeach.org. Wer mit dem Gedanken spielt, daran teilzunehmen, muss wissen, dass die Kurztrips bis Agness fürs viele Geld nur wenig bieten. Erst der Oberlauf des Rogue River verdient die ihm verliehene Bezeichnung ***National Scenic Waterway***. Viel besser und obendrein noch preiswerter sind **Trips ab Grants Pass** durch den ***Hell's Gate Canyon*** des Rogue River

Nach **Grants Pass** gibt es eine attraktive, durchgehend asphaltierte Straße über Agness/Garlice. In Merlin lassen sich statt der *Jetboat*- auch Schlauchboot-Trips durch die Schlucht buchen. Komfortables Camping bietet der ***Indian Mary County Park*** am Oberlauf des Flusses einige Meilen westlich Merlin.

Rogue River Jet Boats für die Trips flussaufwärts;

www.rogueriver trips.info

Letzte Meilen in Oregon

Die restlichen Meilen der #101 in Oregon zeichnen sich durch viele ***Beach State Parks*** aus mit schönen Picknickplätzen am Wasser. Einen der besten **Aussichtspunkte** mit herrlichem Blick über die Küste bsitzt der ***Cape Sebastian State Park***, ca. 5 mi südlich Gold Beach (dort den südlichen Parkplatz ansteuern); www.oregon stateparks.org/park_73.php.

Die letzten Campingempfehlungen in Oregon: ***Harris Beach State Park*** nördlich von Brookings (...79.php); ***Loeb State Park***, 9 mi landeinwärts am Chetco River (...72.php). Wie im Fall Elk River (➤ Seite 599) entkommt man dort ggf. auch dem Küstennebel.

6.2.7 Durch Nordkalifornien

Crescent City

In Kalifornien verlässt die #101 bald die Küste und läuft landeinwärts. Bis Crescent City, einem Städtchen am Meer mit einer auf den Tourismus zu den *Redwood Parks* ausgerichteten Infrastruktur, sind es nur rund 20 mi. Für ein Picknick oder zum Austoben mit Kindern (schöner Spielplatz) eignet sich der Park am Hafen, wo auch die ***Visitor Information*** residiert; www.northerncalifornia.net. Von der hinteren Ecke des Parks kann man bei Ebbe zum alten Leuchtturm hinüberlaufen. Wer hier ein Zimmer sucht, findet 2 mi südlich das ***Crescent Beach Motel*** mit Terrassen zur Seeseite, ✆ (707) 464-5436; www.crescentbeachmotel.com.

Redwood Parks

Unmittelbar südlich von Crescent City beginnt der ***Redwood National Park*** bzw. eine ungewöhnliche **Kombination** von geographisch zusammenhängenden ***State*** und ***National Parks,*** welche die letzten größeren *Redwood*-Bestände Nordkaliforniens vor den Sägen der *Logging Companies* gerettet hat. Die mächtigen Bäume, von denen einzelne ein Alter von bis zu 2.000 Jahren, über 100 m Höhe und 6 m Durchmesser am Boden erreichen können, säumen in wechselnder Dichte den gesamten Verlauf der #101. Die größten Exemplare stehen jedoch in besonderen ***Redwood Groves*** abseits der Straßen; www.nps.gov/redw.

Jedediah Smith Park

Der östlichste Park der *Redwood*-Zone ist der wunderbare ***Jedediah Smith State Park***, dessen Haupteingang an der Straße #199 liegt, von Crescent City einige Meilen landeinwärts. Ein Besuch lohnt sich auch zum **Campen**, speziell aber zum Abfahren der tollen, wenn auch engen ***Howland Hill Road*** (Sand & Schotter, nicht für *Motorhomes* größer als 25 Fuß) durch *Redwood*-Regenwald (toller ***Stout Grove***, der aber von der #199 leichter erreicht wird) zurück auf die #101. Mit dem Umweg über den Park könnte man Crescent City ohne Verlust links liegen lassen. Eine Weiterfahrt auf **der attraktiven #199** (im Tal des Smith River) in Richtung **Grants Pass/*Oregon Caves*** lässt sich – bei anderer Reiseroute als beschrieben – ebenfalls mit einem Abstecher in den *J. Smith Park* verbinden; www.parks.ca.gov/?page_id=413.

Mill Creek

Bis Klamath läuft die Straße zunächst überwiegend durch den ***Del Norte State Park*** mit herrlichen *Redwood*-Abschnitten. Ein grandioser, wegen der kurvigen Abfahrt oft nicht ganz so früh besetzter ***Campground*** ist **Mill Creek** in einem »jungen« *Redwood Forest* mit vielen meterhohen und -dicken Baumstümpfen, die bereits im 19. Jahrh. anfielen; www.parks.ca.gov/?page_id=414.

Trees of Mystery

Im kurzen parkfreien Bereich zwischen *Del Norte State Park* und Klamath gibt es viele **Motels** und private **Campingplätze**. Und das kommerzielle *Redwood*-Paradies ***Trees of Mystery***. Außer mit ungewöhnlich gewachsenen Bäumen rechtfertigt dieser Park $14 bzw. $7 Eintritt mit enormen Schnitzfiguren, speziell ***Paul Bunyan***, dem größten Holzfäller aller Zeiten, der das Publikum durch persönliche Ansprache verblüfft, einer Seilbahn und einem Riesen-*Giftshop* samt ausgezeichnetem **Indianermuseum**.

Holzfäller-Sagengestalt Paul Bunyan mit Stier im Redwood Kommerzpark »Trees of Mystery«;

www.treesofmystery.net

Camping

Die Auswahl an *Campgrounds* ist groß: am Strand, im Regenwald oder am Klamath River. Abseits der lauten #101 liegt z.B. der ***Riverwoods Campground*** an der Klamath Beach Road. Östlich der Straße #101 in Terwer (4 mi) und oft in der Sonne, wenn die Küste im Nebel steckt, liegen ***Redwood Rest*** (Plätze unter *Redwoods*) und der ***Terwer Park***.

Trails

Durch den ***Prairie Creek Park*** führt einer der schönsten Abschnitte der alten #101, der ***Drury Scenic Parkway***. Die **neue #101** läuft als vierspurige Umgehung um den Park herum. Unbedingt anhalten und einen kleinen Spaziergang unternehmen muss man an der ***Big Tree Wayside***. Beim ***Visitor Center*** des Parks startet der sehr schöne ***James Irvine Trail***. Der **Campingplatz** liegt am Rande der ***Elk Prairie***; am frühen Morgen und in den Abendstunden grasen dort zahlreiche Hirsche.

Fern Canyon

Ein paar Meilen südlich des *State Park* bietet ***Rolf's Park Café*** (und **Motel**) an der Abzweigung zum ***Fern Canyon*** deutsche Küche, Hirsch- und Büffelsteaks. Den Abstecher zum grünen *Fern Canyon* sollte man unbedingt machen. Auf schlechter Straße sind es rund 8 mi (am beliebten *Campground* der ***Gold Bluffs Beach*** vorbei) bis zum *Trail Parking*. Zwischen hohen, über und über mit Moosen und Farnkraut bewachsenen grünen Wänden führt ein Pfad den Prairie Creek hinauf; keine lange Wanderung, sondern ein schöner Spaziergang für 30-60 min.

Im Fern Canyon des Prairie Creek

Tall Trees Grove

Die höchsten ***Redwoods* im Nationalpark** findet man – der Name sagt es – im ***Tall Trees Grove***. Dorthin gelangt man entweder per pedes auf dem ***Redwood Creek Trail*** (14 km, Startpunkt unweit der #101 an der *Bald Hills Road*) oder **mit eigenem Auto**, wofür aber ein ***Permit*** notwendig ist. Das wird im ***National Park Visitor Center*** bei Orick ausgestellt (dabei kann in der Sommersaison die Nachfrage die maximale Permitzahl/Tag schon mal übertreffen). Der Weg führt von der #101 die ***Bald Hills Road*** hinauf und weiter auf der ***Tall Trees Road*** (dort Sperre, nur zu öffnen über eine Ziffernkombination).

Lady Bird Johnson Grove

Ersatzweise tut's auch der ***Lady Bird Johnson Grove*** – Anfahrt ebenfalls über die *Bald Hills Road,* aber keine Restriktionen der Zufahrt. Die Länge der Wanderung durch den dichten Regenwald und die hier nicht ganz so hohen *Redwoods* beträgt etwa 2 km. Die Redwoodhaine in der ***Avenue of the Giants*** (siehe unten) sind indessen nicht weniger eindrucksvoll.

Redwoods Küste/Trails

Die *Redwood Parks* besitzen einen breiten, weitgehend unberührten Küstenstreifen. Mit dem Auto befahrbar sind der nur mäßig attraktive ***Coastal Drive*** südlich Klamath und die Stichstraße zu *Gold Bluffs Beach* und *Fern Canyon*. Ein ***Coastal Trail*** (ca. 50 km) durch urwüchsige Uferlandschaften verbindet die verschiedenen Parkbereiche. Einzelne Abschnitte lassen sich auch separat erwandern, etwa der ***Flint Ridge Trail*** in der Nähe von **Klamath** (Startpunkt *Alder Point/South Beach Rd*) oder das Stück vom Ende der *Requa Road* bis zum ***Redwood Hostel***, © 1-800-295-1905, $20, DZ ab $49; www.norcalhostels.org/redwoods.

Südlich der Redwood Parks

Entlang der Straße im ***Humboldt Lagoons State Park*** (an den Süßwasserlagunen südlich von Orick) ist Campen erlaubt. Im Sommer stehen dort über Kilometer Hunderte von Campmobilen für $6 Gebühr. Besser und ruhiger campt man etwas weiter südlich im ***Big Lagoon County Park*** oder im ***Patricks Point State Park*** mit fantastischen Campingarealen über der Küste (Strand mit Achatsand; www.parks.ca.gov/?page_id=417). Beide Parks eignen sich auch gute für den *Day-Use*. Parallel zur #101 läuft in diesem Bereich der ***Patricks Point Drive*** bis **Trinidad**, Fischer- und Touridorf in toller Lage; www.trinidadcalif.com.

Skulpturen, Statuen und geschnitzte Wandbilder aus Redwood Holz werden in Shops und Werkstätten überall an der Straße #101 angeboten. Neben allerhand Kitsch gibt es richtige Kunstwerke, leider aber sehr teuer und nicht besonders als Fluggepäck geeignet

Eureka/ Ferndale

Die insgesamt nicht sonderlich attraktive »Metropole« der Holzindustrie **Eureka** – sieht man von einigen restaurierten Gebäuden in der ***Old Town*** (um die viel Aufhebens gemacht wird) und dem ***Sequoia Park*** ab (mit kleinem **Zoo**, empfehlenswert für kleine Kinder) – ist Verwaltungssitz eines von Sonne und Natur begünstigten Landkreises mit der beachtlichen Bezeichnung ***Humboldt County***; www.redwoodvisitor.org, www.arcatachamber.com.

Bei **Ferndale**, 20 mi südlich von Eureka und 5 mi westlich der #101, handelt es sich um ein Städtchen wie aus dem **Bilderbuch der Jahrhundertwende**. Hier ist ausnahmsweise nichts nachgebaut, sondern die viktorianischen Gebäude sind echt. Ausgangs des 19. Jahrhunderts war Ferndale agrarisches Zentrum des *Humboldt County*. Aber die einseitige Ausrichtung auf die Landwirtschaft führte bald zum Niedergang und verhinderte die Anpassung des Stadtbildes an modernere Erfordernisse. Weitsichtige Leute sorgten später für die Erhaltung der alten Substanz; www.victorianferndale.org/chamber.

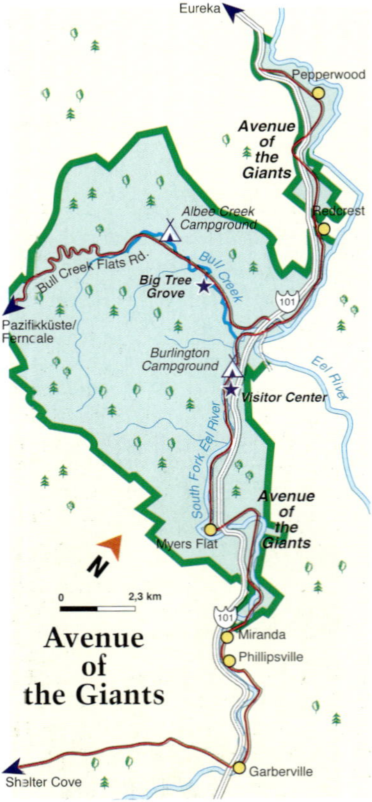

Ferndale liegt auf dem Weg für alle, die sich entschließen, die Reise auf der attraktiven (und ziemlich einsamen) ***Mattole Road*** fortzusetzen. Sie verbindet Ferndale auf dem Umweg über die Küste und mehrere Höhenzüge mit der ***Avenue of the Giants*** und ist eine großartige Alternativstrecke für Leute mit **1 Tag oder mehr Extrazeit**, die sich mal abseits der üblichen Pfade bewegen möchten.

Dass dabei einige *Redwoods* der *Avenue of the Giants* ausgelassen werden, ist zu verschmerzen, da noch genug »übrig« ist. Ein Tag hinter den Dünen am Pazifik auf dem ***Mattole River Campground*** (*Lighthouse Road* 8 mi ab Petrolia) wäre z.B. eine Empfehlung. Und im *Mattole River Valley* weiter oben passiert man den ***AW Way County Park*** mit einem schönen ***Campground*** (kalte Duschen) direkt am Fluss voller Badelöcher.

Die 33 mi der ***Avenue of the Giants*** (www.aveofthegiants.com) beginnen südlich von Scotia als Alternativroute zur #101 (Abfahrt Pepperwood), die hier autobahnmäßig ausgebaut ist, und enden einige Meilen nördlich Garberville (Abfahrt Phillipsville). Die kurvenreiche Fahrt am Eel River entlang führt durch diverse *Redwood* Haine des

Avenue of the Giants

Humboldt Redwoods State Park; www.humboldtredwoods.org. Höhepunkt an dieser Strecke ist der ***Rockefeller Forest*** (sehr schön dort der ***Founders Tree Trail***), der auch das Park-Hauptquartier und ein *Visitor Center* beherbergt (südlich Weott). Zunächst als ***Bull Creek Flats Road*** windet sich die empfohlene Straße nach/von Ferndale durch äußerst dicht stehende ***Redwood*-Giganten**. Der Abstecher bis mindestens zum ***Big Trees Grove*** (ca. 4 mi ab #101) ist **touristische Pflicht**.

Der ***Albee Creek Campground***, ca. 2 mi weiter westlich, hat (nur bis *Labor Day*) attraktivere Stellplätze als der ***Burlington Campground*** an der Hauptstraße. Dort gilt teilweise ***first-come-first-served***, ebenso wie auf dem wunderbaren ***Hidden Springs Campground***, ca. 5 mi. weiter südlich.

Garberville

Das hochgelegene Städtchen **Garberville** gilt als südliches Eingangstor zur *Avenue of the Giants*. Es genoss in den 1970er-und 1980er-Jahren den bemerkenswerten Ruf einer ***Marihuana Capital of California*** und behielt ihn ein bisschen bis heute. Die Wälder der Umgebung eignen sich offenbar gut zum Anbau von Hanf; www.garberville.org.

Exkurs — Auf Backroads durch die Counties Humboldt, Trinity und Del Norte

Humboldt County

Der Tourismus konzentriert sich südlich der *Redwood Parks* weiterhin im wesentlichen auf die #101, speziell auf Ferndale und die *Avenue of the Giants*. Die einsamen Straßen durch das schöne, kaum berührte Hinterland des *Humboldt County* und benachbarter Bezirke bleiben den Entdeckern vorbehalten. Die ***Mattole Road*** etwa ist nebenstehend beschrieben; www.arcata chamber. com. Wem die Landschaft entlang dieser Straße gefällt, könnte auch von Honeydew auf der ***Wilder Ridge Road*** (überwiegend guter Schotter) zur ***Briceland Road*** (Garberville/Redway–Shelter Cove) weiterfahren oder Stichstraßen an die Küste folgen (z.B. der ***Lighthouse Road*** ab Petrolia).

Straße #36

Ebenfalls nur wenige Touristen verirren sich auf die **Straße #36** zwischen Fortuna/Alton und Red Bluff, die in Kombination mit der Straße #3 **Küstenroute** und ***Whiskeytown Shasta-Trinity Nat'l Recreation Area*** optimal verbindet. Auf den ersten 8 mi beeindruckt diese Strecke zwar überhaupt nicht, aber ihr weiterer Verlauf, zunächst am Van Duzen River entlang, wird immer besser. Nur ungefähr 13 mi sind es von Alton bis zum ***Van Duzen County Park*** mit Schwimmpools im warmen Flusswasser vor steilen Felswänden und herrlichen Picknick- und Campingplätzchen unter Redwoodbäumen. Nur ein wenig weiter östlich liegt der ***Grizzly Creek Redwoods State Park*** mit einem *Campground* am Fluss; www.parks.ca.gov/?page_id=421. Östlich Bridgeville wird die #36 zu einer herrlich geführten **Höhenstraße** ohne nennenswerten Verkehr.

Backroads

Von **Bridgeville** aus kann man **Garberville** auch auf einer einsamen, attraktiven Route durchs *Hinterland* (großenteils Schotter) erreichen (über Blocksburg, Fort Seward und Philipsville). Über **Zenia** und **Covelo** (30 mi z.T. schlechter Schotter und unendliche Serpentinen, nicht geeignet für Campfahrzeuge größer als *Camper Van)* ließe sich der *Backcountry-Trip* bis Longvale an der #101 fortsetzen.

Straße #299

Auch die Hauptverbindung zwischen Küste und Inland, die **#299** am Trinity River entlang, ist eine landschaftlich schöne Route, aber stärker befahren. Am Wege liegt hier weiter östlich das hübsche »Aussteiger-Städtchen« **Weaverville**; www.weavervilleinfo.com.

Straße #96

Dem Verkehr entgeht man dort auf einer weiteren erfreulichen Straße, der #96 durch *Trinity* und *Del Norte County* und die *Hoopa Indian Reservation.* Sie folgt auf ganzer Länge dem Lauf des Klamath River bis zur I-5. Prima gelegene und angelegte ***NF-Campgrounds*** säumen die Strecke, der erste nur ein wenig nördlich von Willow Creek.

6.2.8 Von Garberville nach San Francisco

Die #101

Für die Weiterfahrt in Richtung Süden gibt es keine vernünftige Alternative zur Straße #101, es sei denn über einsame ***Backroads***, die nur etwas für Leute mit viel Zeit sind, siehe Kasten. Außerdem bilden die folgenden 100 mi bis Ukiah den besten Abschnitt der #101 abseits der Küste. Am Wege liegen südlich von Garberville mehrere schöne ***State Parks***, ganz besonders ***Richardson Grove*** und ***Standish-Hickey*** mit *Redwood* Hainen und vor allem **Badestränden wie Stellplätzen** für Vans und Zelte am im Sommer und Herbst warmen *Eel River*.

Optimale Strecke

Nach San Francisco sind es noch 220 mi. Weiter unten lässt sich leicht ein Umweg ins *Napa Valley*, das kalifornische Zentrum des Weinanbaus, einplanen und auch das südlichste und beste Teilstück der Küstenstraße #1 mit der *Point Reyes National Seashore* relativ rasch ansteuern: etwa ab Santa Rosa oder über die Verbindung **Healdsburg-Jenner** durch das hübsche, im Bereich **Guerneville** allerdings sehr stark frequentierte Tal des Russian River. Diese Route wäre grundsätzlich die **erste Priorität des Autors**, den die kalifornische **Küstenstraße #1** auf ihrem ersten, nördlichen Teilstück trotz durchaus reizvoller Teilabschnitte weit weniger begeistert als die Oregon-Küste.

Napa Valley

Jedoch zunächst zum Abstecher in die als ***Napa Valley*** bezeichnete Region nordwestlich der Stadt Napa. Wer sich für kalifornische Weine und Anbaugebiete interessiert, findet in den Tälern entlang der Straßen #29 und #12 die bekanntesten mit dem Weinanbau verbundenen Ortsnamen und eine ganze Reihe hochbewerteter Weingüter. Die Website www.napavintners.com liefert sehr gute Informationen.

Anfahrt von Norden

Bei einem Blick auf die Karte liegt es vielleicht nahe, die #101 bereits in Hopland zu verlassen und über den großen ***Clear Lake*** zu fahren. Dieser Umweg lohnt sich nicht. Der See ist »umstellt« von Sommerhäusern, kaum zugänglich und insgesamt nicht sehr attraktiv. Besser wäre ein Abgehen von der #101 bei **Geyserville** mit Weiterfahrt über Calistoga/St. Helena/Oakville und dann über Glen Ellen/Sonoma zurück auf die #101 in Novato. Von Novato aus kann man über eine kleine Verbindungsstraße durch die Küstenberge noch weit vor San Francisco **das letzte und beste Teilstück der #1** erreichen und in die Reiseroute miteinbeziehen, siehe dazu die folgenden Seiten.

Camping-hinweis:

Hoch über dem Lake Sonoma befinden sich ausgedehnte Areale des **Liberty Glen Campground** des BLM; sanitär sehr gut, Duschen; bisweilen Wasserprobleme.

Anfahrt von Geyserville zum Staudamm des Sees. Meist ist Platz; aber Wochenendbetrieb.

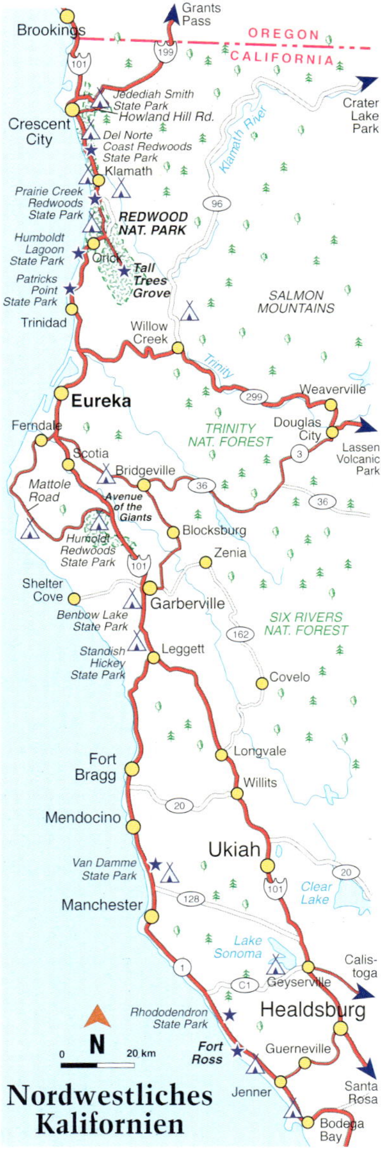

Calistoga

Einen ersten Halt auf der vorgeschlagenen Route könnte man in **Calistoga** einlegen; www.calistogafun.com. Dieser Ort, schick und aufgepeppt wie kein anderer weit und breit, besitzt eine ganze Reihe heißer Quellen und Schlammbäder (***Hot Springs & Spas***, Eintritt; www.calistogaspa.com) und als spezielle Sehenswürdigkeit den kleinen ***Old Faithful Geysir*** (ausgeschildert), der in regelmäßigen Abständen (ca. alle 30-40 min) eine Heißwasserfontäne bis 20 m Höhe hinausbläst. Dieses Schauspiel ist die $6 Eintritt pro Person (!) auch dann nur mit Mühe wert, wenn man den *Yellowstone* Park nicht kennt bzw. besucht.

Napa Valley Region

Im Bereich **St. Helena** und südlich (Rutherford, Oakville) passiert man zahlreiche ***Vineyards***. Weinproben finden üblicherweise nur 10-16 Uhr statt. Wochentage sind den Wochenenden vorzuziehen, an denen man oft lange warten muss, bis ein Plätzchen zum ***Wine Tasting*** frei wird. Dabei geht es aber selten vergleichbar gemütlich und stimmungsvoll zu wie traditionellerweise in den Winzerbetrieben Europas. Wer nach positiven Berichten anderer eine gewisse Erwartungshaltung mitbringt, könnte leicht enttäuscht sein. Die Hügellandschaft des Gebietes besitzt **keine herausragenden Höhepunkte**. Die Ortschaften wirken zwar freundlich und überdurchschnittlich wohlhabend, sind aber nicht touristisch sehenswert; www.napavalley.com. Das gilt ebenso für die Orte südlich von Santa Rosa an der **Straße #12** mit so berühmten Namen wie **Glen Ellen** oder **Sonoma**. Eine sehr reizvolle (kurze) Strecke ist indessen die Verbindung von Calistoga nach Santa Rosa. Der ***Sugarloaf Ridge State Park*** (**Camping**) bietet eine in dieser Umgebung unerwartete Wildnis und *Trails* mit weiter Aussicht; www.parks.ca.gov/?page_id=481.

Ein weiterer schöner ***State Park*** ist ***Bothe-Napa Valley*** (...id=477) mit einem prima *Campground* mit Stellplätzen am Richey Creek – an der Straße #128 zwischen St. Helena und Calistoga.

6.2.9 Die Küstenroute: Straße #1

Leggett

Die #1 beginnt in Leggett, wo man im ***Drive-Thru-Tree-Park*** die letzte Gelegenheit nutzen kann, einen »untertunnelten« Baumgiganten per Auto zu durchfahren ($3; www.drivethrutree.com). Die Straße folgt weitgehend der Küstenlinie. Zahllose Kurven und Serpentinen bedingen **geringe Durchschnittsgeschwindigkeiten**. Für die ca. 230 mi bis San Francisco reicht daher eine Tagesetappe auf keinen Fall. Zumal zahlreiche *View Points, State Parks* und hübsche Ortschaften zu Stopps einladen.

Der größte Ort am Wege ist das unattraktive **Fort Bragg**. Von dort kämpft sich mehrmals täglich ein als ***Skunk*** (Stinktier) bezeichneter **Ausflugszug** durch Küstenberge und die letzten *Redwood* Bestände. Sein Name geht auf Gasmotoren zurück, die einst üblen Gestank verbreiteten. Die Bahn kann auch in **Willits** (an der #101) oder **Northspur** auf halber Strecke bestiegen werden. Preis-/Fahrplaninfo unter © 1-800-866-1690; www.skunktrain.com.

Mendocino

Der dank eines alten Ohrwurms populärste nordkalifornische Küstenort ist **Mendocino**, eine **Künstlerkolonie** (*Art Center* in der Little Lake Road), die vor Jahren als Geheimtipp galt; www.mendocino.com. Heute steht Tourismus dort allzusehr im Mittelpunkt. Aber die Landschaft ringsum (attraktiv: ***Big River Valley***) gehört zum Besten bis San Francisco; www.gomendo.com.

Botanical Gardens

Etwa 1 mi südlich von **Mendocino** liegen die ***Coast Botanical Gardens***, ein toller Park am Meer; 9-16/17 Uhr täglich, $10, bis 17 Jahre $4; www.gardenbythesea.org.

State Parks

Unter den vielen Campingplätzen an der Küste bieten die *State Parks* ***Van Damm*** und ***Fort Ross*** besonders gute Plätzchen; www.parks.ca.gov/?page_id=433 u. 449. Einen der wenigen Zugänge ans Meer per Auto gibt es an der ***Nevada Beach*** unweit der Einmündung der Straße #128 in die #1. Dort kann man auch campen.

Fort Ross

Rund 12 mi nördlich von Jenner steht das Fort Ross, heute ein ***State Historic Park***. Die restaurierten und rekonstruierten Gebäude des einstigen Handels- und Militärpostens sind die einzigen Überbleibsel der russischen Präsenz an der Westküste im 18. und beginnenden 19. Jahrhundert. Ein *Visitor Center* mit **Museum** erläutert die Geschichte des Küstenforts.

Bodega Bay

Bodega wurde einst durch den Hitchcock-Film »Die Vögel« bekannt (tolle Website www.filminamerica.com/Movies/TheBirds. Der nahe Hafen, **Bodega Bay**, ist die Heimat einer großen Fischereiflotte. Die den Hafen passierende Straße endet an einer pittoresken Bucht. Mehrere **Campingplätze** (*State Park* und *Sonoma County*) befinden sich in Ortsnähe; www.bodegabay.com/discover/camping.html. Hinter Bodega Bay verlässt die #1 die Küste und folgt dann in attraktivem Verlauf dem Ufer der Tomales Bay.

Nach San Francisco

Mit Erreichen der ***Point Reyes National Seashore*** (www.nps.gov/pore) bzw. (auf der #101) von Tiburon, Sausalito und *Golden Gate Bridge* wird San Francisco erreicht, ➤ Seite 335.

6.3 Von San Francisco nach Reno

Nach dem Besuch von San Francisco (Kapitel 2 ab Seite 296) bestehen drei touristisch sinnvolle Möglichkeiten der Fortsetzung der Reise. Alle drei sind im Kapitel 2 als **Startrouten ab San Francisco** ausführlich beschrieben, ➤ **ab Seite 338**.

Bei Plänen für eine Weiterfahrt entlang der Küste bleibt man bis Los Angeles ganz im San Francisco-Kapitel, ebenso bei Fortsetzung der Reise über den *Yosemite National Park* nach Süden. **Die hier ab Seattle konzipierte Rundstrecke** – bis San Francisco an der Küste entlang und zurück über die Nationalparks/-monumente im Kaskadengebirge – **nimmt erst ab Reno wieder den Faden auf**. Denn die möglichen Routen bis dorthin finden sich im San Francisco-Kapitel **ab Seite 339** und – bei Umweg über den *Yosemite Park* – **ab Seiten 352/355**.

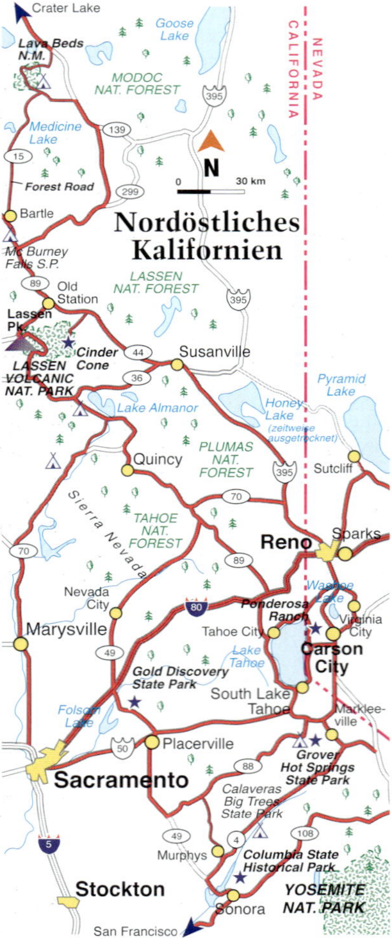

Wenn die Zeit für eine Fahrt durch die Sierra Nevada auf Landstraßen nicht reicht, ist der rasche Weg von San Francisco zur **Fortsetzung der Route ab Reno** ohne weiteres an einem Tag möglich (240 mi): Bei Fahrt auf der ***Interstate #80*** bleibt sogar auch noch Zeit für einen Zwischenstop in Sacramento (➤ Seite 360). Und auch der Verlauf dieser Autobahn über den ***Donner Pass*** auf der Höhe der Sierra Nevada (ca. 2.200 m!) bietet noch einiges fürs Auge.

Man könnte bei knapper Zeitvorgabe **Reno auch ganz auslassen** und direkt zum ***Lassen Volcanic Park*** fahren. Entweder auf der I-80 bis zur Straße #89, einer schönen Gebirgsstrecke, oder **ab Sacramento** auf der **Straße #70**: Sie führt malerisch durch den ***Feather River Canyon*** zum **Lake Almanor** (ab Caribou prima Nebenroute mit guten ***NF-Campgrounds***) und stößt dort auf die im folgenden Abschnitt (➤ nebenstehend Mitte) beschriebene Route. Am schnellsten geht's zum ***Lassen Park*** über die I-5 bis Red Bluff und die Straße #36.

6.4 Durch die Nationalparks der Kaskaden von Reno nach Portland/Seattle

6.4.1 Lassen Volcanic Park und das Lava Beds Monument

Anfahrt

Die direkte Route von Reno zum *Lassen Volcanic National Park* entspricht der **Straße *#395*** über Susanville. Wer sich auf 20 mi staubige *Dirtroad* durch die Wüste zwischen Pyramid Lake und Wendel einlässt (Straßenzustand vorher ggf. in Sutcliffe erkunden), könnte die Weiterfahrt ab Reno mit einem Besuch des Sees verbinden, ➢ Seite 370. Zwischen Reno und Susanville verpasst man nichts von Bedeutung. Der auf einigen Karten groß eingezeichnete **Honey Lake** ist im Sommer oft völlig ausgetrocknet. Wegen seiner geringen Wassertiefe von durchschnittlich unter 1 m bei höchstem Wasserstand besitzt er keinen Freizeitwert, ist dann nur eine riesige schlammig-braun gefärbte Wasserfläche.

Landschaftlich erheblich attraktiver als die #395, wenn auch zeitraubender ist die **Straßenkombination #70/#89** durch die nördliche *Sierra Nevada*. Der Abschnitt von Beckwourth bis zum ***Lake Almanor*** (beliebter Wochenendsee, aber ohne sonderlichen Reiz für USA-Urlauber) und davon wieder die Verläufe im **Tal des Feather River** sind hervorhebenswert.

Lage

Der ***Lassen Volcanic Park*** – bereits im Kaskadengebirge, das sich an die Sierra Nevada anschließt – gehört zu den weniger bekannten und frequentierten Nationalparks. Wahrscheinlich ist das auf seine verkehrstechnisch ungünstige Lage und die »unbequem« abseits der Straßen liegenden Höhepunkte zurückzuführen. Um sie zu erreichen, sind mit wenigen Ausnahmen mehr als nur kurze Spaziergänge notwendig; www.nps.gov/lavo.

Eintritt
$10/Auto
$5/Person
oder
Interagency Jahrespass

Der ***Lassen Peak*** ist der südlichste der Kaskadenvulkane zwischen kanadischer Grenze und Kalifornien (***Mount Baker, Mount Rainier, Mount St. Helens, Mount Hood*** u.a., ➢ weiter unten und Seiten 561ff). Er entstand erst ab 1914 durch sich über mehrere

Der Cinder Cone, ein gleichmäßig geformter, 200 m hoher vulkanischer Aschekegel. Rechts ist der Pfad hinauf zu erkennen; *➢ Seite 583*

6

Jahre hinziehende Ausbrüche des bis dahin über 400 Jahre ruhenden ***Tehama Volcano***. Aber nicht nur das Gebiet um den Gipfel ist vulkanischen Ursprungs, die Landschaft des Parks zeigt überall deutliche Spuren vergangener und teils noch anhaltender geothermischer Aktivität.

Geothermik

Bei Anfahrt von Süden erreicht man nach dem Passieren der ***Southwest Information Station*** ein erstes Gebiet geothermischer Aktivität mit ***Sulphur Works***. Ein kurzer *Boardwalk* führt über gelbe, leicht qualmende Schwefellöcher.

Bumpass Hell

Vielfältiger und interessanter ist ***Bumpass Hell***, ein Talkessel mit Heißwasserpools, Fumarolen und schwefligen *Mudpots*. Der Weg dorthin beginnt am Parkplatz zwischen *Emerald Lake* und *Lake Helen* (retour ca. 5 km).

Trail

Wer noch nicht im *Yellowstone* war, wo Gleiches weitaus spektakulärer vorkommt, wird das *Bumpass Hell* Becken als durchaus sensationell empfinden. Aber auch bei abgeklärterer Sichtweise lohnt sich die Wanderung. Sie lässt sich auf leicht zu folgendem Pfad hoch über dem *Cold Boiling Lake* bergab fortsetzen bis zum hübschen **Picknickplatz *Kings Creek*** unweit der Durchgangsstraße. Wer es arrangieren kann, dort abgeholt zu werden, sollte diese Verlängerung des ***Bumpass Hell Trail*** der Rückkehr auf identischem Weg vorziehen.

Lassen Peak

Die Anstrengung, im *Lassen Park* bergauf zu laufen, darf man nicht unterschätzen. Das Gelände liegt größtenteils über 2.000 m hoch. Dennoch gehört der Pfad auf den kahlen ***Lassen Peak*** zu den beliebtesten *Trails* des Parks. Er ist 4 km lang und windet sich vom Parkplatz an der *Park Road* in unzähligen Serpentinen über 607 m Höhendifferenz von 2.580 m Basishöhe auf den **3.187 m hohen Gipfel**. Für die Mühe (ab etwa 3 Stunden retour) dankt ein sagenhafter Blick.

Dämpfe und Schlammlöcher im Schwefelfeld Bumpass Hell

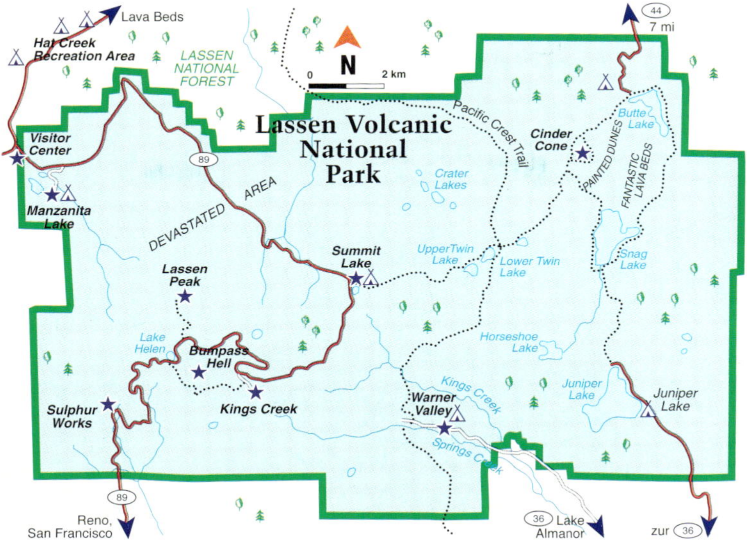

Parkstraße

Nördlich Kings Creek verlässt die Straße die Höhe und läuft durch eine dicht bewaldete Gebirgslandschaft. Zwar passiert sie auch auf den Lassen-Ausbruch zurückgehende Lavafelder, weist aber alles in allem **keine besonderen Höhepunkte** auf.

Die **Campingplätze** am ***Summit*** und ***Manzanita Lake*** (dort auch das *Park Visitor Center)* bieten guten Nationalparkdurchschnitt.

Besser campt man außerhalb auf den diversen *Campgrounds* der ***Hat Creek Recreation Area*** ca. 20 mi entlang der #44/#89.

Cinder Cone Bereich

Sehr besuchenswert ist der *Cinder Cone*-Bereich im Nordosten. Leider liegt dieser in der – bei Anfahrt von Südwesten abseitigen – Nordostecke des Parks. Aber für das Naturschauspiel des von den ***Painted Dunes*** eingerahmten ***Cinder Cone*** (Foto auf Seite 581) am Rande einer pechschwarzen Lavalandschaft, den ***Fantastic Lava Beds***, lohnt sich der Umweg (ab Abzweigung in Old Station ca. 9 mi auf der Straße #44, dann 7 mi rauer Schotter).

Der *Cinder Cone,* ein vulkanischer Aschekegel von erstaunlich regelmäßiger Form, erhebt sich 3 km vom Endpunkt der Straße am ***Butte Lake*** *(Ranger Station).* Ein schöner ***Trail*** führt durch Hochwald am 10 m hohen Lavabett entlang an den Fuß des rund 200 m aufragenden Hügels ohne jeden Bewuchs. Den kräftezehrenden **Weg hinauf** über nachgebende Schlacke muss man – einmal dort – unbedingt machen.

Der zeitweise geschlossene (sanitär einfache) ***Campground*** ist seit 2005 wieder in Betrieb, Tarif $16.

Painted Dunes

Oben wartet ein zweistufiges Kraterloch, dessen Geometrie exakt vermessen zu sein scheint. Neben einer tollen **Aussicht** über die *Lava Beds* (am besten bei Sonnenaufgang oder kurz vor ihrem Untergang) und die mit der Tageszeit scheinbar die Farben wechselnden Dünen rechtfertigt der kurze **Abstieg** auf den Grund des Kraters die Mühe der Kraxelei.

Wem der Aufstieg zuviel ist, findet auch einen leichten *Trail* durch die ***Painted Dunes*** rund um den ***Cinder Cone***.

Tageswanderung

Einer harten Ganztageswanderung (über 20 km) entspricht die Fortsetzung des Weges zum **Snag Lake** und von dort (am Südrand der *Lava Beds)* zurück zum **Butte Lake**. Leute mit guter Kondition schaffen auch die Strecke durch den Park vom *Summit* zum *Butte Lake* an einem Tag. Am Strand des relativ warmen Butte Lake lockt am Ende die Aussicht auf ein abschließendes **Bad**.

Painted Dunes: Blick vom Cinder Cone auf den Lavaflow

Routen zum Crater Lake

Lake Shasta/Whiskeytown

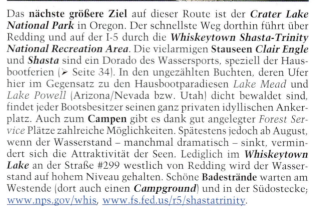

Das **nächste größere Ziel** auf dieser Route ist der ***Crater Lake National Park*** in Oregon. Der schnellste Weg dorthin führt über Redding und auf der I-5 durch die ***Whiskeytown Shasta-Trinity National Recreation Area***. Die vielarmigen **Stauseen *Clair Engle*** und ***Shasta*** sind ein Dorado des Wassersports, speziell der Hausbootferien (➤ Seite 34). In den ungezählten Buchten, deren Ufer hier im Gegensatz zu den Hausbootparadiesen *Lake Mead* und *Lake Powell* (Arizona/Nevada bzw. Utah) dicht bewaldet sind, findet jeder Bootsbesitzer seinen ganz privaten idyllischen Ankerplatz. Auch zum **Campen** gibt es dank gut angelegter *Forest Service* Plätze zahlreiche Möglichkeiten. Spätestens jedoch ab August, wenn der Wasserstand – manchmal dramatisch – sinkt, vermindert sich die Attraktivität der Seen. Lediglich im ***Whiskeytown Lake*** an der Straße #299 westlich von Redding wird der Wasserstand auf hohem Niveau gehalten. Schöne **Badestrände** warten am Westende (dort auch einen ***Campground***) und in der Südostecke; www.nps.gov/whis, www.fs.fed.us/r5/shastatrinity.

Zum Lava Beds Nat'l Mon.

Trotz des imposanten ***Mount Shasta*** am Weg nach Norden (Straße #89, dann I-5/#97, oder auch #44 über Redding) wäre die Route über das ***Lava Beds National Monument*** unweit der Grenze zu Oregon nicht nur entfernungsmäßig am günstigsten, sondern auch am reizvollsten. Allerdings nur, wenn nicht der Umweg über die Straßen #299/#139 gefahren wird, sondern die (fast ganz asphaltierte) Forststraße über Medicine Lake. Das Ziel *Lava Beds* passt auch thematisch zur Kaskadenroute.

Aber zunächst einmal passiert man nördlich des *Lassen Park* die erwähnte ***Hat Creek Recreation Area*** entlang eines glasklaren Bade- und Angelbaches mit einer ganzen Reihe kleiner Picknick- und schöner Campingplätze. An Sommerwochenenden ist alles rappelvoll, sonst kommt man dort leichter unter; www.fs.fed.us/r5/lassen/recreation/hatcreek.

Das gilt ähnlich auch für den gut angelegten ***State Park McArthur-Burney Falls***, einige Meilen nördlich der Kreuzung der #89 mit der #299; www.parks.ca.gov/?page_id=455. Er liegt am McBurney Creek in der Nähe des Badesees Lake Britton, an dem man weitere ***NF-Campgrounds*** findet. Über Stellplätze am See verfügen ebenfalls die ***Campgrounds*** am deshalb – trotz scheinbarer Abgelegenheit – recht populären **Medicine Lake** unweit der *Lava Beds*. Die Zufahrt erfolgt ab Bartle auf der ***Forest Road #15*** (asphaltiert), die weiter nördlich in die **Davis Road** übergeht, die – an eingestürzten Lavahöhlen vorbei – durch große Lavafelder führt.

Die **Gesamtstrecke bis zum *Lava Beds Monument***, das man in der Südwestecke ca. 1 mi nördlich des *Visitor Center* erreicht, beträgt **ab Bartle gut 45 mi**, davon nur die letzten Meilen noch *Gravel*, aber leicht zu befahren. (Achtung: Schnee ggf. bis Ende Mai!).

Geschichte

Eintritt
$10/Auto
$5/Person
oder
Interagency Jahrespass

Die Hauptsehenswürdigkeit des 180 km^2 großen abgelegenen Gebietes sind Höhlen, die sich in erkaltenden Lavaströmen gebildet haben. **Historisch interessant** ist die *Lava Beds* Region wegen des sog. ***Modoc*-Kriegs 1872/73.** Die *Modoc*-Indianer verschanzten sich aus Protest gegen die ihnen zugewiesenen Reservate in nur schwer zugänglichen Lavaformationen (***Captain Jack's Stronghold***) und leisteten ein halbes Jahr lang einer zwanzigfach überlegenen Armee Widerstand. Ein eigener lohnenswerter ***Trail*** im Nordosten des Monuments führt durch die alten Stellungen der *Modoc*; ca. 30 min; http://en.wikipedia.org/wiki/Modoc_War.

Höhlen

Gleich hinter dem ***Visitor Center*** (mit Museum; 8-17/18 Uhr; www.nps.gov/labe) beginnt eine ***Cave Loop Road***, an der sich eine Reihe von Eingängen in ein zusammenhängendes **Höhlensystem** befindet. Die Höhlen dürfen überwiegend individuell erkundet werden. Wer keine ordentliche eigene Lampe dabei hat, kann eine Laterne leihen. Auch Schutzhelme liegen im Besucherzentrum bereit; auf sie sollte in Anbetracht der z.T. sehr niedrigen Durchgänge und scharfen Kanten nicht verzichtet werden. Neben den Höhlen an der Rundstrecke sind die **Eishöhlen *Merrill*** und ***Skull Cave*** besuchenswert.

Lava Beds

Eine gute Übersicht über den Park und hinüber zum immer schneebedeckten *Mount Shasta* bietet die Gipfelstation (*Fire-Lookout*) des ***Schonchin Butte***. Der Aufstieg vom Parkplatz ist in 20 min zu bewältigen.

Lage und Anlage des einfachen Campingplatzes ***Indian Well*** ($10) mit Weitblick reizen zum Bleiben. Holz fürs Lagerfeuer muss jedoch von außerhalb des Monuments mitgebracht werden. Wasser ist vorhanden.

6.4.2 Vom Crater Lake Park bis zum Columbia River

Klamath Falls

Vom *Lava Beds Monument* bis **Klamath Falls** in Oregon fährt man eine gute Stunde. Die Stadt ist kommerzielles Zentrum für ein Gebiet von über 25.000 km^2 und wichtige **touristische Etappe** für Besucher des 50 mi weiter nördlich gelegenen *Crater Lake National Park*. Daher verfügt sie auch über eine relativ große Bettenkapazität; die **Motels** und **Hotels** entlang der Ausfallstraßen – speziell an den Ausfahrten der um Klamath Falls autobahnartig ausgebauten #97 – sind nicht zu verfehlen. Das **Zentrum** liegt westlich dieser Umgehung; www.klamath.org/visitors und www.travelklamath.com.

Neben hübschen **Uferparks** an *Klamath* und *Ewauna Lake* sowie beide verbindenden *Link River* hat der Ort als solcher so ganz viel nicht zu bieten. Die gern herausgestellten historischen Gebäude in der Main Street aus der Zeit um 1900, die Klamath Falls' ***Old Town*** ausmachen, sind aus europäischer Sicht nicht so spannend, ausgenommen das nostalgische ***Baldwin Hotel Museum***, 31 Main Street, Mi-Sa 10-16, So ab 12 Uhr, Eintritt $3-$6. Aufmerksamkeit verdient auch das erst vor kurzem renovierte ***Esquire Theatre*** von 1940 in der Pine Street, ein schönes Beispiel für ein ***Art Deco Building***; www.rrtheater.org.

Museen

Unbedingt eine Stunde Zeit sollte man sich aber für das ***Favell Museum of Western Art and Indian Artefacts*** nehmen (Main Street/Link River; geöffnet Mo-Sa, 9.30-17.30 Uhr, $6/$3). Eine sagenhafte Gemäldesammlung der Stilrichtung ***Western Art*** von Kitsch bis Brillanz wartet. Dazu eine Vielzahl origineller Skulpturen und eine Präsentation indianischer Kunst ergänzt um Funde aus vorkolumbischer Zeit; www.favellmuseum. org.

Wessen Interesse für *Modoc*-Indianer und ***Modoc War*** im *Lava Beds Monument* geweckt worden ist, der findet im konservativen ***Klamath County Museum*** (Main Street am entgegengesetzten Ende wie das *Favell Museum*, Mi-Sa 9-17, So ab 13 Uhr, $3) eine detaillierte Ausstellung zum US-geschichtlich einzig bedeutsamen Ereignis der Region, darüberhinaus allerlei Schaukästen für unterschiedlichste Themenkreise.

State Parks

Zum *Crater Lake* führen alternativlos die Straßen #97 und #62. Etwas abseits dieses Weges unweit der #97 oberhalb des Ortes Chiloquin verfügt der ***Collier Memorial State Park*** über einen komfortablen ***Campground*** mit teilweise schönen Stellplätzen am Williamson River. Lässt man auf der Zufahrt die Abzweigung zum *State Park* außer acht, gelangt man nach ca. 1 mi zu einem oberhalb des Flusses gelegenen ***National Forest Campground*** der Einfachkategorie. Zum *State Park* gehört ein informatives ***Logging Museum*** (auf der Westseite der #97) mit historischen Holzfäller-Gerätschaften; www.oregonstateparks.org/park_228.php.

Ein weiterer, hübsch an einem glasklaren Teich platzierter ***Campground*** befindet sich im ***Kimball State Park*** östlich Fort Klamath: Zufahrt ausgeschildert, ca. 4 mi abseits der #62; … 229.php. Da der kleine Campingplatz (einfach, keine *Hook-ups* oder Duschen) kaum bekannt ist, hat man gute Chancen, dort unterzukommen.

Zur **Einfahrt** in den *Crater Lake National Park sind* es vom *J.F. Kimball State Park* noch 20 mi.

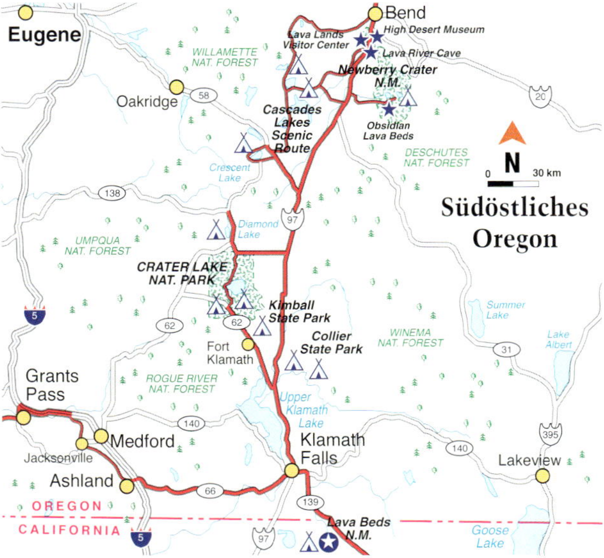

Crater Lake National Park

Eintritt
$10/Auto
$5/Person
oder
Interagency Jahrespass

Der einst fast 3.700 m hohe Vulkan ***Mount Mazama*** stürzte nach einem Ausbruch vor 6.800 Jahren in sich zusammen und bildete einen Krater von 11 km Durchmesser. Im Laufe der Jahre füllte sich der abflusslose Kessel mit Regen- und Schmelzwasser: ***Crater Lake*** entstand. Der heute zu beobachtende Wasserstand des bis zu 589 m tiefen Sees variiert wegen eines ungefähren Gleichgewichts zwischen Verdunstung einerseits und frischer Wasserzufuhr andererseits nur geringfügig. Als Folge eines jüngeren Ausbruchs innerhalb des Kraters erhob sich ***Wizard Island*** im Westen des Sees. Der sichtbare Teil der Insel ist die Spitze eines Vulkans im Vulkan.

Information

Im ***Steel Information Center*** und im ***Visitor Center*** des ***Rim Village*** werden die Details der Entstehung von *Crater Lake* und *Wizard Island* eindrucksvoll erläutert; www.nps.gov/crla. Auch die ***Park Map***, die man samt **Parkzeitung *Reflections*** bei der Einfahrt erhält, zeigt den zugrundeliegenden vulkanischen Prozess. Einen ersten Eindruck hat man am ***Sinnott Memorial Overlook***.

Wassertiefe

Die ungewöhnliche **dunkelblaue Reflektion** des glasklaren Wassers hat ihren Ursprung im schwarzen Unter- und Hintergrund und der enormen Tiefe des Sees. Nur selten friert er im Winter zu. Dank der großen Wassermenge wird im Sommer ausreichend Wärme gespeichert, um auch bei anhaltendem Dauerfrost der Vereisung lange widerstehen zu können.

Sperrungen

Die Luftaufnahmen vom blauen *Crater Lake* in weißer **Winterlandschaft** sind faszinierend. Infolge des erheblichen Schneefalls in den Kaskaden kann es vorkommen, dass der hochgelegene Nordeingang und die Straße rund um den See (***Rim Drive***) bis Mitte Juli gesperrt bleiben und bereits Ende September wieder geschlossen sind. Über West- und Südzufahrt kann das ***Rim Village*** aber ganzjährig erreicht werden.

Rim Drive/ Wizard Island

Die möglichen Aktivitäten im *Crater Lake Park* beziehen sich im wesentlichen auf das Abfahren des *Rim Drive* (33 mi), auf (Kurz-)Wanderungen zu Aussichtspunkten und auf eine der im Sommer 9-10 Bootsfahrten/Tag von ***Cleetwood Cove*** am Nordufer des Sees zu ***Wizard Island*** (10-16 Uhr, 2 Stunden; $16, Kinder bis 12 Jahre $9). Davor liegt ein Abstieg (1,5 km, 200 m tiefer) von der Randstraße zur Anlegestelle. Auf der Insel darf man sogar den *Wizard*-Kraterrand besteigen.

Die Fahrt bis ***Cleetwood Cove*** ist auch eine gute Alternative zur Gesamtumrundung des Sees (ab North Junction ca. 5 mi), der Bootsanleger die einzige Stelle, wo man ans Wasser kommt. Die Wanderung lässt sich ohne Tripbuchung machen.

Für großartige Aussichten in Verbindung mit leichten Spaziergängen seien ***Discovery Point*** und – etwas anstrengender – der ***Watchman Peak*** (550 m über dem Wasserspiegel) empfohlen.

Mehr Kondition erfordert der ***Trail*** (4 km) hinauf zum ***Mount Scott*** (mit 2.721 m zweithöchster Punkt des Parks) über dem Ostufer des Sees. Der bekannte ***Pacific Crest Trail*** von der Grenze Mexicos bis nach Canada läuft durch den *Crater Lake Park* am Westufer des Sees entlang.

Camping

Als **Zelt-Camper** würde der Autor die Plätzchen auf dem ***Lost Creek Campground*** an der Stichstraße zu den pittoresken ***Pinnacles*** im *Wheeler Creek Canyon* dem gut angelegten und komfortablen **Groß-*Campground Mazama*** vorziehen. Bei kühler Witterung ist das Campen aber angenehmer in geringerer Höhenlage: Für erhebliche Campingkapazitäten direkt am See hat der *National Forest Service* am ***Diamond Lake*** gesorgt, ca. 20 mi nördlich des Parks und 800 m tiefer.

Im ***Rim Village*** kann man in Sichtweite des Sees teuer übernachten (ab $140), und zwar in der nostalgischen, äußerlich schlicht wirkenden, aber innen eindrucksvollen ***Crater Lake Lodge***, Ende Mai-Mitte Okt., © (541) 830-8700; www.craterlakelodges.com.

Blick über Cleetwood Cove des Crater Lake; im Hintergrund der Mount Scott

Nach Bend

Auf den **Straßen #138, dann #97** geht es auf gerader, weitgehend ebener Strecke nach Bend. Für diesen Bereich wird alternativ die ***Cascade Lakes Route*** propagiert. Die zum ***National Scenic Byway*** erhobene Strecke entspricht im wesentlichen dem Verlauf der #46, einer schön geführten Straße durch Kiefernwälder, hohe Prärie und Lavafelder des *Deschutes National Forest*. Im Hintergrund überragen schneebedeckte Gipfel (*Three Sisters*) die Landschaft. In regionalen Broschüren wirkt diese Strecke außergewöhnlich reizvoll. Da die *Scenic Route* aber nur in ihrem nördlichsten Abschnitt hohen Erwartungen entspricht, sollte man bei knapper Zeit besser auf den Umweg verzichten und auf kürzestem Weg das im folgenden beschriebene ***Newberry National Volcanic Monument*** ansteuern.

Newberry National Volcanic Monument

Eintritt
$10/Auto oder Interagency Jahrespass für alle Newberry Bereiche

Mit Erreichen der ***Newberry*-Region** befindet man sich mitten in den ***Lava Lands*** des zentralen Oregon, einer von den Aktivitäten der umliegenden Vulkane geprägten Gebirgslandschaft erstaunlicher Vielfalt. Im flachen, als solchen nicht mehr erkennbaren und heute dicht bewaldeten *Newberry Crater* mit 25 mi Durchmesser befinden sich der ***Paulina*** und ***East Lake***, Freizeitseen mit sehr schön gelegenen ***Campgrounds***; besonders empfehlenswert ist ***Little Crater***. Die Fahrt zu den Seen (14 mi Stichstraße) lohnt sich wegen des phänomenalen ***Obsidian Lava Bed*** aber auch ohne Campabsicht. Über pechschwarzen glasartigen, sonst sehr seltenen Basalt führt ein ***Trail*** auf die Höhe eines riesigen *Obsidian*-Feldes, das die Umgebung bis zu 50 m überragt. Bei guter Sicht lohnt sich auch die Auffahrt zum ***Paulina Peak*** (4 mi, nicht für *Motorhomes*); www.fs.fed.us/r6/centraloregon/newberrynvm.

Lavahöhle

Die Straße #97 folgt bereits ab Crescent dem pittoresken Lauf des Little Deschutes River, der mit seinen überwiegend harmlosen Stromschnellen bei Schlauchbootfahrern sehr beliebt ist. Die ***La Pine Recreation Area*** (Camping abseits des Flusses) wird dabei gerne als Startpunkt genutzt. Etwa 12 mi vor Bend passiert man die ***Lava River Cave***, eine meilenlange Höhle, die nur etwa 20 m unter der Oberfläche liegt. Dennoch wird es schon nach wenigen Metern kalt (ca. 5°C). Mitte Mai bis Mitte Oktober 9-17 Uhr, **$5**; Laternenverleih für $3.

Das High Desert Museum vermittelt u.a. einen Einblick in die Besiedelung Oregons östlich der Kaskaden

Lava Lands

Das ***Lava Lands Visitor Center*** (9-17 Uhr), westlich der Straße unterhalb des Aschekegel *Lava Butte*, unterrichtet im Stil großer Nationalpark-Besucherzentren umfassend über den geologischen Ursprung, Flora und Fauna des Gebietes.

Unbedingt eine halbe Stunde sollte man einplanen für den ***Lava Trail*** (Lehrpfad) vor dem Panorama der ***Three Sisters*** Vulkanberge. Den ***Lava Butte*** kann man im Sommer nur mit ***Shuttle Bus*** **($2)** hinauffahren oder zu Fuß erklimmen. Für Privatfahrzeuge ist die Straße auf die Spitze des Kegels derweil gesperrt, aber nach *Labor Day* wieder offen.

Museum

Trotz des hohen Eintritts nicht vorbeifahren sollte man am ***High Desert Museum*** (täglich 9-17 Uhr; $12), 6 mi südlich von Bend. Der Schwerpunkt der Ausstellungen liegt auf einer plastischen Demonstration zu den Themen »**Eroberung des Westens**« und »**Siedlerleben im 19. Jahrhundert**« (*Center on the Spirit of the West* – drinnen besser als im Außengelände). Schaukästen zur Indianerkultur des Nordwestens, ein bisschen Naturkunde mit *Outdoor Exhibits* und eine Galerie mit wechselnden Kunstwerken ergänzen die Hauptthematik; www.highdesertmuseum.org.

Bend

Bend ist mit rund 60.000 Einwohnern die größte und in jeder Beziehung bedeutendste Stadt Oregons zwischen Kaskaden und Idaho, einem Gebiet von rund 170.000 km^2 Ausdehnung. Östlich von Bend gibt es nur noch riesige Trockengebiete, ausgedehnte Nationalforste und – überwiegend im Norden – dünn besiedelte Agrarlandschaften.

Entlang der durch Bend führenden Hauptstraßen (#97 und #20) vermittelt das sich über Meilen hinziehende ***Business*** den Eindruck einer viel größeren Stadt. Als **Zentrum des Feriengebietes *Central Oregon*** (im Winter Skisport) verfügt Bend über eine **dichte touristische Infrastruktur** mit zahlreichen ***Restaurants, Fast Food, Shopping Malls*** und vor allem **Motels** aller Kategorien (darunter fast alle nennenswerten Kettenhäuser). Das **Tarifniveau** ist stark nachfrageabhängig, wochentags eher moderat.

Information

Ein großes, bestens sortiertes ***Visitor Information Center*** befindet sich am nördlichen Ortsausgang auf der Westseite der #97. Auch nach Toresschluss (17/18 Uhr Winter/Sommer) sind dort im Eingangsbereich Unterkunfts- und Restaurantverzeichnis und andere Info-Unterlagen verfügbar; www.visitbend.com.

Abgesehen vom insgesamt freundlichen Eindruck, den die klimatisch begünstigte Stadt am *Deschutes River* dank ihrer **Uferparks** und überdurchschnittlich gepflegter **Wohnviertel** macht, ist ansonsten über Bend wenig anzumerken.

Pilot Butte

Einen weiten **Blick über Stadt und Kaskadenpanorama** (an guten Tagen bis zum *Mount Hood* im Norden) hat man vom ***Pilot Butte*** (*State Park*). Die Straße auf den Gipfel (Picknickplatz) zweigt von der Greenwood Avenue bzw. Straße #20 ab, ein wenig östlich der Straße #97; www.oregonstateparks.org/park_42.php.

Von Bend nach Portland

Wer bereits von Bend direkt nach Portland fahren möchte, hat dafür zwei gleichwertige Routen, wobei die Nordroute (Straßen #97/#26) nah am ***Mount Hood*** vorbeiführt. Aber der Weg nach Westen auf den **Straßen #20/#22** über den Ferienort Sisters und – am Westhang der Kaskaden – an Santiam River und **Detroit Lake** entlang (**Camping** im gleichnamigen ***State Park*** (.../park_93.php) am Wasser und in diversen **NF-Plätzen**) ist ebenfalls attraktiv.

Silver Falls

Bei ausreichend Zeit könnte man auf dieser Strecke einen Abstecher zu den ***Silver Falls*** einlegen, rund 30 mi östlich Salem und einige Meilen nördlich der #22. Im ***Canyon*** des ***Silver River*** gibt es **10 Wasserfälle** in wenigen Meilen Abstand. Kurze *Trails*, aber auch ein verbindender Weg führen zu den einzelnen Fällen und Pools am Fluss. Dieser ***State Park*** ist ein besonders beliebtes Familienausflugs- und Ferienziel, sein ***Campground*** im Sommer oft ausgebucht; www.oregonstateparks.org/park_211.php.

Salem

In Salem erreicht man die I-5. Für einen Abstecher in die **Hauptstadt Oregons** gibt es als Hauptziel das ungewöhnliche ***State Capitol*** und gegenüber den sehenswerten Campus der ***Willamette University***, beides leicht erreichbar: von der #22 auf der 17th St nach Norden, dann nach links State Street. Das moderne ***Visitor Center*** an der Mill Street wird ergänzt durch ein kleines Museum und die Läden der *Mill Mall*; www.travelsalem.com.

Am Westufer des Willamette River wächst guter Wein. Um Salem konzentrieren sich daher erstaunlich viele **Weingüter**.

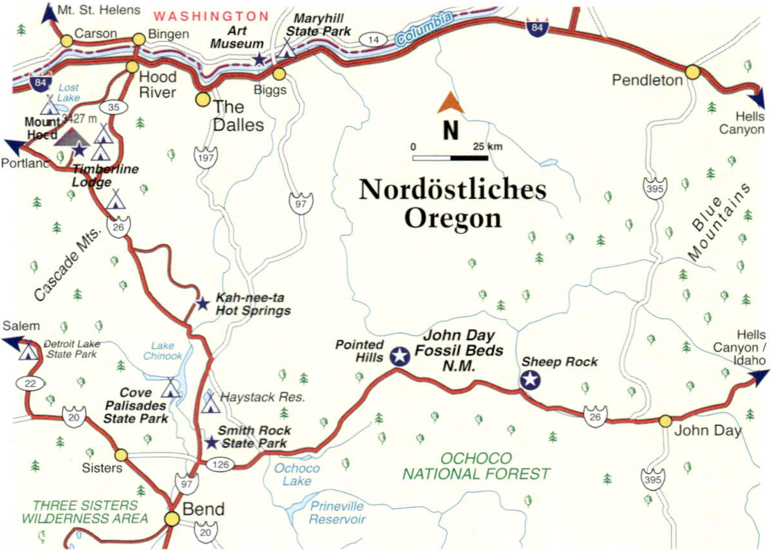

Blaugrüner Fels im Blue Basin des John Day Fossil Beds National Monument

Exkurs

Von Bend durch Oregon nach Idaho

Wer von San Francisco kommend (ggf. auch von Seattle, ➢ Seite 537) die Fahrt am Ostrand der Kaskaden mit dem Besuch des *Yellowstone Park* und/oder anderer Ziele an der Route durch den zentralen Nordwesten (Kapitel 7) verbinden möchte, findet ab Bend geeignete Strecken nach Osten:

Straße # 26

Für die Fahrt durch das heiße, trockene Hinterland Oregons in Richtung Idaho kommen die Straße #20 und die nördlichere #26 in Frage. Letztere ist die mit Abstand schönere Route und selbst bei Zwischenziel Boise nur 25 mi weiter. Bei Anpeilung der ***Hells Canyon* NRA** gibt es zur Straße #26 ohnehin keine Alternative.

Zunächst jedoch geht es auf den Straßen #97/#126 nach Prineville, bevor man auf die #26 stößt. Ihr Verlauf durch Nationalforste, karge Felslandschaften, *Canyons* und durchwühlte **Goldrauschgebiete** (Bereich ***Sumpter*** und ***State Park***, an der Straße #7) ist ausgesprochen abwechslungsreich.

John Day Fossil Beds

Das ***John Day Fossil Beds National Monument*** (www.nps.gov/joda) bietet in zwei Arealen etwas abseits der Durchgangsstraße farbenprächtig erodiertes Gelände und interessante Fossilien. Der erste Bereich ist die tolle ***Painted Hills Unit***, etwa 50 mi östlich Prineville mit ***Overlook*** und dem wunderbaren ***Painted Cove Trail***. Das ***Sheep Rock Visitor Center*** befindet sich an der Straße #19. Ein kleines Museum erhellt die Fossilienfunde. Unbedingt sollte man den Pfad ins ***Blue Basin*** hineinlaufen *(Island in Time Trail)*. Auch die ***Foree Deposits*** und ***Cathedral Rock*** lohnen die paar Meilen mehr.

An der Strecke liegen ***NF-Campgrounds***, der ***Clyde Holliday State Park*** und ein großer Platz am ***Phillips Reservoir***.

Straße #7

Ob man weiter zum ***Hells Canyon*** fährt oder nicht, allemal erscheint die **Straße #7 nach Baker** (➢ Seite 539) als die sinnvollste Route (Beginn östlich des ***Dixie Pass***). Über die I-84 erreicht man **Boise** schneller als bei Verbleib auf der #26.

Zum Mount Hood

Näher liegt auf einer Fahrt nach Norden indessen meistens die **Straßenkombination #97/#26** über den *Mount Hood*-Bereich, die hier im weiteren beschrieben wird.

Nördlich von Redmond lohnt sich ein Besuch im ***Smith Rock State Park*** am Crooked River (ausgeschildert ab Terrebonne, ca. 3 mi). Sehenswerte Formationen bieten gute **Fotomotive** und ideale Übungsfelsen für Kletterer (www.smithrock.com). Ein schöner **Picknickplatz** liegt hoch über dem Fluss. **Zelten** ist möglich.

Smith Rock State Park

Camping

Für Campmobile ist dort aber kein Platz, dafür verfügt der ***Cove Palisades State Park*** (www.oregonstateparks.org/park_32.php) gleich über zwei populäre Plätze am ***Lake Chinook***, einem Stausee, der den tief eingeschnittenen *Canyon* des *Deschutes River* unter Wasser setzte. Der Platz an der südlichen Einfahrt ist komfortabel, der zweite oberhalb des westlichen Seeufers rustikal. Beide sind im Sommer oft ausgebucht. Eine weniger bekannte, aber attraktive und preiswertere Alternative bietet der ***NF-Campground*** am ***Haystack Reservoir***, Zufahrt ca. 3 mi. Ein ***KOA-Platz*** liegt unweit der #97 an derselben Straße.

Warm Springs Indian Reservation

Bei **Weiterfahrt auf der #26 in Richtung** des immer schneebedeckten Vulkans ***Mount Hood*** durchquert man die ***Warm Springs Indian Reservation***; www.warmsprings.com. Beim kleinen Ort Warm Springs befindet sich (unverfehlbar an der Straße #26) ein an sich ansehenswertes **Museum** der *Paiute* und *Warm Springs* Indianer, aber der Eintrittspreis von $6, Kinder $3, erscheint für das Gebotene hoch (täglich 9-17 Uhr, im Winter Mo+Di geschlossen). Ein an sich empfehlenswerter Abstecher führt von Warm Springs an den Springs River, 10 mi östlich der #26, zum indianischen ***Kah-Nee-Ta Resort*** mit heißen Quellen. Seit einiger Zeit jedoch gehört auch ein Spielkasino zur Anlage. Dank der wohl dadurch bedingten höheren Nachfrage sind die früher dort moderaten Hotel- und Campingtarife überproportional gestiegen.

Kah-Nee-Ta Resort

Direkt am Fluss liegt ein schöner **Badepark** mit großen Heißwasserbecken und -rutsche. Nebenan der **Campingplatz** nur für RVs kostet über $40. Man kann auch für ca. $70 ein Wigwam (***Tepee***) **für 6-10 Personen** mit Feuerstelle im Zelt mieten. In der höhergelegenen ***Kah-nee-tah Lodge*** mit eigenem Warmbadepool, Tennis- und Golfplatz kosten die DZ April-Oktober ab $150 dafür verfügen alle über Terrassen mit Blick übers Flusstal. Reservierung unter © 1-800-554-4SUN; www.kah-nee-taresort.com.

Mount Hood Bereich

Die gesamte Region um den alles dominierenden ***Mount Hood*** (*Hood River County*; www.mthoodterritory.com) erfreut sich größter Beliebtheit bei Wanderern, Sportfischern und Campern. In Straßennähe befinden sich zahlreiche **Campingplätze** entlang der #35 und #26. Eine Stichstraße unweit westlich des Straßendreiecks #26/#35 führt zur ***Timberline Lodge*** (6 mi) und damit näher an den 3.427 m hohen Berg als jede andere Zufahrt. In diesem vor allem von innen eindrucksvollen Nobelhotel wurde vor Jahren der Horrorfilm ***The Shining*** mit *Jack Nicholson* gedreht. Eine Übernachtung ist dort nicht ganz billig (ab ca. $150 Sommertarif, Chalet $100), dank des besonderen Ambiente aber vielleicht das Geld wert. Reservierung unter © **1-800-547-1406**; www.timberlinelodge.com.

Im Sommer ist die *Lodge* das Ziel zahlreicher ***Snowboarder***, die sich von dort auf präparierten Pisten in den ewigen oder auch künstlichen Schnee hinaufliften lassen.

Nach Portland/ Hood River

Von der ***Timberline Lodge*** **nach Portland** sind es nur noch rund 60 mi auf breit ausgebauter Straße. Ergiebiger wäre der **Umweg** über **Hood River** auf der Straße **#35** bzw. – bei Ziel Seattle mit Besuch der Kaskadenparks in Washington State – sowieso angebracht und dazu eine schöne Gebirgsstrecke vorbei an weiteren guten Campgelegenheiten und dem *Mount Hood* als Begleitung zur Linken.

Etwa 10 mi südlich von Hood River passiert man den prima am Fluss gelegenen ***County Campground Tollbridge***, der zwar angelegt ist wie ein Forstplatz, aber dennoch Vollkomfort bietet. Er kann reserviert werden unter © (541) 352-5522.

Pow-wow der Warm Springs Indianer im Badepark Kah-Nee-Ta

Hood River

Ein **Mekka der Windsurfer** (auf dem hier sehr breiten, weil mehrfach zwischengestauten Columbia River) ist Hood River im Sommer und an Wochenenden bis Mitte September. Zwischen Brückenrampe und I-84 befindet sich ein großes ***Visitor Center***, das *Mount Hood-* und *Columbia Gorge-*Touristen mit Informationen versorgt. Es gibt in Hood River eine ganze Reihe von **Motels** und **Lodges** zu einigermaßen moderaten Tarifen, außerdem viele ***Bed & Breakfast Places***; www.hoodriver.org.

Das nostalgische, hochgelobte ***Columbia Gorge Hotel*** im eigenen kleinen Park hoch über dem Fluss im Westen der Stadt hat durchaus Charme, aber ab $200 fürs kleinste Zimmer erscheint ein bisschen teuer, ✆ 1-800-345-1921; www.columbiagorgehotel.com.

Columbia River Gorge

Etwa zwischen Hood River und Troutdale erfolgt der Durchbruch eines der mächtigsten Ströme der USA durch das Kaskadengebirge. Das als ***Columbia River Gorge National Scenic Area*** (www.fs.fed.us/r6/columbia) bezeichnete Flusstal in diesem Bereich ist laut regionaler Werbung das ***Rhine Valley of America***. Der Vergleich zum deutschen (Mittel-)Rheintal erscheint nicht unberechtigt – einschließlich der beidseitigen Straßen- und Eisenbahntrassen. Nur fehlt es an romantischen Burgen, verwinkelten Dörfern und gemütlichen Weinlokalen. Zum Ausgleich ist das Wasser des Flusses verhältnismäßig sauber und bis in den September hinein badewarm. Und gerade die Fahrt auf der Interstate #84 in Westrichtung beweist, dass diese Autobahn den Beinamen ***Columbia River Scenic Highway*** zu Recht trägt.

Scenic Loop Straße #30

Der herausgestellte, im Sommer stark befahrene ***Scenic Loop*** (alte Straße #30 vom *Ainsworth* nach Troutdale) umgeht die **I-84** und führt oberhalb davon durch eine dichte Waldlandschaft weitab vom Strom. An ihm liegen hübsche ***State Parks*** (**Camping** nur in den Parks ***Ainsworth*** und ***Lewis & Clark***, im Sommer oft ausgebucht) mit hohen **Wasserfällen**, guten ***Trails*** und einigen **Aussichtspunkten**; www.oregonstateparks.org/park_146.php u. 159.php.

Straße #14

Dennoch ist zu überlegen, ob man bei Zwischenziel Portland/I-5 nicht besser in ***Cascade Locks*** den Columbia überquert (dort **KOA Camping** am Fluss beim ***Visitor Center***) und auf dem **Nordufer** weiterfährt. Die Straße #14 ist nicht nur erheblich verkehrsärmer, sondern besitzt den Vorzug eines durchgehend attraktiven Verlaufs mit Zufahrten zu Badestränden auf der Sonnenseite (!); vor allem der Abschnitt von der ***Bridge of the Gods*** bis Camas ist attraktiv. An ihm passiert man auch den mächtigen ***Beacon Rock***, einen Kletterfelsen. Ein einfacher ***State Park Campground*** befindet sich im Wald gegenüber.

Nach Seattle über Mount St. Helens/ Mt. Rainier

Wer beabsichtigt, in Richtung **Seattle** über ***Mount St. Helens/ Mount Rainier*** weiterzufahren, liegt ebenfalls richtig mit der Flussüberquerung in Cascade Locks, ➤ Seite 573. Ab **Carson** geht es auf der Straße #30 nach Norden, ➤ Kapitel 5.3 gegen die dort verfolgte Richtung bis Seite 537.

7. ROUTEN DURCH DEN ZENTRALEN NORDWESTEN

7.1 Zu den Routen

Startpunkt:
Salt Lake City, ggf. auch Denver; Anschluss zur Westküste über von dort ausgehende Startrouten: Seattle ab Seiten 560 und 567, San Francisco ab Seite 358, ab Reno/Straße #50, Seite 386.

Gesamtstrecke der Basisroute 7.2:
Rechnerisch 4.000-4.500 km, realistisch ca. 5.000-5.500 km

Erweiterungsroute 7.3:

ca. 2.500-3.200 km. **Abkürzungsmöglichkeit bei der Basis** über Alternativrouten durch Wyoming, ➤ Exkurs »Alternative Routen durch Wyoming« ab Seite 680.

Zeitbedarf der Basisroute 7.2: Etwa 3 Wochen

Erweiterung 7.3: Zusätzliche 1-2 Wochen je nach Route

Zeitangaben einschließlich 1-2 Tage Aufenthalt in Salt Lake City und in Denver. **Modifizierte kürzere Rundkurse** unter Einschluss des *Yellowstone* sind leicht ableitbar.

Reisezeit:
Juni bis einschließlich September, aber bis Ende Mai, manchmal Mitte **Juni** für *Yellowstone, Glacier* und *Rocky Mountain National Park* **wegen Schneefalls noch kritisch**, ebenso die *Sawtooth* (Idaho) und *Bighorn Mountains* (Wyoming).

Juni generell und **September in den Bergen wechselhaft**, bisweilen sehr schön, aber erhöhtes Regenrisiko, kühle Witterung; **nachts ab 1.500 m Höhe ggf. Frost**.

Der Nordwesten eignet sich eher für eine **Sommerreise** (Juli/ August), obwohl dann Nationalparks und -monumente besonders stark besucht sind.

Big City: Denver

Großstadt: Salt Lake City

Mittelgroße Städte:
Boise, Helena, Rapid City, Cheyenne, Boulder, Idaho Falls

Nationalparks: *Grand Teton, Yellowstone, Glacier, Badlands, Wind Cave, Rocky Mountain*

Wichtige Nationalmonumente und Recreation Areas:
Craters of the Moon, Hells Canyon, Sawtooth Wilderness, Bighorn Canyon, Devils Tower, Mount Rushmore, Jewel Cave, Dinosaur, Flaming Gorge, Golden Spike

Routenverlauf:
Die **Basisroute 7.2** besitzt mit Salt Lake City, den *Yellowstone/ Grand Teton National Parks, Mount Rushmore/Badlands Nat'l*

Park und Denver/*Rocky Mountain National Park* **vier markante Eckpunkte**. Zwischen ihnen führt sie abwechslungsreich durch überwiegend gebirgige, oft einsame Landschaften einschließlich Hochgebirge (*Grand Teton, Bighorn* und *Rocky Mountains*) und die hügeligen **Prärien** des immer noch unverkennbaren Cowboystaates **Wyoming**.

Schießwut in Wyoming,
➢ 4. Absatz von oben auf Seite 636

Entlang der Route oder über kurze Abstecher leicht erreichbar liegen eine Reihe **sehenswerter Nationalmonumente** (vor allem *Golden Spike, Devils Tower, Mount Rushmore* und *Dinosaur*) und attraktive ***Recreation Areas*** (*Flaming Gorge, Bighorn Canyon*). Die gesamte Region ist mit zahlreichen schönen Campingplätzen bestückt. Mit **Jackson, Cody, Deadwood, Black Hawk/Central City** und **Estes Park** gibt es in günstigen Abständen mehrere kleinere Ortschaften, in denen man (zumindest sommerliche) **Betriebsamkeit** (Kneipen, Musik, Theater, Rodeo etc.) und teilweise authentische **Wildwestkulissen** findet.

Erweiterung der Basisroute

Die vorgeschlagene **Erweiterung der Basisroute** führt durch **Lava und Vulkane** der *Craters of the Moon* und den *Hells Canyon* des Snake River quer durch **Idaho** und **Montana** zum *Glacier National Park* und danach von Norden zum *Yellowstone Park*. Sie folgt in der Reiseliteratur selten beschriebenen Strecken und bietet neben den expliziten *Highlights* und wiederum herrlichen Gebirgslandschaften weniger beachtete Kleinode wie z.B. die **Täler des Payette, Salmon** und **Lochsa River**, das ***Russell Museum*** in Great Falls, den Verlauf der ***Interstate #15*** in Montana und die alten **Goldgräberstädtchen** Nevada City und Virginia City.

Modifizierung der Routen/ Verbindung zu anderen Routen

Aus Basis- und Erweiterungsroute lassen sich mit den im Exkurs erläuterten Nord-Süd-Strecken durch Wyoming problemlos **weitere 2-, 3- oder 4-Wochen-Touren** zusammenstellen, die auf das zentrale und/oder östliche Wyoming und die *Badlands* sowie auf Denver und ggf. das gesamte nordwestliche Colorado verzichten. **Alle Rundstrecken finden bei Bedarf leicht Anschluss nach Westen** über ihrerseits attraktive Verbindungen durch Nevada (Seite 385), Oregon (Seite 623) oder Washington (Seite 560 und 567).

7.2 Basisroute durch den zentralen Nordwesten

Ab Denver oder Salt Lake City?

Als Ausgangspunkt für diese Route sind **Denver** und **Salt Lake City** gleich gut geeignet. Denver ist über internationale Flugverbindungen besser erreichbar, und außerdem gibt es dort Stationen der großen Campervermieter *Moturis* und *Cruise America*.

Aber **Salt Lake City** verfügt gleichfalls über gute inneramerikanische Flugverbindungen. Insbesondere bei Flügen mit ***Delta Airlines*** kann man von günstigen Anschlüssen ausgehen. Zudem bildet der Großraum Salt Lake City **den** Autobahn-Verkehrsknoten im Herzen des US-Westens.

Da viele Reisen mit Zielen im Nordwesten – das gilt besonders für den *Yellowstone Park* – in **San Francisco** oder **Las Vegas** starten, führt die Reiseroute von dort fast automatisch über Salt Lake City oder doch über Strecken in der Nähe. Von daher erschien es sinnvoll, die Routenbeschreibung für dieses Gebiet in Salt Lake City zu beginnen und damit einen problemlosen Anschluss an weiter südlich und westlich laufende Reiserouten herzustellen.

Wer eine Reise plant, die im wesentlichen oder ausschließlich durch den zentralen Nordwesten führen wird, sollte aber vorzugsweise Salt Lake City oder Denver als Flugziel/Startpunkt wählen. Auch für kombinierte **Rundstrecken Nordwesten/*Yellowstone* mit Nationalparks des Grossen Plateaus** bieten sich beide Städte als Ausgangsbasis an.

7

7.2.1 Salt Lake City

Charakteristik

Salt Lake City ist die mit Abstand größte Stadt zwischen San Francisco/Sacramento und Denver einerseits und Phoenix und Calgary/Canada andererseits. Sie besitzt im zentralen Westen der USA, einem Gebiet von der Größe Westeuropas, Metropolenfunktion, hat jedoch nur wenig mehr als **180.000 Einwohner**.

Der **Großraum *Wasatch Metro*** einschließlich der Städte Provo und Ogden bringt es auf eine Bevölkerung von fast **1,6 Mio**. Über zwei Drittel der Menschen (insgesamt 2,3 Mio.) im 216.000 km² großen Utah leben in diesem 100 mi langen und lediglich rund 30 mi breiten Streifen westlich der **Wasatch Mountains**.

Die Olympischen Winterspiele 2002 fanden im Bereich Snowbird/Park City/Deer Valley statt, gut 20-30 mi östlich der City an der Ostseite der Wasatch Mountains

Unter den amerikanischen Großstädten nimmt SLC eine Sonderstellung ein: so sauber und aufgeräumt, um nicht zu sagen »steril«, wie die Hauptstadt des Mormonenstaates Utah wirkt keine andere US-City. Gleichzeitig aber herrscht dort auch, so hat es den Anschein, gepflegte Langeweile.

Die wichtigsten Sehenswürdigkeiten von Salt Lake City sind religiöse Monumente und historische Stätten der Mormonen, ➤ ab Seite 633. Für alle, die sich dafür nicht oder nur am Rande interessieren, ist Salt Lake City für sich kein besonders interessantes Reiseziel, sondern eben in erster Linie Ausgangspunkt oder Durchgangsstation.

Geographie, Geschichte und Klima

Geographie

Im Osten von SLC erheben sich die bereits erwähnten **Wasatch Mountains**, ein bis nach Wyoming hineinreichendes Teilgebirge der Rocky Mountains mit Gipfeln bis zu 3.500 m Höhe. Nordwestlich liegt der 4.000 km² große, nur maximal 15 m tiefe ***Great Salt Lake***, nach den Großen Seen im Osten flächenmäßig größter natürlicher Binnensee der USA. Sein Salzgehalt beträgt rund 25%. Westlich davon und südwestlich erstreckt sich die ***Great Salt Lake Desert***, der östliche Teil des ***Nevada Big Basin***, einer kargen Wüstenlandschaft zwischen Rocky Mountains und Kaskadengebirge/Sierra Nevada. Bei der Großen Salzwüste handelt es sich um den Boden des riesigen prähistorischen Sees ***Lake Bonneville***, der bis auf »kleine« Reste wie den *Great Salt Lake* und den *Pyramid Lake* bei Reno in Jahrmillionen austrocknete.

Geschichte Utah

Die Lage der Stadt geht auf eine Eingebung des Mormonenführers ***Brigham Young*** zurück. Als er – auf der Suche nach dem geeigneten Platz für das amerikanische Reich Zion – mit einer Vorhut seiner Anhänger der Kirche Jesu Christi der Heiligen der letzten Tage (***Church of Jesus Christ of the Latter Day Saints***) 1847 die Berge überquert hatte, sprach *Young* das geflügelte Wort »***This is the place!***« Ganz im Sinne einer eigenwillig interpretierten Verheißung des Alten Testaments brachten *Young* und mehrere tausend weitere Neusiedler seiner Gefolgschaft bald »die Wüste zum Blühen« und riefen den ***State of Deseret*** aus, den Staat der Honigbiene, das Symbol der Emsigkeit. Daraus entstand nach vielen Anfeindungen, die sich u.a. auf die Mehrehe bezog (*Young* selbst brachte es auf 27 Ehefrauen und 56 Kinder), **1896 der Bundesstaat Utah** mit Salt Lake City als Kapitale.

Mormonen

Der Begriff »**Mormonen**« bezieht sich auf das ***Book Mormon***, grundlegendes Werk des Sektengründers ***Joseph Smith***. Trotz offizieller Trennung von Staat und Kirche entwickelte sich in Utah ein von der Mormonenkirche total beherrschtes politisches und wirtschaftliches Leben. Die Kirche ist gleichzeitig Eigentümer eines Wirtschaftsimperiums, dessen Einfluss weit über die Staatsgrenzen hinausgeht. Nahezu 80% der Bevölkerung gehören dieser **Quasi-Staatskirche** an und leben mehrheitlich nach den von ihr gesetzten Regeln. Dazu gehören u.a. ein patriarchalisch geprägtes Familienleben und die Ablehnung von Kaffee, Tabak, Alkohol und Empfängnisverhütung.

Alkohol

Der Verkauf geistiger Getränke erfolgt in ***Liquor Stores*** zu begrenzten Zeiten. Im Supermarkt gibt es nur **Bier- und Weinsorten mit maximal 3,2% Alkoholgehalt**. Der Ausschank von Bier und Wein in Restaurants und Bars unterliegt ebenfalls Restriktionen. Lediglich als **Privatklubs** registrierte Kneipen weichen von den sonst gültigen Regeln für teures Geld ab.

Klima

Salt Lake City erfreut sich vieler Sonnentage und erheblicher Sommerhitze. In der trockenen **Wüstenluft** lassen sich aber auch Temperaturen über 30°C noch einigermaßen ertragen.

Abends kühlt es auf der Höhenlage von ca. 1.300 m rasch ab. Die Winter sind kalt, Schneefälle häufig.

Orientierung

Die Orientierung in der Stadt ist einfach. Zentraler Punkt des Straßensystems ist die Kreuzung South Temple/State Street. Südlich davon sind alle Straßen durchnumeriert und mit dem Zusatz *South* versehen. Je nachdem, ob ein bestimmtes Haus sich rechts (östlich) oder links (westlich) der State Street befindet, wird die Hausnummer um *East* oder *West* ergänzt. Nördlich der Zentralkreuzung werden die Straßen mit dem Zusatz *North* versehen. Die westlichen Straßen sind dort *North Streets*, die östlichen *North Avenues*. Die erste Ziffer der jeweiligen Hausnummer bzw. – bei 4- und 5-stelligen Nummern – die ersten beiden oder drei verraten die Entfernung von der State Street in Blocks. In Salt Lake City können daher Ortsfremde jede Adresse ohne einen Stadtplan lokalisieren.

»Biblische Szene« von der Natur erschaffen! Wo anders als im Mormonenstaat Utah? (Grand Staircase-Escalante National Monument)

Information, Unterkunft, Camping, Essengehen

Information

Das ***Salt Lake Visitors Bureau*** befindet sich in der South West Temple Street im Komplex des *Salt Palace* beim *Salt Lake Art Center*, Mo-Fr 8-17/18 Uhr, Sa+So 9-17 Uhr; © 1-800-541-4955; www.visitsaltlake.com. Eine **mormonenbezogene Besucherinformation** residiert am Temple Square, ➤ Seite 633.

Mehr Internet: www.slctravel.com und www.searchsaltlake.org

Hotels/ Motels

Salt Lake City gehört zu den Städten mit einem saisonabhängig schwankenden Preisniveau für Hotels und Motels; im Sommer kommt man oft preiswert unter. An der **West North** und **West South Temple** und entlang der **I-15**, die in Nord-Süd-Richtung citynah durch die ganze Stadt läuft, findet man an vielen Ausfahrten Quartier, z.B. am Exit #301 ***La Quinta***.

Im *Airport*-Bereich, nur ca. 5-10 mi vom Zentrum entfernt im Bereich der I-215 und an der I-80, *Exit* 113, stehen Häuser u.a. der Ketten ***Days***, ***Comfort***, ***Holiday*** und ***Fairfield Inn***. Die Tarife beginnen bei $69. Günstige ***Weekend Rates*** ab $89 gibt's im ***Airport-* und Citybereich** (z.B. ***Hilton*** und ***Wyndham***).

In der City ist die Quartierauswahl groß; preisgünstig sind:

- **Super 8 Motel**, 616 S 200 West, ab $49
- **Travelodge City Centre**, 524 S West Temple, $69; relativ einfacher Standard, aber sehr zentral.
- **Ramada Inn Downtown**, 230 W 600 S, ab $59
- **Little America Hotel**, 500 South Main, ab ca. $89 AAA, © 1-800-453-9450, guter Gegenwert für vier Sterne; www.littleamerica.com/slc
- **Howard Johnson Express Inn**, 121 North 300 W, ab ca. $59 im Sommer; schlichtes Haus in guter Lage; www.hojo.com

Für **Kettenmotels** ➤ 800-Telefonnummern auf Seite 183.

Billig-quartiere

Adressen für die schmalere Brieftasche sind:

- **The Avenues Int'l Hostel**, 107 F St nähe City Center, © 1-877-HOSTEL-1, ab $14, DZ ab $30; www.saltlakehostel.com
- **Int'l Ute Hostel**, 21 East Kelsey Ave, © (801) 595-1645, $20, DZ $45; www.internationalutehostel.com
- **Hostel Utah Int'l**,50 S 800 West, © (801) 359-4525, $20.
- **Camelot Hostel**, 165 W 800 South, © (801) 688-6196, $15, DZ $20. Laptopvermietung mit Wifi $1/Tag; www.ut123.com. Dazu gehören **Jefferson** und **Camelot Guest Houses**, 802 S Jefferson Street ($20/$25) bzw 556 S 500 East ($15/$20);

B&B

In Salt Lake City gibt es zahlreiche ***Bed & Breakfast* Angebote**:

Die ***Tourist-Info*** hat eine komplette Liste.

Camping

Camping in/bei Salt Lake City ist nur auf Privatplätzen möglich; zentrumsnah liegt der alles in allem akzeptable **KOA/VIP-Großcampground** an der 1400 West North Temple Street, © 1-800-226-7752, ab $23; www.campvip.com.

Ein angenehmerer Platz befindet sich 20 mi nördlich der Stadt bei Kaysville auf dem ***Cherry Hill***: I-15, *Exit* 324, © 1-888-446-2267, ab $28; www.cherry-hill.com (Internet-Discounts!). Nicht viel weiter ist es zum ***State Park Antelope Island***, ➤ Seite 634.

Restaurants & Malls

Im Geschäftszentrum der Stadt südlich des *Temple Square* zwischen State und West Temple Street ist tagsüber viel Betrieb. Dort findet man zahlreiche ***Eateries***.

Das gilt speziell in den ***Shopping & Restaurant* Komplexen** der ***ZCMI Mall*** und der riesigen ***Crossroads Plaza***, South Temple/Main Street; www.thedowntownmalls.com.

SLC Connect Pass

Wer in Salt Lake City ein bißchen mehr unternehmen möchte, als sich nur die (weitgehend eintrittsfreien) Mormonen-Sehenswürdigkeiten anzusehen, kann einen ***SLC Connect Pass*** für $18/Tag erwerben, der Eintrittsgeld spart und in einigen Restaurants, Shops etc. zu Discounts berechtigt:

www.visitsaltlake.com/what_to_do/connect_pricing.html

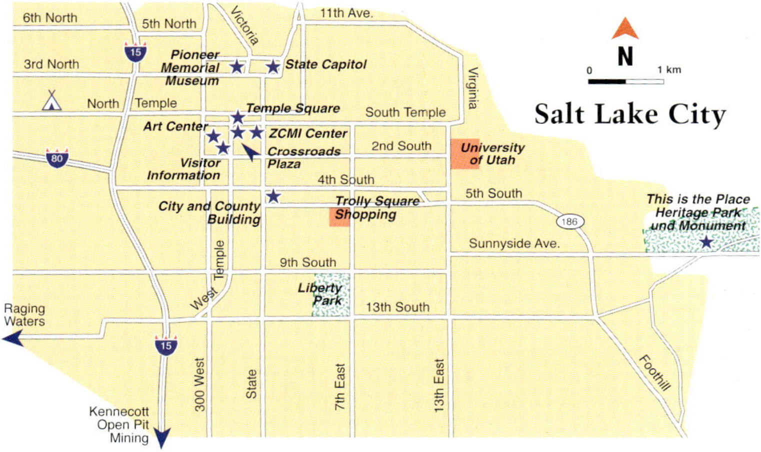

7

Sehenswürdigkeiten

Temple Square

Zentraler touristischer Anziehungs- und Anlaufpunkt ist das Herz der Mormonenbewegung, der ***Temple Square*** zwischen den Straßen South und North Temple; www.visittemplesquare.com:

Mormonen-information

- In 2 ***Visitor Centers*** werden den Besuchern Hintergrund und Ablauf der Wanderung der ersten Mormonen nach Utah nahegebracht. Geführte Rundgänge (45 min) finden kontinuierlich statt, 9-20.30 Uhr; © 1-800-537-9703.

Tempel

- Der ***Mormon Temple*** ist die Hauptkirche der *Latter Day Saints*. Er wurde 1893 vollendet und verschlang die damals unerhörte Summe von $4 Mio; www.ldschurchtemples.com/saltlake.

Tabernacle

- Im ***Tabernacle*** singt der weltbekannte ***Mormon-Tabernacle Choir***. Die Orgel besitzt über 10.000 Pfeifen, das Gebäude (1867) eine hervorragende Akustik. Orgelproben finden Mo-Sa um 12 und 14 Uhr statt, So nur 14 Uhr. – Der **Chor** probt öffentlich Do 19.30-21.30 Uhr; Radioübertragung der Konzerte jeweils am Sonntag 9.30-10 Uhr; www.mormontabernaclechoir.org.

Weitere Stätten

Auch außerhalb des Temple Square warten Mormonen-Stätten:

- Das ***Brigham Young Memorial*** für den Führer der Mormonenzuges nach Utah auf der Kreuzung Main/South Temple St .
- Das ***Beehive House***, erstes Wohnhaus des *Brigham Young*.
- Das ***Lion House*** gleich nebenan für die stetig gewachsene Schar von Ehefrauen und Kindern des Mormonenführers.

Museum

- Das ***Pioneer Memorial Museum***, 300 N Main St, Mo-Sa 9-17 Uhr, im Sommer So ab 13 Uhr, beleuchtet das Leben und Wirken der ersten Siedler. Interessant sind eher die weltlichen Ausstellungsstücke zum Leben im Wilden Westen.

State Park

- Der ***This-is-the-place Heritage Park*** liegt abseits der City eingangs des *Emigration Canyon* am Ende der Sunnyside Ave, 8-17 Uhr, im Sommer bis 20 Uhr, ***Visitor Center***: im Sommer 9-18 Uhr, sonst bis 17 Uhr. Dort steht das ***This-is-the-place*-Monument** angeblich exakt an der Stelle, wo 1847 *Brigham Young* diesen denkwürdigen Satz sprach. Frei; www.thisistheplace.org.
- Im *Living Museum* ***Heritage Village*** demonstriert man in historischen Hütten und Blockhäusern – darunter noch eine Wirkungsstätte des allgegenwärtigen *Brigham Young* – das Leben der ersten Siedler. Mo-Sa 11-17 Uhr, $6, bis 11 J. $4.

Capitol

Offiziell nicht religiös befrachtet ist das ***Utah State Capitol*** auf dem *Capitol Hill*, unübersehbar einige Blocks nördlich des Temple Square. Der steile und bei Sommerhitze anstrengende Aufstieg wird mit einem schönen Blick über die Stadt belohnt.

Sonstiges

Sonstige Sehenswürdigkeitensind das ***Hansen Planetarium***, ein ***International Peace Garden*** und weitere Museen.

Kupfermine

Etwa 20 mi südwestlich der City (West Jordan, dann Straße #48 nach Westen) liegt mit der ***Kennecott Bingham Canyon Mine*** ein lohnendes Ziel für einen Abstecher. Die weltgrößte Tagebau-Kupfermine hat eine Abbautiefe von ca. 1.200 m erreicht. Das spiralförmige Vorgehen verleiht dem Riesenloch die Form einer überdimensionalen Sportarena. Ausgeschilderte Zufahrt zum ***Visitor Center*** mit Beobachtungsplattform; **Besichtigung** 8-20 Uhr von April bis Oktober, Eintritt $5/Fahrzeug; www.kennecott.com.

Großer Salzsee

Auch wenn dies der Name suggeriert: Salt Lake City liegt nicht unmittelbar am Großen Salzsee. Bis zum ***Great Salt Lake State Park*** und der ***Saltair Beach***, dem stadtnächsten Zugang sind es ca. 18 mi auf der I-80 plus 1 mi Zufahrt zum Park. Besonders einladend ist der »**Strand**« dort aber nicht. Wer weit genug hinauswatet, kann immerhin den Korkeneffekt ausprobieren: wie man sich auch dreht und wendet, man bleibt – als Folge des 25%igen Salzgehalts – garantiert oben! www.greatsaltlake.utah.edu

Antelope Island

Eine bessere Möglichkeit zum Schwimmen im Salzwasser-Binnensee bietet der ***Antelope Island State Park*** nordwestlich SLC, leider $9 Eintritt/Parken. Zur Insel hinüber führt von Syracuse eine meilenlange Brücke. Dort hat man **hellen Sandstrand** aufgespült und im Hinterland in den letzten Jahren eine **Büffelherde** heimisch gemacht. Auf Fahrten nach Norden sollte man den Abstecher nicht auslassen. Man kann dort auch gut **campen**, © (801) 773-2941, Reserv. ➤ Seite 199, $12; www.stateparks.utah.gov

Am Great Salt Lake südlich der Saltair Beach

7.2.2 Von Salt Lake City zum Yellowstone Park

Erstes wichtiges **Zwischenziel** der hier beschriebenen Route sind die zusammenhängenden Nationalparks ***Grand Teton*** und ***Yellowstone*** im äußersten Nordwesten Wyomings.

I-15/#20 nach West Yellowstone

Die schnellste Verbindung von Salt Lake City zum *Yellowstone Park* entspricht – zunächst – der I-15 über Idaho Falls nach West Yellowstone. Die Strecke ist aber weniger empfehlenswert. Die Autobahn verläuft eintönig, die Straße #20 ebenfalls ohne viel Abwechslung durch Farmland und dichte Wälder.

Nach Jackson über Idaho Falls (#26/#31/#33)

Man kann die *Interstate* jedoch auch für eine rasche Fahrt bis Idaho Falls nutzen und von dort über die Straßen #26/#31/#33 Jackson ansteuern. Die Straßen #31/#33 führen durch herrliche Gebirgslandschaften. Die #26 am ***Palisades Lake*** entlang (dort gute **Campmöglichkeiten**) und dann auf der #89 durch den *Snake River Canyon* erfordert zwar ca. 30 mi zusätzlich, ist aber ebenfalls eine erfreuliche Strecke. Gegenüber der hier favorisierten #89 gleich ab Brigham City (nächste Seite) sind damit jedoch insgesamt soviele Mehrmeilen verbunden, dass der Zeitvorteil aus der Autobahnfahrt wieder verlorengeht.

Über Lava Hot Springs (#30/#34/#89)

Überlegenswert wäre die Kombination **I-15/#30/#34/#89**: Auf der *Interstate* geht es rund 50 mi nach Idaho hinein, dann nach **Lava Hot Springs** (➤ Seite 685) und weiter auf schöner Strecke ab Soda Springs auf der #34 bis zur #89.

Straße #89

Die direkte Straße #89 von Salt Lake/Brigham City nach Jackson, dem südlichen Einfallstor für beide Parks, ist die alles in allem **reizvollste Strecke**. Sie führt aus der Ebene durch den ***Logan Canyon*** zunächst nach **Garden City** am ***Bear Lake***, dessen Anblick schon fast allein die Wahl der Route rechtfertigte.

Bear Lake

Der über 300 km^2 große See auf der Grenze zwischen Utah und Idaho beeindruckt durch eine ungewöhnliche **türkisblaue Wasserfärbung**. Er ist beliebtes Wassersport- und Angelrevier. Aber Baden im einladend wirkenden Bärensee setzt Abhärtung voraus; das glasklare Wasser bleibt auch im Sommer kalt. Zum Verweilen am Ufer eignet sich so recht nur der Bereich zwischen Garden City und Laketown, wobei die ***State Parks Rendezvous Beach*** (steiniger Strand) am Südende und ***Marina*** nördlich Garden City (flaches und daher nicht so kaltes Wasser) den besten Zugang ermöglichen. Oberhalb Garden City in Richtung Idaho entfernt sich die #89 bald vom See; www.bearlake.org.

Rund 5 mi landeinwärts beim kleinen Städtchen **Paris** in Idaho befindet sich der hübsche ***Canyon Springs Campground***. Der Weg zu diesem Platz im *Caribou National Forest* ist ausgeschildert (südliches Ortsende).

Wyoming

Kurz hinter Montpellier erreicht die Straße Wyoming. Wie es sich im **Staat der Cowboys** gehört, gibt es dort keinen gestandenen Mann, der nicht diverse Schusswaffen sein eigen nennt. Dass dieses Arsenal auch zweckgerecht zum Einsatz kommt, beweisen noch gründlicher als in den Nachbarstaaten die **durchsiebten Verkehrsschilder** (➤ Foto Seite 628).

Snake River Canyon

Trotz gegenteiliger Kennzeichnung in den meisten Karten ist der **Straßenverlauf** vom Bear Lake bis Alpine Junction nicht sehr attraktiv. Die folgenden 25 mi durch den ***Snake River Canyon*** bilden aber einen Höhepunkt der Strecke. Die Straße verläuft meist hoch über dem Fluss, der mit zahlreichen ***Rapids*** geringen bis mittleren Schwierigkeitsgrades zu den beliebtesten ***White Water Rafting***-Revieren des Westens gehört. Während der Sommersaison bis in den September hinein kann man beobachten, wie Schlauchboote vollbesetzt durch die Stromschnellen schießen, im Internet z.B. unter www.mad-river.com.

Im Canyonbereich am Wege liegen – z.T. hübsch zwischen Fluss und Straße – mehrere ***NF-Campgrounds***. Als Standquartier für einen Besuch im *Grand Teton National Park* sind sie ein bisschen weit entfernt.

River Rafting

In Hoback Junction sind die Stationen der ***River Rafters*** nicht zu übersehen. Wer beim Zuschauen am Fluss Lust bekommen hat, kann hier gleich buchen und mit ins Boot steigen, wenn es zeitlich passt. Wegen der starken Konkurrenz werden **Kurztrips** schon ab \$29, **8 mi-Trips** ab ca. \$45 angeboten.

Jackson

Mit **Jackson** erreicht man ein **Touristenzentrum par excellence**. Im Sommer ist der Ort die wichtigste Etappe im Umfeld der Nationalparks, im Winter Ziel für Skisportler. Nirgendwo sonst im

River Rafting im Snake River Canyon südlich von Jackson

Hinweis:
Quartiere in Cody, West Yellowstone und Gardiner/ Montana sind preiswerter

Nordwesten gibt es eine ähnliche **Konzentration an (sehr teuren!) Motels, Hotels und Restaurants**. Bei nur 9.000 Einwohnern verfügt Jackson über ca. **60 Beherbergungsbetriebe** und über **50 Restaurants und Kneipen** allein im engeren Ortsbereich. Die touristische Infrastruktur wird noch durch eine Wiederbelebung der (in Realität gar nicht dagewesenen) Wildwest-Vergangenheit bereichert. Von *Memorial* bis *Labor Day* erwartet die Besucher täglich (außer So) um 18.15 Uhr das ***Jackson Hole Shoot-out*** am Town Square; www.jacksonholewy.net, www.jacksonhole.com.

Nach dem Spektakel der Pistolenhelden beginnen die Vorstellungen in den Theatern. Sei es ein Melodrama auf der ***Grand Teton Main Stage*** oder eine ***Vaudeville Revue*** mit *Can-Can Girls* im ***Jackson Hole Playhouse*** (www.jhplayhouse.com), der Bezug zu den angeblich wilden Tagen der Vergangenheit fehlt nie.

In der lokalen Kneipenszene gibt die unverfehlbare ***Million Dollar Cowboy Bar*** am Town Square den Ton an. Aus Sätteln gefertigte speckige Barhocker, *Hillbilly-Music* und Tanz sorgen für viel Betrieb oft bis spät in die Nacht; www.milliondollarcowboybar.com. Nebenan setzt der ***Cadillac Grille*** den Kontrapunkt im Look der 1950er-Jahre *Diner*; www.cadillacgrille.com.

Hotel/Motel

Im Sommer (Mitte Juni bis *Labor Day*) in Jackson ohne Reservierung unterzukommen, ist trotz enormer Bettenkapazität bei später Ankunft ein Problem, von den Tarifen gar nicht zu reden, die bei \$90-\$100 für ein moderates Motel beginnen und im *Days Inn* oder *Best Western* locker \$150/Nacht und mehr betragen können. Wer bei Ankunft nach 15 Uhr nicht auf Anhieb eine ***Vacancy*** findet, sollte ganz durch Jackson zum ***Information Center*** am nördlichen Ortsausgang fahren. Dort werden jeden Nachmittag dem ***Accommodation Service*** alle noch freien Zimmer gemeldet, so dass man nicht erst mühsam suchen muss. Zum **Camping**, ➢ nebenstehend und unter der Beschreibung beider Parks.

Information

Ein Anlaufen des von *National Park & Forest Service* und der *Jackson Chamber of Commerce* gemeinsam betriebenen ***Information Center*** sollte sowieso Priorität haben. Dort erfährt man alles, was aktuell anliegt und findet Werbung für sämtliche unten genannten Aktivitäten. Ein *Dining Guide* enthält die **Speisekarten der lokalen Restaurants**. Nebenbei dient das imposante Gebäude als Museum zu Flora, Fauna und Historie des ***Jackson Hole*** genannten ***Snake River Valley*** zwischen *Teton* und *Gros Ventre Range* der *Rockies*; www.jacksonholenet.com, und www.jacksonholechamber.com; ➤ auch umseitig.

Hostel-Unterkunft

Die einzige preiswerte Möglichkeit, in Jackson unterzukommen, bietet das ***Bunkhouse*** (beim *Anvil Motel,* 215 N Cache Street einen Block vom Town Square entfernt; ✆ 1-800-234-4507; $25-$35/Bett; www.anvilmotel.com/bunkhouse.htm.

Ein weitere – nicht mehr billige – Bleibe offeriert das ***Hostel X*** im nahen **Teton Village**, ➤ unten; 3600 McCollister Dr, ✆ (307) 733-3415; $60 für 1-2 Pers, $74 für 3-4 im Raum; www.hostelx.com.

Aktivitäten

Jackson-Besucher können aus einer bemerkenswerten Vielfalt kommerziell organisierter *Outdoor*-Angebote auswählen. Allein **Wildwasserfahrten** werden von über einem Dutzend Firmen angeboten. Außer dem bereits beschriebenen ***Rafting*** über die Stromschnellen im *Snake River Canyon* erfreuen sich Trips für *Sightseeing* und Tierbeobachtung auf dem im *Teton Park* ruhigen Fluss großer Beliebtheit. Buchen kann man auch Ausritte, ***Chuckwagon Diner*** (➤ Seite 44), Helikopter- und Heißluftballonflüge. **Rodeo** (am Mi+Sa 20 Uhr), Boot- und Bike-Verleih sind sowieso selbstverständlich. Auch die ***Shoppingszene*** ist in Jackson bestens bestückt. Eine große Auswahl findet man für jegliche Art von ***Western Outfit***. In zahlreichen **Galerien** und **Schmuckläden** gibt es neben allerhand Kitsch auch Ergebnisse lokalen Schaffens von beachtlichem Niveau. Alles hat dort indessen seinen hohen Preis.

Museum

Sehenswert ist das ***National Museum of Wildlife Art*** mit teilweise sagenhaften Kunstwerken zu Flora, Fauna, Leben und Landschaft des Westens in 14 Galerien. Das Museum befindet sich beim Gelände der *National Elk Refuge,* einer Winterzuflucht für Rotwild, erreichbar ab Town Square über den East Broadway, dann ausgeschildert. Im Sommer täglich geöffnet 9-17, So ab 13 Uhr; $10, Kinder unter 19 frei; www.wildlifeart.org.

Umgebung Jackson

Nordwestlich von Jackson liegt das **Teton Village** (ca. 11 mi, zunächst Straße #22, dann Moose-Wilson Road nach Norden), ein Retortendorf für den Tourismus. Eine **Seilbahn** (*Jackson Hole Aerial Tramway*) befördert ihre Passagiere für $21, bis 14 Jahre $9, auf den über 3.000 m hohen *Rendezvous Mountain,* im Winter ein Mekka der Abfahrtsläufer, im Sommer Ausgangspunkt für Wanderungen ins einsame Hinterland der hochalpinen *Teton Range*. Ein Umweg über das Teton Village lohnt sich nur bei Absicht, die Seilbahn zu benutzen; www.jacksonhole.com/tram.

Weiter zum Grand Teton Park

Mit Pkw, äußerstenfalls *Van Camper* (teilweise schlechte *Gravelroad*), kann man von dort direkt in den *Grand Teton Park* weiterfahren und die Hauptstraße beim ***Moose Visitor Center*** erreichen. Da die Einfahrt in den Park dort nicht besetzt ist, muss der **Eintritt** – sofern kein *Interagency* Jahrespass vorliegt, an der *Moose Entrance Station* entrichtet werden, gültig für 7 Tage. Dort erhält man dann auch die ***Official Park Map*** und die informative Zeitung ***Teewinot*** mit Hinweisen auf aktuelle Veranstaltungen etc.; www.nps.gov/grte.

Eintritt für Grand Teton/ Yellowstone kombiniert:
$25/Auto
$12/Person
oder
Interagency Jahrespass

Grand Teton National Park/ Jackson Lake

Im Mittelpunkt des *Grand Teton National Park* steht – organisatorisch gesehen – der **Jackson Lake**. Um eine große Marina, das ***Colter Bay Visitor Center*** und das ***Indian Arts Museum*** mit einer exzellenten Ausstellung zu indianischer Kultur (im Sommer bis 19 Uhr, Mai und nach *Labor Day* bis 17 Uhr) erstrecken sich eine komplette Versorgungsinfrastruktur mit Supermarkt, großflächige Campingareale und ganze Siedlungen unterschiedlichster Einfach-Unterkünfte.

Unterkunft

U.a. kann man dort sog. ***Tent Cabins*** ($41/Tag für 2 Personen) und **Blockhäuser** mieten (ab $45/Tag ohne eigenes Bad, ab $85 mit eigenem Bad), ✆ (307) 543-3100 für Kurzfristreservierung; langfristig unter ✆ 1-800-628-9988; www.gtlc.com/lodging.aspx.

Dieselben Telefonnummern gelten auch für die Reservierung der höherwertigen ***Jackson Lake Lodge***: ab ca. $189 fürs DZ. Campinghinweise auf der nächsten Seite oben.

Bewertung

Wegen der Nachbarschaft zum *Yellowstone* gehört der *Grand Teton* zu den sehr stark frequentierten Nationalparks und wird in allen amerikanischen Publikationen enthusiastisch beschrieben. Genaugenommen bietet er aber nur geübten Wanderern, die sich ins *Backcountry* begeben, Außergewöhnliches. Als reiner, stark **an die Alpen erinnernder Landschaftspark** ist er für Besucher aus Mitteleuropa insgesamt keine herausragende Sehenswürdigkeit, sondern eher Durchgangsstation.

Teton Park Road

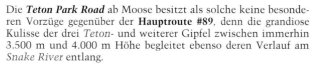

Die ***Teton Park Road*** ab Moose besitzt als solche keine besonderen Vorzüge gegenüber der **Hauptroute #89**, denn die grandiose Kulisse der drei *Teton*- und weiterer Gipfel zwischen immerhin 3.500 m und 4.000 m Höhe begleitet ebenso deren Verlauf am *Snake River* entlang.

Der langsameren Parkstraße sollte nur folgen, wer sich Zeit für eine Wanderung oder die Fahrt auf den *Signal Mountain* nehmen möchte oder plant, am ***Jenny Lake*** (nur Zelte) oder auf dem ***Signal Mountain Campground*** am Jackson Lake zu übernachten. Im Sommer sind diese Plätze meist schon morgens voll.

Als **Ausweichplätze** bieten sich nur der einfache und ungemütliche Groß-*Campground* ***Gros Ventre*** im Südwesten oder der ebenfalls ausgedehnte Komfortplatz ***Colter Bay*** an (oft schon mittags voll belegt). Eine günstige Lage besitzt ***Lizard Creek*** im Norden bereits in der Nähe des *Yellowstone;* aber auch dort wird es spätestens ab Mittag eng.

Trails im Grand Teton

Von den **Tageswanderungen** sind folgende besonders empfehlenswert (Details in den Besucherzentren, wo es auch ein Büchlein für alle *Teton Trails* gibt):

- rund um den *Jenny Lake* zu den ***Hidden Falls*** und ***Inspiration Point*** (ca. 2 Stunden, aber auch ein Boot verkehrt über den See, vom Anlegeplatz zu den Fällen etwa 600 m).
- die Verlängerung des Weges zu den *Hidden Falls* durch den ***Cascade Canyon*** zum ***Solitude Lake*** und zurück durch den *Paintbrush Canyon* (ca. + 20 km ab *I. Point*; ganztägig).
- *Loop Trail* zum ***Taggart Lake*** (max. 2 Stunden).
- vom *Taggart Lake* weiter zum ***Surprise/Amphitheater Lake,*** ggf. Ausgangspunkt *Lupine Meadows* (16 km; 4-6 Stunden).

Signal Mountain

Für einen **Panoramablick** über das ganze Tal des Snake River, den *Jackson Lake* und auf Gletscher und Berge lohnt sich die Auffahrt zum ***Signal Mountain*** (5 mi), die von der *Teton Park Road* abzweigt. Der Aussichtspunkt lässt sich auch per Fußmarsch von der Hauptstraße aus erreichen (Abzweigung zur *Cattleman's Bridge* über den Snake River unweit Jackson Lake Junction, von dort ca. 2 Stunden retour).

Weiter zum Yellowstone

Verzichtet man völlig auf längere Stopps im *Grand Teton* (erwägenswert bei knapp bemessener Ferienzeit, lieber etwas mehr Muße im absolut sensationellen nördlichen Nachbarn), benötigt man für die **Fahrt von Jackson bis zur Einfahrt in den *Yellowstone Park*** (rund **70 mi** Distanz) nur in Ausnahmefällen über **zwei Stunden**. Eine weitere Stunde fährt man bis zum Hauptgeysirfeld *Upper Geysir Basin*.

Der *Yellowstone* lässt sich auch mit Bus und Flugzeug noch relativ gut erreichen. Mit einiger Frequenz bediente ***Airports*** befinden sich in Jackson und West Yellowstone, wo auch ***Greyhound*** eine Haltestelle besitzt.

Morning Glory Pool: Glasklares heißes Wasser aus 3.000 m Tiefe

7.2.3 Yellowstone National Park

Parkinfo, Straßenzustand: ✆ (307) 344-7381

Der *Yellowstone Park* besitzt mit rund **10.000 km²** eine enorme Ausdehnung auf einem Hochplateau in über 2.000 m Höhe. **Geysire und heiße Quellen** sind Hauptanziehungspunkte dieses ältesten (1872!) und neben dem *Grand Canyon* bekanntesten amerikanischen Nationalparks. Wie schon angemerkt, ist er ohne wintertaugliches Fahrzeug **nur zeitlich begrenzt zugänglich**. Häufig versperren **Schneefälle** noch bis in den Juni hinein und bereits ab Mitte September einige Zufahrten.

Information

Eintritt für Grand Teton/ Yellowstone kombiniert: Seite 609

Nach der Einfahrt, gleich aus welcher Richtung, erreicht man beim nächsten größeren Geysirfeld, am *Canyon Village* und am Kreuzungspunkt *Fishing Bridge* eines der **fünf *Visitor Center***, wo es die jeweiligen Detailinformationen und -karten gibt. Generell wird man durch die bei Einfahrt erhaltenen Unterlagen – ***Official Map and Guide*** und die jeweils aktuelle Info-Zeitung ***Yellowstone Today*** – bereits bestens informiert.

Umfassende **Information im Internet** unter www.nps.gov/yell und www.yellowstone-natl-park.com.

Rundkurs/ Zeitbedarf

Wie aus der Karte ersichtlich, liegen die Mehrzahl der Geysirfelder und der berühmte *Grand Canyon of the Yellowstone River* entlang eines an eine 8 erinnernden Rundkurses. Die reine **Straßendistanz** dieser Strecke beträgt **etwa 140 mi**. Selbst bei rascher Besichtigung nur der wichtigsten Attraktionen benötigt man **leicht zwei Tage**. Dabei bleibt kaum Zeit, geduldig auf den Ausbruch bestimmter Geysire zu warten, in Ruhe die größeren Felder abzulaufen, vielleicht auch mal eine Badepause einzulegen und die Natur des Parks zu genießen. **Wenn irgend möglich, sollte man drei Tage Aufenthalt einplanen** (mindestens zwei Nächte im Park). Auch mehr Zeit lässt sich im *Yellowstone* mit Umgebung abwechslungsreich gestalten.

Grant Village

Bei Einfahrt in den Park von Süden passiert man noch vor Erreichen der Rundstrecke das *Grant Village* an der ***West Thumb Bay*** des (eiskalten) *Yellowstone Lake*. Ein Verweilen lohnt hier nicht, es sei denn zur Sicherung einer Unterkunft/eines Campingplatzes oder für Besorgungen/Restaurantbesuch (verglastes ***Steakhouse*** **auf Pfählen über dem Wasser**). Von dort sind es nur wenige Meilen, bevor die Dampfschwaden des kleineren ***West Thumb Geyser Basin*** unweit des Seeufers ins Blickfeld geraten. Sie geben einen Vorgeschmack davon, was der Yellowstone weiter westlich zu bieten hat.

Upper Geysir Basin

Das wichtigste und ausgedehnteste **Feld thermaler *Pools*** und regelmäßig ausbrechender **Heißwassergeysire** ist das ***Upper Geyser Basin.*** Eine erhebliche Parkplatzkapazität und eine komplette Service-Infrastruktur (jedoch **kein Campingplatz**) tragen der großen Besucherzahl dort Rechnung. Alle Einrichtungen gruppieren sich um den ***Old Faithful Geyser***, der in schöner Regelmäßigkeit **alle 45-120 min, im Mittel 75 min**, seine Fontänen bis zu 55 m hoch ausbläst. Am nahen ***Visitor Center*** befindet sich eine Tafel mit den voraussichtlichen, täglich anderen Ausbruchszeiten der Geysire im *Upper Basin*. Unverzichtbar ist die ebenfalls dort erhältliche genaue **Umgebungskarte**, bevor man sich auf den Weg durch das von schwefligen Dämpfen und heißen Abflüssen durchzogene Feld macht.

Old Faithful Ausbruch

Man sollte unbedingt alle befestigten Wege (Asphalt und Holzbohlen) einschließlich der Schleife rund um den ***Geyser Hill*** oberhalb des *Old Faithful* bis zum sagenhaften ***Morning Glory Pool*** ablaufen (Gesamtdistanz ca. 6 km).

Dazu benötigt man einschließlich der Fotopausen (**Extrafilm/-speicher** nicht vergessen) und Wartezeiten an einzelnen Geysiren kaum unter drei Stunden. Ein höherer Zeitbedarf ergibt sich sehr leicht. Die Erweiterung der Rundwanderung zu abseits gelegenen Pools und zum ***Observation Point*** mit Überblick über das ganze Basin kostet schnell eine zusätzliche Stunde. Ein hübscher Spaziergang führt zum – indessen auch mit dem Auto erreichbaren – ***Black Sand Basin*** am Iron Creek, einem kleinen Thermalfeld, das u.a. den attraktiven ***Emerald Pool*** umfasst.

Old Faithful Inn

Eine Sehenswürdigkeit für sich ist die **Innenarchitektur** des im Blockhausstil errichteten ***Old Faithful Inn***. Die Konstruktion der Hotelhalle ist absolut einmalig. Wer sich für die Einzelheiten interessiert, kann an Führungen teilnehmen, die mehrfach täglich stattfinden (gratis; Zeiten in *Yellowstone Today*). Für eine Nacht im *Old Faithful* könnten sogar Camper einmal gut auf *open air* verzichten, zumal das Hotel auch noch die **einzig gute Kneipe** weit und breit beherbergt. DZ kosten je nach Kategorie/Saison ab $90/$116 (ohne/mit Bad) bis über $200; eine (möglichst langfristige) Voranmeldung unter ✆ 1-866-439-7375 nötig, ➤ auch Seite 646f; www.travelyellowstone.com/old-faithful-inn-96.html.

Midway Geysir Basin

Auf der Weiterfahrt in nunmehr nördliche Richtung passiert man **weitere Geysir-Zonen**. Einen Stopp wert ist jede davon, speziell das ***Midway Geyser Basin*** und das blubbernde »Matschloch« ***Fountain Paint Pot*** im *Lower Geyser Basin*, wiewohl der Maltopf im Lauf der Jahre etwas eintrocknete und an Originalität verlor. Wer den richtigen Zeitpunkt abpasst (Ankündigung im *Old Faithful Visitor Center*), kann sich am auch sonst attraktiven ***Firehole Lake Drive*** die Fontänen des ***Big Fountain Geyser*** ansehen.

Ein schönes Ziel für eine gut einstündige **Wanderung** liefert der ***Imperial Geyser***, etwa 3 km entfernt vom Endpunkt des ***Fountain Flat Drive***.

Badestelle

Kurz vor *Madison Junction* geht es links ab zu den ***Firehole Falls*** (Einbahnstraße). Die kurze Rundstrecke führt durch den ***Firehole Canyon*** des gleichnamigen Flusses, der hier dank des ein paar Meilen oberhalb zulaufenden heißen Wassers aus diversen Geysiren etwas angewärmt wurde. Zwischen den Felsen der Schlucht gibt es ein Stück hinter den Fällen prima **Badepools**.

Norris Geysir Basin

Im ***Norris Geyser Basin*** findet man im wesentlichen ähnliche Heißwasserpools und kleinere Geysire wie in anderen Feldern. Eine Ausnahme bildet der originelle ***Ecchinus Geyser***, der sich langsam mit heißem Wasser füllt und seinen Inhalt in wenigen Minuten wieder hinausbläst. Die Erholungsphase zwischen den Eruptionen dauert 40-90 min. Der ebenfalls im Norris-Becken befindliche ***Steamboat Geyser*** verharrt jahrelang inaktiv, bevor er sich mit den stärksten Ausbrüchen des Parks zurückmeldet und dann wieder jahrelang ruht. Seine Fontänen erreichen über 100 m Höhe. Letzter Ausbruch: Mai 2000.

Weitere Bereiche

Bei knapper Zeit könnte der *Yellowstone*-Besuch sich auf die **kleine Rundstrecke** mit Weiterfahrt **von *Norris* zum *Canyon Village*** beschränken. Dabei verpasst man jedoch die *Mammoth Hot Springs*, alles andere im oberen Bereich des Rundkurses ließe sich verschmerzen. Am wenigsten jedoch die Verbindung von *Norris* zu den Mammutquellen; sie ist eine der schönsten Strecken im Park, während der weitere Verlauf der Straße über *Tower Junction* zum *Canyon Village* keine ungewöhnlichen Reize mehr bereithält. Auch den *Tower* Wasserfall muss man nicht unbedingt gesehen haben.

Mammoth Hot Springs

Ganz anders als alle bisher beschriebenen Thermalfelder und ein Erlebnis eigener Art waren die ***Mammoth Hot Springs*** am nördlichen Parkausgang. Das heiße Quellwasser wurde hier auf dem Weg an die Oberfläche stark mit dem Kalziumkarbonat des Deckgesteins (Kalksandstein) angereichert, das sich bei Austritt an die Oberfläche um die Öffnung herum ablagerte und auf diese Weise **Terrassen** gebildet hat. Wege führen mitten durch die stufenartig übereinander liegenden Kalziumformationen der ***Main Terrace Area***; eine ***Loop Road*** umrundet die ***Upper Terrace Area***. Leider ist der Wasserzustrom seit einigen Jahren ziemlich ganz und damit **die Attraktivität früherer Jahre dahin**. Das Foto auf der übernächsten Seite zeigt den Zustand Mitte der 1990er-Jahre.

Im **Besucherzentrum** unterhalb der Sinterterrassen ist ein **Museum** zu Natur, *Wildlife* etc. untergebracht.

Yellowstone Canyon & Falls, Mud Volcano

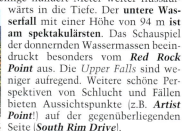

Der Name des Parks geht auf den gelben Sandstein im ***Grand Canyon of the Yellowstone*** zurück, eine vom Yellowstone River tief ausgewaschene Schlucht. Vom ***Visitor Center*** im *Canyon Village* läuft eine Einbahnstraße an deren Nordrand entlang (***North Rim Drive***). Den besten Blick in den *Canyon* hinein hat man vom ***Inspiration Point***. Über zwei Fallstufen, die ***Upper*** und ***Lower Falls***, stürzt das Wasser einige hundert Meter weiter flussaufwärts in die Tiefe. Der **untere Wasserfall** mit einer Höhe von 94 m **ist am spektakulärsten**. Das Schauspiel der donnernden Wassermassen beeindruckt besonders vom ***Red Rock Point*** aus. Die *Upper Falls* sind weniger aufregend. Weitere schöne Perspektiven von Schlucht und Fällen bieten Aussichtspunkte (z.B. ***Artist Point***!) auf der gegenüberliegenden Seite (***South Rim Drive***).

Zwischen *Canyon Village* und der Besucherzentrale *Fishing Bridge/ Lake Village* am *Yellowstone Lake* liegt die ***Mud Volcano*** Region, eine besondere thermale Spezialität des Parks. Im Gegensatz zu den Klarwassergeysiren brodelt im *Mud Volcano* und seinen schwefligen Nachbarn eine »Suppe« aus Regenwasser, geschmolzenem Schnee und Matsch, die durch Dämpfe vulkanischen Ursprungs erhitzt und in Bewegung gehalten wird. Am schönsten blubbert es im übelriechenden ***Dragon's Calderon*** am Ende des gut 1 km langen Rundweges auf Holzbohlen.

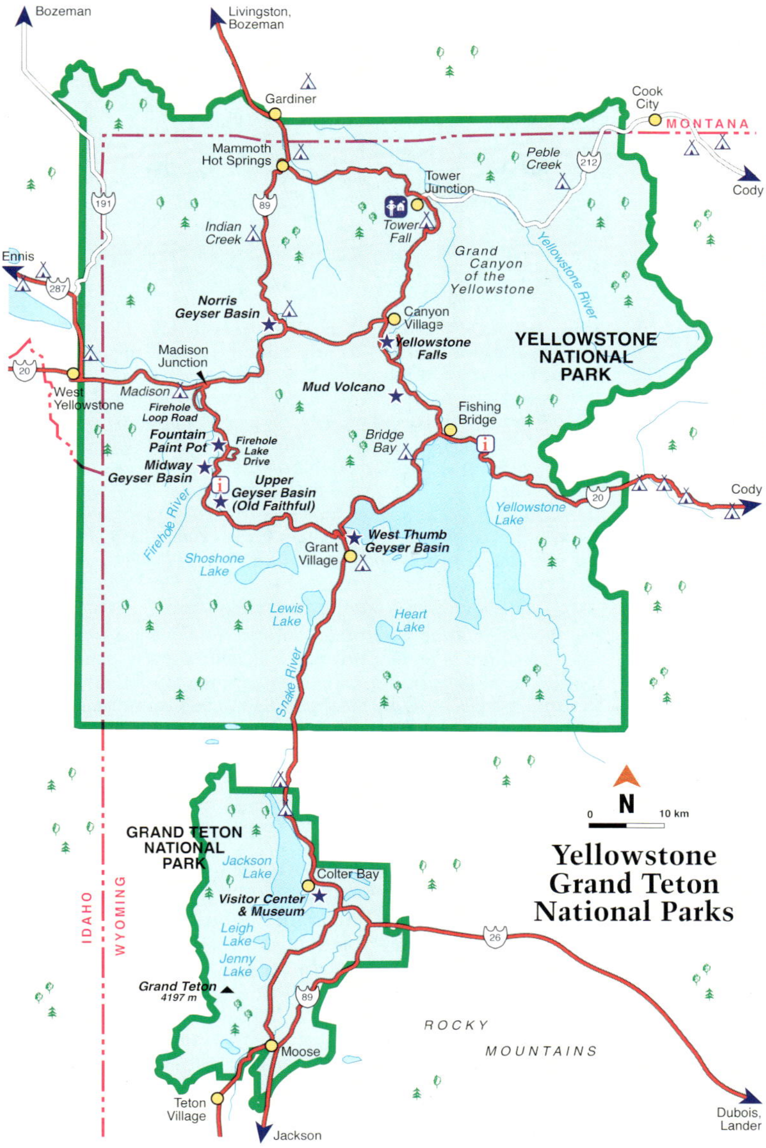

Yellowstone Grand Teton National Parks

7

Die Sinterterrassen der Mammoth Hot Springs, hier noch voll »in Betrieb«, ➤ *Seite 644*

Tierwelt

Außer für seine Geysire ist der *Yellowstone* bekannt für seinen Fisch- und Wildreichtum. Um **Rotwild, Elche** und die in den letzten Jahren hier heimisch gemachten **Büffel** zu sehen, braucht man die Hauptstraßen kaum zu verlassen, speziell nicht in den frühen Morgen- und Abendstunden. Als beste Region zur **Wildbeobachtung** gilt das ***Hayden Valley*** zwischen *Mud Volcano* und *Canyon Village*. **Schwarz-** und **Grizzlybären** machen sich eher rar. Vorwitzige Exemplare, die sich wiederholt von den Essensgerüchen der Campingplätze anlocken lassen, werden in abgelegene Gebiete transportiert. **Verhaltensmaßregeln für überraschende Begegnungen mit Bären und Bisons** finden sich in ***Yellowstone Today***; darüberhinaus erhält man bei der Einfahrt in den Park ein gesondertes Merkblatt zum Verhalten gegenüber Bären.

Unterkunft im Park

Eine besondere **Problematik** des *Yellowstone* wie ja auch anderer besonders populärer Nationalparks betrifft die Unterkunft. **Im Sommer sind Hotels und *Lodges* extrem langfristig ausgebucht**. Wer in der Lage ist, frühzeitig zu disponieren, kann nicht nur in teuren Hotels wie dem unübertroffenen ***Old Faithful Inn***, sondern auch etwas günstiger **unterkommen**. Einfach eingerichtete **Zimmer mit bis zu 4 Schlafplätzen** gibt es unter hübschen Bezeichnungen wie ***Roughrider, Budget*** und ***Frontier Cabins*** am *Upper Geyser Basin*, bei *Mammoth Hot Springs* und in Tower Junction (*Roosevelt Lodge*). Sie kosten zwischen ab ca. $50 und $120. Einige Quartiere öffnen ihre Pforten erst im Juni und schließen bereits Ende August/Anfang September.

Reservierung: ✆ & Internet

Die **Reservierung aller Unterkünfte** erfolgt seit einigen Jahren zentral durch die Firma **Xanterra**: ✆ **1-866-439-7375 und (307) 344-7311; Internet** unter: www.travelyellowstone.com.

Außerhalb

Außerhalb des Parks verfügt **West Yellowstone** (www.westyellowstonechamber.com) über das größte und vielfältigste Zimmerangebot vom ***International Hostel*** im alten *Madison Hotel* (✆ 1-800-838-7745, $23, auch EZ/DZ $42; www.wyellowstone.com/madisonhotel) bis zum stilvollen ***Stage Coach Inn*** mit Sauna und *Whirlpool* (im Sommer $69-$139, ✆ 1-800-842-2882; Internet-discount: www.yellowstoneinn.com).

Gardiner am Nordeingang ist ruhiger und preiswerter; www.gardinerchamber.com. Das gilt erst recht für **Cooke City**, eine Siedlung rustikaler Blockhäuser mitten im *National Forest* nordöstlich des Parks an der reizvollen Straße #212, ➤ Seite 648; www.cookecitychamber.org.

IMAX-Kino/ Museum

Wer schon mal in West Yellowstone ist, kann sich die Wunder des *Yellowstone* auch im Superleinwandformat ansehen. Das **IMAX-Theater** (www.yellowstoneimax.com) steht unübersehbar am Ostende des Ortes; stündlich 9-20 Uhr. **$8/$6** Eintritt sind happig, aber besser angelegt als $5 fürs ***Museum of the Yellowstone*** um die Ecke; www.yellowstonehistoriccenter.org

In **West Yellowstone**, im ***Canyon Village*** und im ***Old Faithful Inn*** kann man **Rundfahrten** durch den Park buchen (ab $39). Bei ausreichend Zeit ist für den Bereich *Norris* bis *Old Faithful* ein **Leihfahrrad** sicher für manchen eine reizvolle Alternative zur motorisierten Besichtigung (ab ca. $20/Tag in West Yellowstone).

Camping

Die besten (einfachen) **Campingplätze** im zentralen Bereich des *Yellowstone* sind ***Norris*** und ***Madison***. Einige Plätze sind für Zelte nicht zugelassen (***Hard sided Camping only***, da nur »harte« Wände von Campmobilen ausreichend Schutz gegen Bären bieten). 5 Plätze (von insgesamt 12) mit dem Gros der Gesamtkapazität sind aus der Vergabe *first-come-first-served* herausgenommen: ***Madison*** und die etwas komfortableren Plätze ***Canyon, Grant Village, Bridge Bay*** (alle $17) und ***Fishing Bridge*** (nur RVs, mit $34 teuer+unattraktiv) können reserviert werden, ➤ links. Ohne Reservierung findet im Sommer im Yellowstone meist nur Platz, wer früh morgens anreist. Außerhalb der Sommersaison (Ende Mai bis *Labor Day*) ist die Campingkapazität reduziert.

Die verkehrsmäßig günstigsten **Ausweichmöglichkeiten** bieten ***National Forest Campgrounds*** nördlich von West Yellowstone/ Montana und im *Hebgen Lake* Bereich: Am nächsten liegt ***Bakers Hole*** an der #191, ca. 5 mi vom Ort. Weiter entfernt (#287), aber schön ist ***Beaver Creek*** hoch über dem See, 25 mi bis Parkeingang.

Im Old Faithful Inn, einem eindrucksvoll konstruierten überdimensionalen Blockhaus

Darüberhinaus gibt es auch gute kommerzielle Plätze in **West Yellowstone**: z.B. den hochkomfortablen ***Yellowstone Grizzly RV-Park*** in Fußgängerdistanz zu Restaurants und Läden; Reservierung © (406) 646-4466; www.grizzlyrv.com. Am ***Madison Arm*** des Hebgen Lake gibt es eine ***Marina*** mit ***Campground***, © (406) 646-9328; www.madisonarmresort.com.

Die schön gelegenen ***NF-Campgrounds*** an der **#14/#16 nach Cody** befinden sich weitab der Geysir-Felder und eignen sich eher für die Übernachtung vor oder nach Besuch des Parks. Das gilt erst recht für die Plätze **östlich von Cooke City** an der #212, die im übrigen nur wenig NF-Romantik bieten, ➤ unten.

7.2.4 Vom Yellowstone durch Wyoming zu den Black Hills

Nach Cody

Neben der Strecke durch den *Grand Teton Park* ist die **Straße #14/#16/#20** über Cody die meistbenutzte und zugleich sehr attraktive Zufahrt zum *Yellowstone*. Eine ganze Reihe von wunderbar in das Tal des Shoshone River eingebetteter ***NF-Campgrounds*** säumen den Abschnitt zwischen Park und Wapiti. Im ***Wapiti Valley*** ballen sich komfortable ***Guest Ranches***, in denen man gerne einige Tage bleiben möchte.

Preiswertes Camping ohne viel Komfort in Cody-Nähe (gute 8 mi) bietet der kleine ***State Park*** am ***Buffalo Bill Reservoir***. Letzter Höhepunkt vor Erreichen der Stadt ist der ***Shoshone River Canyon***, durch den sich die Straße hindurchzwängt, mit dem ***Buffalo Bill Dam***; http://wyoparks.state.wy.us/BBslide.htm.

Über den Chief Joseph Highway

Wer sich nach einer Runde durch den *Yellowstone Park* für die weite Nordostausfahrt über **Cooke City**/Montana, einem urigen **Nest im Blockhauslook**, entscheidet (dort sind Motels und *Lodges* kaum halb so teuer wie in Jackson), wird für den Umweg (in Richtung Cody) mit dem **Erlebnis des *Chief Joseph Highway* #296** belohnt. Die Straße ist perfekt ausgebaut, aber weniger befahren, und bietet tolle Ausblicke. An der Strecke liegen der ***NF-Campground Hunter*** und am gleichnamigen *Creek* der – trotz der Bezeichnung – idyllische Platz ***Dead Indian***.

Bear Tooth Pass (#212)

Hinweis: Die Straße #212 nach Osten führt über den 3000 m hohen ***Bear Tooth Pass***. Diese **sagenhafe Strecke** lässt sich – statt der direktenFahrt über Gardiner – in Verbindung mit der #78 nach Columbus gut als Alternativroute nach Norden/Westen nutzen (+1 Tag). In Columbus ist der ***City Campground Itch-Kep-Pe*** am Fluss gratis (*donation* für Brennholz).

Cody

Die **Hauptstadt des Buffalo Bill Kultes** lebt vom *Yellowstone*-Tourismus. Die entsprechende Infrastruktur (***Motels***, ***Campgrounds***, ***Restaurants)*** prägt das Erscheinungsbild. Und auch hier gilt: Die **Moteltarife** und Restaurantpreise liegen klar unter denen in Jackson. Ebenso aber wie in Jackson gibt es ein breites Angebot an ***Outdoor*-Aktivitäten**, darunter die populären Schlauchbootfahrten, hier über die Stromschnellen des Shoshone River; www.codychamber.org, www.yellowstonecountry.org.

Buffalo Bill, Western-Legende schon zu Lebzeiten

Bis in die 30er-Jahre des letzten Jahrhunderts galt Buffalo Bill weltweit als die Personifizierung des amerikanischen Westhelden. Wer ihn nicht in seiner Wildwest-Show erlebte, kannte die zahllosen Novellen und Comic Strips, in denen er die Rolle des Gerechten im wilden Land der Cowboys und Indianer spielte. Die von ihm selbst mitbegründete Stadt Cody und die Buffalo Bill Memorial Association sorgen bis heute dafür, dass ihr Held nicht in Vergessenheit gerät.

Tatsächlich folgt William Codys Lebensweg der Eroberung des Westens bis zu den letzten Indianerkriegen und ist in erstaunlicher Weise immer wieder eng verbunden mit einer Vielzahl von Ereignissen und Namen, die später in die Geschichte eingingen.

*Im Alter von acht Jahren kommt er mit seiner Familie nach Fort Leavenworth am Ufer des Missouri River in Kansas. Als Elfjähriger verlässt er nach dem Tod seines Vaters die Schule und trägt als reitender Bote, Fallensteller und Goldwäscher zum Familienunterhalt bei. Mit vierzehn heuert er beim legendären Pony Express Service an, der 1860/61 Briefe in 10 Tagen von St. Joseph in Missouri nach Sacramento in Kalifornien beförderte (3.200 km), und macht sich einen Namen, als er nach Ausfall von 2 Anschlussreitern drei 100-mi-Etappen in 22 Stunden durchgaloppiert. Nach dem Bürgerkrieg verdingt er sich als Pfadfinder bei der Armee und versorgt zeitweise über 1000 Gleisbauarbeiter mit einer täglichen Frischfleischration von 12 Büffeln, was ihm seinen Beinamen »**Buffalo Bill**« einbringt.*

Als er 1872 bei einer Jagdpartie Fürst Alexanders von Russland die begleitenden Journalisten mit seinen Schießkünsten beeindruckt, geht sein Name durch die gesamte Presse und ein Bühnenstück »Buffalo Bill: King of the Border Men« entsteht. Beim nächsten Stück »The Scouts of the Prairies«spielt er seine Abenteuer selbst und feiert große Tourneeerfolge.

Seine Idee von der Wild-West-Show verhilft Bill Cody 1883 auch zu internationalem Ruhm. Nach immer ausverkauften Vorstellungen in den USA transportiert er eine Crew von 600 Mitwirkenden und 500 Rindern, Pferden und Büffeln in die Alte Welt und führt den staunenden Europäern den »Wilden Westen« vor: Büffeljagden, Indianerüberfälle auf Wagenburgen, Schlachten zwischen Armee und Sioux und nie gesehene Reit- und Schießkapriolen mit Buffalo Bill als Hauptakteur.

*Sogar der Adel ist begeistert, und **Kaiser Wilhelm** beglückt seine Offiziere mit Nachhilfestunden in Logistik durch den großen Organisator aus Amerika.*

Das Aufkommen des Kinos läutete indessen den Niedergang der teuren Live-Show ein. Es konnte Wildwest-Abenteuer billiger und in rascher Folge produzieren. Hohe Tourneeverluste entstanden, und bald waren die einst verdienten Millionen aufgebraucht. 1913 kamen die Reste von Bill Codys Wildwest-Imperium unter den Hammer. Er selbst machte weiter bis zum 70. Lebensjahr und trat in Zirkus und auf Showbühnen auf, bevor er am 10. Januar 1917 in die ewigen Jagdgründe einging.

Buffalo Bill wurde auf dem Lookout Mountain bei Denver begraben; ➤ Seite 672 und www.buffalobill.org.

7

Buffalo Bill Historical Center

Besuchsmuss ist ***Buffalo Bill Historical Center***, www.bbhc.org: Der beeindruckende Museums-Komplex (unübersehbar an der Durchgangsstraße gegenüber dem grünen **Town Square**, wo sich auch das ***Visitor Center*** der Stadt befindet) präsentiert nicht nur eine breite **Ausstellung zu Leben und Legende von *Buffalo Bill***, sondern besitzt außerdem ein beachtliches **Museum zur Kultur der Prärieindianer**, eine kaum zu überbietende Kollektion von Colts und Gewehren im ***Cody Firearms Museum*** und die beachtliche ***Whitney Gallery of Western Art***. Die Gemälde- und Skulpturensammlung dieser Galerie wird in einer solchen Breite von keinem anderen Spezialmuseum für die Kunst des Westens erreicht. Ein ***Museum of Natural History*** kam kürzlich noch hinzu: Der kombinierte Eintrittspreis für alle (kein Einzeleintritt) ist hoch, aber dafür akzeptabel: **$15**; 13-17 Jahre $10, bis 12 Jahre $6; es gilt für 2 Tage. Mai-September 8-20 Uhr, sonst 8/10-15/17 Uhr.

Gunfighters & Rodeo

Anfang Juni bis Ende August beginnt täglich um 20.30 Uhr in der Arena am hinteren ***West Cody Strip*** (Ausfallstraße zum *Yellowstone)* das kleine **Wildwestspektakel für Touristen**. Die Anfangszeit ist gut gewählt, denn um 18 Uhr (Mo-Sa) treten beim ***Irma Hotel*** (an der Ecke Sheridan Ave/12th Street; www.irmahotel.com) die ***Cody Gunfighters*** (Link vom *Irma Hotel*) auf und veranstalten das unverzichtbare ***Shoot-out***. Danach ist noch Zeit fürs *Dinner* und dann geht's zu den ***Rodeo Grounds***. Diese nicht supertollste Rodeo-Veranstaltung ist aber die $18, bis 12 Jahre $8 Eintritt noch gerade wert. Für die danach staubtrockene Kehle gibt es zur ***$100.000-Bar*** im *Irma Hotel*, einem Geschenk der *Queen Victoria* von England für *Buffalo Bill*, keine Alternative.

Vor dem *Buffalo Bill Center* stehen pittoreske ***Teepees*** im Sioux-Look. Sie werden in Cody in diversen Größen auch für den Privatgebrauch produziert und auf Wunsch nach Europa verschickt: ***Western Canvas***, © 1-800-587-6707; www.westerncanvas.com.

Von Cody nach Westen

Zur Fortsetzung der Fahrt von Cody über die ***Bighorn Mountains*** nach Osten stehen mehrere entfernungsmäßig nicht sehr voneinander abweichende Routen zur Wahl:

Thermopolis

- Dank der **Sandsteinformationen** am Wege ist die **Straße #120 nach Thermopolis** am eindrucksvollsten (www.thermopolis.com). Der vielversprechende Name des Städtchens bezieht sich auf die weltgrößten Vorkommen heißer Thermalquellen. Die ***Hot Springs*** konzentrieren sich auf den Uferbereich des Bighorn River in East Thermopolis. Unübersehbar sind die Kalziumterrassen des ***Hot Springs State Park***, dessen schlichte Pools **gratis** benutzt werden dürfen; http://wyoparks.state.wy.us/HSslide.htm. Ringsherum beuten in die Jahre gekommene Planschparks die Heißwasservorkommen aus. Camper können preiswerter an den Segnungen der Quellen partizipieren: Zum ***Fountain of Youth RV Park*** (ab $24) an der #20 North gehört ein schönes Thermalschwimmbecken im Grünen. © (307) 864 -3265; www.fountainofyouthrvpark.com.

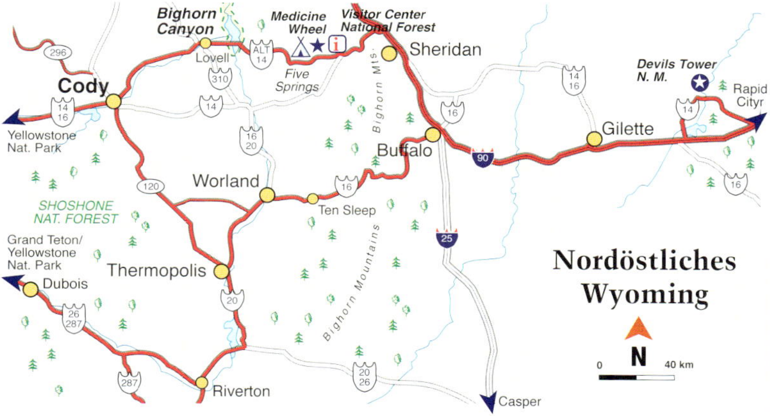

Ten Sleep Canyon/#16

- Ohne Umweg über Thermopolis erreicht man entweder auf der **Kombination #120/#431** oder auf der #16 Worland. Die Weiterführung der **Straße #16** ist die am besten ausgebaute und gleichzeitig – im Abschnitt von Ten Sleep durch den ***Ten Sleep Canyon*** bis hinauf zum ***Powder River Pass*** in 3.000 m Höhe – **spektakulärste Strecke** über das *Bighorn*-Gebirge.

Einige hübsche ***NF-Campgrounds*** befinden sich sowohl im Tal (*Leigh Creek* und *Ten Sleep*) als auch in der Höhe abseits der Durchgangsstraße.

Straße #14

- Die **Straßen #14/#14A** verlaufen östlich von Cody recht eintönig durch die Prärien zwischen *Rocky* und *Bighorn Mountains*. Auch sie klettern über Passhöhen im 3.000 m Bereich und führen durch einsame Gebirgslandschaften, in denen sich *National Forest Campgrounds* verstecken. Wer in den Hochlagen campen möchte, muss bedenken, dass es auch bei gutem Wetter **nachts sehr kühl** werden kann, und **Nachtfröste** selbst im Juli/August keine Seltenheit sind.

Straße #14A

- Wählt man die nördlichste Verbindung **#14A**, passiert man die Zufahrt zur ***Bighorn Canyon National Recreation Area***. Der Stausee des Bighorn River erfreut sich wegen seiner abseitigen Lage, der kargen Umgebung und der oft graubraunen Trübung des Wassers keiner großen Beliebtheit. Reizvoll ist aber der Blick vom ***Devil's Canyon Overlook*** (von der #14A etwa 13 mi) tief hinunter auf das dort zwischen den Steilwänden eingezwängten *Bighorn Reservoir*.

Five Springs

Der kleine ***Einfach-Campground Five Springs*** des *BLM*, etwa 22 mi östlich von Lovell im Aufstieg zu den *Bighorns*, kostet ein paar steile Zusatzmeilen. *Picnic Tables* und eine Handvoll Stellplätze (bis auf einen Platz nur für Zelte) fügen sich idyllisch in die Landschaft unterhalb der **Fälle** ein.

Medicine Wheel

Etwa 6 mi östlich der Zufahrt zu den *Five Springs* zweigt hoch in den *Bighorns* eine *Gravel Road* zum ***Medicine Wheel*** ab, einem rätselhaften »Rad« mit zahlreichen aus Steinen zusammengelegten »Speichen« von 25 m Durchmesser auf einem Plateau unterhalb des *Medicine Mountain.* Rundherum befinden sich weitere künstliche Felsgebilde, deren Herkunft und Sinn im Dunkeln liegen. Nach kurzer rauher Anfahrt erreicht man eine *Ranger Station* und einen Parkplatz; von dort muss man zum *Medicine Wheel* noch ca. 2,5 km laufen. Lohnenswert bei hohem Interesse an indianischer Kultur.

Bighorn Mountains

Wer **einsame Gebirgswelt** fern vom touristischen Hauptbetrieb sucht, wird mit den *Bighorn Mountains* im Grunde viel besser bedient als in den »richtigen« *Rocky Mountains* im gleichnamigen Nationalpark von Colorado oder in den *Tetons*. Nicht einmal in der **Höhe** stehen die Gipfel der *Bighorns,* einer Teilformation der nordamerikanischen Kordillere (➤ Seite 19), den *Rockies* sonderlich nach. Bei Outdoor-Enthusiasten ist die ***Cloud Peak Wilderness Area***, ein großes Gebiet um die Gipfel der *Bighorns* herum ein Geheimtipp.

Ein ***National Forest Visitor Center*** unweit der Ecke #14/#14A (*Burgess Junction*) hält Karten und eine *Campground*-Übersicht bereit; www.fs.fed.us/r2/bighorn/recreation/wilderness und www.bighornmountains.com (dort auch Infos zu Sheridan und Buffalo).

Wer in dieser Region einen Campingplatz sucht, aber die kalten Nächte auf den *NF-Campgrounds* in der Höhe vermeiden möchte, findet gleich östlich der Berge in Dayton einen guten Platz mit Stellplätzen an einem Flüsschen (Schwimmen): ***Foothills Motel & Campground***, © (307) 655-2547; www.foothillscampground.com.

Ostseite der Bighorns/ Sheridan

Die größten Ortschaften im unmittelbaren Einzugsbereich der *Bighorns,* aber bereits im Tiefland sind **Sheridan** und **Buffalo** mit 15.000 bzw. 5.000 Einwohnern. Keines der beiden ansehnlichen Städtchen verfügt über größere Sehenswürdigkeiten. Aber als Zwischenstation sind sie mit ihrer dichten Infrastruktur bestens geeignet; www.sheridanwyoming.org, www.buffalowyo.com.

In Sheridan gibt es gut **20 Motels** und **Hotels** entlang der Main und Coffeen Ave zu moderaten Tarifen. Das sehenswerte historische ***Sheridan Inn*** am Broadway/5th St mit einer langen Liste illustrer Gäste kann zur Zeit nur besichtigt werden; www.sheridaninn.com. Ein originelles ***Brewpub*** wartet in der East Alger Street auf Gäste: ***Sanford's Grub Pub & Brewery***.

Buffalo

Für Buffalo giltebenfalls: viele Motels zu günstigen Tarifen. Was das *Sheridan Inn* dort ist hier das allerdings bewohnbare ***Occidental Hotel*** an der Main Street: © (307) 684-0451, ab $75; www.occidentalwyoming.com. Ganz ungewöhnlich für Amerika ist der riesigee ***Swimming Pool*** im Washington Park (gratis).

Rodeo

Wie es sich für Wyoming gehört, finden im Sommer große **Rodeos** statt, in Sheridan 2. Wochenende im Juli, in Buffalo mit ***Fair*** am 2. Wochenende des August.

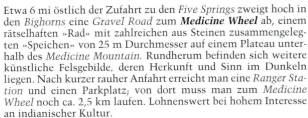

7.2.5 Die Black Hills Region

Geschichte

Von Buffalo geht es auf der Interstate #90 rund 100 mi durch eintönige, hügelige Weidelandschaft (*Grasslands*), bevor man die nordwestlichen Ausläufer der ***Black Hills*** erreicht, ein aus den umgebenden Prärien herausragendes, seenreiches **Mittelgebirge** im Grenzgebiet von Süddakota und Wyoming. Einst waren die *Black Hills* geheiligtes Land der ***Sioux*** und ***Cheyenne*-Indianer.** Es wurde ihnen 1868 von der US-Regierung in einem von zahlreichen, kurzlebigen Verträgen dieser Art als unantastbarer Landbesitz zugesprochen. Vorbei war es aber damit schon 1875: Als in den Schwarzen Bergen **Gold** entdeckt wurde, strömten Tausende von Prospektoren ungehindert ins Indianerland. Die Obrigkeit unternahm nichts gegen den **Vertragsbruch** durch die eigenen Bürger. Zwar wehrten sich die *Sioux* verzweifelt und errangen auch 1876 am ***Little Bighorn River*** gegen die US-Armee unter ***General Custer*** noch einmal einen großen Sieg, aber die *Black Hills* blieben verloren. Die nach darauffolgenden Massakern (bekannt wurde vor allem ***Wounded Knee*** **1890**) überlebenden *Sioux* mussten in Reservate nach Montana und Süddakota umsiedeln.

Situation heute

Heute ziehen die schwarzwaldähnlichen *Black Hills* alljährlich **Hunderttausende von Touristen** an. Für die Bevölkerung der benachbarten Präriestaaten sind sie im Sommer wie im Winter die attraktivste Landschaft weit und breit. Seit 1941 bilden zudem die vier **Präsidentenköpfe im Granit des *Mount Rushmore*** einen Anziehungspunkt, den jeder aufrechte Amerikaner mindestens einmal in seinem Leben gesehen haben muss.

Devils Tower Nat'l Monument

Gerade noch in Wyoming erreicht man das ***Devils Tower National Monument*** von der I-90 über die Straßen #14/#24 (35 mi). Der Teufelsturm, ein riesiger abgeplatteter Klotz aus Säulenbasalt, erhebt sich weithin sichtbar ca. **270 m** über die auslaufenden *Black Hills*. Trotz all der Mythen, die sich um seine **Entstehung** ranken, ist diese wissenschaftlich unbestritten.

Eintritt
$8/Auto $3/Person oder Interagency Jahrespass

Die Geologen interpretieren den *Devils Tower* als ***Volcanic Plug***, den erkalteten Kern eines Vulkans, dessen umgebendes, weicheres Gestein nach und nach erodiert ist; www.nps.gov/deto.

Plastisch und detailliert wird dieser Vorgang im ***Visitor Center*** erläutert. Eine andere mystische Deutung gab dem Gelände der Film **»Begegnungen der Dritten Art«** von *Steven Spielberg*. Demzufolge entstand der *Devils Tower* als ein – von langer Hand vorbereiteter – Landeplatz der Außerirdischen.

Rund um den Teufelsturm

Besonders **beliebt** sind die Hänge des *Devils Tower* bei Kletterern. Der Normalbesucher muss sich mit dem Rundwanderweg am Fuße des Berges begnügen (ca. 2 km). Die dafür notwendigen kaum mehr als 30 min sollte man sich unbedingt nehmen. Man ist bereits wenige hundert Meter vom Besucherzentrum entfernt fast allein auf diesem Weg. Die meisten Touristen begnügen sich mit dem Aussichtspunkt in Parkplatznähe. An Sommertagen gibt es fast immer Kletterkünstler in den Steilwänden. Sie zu beobachten ist ein Erlebnis.

Der ***Campground*** des *National Monument* liegt schön am Belle Fourche River, einem klaren Fluss mit Schwimmlöchern und geeignet zum *Inner Tubing*, ➤ Seite 35.

Man spart auf schöner Strecke einige Meilen, wenn man über die **Straße #24 *East*** und **#111** auf die I-90 zurückkehrt.

Spearfish Canyon

Am **Nordrand der *Black Hills*** in South Dakota, nur wenige Meilen südlich der I-90, liegen Deadwood und Lead, zwei historische **Goldrausch- und Minenstädte**. Von der I-90 sollte man die **Straße #14A** durch den pittoresken ***Spearfish Canyon*** der direkten, kürzeren #85 vorziehen. Sie führt über ca. 18 mi am gleichnamigen Creek entlang nach Cheyenne Crossing. Beim *Visitor Center* des *National Forest Service* in Spearfish (*Exit* 10) gibt es ein Faltblatt dieses *Scenic Byway*. Einen Zwischenstopp könnte man einlegen an den ***Roughlock Falls***: auf der Forststraße #22 etwa 1 mi ab der *Spearfish Canyon Lodge*. Etwas höher liegt der kleine ***NF-Campground Rod & Gun***, außerdem ein Drehort des Films »Der mit dem Wolf tanzt«.

Deadwood & Lead

Deadwood ist mit seinen authentischen Fassaden und Kneipen im Westernlook an der ***Historic Main Street*** attraktiver als der Nachbarort **Lead** (www.leadmethere.org), wo bis vor kurzem nur die ***Homestake Gold Mine*** Interesse beanspruchen konnte, ein tiefes Loch in der Landschaft; www.homestaketour.com. Aber seit einigen Jahren führt kein Weg mehr am Zwischenstopp in Lead vorbei. Im ***Presidents Park*** wurden 6 m hohe weiße Büsten aller bislang 42 US-Präsidenten zwischen den Bäumen aufgestellt, einfach irre .... Eintritt zwar $8, aber wer sich im Internet einen Coupon »2 for 1« ausdruckt, zahlt zu zweit die Hälfte; www.presidentspark.com.

Seit in **Deadwood** die (außer in Indianerreservaten) sonst in South Dakota illegalen Glücksspiele ***Poker*** und ***Black Jack*** zur Abrundung der historischen Realität wieder zugelassen und auch ***Slot Machines*** aufgestellt wurden, sind die Besucherzahlen gewaltig gestiegen, wie die Infrastruktur beweist. Was sich zuerst nur auf eine Handvoll alter *Saloons* beschränkte, ist heute in zahlreichen ***Gambling Halls*** vorhanden. In der Main Street verbirgt sich nun hinter jeder Fassade eine kleine Spielhölle. Im Beiprogramm der besonders betriebsamen Wochenenden gibt's **Rodeo** von Mitte Juni bis Ende Juli; www.deadwood.org.

Ermordung von Wild Bill Hickock durch Jack McCall

Fester Bestandteil der sommerlichen Touristensaison ist die unendliche Wiederbelebung der dramatischen Story von der Ermordung der Wildwestgröße ***Wild Bill Hickock*** durch *Jack McCall*. ***The Trial of Jack McCall*** wird täglich (außer So) um 19.45 Uhr auf der Main Street (***Shoot out***), danach im Gerichtssaal der *Old Towne Hall* vorgeführt; www.deadwood.org/OfficialGuide/AttractionsTours/TrialofJackMcCall/Index.cfm).

Den Beweis für die reale Existenz der Hauptpersonen des Stücks liefern die Gräber von *Wild Bill* und seiner ebenfalls im Wildwestruhm unsterblichen Freundin ***Calamity Jane*** auf dem Friedhof ***Mount Moriah Cemetery*** (Lincoln St, ausgeschildert); www.findagrave.com/cgi-bin/fg.cgi?page=cr&CRid=97271.

Der ***Saloon #10***, in dem sich das Verbrechen ereignete, ist auch noch da; www.saloon10shop.com.

Viele **Quartiere** in Deadwood befinden sich in Fußgängerdistanz zum Zentrum oder an einer ***Trolley Route***, die Hotelgäste von der westlichen Charles Street in die Stadt befördert.

Routen durch die Black Hills

Touristisches Hauptziel in den Black Hills (www.blackhillstouristinfo.com) ist – wie gesagt – das ***Mount Rushmore National Memorial***. Wer keinen Abstecher zum ***Badlands National Park*** plant, kann eventuell Rapid City links liegen lassen und über den ***Black Hills Parkway*** (Straße #385) und **Keystone** direkt dorthin

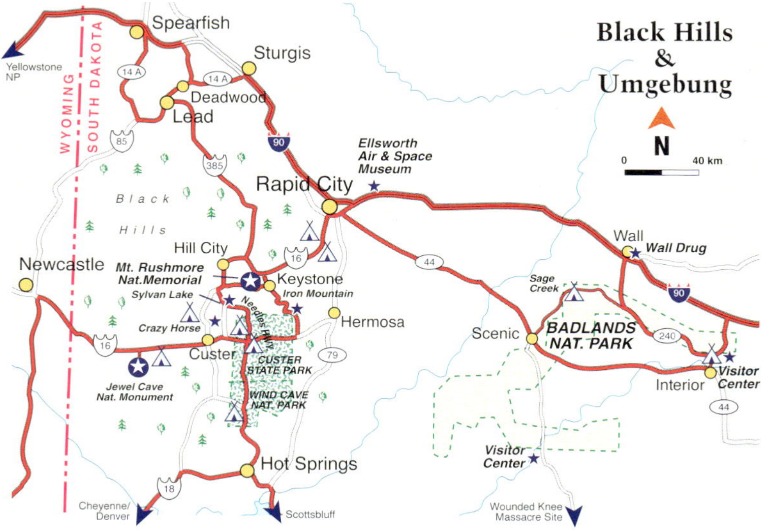

fahren. Da der *Parkway* bei starkem Verkehrsaufkommen im Sommer viel Zeit kostet, aber landschaftlich durchaus nicht umwirft, empfiehlt sich bei Fahrtziel *Badlands* eher die **Straße #14A** durch den ***Boulder Canyon*** nach Sturgis, dann die I-90.

Geheimtipp Rapid City und Umgebung

In Richtung *Badlands* führt kein Weg an **Rapid City** vorbei, das erst in den Tagen des *Black Hills*-Goldrausches entstand. Die Stadt ist das östliche **Eingangstor zu den Black Hills** und mit 62.000 Einwohnern die mit Abstand größte Stadt in mehreren hundert Meilen Umkreis. Während für viele Amerikaner allein schon das *Mount Rushmore Monument* Motiv genug ist für eine Reise in die abgelegenen Black Hills, erscheint Touristen aus Europa **Rapid City und Umgebung** kaum als vorrangiges Ziel, ist aber in Wirklichkeit eine Art Geheimtipp. Denn dort liegen neben dem ***Mount Rushmore*** und den ***Badlands*** der ***Custer State Park,*** der ***Wind Cave Nat'l Park*** und das ***Nat'l Monument Jewel Cave,*** außerdem die schon beschriebenen Ziele ***Devils Tower*** und **Deadwood**.

Information

Das Büro der **Tourist Information** befindet sich im **Civic Center** in der 444 Rushmore Road, ✆ 1-800-487-3223; Mo-Fr 9-17 Uhr. Für die Besuchsplanung sind hilfreich der ***Rapid City Planning Guide***, das ***Rapid City's VISITOR Magazine*** und das Heft ***Exploring the Black Hills & Badlands***; gute Info unter www.visitrapidcity.com.

Unterkunft

Rapid City verfügt über zahlreiche Hotels und Motels mit fast 5000 Gästezimmern. Die meisten ballen sich nördlich des Roosevelt Park entlang East North St/East Blvd, im Bereich des *Exit* 59 der I-90, im Zentrum (St Joseph/Main Street) und an der ***Mount Rushmore Road*** am südlichen Ortsausgang. Die großen Ketten der Mittelklasse (***Days Inn, Holiday Inn, Ramada, Best Western, Super 8, Quality*** u.a) sind teilweise mit mehreren Häusern vertreten. Juli/August und an Wochenenden von Memorial bis *Labor Day* wird die Kapazität knapp; sonst kommt man in Rapid City leicht unter. Die Tarife liegen etwas höherals in touristisch weniger frequentierten Bereichen, sind aber stark saison- und auslastungsabhängig. Außer in und um Rapid City findet man **Motels** bei der ***Ellsworth Air Force Base*** (➢ Seite 659) an der I-90 und besonders **zahlreich in Keystone** in unmittelbarer Nähe des *Mount Rushmore* (dort teurer!) und in **Custer** (preiswerter).

Einige **zusätzliche Adressen** neben den Kettenmotels, die man über ihre 800-Nummern anrufen kann (➢ Seite183), sind:

Motel/Hotel

- **Alex Johnson Hotel**, ✆ 1-800-888-2539, 523 6th St im Zentrum, fast ein Hochhaus, dennoch die historische Herberge im (innen) Nostalgie-Western-Look, ab ca. $98; www.alexjohnson.com.
- **Big Sky Lodge**, ✆ 1-800-318-3208, 4080 Tower Rd, ab $62; www.blackhillsbigskylodge.com
- **Mt. Rushmore President's View Resort (Motel)**, ✆ 1-800-504-3210 in Keystone, ab $50; www.presidentsviewresort.com
- **Fair Value Inn**, ✆ 1-800-954-8118, 1607 Lacrosse, ab $50; www.blackhillsbadlands.com/fairvalue

Bed & Breakfast

In Rapid City und den *Black Hills* gibt es viele *B&B*-Unterkünfte, z.T. auf *Ranches*. Eine **komplette Liste** aller *B&B*-Quartiere enthalten der *Rapid City Planning Guide*, ➤ links, und das Internet.

Camping

An der Mount Rushmore Road #16 befinden sich vor den Toren der Stadt eine ganze Reihe privater Campingplätze. Am besten schaut man, welcher zusagt; unter kommt man immer. Empfehlung: ***Lazy J RV-Park*** mit terrassierten, von der Straße zurückliegenden Arealen, auch Zelte, ca. 3 mi südlich, © (605) 342-2751; www.lazyjrvpark.com. Weitere Plätze in den Black Hills, ➤ weiter unten.

Restaurants

Obwohl ein dichtes gastronomisches Angebot existiert, sind kulinarische Feste in Rapid City wohl nicht zu feiern. Während der Sommersaison eine Alternative zum Üblichen bieten ***Chuckwagon Supper & Shows***, u.a. auf der ***Flying T-Ranch*** an der #16 zum *Mount Rushmore*, ca. 6 mi südlich Rapid City. Nach Verzehr der rustikalen Cowboy-Kost vom Blechteller läuft die *Country-Western-Show*; täglich um 18.30 Uhr, $18; www.flyingt.com.

In der ***Firehouse Brewing Company*** mit 12 verschiedenen – in der lokalen Micro-Brauerei hergestellten – Biersorten gibt's auch was Ordentliches zu beißen. Unverfehlbar in der 610 Main Street neben der *Prairie Edge Gallery*; www.firehousebrewing.com.

Black Hills Souvenirs

Typische Produkte aus Rapid City bzw. den *Black Hills* sind Schmuckstücke, hergestellt aus ***Black Hills Gold***. Schmuck- und Souvenirläden lassen sich nicht verfehlen. Einen Souvenirshop ungeheurten Ausmaßes findet man beim *Visitor Center* des *Mount Rushmore*. Viele lokale Motive und Muster wirken allerdings in europäischen Augen konventionell bis kitschig.

Anders ist es mit **Kunsthandwerk und Gebrauchsartikeln der *Sioux*-Indianer**, erhältlich z.B. im Shop des Museums *The Journey* (➤ nächste Seite) oder im unübertroffenen ***Prairie Edge***, *Shop* und ***Sioux Gallery***, an der Ecke 6th/Main St. Sagenhaft, was dort an ***Indian Craft*** vorrätig ist – ebenso indessen auch das Preisniveau; www.prairieedge.com.

Souvenirs und »Old Tyme« Fotos in Wildwest-Verkleidung gibt's in diesem Shop in Keystone unmittelbar vor dem Mount Rushmore Memorial

Museen

Besondere Attraktionen hat Rapid City als Stadt nicht zu bieten, aber zwei Museen sind besuchenswert:

- ***The Journey***, 222 New York St, ein schon architektonisch modernes Museum zu Archäologie (Fossilien, Dinosaurierknochen etc.) und Geologie (u.a. interessante Mineraliensammlung) und Geschichte der Black Hills, speziell der Sioux-Indianer und – sehr ausführlich – der weißen Besiedelung. Es fasst früher in drei (heute geschlossenen) Museen ausgestellte Stücke in einer neuen Aufbereitung zusammen. Sehenswert bei Themeninteresse. im Sommer täglich 9-17 Uhr, sonst ab 10 Uhr, So ab 13 Uhr, $7, bis 17 Jahre $5, unter 10 Jahre frei. Die Website hat sogar eine deutsche Fassung; www.journeymuseum.org.
- ***Dahl Fine Arts Center,*** 713 7th St. Das Kunstmuseum beherbergt u.a. ein – leicht naiv-verklärendes – Rundum-Wandbild (***Mural***) des Malers B. P. Thomas von 60 m Länge. Es führt durch 200 Jahre (weißer) amerikanischer Geschichte bis zum imaginären Aufbruch ins Weltall. Mo-Sa 9-17 Uhr, im Sommer z.T. länger. Frei, aber Spende; www.thedahl.org.

Dino Park

Gerne weist man vor Ort auf den ***Dinosaur Park*** hin, in dem einige knallgrüne **Zementdinosaurier** stehen. Der Park befindet sich auf einer Anhöhe über der Stadt (Skyline Drive westlich Quincy St, ausgeschildert; im Sommer zugänglich 8-22 Uhr). Derartige Simpel-Dinos beeindrucken heute zwar nicht einmal mehr Kinder, aber der weite Blick über Rapid City lohnt die Auffahrt.

Kommerzielle Attraktionen

Außer in Museen können sich die Besucher von Rapid City in kommerziell betriebenen Attraktionen der Umgebung die Zeit vertreiben. Ob im ***Bear Country***, in den ***Reptile Gardens***, diversen illuminierten **Höhlen**, in **Goldminen** mit Waschpfannen (Erfolg garantiert) und Untergrund-Wasserfällen, die Möglichkeiten für ein volles Programm sind vielfältig. Alles steht in den empfohlenen Broschüren samt den durchweg hohen Eintrittspreisen.

Bizarre Sandsteinformationen im Badlands National Park

Exkurs

Abstecher zum Badlands National Park

Wer bis zu den Black Hills reist, sollte auf einen Abstecher zum *Badlands National Park* nicht verzichten. Am Weg zum Park befinden sich zwei interessante Zwischenziele:

Ellsworth Militär-flugzeug-Museum

- Rund 10 mi östlich von Rapid City (Ausfahrt #66 vom *Freeway*) die ***Ellsworth Air Force Base*** mit dem ***South Dakota Air & Space Museum***, einer Ausstellung ausgemusterter Militärflugzeuge und Raketen (9-18 Uhr); www.ellsworth.af.mil/visitors. Der bereits für sich eindrucksvolle ***Open-Air Park* ist eintrittsfrei**. Eine mäßig spannende Führung zum ***Minuteman II*-Silo** (eventuell) vorbei an **B-1B** und ***Stealth* Bombern** kostet $5 (inkl. Bustransport); Frequenz nach Besucheraufkommen. Ellsworth ist (auch heute noch) die Kommandozentrale einer weltweit einsatzfähigen Vernichtungskapazität von Interkontinentalraketen und einer Flotte von Langstreckenbombern. Einige der B1-B-Bomber werden (nicht erst seit 9/11) rund um die Uhr atomar bestückt startbereit gehalten.

Wall Drug

- Das **Dorf Wall** an der I-90 nördlich der westlichen Zufahrt zum *Badlands Park*, Heimat des größten und kuriosesten ***Drug Store*** der USA; www.walldrug.com. Der aus vielen Läden, Snack Bars und Ausstellungen zusammengesetzte Komplex ist wie ein ***Shopping Center* mit Museen**. Alles hat damit begonnen, daß die Gründer (in den 1930er-Jahren) die Idee hatten, Autofahrer mit ***Free Ice and Coffee for 5 Cents*** in ihren Laden zu locken. Beides gibt es heute noch. *Wall Drug* macht über Hunderte von Meilen auf sich aufmerksam und wurde zu einer eigenständigen Touristenattraktion, die einen Stop vor oder nach dem Besuch der *Badlands* verdient. ***Motels*** und ***Campgrounds*** fehlen auch nicht.

Anfahrt Badlands

Es macht Sinn, den Besuch des ***Badlands National Park***, www.nps.gov/badl. über dessen Osteingang zu beginnen, wenn eine Rückkehr in Richtung Black Hills/Wyoming geplant ist. Mit den Vorausinformationen des ***Visitor Center*** am Ostende hat man ggf. mehr von einer Fahrt durch den Park. An der ***Entrance Station*** gibt es die übliche Farbkarte mit Erläuterungen und die Zeitung ***The Prairie Preamble***.

Badlands National Park

Nach den rund 80 mi (von Rapid City aus) durch eintönige Prärie tauchen schon bald nach Verlassen der I-90 die ersten bizarren Sandsteinformationen und seltsam ausgewaschene graue Erdhügel auf. Schon auf dem ***Door Trail*** (1 km) noch vor Überquerung des *Cedar Pass* gelangt man mitten hinein in die Mondlandschaft der *Badlands*. Schlechtes, ungeeignetes Land für eine Durchquerung befanden die ersten Europäer, die als Trapper und Abenteurer hierher gelangten. Um ***bad lands*** handelte es sich auch für die nachfolgenden Siedler, unfruchtbar und schwer zugänglich.

Eintritt
$10/Auto
$5/Person
oder
Interagency Jahrespass

Im ***Visitor Center*** erfährt man alles zu den geologischen Ursprüngen und Geschichte dieses ungewöhnlichen Gebietes. Der ***Cliff Shell Nature Trail*** in der Nähe des Besucherzentrums veranschaulicht die Erkenntnisse praxisnah.

Ein einfacher **Campground** liegt ungeschützt gegen die häufigen Winde in fast vegetationslosem Terrain in der Nähe des Besucherzentrums. Gratis campt man auf dem ***Sage Creek Campground***, einem nur auf Schotter zu erreichenden Primitivplatz in der Nordwestecke. Dort sind häufig auch Büffel zu sehen

Mit der ***Cedar Pass Lodge*** ist auch ein passables Quartier vorhanden; Tarife für *Cabins*: $65 für 2, © (605) 433-5460.

Rundkurse

Entlang der **Parkstraße** am Rande der Abbruchkante zwischen hoher Prärie und *Badlands* gibt es zahlreiche Halte- und Aussichtspunkte (am besten *Pinnacles Overlook*), die immer wieder neue Einblicke in die Vielfalt und -farbigkeit der Formationen vermitteln.

Eine Gravelroad führt beim *Seabed Jungle Overlook* hinunter zur ***Conata Picnic Area*** in den zerfurchten Abhängen.

Büffel

Die einst nahezu ausgerotteten ***Bisons*** (Büffel) wurden im *Badlands Park* wieder heimisch gemacht. Wegen der Ausdehnung des Parkareals bis weit in die Ebenen unterhalb des Abbruchs sind die Aussichten, Exemplare dieser Präriebewohner aus geringer Distanz zu Gesicht zu bekommen, außer im Bereich *Sage Creek Campground* relativ gering. Büffeln begegnet man eher im *Wind Cave* und *Yellowstone National Park*.

Alternative Routen

Die Wahl der ***Sage Creek Rim Road*** nach Scenic ist wenig sinnvoll ohne die Absicht, auf dem *Sage Creek Campground* zu übernachten. Wer ein doppeltes Abfahren der I-90 vermeiden will, sollte von Rapid City zunächst auf der **#44 bis Interior** fahren und von dort der ***Badlands Loop Road*** folgen. Wall und Ellsworth steuert man dann auf der Rückfahrt an. Umgekehrt ist das natürlich auch möglich, aber das *Visitor Center* besucht man dabei erst am Ende der Fahrt.

Wounded Knee

Wer sich intensiver für die Geschichte der Sioux interessiert, kann über die #44/#2 und/oder die #27 weiterfahren zum Ort des berüchtigten Massakers am ***Wounded Knee River***. Zu sehen gibt es an der »Biegung des Flusses« indessen wenig. Ein sehr simples Besucherzentrum informiert über die Geschehnisse von 1890, als die Kavallerie der US-Army ein ganzes Dorf niedermetzelte. Auch der Friedhof ist ungepflegt.

Zur **Fortsetzung der Reiseroute** geht es (ohne Abstecher nach *Wounded Knee*) von den *Badlands* alternativlos zurück nach Rapid City und von dort unter Umgehung der – eventuell bereits besuchten – südlichen Black Hills auf der Straße #79 nach Hot Springs oder auf der #16 nach Keystone, dem Zentrum des *Mount Rushmore*-Rummels.

Mount Rushmore

Von Rapid City leitet die Ausschilderung den kontinuierlichen Strom der Fahrzeuge unverfehlbar über Keystone zu den riesigen Parkplätzen ($8 »Jahresgebühr«(!); ggf. vorher entlang der Straße parken) des ***Mount Rushmore Nat'l Memorial***; www.nps.gov/moru. Von der Aussichtsterrasse des *Visitor Center* haben die Besucher einen freien Blick auf die über 20 m hohen Köpfe der vier Präsidenten ***Washington, Jefferson, Lincoln*** und ***Theodor Roosevelt***, am besten und fürs obligatorische Foto am günstigsten in der Vormittagssonne. Ein pausenloser Videofilm erläutert die hehren Motive und die Arbeit (über 14 Jahre!) ihres von seiner Idee besessenen Schöpfers, ***Gutzon Borglum***.

Kritische Reflexionen zu Sinn und Zweck eines derartigen Monuments ausgerechnet im ehemals sakrosankten *Sioux*-Gebiet kommen hier niemandem in den Sinn;

7

Custer State Park

Südlich von Mount Rushmore/Keystone liegt der ausgedehnte ***Custer State Park***; www.sdgfp.info/parks/Regions/Custer. Man erreicht ihn entweder über die serpentinenreiche ***Iron Mountain Road*** (schönste Zufahrt), über die Straße #87 oder über den Ort Custer. Der grundsätzlich bei Einfahrt zu entrichtende **Eintritt von $12/Wagen bzw. $5/Person bezieht sich wie in den Nationalparks auf 7 aufeinanderfolgende Tage** mit beliebigen Ein- und Ausfahrten. Den Eintritt spart, wer den Park nonstop durchquert.

Die **Attraktivität** des *Custer Park*, der seiner eintrittsfreien Umgebung landschaftlich ansonsten keine besondere Konkurrenz macht, ist vor allem bedingt durch

- den idyllischen, von Felsen pittoresk eingefassten ***Sylvan Lake***. Man kann ihn zu Fuß umrunden oder per Kanu, Kajak und Tretboot entdecken.

Kletterfelsen Needles im Custer State Park

- den ***Needles Highway***, dessen nördlichstes Teilstück durch ein spektakuläres Felsnadel-Gebiet führt. Steil aufragende Monolithe ziehen *Rockclimber* magisch an. Weniger geübte Besucher finden jede Menge reizvoller Felsformationen, in denen sich relativ gefahrlos herumklettern lässt.
- Besonders schön gelegene **Campingplätze** im Bereich zwischen der *Iron Mountain Road* und Custer an der Straße #16A und zusätzlich am ***Sylvan Lake***.

Ein (langwieriges) Abfahren der ***Wildlife Loop Road*** durch das südliche Parkareal sollte man sich nur vornehmen nach vorheriger Vergewisserung im *Visitor Center*, ob zur jeweiligen Zeit mit Wild bzw. Bisons im Blickfeld der Straße zu rechnen ist.

Wind Cave National Park

Im Süden schließt der ***Wind Cave National Park*** direkt an den *Custer State Park* an; www.nps.gov/wica. Das Gelände dieses kleinen Nationalparks, auf dem rund **400 Bisons** frei grasen und die den *Squirreln* ähnlichen Präriehunde eine ***Prairie Dog Town*** errichtet haben, liegt über einem Teil des Höhlenlabyrinths unter den *Black Hills*. Die hier völlig trockenen Tropfsteinhöhlen sind durch einen künstlichen Eingang zugänglich.

Geführte ein- und zweistündige Touren werden ganzjährig angeboten (**$7-$9**). Mindestens an einer kürzeren Besichtigung sollte man teilnehmen. Für Höhlenfans veranstalten die *Ranger* einen 4-Stunden-Trip zur Höhlenerkundung abseits der befestigten Wege (***Wild Cave Tour: »Spelunking«***) mit Helm, Laterne und Knieschutz, $23; Auskunft und die dafür immer notwendige Reservierung unter ✆ (605) 745-4600.

Der gute ***Campground des Parks*** befindet sich in der Südwestecke seines Areals in schöner Umgebung.

Custer

Westlich des *Custer State Park* liegt das **Dorf Custer**, das fast ausschließlich vom Tourismus lebt. Zahlreiche Motels, Restaurants und *Fast Food Places* säumen die Straße #16; www.custersd.com. Dort ein Quartier zu finden, ist im allgemeinen nicht schwierig und preiswerter als in Rapid City und vor allem Keystone. Campingplätze sind auch vorhanden; der ***NF-Campground Bismarck Lake*** befindet sich östlich des Ortes kurz vor dem *Custer Park*, der ***NF-Campground Comanche*** nur wenig westlich an der Straße #16 in Richtung *Jewel Cave*.

Jewel Cave National Monument

Zum bislang nur ansatzweise erforschten Höhlensystem der *Black Hills* gehört auch die als *National Monument* ausgewiesene, von ihrer Charakteristik her mit der *Wind Cave* dennoch kaum vergleichbare ***Jewel Cave***, etwa 12 mi westlich von Custer; www.nps.gov/jeca. Wunderbar geformte kristalline Kalzitablagerungen gaben der Höhle ihren Namen. Die ***Scenic Tour*** findet im Sommer alle 20 min statt (8.30-18 Uhr, $8); sonst unregelmäßiger. Auch in der *Jewel Cave* gibt es ausgedehnte ***Spelunking Trips***; Reservierung empfehlenswert: ✆ (605) 673-2288, $27. ***Visitor Center*** im Sommerhalbjahr 8-19.30 Uhr.

Crazy Horse Memorial

Ein erst langsam den Anfängen entwachsendes Projekt ist das ***Crazy Horse Memorial;*** www.crazyhorse.org. Das gigantische Gegenstück zum *Mount Rushmore Memorial* lässt sich in Umrissen schon von der Straße #16/#385 aus, 5 mi nördlich von Custer, recht gut erkennen. Der 1982 verstorbene Bildhauer ***Korzcak Ziolkowski*** begann auf Einladung der *Sioux* im Jahr 1949 (!) mit der Sisyphusarbeit am ***Memorial for all North American Indians***, das nach Fertigstellung den *Sioux*-Häuptling *Crazy Horse* samt Pferd als 170 m hohe Felsskulptur zeigen soll. Die Nachkommen des Künstlers machen schon heute – trotz der Distanz der Aussichtsplattform – ein blendendes Geschäft mit den Touristen, die in Museum, Shop und Cafeteria ihre Dollars lassen. Am fernen Granit wird derweil mit Dynamit und Kränen weitergewerkelt. Im Sommer wird abends eine **Lasershow** auf die Felsflächen des Werkstücks projiziert; **Eintritt $10/Person oder $25 (!) pro Auto**.

Blick auf das große Werk im Entstehen von der Aussichtsplattform. Bislang ist nur der Kopf fertig und auch aus der Distanz gut erkennbar

Noch ein paar Meilen weiter stößt man bei der Kreuzung #16/#244 auf die Einfahrt zum ***Rafter J Bar Campground***, einer komfortablen Camping-Superanlage, © 1-888-723-8375; campen ab 30, mit Hook-up ab $37; **Blockhaus-*Cabins*** ab $50, Mai und September günstiger; www.rafterj.com.

Hot Springs

Ein letzter Abstecher von den *Black Hills* könnte dem Städtchen Hot Springs gelten; www.hotsprings-sd.com. Von den namensgebenden heißen Quellen rund um den Ort speist eine den öffentlichen **Badepool *Evans Plunge*** mit Innen- und Außenbecken (am nördlichen Ortsausgang unweit der #385). Drei riesige Rutschen sorgen für Warmwasser-Badespaß. Sommer bis 21/22 Uhr, Frühjahr und Herbst bis 20 Uhr, Eintritt $10; www.evansplunge.com.

Bei naturhistorischem Interesse lohnt sich der Besuch des ***Mammoth Site National Natural Landmark & Museum*** an der südlichen Ortsumgehung #18. Die Knochenreste von vor 26.000 Jahren umgekommenen Mammuts wurden an ihren Originalfundplätzen belassen und präpariert. Im Sommer 8-20 Uhr, sonst bis 17/18 Uhr, Eintritt mit Führung $8; www.mammothsite.com.

7.2.6 Von den Black Hills nach Colorado

Routen nach Süden

Von der *Black Hills* Region geht es auf der **#16** (etwa nach Besuch der *Jewel Cave*) oder über die Kombination #385/#89/#18 in Richtung Colorado. Beide Routen führen auf die **Straße #85 nach Cheyenne**, der Hauptstadt Wyomings. Diese Strecke durch die Südostecke des Staates, gleich ob über **Torrington** oder ab **Lusk zur I-25**, bietet keine besonderen Reize und kann rasch durchfahren werden. Das ***Fort Laramie*** (*Historic Site*) nordwestlich von Torrington ist nur mäßig interessant; www.nps.gov/fola.

Eine attraktivere, aber etwas zeit- und meilenaufwendigere **Alternative** wäre die **Straße #385 durch Nebraska**, die bei Bridgeport den North Platte River überquert. An der #88, etwa 6 mi südlich, befinden sich ***Courthouse & Jail Rocks***, zwischen Bridgeport und Scottsbluff das Felsmonument ***Chimney Rock*** und bei ***Scottsbluff*** das gleichnamige ***National Monument***, sehenswerte Landmarken am ***Oregon Trail***, dem alten Siedlerweg nach Westen. Von Scottsbluff erreicht man Cheyenne am raschesten über die Straße #71 und dann weiter auf der I-80.

Cheyenne

Die kleine **Kapitale** Cheyenne, mit gerade 50.000 Einwohnern zugleich größte Stadt Wyomings vor Casper, Laramie und Rock Springs, unterscheidet sich von diesen im wesentlichen durch das Regierungskapitol mit dem unvermeidlichen goldenen Kuppeldach. Ansonsten wirkt sie genauso angenehm aufgelockert mit viel Grün im (Mini-) Zentrum wie langweilig. Denn »los« ist auch in der Hauptstadt nicht viel; www.cheyenne.org. Aber einmal am Tag pünktlich um 18 Uhr (Sommermonate, Mo-Fr; Sa 12 Uhr) gibt's mit rauchenden Colts einen ***Gunfight***. Die ***Cheyenne Gunslingers*** stellen an der Ecke 16th/Carey Street die gefährdete öffentliche Ordnung wieder her; www.cheyennegunslingers.org.

Frontier Days

Höhepunkt des Jahres sind die ***Frontier Days*** vom vorletzten bis letzten Juliwochenende mit dem ältesten regelmäßigen und wahrscheinlich **größten Rodeo-Fest des Wilden Westens**. Zum täglichen Rodeo mit allen Schikanen ($12-$25) wird ein umfassendes Beiprogramm auf Straßen, Plätzen und Showbühnen der Stadt abgezogen. Zur Ausnüchterung reichen am Morgen gastfreundliche Bürger Cheyennes das für jedermann freie ***Cowboy Pancake Breakfast*** vom Planwagen.

Alle Unterkünfte sind zu dieser Zeit langfristig ausgebucht und die **Campingplätze** voll. Für **Campmobile** werden dann zusätzliche Plätze bereitgestellt. Informationen zu den ***Crazy Days of July*** versendet das Büro der *Cheyenne Frontier Days*, PO Box 2666, Cheyenne, WY 82003; Ticketreservierung fürs Rodeo unter ✆ 1-800-227-6336 und im Internet: www.cfdrodeo.com.

Museum

Wer's Ende Juli nicht nach Cheyenne schafft, muss sich mit dem Besuch des ***Frontier Days Old West Museum*** im Frontier Park begnügen; 8th/Carey Street, Mo-Fr 9-17 Uhr, Sa+So ab 10 Uhr, während der *Frontier Days* länger, $6; www.oldwestmuseum.org.

Der amerikanische Cowboy und Rodeo: in Wyoming nicht wegzudenken

Big Boy

Im *Holliday Park* (zwischen 5th St und I-80) verbringt die gewaltige Dampflokomotive ***Big Boy*** der *Union Pacific Railroad* ihren Lebensabend; www.steamlocomotive.com/bigboy.

Information

Erst beim Verlassen der Stadt passiert man – von Norden kommend – an der *Interstate #25* das große **Wyoming & Cheyenne *Travel Information Center***. In der City gibt es ein Büro im 309 West Lincoln Way.

Unterkunft/ Camping

In Cheyenne stehen zahlreiche **Hotels und Motels** am **Lincolnway**, Straße #30, die die Stadt von Ost nach West durchläuft, und der **Central Ave**, der Nord-Süd Achse #85. Fürs Campen kommen nur private Plätze in Frage, z.B.: ***AB Camping*** am College Drive unweit der *Travel Information* an der I-25/I-80, und ***Terry Bison Ranch***, I-25 *Exit* #2, dann 3 mi; www.terrybisonranch.com.

Zum Rocky Mountain Park

Von Cheyenne bis zur Abfahrt **Loveland/Straße #34**, dem Zubringer zum *Rocky Mountain National Park*, sind es nur 50 mi (Einzelheiten zu Colorado ➤ Seite 470). **Der malerische Verlauf der Straße #34 durch das Tal des Thompson River macht diese Route zur attraktivsten Anfahrt zum Nationalpark**. Nichtsdestoweniger folgt der Hauptstrom der Besucher aus dem Großraum Denver der direkten Straße #36 über **Boulder**, fast einer **Vorstadt von Denver** mit City-Flair, vielen Parks, einer großen Universität und hohem Freizeitwert.

Nach Denver

Die zusätzlichen Meilen zum Besuch Denvers lohnen bei knapper Reisezeit so recht nur dann, wenn man andere amerikanische Cities (außer der »kleinen« Salt Lake City) noch nicht kennt bzw. bestimmte Ziele in oder um Denver besonders reizen, ➤ folgende Seiten. Denn **Denver gehört** – abgesehen von seiner Lage vor dem Panorama der *Rocky Mountains* und nahen Zielen im Westen – nach Meinung des Autors **nicht zu den überdurchschnittlich interessanten amerikanischen Großstädten**.

Das Capitol Building (unbedingt 'reingehen, ist innen absolut sehenswert) steht exakt 1 mi über Meereshöhe; daher nennt sich Denver auch »Mile High City«

7.2.7 Denver und Umgebung

Geschichte, Geographie, Klima und Information

Mit rund 1,5 Mio. Einwohnern im Großraum ist **Denver die einzige *Big City* zwischen Kansas und der Westküste**. Ihre Metropolenfunktion für ein Einzugsgebiet von der Größe Westeuropas hat für schnelles Wachstum gesorgt.

Geschichte

Die Gründung Denvers liegt erst 140 Jahre zurück. **1858** führten **Goldfunde** am Cherry Creek und South Platte River zu einem kurzen *Boom* und der Errichtung des ersten *Saloons* in Colorado dort, wo heute Denver steht. Zwar verließ die Mehrheit der Prospektoren nach der Entdeckung von Goldadern im nahen Central City bald die – wie sich herausstellte – ziemlich unergiebigen Flussbetten um Denver, aber die junge, verkehrsgünstig gelegene 5.000-Seelen-Stadt partizipierte am Reichtum des nahen Nachbarn in den Bergen und wurde **1861 Hauptstadt des *Colorado Territory***. Dabei blieb es auch nach der Proklamierung des US-Bundesstaates Colorado. Um die Jahrhundertwende hatte die Bevölkerung Denvers die 100.000 bereits überschritten, heute sind ca. 560.000 Einwohner erreicht. Im Großraum leben ca. 2,4 Mio.

Geographie

Denver liegt 85 mi südlich von Wyoming im Zentrum der Westhälfte der USA in einer weitgehend ebenen Landschaft am Rande der **Prärien** des mittleren Westens. Zu ihnen gehören auch – für manche sicher überraschend – rund 40% des Territoriums von Colorado. Nur der Westteil des Staates wird von den Hochgebirgszügen der *Rockies* dominiert. Der Verlauf der **Nord-Süd-*Interstate* #25** markiert in etwa die Trennlinie zwischen den gegensätzlichen Landschaftsbildern. Auf die sich fast ohne Übergang erhebenden ***Foot Hills*** der Rocky Mountains stößt man in Nord-Colorado ca. 10-15 mi westlich der I-25. Da die Prärien von Osten nach Westen stark ansteigen und vor Erreichen der Berge bereits eine Höhenlage von 1.600 m aufweisen, nennt sich die Colorado-Hauptstadt auch gerne ***Mile High City***.

Klima

Denver erfreut sich eines sonnenreichen Kontinentalklimas mit warmen, aber aufgrund der Höhenlage selten zu heißen Sommertagen. Die Winter sind wegen der Rocky Mountain-Barriere gegen Westen relativ schneearm. Regentage konzentrieren sich auf Frühjahr und Frühsommer. Beste Besuchsmonate sind August, September und (früher) Oktober. Selbst wenn in Denver die Sonne scheint, kann das Herbstwetter in den Hochlagen von Colorado wechselhaft und ungemütlich sein.

Anfahrt/ Information

Aus welcher Richtung man auch anreist, ***Downtown Denver*** erreicht man am leichtesten über die *Interstate #25*, Abfahrt Colfax Ave/#40/#287 *East*.

Information

Das ***Denver Visitors Bureau***, © (303) 892-1112, befindet sich beim Fußgängerbereich der ***16th Street Mall*** (1668 Larimer Street, Mo-Fr 8-17 Uhr; © 1-800-393-8559) mit massenhaft Infomaterial zu Denver und Colorado; www.denver.org. Gute Dienste leistet u.a. der jährlich neu aufgelegte ***Denver & Colorado Official Visitors Guide***. Der Parkraum ist dort ziemlich knapp. Am besten verbindet man den Besuch mit einem – ohnehin angezeigten (➤ Seite 669) – Bummel über die *16th Street Mall*.

Unterkunft, Camping, Restaurants

Situation

In ***Downtown*** Denver und im Bereich des ***Airport*** (Exits 284/ 285 von der I-70 und Kreuzungsbereich I-70/I-270 am alten *Airport = Freeway* #35) sind die Hoteltarife hoch. Günstige Angebote gibt es dort aber oft zum **Wochenende**:

Airportbereich

- **Comfort Inn Airport**, © (303) 367-5000, Airport Blvd, ab $69
- **Motel 6**, © (303) 371-1980, 12020 E 39th Ave, ab $49
- **Sleep Inn Airport**, © (303) 373-1616, 15900 E 40th Ave, Exit #283 von der I-70. Wochenendtarif ab $65 (AAA)
- **Sheraton Four Points Hotel**, © 1-800-328-2268, 3535 Quebec Street, großer Indoorpool, AAA-Tarif ab $89
- **Stapleton Plaza Hotel**, © (303) 321-3500, 3333 Quebec St, Balkonzimmer, Fitnesscenter, Atrium, AAA ab $75

Downtown

- **La Quinta Inn**, 3500 Park Ave, © (303) 458-1222, ab $64; I-25, *Exit* 213, etwas außerhalb der inneren City
- **Ramada Inn**, 1150 E Colfax Ave, © (303) 831-7700, ab $79
- **Oxford Hotel**, 1600 17th St, © 1-866-696-3617, ab $129, historisches Hotel nahe *Union Station*; www.theoxfordhotel.com

Die besondere Alternative

- **Brown Palace Hotel,** © 1-800-321-2599, 321 17th St, ab $235. Denvers *Waldorf Astoria*. Gediegene Eleganz um 1900 mit modernem Luxus unserer Tage; www.brownpalace.com

B&B

- ***Bed&Breakfast Inns*** sind auch in Denver eine Alternative zur Mittelklasse, z.B. ***The Holiday Chalet***, 1820 E Colfax Ave, ein burgartiger Bau, © 1-800-626-4497, www.holidaychalet.net; und ***Queen Anne Inn***, 2147-51 Tremont Place, 2 Blocks vom *Capitol*, © 1-800-432-4667; www.queenannebnb.com.

Preiswert

- **Int'l Hostel of the Rocky Mountains (HI)**, © (303) 861-7777, 1717 Race Street, ziemlich zentral, $20, EZ/DZ $38/43; www.innkeeperrockies.com.
- **Denver International Hostel**, 630 E 16th Ave, © (303) 832-9996, ab $13; günstige Lage
- **Melbourne International Hostel**, 607 22nd St, © (303) 292-6386, ab $16; www.denverhostel.com

An Denvers **Ausfallstraßen** gibt es viele **preiswerte Motels,** geballt z.B. an der Arapahoe Rd im Süden, *Exit* #197 von der I-25.

Camping

Fürs Camping im erweiterten Citybereich geht nichts über die ***State Parks Cherry Creek Lake*** (Anfahrt über die I-225, ausgeschildert; $8-$18) und (etwas entfernter) ***Chatfield Lake*** (Straße #55). Beide Plätze verfügen über Duschen und *Hook-ups*; www.parks state.co.us/Parks/cherrycreek und .../chatfield.

Essengehen

Für den schnellen Imbiss empfiehlt sich das ***Tabor Center*** am Ende der ***16th Street Mall***. Eine ***Fast Food Arcade*** bietet viel Auswahl. Um die Ecke liegt der **Larimer Square** mit einer Reihe guter Restaurants der gehobenen Klasse.

Wen Spezialitäten wie Elch- oder Buffalo Steak reizen: So was gibt's im überaus originellen (und teuren) Ambiente im ***Buckhorn Exchange Restaurant & Saloon***, 1000 Osage St unweit *Downtown* Denver (*Light Rail*/Straßenbahn-Station vor der Tür); Mi-Sa gibt's ***Folk Music live*** im Saloon im 1. Stock; www.buckhorn.com.

Als lokale Sehenswürdigkeit gilt die ***Casa Bonita***, ein mexikanisches Dorf mit rosa Glockenturm und Wasserfall, 6715 Colfax Ave, üppige ***Mexican Food*** zu Mariachi-Klängen und moderaten Preisen. Nur **Besichtigen** ohne Essen kostet $5/Person! – www.casabonitadenver.com

Kneipen in Lodo (➤ rechts)

In der ***Wynkoop Brewing Company***, © (303) 297-2700, 1634 18th Street, gibt's Hausbräu und ***Saturday Brunch***; www.wynkoop.com. Weitere gute (Musik-) Kneipen sind der ***Fadó Irish Pub*** 1735 19th Street unweit der *Brewery*. In Nachbarschaft dazu ***Sing Sing***, eine tolle Musikkneipe zum Mitspielen und -singen.

Grandioses One-Man-Concert im Saloon der Buckhorn Exchange

Stadtbesichtigung

Civic Center Park

Einen verbundenen Komplex bilden das ***State Capitol***, der ***Civic Center Park*** mit dem ***Denver Art Museum***, das ***Colorado History Museum*** und auch noch die ***US Mint***:

Art Museum

- Durch die von der **Goldkuppel des Regierungspalastes** überragte Parkanlage gelangt man zum **Kunstmuseum**, dessen burgartiges Gemäuer 2006 um das eigenwillige, sehr sehenswerte ***Hamilton Building***, einen ***Libeskind-Bau***, erweitert wurde. Vor allem die Kollektion und Präsentation präkolumbischer wie indianischer Kunst sind bedeutsam, die großen *Modern Art*-Skulpturen beachtlich. Di+Do 10-17, Mi+Fr bis 22 Uhr, Sa+So 9-17 Uhr, Eintritt $13, bis 18 Jahre $5; www.denverartmuseum.org.

Museum of History

- Zum **Museum für die Geschichte Colorados** gelangt man vom Kunstmuseum über den Broadway, Ecke 13th Ave. Die Ausstellung im Untergeschoss vermittelt ein Bild der von den Ursprüngen Denvers und der **Pionierzeit in Colorado**. Eine Besonderheit sind die **Dioramen** mit Szenen aus den »wilden« Jahren. Geöffnet 10-16.30 Uhr, So ab 12 Uhr, Eintritt $5.

US Mint

- Großer Popularität erfreute sich die Besichtigung der ***US Mint***, einer von zwei Münzprägeanstalten der USA: 35.000.000 (!) Münzen werden allein in Denver täglich ausgestoßen. Die **20-min-Kurzführungen** sind**gratis**. Seit 2002 Führungen nur noch für Schulklassen und Gruppen ab 6 Personen nach Anmeldung, Mo-Fr 8-14 Uhr, ✆ (303) 405-4761; www.usmint.gov/mint_tours.

16th Street Mall

Zur zentralen ***Shopping*-Achse** der City wurde die 16th Street ausgebaut, eine **Fußgängerzone** von etwa 2 km Länge, die an der *Civic Center Plaza* ihren Ausgang nimmt. **Pendelbusse** (frei) sind die einzigen legal verkehrenden Fahrzeuge.

U.a. ist das ***Tabor Center*** (*Indoor*-Wasserspiele, ausgefallene Ladentypen und breitgefächerte *Fast Food Arcade*) hinter dem unübersehbaren ***D&F Tower*** besuchenswert. Gleich nebenan liegt der ***Larimer Square*** mit aufpolierten *Old Town Denver*-Fassaden, schicken Restaurants und teuren *Shops*. *Downtown* lässt sich ohne Busbenutzung leicht in zwei Stunden »ablaufen«. Das Gebiet nördlich der Shopping Zone bis zur *Union Station* heißt ***Lower Downtown*** (***Lodo***) und beherbergt die angesagte **Kneipenszene**.

Downtown

Westlich der *Mall* befinden sich Parkplätze, dahinter das *Performing Arts Center* und das *Colorado Convention Center*. Jenseits des Speer Blvd liegt der ***Auraria Campus*** der ***University of Colorado***, nordwestlich davon die ***Elitch Gardens***, einziger großer ***Amusementpark*** Amerikas (fast) mitten in der City – mit alten Holzkonstruktions-*Rollercoaster* und Wasserplanschpark; im Sommer 10-22 Uhr; Eintritt $45 (online $10 Rabatt)/$23; www.sixflags.com/parks/elitchgardens.

Östlich der 16th Street Mall ballen sich die Hochhäuser des ***Financial District***. Mittendrin steht das nostalgische ***Brown Palace Hotel*** (17th Street/Ecke Broadway), gegenüber der Glaspalast des ebenfalls sehenswerten ***Mile High Plaza Building***.

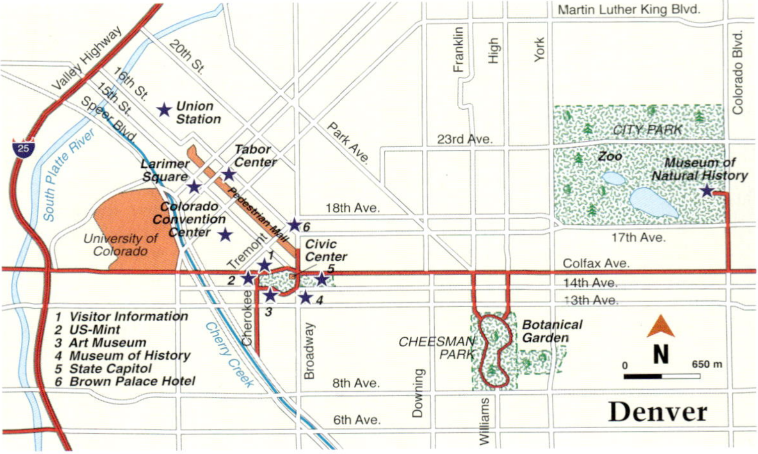

Brown Palace Hotel

Die Zimmer in Denvers Spitzenhotel kosten etwa ab $230, aber dessen **Innenarchitektur** darf man auch ohne Übernachtung besichtigen. Durchs Hotel gehen kostet nichts. Das Preisniveau in den attraktiven Restaurants und in der Bar ist erstaunlicherweise nicht sehr viel höher als anderswo in der Mittelklasse-Gastronomie; www.brownpalace.com.

Hop-on-hop-off Bus

Ein sog. ***Cultural Connection Trolley*** verbindet die Touristenattraktionen in Zentrum, den *City Park* und Ziele in den Außenbezirken mit insgesamt 20 Stopps; Stundentakt. Die Tageskarte mit *Hop-on-hop-off* kostet $16, Kinder bis 12 $8.

Museum of Nature & Science

Im **City Park**, etwa 2,5 mi östlich des Zentrums befinden sich der **Zoo** und das hervorragende ***Museum of Nature & Science*** (mit ***IMAX*-Kino** für $6 extra und *Planetarium*). Nur die naturkundlichen Museen in New York und Chicago bieten zur Thematik »Flora und Fauna Nordamerikas« Vergleichbares. Auch die (kleine) Abteilung zur indianischen Kultur ist sehr gut. Von der Terrasse und dem erstem Stock des Museums fällt der Blick über den Park auf die City-Kulisse mit Rocky Mountains-Panorama dahinter; 9-17 Uhr, Eintritt $10, bis 13 Jahre $6; www.dmns.org. .

Malls in den Vorstädten

Vom späten Nachmittag bis 21 Uhr ist in den großen ***Shopping Malls*** der Vorstädte oft mehr Betrieb als in der *16th Street Mall*; - zum Beispiel in der ***South West Plaza*** (Bowles Ave im Südwesten), der ***Aurora Mall*** (I-225/Alameda), in der ***Cinderella City*** (Hampden Ave/Englewood) oder in der tollen ***Cherry Creek Mall*** (University Blvd/1st Ave). Gegenüber den ***Tattered Cover Book Store***, einen riesigen Buchladen im Nostalgie-Look (mit deutschen Zeitungen/Zeitschriften) muss man gesehen haben; www.tatteredcover.com.

Wohnviertel

Von der in dieser Stadt möglichen **Wohnqualität,** nur einen Steinwurf von der City entfernt, gewinnt man in den Straßen östlich des *City Park* (17th Ave Parkway und Nebenstraßen), südlich der Colfax Avenue rund um den ***Cheesman Park*** (mit ebenfalls schöner Weitsicht und botanischem Garten) und den angrenzenden ***Congress Park*** einen Eindruck.

Skulpturenpark/ Outdoor Arts

Im Stadtsüden westlich der I-25 hat man den ***Greenwood Plaza Business Park*** (Fiddlers Green Circle/Orchard Road) mit zahlreichen ungewöhnlichen **Skulpturen** verschönt. Das Zusammenspiel von (überwiegend moderner) Kunst und Architektur wird Interessenten auf Führungen nähergebracht. Man kann aber auch auf eigene Faust das weitläufige Bürohausviertel besuchen und die Kunstwerke bestaunen.

Ziele in Denvers Umgebung

Umgebung Denver/ Weiterfahrt

Westlich von Denver liegen gleich mehrere erwägenswerte Zwischenziele für kleine Abstecher. Bei Fahrtrichtung Grand Junction, aber auch *Black Canyon of the Gunnison/Great Sand Dunes* (➤ Seiten 451 und 471) lassen sie sich gut in die Reiseroute einbauen. Ebenfalls bei Rückkehr auf die hier beschriebene Rundstrecke, siehe Ende des Abschnitts.

Red Rock Theatre

Von der **Ausfahrt #259** der I-70 führt die Straße #26 nach Süden hinauf zum (ausgeschilderten) ***Red Rock Amphitheater***, einer grandiosen ***Open-air* Bühne** zwischen roten Felsen. Von den Rängen schauen die Besucher auf die ferne *Denver Skyline*. Eine **Konzertveranstaltung** in diesem Rahmen unter klarem Nachthimmel und den *Citylights* im Hintergrund ist ein Erlebnis. Aktuelles Programm unter www.redrocksonline.com oder bei der *Denver Visitor Information*. Der Besuch lohnt auch ohne Veranstaltung.

Umgehung der I-70

Vom *Red Rock Theater* gelangt man südlich auf die **Straße #74 durch den malerischen *Bear Creek Canyon***. Sie führt über das hübsche Städtchen Idledale nach Evergreen und dann zurück auf die I-70. Diese Strecke ist ideal für eine Rundfahrt, die über Golden – oder erweitert um einen Umweg bis Mount Evans/Central City – wieder zurück nach Denver führt.

Heritage Square

Nördlich der *Red Rocks* und der I-70 liegt an der Straße #40 der ***Heritage Square***, ein künstliches Städtchen im amerikanisch-viktorianischen Stil kombiniert mit ein paar *Amusement Park*-Elementen wie Alpin-Rutsche und *Bungee Jump*; www.heritagesquare.info. Im Sommer gibt es Vorstellungen in der ***Music Hall*** mit oder ohne *Dinner* vorweg ($32-$37/$24-$27). Tief beeindruckt war der Autor vor einigen Jahren von dem ihm bis dato unbekannten Werk ***Buffalo Bill meets Frankenstein***. Im ***Pub*** hat man die Auswahl unter **125 Biersorten** und kann so den Kulturgenuss angemessen feiern; www.hsmusichall.com. Information und Reservierung unter © (303) 279-7800. Der Komplex als solcher ist eintrittsfrei und im Sommer geöffnet 10-21 Uhr, sonst bis 18 Uhr.

Lookout Mountain

Von der I-70 direkt oder auch von der Straße #6 südlich von Golden geht es auf der ***Lookout Road*** zum gleichnamigen Berg. Oben befindet sich das Grab von ***Buffalo Bill*** (➤ Seite 649); außerdem ein **kleines Museum** mit Ausstellungsstücken zum Leben des Helden und vor allem Gemälden zum Thema »Wilder Westen« (sehenswert; 9-17 Uhr, Eintritt $3; www.buffalobill.org).

Golden

Hübsch und grün ist die Stadt Golden am Fuße der *Rockies*; www.goldencochamber.org. Die ***Coors Brewery***, deren Bier zu den meistverkauften Marken im US-Westen gehört, hat dort ihren Sitz (16th St/Ford). Vom Besucherparkplatz fährt ein *Shuttle-Bus* Interessenten für die **Brauerei-Besichtigung** und das anschließende (kurze) ***Beer-Tasting*** gruppenweise zu den Werksgebäuden. Information zu Tagessituation und Wartezeiten unter ✆ **(303) 277-BEER** (=2337). Gratis-Führungen finden Anfang Juni bis Ende August Mo-Sa 10-16 Uhr statt; www.coors.com.

Golden beherbergt ein ansehnliches Eisenbahnmuseum. Das ***Colorado Railroad Museum*** befindet sich nördlich des Ortes (44th Ave) und verfügt über ein Freigelände mit mehreren wunderbaren alten Lokomotiven und restaurierten Waggons. Im Museumsgebäude steht eine riesige Modelleisenbahn-Anlage. Geöffnet im Sommer 9-17 Uhr, Eintritt $8, bis 16 Jahre $5; www.crrm.org.

Central City/ Black Hawk

Eine **hübsche Abweichung** vom Verlauf der *Interstate* bietet die Straße #6 durch das Tal des malerischen *Clear Creek*. Von ihr zweigt die #119 ab hinauf ins ehemalige Goldrauschgebiet der **Doppelstadt *Central City/Black Hawk***. Goldhaltiges Erz wird dort immer noch aus den Bergen geholt, wie die noch anhaltenden Minenaktivitäten am Ende der Ortsdurchfahrt in Richtung Idaho City – beweisen. Einige verbliebene Fassaden und Relikte aus den 60er-Jahren des vorletzten Jahrhunderts sorgten dort früher nur für einen Rest Wildwestatmosphäre. Nachdem aber 1991 in Colorado (per Volksentscheid!) das **Glücksspiel legalisiert** worden war, entwickelte sich in kürzester Zeit in Central City/ Black Hawk ein neues **Spielerparadies** (außerdem in **Cripple Creek**, ➤ Seite 472). Nahezu jedes Haus wurde mit ***Slot-Machines*** und ***Black Jack***-Tischen vollgestellt, und neue ***Saloons***, ***Gambling Halls*** und ***Casino-Hotels*** schossen aus dem Boden. Ein Zubringerbus-Service ab Denver sorgt laufend für neue Gäste.

Man kann auch über Nacht bleiben: An **Motels** und **Hotels** mangelt es nicht in der Doppelstadt. Hübsche ***NF-Campgrounds*** sind ebenfalls nicht weit: Ca. 6 mi nördlich an der Straße #119 (***Cold Springs*** mit Spielplatz) und 3 mi nordwestlich von Central City (ausgeschilderte *Gravelroad*); www.blackhawkcolorado .com.

Nach Idaho Springs

Die kürzeste Verbindung zwischen Central City und Idaho Springs an der I-70 ist die ***Virginia Canyon Road,*** von der lokalen Werbung als ***Oh-my-God-Road*** propagiert. Die Serpentinenroute an einigen noch intakten Goldminen vorbei besteht zwar aus Schotter, verursacht aber zumindest bei Trockenheit (!) – trotz

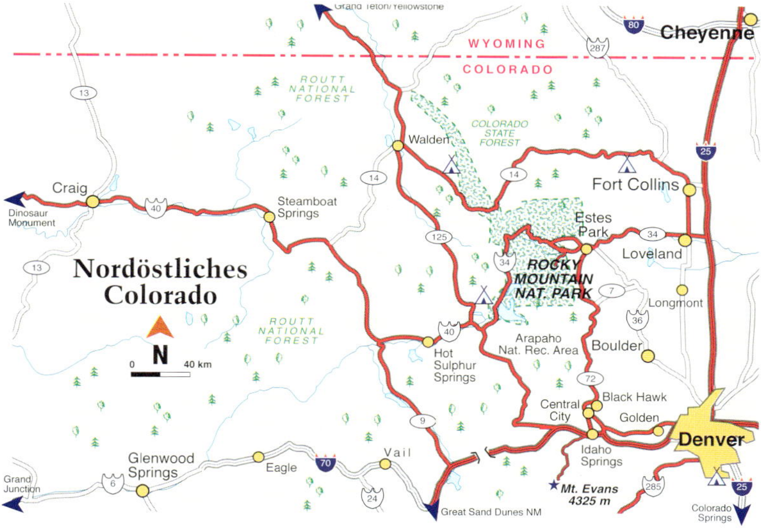

ihrer Bezeichnung – für Fahrzeuge bis zur Größe kleinerer bis mittelgroßer Camper (ca. 22 Fuß) kein ernstliches Kopfzerbrechen. **Ausblicke** auf das *Mount Evans*-Massiv belohnen die Mühe der etwas beschwerlichen Fahrt.

Mount Evans

Durch das Städtchen Idaho Springs, das bessere Tage gesehen hat, gelangt man auf der asphaltierten ***Highest Road in the US*** (Straßenzug #103/#5) zum Gipfel des **4.348 m** hohen ***Mount Evans***. Die Streckenführung enttäuscht zunächst, das letzte Teilstück, eine ***Toll Road*** ($10), entschädigt dafür ebenso wie die phänomenale Fernsicht. Bereits ab Mitte September bis Mitte Juni kann die Straße wegen Schnees gesperrt sein; www.mountevans.com. Am Wege auf halber Höhe liegt der ***Echo Lake Campground***.

Zum Rocky Mountain Park

Von Black Hawk findet man über die **Straßen #119/#72/#7** wieder **Anschluss an die beschriebene Reiseroute** in Richtung Rocky Mountains (➤ Seite 674). Ohne ausgeprägtes Interesse an den Gold- und Spielrauschstädtchen wäre diese Strecke aber zu zeitaufwendig. Ab Golden und Denver sind die Direktverbindungen über Boulder vorzuziehen.

Alternativen

Erwägenswert wäre ggf. ein **Verzicht auf den *Rocky Mountain Park*** (siehe Text Folgeseite) und Weiterfahrt über die Straßenkombination I-70/#40 nach Granby auf der Westseite des Nationalparks **oder** über die I-70/#9 (besser) **oder** #131 **oder** #13 zur #40 in Richtung *Dinosaur Monument*. Zu bedenken wäre auch die schnelle Route nach Westen (I-70) bis Grand Junction und dann weiter auf der **tollen Strecke #139/#40**.

7.2.8 Über den Rocky Mountain National Park und das Dinosaur Monument nach Salt Lake City

Estes Park

Die meisten Besucher des *Rocky Mountain National Park* erreichen ihr Ziel über das **Ferienstädtchen** Estes Park (Sommerfrische und Wintersport) vor den beiden **Haupteinfahrten**. Im Vergleich zu anderen Hochburgen des Tourismus (auf dieser Route z.B. Jackson und Cody) ließ die einschlägige Infrastruktur das Erscheinungsbild relativ unbeschädigt. Noch vor dem Ortseingang passiert man die ***Visitor Information*** an der Straße #34 (8-20 Uhr); www.estes-park.com. Die üblichen touristischen Angebote wie Planwagen- und Reitausflüge, *River Rafting*, Seilbahn usw. fehlen natürlich nicht. Im ***Aquatic Center*** (Community Drive) kann man gut schwimmen. Und auch am Abend ist in Estes Park noch was los: eine **vielfältige Gastronomie** wartet. **Zimmer sind knapp und recht teuer**; im ***YMCA-Resort*** kommt man ab $89 (für 4) relativ preiswert unter; © 1-800-777-9622; www.ymcarockies.org.

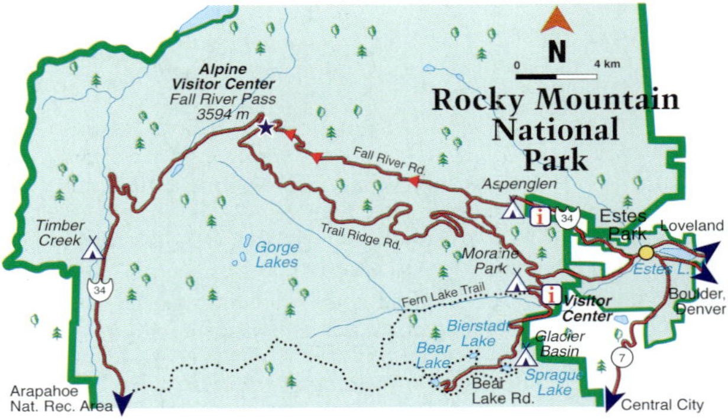

Rocky Mountain National Park

Eintritt
$20/Auto
$10/Person
oder Interagency Pass

Besucherzentren des Nationalparks (mit Ausstellung zu Flora und Fauna und Videoshow) befinden sich westlich von Estes Park an den Straßen #36 und #34. Kurz hinter der ***Beaver Meadows Entrance Station*** (dort gibt's die Parkkarte und Zeitung *High Country Headlines*) zweigt die populäre ***Bear Lake Road*** ab (ca. insgesamt 10 mi lang). An ihr liegen die Ausgangspunkte für ein dichtes **System von Wanderwegen** zu den zahlreichen Seen der Region und über die Kammlinie des Gebirges zur Westseite des Parks; www.nps.gov/romo.

Bear Lake Bereich

Da die Parkkapazität entlang der ***Bear Lake Road*** begrenzt und im Sommer oft schon früh erschöpft ist, empfiehlt es sich, den Wagen am **Parkplatz** vor der Zufahrt zum *Glacier Basin Campground* stehenzulassen und den kontinuierlich verkehrenden ***Shuttle-Bus*** zu nehmen. An Tagen mit hohem Besucheraufkommen (Wochenenden) wird die Straße ohnehin für den Individualverkehr gesperrt.

Trails

Eine hübsche **Wanderung** führt vom Endpunkt (*Bear Lake*) zum ***Dream*** und ***Haiyaha Lake*** und zurück über die *Alberta Falls* (2-3 Stunden). Für Rundwanderungen mit größerem Radius gibt es diverse Möglichkeiten; reizvoll ist der ***Fern Lake Trail***, ein Ganztagestrip. Aber in Anbetracht der Höhenlage (*Bear Lake*: 2.900 m) mag mancher die weniger anstrengenden ***Nature Trails*** in einer Ebene rund um *Bear* und *Sprague Lake* (beide ca. 800 m lang) vorziehen. Ein nur kurzer Aufstieg ist mit dem ***Bierstadt Lake Trail*** verbunden (etwa 1 Stunde).

Probleme des Parks

Der ***Rocky Mountain Park*** bringt es dank seiner Nähe zum Raum Denver speziell an Wochenenden auf enorme Besucherzahlen. ***Bear Lake* und Umgebung sind dann** – wie bereits angedeutet – **bei gutem Wetter absolut überlaufen**.

Passstraße

Aber auch die durchgehende ***Trail Ridge Road*** (geöffnet ca. Anfang Juni bis Mitte Oktober, schneefallabhängig) nach Westen wird **stark befahren**, zumal sie Teilstück einer 250-mi-Rundstrecke von Denver durch die *Rocky Mountains* und zurück über Granby und die I-70 ist. Auto für Auto fährt an »guten« Tagen über die breit ausgebaute Serpentinenstrecke hinauf zum ***Fall River Pass*** (3.600 m).

Das dortige ***Alpine Visitor Center*** lässt keine Wünsche offen: Souvenirs en masse. Die **reizvolle Alternative** zur Hauptroute ist die alte, jedoch bei Andrang bisweilen gesperrte ***Fall River Road*** (steile und kurvenreiche Einbahnstraße nach oben – nur Juni bis Ende September).

Auf der Passhöhe führt ein kurzer ***Trail*** zu Felsformationen. Genau richtig zum Füßevertreten und Minimalprogramm.

Bewertung

Auch ohne das Überfüllungsproblem wird dieser Park beim europäischen Touristen selten große Begeisterung auslösen. Nur die ***Bear Lake*-Region** ist überdurchschnittlich attraktiv. Die gepriesenen Ausblicke von der *Trail Ridge Road* sind mit wenigen Ausnahmen nicht so beeindruckend wie auf manch anderer Gebirgsstrecke (z. B. im *Glacier Park*, ➢ Seite 691).

Hoodoo-artige Felsskulpturen bei der Fall River Passhöhe

Camping

Erwähnt wurde bereits der ***Glacier Basin Campground***, der kleinere der beiden Plätze im *Bear Lake Road* Bereich. Ohne Reservierung, ➢ Seite 201, kommt man im Sommer selbst bei früher Ankunft kaum unter. Viel besser ist sowieso der Platz ***Aspenglen*** ($16!) unweit der *Fall River*-Einfahrt. **Jenseits der Bergkette** befindet sich die ***Arapahoe National Recreation Area*** rund um *Lake Granby, Shadow Mountain* und *Grand Lake* mit einer Reihe ***NF-Campgrounds*** im Umfeld.

Straße #40 nach Westen

Weiter zum *Dinosaur National Monument* geht es auf schöner, nun verkehrsärmerer Strecke (**Straße #40**) zunächst am Colorado und Muddy River entlang und dann über die *Gore Range*, einen zum Nationalpark parallel verlaufenden Höhenzug der *Rocky Mountains*. Im *Routt National Forest* laden in grüner Gebirgsvegetation gelegene ***Campgrounds*** ein letztes Mal ein, bevor **hinter Craig** die im Sommer **hitzeflimmernde Ebene** zwischen White und Yampa River beginnt.

Steamboat Springs

Mit Steamboat Springs passiert man ein bekanntes Ski *Center*, das dank heißer **Mineralquellen** und leicht erreichbarer Bergwildnis auch im Sommer viele Gäste anzieht. Der Heißwasser-Badekomplex ***Aquatic Center*** liegt an der Hauptstraße. Reizvoller ist die weitgehend naturbelassene, in die Landschaft eingebettete Poolanlage ***Strawberry Hot Springs*** ca. 7 mi nördlich des Ortes, County Road #36 nach Norden, von der Lincoln Ave 7th Street. Die Zufahrt ist ausgeschildert. Man kann dort auch übernachten (***Cabins*** und **Camping**); ✆ (970) 879-0342; www.strawberryhotsprings.com.

Die *Falls Road* führt zu den 80 m hohen ***Fish Creek Fall***s, ca. 3 mi östlich; vom Parkplatz ***Trail*** zu den Fällen, ca. 1,5 km.

Dinosaur National Monument

Das *Dinosaur National Monument* **im Grenzgebiet von Colorado und Utah** umschließt eine Fläche von rund 830 km^2, dessen Kerngebiet nur zu Fuß oder per Boot zugänglich ist. Die Bezeichnung ist daher ein wenig irreführend, denn nur 30 ha beziehen sich auf Fundstellen von Dinosaurierskeletten. Nichtsdestoweniger begnügt sich die Mehrzahl der Besucher mit der Besichtigung des

Am Green River im Echo Park des Dinosaur Monument: Traumplatz fürs Campen (nur Zelte). Die Zufahrt ist leider problematisch

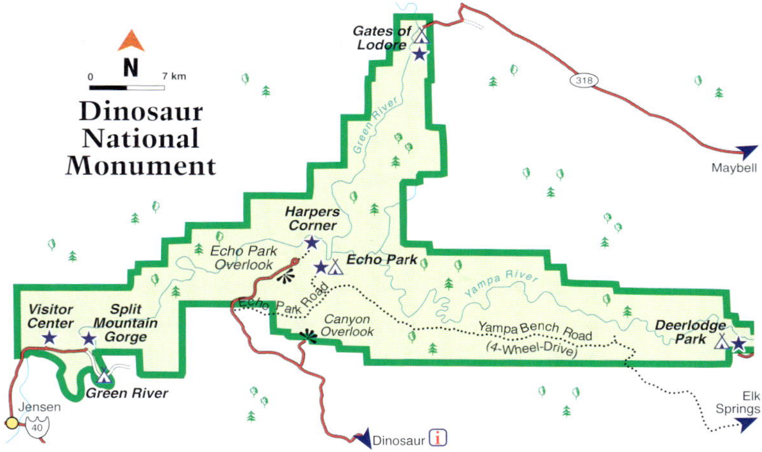

7

Eintritt
$10/Auto
$5/Person
oder
Interagency
Jahrespass

Museums und der überbauten Felswand, aus der man die meisten Knochen herausmeißelte; www.nps.gov/dino. Das ***Visitor Center*** erreicht man auf einer Stichstraße ab Jensen/Utah (ca.7 mi, *Shuttle Bus* vom Parkplatz). **Für 2007 ist der Komplex für Modernisierung und Umbau geschlossen, ggf. dauert das auch bis 2008**

In der Nähe des Besucherzentrums am Green River gibt es zwei ***Campgrounds***. Der bessere, *Split Mountain Gorge*, ist nur noch Gruppen vorbehalten, Reservierung: ✆ (435) 781-7700.

Dinosaur Backcountry

So populär der *Dinosaur Quarry* auch sein mag, die eigentliche Attraktion des *Dinosaur NM* sind die **Schluchten des Green und Yampa River** und die umgebende Felslandschaft. Auf einer Reise von Ost nach West bietet ein Abstecher auf der **Straße #318** (von Maybell nach Nordwesten) die erste Möglichkeit, das *Backcountry* des Parks kennenzulernen. Nach 47 mi asphaltierter Straße zweigt eine *Gravel Road* zum Eingang des ***Lodore Canyon*** ab (7 mi). An den ***Gates of Lodore*** findet man einen kleinen **Einfach-*Campground*** und Zugang zum Green River. Von dort starten ***Raft Trips*** durch den ***Lodore Canyon*** und die dahinterliegenden ***Whirlpool*** und ***Split Mountain Canyons***. ***Green River Float Trips*** können u.a. in Vernal/Utah gebucht werden, ➤ Werbung im *Colorado Info-Center* in Dinosaur.

4WD-Road zum Echo Park

14 mi auf gut ausgebauter Straße sind es von der #40 zum ***Deerlodge Park*** am Yampa River. Der **Campingplatz** besitzt zwar keinen Komfort, dafür aber typische **Wildwestkulisse**. **Eigner vierradgetriebener Fahrzeuge** können ab Elk Springs auf der extrem rauhen *Yampa Bench Road* (vor Fahrtantritt lokal erkunden) den ***Echo Park*** am Zusammenfluss von Green und Yampa River erreichen (etwa zwei Stunden für rund 45 mi).

Scenic Drive

Ein (relativ) besserer Weg zum ***Echo Park*** zweigt vom ***Scenic Drive*** ab, der beim Hauptquartier des Monuments in der Nähe der Ortschaft Dinosaur beginnt. Normalerweise können hochliegende Fahrzeuge auch ohne 4WD diese Route fahren (vor einem Fahrtantritt aber unbedingt erkunden).

Echo Park

Für Campfahrzeuge ist er nicht geeignet. Bei Nässe wird die stellenweise sehr steile ***Dirt Road*** schnell unpassierbar und ist dann tatsächlich nur noch von 4WD-Fahrzeugen zu bewältigen. Als Lohn für die Mühe der Anfahrt wartet am Ende **einer der umwerfendsten *Campgrounds* des US-Westens** (14 Stellplätze, davon einige nur als *Walk-in*) am Green River vor hochaufragenden Felswänden, ➤ Foto auf Seite 676.

Auch ohne *Echo Park*-Abstecher lohnt sich die Fahrt bis zum Ende der Stichstraße (37 mi) auf jeden Fall. Einen ersten Höhepunkt bietet der Blick auf den ***Sand Canyon*** – kleiner Abstecher zum ***Canyon Overlook***. Weitere *View Points* am *Scenic Drive* folgen, bevor man den Parkplatz am Straßenende erreicht. Von dort geht es auf einem herrlichen **Kammlinien-Pfad** bis zum Aussichtspunkt ***Harpers Corner*** (ca. 1,5 km). Den Green River sieht man von dort oben beidseitig unter sich liegen.

Vernal

Die verbleibenden 175 mi bis Salt Lake City führen zunächst über **Vernal**, den einzigen Ort weit und breit mit nennenswerten Einkaufs- und Versorgungsmöglichkeiten, zahlreichen **Motels** und Restaurants; guter ***KOA-Campground***; www.vernalcity.org.

Das ***Utah Field House of Natural History*** rechtfertigt einen Zwischenstopp. Der ***Dinosaur Garden*** dieses Museums bereitet besonders Kindern Freude. Geöffnet täglich 8-19 Uhr im Sommer, sonst 9-17 Uhr, Eintritt \$6, 6-12 Jahre \$3; www.dinoland.com.

Wer in dieser Region noch einen *Campground* sucht, sollte die ca. 10 mi (plus Zufahrt) zum ***Red Fleet State Park*** (an kleinem Stausee: Schwimmen) hinauffahren (Straße #191); www.stateparks.utah.gov/park/index.php?id=RFSP.

»Naturfaser« Mammut im Dino Garden des Utah Field House in Vernal

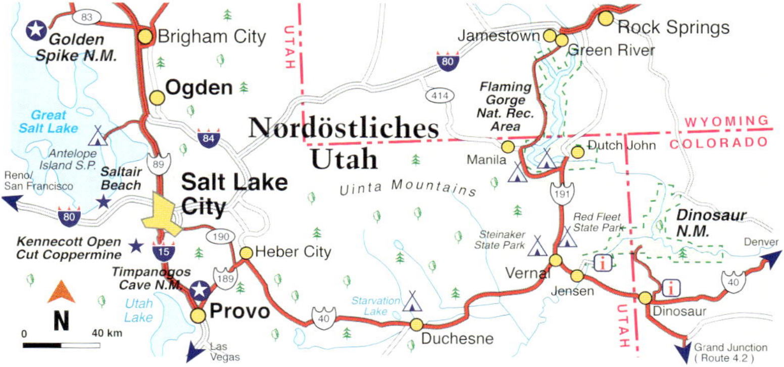

Nach Salt Lake City

Die Weiterfahrt in Richtung Salt Lake City, wo sich der Kreis der Basisroute durch den Nordwesten schließt, bleibt auch westlich von Vernal zunächst mehr oder weniger langweilig.

Immerhin liegt am Wege noch der ***Starvation Lake***, der sich gut für eine Pause und ein erfrischendes Bad eignet. Am Ende der Zufahrt ab Duchesne befindet sich der gleichnamige ***State Park*** mit komfortablem ***Campground***; www.stateparks.utah.gov/park/index.php?id=SVSP.

Mit zunehmender Höhe verändert sich bald das Landschaftsbild. Die **Strecke bis Heber City** bietet in ihrem Verlauf durch den *Uinta National Forest* wieder einiges fürs Auge. Vom schönen *Heber Valley* zwischen *Wasatch* und *Uinta Mountains* sind es über die I-80 nur noch rund 40 mi bis Salt Lake City. Ein letztes kleines Abenteuer gönnt sich, wer stattdessen die steile, serpentinenreiche **Straße #190** über Midway/Brighton und die Wasatch Mountains wählt (***Cottonwood Canyon Road***). Diese Strecke eignet sich nicht für RVs größer als *Van Camper*.

Timpanogos Cave NM

Kurvenreich ist aber auch die **Straße #92**, die zwischen Heber City und Provo von der #189 abzweigt. Nach Überwindung der Höhe passiert man zunächst den sehr gut angelegten ***NF-Campground Little Mill*** (sehr beliebt, Reservierung ➢ Seite 200). Etwa 2 mi westlich liegt das ***Timpanogos Cave National Monument***, eine Tropfsteinhöhle; Führungen von 7-17.30 Uhr Juni bis *Labor Day*; www.nps.gov/timu. Anmeldung im *Visitor Center* an der Straße, $7. Den **Höhleneingang** erreicht man nach einem kleinen Fußmarsch (ca. 1,5 km einfacher Weg). Der durchaus lohnenswerte Besuch ist dadurch ziemlich zeitraubend.

Provo Canyon

Ein rascher Umweg mit hübschen Picknickplätzen am Fluss führt durch den *Provo Canyon* nach Süden (Straße #189). An den ***Bridal Veil* Wasserfällen** kann man sich für den großen Überblick mit einer Seilbahn nach oben befördern lassen. Über Orem geht es auf der I-15 nach Salt Lake City.

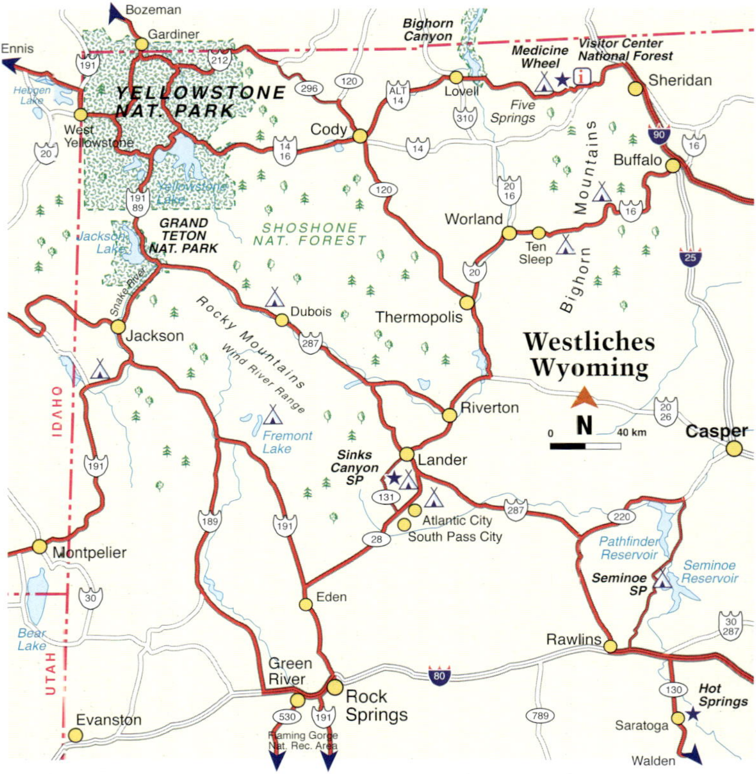

Alternative Routen durch Wyoming

Exkurs

Vom Yellowstone nach Süden

Viele Reisende möchten eine Fahrt in den *Yellowstone* Park gerne mit dem Besuch weiter südlich gelegener Ziele verbinden. Im Rahmen der zur Verfügung stehenden Zeit ist das meist nur möglich unter Verzicht anderer Ziele im Nordwesten.

D.h., nach dem Besuch des *Yellowstone* wird eine mehr oder minder rasche Umkehr bzw. Weiterfahrt in Richtung Süden angestrebt. Erfreulicherweise gibt es zur Abkürzung der beschriebenen Rundreise durch Wyoming **mehrere reizvolle Möglichkeiten**.

Die folgenden **3 Routen führen alle über Rock Springs**/Green River zur ***Flaming Gorge National Recreation Area*** und zum ***Dinosaur National Monument***. Sie entsprechen einer »Ideallinie« von den verbundenen Parks ***Yellowstone/Grand Teton*** zu den Nationalparks des Großen Plateaus:

Route 1

Die **Fahrt vom *Yellowstone* in Richtung Cody** (➢ Seite 648) vermeidet das doppelte Befahren von Streckenabschnitten für alle, die zunächst von Süden über Jackson angereist sind. Die Route bis einschließlich Thermopolis wurde bereits beschrieben, ➢ Seite 650. Von dort führt die **Straße #20** am Wind River entlang und – teilweise über dem Flussbett – durch den ***Wind River Canyon***. Hinter Shoshone verflacht die Landschaft. **Riverton** besitzt ein kleines Museum zur Kultur der *Arapaho* und *Shoshone* Indianer. In der dritten Juli- und zweiten Augustwoche finden dort **Rodeos** statt; www.windrivercountry.com.

Sinks Canyon

Mit **Lander** erreicht man eine weitere Kleinstadt mit Zentralenfunktion für das ausgedehnte Umfeld; www.landerchamber.org. Ein interessantes **Naturwunder**, das der ***Sinks Canyon State Park*** 7 mi südwestlich von Lander bereithält (Straße #131), findet erstaunlich wenig touristische Beachtung: In der malerischen Umgebung der östlichen Ausläufer der *Rocky Mountain Wind River Range* verschwindet das Wasser des ***Popo-Agie River*** in einer höhlenartigen Felsöffnung und tritt einige hundert Meter tiefer in einem großen Teich wieder zutage. Nur zur Zeit der Schneeschmelze, wenn die unterirdische Durchflusskapazität nicht ausreicht, fließt Wasser im Oberflächenbett.

Ein ***Visitor Center*** (geöffnet *Memorial* bis *Labor Day* jeweils bis 18 Uhr) informiert über die Details dieses Phänomens; http://wyoparks.state.wy.us/SCslide.htm. Am Fluss gibt es 2 einfache ***Campgrounds***, besser ist der Platz weiter oben. Die asphaltierte Straße wird dahinter zur rauhen *Gravel Road* und führt am ***Louis Lake*** (***NF-Campground***) vorbei zur **Straße #28.**

South Pass City

Ca. 2 mi abseits der Hauptstraße liegt **Atlantic City (!)**, eine nur noch spärlich bewohnte, ärmliche Siedlung in karger Einöde. An der östlichen Zufahrt passiert man einen **Campingplatz** der Einfachkategorie (BLM). Bei **South Pass City**, einige Meilen weiter westlich (Schotterstraße), handelt es sich um eine museal restaurierte ***Mini-Ghost Town*** der jüngeren Vergangenheit. Der kleine Abstecher hierher lohnt sich allemal, ein größerer Umweg, etwa von der Straße #191 kaum; www.southpasscity.com.

Route 2

Die **Straßen #189/#191 von Jackson nach Rock Springs** bieten eine Menge fürs Auge, solange es durch die Berge geht. Bei **Pinedale** passiert man die Zufahrt zum ***Fremont Lake***, einem bei Anglern äußerst beliebten, aber auch badefreundlichen See vor der Kulisse der *Wind River Mountains*. Die Südufer reichen bis in die Prärie, während sein nördlicher Ausläufer im dicht bewaldeten *National Forest* liegt. Die Stichstraße passiert den sehr schönen ***NF-Campground Fremont Lake*** am Seeufer und führt weiter zum ***Trails End Campground***.

Route 3

Eine weniger befahrene und – trotz ansprechender Abschnitte im Rocky Mountain Bereich – insgesamt **nicht so reizvolle Route** ist die **Straßenkombination #287/#26** zwischen *Grand Teton Park* und Lander (➢ oben). Südlich von **Dubois** läuft sie weitgehend

Route 3

durch eine eintönige Ebene, passiert aber auch interessante Sandsteinformationen am Wind River. Das 1.000-Einwohner Dorf besitzt einige **Motels** und **Restaurants** sowie einen urigen ***Western-Saloon*** mit (im Sommer) *Live-Music*; www.dubois wyoming.org.

Eine gute Schotterstraße (*Bald Mountain Road*) führt von Dubois ins Vorgebirge der Rockies. Etwa 12 mi nördlich liegt malerisch ein kleiner ***NF-Campground*** am ***Horse Creek*** und dessen »Mini-Canyon«, am Wege passiert man – 4 mi von **Dubois** entfernt – das hübsche ***Geyser Creek Bed & Breakfast Inn***, ✆ (307) 455-2702.

In Lander stößt man auf die Zufahrt zum ***Sinks Canyon Park*** wie auf der vorhergehenden Seite beschrieben.

Red Desert

Auf jeder der vorstehenden Routen gelangt man nach Farson/Eden, Nestern am Rande der ***Red Desert***. Das Wüstengebiet erstreckt sich etwa zwischen der Straße #191 und den Green/Seminoe Mountains (Straße #287). Die hohen **Sanddünen** bei Eden (*East of Eden*) erfreuen sich bei ATV/ORV-Enthusiasten (➤ Seite 39) großer Beliebtheit. In den einsameren Ecken der roten Wüste haben sich die letzten **Herden wilder Pferde** und wild lebender **Bisons** gehalten. In der Wüste eingefangene, noch nicht zugerittene Pferde werden auf dem ***Red Desert Round-up*** **in Rock Springs** (letztes Juli-Wochenende) vorgeführt und widerstehen dort bockig den Reitversuchen; www.rdrrodeo.com.

East of Eden

Green River

Rock Springs und Green River bieten nicht viel Erwähnenswertes, sie sind aber Eingangstore zur *Flaming Gorge National Recreation Area*. Da für die Anfahrt zum attraktiven *Flaming Gorge*-Südbereich die **Straße #530** der #191 vorzuziehen ist, sollte man sich die Mühe machen, über **Green River** zu fahren, und die Stadt dabei von Westen her (I-80/*Exits* 90 und 91) entlang der ***Palisades*** (steile Felswände) und durch das imposante Massiv des ***Tollgate Rock*** ansteuern. Sowohl Rock Springs als auch Green River besitzen vor allem in *Freeway*-Nähe zahlreiche **Motels**.

Flaming Gorge National Recreation Area

Auf der #530 erreicht man in **Manila** die Straße #44. Erste Ausblicke über das ***Flaming Gorge Reservoir*** zwischen Felswänden und tief hinunterreichenden Kiefernwäldern belohnen den Umweg. Besonders erfreulich verläuft die #44 entlang des ***Sheep Creek***. Wer die **Extrastunde** erübrigen kann, sollte unbedingt die ***Geological Loop Road*** abfahren, die sich durch bizarre Felsformationen schlängelt. Eine kurze Zufahrt führt von ihr zum guten ***Campground Brown Lake***; www.fs.fed.us/r4/ashley/recreation/flaming_gorge.

Über eine Stichstraße gelangt man zum ***Red Canyon Visitor Center*** am Rande der roten Schlucht hoch über der tiefblauen Wasserfläche des Sees. Mehrere **Campingplätze** befinden sich zwischen der Zufahrtstraße und dem Rand der Schlucht. Unterhalb des Staudamms und etwas weiter stromabwärts (*Little Hole*) dienen ruhige Ausbuchtungen des Flussbetts als Ausgangspunkte kurzer und längerer **Wildwasserfahrten** auf dem **Green River** (➤ auch

Rafting

Seite 677), die zu den schönsten und aufregendsten Angeboten ihrer Art gehören. Geübte können Boote für ***Green River Trips* auf eigene Faust** in Dutch John und Cedar Springs ausleihen.

Nach Vernal

Auf dem Weg vom *Flaming Gorge* Hochplateau in die niedriger gelegene Halbwüste Utahs passiert man ca. 10 mi nördlich Vernal die Zufahrt zum ***State Park*** am ***Red Fleet Reservoir***, einem warmen Stausee (Schwimmen) in felsiger Lage mit einem prima ***Campground***: eindeutig empfehlenswerter als der *State Park* am *Steinacker Reservoir* etwas weiter südlich; www.stateparks.utah.gov/park/index.php?id=RFSP.

Mit **Vernal** (➤ Seite 678) wird die **Basisroute** durch Wyoming und den Norden von Colorado und Utah erreicht. Das ***Dinosaur Monument*** gehört zu den Zielen, dessen Besuch auf dieser Route nicht versäumt werden sollte (indessen ist das *Visitor Center* mit dem *Dinosaur Quarry Museum* 2007 geschlossen; Wiedereröffnung könnte sich nach 2008 hinein hinziehen).

Verbindung zur Route 4.2

Zwischen **Dinosaur** und **Grand Junction** (an der ***Interstate* #70**) existiert mit der Straßenkombination **#40/#64/#139** eine entfernungsmäßig wie vom Verlauf her **ideale Verbindung zwischen den Routen im Nord- und Südwesten (4.2, Seite 426)**. Die mögliche **Alternativroute #40/#191/I-70** ist nicht nur weiter, sondern auch landschaftlich weniger reizvoll.

Vom Yellowstone nach Colorado

Eine **weitere Strecke zur Durchquerung Wyomings**, die eventuell dann erwogen werden könnte, wenn man den eben beschriebenen Weg über *Dinosaur, Flaming Gorge* und Jackson (mit dem Ziel *Yellowstone*) bereits in Süd-Nord-Richtung gefahren ist, führt **von Lander über Rawlins** nach Colorado (bis Lander ➤ Seite 681): Die **Straße #287** am Nordhang der *Green Mountains* verläuft eher eintönig, aber ein kleiner Schlenker könnte den Stauseen weiter östlich gelten. Einfache, in den meisten Camping-Führern nicht verzeichnete Plätze befinden sich am ***Alcova, Pathfinder*** und ***Seminoe Reservoir*** (dort auch ein schlichter ***State Park***). Die Straße zwischen Alcova und Sinclair an der I-80 besteht zwar streckenweise aus Schotter, lässt sich aber bei Trockenheit gut befahren.

Routen durch Colorado

In Walcott zweigt die **Straße #130** von der I-80 ab und führt über **Saratoga** (eintrittsfreie, sehr heiße ***Hot Springs*** in einem Pool hinter dem lokalen Schwimmbecken – ausgeschildert; www.saratogachamber.info) und Riverside nach **Walden**/Colorado.

Je nach Zielsetzung geht es von dort auf unterschiedlichen Wegen weiter. Mit der Absicht, Denver zu besuchen, aber ohne unbedingte Präferenz für den *Rocky Mountain Nationalpark* bietet die **Straße #14 Ost** nach **Fort Collins** eine schöne Route über den 3.100 m hohen ***Cameron Pass*** und dann am Cache La Poudre River entlang. Die von Walden nach Süden führenden Straßen stellen über die *Interstate* #70 und die Straßen #91/#24 die Verbindung zur Route 4.3 her (➤ Seite 471). **Reizvoller**, aber zeitlich aufwendiger als die gut ausgebaute Kombination #14 West/ #40/#9 verläuft die #125 und danach weiter die #40 Ost.

Immer blitzblank geputzter Nachbau der Originallok »Jupiter« im Golden Spike Monument

7.3 Durch Idaho und Montana

Die in diesem Abschnitt beschriebenen Strecken eignen sich als **Erweiterung der Route durch Wyoming** (7.2), aber auch – vor allem in Verbindung mit einem Besuch des *Yellowstone Park* und ggf. unter Einbeziehung von Routen, die im vorstehenden Exkurs skizziert wurden – als **eigenständige Alternative** für eine Reise durch den zentralen Nordwesten der USA.

7.3.1 Von Salt Lake City zum Glacier National Park

Golden Spike National Historic Site

Etwa 50 mi nördlich von Salt Lake City passiert man auf der *Interstate* #15/#84 die Zufahrt (Straße #83) zum ***Golden Spike National Historic Site***; www.nps.gov/gosp.

Eintritt
$7/Auto $4/Person im Sommer, sonst $5/Auto $3/Person oder Interagency Jahrespass

1869 trafen sich am ***Promontory Summit*** die von den Eisenbahngesellschaften *Central* und *Union Pacific* gleichzeitig aus beiden Richtungen vorangetriebenen Trassen der ersten Transkontinentalverbindung. Der letzte Nagel war vergoldet und wurde **am 10. Mai 1869 um 12.47 Uhr** vom Gouverneur von Kalifornien in die Holzschwellen getrieben. Der feierliche Akt wird seither alljährlich zur gleichen Stunde wiederholt, im Sommer außerdem Sa und So um 13 und 15 Uhr. Wer dazu nicht anwesend sein kann, muss sich mit der Besichtigung blitzblanker, bunter Nachbauten der historischen Originallokomotiven ***Jupiter*** und ***119*** sowie des kleinen Museums im ***Visitor Center*** begnügen, 9-17 Uhr. Die Loks werden unter Dampf gehalten und 2x täglich für 200 m in Bewegung gesetzt.

Nach Idaho/ Klima

Vom *Golden Spike Monument* bis zur **Idaho-Grenze** sind es noch 35 mi (Straße #102, dann I-15). In den niedriger gelegenen Regionen des Staates (in etwa südlich der Linie Boise–Idaho Falls und in den Tälern des Salmon und Snake River) setzen sich die durch Trockenheit und sommerlicher Hitze geprägten Klimabedingungen West-Utahs fort.

Lava Hot Springs

Erstes wichtiges **Zwischenziel** in **Idaho**, dem **Kartoffelstaat No.1** der USA, ist das *Craters of the Moon National Monument*. 25 mi südlich Pocatello zweigt die Straße #30 nach **Lava Hot Springs** ab (auch Zufahrt zum *Yellowstone*, ➢ Seite 635). Ein richtig großes **Schwimmbad** befindet sich an der westlichen Ortseinfahrt, eine **Heißwasser-Poolanlage** (*Sunken Gardens*) vor der östlichen Ausfahrt; www.lavahotsprings.com.

Zwischen **Pocatello**, dem kommerziellen Zentrum im Südosten Idahos, und Blackfoot durchquert man die ***Fort Hall Indian Reservation***; www.seidaho.org/forthall.html. Im Städtchen Fort Hall findet im Wechsel Ende Juli oder Anfang August eines der farbenprächtigsten ***Pow-Wows*** der Indianer des Nordwestens statt.

Pow-Wow bei den Shoshone-Bannocks von Christoph Fuhr

Fort Hall/Idaho, an der Interstate #15. Warum machen die Leute an diesem Augustwochenende hier nicht halt, fahren die meisten achtlos vorbei? Ihnen entgeht das farbenfrohe Pow-Wow der Shoshone-Bannock Indianer, eine großartige Darbietung ihrer Traditionen und Tänze. Solche Veranstaltungen gibt es viele. Aber dieses Indianerfest stellt alle anderen im Nordwesten der USA in den Schatten, wird gesagt. Wir sind Übertreibungen gewohnt, doch in diesem Fall könnte es stimmen.

Die Teton Ramblers aus Wyoming schlagen rhythmisch die Trommeln und singen dazu – Klänge wie in alten amerikanischen Western. Nur, mit Kino-Kitsch oder Folklore-Firlefanz für Touristen hat das hier nichts zu tun. Es ist ein Fest für Indianer. Doch weiße Zuschauer sind willkommen. Stolz sehen die Shoshonen aus, mit ihrem Federschmuck und den bunten Kleidern. Beeindruckend, mit welcher Ausdauer sich vor allem die älteren Männer und Frauen mitreißen lassen. Stundenlang tanzen sie, drehen sich im Kreis, scheinen die Wirklichkeit vergessen zu haben. Ketten rasseln wie Klapperschlangen an Arm- und Fußgelenken.

Aus allen Teilen des Landes sind sie gekommen. Darunter auch viele junge Indianer aus anderen Stämmen. Denn beim Pow-Wow Tanzwettbewerb gibt's für den Sieger immerhin $1.500. »Ich hoffe, Ihr macht alle Aerobic und habt Euch gut vorbereitet,« sagt der Mann am Lautsprecher. Eine alte Indianerfrau, die sich mit ihrem Klappstuhl bereits einen Platz für die Show gesichert hat, schüttelt den Kopf. »Was hat Aerobic mit den Traditionstänzen unseres Stammes zu tun?« fragt sie ihre Nachbarin.

Es ist heiß an diesem Sommertag im Reservat. Wieder und wieder fährt ein Truck über den Festplatz und sprüht Wasser aus seinen Tanks, um den Staub zu binden. Mitten im bunten Treiben wollen weiße Beamte Indianer dazu bringen, sich für die nächste Wahl registrieren zu lassen – mit bescheidenem Erfolg. Die Indianer winken ab, sie haben keine Lust zu wählen. »Die in Washington,« so denken sie wohl, »interessieren sich sowieso nicht für uns.« Viele wirken trotz ihrer Jugend resigniert. Gegen Arbeitslosigkeit und fehlende Zukunftsperspektiven gibt es anscheinend kein Konzept. Was Wunder, dass viele Indianer in den Alkohol flüchten, der im Reservat und auch beim Pow-Wow eigentlich streng verboten ist. – www.shoshonebannocktribes.com

Fort Hall

In Pocatello steht unweit der I-15, *Exit* 67, eine Rekonstruktion des (Blockbohlen-)***Fort Hall***. Gleich nebenan im *Ross Park* befindet sich ein kleiner **Zoo** mit heimischen Tierarten.

Atomreaktor

Von **Blackfoot** geht es auf der Straße #26 in Richtung *Craters of the Moon*. Etwa 20 mi südöstlich von Arco steht 2 mi abseits der Straße in flacher Prärie der weltweit **erste Atomreaktor,** der (1951) nuklear erzeugten elektrischen Strom (nach Arco) lieferte, der ***Experimental Breeder Reactor #1***, kurz EBR-1. Viele Jahre war das Gebiet wegen erhöhter Radioaktivität gesperrt und durfte nur ohne Stop durchfahren werden. Mittlerweile wurde das Gebäude (hoffentlich) dekontaminiert und daraus ein ganz interessantes Museum; geöffnet von *Memorial* bis *Labor Day* täglich 9-17 Uhr, frei. Die alte Anlage steht neben dem Parkplatz und kann jederzeit besichtigt werden; www.inl.gov/factsheets/ebr-1.pdf.

Erster zivil genutzter Atomreaktor der Welt, EBR-1, als museales Open-air Objekt bei Arco/Idaho

Craters of the Moon

Eintritt
$8/Auto
$4/Person
oder
Interagency Jahrespass

Schwarzes Lavagestein empfängt den Touristen bereits weit vor den Grenzen des Mondmonuments. Aber erst die beim ***Visitor Center*** beginnende ***Loop Road*** (ca. 7 mi) führt voll hinein in die erstarrten Lavaströme. Die letzte vulkanische Aktivität liegt hier nur erdgeschichtlich unbedeutende 2.000 Jahre zurück. Geologie und Eigenart der bizarren Landschaft erschliessen sich dem Besucher am besten auf den ***Trails***; www.nps.gov/crmo.

Das **Minimalprogramm** sollte den Aufstieg zum ***Inferno Viewpoint***, den Blick in die kleinen Krater ***Spotter Cones*** und ***Snow Cone*** und einen Abstieg in zumindest eine der (erstaunlich kühlen!) **Lavahöhlen** beinhalten. Für ihre Erkundung benötigt man festes Schuhwerk, Pullover und eine gute Lampe.

Der einfache ***Campground*** des Monuments liegt mitten im Lavafeld zwischen schwarzen Felsbrocken und minimaler Vegetation. Der Untergrund besteht aus steiniger Schlacke.

Hotelzimmer gibt es im unmittelbaren Umfeld des Monuments nicht. Aber **Arco** verfügt über eine Handvoll **Motels** von preiswert bis untere Mittelklasse.

Ketchum

Rund 40 mi westlich des Monuments geht es auf der ***Sawtooth Scenic Route*** (#75) hinauf in die *Sawtooth Mountains* mit der gleichnamigen *National Recreation and Wilderness Area* in der Hochlage. **Ketchum** und desen Vorort **Sun Valley** sind populäre, stark kommerziell bestimmte Ziele für Sommer- und Skiurlaub. ***Ernest Hemingway*** verbrachte seine letzten Lebensjahre in Ketchum (nicht in Key West!) und schrieb dort »*Wem die Stunde schlägt*«. Er beging 1961 Selbstmord. Der kleine Friedhof mit seinem Grab liegt an der Hauptstraße etwas außerhalb des Ortes im Norden. Ein schlichtes **Denkmal** am *Trail Creek* erinnert an den berühmtesten Bürger der Stadt. Wer in Ketchum und Umfeld ein Zimmer sucht, findet ein breites Angebot vom preiswerten **Motel** bis zur piekfeinen ***Lodge***; www.visitsunvalley.com.

Hot Springs

In Ketchums Umgebung gibt es zahlreiche **heiße Quellen**. Einige von ihnen werden kommerziell betrieben und sind im Ort und an der #75 nicht zu übersehen, andere blieben **naturbelassene Badepools**. Die ***Chamber of Commerce*** hat eine Liste der *Hot Springs*.

Sawtooth National Recreation Area

Die *Sawtooth National Recreation Area* mit der östlich angrenzenden Wildnisregion erfreut sich bei Naturfreunden zu Recht großer Beliebtheit; **Angeln** und **Gebirgswandern** sind dort die bevorzugten Aktivitäten; www.fs.fed.us/r4/sawtooth.

NF-Campingplätze säumen die **Straßen #75** (am Salmon River) und **#21** oder liegen nur wenige Meilen abseits. Ausgangspunkt für Wildnistrips ist vor allem der glasklare ***Redfish Lake*** vor der Sägezähnen ähnelnden Silhouette des ***Mount Heyburn***. An der Nordspitze des im flachen Uferbereich badewarmen Sees (rund 3 mi von der #75, asphaltierte Zufahrt) befinden sich ***Visitor Center*** und diverse ***Campgrounds*** mit wunderbaren Plätzchen am Wasser, am besten ***Redfish Point*** auf einer Halbinsel. **Stanley** im Blockhaus-*Look* ist der einzige Ort (100 Einwohner) weit und breit mit einer bemerkenswerten Anzahl von **Motels** und ***B&Bs***. Dort lassen sich auch ***Raft Trips*** auf dem wilden Oberlauf des Middle Fork Salmon River buchen (etwa ab $75/Tag).

Camping im Craters of the Moon Monument inmitten karger Lavalandschaft

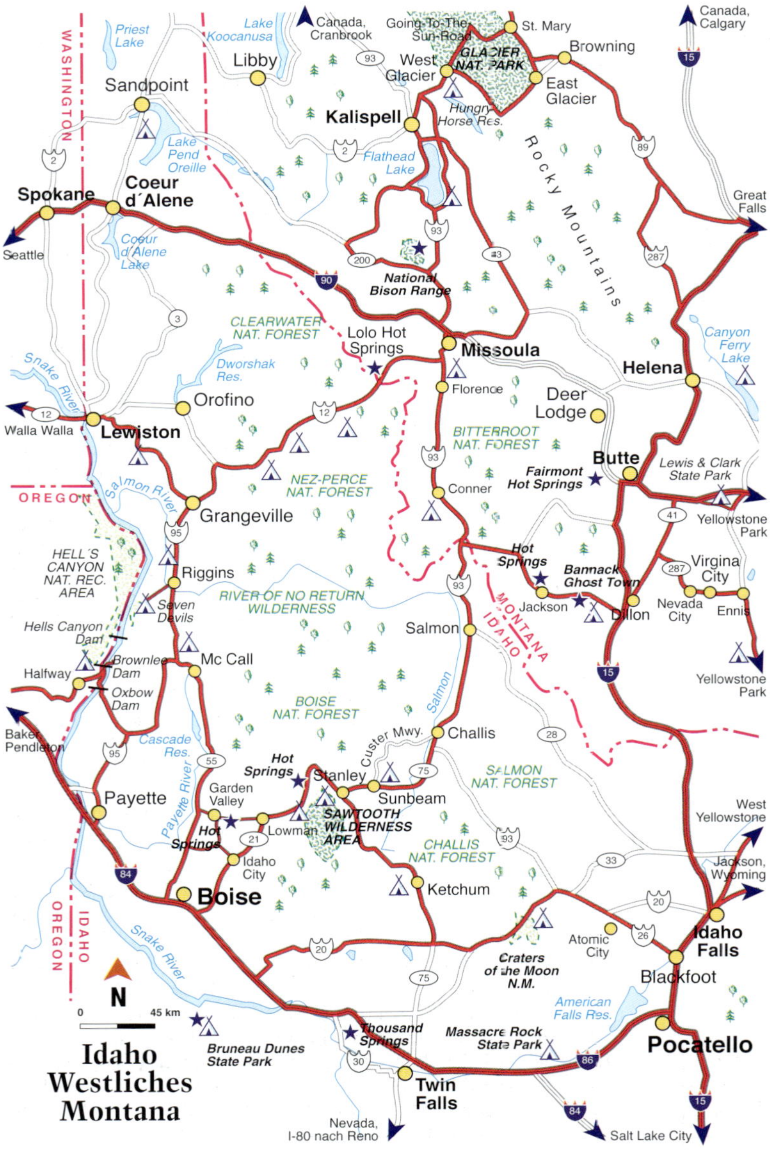
Idaho
Westliches
Montana
Spokane
Coeur d´Alene
Sandpoint
Priest Lake
Lake Pend Oreille
Coeur d'Alene Lake
Seattle
Libby
Lake Koocanusa
Canada, Cranbrook
Going-To-The-Sun-Road
St. Mary
GLACIER NAT. PARK
West Glacier
Browning
East Glacier
Canada, Calgary
Kalispell
Hungry Horse Res.
Flathead Lake
Rocky Mountains
Great Falls
National Bison Range
CLEARWATER NAT. FOREST
Lolo Hot Springs
Missoula
Florence
Helena
Canyon Ferry Lake
Dworshak Res.
Orofino
Deer Lodge
Snake River
Walla Walla
Lewiston
BITTERROOT NAT. FOREST
Butte
Fairmont Hot Springs
Lewis & Clark State Park
NEZ-PERCE NAT. FOREST
Conner
Yellowstone Park
Salmon River
OREGON
WASHINGTON
Grangeville
HELL´S CANYON NAT. REC. AREA
Hot Springs
Bannack Ghost Town
Virgina City
Riggins
Jackson
Dillon
Nevada City
Ennis
RIVER OF NO RETURN WILDERNESS
Seven Devils
MONTANA
IDAHO
Hells Canyon Dam
Salmon
Brownlee Dam
Mc Call
Halfway
Oxbow Dam
BOISE NAT. FOREST
Salmon
Yellowstone Park
Baker, Pendleton
Cascade Res.
Custer Mwy.
Challis
Hot Springs
Stanley
SALMON NAT. FOREST
Payette
Garden Valley
Sunbeam
Payette River
SAWTOOTH WILDERNESS AREA
West Yellowstone
Lowman
Hot Springs
CHALLIS NAT. FOREST
Idaho City
Jackson, Wyoming
Ketchum
Boise
Atomic City
Idaho Falls
Craters of the Moon N.M.
Blackfoot
Snake River
American Falls Res.
N
0
45 km
Thousand Springs
Massacre Rock State Park
Pocatello
Bruneau Dunes State Park
Twin Falls
Nevada, I-80 nach Reno
Salt Lake City
2
3
12
95
55
21
84
20
75
30
86
15
93
90
200
89
287
41
28
33
26

Routen zum Glacier Park

Der direkte Weg zum *Glacier Park* folgt weiter der Straße #75. Mindestens zwei, besser drei Tage zusätzlich wären erforderlich für einen **Umweg über Boise zum *Hells Canyon***, ➤ ab Seite 696. Wer auf den Schlenker über Stanley verzichtet, und vom *Craters of the Moon Monument* direkt nach Boise bzw. zum *Hells Canyon* fährt, spart einen Tag und würde dabei die *Sawtooth Mountains* ausklammern.

Straßen #75/#93

Die Weiterreise auf der **#75** bzw. ab Challis auf der **#93** bleibt bis nach Montana hinein erfreulich. An schön gelegenen ***NF-Campgrounds*** am Salmon River besteht kein Mangel. Mehrere Einfach-Plätze des *Bureau of Land Management* liegen weiter nördlich am Salmon River (teilweise mit Badestellen).

Umweg durchs Goldrausch-gebiet

Alternativ zur #75 kann man (ab Sunbeam) den ***Custer Motorway*** nehmen, eine überwiegende *Dirt Road* (Juni-September; nicht für RVs; vorher erkunden) am Rand der ***River-of-no-return-Wilderness*** durch ein früheres **Goldrauschgebiet** (immer noch Molybdän- und Goldgewinnung) mit den ***Ghost Towns*** **Custer** und **Bonanza City**. Fast identische Meilen bis **Challis**, aber mindestens plus 2-3 Stunden Zeitbedarf inkl. kleiner Stopps am Wege. ***Campgrounds*** liegen auch am Weg. Der einzig nennenswerte Ort zur Versorgung ist **Salmon**.

Bereits in Montana, etwa 6 mi nördlich Sula befindet sich an der #93 bei Conner die ***Rocky Knob Lodge***, ✆ (406) 821-3520, mit einer urigen **Kneipe**. Eine letzte **Campingempfehlung** vor Erreichen von Missoula gilt der ***Chief Looking Glass Recreation Area*** nördlich Florence, ca. 1 mi westlich der Straße, mit **Picknickplatz** und **Badestellen** am Bitterroot River.

Missoula

In der Universitätsstadt Missoula ist das Waldbrandbekämpfungs-Center an der Verlängerung des Broadway (#93 West) in Nachbarschaft zum Airport eine wichtige Institution. Fast jeden Sommer gibt es viel zu tun für die Männer des ***Smokejumpers Base Aerial Fire Depot***. Den Besuchern werden Technik, Probleme und Gefahren der **Waldbrandbekämpfung** aus der Luft nahegebracht. Führungen Mai-September jeweils zur vollen Stunde 10 Uhr und 11 Uhr und 14-16 Uhr; Anmeldung im Besucherzentrum mit kleinem Museum, Spende erbeten; www.smokejumpers.com.

Büffelgehege

36 mi nördlich von Missoula, zweigt (in Ravalli) die #200 von der #93 ab. Nach ca. 6 mi geht es in Richtung Agency zur Einfahrt der ***National Bison Range***, wo über 500 Bisons leben. Im ***Visitor Center*** gibt's das obligatorische *Permit* ($5) für den **20-mi-Rundkurs** durch die hügelige Prärielandschaft; www.fws.gov/bisonrange.

Unterkunft

In St. Ignatius, östlich der *Bison Range* existiert an der Straße #93 eine **Kombination von Campingplatz** und ökologisch gebauter **Herberge** ($15) der Deutschen U. Stallings. Der ***Campground*** kostet ab $10 (Zelt) bzw. $13 (RV ohne *Hook-up*), ***Bed & Breakfast***, speziell für Biker, im Mehrbettraum auf Anfrage; ✆ (406) 745-3959 (auch deutsch); www.tenting-hostels.com.

Flathead Lake

Zur Weiterfahrt in Richtung *Glacier Park* stehen **mehrere Alternativen** zur Auswahl. Die **Hauptstraße westlich des *Flathead Lake*** nach Kalispell ist die schnellste, aber weniger attraktive Strecke; sie läuft zudem **überwiegend weitab vom Seeufer**. Die Straße #35 auf der Ostseite verfügt über mehr Abschnitte direkt am Wasser und einige ***State Parks***. Stellplätze unmittelbar am Kiesstrand bietet die indianisch verwaltete ***Blue Bay Picnic- & Camping Area*** im südlichen Bereich des Sees. Eine erwägenswerte Kombination bilden auch die erheblich verkehrsärmeren **Straßen #200/#83** durch das schöne Tal des Swan River bei allerdings 50 mi Umweg.

Hungry Horse Lake

Kurz vor dem *Glacier Park* führt eine Stichstraße (4 mi) vom Ort **Hungry Horse** (Straße #2) zum gleichnamigen, 30 mi langen Stausee. Kurz nach der Dammüberquerung findet man den ersten einfachen **NF-*Campground*** direkt am Wasser. Forstwege führen um diesen See herum. Dort ist nur an Wochenenden wirklich Betrieb, das Panorama aber kaum weniger eindrucksvoll als am gelobten Lake McDonald im *Glacier Park*.

Glacier National Park

Anders als der Name es erwarten lässt, gibt es **kaum noch größere sichtbare Gletscher** im *Glacier National Park*, der ein hochalpines Gebiet der *Rocky Mountains* (hier: *Livingstone* und *Lewis Range*) an der kanadischen Grenze unter Naturschutz stellt. Verbunden mit ihm ist der kanadische Nationalpark ***Waterton Lakes***. Beide zusammen bilden den ***International Peace Park***. Ohne formale Grenzkontrolle führen **Wanderwege** von und zu Ausgangspunkten in beiden Ländern. Im Hinterland befinden sich ungewöhnlich viele ausschließlich per pedes anzusteuernde ***Walk-in-Campgrounds***.

Am glasklaren McDonald River

Eingangsort im Westen ist das nur im Sommer belebte winzige Touristendorf **West Glacier** mit einer begrenzten Versorgungsinfrastruktur. Immerhin verfügt West Glacier (wie auch East Glacier, siehe unten) sogar über eine ***Amtrak-Station*** und macht *Glacier* zum einzigen mit der Eisenbahn erreichbaren Nationalpark des ganzen Westens. Eine Reihe von *Rafting Companies* in West Glacier bieten **Schlauchboottrips** auf dem auch für Einsteiger geeigneten Flathead River.

Zwischen Columbia Falls und West Glacier gibt es zahlreiche ***Motels, Lodges*** und kommerzielle *Campgrounds* entlang der Straße #2.

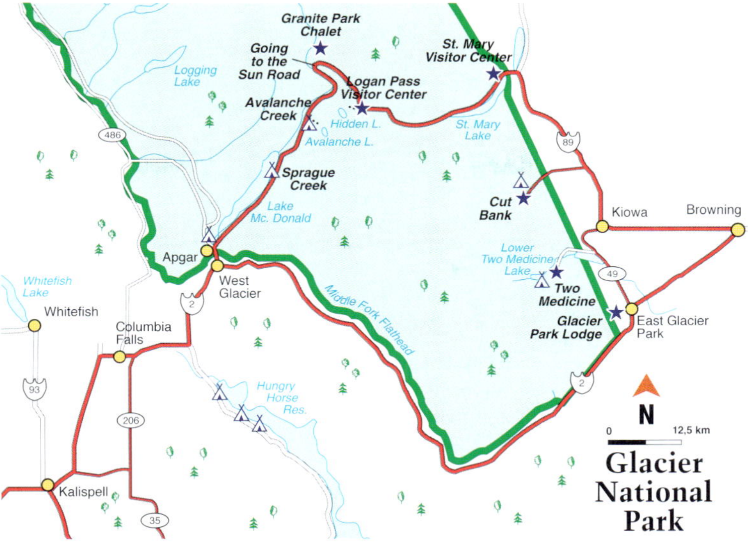

Glacier National Park

Vor dem Besuch des Glacier Park muss man folgendes wissen (www.nps.gov/glac und www.glacierparkinc.com):

Situation

- **Wetterstürze** mit sehr niedrigen Temperaturen und Schneefällen sind selbst im Juli/August in Hochlagen nicht selten. **Schnee** versperrt die ***Going-to-the-Sun-Road*** bis Mitte Juni, bisweilen bis in den Juli hinein und spätestens ab Oktober.
- ***Motorhomes* länger als 21 Fuß und breiter als 8 Fuß sind auf dieser Straße nicht zugelassen**. Selbst mit kleineren Campmobilen ist das Fahren zumindest in Richtung Ost-West wegen überhängender Felsen und der Gefahr, mit den Aufbauten »anzuecken«, bei Gegenverkehr kitzelig.
- An sommerlichen Schönwettertagen und an Wochenenden kann auf der *Going-to-the-Sun-Road* ein Stoßstange-an-Stoßstange-Verkehr herrschen. **Parkplätze** an den *Trailheads* und am *Logan Pass* werden dann zu Mangelware.
- Auch die **Campingplätze** im zentralen Teil des Parks sind bei Andrang spätestens gegen Mittag voll belegt. Aussicht auf Platz besteht an solchen Tagen eher in *Cut Bank* (simpel und ruhig) und im Bereich *Two Medicine*.

Eintritt
$25/Auto
$12/Person
oder
Interagency
Jahrespass

Going-to-the-Sun-Road

Die ***Going-to-the-Sun-Road*** quer durch den Park (50 mi) weckt mit ihrer schönen Bezeichnung Erwartungshaltung. Tatsächlich gehört sie zu den eindrucksvollsten Gebirgsstrecken Nordamerikas. Sie passiert zunächst den ***McDonald Lake*** und folgt dann dem türkisfarbenen McDonald River (➤ Foto links), bevor sie sich

Park Road

hinauf zum ***Logan Pass*** windet. Aus über 2.000 m Höhe geht es von dort rasch wieder hinunter zum 700 m tiefer gelegenen St. Mary Lake:

Trails

Gleich eingangs am Lake McDonald liegt der beste mit dem Auto erreichbare Campingplatz des Parks, ***Sprague Creek***, nur einige Meilen weiter der Ausgangspunkt für den besonders reizvollen ***Trail*** durch den ***Canyon*** des ***Avalanche Creek*** zum ***Avalanche Lake*** (2-3 Stunden). Auch wer dafür nicht die Zeit hat, sollte anhalten und den Lehrpfad ***Trail of the Cedars*** ablaufen (ca. 30 min). Weniger der Weg als solcher als vielmehr das von Hunderten von Baumstämmen teilweise blockierte Bachbett wird besonders, aber nicht nur Kindern Spaß machen.

Logan Pass

Vom ***Visitor Center*** am *Logan Pass* bereits oberhalb der Baumgrenze (2.025 m) war es noch in den 1980-Jahren selbst im Hochsommer nicht weit zum ewigen Schnee. In der Zwischenzeit haben sich **Eis und Schnee** auch im *Glacier Park* ziemlich zurückgezogen. Ein schöner ***Trail*** führt in der Höhe zum ***Hidden Lake Overlook*** (etwa 2-3 Stunden). Bei gutem Wetter im Sommer findet auf diesem Weg allerdings oft eine Art Völkerwanderung statt. Die Abfahrt nach Osten ist im Vergleich zur westlichen Teilstrecke weniger aufregend.

Ein weiteres **Besucherzentrum** steht am östlichen Parkeingang (St. Mary). Das dort gezeigte ***Video*** lohnt einen Stop.

Rund um den Park

Gerne empfohlen wird die Umrundung des *Glacier Park* auf der Straßenkombination #89/#49/#2. **Wirklich attraktiv** ist auf dieser Strecke **nur die #2**, besonders auf der Westseite des Parks entlang des Middle Fork Flathead River.

In East Glacier steht die ***Glacier Park Lodge***, ein in der Tat **großartiger Hotelbau** im Blockhausstil, aber recht teuer (ab ca. $160) und für die vielen Dollars nicht sonderlich exquisit. Reservieren unter © 1-866-646-0388, www.bigtreehotel.com.

In **East Glacier** gibt es auch ein ***Hostel***, und zwar das ***Backpackers Inn***, 29 Dawson Ave, © (406) 226-9392, $10, www.serranosmexican.com/backpacker.html.

Nostalgische Open-air-Rundfahrtbusse am Logan Pass im Glacier National Park

7.3.2 Vom Glacier zum Yellowstone National Park

Karte Seite 652

Der direkte Weg vom *Glacier* zum *Yellowstone Park* (**Nordeinfahrt/*Mammoth Hot Springs***, ca. 370 mi) ist identisch mit dem schönen Verlauf der Straße #89 über Great Falls. **Mehr Abwechslung** bietet aber die im folgenden beschriebene **Route über Helena und Butte nach West Yellowstone.**

Browning

In beiden Fällen geht es zunächst auf der #89 durch das Reservat der ***Blackfeet* Indianer** in Richtung Great Falls. Browning, ein vom indianischen Niedergang geprägter Ort, ist Sitz der Reservatsverwaltung. Am westlichen Ortseingang wartet das ***Museum of the Plains Indians*** mit einer informativen, aber nicht überwältigenden Ausstellung zur Indianerkultur der Prärien auf Besucher; täglich 9-16.30 Uhr in den Sommermonaten, sonst nur Mo-Fr ab 10 Uhr, Eintritt $4, Kinder bis 12 Jahre $1; www.doi.gov/iacb/museums/museum_plains.html.

Weder die #89 bis Great Falls, noch die #287, die direkt nach Helena führt, bieten sonderlich viel fürs Auge. **Wegen der reizvollen Streckenführung der I-15** zwischen Helena und Great Falls sollte man über die größte Stadt Montanas fahren.

Great Falls

Bei Great Falls handelt es sich zwar um eine eher unattraktive ***Business Community*** beidseitig des Missouri River (www.greatfallscvb.visitmt.com), die wirtschaftlich stark auf die nahe *Malmstrom Air Force Base* ausgerichtet ist, aber sie hat zwei interessante Anlaufpunkte:

Das ***Charles M. Russell Museum*** beherbergt u.a. weit über 1.000 Werke dieses herausragenden Vertreters der ***Western Art***, dessen Heimat Great Falls war. *Russells* oft fotografisch genau wirkende Gemälde kreisen überwiegend um Trapper, Indianer, Pioniere, Eroberung des Westens. Das Museum lässt sich nicht verfehlen; es liegt im Villenviertel südlich des Flusses und ist gut ausgeschildert (400 13th Street; Di-Sa 10-17, So ab 13 Uhr, Mai bis September täglich 9-18 Uhr; $9, Schüler $4; www.cmrussell.org).

Das grandiose ***Lewis & Clark National Historic Trail Interpretive Center*** steht am Ufer des Missouri im ***Giant Springs State Park*** östlich der Stadt. Es beherbergt ein hervorragendes Museum zur Expedition von *Lewis & Clark* (➤ Seite 585) und zeigt mehrfach am Tag einen Film zum Thema. Im Sommer täglich 9-18 Uhr, sonst Di-So bis 17 Uhr, So ab 12 Uhr. Eintritt $5; Kinder/Jugendliche bis 15 Jahre frei; www.fs.fed.us/r1/lewisclark/lcic.

Ein ***KOA-Campground*** liegt im Südosten; www.greatfallskoa.com.

Gates of the Mountains Canyon

Die gelobte I-15 verlässt einige Meilen südwestlich von Great Falls die Prärie und läuft im Tal des Missouri grandios **durch die Ausläufer der *Rocky Mountains***. Kurz vor Helena durchbrach der Fluss die *Beartooth*-Höhen und bildete den ***Gates of the Mountains Canyon***. Er ist heute Teil des aufgestauten *Holter Lake*, unter dem einst gefährliche Stromschnellen verschwanden. Eine Stichstraße vom *Freeway* führt zu See und Anleger (*Exit* #209).

Alte Schachtanlage beim World Museum of Mining bei Butte

Helena

Die **Hauptstadt Montanas**, eines Staates mit etwa der Fläche Deutschlands, zählt ganze **25.000 Einwohner**. In Helena gibt es denn auch nicht so ganz viel zu sehen, vornehmlich

- das ***City Center*** mit der ***Last Chance Gulch Pedestrian Mall***, einer *Shopping* Zone just dort, wo 1864 das erste Gold in der Montana Region *Gold West* gefunden wurde.
- das – wie anderswo – bombastische ***State Capitol***, dessen Grundsteinlegung sich 1999 zum 100. Mal jährte.
- das ***Historical Society Museum*** (direkt am *Capitol Park*, geöffnet im Sommer Mo-Sa 9-17, Do bis 20 Uhr, $5/$1) mit einer guten Ausstellung zu Pionierzeit, Minentradition, Indianerkultur und einer ***Western Art* Abteilung** (auch überwiegend *C.M. Russell*); www.montanahistoricalsociety.org.

Rodeo

Ende Juli (letztes Wochenende) kommt Leben in die Stadt, wenn die ***Last Chance Stampede*** abgehalten wird mit Rodeo, Jahrmarkt und Landwirtschaftsschau.

Information

Eine *Visitor Information* befindet sich an der I-15, ***Exit*** #193, ✆ 1-800-743-5362; www.helenacvb.visitmt.com.

Unterkunft

Helena verfügt über eine große Auswahl an ***Motels*** und ***Lodges***, vor allem im unteren bis mittleren Preissektor, darunter *Days Inn, Econolodge, Super 8, Motel 6, Red Roof, Shilo* etc.

Camping

Stadtnah campt man am besten am **Hauser Lake**, einem weiteren Stausee des Missouri, ca. 12-15 mi östlich der Stadt. An ihm liegen kommerzielle ***Campgrounds*** und der ***Black Sandy State Park***; http://fwp.mt.gov/lands/site_281944.aspx. Etwas südlicher befindet sich der **Canyon Ferry Lake**. Vor allem am Nordostufer findet man mehrere ***Campgrounds*** der Einfachkategorie.

Ghosttown

Der lokal gern empfohlene Abstecher zur 25 mi nordwestlich gelegenen, noch bewohnten »***Ghosttown***« ***Marysville*** mit ein paar windschiefen Gebäuden lohnt sich nicht.

Butte

Die **Interstate #15** beeindruckt auch südlich Helena weiter mit ihrer schönen Streckenführung. **Butte** ist eine – mit dem Nachlassen ihrer einst Reichtum bringenden Kupfervorkommen – speziell im Zentrum leicht heruntergekommene **Minenstadt**; www.buttechamber.org. Das leicht chaotische, aber interessante ***World Museum of Mining & 1899 Mining Camp*** (April-Oktober So-Mi 9-17.30, Do-Sa bis 21 Uhr; $7 Eintritt; www.miningmuseum.org) und der ***Butte Historic District*** veranschaulichen die Arbeit früherer Tage in den Minen bzw. den mit der industriellen Monokultur verbundenen Aufstieg und Niedergang Buttes.

Zum Picknicken oder zur Übernachtung (eher Zelte, für RVs ungünstig) eignen sich die diversen Plätze des ***Thompson Park***, ein paar Meilen östlich der Stadt an der wunderbar über den ***Pipestone Pass*** geführten Straße #2.

Fairmont Hot Springs

Ein guter **Abstecher** von Butte lässt sich zu den ***Fairmont Hot Springs*** unternehmen. An diesen heißen Quellen, ca. 18 mi westlich auf der I-90, *Exit* 211, steht eine **Freizeitanlage** mit großen Warmwasserpools und einer langen Rutsche. Für die Gäste der zugehörigen **Lodge** ist der Eintritt frei, sonst $8, Kinder $5. Zimmerpreis ab $119. Reservierung unter © 1-800-332-3272; www.fairmontmontana.com. Ein **Campingplatz** (RV-Park) befindet sich gleich nebenan, © 1-866-797-3505; www.fairmontrvresort.com.

Von Butte zum Yellowstone

Der schnellste Weg von Butte zum *Yellowstone* führt auf der **I-90 über Bozeman und Livingstone**. Ihr Verlauf ist die ersten 50 mi **überaus beeindruckend**. In Cardwell könnte man die *Interstate* für einen Besuch der ***Lewis & Clark Caverns*** verlassen (Straße #2). In malerischer Lage in den *Tobacco Root Mountains* liegt das ***Visitor Center***. Ein Fußpfad führt zum Eingang; Besichtigung der Höhle nur gruppenweise; Mai bis September 9-18.30 Uhr, April/Oktober bis 16.30 Uhr; $10; http://fwp.mt.gov/lands/site_281895.aspx. Im Tal an der Straße gibt es einen **Einfach-*Campground***.

Ebenfalls gut campt es sich im idyllischen ***Missouri Headwaters State Park*** rund 20 mi weiter östlich, wo sich drei Flüsse zum Missouri River vereinen.

Wenig ergiebig ist die rüttelige Fahrt zum ***Madison Buffalo Jump State Park***, einem alten indianischen Büffel-Jagdgrund.

Bozeman

In Bozeman lohnt so recht nur der Besuch des historisch-naturgeschichtlichen ***Museum of the Rockies*** im Stadtsüden unweit des *University of Montana* Campus'. Geöffnet 8-20 Uhr im Sommer, sonst bis 17 Uhr, Eintritt $8; www.museumoftherockies.org.

Chico Hot Springs

Einen kleinen Umweg für Anhänger heißer Quellen sind die ***Chico Hot Springs*** auf jeden Fall wert – wenige Meilen östlich der Straße #89 (Livingstone-*Yellowstone* Park). Es handelt sich um eine nostalgische, eher einfache Hotelanlage mit **Warmwasser-*Pool*** und einem – direkt damit verbundenen! – ***Saloon***; © (406) 333-4933 oder © 1-800-468-9232. Zimmer ohne eigenes Bad ab $49, mit Bad ab $89; www.chicohotsprings.com.

Nevada und Virginia City

Eine ebenfalls **erwägenswerte alternative Strecke** von Butte zum *Yellowstone* ist die **Straßenkombination #41/#287.** Sie führt über *Nevada* und *Virginia City*, zwei historischen Städtchen im (teilweisen) *Wildwest-Look*. Das idyllischere Relikt aus den Tagen des Goldrausches ist Nevada City mit einem kleinen **Museumsdorf**. Im ***Nevada City Hotel*** kann man so übernachten, wie aus Westernfilmen bekannt; ab $59, ✆ 1-800-829-2969, ➤ Foto Seite 187; www.aldergulchaccommodations.com.

Im touristisch etwas stärker aufbereiteten **Virginia City** mit einigen originellen *Shops, Eateries* und einem *Brew Pub* ist das Angebot an Quartieren breiter, aber nicht so originell; www.virginiacitymt.com. Das Eintrittsgeld allemal wert sind die Vorstellungen im ***Opera House***: Von Juni bis *Labor Day* findet allabendlich außer montags um 19 Uhr eine Theater- oder *Vaudeville-Show* wie im 19. Jahrhundert statt; Eintritt $15, ✆ 1-800-829-2969.

Auch **Ennis** an der #287 ein paar Meilen weiter zeigt sich noch im Wildwest-Look; www.ennischamber.com.

Hebgen Lake

Bis West Yellowstone, einem voll dem Park-Tourismus verschriebenen Städtchen (➤ Seite 645), bleiben noch 85 mi Fahrt auf der #287 großenteils am Madison River entlang. Am Westende des Sees erläutert ein ***Visitor Center*** die Einzelheiten und Auswirkungen des ***Madison River Canyon Earthquake*** von 1959. Die Erdbebenschäden sind immer noch erkennbar.

7.3.2 Der Umweg über den Hells Canyon

Streckenverlauf

(Karte Seite 652)

Statt vom *Craters of the Moon Monument* auf direktem Weg den *Glacier Park* anzusteuern, könnte man bei ausreichender Zeit eine **Routenerweiterung** über **Boise**, den ***Hells Canyon*** und die Täler des **Salmon**, **Clearwater** und **Lochsa River** ins Auge fassen. Neben dem Hauptziel *Hells Canyon* reizt vor allem der landschaftlich und klimatisch sehr abwechslungsreiche Streckenverlauf durch wunderschöne und touristisch weniger frequentierte Gebiete Idahos.

Nostalgischer Souvenirshop in Virginia City

Anfahrt

Zwar wäre es schade, die Sawtooth-Gebirgsregion auszulassen, aber während sich die Strecke bis Boise (ab *Craters of the Moon* ca. 180 mi) und darüberhinaus einschließlich einer kurzen Stadtbesichtigung leicht an einem Tag bewältigen lässt, benötigt man für die Straßenkombination #75/#21 (ca. 270 mi, von Lowman bis Idaho City serpentinengespickt) mit Übernachtung **mindestens zwei volle Tage**, ➤ auch Seite 687.

Von Stanley bis Lowman/ Hot Springs

Zunächst ist die ***Ponderosa Pine Scenic Route*** von Stanley bis hinunter nach Lowman (#21) sehr gut ausgebaut und nicht so attraktiv wie die #75 nach Norden. Ca. 20 mi nördlich von Lowman liegt unweit der Straße der ***NF-Campground Bonneville***, ca. 500 m von den gleichnamigen ***Hot Springs*** entfernt, deren Warmwasser am Fluss in flachen Badebecken genossen werden kann. Etwa 15 mi weiter passiert die Straße die ***Kirkham Hot Springs*** am South Fork Payette River. Ebenfalls ein **Campground** und naturbelasse *Minipools* laden zum Bleiben ein. Eine gut ausgebaute Straße führt **von Lowman** hinunter nach Garden Valley und Banks **zur Straße #55** im schönen Tal des Payette River (Badestrände). Auch an dieser Route gibt's wieder ***Hot Springs***, am besten ***Pine Flats*** (z.T. sehr heiß) mit ***NF Campground***. In Garden Valley starten Trips mit Schlauchbooten bis zu einem Tag Dauer über die Stromschnellen des Payette River.

Idaho City

Nach zahllosen Serpentinen durch Gebirgswald erreicht man auf der #21 Idaho City, eine »halbe« ***Ghosttown*** mit originellem ***Visitor Center*** und dem urigen ***Boise Basin Historical Museum***, das ein Sammelsurium zu den Themen *Gold Rush* und »Wilde Vergangenheit« beherbergt. Zwischen Idaho City und Placerville (*Gravelroad*) zeugen durchwühlte Areale von den Aktivitäten der Prospektoren; www.ghosttowngallery.com/htme/idahocity.htm.

Etwa eine Meile südwestlich des Ortes liegt das ***Warm Springs Resort*** mit Heißwasserpool (Mai bis *Labor Day* 10-22 Uhr außer Di, sonst Mi-So 12-21 Uhr, Eintritt $5). Einfacher ***Campground*** und ***Cabins*** gehören auch dazu; ✆ (208) 392-4437.

Von Salt Lake City direkt nach Boise

Bei Verzicht auf Mondkrater und Sägezahn-Berge erreicht man von Salt Lake City aus Boise leicht an einem Tag (ca. 300 mi). Außer dem beschriebenen ***Golden Spike Monument*** könnten kleine Abstecher von dieser insgesamt eher eintönigen Strecke den ***Thousand Springs*** und ***Bruneau Dunes*** gelten:

1000 Springs

Das **Phänomen** der 1000 Quellen ist auf der Straße #30 zwischen **Buhl** und **Hagerman** zu beobachten (südlich der I-84, westlich von Twin Falls). Am östlichen Steilufer des Snake River sprudeln unzählige kleine und große Quellen zum Teil wasserfallartig aus dem Fels und ergießen sich in den Fluss. Es handelt sich um wiederaustretendes Wasser eines bei Arco (➤ Seite 686) in Lavakanäle versickerten ***Lost River***.

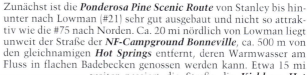

Hot Springs

Neben diesem ungewöhnlichen Naturschauspiel reizen entlang der Strecke (#30) gleich drei von heißen Quellen gespeiste **Pool-Anlagen** (*Banbury, Thousand Springs* und *Magic Hot Springs*), alle verbunden mit **Campingplätzen**.

Bruneau Dunes

Die ***Bruneau*-Sanddünen** (Zufahrt über die Straßen #78/#51 ca. 20 mi entfernt von der I-84) erheben sich bis zu 140 m aus der kargen Landschaft zwischen Snake und Bruneau River. Das Areal einschließlich zweier kleiner Seen steht als ***State Park*** unter Naturschutz; www.stateparks.com/bruneau_dunes.html.

Der **Campingplatz** etwas abseits der Dünen bildet eine **grüne Insel** in der braungrauen Umgebung. Wer bis hierher fährt, könnte noch 18 zusätzliche Meilen zum ***Scenic Deep Canyon*** »dranhängen«, wo sich der Bruneau River durch eine enge Schlucht zwängt (*Canyon-Overlook*).

Boise

Boise (sprich: *Beusie*) ist **Idahos kleine grüne Hauptstadt**. Von den gerade 1 Mio. Einwohnern des Staates leben über 100.000 in der Kapitale. Boise wirkt aufgeräumt, sauber und langweilig; www.boise.org. Die Hauptattraktionen sind das ***State Capitol*** an der 6th Street und der durch die Stadt fließende, klare **Boise River**. Der Grüngürtel an seinen Ufern erweitert sich im Zentrumsbereich zum ***Julia Davis Park*** mit ***Historical*** und ***Art Museum*** (beide mittelmäßig), übersichtlichem **Zoo** (gerade gut mit Kindern), Picknicktischen und Joggingpfaden, geeignet für die Rast zwischendurch. Anfahrt über Washington Blvd und 9th Ave.

Zum Hells Canyon of the Snake River

In Richtung *Hells Canyon* geht es **zur Vermeidung doppelt abzufahrender Strecken** zunächst auf der *Interstate* #84 nach **Baker City/Oregon** (ca. 130 mi), ➤ Seite 575 und danach auf der #86 durch rauhe, abschnittsweise liebliche Gebirgslandschaften am Powder River und Pine Creek entlang zum ***Oxbow Dam***. Eine hübsche Etappe am Wege ist **Halfway**, das sich ganz modern in **Half.com** umbenannt hat (inzwischen eine eBay-Adresse). Der Umweg bedeutet wegen der raschen Fahrt auf der I-84 insgesamt keinen oder nur geringen zeitlichen Mehraufwand.

Der »Höllencanyon des Schlangenflusses« beeindruckt nicht nur durch seine phantasievolle Bezeichnung. Rechnerisch (Distanz höchste Randerhebung der umgebenden *Seven Devils Mountains* bis zum Grund der Schlucht) übertrifft der ***Hells Canyon*** punktuell sogar den ***Grand Canyon***, lässt sich aber ansonsten mit dem berühmten Bruder vom Colorado River kaum vergleichen. Auch »entfällt« der Blick von oben. Zwar sind beide Seiten in der Höhe zugänglich, jedoch nur über schlechte und abgelegene Schotterpisten; www.fs.fed.us/hellscanyon.

Zufahrt

Dafür gibt es **nirgendwo sonst** eine Straße, die so weit (22 mi) in einen vergleichbar tiefen *Canyon* hineinführt. Schon die **Fahrt** entlang des aufgestauten Flusses **vom *Oxbow* zum *Hells Canyon Dam*** am Fuß der Steilwände **ist ein Erlebnis**. Gleich hinter der Staumauer beginnen die wilden 36 mi der 65-Meilen-Schlucht.

Bootstouren durch den Hells Canyon

Mehrere Firmen bieten Fahrten per **Schlauch- und Jetboot** durch die mit Stromschnellen gespickte Schlucht an. Die meisten starten bei Lewiston oberhalb des *Hells Canyon* und sind **ganz- oder sogar mehrtägig** unterwegs; www.hellscanyonadventures.com.

Von einer Anlegestelle ein wenig unterhalb des Damms gibt es aber auch 2-6 Stunden **Kurztrips** per ***Jetboat***, eine tolle Angelegenheit für $35 (2 Stunden; 14 Uhr), $45 (3 Stunden, 10 Uhr) und 6 Stunden ($90, 9 Uhr inkl. Lunch-Picknick). Reservierung empfehlenswert, ✆ (541) 785-3352 oder 1-800-422-3568. **Schlauchboottouren** ebenfalls täglich 7 Stunden ab $150!

Auf flachen Booten geht es über die Stromschnellen des Snake River im Hells Canyon

Camping

Die ***Idaho Hydropower*** hat für Zelte wie *RVs* (*Hook-up*) geeignete, preiswerte *Campgrounds* angelegt. Sehr schön am (aufgestauten) Fluss liegt der ***Hells Canyon Park*** zwischen *Hells Canyon* und *Oxbow Dam*; weniger ansprechend, dafür sehr komfortabel ist der Platz im ***Copperfield Park*** unterhalb des *Oxbow Dam*. Aber es finden sich am Flussufer an der Stichstraße zum Damm auch schöne **Gratisplätzchen**.

Vom Hells Canyon nach Norden

Auf weiterhin landschaftlich reizvoller Strecke geht es über den *Brownlee Dam*, Cambridge (Straße #71) und die #95 nach Norden. Wer im Bereich des Straßendreiecks #95/#55 einen Übernachtungsplatz sucht, findet den prima angelegten ***NF-Campground Last Chance*** nach etwa 3 mi *Gravelroad* nördlich der #55, etwa 5 mi östlich von New Meadows.

Seven Devils Mountains

Am südlichen Ortsrand von **Riggins** (dort Zeitzonenwechsel) kann man auf steiler Schotterpiste (nicht geeignet für Campmobile größer als *Van Camper* und auch das nur nach Erkundung des Straßenzustands) zum ***Windy Saddle*** und ***Seven Devils Campground*** in den gleichnamigen Bergen (ca. 17 mi). Von dort geht es noch etwas weiter zum ***Heavens Gate Lookout***, von dem aus man den *Hells Canyon* überschaut.

Riggins

Riggins, **Zentralort des *Salmon River Country***, besitzt eine Reihe von **Motels**, ***Campgrounds***, rustikalen Restaurants und eine Handvoll Kneipen. ***Outdoor*-Urlauber** wählen Riggins gern als Ausgangspunkt für die Entdeckung des weitgehend unerschlossenen Hinterlandes und der Ostseite der ***Hells Canyon Wilderness***. Eine *Ranger* Station befindet sich im Ort; www.rigginsidaho.com.

Salmon River Valley

Der leicht zugängliche Teil des pittoresken *Salmon River Valley* liegt östlich und nördlich von Riggins. Die schmale ***Salmon River Road*** führt am Fluss entlang in die *Gospel Hump Wilderness*. ***NF-Campgrounds*** liegen am Wege. Entlang der Hauptstraße #95 laden bis Whitebird **Flussstrände** zum Baden ein und mehrere ***Campplätze*** am Ufer zum gebührenfreien Bleiben. Das **Klima** im Flusstal ähnelt dem des zentralen Oregon. Im Juli/August ist es dort oft unerträglich heiß, und bis in den späten September herrschen sommerliche Tagestemperaturen.

Whitebird

Hinter Whitebird führt die Straße in scheinbar endlosem Anstieg wieder in höhergelegene Zonen. Dabei passiert sie das ***White Bird Battlefield***, auf dem 1877 eine der letzten Kämpfe der Indianerkriege (Unterwerfung der *Nez Perce Indians*) stattfand. Die hindurchführende *Auto Loop Road* ist Teil des ***Nez Perce National Historical Park***, der zahlreiche historische Punkte und Gebäude in der *Nez Perce Indian Reservation* zusammenfasst. Ein ***Visitor Center*** mit Museum befindet sich in Spalding unweit Lewiston. Freier Zutritt; www.nps.gov/nepe.

Straße #13

Über die sehr schön geführte **Straße #13** geht es von Grangeville (ehemalige ***Gold Rush Town***, **Rodeo** Anfang Juli zum Unabhängigkeitstag der USA; www.grangevilleborderdays.org) nach Kooskia. Dort erreicht man das ***Clearwater/Lochsa River Valley***.

Straße #12

In diesem Tal läuft die gut ausgebaute **Straße #12** – vom Tourismus kaum entdeckt – über **100 einsame und fantastische Meilen** durch den ***Nez Perce National Forest***, bevor sie den Kamm der *Bitterroot Mountains* am ***Lolo Pass*** überquert. Zahlreiche kleine und größere (z.B. der *Wilderness Gateway*) ***NF-Campgrounds*** liegen unverfehlbar am Wege. Eine Unterbrechung bieten auch hier ***Hot Springs***: ein wenig nördlich des ***Jerry Johnson NF-Campground*** (der Platz ist nicht so ganz toll) geht es auf einer Hängebrücke über den Fluss. Zu den natürlichen (Mini-)*Pools* sind es ca. 2 km; www.fs.fed.us/r1/nezperce.

Lolo Hot Springs

Eine kommerziell betriebene **Heißwasser-Badeanlage** befindet sich jenseits des *Lolo Pass*; www.lolohotsprings.com. Der Komplex als solcher mit 2 Becken ist nicht extrem attraktiv, der Campingplatz gegenüber aber sehr o.k. *Full Hook-up* kostet $24, ohnedem $15). Auch ein ***Teepee*** kann man dort mieten ($25/Nacht); Schlafsack und Unterlage sind mitzubringen. Ein Blockhaus/ ***Cabin*** kostet $75 inkl. Eintritt Hot Springs; © 1-800-273-2290

10 mi vor Missoula, stößt man auf die bereits beschriebene **Straße #93** zum *Glacier Park*, ➤ Seite 689

8. ABSTECHER NACH CANADA

Generelle Anmerkungen

Auf Reisen durch die Nordweststaaten der USA liegt es nahe, an Abstecher nach Canada zu denken und einen Teil der Reise-zeit dafür zu reservieren. Denn die populären **Nationalparks *Banff* und *Jasper*** in den *Rocky Mountains* und das attraktive südliche **British Columbia** mit Vancouver und **Vancouver Island** sind von Montana und Washington schnell erreicht. Der Reiseroutenvorschlag 4 im folgenden Kapitel trägt den kanadischen Zielen in Grenznähe Rechnung.

Vor der Planung einer kombinierten Reise USA/Canada sollte folgendes bedacht werden:

Mietwagen in Canada oder USA?

- Der Start könnte in den USA, aber auch in Canada erfolgen. Zur Grenzüberquerung vergleiche Seite 89. Die **Pkw-Miete** ist in den US-Weststaaten (bei Buchung bei uns) in den Sommermonaten etwas günstiger als in Canada; vor allem, weil dort neben *Provincial Sales Tax* zusätzlich die Bundes-Mehrwertsteuer anfällt (in den USA nur *State Sales Tax* und ggf. lokale Zuschläge). Bei der **Campermiete** sind beide Länder in der Sommersaison sehr teuer, aber in Canada gibt es ein vielfältigeres Angebot an Typen, speziell was kompaktere Van Camper angeht, und an Baujahren. Bei Miete vor Juni und nach Labor Day (im September) kann man in Canada ggf. günstigere *off-season* Angebote realisieren als in den USA, wo Herbst und Frühsommer im allgemeinen besser gebucht sind. Genauer Angebotsvergleich lohnt also. Die **Flugkosten** liegen nicht weit auseinander, generell kostet aber das Ticket nach Vancouver oder Calgary etwas weniger als zu den Westküstencities der USA.

Klimatische Bedingungen

- Unter klimatischen Gesichtspunkten ist die **ideale Reisezeit in Canada relativ kurz**. Mit Ausnahme des *Okanagan Valley* (➢ unten) gilt etwa der Juni noch als kritischer Monat, und selbst der September kann in vielen Regionen – vor allem im Gebirge und auf Vancouver Island – schon wieder recht ungemütlich sein. Auch bei an sich gutem Wetter ist außer im Juli und August vielenorts mit niedrigen Temperaturen und in den *Rocky Mountains* mit Nachtfrost zu rechnen. Eine Fahrt durch wolkenverhangene Berge und Nieselregen macht wenig Freude. Kurz: Abstecher nach oder Reiserouten durch Canada sind im **Zeitraum Mitte Juni bis Mitte September einfach erfreulicher** als früher oder später im Jahr. Die Argumente entsprechen denen für das Reisegebiet Nordwesten der USA, ➢ Seite 577.

Kosten

- Die **Reisekosten** in Canada sind beim Kurs des kanadischen Dollar Anfang 2007 (can$1 ca. €0,65) **deutlich höher als in den USA**. Speziell **Benzin** ist (außer in Alberta) viel teurer, und die nur in staatlichen *Liquor Stores* erhältlichen **Alkoholika gehen ins Geld**. **Lebensmittel** kosten ebenfalls mehr als in den USA. Aber **Motels** und **Hotels** wie auch **Camping** und **Eintrittsgelder für Museen** etc. liegen in Euro ungefähr auf US-Niveau.

Weiterführende Information

Zu weiteren Canada betreffende Details vergleiche den Reise Know-How Band **»Canadas großer Westen (mit Alaska)«** vom Autor dieses Buches und Bernd Wagner, ➤ Seite 756.

Darin finden sich ausführliche Beschreibungen der im folgenden skizzierten Abstecher und Umwege:

Vancouver

1. Ein typischer Abstecher von Routen durch den US-Nordwesten könnte **Vancouver** gelten, der schönstgelegenen City Nordamerikas. Von Seattle sind es nach Vancouver nur 150 mi; www.tourismvancouver.com.

Vancouver Island

2. So es jahreszeitlich und wettermäßig passt, und mindestens 3-4 Tage zur Verfügung stehen, könnte man den Vancouverbesuch in eine kleine Rundfahrt über **Vancouver Island** einbinden (www.vancouverisland.travel). **Autofähren** nach Victoria bzw. Sidney, unweit der BC-Hauptstadt, gehen von Port Angeles und Anacortes, ➤ Seite 559. Die mit Abstand beste Route ist die **Anacortes-Sidney** Verbindung durch das *San Juan Archipel* mit einer täglichen Abfahrt (3-4 Stunden) am Vormittag. Informationen zu aktuellen Abfahrtzeiten und Preisen (moderat) gibt es bei den *Tourist Information Centers* und unter www.wsdot.wa.gov/ferries. Reservierung & Tickets auch in Reisebüros bis 24 Stunden vor Abfahrt.

   Auf Vancouver Island reizt neben der BC-Hauptstadt u.a. der ***Pacific Rim National Park*** (www.pc.gc.ca/pacificrim), ab Victoria ein strammer, aber sehr schöner 2-Tage-Trip (ohne größere Unternehmungen unterwegs). Zum Abschluss sollte man die Fähre von **Nanaimo** nach **Horseshoe Bay** nehmen (häufige Abfahrten, keine Reservierung notwendig). Zwar läuft die Fährroute von Swartz Bay nach Tsawwassen attraktiv durch die Gulf Islands, aber die schönere Anfahrt nach Vancouver bietet der ***Trans Canada Highway*** auf seinem Teilstück Horseshoe Bay–North Vancouver hoch über der Stadt mit Panoramablick auf City und Meer; www.transcanadahighway.com.

Durch BC und die kanadischen Rocky Mountains

3. Vom zentralen Washington aus (➤ Kapitel 5.2) bestehen mehrere Zufahrten hinauf nach Canada, die alle die großartig geführte kanadische **Straße #3** (***Crowsnest Highway*** entlang der Grenze von den *Rocky Mountains* bis Hope am *Trans Canada Highway*) kreuzen bzw. in sie einmünden. Vom Verlauf her besonders empfehlenswert sind die **US-Straßen #21 und #395**. Auf der **Straße #97** gelangt man ins warme *Okanagan Valley*, wo sich die klimatischen Bedingungen des zentralen Washington fortsetzen (*Columbia River Plateau*, ➤ Seite 20). Von der **Straße #3** lässt sich ab Castlegar über die Straßen #6/#23 oder #31/#23 eine Verbindung zwischen *Monashee* und *Selkirk Mountains* zum *Trans Canada Highway* herstellen.

   Nach dem Besuch der *Rocky Mountain National Parks* führt der beste Weg zurück in die USA auf der **Straße #93** vom Kootenay (Canada) **zum *Glacier Park*** (USA).

Ostseite der Rocky Mountains

4. Die **Straße #93 in Montana** kann natürlich auch als **Zufahrt zu den Parks *Banff* und *Jasper*** genutzt werden (ab Westeingang des *Glacier Park*/USA); www.pc.gc.ca/banff bzw. /jasper. Von der Ostseite des *Glacier Park* geht es auf den Straßen #89/#17 zu kanadischen Nachbarn (***Waterton Lakes Park***; www.pc.gc.ca/watertonlakes) und von dort weiter auf der #6 zum *Crowsnest Highway* (Straße #3).

Weniger reizvoll ist der Verlauf der direkten **Straße #2** nach Calgary. Eine schöne Variante wäre aber die Benutzung der ***Forestry Trunk Road*** (**#940**) und der **Straße #40** durch das östliche Vorgebirge der *Rockies*. Die Forststraße (teilweise *Gravel* und daher nicht für alle Fahrzeuge geeignet) zweigt bei Coleman von der #3 ab und trifft (als Straße #40) zwischen Calgary und Banff auf den *Trans Canada Highway* (dort Autobahn in die *Rocky Mountain Parks*). Die Fahrt auf dieser Haupt-Forststraße entspricht einem vollen Tagestrip, den man gut auf einem der zahlreichen *Forest Campgrounds* oder im wunderbaren *Peter Lougheed Park* in subalpiner Umgebung unterbrechen kann.

Grenz übertritt mit Mietfahrzeugen

Es sei abschließend noch einmal betont, dass die Fahrt ins jeweilige Nachbarland weder von den USA noch von Canada aus mit Mietfahrzeugen auf prinzipielle Hindernisse stößt. Nichtsdestoweniger sollte man diese Reiseabsicht bereits bei Buchung erläutern und sich vergewissern, dass der jeweilige Vermieter den Grenzübertritt ohne Aufpreis gestattet.

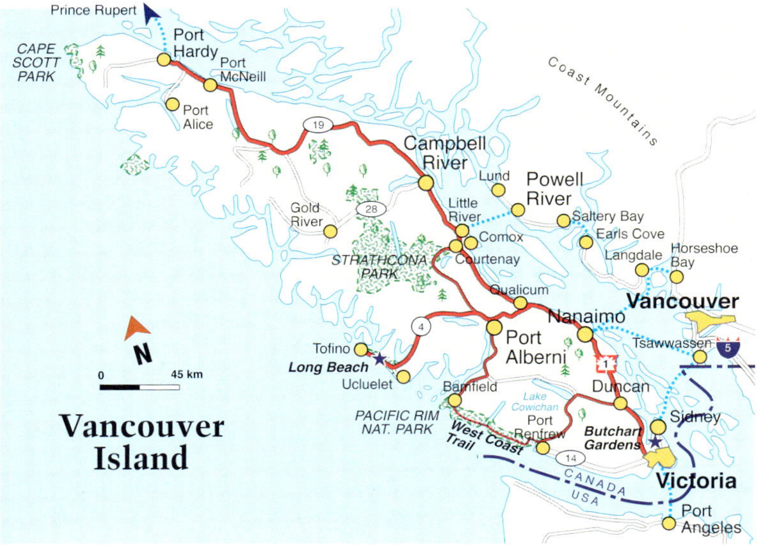

9. JAHRESZEITABHÄNGIGE ROUTENVORSCHLÄGE

Überlegung

Wie eingangs des Reiseteils erläutert (➤ Seite 230), existieren wegen der großen Dichte attraktiver Reiseziele und Strecken vielfältige Möglichkeiten zur Gestaltung einer individuell optimalen Route. In **Ergänzung zu den Routen in den Reisekapiteln**, die für sich bereits sinnvolle Vorschläge darstellen, sollen einige **zusätzliche Routen** den Reiseteil abschließen.

Dauer und Distanz

Sie beziehen sich durchweg auf eine **Reisezeit von 4 Wochen, lassen sich aber durch Modifizierungen ohne weiteres auf abweichende Zeiträume verkürzen oder erweitern**.

Bei der Zusammenstellung wurde berücksichtigt, dass die meisten »Rundreiser« möglichst viel sehen möchten. Deshalb beinhalten alle Vorschläge nach Abzug von Besichtigungstagen in Cities und Nationalparks mit weniger Tageskilometern eine im Durchschnitt relativ hohe tägliche Fahrleistung. Die genannte Gesamtdistanz entspricht Erfahrungswerten, die zusätzlich zur addierten Straßenentfernung eine Pauschale für Stadt- und Nationalparkfahrten und Motel-/Campingplatzsuche enthält. Abstecher und Umwege führen leicht zu erheblichen Mehrmeilen.

Ausgangspunkte

Drei der vier Routen beginnen **an der Westküste**, da San Francisco, Los Angeles und Seattle die am leichtesten erreichbaren Ausgangspunkte und gleichzeitig attraktive Cities sind.

Die Kombination von Westküste und Zielregionen tief im Binnenland besitzt den unvermeidbaren kleinen Nachteil, dass ereignislosere und im Sommer sehr heiße Teilstrecken im Süden von Kalifornien, durch Nevada oder das östliche Oregon in Kauf genommen werden müssen.

Leser, die auf die Westküste und ihre Cities verzichten mögen, könnten eine landschaftlich besonders reizvolle und abwechslungsreiche Reise durch die Nationalparks im zentralen Nordwesten mit **Startpunkt Salt Lake City**, **Denver** oder **Las Vegas** machen, wie in den Kapiteln 4 und 7 beschrieben. Zueinander passende Streckenabschnitte können leicht kombiniert werden.

Prioritäten

Abschließend sei angemerkt, dass man im Rahmen einer immer begrenzten Reisezeit nie in der Lage sein wird, »alles« zu sehen. Es sollten von vornherein klare Prioritäten gesetzt und geographisch ungünstig liegende Ziele ausgeklammert werden. Gar zu leicht wird sonst unterwegs die Zeit knapp, und die Reise artet in Hetzerei aus. Die folgenden Routenvorschläge **1 und 4** liegen an unter diesem Gesichtspunkt schon an der Grenze dessen, was man sich in vier Wochen vornehmen sollte. Den geringeren Meilen der **Routen 2 und 3** steht eine höhere Dichte an Sehenswürdigkeiten gegenüber, aber sie sind auch in 3 Wochen »machbar«.

Mehr Urlaubserholung verknüpft mit intensiverem Reise-erlebnis, wer die Gesamtfahrleistung deutlich unter den 5.000 mi der **Routen 1 und 4** hält.

Route 1 Sommer

San Francisco – Avenue of the Giants – Humboldt County – Redwood Park s– Crater Lake – Lava Lands – Bend – (Hells Canyon)– Boise – (Craters of the Moon –) Yellowstone/Grand Teton Parks – Flaming Gorge NRA – Dinosaur National Monument – Arches National Park (– Mesa Verde National Park – Monument Valley – Natural Bridges NM – Lake Powell) – Capitol Reef National Park– Grand Staircase-Escalante NM – Bryce Canyon (+ ggf. Zion) Nat'l Park – Grand Canyon Nat'l Park – Oatman– Hoover Dam – Las Vegas – Death Valley– Yosemite Nat'l Park– San Francisco

Zurückzulegende Strecke: 5.000 mi (8.000 km)

Empfohlener Reisebeginn:

Anfang Juni bis Ende August. Bei Reisebeginn im Juni in umgekehrter Richtung.

Bemerkungen:

Diese Route ist besonders geeignet für diejenigen, die nur in den Sommermonaten Zeit haben und neben San Francisco unbedingt die populärsten Nationalparks ***Yosemite***, ***Yellowstone*** und ***Grand Canyon*** sehen wollen. Ruhiger wäre es, den *Grand Canyon* auszulassen und vom *Zion Park* quer durch Nevada zum *Yosemite Park* zu fahren. Naturgemäß wird es auf einigen Teilstrecken sehr heiß (Zentrales Oregon, Wyoming, Las Vegas, Death Yalley). Durch Klammern bzw. mit unterbrochener Linie ist ein Umweg gekennzeichnet, der bei mehr als 4 Wochen Reisezeit einbezogen werden könnten.

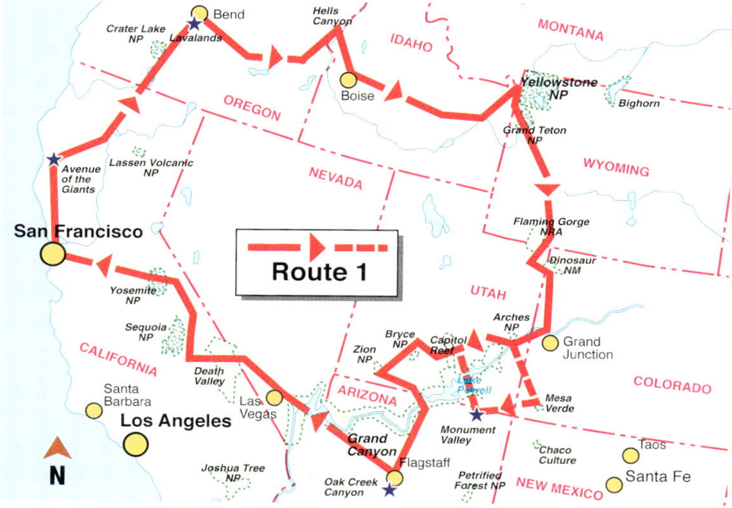

Route 2 Frühjahr und Herbst

Las Vegas – Valley of Fire – Zion und Bryce Canyon National Parks – Grand Staircase-Escalante NM – Capitol Reef National Park – Arches/Canyonlands National Parks – Mesa Verde Nat'l Park – Great Sand Dunes NM – Santa Fe (über Bandelier NM) – Albuquerque – Carlsbad Caverns Nat'l Park – Guadalupe Mountains National Park – White Sands National Monument – Gila Cliffs – Chiricahua National Monument – Tombstone – Tucson/ Saguaro National Park – Apache Trail – Phoenix – Oak Creek Canyon – Flagstaff/Walnut Canyon NM – Petrified Forest Nat'l Park – Canyon de Chelly – Monument Valley – Navajo National Monument – Lake Powell – Grand Canyon National Park – Lake Mead – Las Vegas

Zurückzulegende Strecke: 2.800 mi (4.500 km)

Empfohlener Reisebeginn: Mai, Juni und September

Zu früheren und späteren Terminen kann es im Bereich Zion bis Mesa Verde National Park noch bzw. schon sehr kalt sein. Der Oktober bietet dabei oft schönes, klares Wetter.

Bemerkungen:

Der Startpunkt Las Vegas wurde willkürlich gewählt, genausogut kann man auch **Phoenix** oder **Albuquerque** zum Ausgangspunkt machen. Beginnt man die Reise in **Los Angeles**, sind einige Tage und 500 mi für die Anfahrt dazuzurechnen.

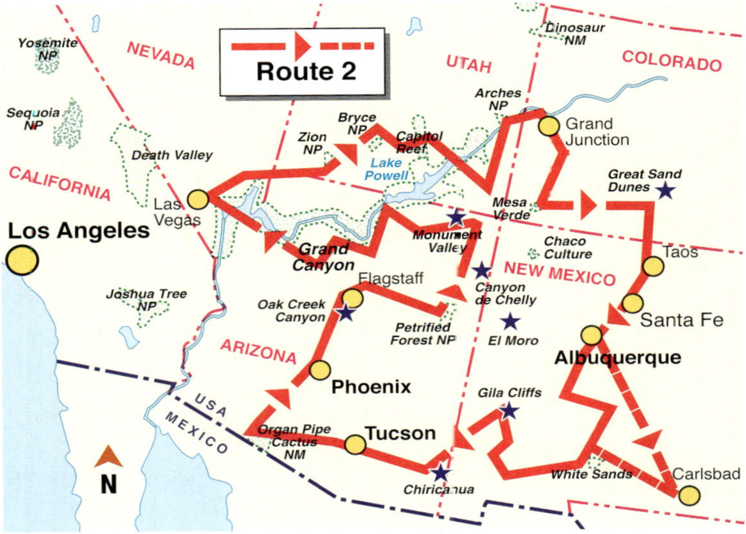

Route 3 Frühjahr und Frühherbst

Los Angeles – Santa Barbara – Monterey/Carmel – San Francisco – Yosemite National Park – Sequoia Nat'l Park – (oder Devil's Postpile und Death Valley) – Las Vegas – Zion und Bryce Canyon Nat'l Parks – Grand Staircase-Escalante NM – Capitol Reef Nat'l Park – Lake Powell – Natural Bridges NM – Arches/Canyonlands Nat'l Parks– Mesa Verde Nat'l Park – Santa Fe/Taos – Albuquer'ional Park – Flagstaff – Grand Canyon Nat'l Park – Oak Creek Canyon – Lake Havasu – Joshua Tree National Park – Los Angeles

Zurückzulegende Strecke: 3.200 mi (5.100 km)

Empfohlener Reisebeginn:
Mitte August bis Mitte September,
Mitte Mai bis Mitte Juni in umgekehrter Richtung .

Bemerkungen:
Insgesamt gesehen ist die Route 1 noch abwechslungsreicher als diese, aber wer vor Mitte Juni oder erst im September reisen muss oder möchte, kann z. B. beim Yellowstone-Besuch auf witterungsmäßige Probleme stoßen. Ohne den ***Yellowstone*** als nördlichen »Eckpunkt« lohnt sich die Fahrt nach Norden weniger als zusätzliche Meilen zu Sehenswürdigkeiten, die in der Basisroute 1 nicht enthalten sind. Ein Vorteil dieser Route ist die erheblich geringere Gesamtdistanz.

9

Route 4

Sommer USA/Canada

Seattle – Vancouver – Hope/Kamloops – Revelstoke Nat'l Park – Glacier Nat'l Park (Canada) – Yoho/Jasper/Banff National Parks – Kootenay National Park – Glacier National Park (USA) – Yellowstone/Grand Teton Nat'l Parks – Flaming Gorge NRA – Dinosaur National Monument – Salt Lake City – Great Basin National Park – Reno/Lake Tahoe – Yosemite National Park – San Francisco – Avenue of the Giants – Redwood Parks – Oregon-Küste mit Oregon Dunes NRA – Portland über Tillamook (oder Lassen Volcanic Nat'l Park – Crater Lake National Park – Lava Lands – Columbia River) – Mount St. Helens Nat'l Volcanic Monument – Mount Rainier National Park – zurück nach Seattle

Zurückzulegende Strecke: 5.000 mi (8.000 km)

Empfohlener Reisebeginn:
Anfang Juli bis Anfang September,
in umgekehrter Richtung ab Mitte Juni.

Bemerkungen:
Die Route lässt sich **leicht auf drei Wochen reduzieren**, wenn man Canada auslässt oder ab Salt Lake City über *Craters of the Moon*, den *Hells Canyon* und die *Lava Lands* zum *Mount St. Helens* fährt und auf San Francisco und die Küste verzichtet.

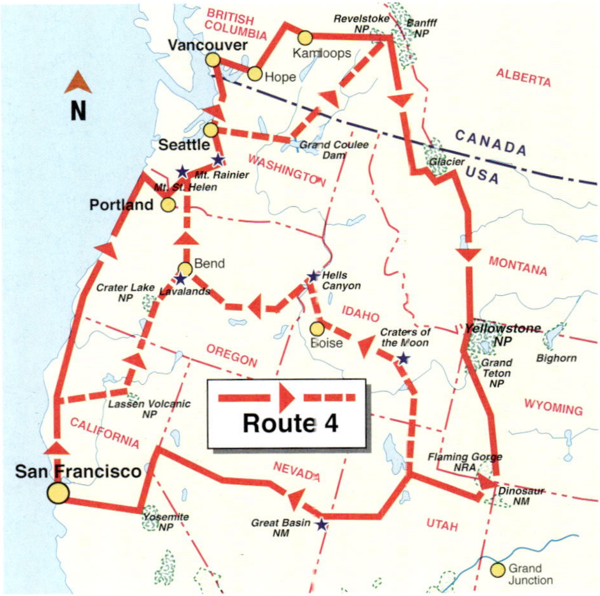

Religious Sightseeing von Burghard Bock/Bremen

Die Europäer drängelten jahrhundertelang Leute mit seltsamen Ideen aus der Alten Welt in die Neue. So entstand in Nordamerika eine der ältesten Verfassungen mit garantierter Religionsfreiheit – gottseidank. Nun konnten alle machen, was sie wollten: Daher existieren dort heute allein im christlichen Bereich gut 2000 verschiedene Kirchen und Denominationen. Das bietet auch touristisch reizvolle, sogar einzigartige Ziele.

Los geht's

Man kann die USA anhand religiöser Details besser begreifen lernen. Gönnen Sie sich z.B. in Garden Grove den Besuch der ***Crystal Cathedral*** *und des* ***Nixon Presidential Center*** *(➤ Seite 264f), beides durchaus religiöse Stätten.*

Es werden auch traditionellere Objekte geboten. Etwa die 21 geschichtsträchtigen, großenteils vom mallorquinischen Mönch Junípero Serra angelegten Franziskaner-Missionen in Kalifornien, die zu Keimzellen der Küstenstädte wurden. Oder etwa Salt Lake City im Gottesstaat Utah, dessen Sprösslinge wiederum uns in der Alten Welt gern an der Haustür besuchen kommen.

Religious Sightseeing *wird Sie durch manche Seltsamkeiten überraschen: Zum Einstimmen auf* ***Befremdliches*** *einfach mal die Bodybuilding-Jesusse, Katzen- und Hundekrippen, Radiergummi-Heilande und Tortilla-Epiphanien auf www.jesusoftheweek.com durchklicken!*

Jedem seine Nische

Verwunderliche Sehenswürdigkeiten gibt es etwa in Südkalifornien, wo es nicht immer so lässig-säkular zugeht, wie uns Hollywood glauben machen möchte. Manche Spots stehen der Geisteshaltung, die Teilen der Südstaaten den Beinamen »Bible Belt« eingebracht hat, in nichts nach. Z.B. in ***San Diegos Vorort Santee****: Hier erforscht man am* ***Institute for Creation Research*** *(www.icr.org, ➤ Seite 279) die Schöpfungsberichte der Bibel. Völlig klar: Die alten Texte schildern minutiös den naturwissenschaftlichen Ablauf der Dinge, nicht etwa eine mythische Darstellung von den Grundlagen der Welt. Sie erfahren im sehenswerten Museum (frei) von einschlägig forschenden Wissenschaftlern die wirklich wichtigen Dinge. Aus der Geologie z.B., dass sich der Himalaja in wenigen Jahrhunderten aufgefaltet haben muss, da die Erde erst 10.000 Jahre alt ist. Die Biologie lehrt uns auch, dass Noah Dinosaurier aus Platzgründen in Form von Eiern auf der Arche dabeihatte. Vor allem wird die Überzeugung vertreten, dass Darwins satanische Evolutionslehre an so ziemlich allem die Schuld trägt, was einen rechtschaffenen Amerikaner an der Welt stört.*

Anhand der Explosion des ***Mount St. Helens/Washington State*** *1980 sieht jeder, dass die Erdoberfläche in wenigen Stunden völlig neu gestaltet werden kann, wie damals durch den Schöpfer, nämlich im Hau-Ruck-Verfahren. Am besten lässt man sich das vor Ort im* ***Mount St. Helens Creation Info-Center*** *erklären (www.creationism.org/sthelens) an der Straße #504 nahe der Interstate #5 zwischen Silverlake und Toutle. Und denken Sie nicht, dass der Kreationismus eine Nische in der Evolution der Religionen besetzt. Dahinter steckt allerhand Kapital; auch der aktuelle Mr. President stärkt der Bewegung den Rücken, und alles ist furchtbar ernst gemeint.*

Zeichen setzen!

Ebenfalls eigentümlich, aber ungleich sympathischer wirkt der **Desert Christ Park** *in der Nähe des* **Joshua Tree National Park** *(➢ Foto auf Seite 270). Ein Betonkünstler gestaltete diese Anlage in den 1950er-Jahren als Demonstration gegen Atomrüstung und Kalten Krieg. Die Bewohner von* **Yucca Valley** *lassen erst neuerdings die lebensgroßen Bibelszenen nicht weiter verfallen. Was die Ästhetik betrifft: Das Betonrelief mit Leonardo da Vincis Abendmahl dürfte weltweit konkurrenzlos dastehen; www.desertchristpark.org.*

Ebenfalls zeichenhaft steht ausgerechnet nahe bei Disneyland die schon erwähnte **Crystal Cathedral** *(➢ Foto Seite 264; www.crystal cathedral. org). Ein in der Tat sehenswertes, weil sehr amerikanisches Gotteshaus: Think big! Für uns vielleicht ein Blick in die Zukunft. Draußen ein gewaltiger Parkplatz mit Autokino-Charme: die* **Drive-in Church***. Die dürfte ein für Europäer ungewohntes Abendmahlerlebnis bieten. Oder etwas weiter der* **Friedhof** *mit sanfter Musikberieselung, wie es die Alte Welt eigentlich nur aus Einkaufszentren kennt.*

Religionsgeographie

Manchmal scheinen spirituelle Erlebnisse auch mit bestimmten Gegenden zusammenzuhängen. Erleben Sie beispielsweise im schönen **Sedona/Arizona***, was ein* **Vortex** *ist: So heißen Energiewirbel, die aus der Erde austreten. Die Nachweisbarkeit ist umstritten. In und um Sedona gibt es vier große und viele kleinere Vortexes, eine weltweit ungewöhnliche Ballung – das zieht natürlich illustre Leute an.*

Was Sie außer Kraftstrudeln noch für ein glückliches Leben benötigen, bekommen Sie dort z.B. im **Center for the New Age** *(➢ Seite 545; www. sedonanewagecenter.com), einem beachtenswerten Laden, in dem Sie sich für das Wassermann-Zeitalter voll eindecken können. Auch bei Bedarf an Kartenlegen, Fotos oder Gemälden von Ihrer Aura, Engelsheilung und Exkursionen in Ihre früheren Leben sind Sie dort richtig.*

Amerika wäre aber nicht Amerika, wenn nicht auch bei der Landschaft kosmetisch nachgeholfen würde, damit es mit der Spiritualität besser klappt. Vermutlich besteht ein Zusammenhang zwischen Felshöhlen und Marienerscheinungen. Anders allerdings als in Lourdes/ Frankreich wurde dem Felsüberhang in Portland/Oregon (➢ Seite 591 und www.thegrotto.org) eine künstliche Grottenkulisse geschaffen.

Zur Erholung von solchen Befremdlichkeiten sei zu guter Letzt **Holden Village/Washington** *(www.holdenvillage.org) empfohlen, ein altes Bergarbeiterdorf in wunderbar einsamer Gebirgslandschaft, nur zu Fuß oder per Boot über den famosen* **Lake Chelan** *erreichbar, große Sauna, klarer Bach, liberale lutherische Kirche als Träger. Sie können dort urlauben oder an Seminaren teilnehmen, aber auch länger leben und arbeiten. Geringer Spinner-Quotient und sehr entspannend.*

Auch das ist religiöses Amerika und in vergleichbarer Form in Europa nicht zu finden.

ANHANG

A. Die USA, Geschichte und Gegenwart

B. Verzeichnisse

Geschichte der USA

Man schätzt, dass vor der Ankunft der Europäer etwa 3 Millionen – von *Columbus* in Verkennung seines geographischen Standortes »Indianer« genannte – Menschen in zahlreichen autonomen Gruppierungen Nordamerika großräumig bevölkerten. Sie gelten als Nachfahren asiatischer Nomaden, die vor 20.000-30.000 Jahren über eine damals noch existierende Landbrücke zwischen Alaska und Sibirien nach Osten gelangt waren. Ihre weitere Entwicklung verlief nach dem Verschwinden der Verbindung mit Asien unbeeinflusst von der anderer Kontinente.

Die amerikanische Geschichtsschreibung beginnt gemeinhin mit der Landung *Columbus'* auf den heutigen Bahamas: 1492 ist das Jahr Null und lieferte das Datum für die 500-Jahr-Feierlichkeiten 1992. Dabei setzte *Columbus* auf keiner seiner vier Reisen über den Atlantik seinen Fuß auf nordamerikanischen Boden. Das blieb seinem einstigen Begleiter *Juan Ponce de León* vorbehalten, siehe unten. Im folgenden die wichtigsten Geschichtsdaten in tabellarischer Form:

1507 Nach dem Begründer der Erdteiltheorie für das neu entdeckte Land im Westen, *Amerigo Vespucci*, erhält Amerika seinen Namen von dem deutschen Kartographen *Waldseemüller.*

1513 Der Spanier *de León* landet an Floridas Gestaden.

16.Jh. Erkundung der Küsten Nordamerikas, erste Expeditionen ins Landesinnere und »Inbesitznahme«, vor allem durch Spanien (Florida und südwestliche Gebiete) und Frankreich

1609 »Geburtsjahr« der ersten britischen Kolonie Virginia, Gründung von Santa Fé durch die Spanier.

1620 Landung der *Mayflower* mit den *Pilgrim Fathers.*

1626–1636 In kurzer Folge treffen neue Siedler ein und proklamieren entlang der Atlantikküste sieben zunächst separate britische Kolonien.

1664 Durch Besetzung von New Amsterdam, New Jersey und das ebenfalls holländische Delaware runden die Briten ihre amerikanischen Besitzungen ab, die

1681 noch erweitert werden durch das Pennsylvania der Quäkerbrüder unter *William Penn.*

1682 Ausrufung von *Louisiana* durch die Franzosen für den Bereich um die Mississippimündung.

1718 Gründung von New Orleans.

1732 Ausdehnung des britischen Einflusses durch die neue Kolonie Georgia. Die Engländer beherrschen damit die gesamte Ostküste mit Ausnahme Floridas.

1773 *Boston Tea Party* (als Indianer verkleidete Bürger kippen die Teeladung eines britischen Handelsschiffes ins Meer), die sich zum Unabhängigkeitskampf ausweitet.

1776	am 4. Juli: Proklamation der Unabhängigkeit der zu jenem Zeitpunkt 13 britischen Kolonien als Vereinigte Staaten von Amerika. Die internationale Anerkennung erfolgt nach sich anschließenden, wechselvollen Kämpfen erst
1783	im Frieden von Versailles. In der Folge weitet der junge Staat sein Gebiet bis zum Mississippi aus. England bleibt in Kanada und im pazifischen Nordwesten.
1789	tritt die demokratische Verfassung in Kraft, *George Washington* wird erster Präsident der USA.
1800	Das eigens gegründete Washington DC wird Hauptstadt.
1803	Im *Louisiana Purchase* erwerben die USA über 2 Millionen km^2 westlich des Mississippi für $15 Mio. von den Franzosen, mit denen ursprünglich nur über den Kauf von New Orleans verhandelt worden war.
1818	die USA übernehmen zusätzliche Gebiete im Norden des (heutigen) mittleren Westens von den Briten.
1836	Die mexikanische Provinz Texas erkämpft sich die Unabhängigkeit und wird 1845 US-Bundesstaat.
1846	Die heutigen Staaten Oregon, Washington, Idaho sowie Teile von Montana und Wyoming gelangen aus britischem »Besitz« unter den Einfluss der USA.
1846–1848	Siegreicher Krieg der USA gegen Mexico, das mit der Niederlage seine Gebietsansprüche im heutigen Südwesten einschließlich Kalifornien, Nevada und Utah abtreten muss.
1853	Im *Gadsden Purchase* wird den Mexikanern für $10 Mio. ein breiter Landstreifen zwischen Rio Grande und Colorado River abgekauft, der die kontinentalen USA »komplettiert«. Aus dem Land im Westen bilden sich erst nach und nach Bundesstaaten. Als letzte treten Neu-Mexiko und Arizona 1912 der Union bei.
1861	kommt es über die Frage der Sklavenhaltung zur »Sezession« von 11 »Südstaaten« aus dem damals 34 Staaten zählenden Verbund und Gründung der sog. »Konföderierten Staaten von Amerika«. Der daraus resultierende Bürgerkrieg endet erst nach vier Jahren
1865	mit einer vernichtenden Niederlage des Südens. Die Union wird wiederhergestellt, die Sklaverei abgeschafft.
Ab 1865	wenden sich die USA verstärkt der faktischen Einverleibung der im Westen annektierten Territorien zu und brechen
1886	endgültig den Widerstand der Indianer gegen die weiße Landnahme. Die letzten noch freien Stämme werden in »Reservate« umgesiedelt (➢ Seite 720).
1867	Kauf Alaskas vom russischen Zaren für $7,2 Mio.
1890	Offiziell erklärtes Ende der *Frontier*-Epoche, während der eine kontinuierliche Ausdehnung der USA stattgefunden hatte. Die Zeit des »Isolationismus« endet ebenfalls. Die USA entwickeln sich in der zweiten Hälfte des 19. Jahrhunderts dank ihres hohen

	Bevölkerungswachstums durch Einwanderung (von 23 Mio. 1850 auf 75 Mio. 1900), ihrer immensen Rohstoffvorkommen und enormer industrieller wie agrarischen Potenz zu einer international beachteten Großmacht.
1898	Krieg gegen Spanien. Die USA übernehmen für $20 Mio. die spanischen Kolonien Puerto Rico, Philippinen und Guam. Die Hawaii-Inseln werden annektiert.
1899	kommen die deutsch beanspruchten Samoa-Inseln dazu.
1903	erfolgt die Gründung des Staates Panama von amerikanischen »Gnaden« anlässlich der Kanalbauplanung.
1917	Nach anfänglicher »parteiischer« Neutralität Eintritt der USA in den 1.Weltkrieg, aus dem sie als Sieger- und Weltmacht hervorgeht.
1929	»Schwarzer Freitag« an der New Yorker Börse führt zur Weltwirtschaftskrise.
1933	*Franklin Delano Roosevelt* wird 32. und durch den sog. *New Deal* (Kampf gegen Massenarbeitslosigkeit, Einführung einer Sozialgesetzgebung etc.) und den 2. Weltkrieg der vielleicht bedeutendste Präsident der USA – 1941 bislang einmaliger Fall der 2.Wiederwahl).
1941	Indirektes Eingreifen der USA in den Krieg durch zunächst nur materielle Unterstützung der UDSSR und Englands sowie Besetzung von Grönland und Island.
1941	am 7. Dezember: Überfall der Japaner auf Pearl Harbor, die Basis der US-Pazifikfotte. Danach Kriegserklärung gegen Japan und die Achsenmächte.
1945	Mit dem Ende des 2. Weltkriegs (im Mai in Europa und im September in Asien nach den A–Bomben auf Hiroshima und Nagasaki) steigen die USA zur Weltmacht Nummer 1 auf. Die Teilung der Welt in eine östlich und westlich (bzw. amerikanisch) beeinflusste Hemisphäre beginnt.
1949	Gründung der NATO als westliche Verteidigungsorganisation gegen die Bedrohung durch die Sowjetunion.
1950–1953	Koreakrieg
1957	Start des *Sputnik* veranlasst die USA zu erheblichen Anstrengungen in der Weltraumforschung.
1959	Alaska und Hawaii werden als 49. und 50. Bundesstaat in die Union aufgenommen.
1960	Amtsantritt von *John F.Kennedy*.
1962	Die Kubakrise führt knapp an einer militärischen Konfrontation mit der Sowjetunion vorbei.
1963	Am 22.November fällt Präsident J.F. Kennedy in Dallas einem Attentat zum Opfer. Nachfolger Kennedys wird der Texaner *Lyndon Baines Johnson*, der die USA ab

1964	durch eskalierende Schritte in den Vietnamkrieg treibt.
1968	Ermordung von *Martin Luther King* und des Justizministers *Robert Kennedy*, Bruder des 1963 ermordeten Präsidenten.
1969	Die Amerikaner *Armstrong* und *Aldrin* landen als erste Menschen auf dem Mond.
1973	Beendigung des Vietnam Krieges.
1974	Die sogenannte *Watergate* Affäre führt zur Amtsenthebung von Präsident *Richard Nixon*.
1981–89	Präsident *Ronald Reagan* sorgt mit seiner Politik extremer Haushaltsdefizite für eine Verschlechterung der Wirtschaftslage, bleibt aber in der Bevölkerung überaus beliebt.
1989	*George Bush* wird 41.Präsident.
1990	Friedensvertrag mit (Gesamt-) Deutschland 45 Jahre nach Beendigung des 2. Weltkriegs.
1991	Siegreicher Golfkrieg gegen den Irak und Wiedererstarken der USA als militärische Supermacht, dadurch Überwindung des sog. Vietnam-Traumas.
1992	Wegen wirtschaftlicher und sozialer Probleme, Ernüchterung. *George Bush* erhält kein Mandat für weitere vier Jahre. Nach zwölf Jahren republikanischer Präsidentschaft zieht
1993	mit *Bill Clinton* wieder ein Demokrat ins Weiße Haus ein.
1994	Die Demokraten verlieren ihre Mehrheit in Senat und Repräsentantenhaus, was *Clinton* für den Rest seiner Amtszeit bei Gesetzgebung und Regierungsgeschäften stark behindert. Aber dennoch gewinnt er
1996	gegen den republikanischen Herausforderer *Robert Dole* die Wahl und tritt im Januar 1997 seine zweite Amtszeit als Präsident an, konsolidiert ungeachtet persönlicher Affären den Haushalt und ist mitverantwortlich für den wirtschaftlichen Aufschwung der USA und den Höhenflug des Dollars ab 1999.
1999	Gegen Präsident *Clinton* wird ein formelles Absetzungsverfahren (*impeachment)* in Gang gesetzt, aber letztlich niedergeschlagen. Er bleibt turnusmäßig bis Ende 2000 im Amt.
2000	Erst Wochen nach der Novemberwahl wird der Republikaner *George W. Bush* nach einem unklaren Ergebnis in Florida zum Wahlsieger über Vizepräsident *Al Gore* erklärt.
2001	Ab Januar 2001 ist *George W. Bush*, Sohn des 41. Präsidenten, der 43. Präsident der USA.
2001	11. September, Anschlag auf die Türme des *World Trade Center* in New York mit über 3000 Toten.
2003	Kurzer, zunächst militärisch siegreicher Irak-Krieg. Seither sind die USA Besatzungsmacht im Irak.
2004	Im November Wiederwahl von *George W. Bush* für eine 2. Amtsperiode ab 2005.

Geschichte und Situation der Indianer

Indianer heute

Reservate

Indianische Kunstgegenstände, Zeugnisse ihrer Kultur und Symbole einstiger Größe (Totempfähle, Statuen u. ä.) sind in Museen, städtischen Parks und Besucherzentren zahlreicher Nationalparks nicht zu übersehen. Den Indianern selbst be-gegnet man als »durchreisender« Tourist seltener; am ehesten noch in Arizona und New Mexico auf der nahezu zwangsläufigen Fahrt durch ***Navajo*** Reservate* und in den Dörfern der ***Pueblo*** Indianer.

Überwiegend abseits der typischen touristischen Pfade liegen ausgedehnte Reservate außerdem in Idaho, Montana, Süddakota, Utah, Washington State und Wyoming, ➤ Karte Seite 722.

Indianer leben in größerer Zahl, aber für den Besucher unauffällig, auch in Regionen und Städten außerhalb der Reservate. Besonders gilt dies für Canada, wo »Schutzgebiete« ähnlich denen der USA nicht existieren. Dort sind Indianer m.E. ein Teil der Gesellschaft, wenngleich – wie in den Staaten – mehrheitlich auf den unteren Sprossen der Sozialhierarchie.

Zahl heute

Trotz der skrupellosen Ausrottung ganzer Stämme in den Jahrhunderten einer rüden Pionierepoche und einer durch Morde, Vertreibung und Krankheiten erfolgten weiteren Verminderung der Urbevölkerung auf ein Viertel der Zahl vor Columbus bis Ende des 19. Jahrhunderts sind die Indianer als Gesamtheit nicht (mehr) im Aussterben begriffen.

Laut Volkszählung von 1990 lebten damals rund 2 Mio. Menschen indianischer Stämme in den USA, (angeblich wieder) schätzungsweise so viele wie um das Jahr 1500. Mit diesem Bevölkerungsanstieg ging in jüngerer Zeit eine **Renaissance indianischer Kultur** einher und ein – bei Amerikanern wie Europäern – neuerwachtes Interesse an den Indianern, ihrer Geschichte und Kultur, aber auch an ihren Problemen.

Will man der gegenwärtigen Situation der Indianer einigermaßen gerecht werden, bedarf es eines historischen Rückblicks verbunden mit einer Erläuterung der unterschiedlichen Kultur- und Stammesregionen Nordamerikas zu Columbus' Zeit.

Indianer vor Columbus

Die geschriebene Geschichte der **Indianer**, wie Columbus die Menschen der Neuen Welt in Verkennung seines Standortes nannte, begann in Nordamerika erst im 17. Jahrhundert. Zwar hatten spanische Eroberer bereits 1540 den Rio Grande überschritten, sich aber bald wieder zurückgezogen.

(*) Von den dort lebenden Stämmen selbstverwaltete Territorien, in denen nicht das Gesetz des jeweiligen Staates, sondern spezielles Bundesrecht für Indianer gilt

Spanien beschränkte sich danach zunächst auf die Errichtung einiger Missionsstationen im Bereich des heutigen Florida zur Bekehrung der Seminolen.

Kultur-regionen

Zu jener Zeit war Nordamerika zwar dünn, aber – in den klimatisch gemäßigten und warmen Zonen – weiträumig besiedelt durch zahlreiche kleine und größere Indianervölker unterschiedlichster ökonomischer, sozio-kultureller und sprachlicher Ausprägung. Sie konzentrierten sich mehrheitlich auf die Küstenregionen. Während die Stämme im Nordwesten – im Bereich des heutigen Oregon, Washington, British Co-lumbia und des südlichen Alaska – Jagd und Fischfang kultivierten, entwickelten sich im Ostküstenbereich bis hoch zum St.-Lorenz-Strom bei den ***Delaware***, ***Iroquois*** (Irokesen) und ***Cherokee*** landwirtschaftlich orientierte Gemeinwesen.

Indianische Kulturregionen in Nordamerika vor Kolumbus

Die Karte zeigt die skizzierte geographische Abgrenzung der Kulturregionen vor Kolumbus nach heutigem Verständnis.

Prärien

In etwa identisch mit den Prärien des mittleren Westens war das Siedlungsgebiet der bis ins 16.Jahrhundert hinein ebenfalls überwiegend vom Bodenbau lebenden Indianervölker der ***Dakota, Cheyenne, Apache, Comanche, Ojibwa, Sioux*** und ***Blackfeet***. Erst mit dem Auftauchen der Pferde Mitte bis Ende des 16. Jahrhunderts (in deren Besitz sich Indianer der Grenzgebiete zum heutigen Mexiko durch Tauschgeschäft und Diebstahl gebracht hatten) und ihrer raschen Ausbreitung gewann die Büffeljagd Bedeutung.

Einzelne Stämme konzentrierten sich überwiegend darauf und folgten den Herden als Nomaden. Sie sind es, die unser Indianerbild in so starker Weise prägten: Berittene, Büffel jagende Krieger und im Hintergrund die Wigwams (*Teepees*) des rasch zu verlegenden Dorfes. Vor Ankunft der Weißen gab es das noch nicht.

Südwesten

Im Südwesten gab und gibt es die sesshaften ***Pueblo*** Indianer, ***Hopi*** und ***Zuni***, mit vergleichsweise hoch entwickelten gemeinschaftlichen Dorfanlagen, sowie die – früher – nomadisierenden ***Navajo***- und ***Apachen*-Stämme**. Die ökonomisch und kulturell ärmste Region war und ist die des *Great Basin* im heutigen Nevada und westlichen Utah, bevölkert nur von kleineren Gruppen der ***Ute***, ***Paiute*** und ***Shoshone***, Sammlern und Kleintierjägern.

Nordwesten

Weiter nördlich lebten die Stämme der höhergelegenen Plateau-Region, die das Areal des heutigen Idaho, Teile von Oregon, Montana und Washington und das südliche Britisch-Kolumbien umfasst. Sie waren von der Flora und Fauna als Lebensgrundlage besser bedacht worden als ihre armen Nachbarn im Süden.

Küste

Küsten, Flüsse und Wälder eines Gebietes, das in etwa mit dem US-Staat Kalifornien übereinstimmt und durch Sierra Nevada und Kaskaden vom Großen Becken getrennt wird, boten den dortigen Stämmen ebenfalls eine reiche Basis für den Lebensunterhalt.

Canada

Die riesigen Waldflächen Canadas nördlich einer gedachten Linie Montreal–Winnipeg–Edmonton mit langen harten Wintern wurden nur von wenigen indianischen Jägern und Sammlern, ***Athabasken*** und ***Algonquin***, bewohnt. Noch weiter nördlich, in der Arktik Nordkanadas und Alaskas, lebten und leben mit den Eskimos *(**Inuit**)* die Nachfahren einer maritimen Subsistenzkultur, die – bedingt durch Klima und Umwelt – lange völlig separat blieb und erst in den letzten Dekaden mit Beginn der wirtschaftlichen Ausbeutung des Nordens nachhaltig gestört wurde.

Mural in Gallup/New Mexico

Indianer und Europäer

Besiedelung bis zur Gründung der USA

Es wurde bereits erwähnt, dass Nordamerika erst ein gutes Jahrhundert nach Columbus in das – europäisch inspirierte – Weltgeschehen eintrat. Wo schon früher die Spanier die *Pueblo* Indianer drangsaliert hatten, erfolgte 1598 im späteren Santa Fe die Ausrufung der zweiten spanischen Provinz (Neu-Mexiko nach Florida). 1604 gründeten die Franzosen Port Royal im heutigen Neuschottland, 1607 folgte das englische James-town (Virginia), 1612 die erste holländische Siedlung auf der Insel *Manhattan* und 1620 die Landung der *Pilgrim Fathers* an den Gestaden von Massachusetts, siehe auch den geschichtlichen Überblick.

Im Gegensatz zum von vornherein auf Unterdrückung ausgerichteten Vorgehen der Spanier ergaben sich an der Atlantikküste zunächst freundschaftliche Beziehungen zwischen den Ankömmlingen und Indianerstämmen. Tatsächlich überlebte die Mehrheit der weißen Siedler nur dank der Vorräte und tatkräftigen Hilfe von Indianern die ersten Jahre in der Neuen Welt. Das hinderte sie nicht, das Land ihrer Retter später nach Gutdünken zu okkupieren. Die Indianer hatten dem – nach der Ankunft immer neuer Einwanderer – trotz heftiger Gegenwehr letztlich nichts entgegenzusetzen.

Neben anderen Gründen führte auch die relativ indianerfreundliche Politik der britischen Krone, die sich während der ersten Hälfte des 18. Jahrhunderts durchzusetzen begann, zu Protesten der selbstbewusster werdenden Kolonien Englands und endlich zur Unabhängigkeitserklärung der 13 »Vereinigten Staaten von Amerika« (vorher 13 koloniale Territorien) im Jahr 1776. Nach 150 Jahren blutiger Auseinandersetzung zwischen Indianern und Siedlern im Osten dehnte sich in der Folge der Kampf gegen die störenden Ureinwohner auf den gesamten Halbkontinent aus.

Hundert Jahre Krieg und Vertreibung im neuen Staat

Östliche Gebiete

Der junge amerikanische Staat zog massenhaft Einwanderer an und erzeugte damit automatisch Druck auf die – unklaren – Grenzen im Westen und Süden, hinter denen sich die im-mensen französischen und spanischen Territorien befanden.

Die dort lebenden Indianerstämme waren mangels nennenswerter Einwanderung weitgehend »in Ruhe« gelassen worden, wurden aber ab Ende des 18.Jahrhunderts von in diese Gebiete eindringenden Amerikanern mit Knebel– und Übervorteilungsverträgen zurückgedrängt oder unterjocht. Ihr Widerstand in den östlichen und südöstlichen Waldregionen war mit wenigen Ausnahmen **1838** endgültig gebrochen, als das große Volk der **Cherokesen** nach den Statuten eines ***Indian Removal Act*** zwangsweise nach Oklahoma in ein eigens geschaffenes Territorium umgesiedelt wurde, in das vor ihnen – auf dem ***Trail of Tears*** – schon andere kleine Stämme gegangen waren und weitere folgen sollten.

...

Der Kampf im Westen

Das Land war 1803 als Teil der im *Louisiana Purchase* erworbenen 2 Mio. km² (➤ Seite 713) an die USA gefallen und hatte damit schlagartig die Gesamtfläche der USA verdoppelt: Raum für die zukünftigen Immigrantenheere. Zwar wurde 1840 entlang des Mississippi eine »ewige« Grenze definiert, die weißes und Indianerland voneinander trennen sollte, aber sie hielt nur kurze Zeit.

Als **1848** Mexiko die von der spanischen Krone übernommenen Gebiete weitgehend an die USA abtreten musste, folgten Hunderttausende dem **Ruf nach Westen**, der just in jenem Jahr – nach Goldfunden in der Sierra Nevada Kaliforniens und anderswo – besonders laut erscholl. Die Obrigkeit duldete und unterstützte den Bruch des kaum abgeschlossenen Grenzvertrages. Gegen den Drang der unzähligen Weißen, die sich weder um die gewachsenen noch um immer wieder neu aufgelegten, vertraglich zugesicherten Rechte der Indianer scherten, war ohnehin kein Kraut gewachsen. Den erbitterten Widerstand der Indianer brachen die USA nach Beendigung des Bürgerkrieges (1865) durch Einsatz der Armee – wie in zahlreichen Western plastisch dokumentiert ist.

»Befriedung«

Nordwesten

1868 kam es im Nordwesten mit den *Sioux, Cheyenne* und anderen verbundenen Stämmen zu einem **Friedensvertrag**, der den Indianern große Gebiete in Süd-Dakota zusicherte. Aber die Nachricht von Gold in den ***Black Hills***, einer den *Sioux* heiligen Region mitten im gerade geschaffenen Reservat, vereitelte eine längere konfliktfreie Periode. Statt für die Einhaltung der Verträge zu sorgen, wandte sich die Armee gegen die Indianer und sah sich 1876 (ausgerechnet zum 100-jährigen Geburtstag der USA) in der bekannten **Schlacht am *Little Bighorn River***, die ***General Custer*** und 600 seiner Leute zum Verhängnis wurde, vernichtend geschlagen. Jedoch war dies der letzte große Sieg der *Sioux*. Sie gaben – nach dem Versprechen eines ehrenhaften Friedens – auf und wurden in neue Reservate verwiesen. Die *Cheyenne* erhielten ein noch heute existierendes Gebiet in Montana.

Südwesten

Den Stämmen des Südwestens erging es kaum besser. Träger des Widerstandes gegen die Mexikaner und nach 1848 die Amerikaner waren die ***Chiricahua Apachen***. In einem jahrelangen Guerillakrieg zermürbten sie die Armee. Ihr Häuptling ***Cochise*** erreichte 1875 die Festschreibung eines Reservats im heimatlichen Gebiet. Wie so oft folgte aber der Vertragsbruch der Amerikaner auf dem Fuße. Der wiederaufgenommene Kampf der Apachen unter ***Geronimo*** ging bis 1886. Die Überlebenden wanderten in die Reservate Oklahomas. Alle Indianerstämme galten mit der Niederwerfung der Apachen als »befriedet«.

Wounded Knee

Ein letztes, eher wohl religiöses Aufbäumen einer indianischen Geistertanzbewegung führte 1890 in Süd-Dakota zum berüchtigten **Massaker am *Wounded Knee***: Amerikanische Kavallerie eröffnete nach Ermordung des Häuptlings ***Sitting Bull*** wahllos das Feuer auf wehrlose *Sioux* und tötete Hunderte, davon die meisten Frauen und Kinder.

Indianer im 20. Jahrhundert

Bureau of Indian Affairs

Schon vor den letzten kriegerischen Auseinandersetzungen kam es zur Gründung des noch heute für alle indianischen Angelegenheiten zuständigen *Bureau of Indian Affairs*. Es soll vorrangig die Rechte der Indianer sichern helfen, diente aber lange eher der Durchsetzung gegen sie gerichteter Interessen und unterschiedlichster gesetzlicher Verfügungen.

Dawes Act

Als Folge des ***Dawes Act* von 1887**, der faktisch eine Privatisierung der Reservate vorsah, begann eine schrittweise Reduzierung der noch in indianischem Besitz befindlichen Flächen. Besonders betroffen waren die Indianergebiete, in die als erste die sogenannten fünf »zivilisierten Nationen« des Südostens *(Cherokee* und andere) verbracht worden waren und die ausgangs des 19. Jahrhunderts 22 Stämme beherbergten.

Schon 1890 entstand dort das weiße **Territorium Oklahoma** und 1907 dann der gleichnamige Staat nach Einverleibung fast des gesamten Restes ehemals indianischer Areale. Die Indianer, soweit sie blieben, wurden in eine Minoritätenposition gedrängt. Insgesamt gingen den Indianern mit dem *Dawes Act* rund zwei Drittel der ehemals zugebilligten Ländereien verloren. 550.000 km^2 reduzierten sich auf nur wenig mehr als 200.000 km^2. Die Verluste betrafen – das läßt sich denken – die qualitativ besseren und mineralogisch vielversprechenderen Landstriche.

Meriam Report

Erst nach der Teilnahme von Indianern am 1. Weltkrieg und Verleihung der Staatsbürgerschaftswürde an sie – nicht immer eine vorteilhafte Ehre, denn damit ist u.a. die Steuerpflicht verbunden – führte der ***Meriam Report*** 1928 zu einer langsamen Wende in der Indianerpolitik. Neben Statusverbesserungen bei den Bürgerrechten und finanziellen Zugeständnissen kam es zum ***Indian Reorganization Act***: Eine Reprivatisierung der Reservate durch Rückkauf und Zusammenfassung von zwischenzeitlich separiertem Besitz wurde zugelassen und gefördert.

Termination

Eine neue Bewegung in den 1950er-Jahren schrieb die Befreiung der Indianer von der Bevormundung auf ihre Fahne, erreichte mit der sogenannten *Termination*-Politik aber unbeabsichtigt eine Art Reinstitutionalisierung des 70 Jahre alten *Dawes Act*. Faktisch entließ man zahllose Indianer mit einigen tausend Dollar Erlös aus dem Verkauf ihrer Grundstücke ohne Vorbereitung in die weiße Zivilisation der Städte. Das Ergebnis war verheerend.

1970er-Jahre

Trotzdem führte die vereinte Kraft derjenigen Indianer, die sich assimilierten und unter Weißen behaupten konnten, zu einer früher nicht vorhandenen politischen Handlungsfähigkeit und zu ersten Erfolgen im Kampf gegen indianisches Elend und Unrecht.

Die Proteste in den 1970er Jahren – wie der »Marsch der gebrochenen Verträge« nach Washington (1972), die Verbarrikadierung von Mitgliedern des *American Indian Movement* im Dorf von

Die meisten Indianerreservate befinden sich in den West- und Präriestaaten

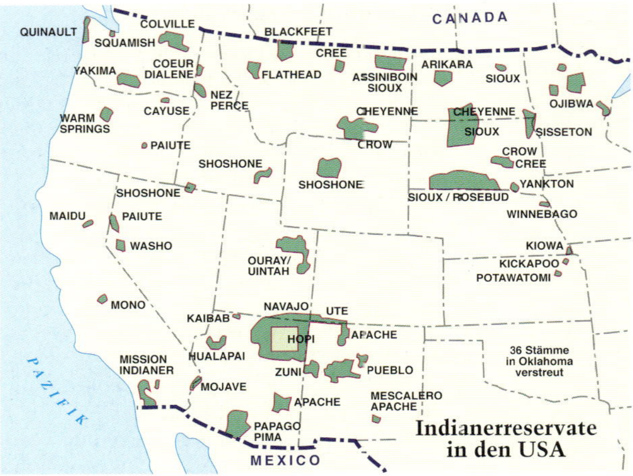

Indianerreservate in den USA

Wounded Knee, dem Ort des Massakers von 1890, samt der daraus resultierenden, damals weltweit Aufmerksamkeit erregenden Belagerung durch die Ordnungskräfte (1973) und die Feiern **200 Jahre Widerstand** zum 200jährigen Geburtstag der USA (1976) – waren zwar Ausdruck einer tiefempfundenen Ohnmacht, spiegelten aber gleichzeitig das gestiegene Selbstbewusstsein und den Willen zur Auflehnung gegen weitere Unterdrückung wider.

Heutige Situation

Seitdem hat sich manches verändert. Die Selbstbestimmungsmöglichkeiten der Indianer, die Emanzipation von der Bevormundung durch das »Büro für indianische Angelegenheiten« und die Integration der indianischen Völker in die US-amerikanische Gesellschaft bei gleichzeitiger Betonung ethnischer Herkunft und Zusammengehörigkeit sind vorangekommen.

Die Probleme der Indianer wurden deshalb aber noch lange nicht gelöst. Sie sind für aufmerksame Touristen offensichtlich. Armut, Arbeitslosigkeit, trotz allem eine immer noch unzureichende Gesundheitsfürsorge, Alkoholismus, schlechte Schulbildung und hohe Jugendkriminalität betrifft die Indianer noch stärker als manch andere benachteiligte Randgruppe, wenn auch offenbar stammabhängig sehr unterschiedlich.

Reisen durchs Indianerland

Reservate

Die nebenstehende Karte zeigt die wichtigsten Indianerreservate im Westen der USA (im Ostteil gibt es keine Reservate in nennenswerter Zahl und Größe). Viele Reservate sind – touristisch gesehen – unauffällig; die meisten liegen abseits der üblichen Reiserouten. Bedeutsame Ausnahmen bilden, wie erwähnt, die ***Navajo-Hopi*** Reservate in Arizona, die Dörfer der ***Zuni*** und ***Pueblo*** Indianer in New Mexico und die Gebiete der ***Blackfeet***, ***Flathead*** und ***Cheyenne*** in Montana.

Lebensbedingungen

Die Mehrheit der Reservats-Indianer, gleich welchem Kulturkreis zugehörig, lebt heute weder im *Teepee* noch in traditionellen Gras- oder Lehmhütten und *Pueblos* – obschon es auch das noch gibt – sondern in schlichten Behausungen »moderner« Prägung. Das Erscheinungsbild indianischer Siedlungen in oft trostloser Öde ist dabei überwiegend armselig. Im Reservats-Supermarkt, wiewohl sonst gut sortiert, sucht man Alkoholika vergeblich. Theoretisch darf der durchfahrende Weiße nicht einmal alkoholische Getränke im Auto mitführen. Einerseits Bevormundung durch das *Bureau of Indian Affairs* (heute durchaus unterstützt von den Organen der indianischen Selbstverwaltung), andererseits aber auch ein deutlicher Hinweis auf die Schwere des Alkoholproblems.

Kunst und Kultur

Im Gegensatz zum bisweilen ziemlich irritierenden äußeren Eindruck steht in manchen Reservaten die stolze und eindrucksvolle Präsentation indianischer Relikte aus der Zeit vor Columbus – ***Cliff Dwellings, Pueblos***, zum Teil in eigenen Parks wie ***Canyon de Chelly***, den ***Hopi Mesas*** und ***Taos Pueblo*** – und der vergangenen wie gegenwärtigen Kultur in Museen und Kulturzentren der Stämme (z.B. in Albuquerque/New Mexico) sowie die Demonstration indianischer Tradition und Folklore während zahlreicher Tanz- und Musikfeste (den ***Pow-Wows***).

Kachina Doll, Navajo-Puppe als Talisman für alle Lebenslagen.

Wenig bekannt ist, dass die **Musik der Indianer** (*Apache, Kiowa, Blackfoot, Navajo* u. a.) auf Kassetten und CDs schon lange den Weg in die Läden fand (besonders im Umfeld von Indianergebieten, auch in Shops von Nationalparks).

Indianische Kunstgegenstände wie Silberschmuck, Tongefäße und -geschirr, Web- und Lederwaren, Schnitzereien, Grafik und Gemälde werden in den Weststaaten, speziell im Südwesten allerorten angeboten. Sie sind nicht billig; aber preiswerter als anderswo findet man ***Indian Handicraft*** in den Reservaten, selbstverwalteten Museen und Kulturzentren. Dort hat man die Gewissheit, dass die Erlöse voll bei den Indianern verbleiben.

Kasinos

Seit 1988 ein Bundesgesetz das ***High Stake Gambling***, sprich: »Glückspiel um Geld«, in Reservaten erlaubt, haben landesweit fast alle Indianerstämme die Spielwut der Weißen zur Haupteinnahmequelle gemacht. Faktisch gibt es heute **kein Reservat mehr ohne Spielkasino**, ➤ Hinweise im Reiseteil.

Kontakte

Bei persönlichen Kontakten kommt es vor, dass Aufgeschlossenheit gegenüber indianischer Kultur und den Problemen der Gegenwart große Resonanz erzeugt. Vor allem gebildete Indianer suchen den Kontakt nach außen und werben um Verständnis und Unterstützung für ihre Anliegen auch bei ausländischen Besuchern. Über Druck von außen durch die internationale öffentliche Meinung erhofft man sich die Forcierung von Entwicklungen, die allein nicht oder nur sehr mühsam in Gang zu setzen wären.

Literatur

In ***US-Bookshops*** und in Besucherzentren der Nationalparks und -monumente gibt es reichlich – auch kritische – Literatur zu Indianerfragen, darunter Bücher und Materialien der Indianer selbst zur aktuellen Situation. In deutscher Sprache sind folgende neuere Veröffentlichungen empfehlenswert:

Die Indianer Nordamerikas, GEO Epoche Nr. 4/2000; €8

Der große Bildatlas Indianer, Bechtemünzer-Verlag 1999, €13

Die wahre Geschichte der Indianer, Ursprung und Alltag der Stämme Nordamerikas, René Oth, Battenberg 1999, €15

Unsere Zukunft ist Eure Zukunft – Indianer heute, DTV '92, €10

500 Nations, die illustrierte Geschichte der Indianer, A.M. Josephy, Frederking & Thaler 1996, ca. €50 für einen Prachtband.

Eine etwas andere Art von Literatur sind die Kriminalromane des **Erfolgsautors *Tony Hillerman***. Sie spielen im Navajo-Reservat und erhellen die heutige Situation und das Leben im Navajoland. Einige seiner Romane wurden übersetzt und erschienen als Taschenbuch bei Goldmann.

Die amerikanischen Originale gibt's in jedem Buchladen und im Navajo-Reservat sogar im Supermarkt. **Bestsellertitel** sind ***Talking God***, ***Finding Moon*** und ***Sacred Clowns***. Die Paperbacks vom Verlag *Harper-Collins* kosten ca. $6/Band.

In Arizonas Navajoland nördlich von Window Rock (Straße #12) befindet sich dieser Friedhof für Veteranen, die in Welt-, Korea- und Vietnamkrieg kämpften. Patriotismus für Amerika bei den Navajos!

Amerika ist anders

Wer auf Reisen in den USA Land und Leute näher kennenlernt, wird feststellen, dass es mancherlei uns ziemlich **fremde Gepflogenheiten** und **soziale Spielregeln** gibt. Ganz erheblich sind etwa die Unterschiede zwischen amerikanischer und deutscher Schul- und Ausbildung und daraus resultierender andersartiger Verhaltensweisen und Perspektiven. Von Themen, Eigenarten und Verhaltensmustern, denen man in Gesprächen und Kontakten auch als Tourist während eines kurzen Aufenthaltes oft begegnet, soll in den folgenden Abschnitten die Rede sein. Zunächst einige Bemerkungen zu Sprache und Sprachkenntnissen der Amerikaner:

Sprache

Unterschiede Englisch/ Amerikanisch

Das amerikanische unterscheidet sich vom britischen Englisch bekanntermaßen in der **Aussprache**. Auch gibt es zahlreiche abweichende Wortgebräuche (zum Beispiel ist *cheap* im Amerikanischen eher *billig* im übertragenen Sinn, bezogen auf Preise sagt man *inexpensive*) und **rein amerikanische Ausdrücke**, die kein Engländer benutzen würde (z.B. *gas* statt *petrol* für Benzin). Wer die englische Sprache einigermaßen beherrscht, wird damit kaum Schwierigkeiten haben, zumal heute im Englischunterricht bei uns die wichtigsten Amerikanismen berücksichtigt werden. Die Bedeutung eines amerikanischen Begriffs ergibt sich im übrigen oft aus dem Zusammenhang. Vom Touristen benutzte englische Worte, die in Amerika unüblich sind, werden normalerweise verstanden; kleine Missverständnisse lassen sich leicht ausräumen. Problematischer ist bisweilen die Aussprache. Auch wer gut Englisch spricht, aber nicht mit amerikanischem Tonfall und Akzent, wird in Läden, Tankstellen und Motels nicht immer auf Anhieb verstanden.

Aussprache

Regionale Unterschiede in der Aussprache sind weniger auffällig als im kleinen Deutschland zwischen Nord und Süd. Sprachliche Abweichungen im Sinne von Dialekten existieren im US-Westen kaum, sieht man ab von Ausdrücken und Redewendungen mit *Slang*-Charakter. Lediglich in den Südstaaten und in Texas pflegen viele Amerikaner nicht nur einen oft schwer verständlichen Akzent, sondern auch manche sprachliche Besonderheit. Eine Rolle für Art der Sprache und Aussprache spielt – wie bei uns – natürlich auch die soziale Schichtung. Verständigungsschwierigkeiten treten daher in einer Bank seltener auf als an der Tankstelle. Ein spezifisches Amerikanisch, auch was das Vokabular betrifft, sprechen viele Schwarze, *Afro-Americans*, wie es heute in den USA *politically correct* heißt.

Akzente

Bei manchen Amerikanern schlagen noch Akzente ihrer Herkunftsländer durch. Der gut Englisch sprechende Tourist wird daher trotz Akzent nicht ohne weiteres als Ausländer erkannt. Bestimmte Bevölkerungsgruppen sprechen ohnehin

...

nur wenig oder gar kein Englisch. Zum Beispiel leben in Südkalifornien, Florida, Arizona, New Mexico und Texas große, ausschließlich Spanisch sprechende Minderheiten.

Sprachkenntnisse der Amerikaner

Auch bei geringen Englischkenntnissen gibt es in den USA keine ernsten Schwierigkeiten »durchzukommen«, aber mit besonderen persönlichen Kontakten darf man nicht rechnen. Denn Amerikaner sprechen kaum Fremdsprachen, und wenn, dann eher Französisch oder Spanisch. Sprachunterricht in den *Highschools* vollzieht sich überwiegend auf freiwilliger Basis. Systematisch aufgebaute Sprachkurse über Jahre hinweg haben die wenigsten Schüler genossen. Von Deutschkenntnissen des Personals in Hotels, Restaurants und auf geführten Touren darf man daher nur sehr begrenzt ausgehen, auch wenn gelegentlich dazu (übertrieben) optimistische Angaben gemacht werden. Immerhin steigt die Anzahl der Nationalparks, die ihre Informationsbroschüren auch in fremden Sprachen bereithalten. Man sollte sich nicht scheuen, danach zu fragen.

Im Grunde erwarten Amerikaner – wohl, weil sie es einfach so gewohnt sind –, dass Besucher Englisch sprechen. Selbst gute Sprachkenntnisse des Touristen rufen nur selten Erstaunen hervor. Sie werden eher als selbstverständlich angesehen.

Schule und Universität

Schulsystem

Amerikanische Kinder gehen, bevor sie zur Schule kommen, in den ***Kindergarten***. Das ist nur insofern bemerkenswert, als für diese Institution das deutsche Wort gebräuchlicher ist als der englische Begriff ***Nursery School***. Die ersten 6 Jahre besuchen sie die ***Elementary School***. Sie sind dann **nicht in der** ersten, zweiten, usw. ***class***, sondern *in the* ***first, second, etc. grade***. Nach der *Elementary School* beginnt die ***Highschool***. Sie spielt in Amerika eine viel größere gesellschaftliche Rolle als die Schulen bei uns. Vor allem in kleineren Orten ist sie Zentrum vielfältiger, durchaus nicht nur auf die Schulangehörigen begrenzten Aktivitäten und sportlicher Ereignisse.

Die ***Highschool*** bezieht sich generell auf die Klassen 7 bis 12. Manchmal auch auf die kürzere Periode von 9 bis 12, wo die Grundschule ausnahmsweise 8 Jahre dauert. Bei der sechsjährigen *Highschool* unterscheidet man die ***Junior*** und die ***Senior Highschool*** mit den Klassen 6 bis 9 bzw. 10 bis 12. Grundsätzlich ist mit der Abstufung keine Auslese verbunden. Alle Schüler müssen an sich 12 Schuljahre absolvieren. Dennoch verlassen viele vorzeitig die Schule; sie heißen ***Dropouts***.

Schulniveau

Die – in bestimmten Regionen und Städten unerhört hohen – Raten der *Dropouts* und Analphabeten stehen in enger Relation zur jeweiligen Qualität der *Highschool*. Neben guten Schulen, deren Niveau in den Leistungskursen durchaus dem bei uns in Gymnasien üblichen entspricht oder übertrifft, gibt es sehr viele unterdurchschnittliche *Highschools*

Probleme des Systems Der Grund solcher Unterschiede liegt in der weitgehenden Finanzierung der Schulen aus lokalen Steuermitteln. In wohlhabenden Regionen und Stadtteilen mit höherem Aufkommen findet man deshalb besser ausgestattete Schulen und bezahlte Lehrkräfte als in ärmeren Landstrichen und Ortschaften. Bereits unter der Präsidentschaft *Reagan/Bush sen.* hatte sich als Folge allgemeiner auch die Kommunen betreffender Budgetkürzungen die Situation an den Schulen verschlechtert. Erst in den letzten Jahren nahmen Öffentlichkeit und staatliche Administration die **Bildungsmisere** offiziell zur Kenntnis und räumten einer Verbesserung der Schulbildung (zumindest verbal) Priorität ein. Der aktuelle Präsident ***George W. Bush*** ging mit dem Versprechen, mehr Geld in die Bildung zu investieren, in den Wahlkampf, »kassierte« aber bald wieder einen Teil seiner Zusagen und stockte mit Hinweis auf den 11. September und Irakkrieg den Rüstungsetat auf.

Interne Begriffe Wenn Amerikaner von ihrer Schulzeit erzählen oder sich auf den Schulbesuch ihrer Kinder beziehen, hört man oft die Ausdrücke ***Freshman*** (9. Klasse), ***Sophomore*** (10. Klasse), ***Junior*** (11. Klasse) und ***Senior*** (12. Klasse). Sie werden auch für die 4 Collegejahre wieder verwendet. Der Begriff ***pupil*** ist ungebräuchlich, auch der jüngste Schüler ist bereits ein ***student***.

Abschluß Mit dem Schulabschluss (***Diploma***) erwirbt man keine Zugangs-berechtigung zum *College* oder zur *University*. Das Diplom ist lediglich **eine** Voraussetzung der Zulassung. Zusätzlich muss ein

Schulabschluß

Aspirant einen landesweit einheitlichen Test machen, der sprachliche und analytische Fähigkeiten prüft. Die dabei erreichte Punktzahl entscheidet weitgehend darüber, welche Weiterbildungsmöglichkeiten ihm oder ihr offenstehen.

College

Da es eine formalisierte berufliche Bildung in den USA nicht gibt, erfolgt die Ausbildung für viele Berufe auf dem *College,* das von einem hohen Prozentsatz der *Highschool*-Absolventen besucht wird. Die übliche Studiendauer beträgt vier Jahre. Die sog. ***Undergraduate Studies*** schließen mit dem akademischen Grad eines ***Bachelor*** (***of Arts, of Science***) ab. Im Prinzip entspricht die Ausbildung einem fachbezogenen Abitur plus der Vorprüfung einer Universität oder – in wenigen exzellenten Ausnahmefällen – dem Diplom einer Fachhochschule, überträgt man die Situation auf unsere Gegebenheiten.

Universität

Colleges sind zum Teil selbständige Institute, oft aber einer Universität angegliedert. Studenten sprechen seltener vom *College* oder von der Universität, die sie besuchen, sondern sie reden von der »Schule«, an der sie studieren. Ein ***Undergraduate Student*** an der ***School of Medicine*** der *X-University* ist also ein Medizinstudent der unteren Semester.

Nach dem ***Bachelor Degree*** erwirbt man durch ein ein- bis zweijähriges Zusatzstudium an der Universität seinen zweiten akademischen Grad, den ***Masters Degree***, der alles in allem unserem Diplom und vergleichbaren Abschlüssen entspricht. Diese werden (einschließlich *Highschool* und manchmal sogar *Junior Highschool*) mit bombastischen öffentlichen Feiern (***Graduation Ceremonies***) gewürdigt, auf denen bereits Schüler »Doktorhüte« und farbenprächtige Umhänge tragen.

Kosten

Unter anderem hat dies etwas mit den hohen Kosten der Ausbildung zu tun. Nach dem vielen investierten Geld möchten Eltern und Schüler den Erfolg der Bemühungen gern auch nach außen hin dokumentiert sehen. Zwar sind die staatlichen *Highschools* schulgeldfrei, aber für eine Prestige und Bildungsniveau fördernde private Schule müssen Amerikaner tief in die Tasche greifen. Eine *College*- und Universitätsausbildung kostet immer sehr viel Geld, egal, ob die jeweilige Institution unter staatlicher oder privater Trägerschaft steht. Am teuersten sind Privatuniversitäten wie *Harvard* und *Stanford,* wo nur Bewerber mit höchsten Punktzahlen im erwähnten Test eine Chance auf Zulassung haben.

Leben in College und Universität

Was bereits für die *Highschool* gesagt wurde, gilt noch stärker für *College* und Universität. Das gesellschaftliche Leben der Studenten ist stark auf die Lehranstalt fixiert. Denn anders als bei uns leben die meisten Studenten direkt auf dem Campus in ***University Residences*** oder ***College Dormitories***. Die Universität organisiert wegen der Notwendigkeit, in jeder Beziehung attraktiv zu sein (d.h., viele zahlende Studenten zu finden), kulturelle Ereignisse und vor allem Sportveranstaltungen. Unis finanzieren auch häufig eigene Sportteams zur institutionellen Imagewerbung.

Termini

Erstaunlich sind in den USA die lateinischen Begriffe im Universitätsleben, obschon kaum jemand Latein lernt. Ehemalige Studenten etwa werden als ***Alumni*** (Schüler) bezeichnet. Zu ihnen hält jede Universität engen Kontakt. Alljährlich finden sogen. ***Homecomings*** statt, Feste zu Ehren der Ehemaligen mit dem Zweck, die Großzügigkeit der *Alumni* gegenüber der alten ***Alma Mater*** zu stimulieren.

Fraternities und ***Sororities*** sind rein männliche bzw. weibliche Studentenverbindungen mit ausgeschriebenen griechischen Buchstabenkombinationen als Namen, z. B. *Epsilonxi*. Bevor ein ***Freshman*** (Student/in im ersten Jahr) in eine Verbindung aufgenommen wird, hat er/sie irgendeinen, mit einer gewissen Courage verbundenen Blödsinn anzustellen.

Öffentliches Leben

Flagge

An Schulen, Universitäten und überhaupt im öffentlichen Leben spielt die Flagge eine ungleich größere Rolle als in den meisten europäischen Ländern. Der patriotische Ehrenkodex fordert, dass die ***Stars and Stripes*** weder im Dunkeln noch im Regen wehen und niemals den Boden berühren. Flaggenparaden und Treueeide vor dem Nationalbanner beschränken sich in den USA nicht auf militärische Zeremonien. Wenn bei solcher oder anderer Gelegenheit (Sportereignisse, *Graduation* in der *Highschool)* die Nationalhymne gespielt wird, steht das Publikum auf und singt mit. Dabei legt ein ordentlicher Patriot die rechte Hand aufs Herz. Eine abfällige Bemerkung über den **Flaggen- und Nationalkult** wäre ganz und gar unangebracht, denn viele Amerikaner nehmen diese Dinge ausgesprochen ernst. Hilfreich ist die aufgezogene Flagge bisweilen bei der Suche nach einem Postamt.

Toiletten

Ein ganz anderer Aspekt des öffentlichen Lebens betrifft die Bezeichnungen für Toiletten. Gehört es sich schon nicht recht, nach ***Toilettes*** zu fragen, wäre die Benutzung des umgangsenglischen Wortes ***Loo*** ein ganz böser *Faux Pas*. Toiletten in der Öffentlichkeit (Restaurants, Parks usw.) sind ***Restrooms*** (to rest = ruhen) und etwas subtiler ***Mens*** oder ***Ladies Rooms***. In privaten Häusern handelt es sich selbst bei der separaten Gästetoilette immer um einen ***Bathroom***. Bisweilen begegnet man dem Begriff ***Comfort Station*** (*to comfort*=trösten).

In öffentlichen Toiletten, auf Campingplätzen und sogar in manchen Kneipen wird man ab und zu Türen vor den Kabinen vermissen. Ihr Fehlen ist seltener eine Folge von Vandalismus als vielmehr Ausdruck tiefer Besorgnis der Obrigkeit über unerwünschte Aktivitäten hinter verschlossener Tür.

Am Strand

Prüderie bestimmt im allgemeinen das Verhalten am Strand. Abgesehen von abgelegenen geduldeten Nacktbadestränden dürfen Frauen in den USA auf keinen Fall barbusig sonnenbaden. Amerikaner ziehen sich am Strand auch nicht um, nicht einmal im Schutze eines Bademantels. Das macht man entweder im Auto und geht in Badebekleidung an den Strand oder in Umkleidekabinen, so vorhanden. Sollte der Tourist diesen ungeschriebenen und in einigen Staaten sogar geschriebenen Gesetzen zuwiderhandeln, wird er zumindest indignierte Blicke, wenn nicht lauten Protest ernten.

Nur sehr »progressive« Eltern lassen über 2 Jahre alte Kleinkinder am belebten Strand nackt herumtollen. Kleine Mädchen benötigen ein Bikinioberteil, sobald sie laufen können.

Football/ Baseball

Neben dem artistisch gespielten **Basketball** sind die Spiele der ***Football***- und ***Baseball-Ligen*** die großen Publikumsmagneten und Fernsehdauerbrenner. ***American Football*** ist bekanntlich nicht Fußball, das in Amerika *Soccer* heißt, sondern eine Art *Rugby*. Dessen Popularität entspricht weitgehend der des Fußballs in Europa. Bei den relativ seltenen Spielen der Professionalliga kennt die Begeisterung keine Grenzen.

Das dem englischen *Cricket* verwandte *Baseball* besitzt in europäischen Augen wenig *Action* und zieht sich oft über viele langweilige Stunden hin. Das tut der Beliebtheit aber keinen Abbruch. Mit *Popcorn* und ***Pop*** (Cola, Sprite) überbrückt man die »toten« Phasen beider Spiele und lässt sich ansonsten von den neckisch uniformierten ***Cheerleaders***, den mittlerweile in einigen Sportarten (Basketball) auch bei uns bekannten weiblichen »Einpeitschern«, und ***Marching Bands*** in Stimmung bringen.

Wenn am Ende der Saison die amerikanisch/kanadische Meisterschaft ausgespielt wird, spricht man ausschließlich von ***World Championship*** oder ***World Series***. Und tatsächlich handelt es sich hier um Weltmeisterschaften, da andere Nationen kaum *Football* oder *Baseball* à la USA spielen.

Soccer (Fußball)

Die amerikanische Profiliga, in der einst Franz Beckenbauer für *Cosmos* New York kickte, spielt zwar mit wachsendem Erfolg, dennoch gilt ***Soccer*** in Amerika heute eher als ein Spiel der Mittelklasse und ist besonders beliebt bei Mädchen.

Übergewicht

Im Gegensatz zur vehementen Sportlichkeit vieler Amerikaner, die insgesamt stärker ausgeprägt zu sein scheint als unter jungen Europäern, steht auf der anderen Seite ein bemerkenswerter Prozentsatz der Bevölkerung, der offenbar ohne jegliche körperliche Aktivität auskommt. Extrem übergewichtige (auch junge) Menschen fallen in der Öffentlichkeit überall auf. Auch ein hoher Anteil der Kinder kämpft mit Gewichtsproblemen, die in vergleichbar krasser Form bei uns trotz aller Klagen bis heute nicht bekannt sind. Falsche Ernährung und die Passivität fördernde Lebensgewohnheiten haben für viele ersichtlich der Gesundheit abträgliche Konsequenzen.

Tourist und Amerikaner

Verhalten gegenüber Fremden

Amerikaner begegnen außerhalb der atypischen Großstädte Fremden oft mit großer **Offenheit, Freundlichkeit** und – wenn es nötig ist – **Hilfsbereitschaft**. Die Begegnung mit gleichgültiger Bedienung, muffeligen Tankwarten und unlustigen Verkäufern macht man in den USA seltener als hierzulande. Das entspannte Miteinander der Amerikaner ist eine der erfreulichen Erfahrungen jeder USA-Reise.

Internet Info: Gut lesbare Stories von ihren Eindrücken und Kontakten schreiben B. und M Hachenberger unter **www.Camp Amerika.de** (1 Jahr im Camper unterwegs)

Wird er als Deutscher erkannt, schlägt dem Besucher gelegentlich unerwartete Herzlichkeit entgegen: Der Gesprächspartner war vor Jahren in der (alten) Bundesrepublik stationiert, ist mit einer Deutschen verschwägert und ähnliches mehr. Viele Amerikaner zeigen ein manchmal sympathisch-naives Interesse am »Woher« und »Wohin« des Touristen.

Wer leidlich Englisch spricht (siehe oben), hat im allgemeinen wenig Probleme, auf derartige Kontakte einzugehen. Geographische Aufklärung derart etwa, dass Bayern (*Bavaria* mit dem allgemein bekannten *Hofbrauhaus* in *Munich*) zu Deutschland gehört, stößt bisweilen auf erhebliches Erstaunen. Dank der umfassenden Berichterstattung nach der Wiedervereinigung und neuerdings über die Widerborstigkeit Deutschlands im Zusammenhang mit dem Irakkrieg und generell der amerikanischen Außenpolitik hat sich aber, so scheint es, das Deutschland betreffende Informationsdefizit vermindert.

Einladung

Zur Kontaktfreude der Amerikaner gehört auch die spontan ausgesprochene Einladung zu einem Bier, zum Essen, vielleicht eine Nacht zu bleiben oder an einer Party teilzunehmen. Man sollte keine Hemmungen haben, so Zeit und Lust vorhanden ist, Einladungen anzunehmen. Amerikaner meinen (meist), was sie sagen. Wird eine Einladung ausgesprochen, so ist man freundlich empfangener Gast. Wie verhält man sich nun als solcher?

Verhalten als Gast

Bezieht sich die Einladung nur auf einen Drink, genügt die persönliche Ungezwungenheit als Mitbringsel. Bei Einladungen zum Essen oder zu einer Party wird das Entzücken der Gastgeber keine Grenzen kennen, sollte der Gast Blumen (sofern ein Blumengeschäft aufzutreiben ist) oder ein kleines Präsent überreichen. Beides ist in Amerika ungewohnt und wird dem Gast als besonderer ***European Style*** ausgesprochen positiv ausgelegt. Nur bei speziellen Anlässen braucht man sich Gedanken über die passende Garderobe zu machen.

Bei der Begrüßung gibt man sich zwanglos und tauscht Floskeln wie »How do you do?«, »It's nice to meet you« aus, ohne dass darauf eine ausführliche Entgegnung angebracht wäre. Soweit noch nicht vorher geschehen, wird spätestens jetzt nach dem Vornamen gefragt. Wenn nicht Generationen zwischen den Anwesenden liegen und oft auch dann, erfolgt die Vorstellung und Anrede der Gäste und des Gastgebers ebenfalls mit Vornamen.

...

Bei Tisch

Selbst bei einer Einladung zum *Dinner* gibt man sich überwiegend formlos. Nur in sehr wenigen amerikanischen Haushalten steht – außer zu ganz besonderen Gelegenheiten – der eigens gedeckte Tisch bei Ankunft der Gäste schon bereit. Man integriert Gast bzw. Gäste einfach in den auch sonst in der Familie üblichen Ablauf. Ist das Essen aufgetragen, achtet niemand auf »richtiges« Benehmen bei Tisch. Jeder isst mehr oder weniger, wie es ihm passt. Wesentlich ist, dass es schmeckt. Unsicherheit über die geeignete Verhaltensweise braucht also nicht aufzukommen. Wer keine silbernen Löffel stiehlt und folgende Punkte beachtet, kann wenig verkehrt machen:

Ansichten über die USA

- Im Verlauf eines Abends als Gast wie auch bei anderen Gelegenheiten wird schnell die Frage auftauchen »How do you like America/the States?« Als Antwort sind differenzierende Ausführungen selten angebracht. Jedermann wird hocherfreut sein, wenn der Tourist, ohne dass er dabei unehrlich zu sein braucht, seine Begeisterung über die Dinge äußert, die ihm gut gefallen haben. Bevor ggf. auch negative Eindrücke zur Sprache kommen können, ist meist schon ein anderes Thema dran. Auf jeden Fall liegt man richtig, das Positive und Sehenswerte an den USA herauszustreichen. Zwar bestätigt man derart – vielleicht wider Willen – die vorherrschende Überzeugung von Amerika als dem ***most wonderful country on earth*** oder gar ***god's own country***, aber darüber lässt sich ohnehin nicht diskutieren.
- Negative Äußerungen sind nur angebracht, wenn die Konversation sich auf Themen bezieht, die auch von Amerikanern kontrovers erörtert werden, dann aber vorsichtshalber »gut verpackt«. Obwohl dies m.E. von den Gesprächspartnern abhängt, ist es im allgemeinen ratsam, eher Zurückhaltung bei der kritischen Beurteilung des Gesehenen und Erlebten zu üben, möchte man nicht ins Fettnäpfchen treten.

  Das gilt unter anderem und speziell für Beobachtungen zu sozialen Missständen in den USA. Die aus europäischer Sicht vielfach unglaublichen Gegensätze zwischen Arm und Reich und der beklagenswerte Zustand mancher Stadtviertel oder strukturell benachteiligter Regionen sind selten ein Thema für davon nicht Betroffene. Schon gar nicht als ein explizit geäußerter **Zweifel am *American Way of Life***.

Politik

- Kommt das Gespräch auf politische Ereignisse und Themen, ist niemand verwundert, wenn sich der Tourist in inneramerikanischen Angelegenheiten einigermaßen auskennt.

  Andererseits wird nicht übelgenommen, wenn der Informationsstand des Ausländers gering ist. Sind doch Kenntnisse der meisten Amerikaner über den Rest der Welt im allgemeinen außerordentlich lückenhaft. Politischem Engagement sollte man möglichst wenig Ausdruck verleihen (vor allem nicht, wenn wir es als liberal oder gar »links« bezeichnen würden).

Politische Kritik

- Mit Kritik an amerikanischer Politik oder amerikanischen Institutionen macht man sich mit ziemlicher Sicherheit unbeliebt, siehe die Irakproblematik. Amerikaner sind in dieser Hinsicht ausgesprochen empfindlich und fühlen sich von den Europäern mit ihrer mangelnden Begeisterung für weltweite militärische Einsätze sowieso politisch missverstanden.

  Nach dem Ende des Kalten Krieges, dem seinerzeit gefeierten Sieg im Golfkrieg und der Überwindung des Vietnam-Traumas wurde die Renaissance Amerikas als Super- und Ordnungs- und führender Wirtschaftsmacht – unabhängig von sonstigen politischen Einstellungen – allseits begrüßt. Erst neuerdings machen sich mit dem Desaster im Irak wieder Zweifel an der amerikanischen Ideologie breit. Aber wie auch immer: Kein Präsident, Republikaner oder Demokrat, wird jemals müde, seinen Landsleuten zu versichern, wie *great* die USA und seine Wähler, das amerikanische Volk, seien.

Freunde

- Aus Einladungen ergeben sich manchmal weitere Kontakte direkter oder indirekter Art. Oft wird dem Gast die Adresse von Freunden und Bekannten mitgegeben. Der Aufforderung, diese aufzusuchen, sollte die Reiseroute in der Nähe verlaufen, darf man durchaus nachkommen. Beim Anruf (der sollte aber sein, auf keinen Fall ist ein »Überfall« angezeigt) genügt der Hinweis auf die Empfehlung der »gemeinsamen Freunde«.

  In diesem Zusammenhang sei darauf hingewiesen, dass die bei uns im allgemeinen übliche Unterscheidung zwischen Freunden und Bekannten in den USA kaum stattfindet. Den soeben aufgegabelten Touristen wird man dem Nachbarn ohne weiteres bereits als ***friend*** vorstellen, denn man »macht« Freunde in Amerika schnell (*making friends*). Diesem Ausdruck einer bisweilen irritierenden Oberflächlichkeit sollte man als »Amerikaner auf Zeit« die guten Seiten abgewinnen.

Reisetipps

- In freundlicher Hilfsbereitschaft lässt es sich kein Amerikaner nehmen, Reisebekannten gute Tipps für Ziele und Sehenswürdigkeiten zu geben, die um keinen Preis verpasst werden dürfen. Bei Ratschlägen dieser Art ist Vorsicht geboten. Optik und **Bewertungsmaßstäbe von Amerikanern** unterscheiden sich erheblich von unseren Vorstellungen.

  Bevor man Empfehlungen folgt, sollte man sich daher möglichst noch anderswo vergewissern, ob ein durch höchste Superlative angepriesener Abstecher wirklich Zeit und Umweg wert sind. Vokabeln wie ***breathtaking***, ***overwhelming***, ***awe inspiring*** (atemberaubend, überwältigend, Ehrfurcht einflößend) usw. sind auch für vergleichbar weniger umwerfende Ziele schnell zur Hand. Das gilt ebenso für Formulierungen in touristischen Informationsbroschüren, in denen Fotos und vollmundige Beschreibungen die Realität manchmal bei weitem in den Schatten stellen.

Die Weststaaten: Basisdaten und Information

Arizona, ***The Grand Canyon State*** Staat der USA seit 1912

Besucherinformation: Arizona Office of Tourism
1110 West Washington, Suite 155
Phoenix, AZ 85007
✆ 1-866-275-5816
✆ (602) 364-3700
www.arizonaguide.com

Hauptstadt: Phoenix; **Fläche**: 295.000 km²; **Bevölkerung**: 5,6 Mio.

California, ***The Golden State*** Staat der USA seit 1850

Besucherinformation: California Office of Tourism
P.O. Box 1499
Sacramento CA 95812-1499
✆ 1-800-862-2543
✆ (916) 444-4429
www.visitcalifornia.com

Hauptstadt: Sacramento; **Fläche**: 424.000 km²; **Bevölkerung:** 35,5 Mio.

Colorado, ***The Centennial State*** Staat der USA seit 1876

Besucherinformation: Colorado Tourism Office
1625 Broadway, Suite 2700
Denver, CO 80202
✆ 1-800-COLORADO
✆ (303) 892-3885
www.colorado.com

Hauptstadt: Denver; **Fläche**: 270.000 km²; **Bevölkerung:** 4,5 Mio.

Idaho, ***The Gem State*** Staat der USA seit 1890

Besucherinformation: Division of Tourism Development
700 W State Street, 2nd Floor
P.O. Box 83720
Boise, ID 83720-0093
✆ 1-800-VISITID
✆ (208) 334-2470
www.visitid.org

Hauptstadt: Boise; **Fläche**: 216.000 km²; **Bevölkerung:** 1,35 Mio.

Montana, ***Big Sky Country*** Staat der USA seit 1889

Besucherinformation: Travel Montana
301 S Park, P.O. Box 200533
Helena, MT 59620-2870
✆ 1-800-VISITMT
✆ (406) 841-2870
www.visitmt.com

Hauptstadt: Helena; **Fläche**: 381.000 km²; **Bevölkerung**: 920.000

Nevada, ***The Silver State*** Staat der USA seit 1864

Besucherinformation: Commission on Tourism
401 N Carson Street
Carson City, NV 89701
✆ 1-800-NEVADA-8
✆ (775) 687-4322
www.travelnevada.com

Hauptstadt: Carson City; **Fläche**: 286.000 km²; **Bevölkerung:** 2,2 Mio.

New Mexico, ***The Land of Enchantment*** Staat der USA seit 1912

Besucherinformation: Department of Tourism
491 Old Santa Fe Trail
Santa Fe, NM 87501
✆ (505) 827-7400
✆ 1-800-733-6396, Apparat 0643
Fax (505) 827-7402
www.newmexico.org

Hauptstadt: Santa Fe; **Fläche**: 314.000 km²; **Bevölkerung:** 1,9 Mio.

Oregon, ***The Beaver State*** Staat der USA seit 1859

Besucherinformation: Oregon Tourism Commission
670 Hawthorne Avenue SE, Suite 240
Salem, OR 97301
✆ 1-800-547-7842
✆ (503) 378-8850
Fax (503) 378-4574
www.traveloregon.com und .de

Hauptstadt: Salem; **Fläche**: 255.000 km²; **Bevölkerung:** 3,6 Mio.

South Dakota, ***Mount Rushmore State*** Staat der USA seit 1889

Besucherinformation: Department of Tourism
Capitol Lake Plaza, 711 E Wells Ave
Pierre, SD 57501-5070
✆ 1-800-S-DAKOTA
✆ (605) 773-3301
Fax (605) 773-3256
www.travelsd.com

Hauptstadt: Pierre; **Fläche**: 200.000 km²; **Bevölkerung:** 760.000

Utah, ***The Beehive State*** Staat der USA seit 1896

Besucherinformation: Utah Office of Tourism
P.O. Box 147420
Salt Lake City, UT 84114-7420
✆ 1-800-UTAHFUN
✆ 1-800-200-1160
✆ (801) 538-1030
www.utah.com

Hauptstadt: Salt Lake City; **Fläche**: 220.000 km²; **Bevölk.:** 2,3 Mio.

Washington ***Evergreen State*** Staat der USA seit 1889

Besucherinformation: Washington State Tourism
P.O. Box 42500
Olympia, WA 98504
✆ 1-800-544-1800
✆ (360) 725-5052
www.experiencewashington.com

Hauptstadt: Olympia; **Fläche**: 185.000 km²; **Bevölkerung**: 6,1 Mio.

Wyoming, ***The Cowboy State*** Staat der USA seit 1890

Besucherinformation: Wyoming Travel & Tourism
I-25 at College Drive
Cheyenne, WY 82002
✆ 1-800-225-5996
✆ (307) 777-7777
www.wyomingtourism.org

Hauptstadt: Cheyenne; **Fläche**: 253.000 km²; **Bevölk**.: 500.000

Touristische Informationsstellen der US-Weststaaten in Deutschland

Da eine touristische Vertretung für die gesamten USA in Deutschland und Nachbarländern nicht existiert und eine Übersee-Versand teuer ist, hat die Mehrheit der Tourist Info-Stellen der US-Staaten Service-Unternehmen mit ihrer Vertretung bei uns beaufragt. Diese versenden auf Anfrage touristisches Material (Karten, State Parklisten, Veranstaltungskalender etc.) an Interessenten (teilweise gegen Gebühr) und geben darüberhinaus Auskunft zu spezifischen Fragen, soweit sie die von ihnen vertretenen Staaten betreffen:

Arizona/ Colorado/ New Mexico/ Utah	*Get it across Marketing* ✆ 0221/2336406, Fax 0221/2336450, Internet: www.getitacross.de
California	Touristikdienst Truber, ✆ 06027/401108, Fax 06027/402819; Unterlagen-Kostenersatz €7,00
Idaho/ Montana/ South Dakota/ Wyoming	Wiechmann Services, ✆ 069/25538230, Fax 069/25538100, Email: info@wiechmann.de Internet: www.wiechmann.de Unterlagen-Kostenersatz €5- €10

(diese Staaten laufen unter ***Rocky Mountain International***)

Washington State + Oregon	auch Wiechmann Services, ✆ 069/25538240 Fax und Email wie oben
Nevada (Vegas)	*Mangum Group,* ✆ 0190 8290462, Fax 089/23662199
Texas	*Mangum Group,* ✆ 089/23662166, Fax wie oben

Aktualisierungsinfo unter www.fremdenverkehrsamt.com/usa.html

Zusammenfassung nützlicher Internetadressen

Neben den zahlreichen im Text an geeigneter Stelle bereits eingefügten Internetadressen und den vorstehenden *Websites* der US-Staaten gibt es in den USA im touristischen Bereich eine hohe Dichte an Internetinformationen. Indessen sind Qualität und Nutzen mancher W*ebsite* die Mühe des Ladens kaum wert, zumal Ladezeiten die Geduld des potenziellen Nutzers mitunter ziemlich strapazieren. Andere *Websites* wiederum – etwa einzelner Hotels oder sonstiger Anbieter – sind durchaus informativ und gut gestaltet, aber nicht von generellem Interesse.

Im folgenden sind mehrheitlich bereits im Text genannte *Web Sites* noch einmal thematisch zusammengefaßt und um weitere Adressen ergänzt, die auf besonderes Interesse stoßen dürften.

Generelle touristische USA-Information

Gute deutchsprachige Seiten	www.usatourist.com, www.usa-tipps.de, www.north-america.de; www.usa.de
US-Städte	www.usacitylink.com
Offizielle Websites der US-Staaten	www.tourstates.com

Transport nach Amerika

Airlines	Übersicht auf Seite 103
Flugbuchung/auch last minute	Nennungen auf Seite 102
Fahrzeugverschiffung	www.sea-bridge.de

Transport in Amerika

Automiete Neufahrzeuge	Listen Seiten 105 und 153
Automiete ältere Pkw	www.rentawreck.com
Autotransport (fast kostenlos)	www.autodriveaway.com www.driveaway.com
Campermiete Neufahrzeuge	www.moturis.com
Camper-/Automiete ältere Fahrzeuge (auch Verkauf mit ggf. Rückkauf)	www.usareisen.com www.wheels9.com www.destinationusa.net
Busreisen Greyhound	www.greyhound.com
Busreisen, alternative Linien	www.greentortoise.com www.adventurebus.com
Eisenbahn	www.amtrak.com
Fähren USA/Canada	www.wsdot.wa.gov/ferries
USA-Alaska	www.alaskan.com

Unterkunft

Hotel-/Motelketten	Liste auf Seite 139
Hotels/Motels (alle überall!)	www.orbitz.com
Discount-Coupons zum Ausdruck	www.roomsaver.com
Preiswerte Hotels/Motels	www.budgethotels.com
International Hostels (AYH/HI)	www.hiusa.org

Alle Hostels	www.hostels.com www.hostelsclub.com
Hostelverzeichnis	www.hostelhandbook.com
Bed & Breakfast	www.bbinternational.com www.bedandbreakfast.com www.ibbp.com
YMCA	www.ymca.net
YWCA	www.ywca.com

Outdoors/Camping

National Park Information USA	www.nps.gov (von da geht`s weiter zu allen Einzelparks)
Campingreservierung in Nat'l Parks	www.recreation.gov
Nationalparks Service-Seiten (Unterkunft, Touren etc)	www.americanparknetwork.com
National Forest Camping USA (mit Camping *Corps of Engineers*)	www.fs.fed.us; www.recration.gov (auch einzelne Nationalparks)
State Parks mit Camping (ausgewählte Staaten, ➤ Seite 199f)	www.reserveamerica.com
Bureau of Land Management (Campingplätze, Wandern, ➤ Seite 197)	www.blm.gov; www.recreation.gov
Kampgrounds of America/KOA	www.koakampgrounds.com
Weitere kommerzielle Campingplätze	www.allcampgrounds.com www.campingamerica.com
Kostenloses Camping	www.freecampgrounds.com

Sonstiges

AAA/CAA (Automobilclubs)	www.aaa.com/caa.ca
Karten, Routenplanung (toll!)	www.mapquest.com (auch: de)
Outlet Malls	www.millscorp.com
Info/Kauf Telefonkarten	www.cyberscans.com www.americacallingcard.com

On the Road und doch am Netz
von Burghard Bock/Bremen

Unterwegs mal im Internet zu surfen und Emails oder Bilder zu empfangen oder zu versenden, ist auf Reisen in Nordamerika relativ einfach.

Und so geht's

Am besten legt man sich erst einmal ***ein kostenloses Email-Account*** *im Web an. Dorthin kann man (vielleicht schon vorsortierte) Mails von anderen Adressen weiterleiten und weltweit von jedem Internet-Computer aus bearbeiten. Am besten schreibt man sich gleich bei mehreren Anbietern ein, die können nämlich unterschiedliche Dinge gut: www.arcor.de ist der beste Allrounder, mit dem man pro Monat auch ein paar Gratis-SMS und -Faxe in der Heimat* *verschicken kann. Man bekommt auch eine Telefonnummer mit Frankfurter Vorwahl, die einem Anrufe und Faxe in Dateien wandelt, die dann zugeschickt werden. www.gmx.de hat die ausgefeilteste Verwaltung, bei der das MediaCenter als Online-Festplatte dient. Nicht dumm: Hier kann man gescannte Reiseunterlagen ablegen, falls die Originale mal abhanden kommen. Fotos könnte man auch bei de.yahoo.com ablegen – angeblich mit unbegrenztem Speicherplatz. Klar, Bildbearbeitungswerkzeuge haben die meisten Online-Fotoalben auch. Darüber hinaus sind Kalender und Adressbuch überwiegend Standard, und mit www.arcor.de und www.office.freenet.de kann man sogar seinen* ***Personal Digital Assistant (PDA)*** *synchronisieren. Für Geld können diese Gratisdienste noch einiges mehr, z.B. Werbung weglassen.*

Wer sich statt zeitversetzt per Mail lieber direkt verständigen möchte, könnte z.B. die Chat-Software von icq.de oder ohne extra Software den Browser-Messenger www.whoisup.de nutzen. Wenn ein Headset zur Hand ist, ist dank der eBay-Tochter skype.com ein gratis Internet-Telefonat kein Hexenwerk mehr. Für all diese Möglichkeiten muss der Gesprächspartner natürlich gleichzeitig online sein, aber man kann beim Einloggen immer in einer »Buddy-Liste« sehen, welcher der Buddies trotz anderer Zeitzone gerade im Netz hängt.

Zugang ohne eigenes Gerät

Abrufen und schreiben kann man Post unterwegs für meist $5-$8/Stunde aus ***Internet-Cafés*** *(Adressen über* ***die Suchmaschinen*** *world66.com/netcafeguide, worldofinternetcafes.de und netcafes.com am besten vor der Reise für die geplante Route ausgucken und notieren), in großstädtischen* ***Hostels, Copy Centers*** *wie* ***FedEx Kinko's****, auf den Campussen von* ***Colleges*** *und* ***Universities*** *und oft genug auch* ***umsonst*** *in öffentlichen* ***Bibliotheken****.*

Hinweis: ***Vorsicht mit Passworten****, am besten die Autovervollständigen-Funktion abschalten! An öffentlichen Zugängen außerdem die Liste der besuchten Internet-Seiten besser löschen, ebenso ggf. genutzte Speicher. Wer getrennte Systeme schätzt und gerne leicht reist, könnte auch mit einem Gratis-Mailprogramm namens Popcorn kommunizieren, das auf eine Diskette passt: www.tucows.com/preview/333653.*

Mit etwas Glück findet man einen Rechner mit Schnittstellen, über die man die ***Digitalkamera »entladen«*** *und die Bilder an die eigene Mailbox oder das Web-Fotoalbum zum Archivieren oder auch gleich an Freunde und Bekannte schicken kann. Oder Sie nutzen www.pixelnet.de mit angeblich ebenfalls unbegrenztem Speicherplatz, Bildbearbeitung, Diashow für die Leute daheim und natürlich der Hoffnung, Ihnen einige Ausdrucke Ihrer Bilder liefern zu dürfen. Die amerikanischsten Aufdruck-Optionen wären da wohl Elch, Grillschürze, Magic Cup oder die unvermeidliche Baseball-Kappe.*

Mit Laptop auf Reisen

Elektronisch Post aus der Heimat abzuholen ist in Nordamerika auch ohne Internetcafé etc. technisch an sich kein Problem, wenn man seinen Laptop dabei hat, und ideal, um in Ruhe die eigenen Mails zu schreiben oder Fotos zu bearbeiten und aufzubewahren. Allerdings benötigt man dafür ein für den Gebrauch in den USA/Canada konfiguriertes analoges Modem (ISDN-Karten sind in Nordamerika höchstens in Hotels zu gebrauchen) und ggf. ein Kabel, das in amerikanische Telefondosen passt. Mitunter kann auch ein Netzwerk-Kabel nützen. Ein Muss außerdem: Stromkabel samt Adapter für die Steckdose, den man auf jeden Fall mitnehmen sollte. Üblicherweise weiß der Laptop von selbst mit der niedrigeren Spannung von 125 V umzugehen.

*Immer mehr Hotels und Motels sind mittlerweile auf die Wünsche ihrer Kunden eingestellt. Ritz-Carlton, Interconti u.a. gönnen der Kundschaft sogar einen Cyber-Butler. Bestimmte öffentliche Telefone, speziell an Flughäfen, habe eine Buchse (**data-jack**) für den Datenverkehr..*

Ohne Kabelsalat

*Steckerprobleme ersparen inzwischen unzählige **Hot Spots** für den kabellosen Datenaustausch (**wireless LAN, WLAN oder Wifi** für **wi**reless free internet). Diesen Service bietet neben **Hotels, Motels** und sogar zunehmend **Campingplätzen** prominent **T-Mobile** u.a. bei der Kaffeekette **Starbucks** (neuerdings fast immer mit Gebühr) und bei **Borders Books**. Auch Fast Food Places (Burger King, McDonalds) werben mittlerweile mit Wifi. Was der Laptop dafür braucht und wo der nächste Shop ist, lässt sich unter www.locations.hotspot.t-mobile.com herausfinden. Weitere Surfgelegenheiten zeigen www.wifihotspotlist.com, www.jiwire.com und per Satellit www.nodedb.com.*

***Gratis** geht's außer bei wifi-Anbietern auch bei drahtlosen Gemeinschaften, die Mitsurfen lassen als soziale Aufgabe verstehen (www.wiki.personaltelco.net/index.cgi/WirelessCommunities). Oder man guckt einfach mal auf dem Laptop, ob man sich nicht gerade in einem offenen Zugang befindet (»**Hotspot-Finder**«, wie sie Radio Shack für ca. $15 hat, sind fast überflüssig). Sowas passiert einem am ehesten in Studenten- oder Szene-Vierteln. **Onlinebanking** ist über WLAN übrigens nicht zu empfehlen.*

*Ohne WLAN müsste man sich per **Handy** einloggen, wenn kein Zugang zum Festnetz verfügbar ist. Oder noch schicker: statt per Laptop mit **PDA**, **Smart Phone** oder **Blackberry** online gehen. Der Wunsch nach ständiger Erreichbarkeit macht das elektronische Nomadentum aber nicht einfacher. Wegen der besonderen US-Mobilfunk-Frequenzen von 850 oder 1900 MHz sind nur **3-**, besser **4-Band-Handys** geeignet, die nicht unbedingt gängig und günstig sind. Auch europäische UMTS-Handys werden jenseits des Atlantiks nur nützen, wenn sie mindestens 3-Band können (übrigens ist »Handy« ein deutsches Wort, die Amerikaner sagen **cell(ular)** oder **mobile phone**). Prima wäre eine amerikanische Prepaid-SIM-Karte für das Handy (kann man sich nur von amerikanischen Freunden oder Bekannten kaufen lassen – wäre am günstigsten – soll in T-Mobile-Shops angeblich aber auch ohne diesen Umweg funktionieren; oder man kauft bei www.globilo.de oder mietet eine bei www.hirefone.com): gute Kostenkontrolle und keine internationalen Roaming-Gebühren. Wenn Sie damit allerdings mal **international telefonieren** wollen, sollten Sie den (ungefähr) **$1/min** sparen, indem Sie zuhause nur klingeln oder eine SMS schicken und sich mit Call-by-Call-Vorwahl für nicht mehr als 0,03 zurückrufen lassen. Außerdem nicht vergessen, die neue Handynummer auf den Anrufbeantworter Ihres üblichen Anschlusses zu sprechen.*

*In den einsamen Regionen der Great Plains oder der Rocky Mountains bringt das alles jedoch nichts: fürs **ubiquitous computing** muss ein Satellitengerät von www.hirefone.com her. Dann kann man auch schnell noch ein paar Überlebenstricks herunterladen, wenn der Bär am Baum kratzt.*

Kosten

Leider hat sich das neue **Handy** *für Skype noch nicht durchgesetzt: Nur für lokale Internetgebühren und ohne Mobilfunknetz telefonieren, vielleicht auch Daten verschicken! Bis dahin bleibt das Thema komplex: Die Gesamtkosten hängen von Ihrer Mobilfunkfirma, der Unterbringung (im Hotel vorher fragen!) und natürlich vom Internet-Provider ab und sind in Nordamerika oft happig. AOL- und T-Online-Kunden steht in Nordamerika ein dichtes Einwahlnetz zu erträglichen Konditionen zur Verfügung.* **Prepaid-Internet** *z.B. mit www.mag lobe.com oder www.tempestcom.com könnte aber noch günstiger sein.*

Generell gilt, dass man sich vor der Reise ausführlich über Einwahlknoten, die Prozedur des Verbindungsaufbaus und anfallende Kosten informieren sollte, um unliebsame Überraschungen zu vermeiden: Ihr Handy könnte sich in Grenznähe automatisch im Netz des Nachbarlandes eingeloggt haben (ist abstellbar), so dass Sie unwissentlich über Canada/Mexiko telefoniert haben. Kann günstiger sein, muss aber nicht. Oder es hätte preiswerter gewesen sein können, Mails per Handy zu verschicken statt im Café über WLAN.

Sicher ist nur soviel: *die Amerikareise wird bei Nutzung der neuen Technologien nicht billiger.*

Fotonachweis

Burghard Bock, Bremen:
Seiten 165, 196 rechts, 258, 262, 263, 297, 303, 308, 483, 492, 513, 560
Burkhard Brocke, Westerstede: 59, 214, 228/229, 325, 380, 387,437, 509, 532
Michael Fleck, Crailsheim: Seite 326
Cherian Grundmann, Westerstede: Seite 619
Hearst Castle Administration: Seite 353
Markus Hundt, Bonn: Seite 248, 289, 412, 469
Moturis Corporation: Seiten 111, 112
Hermann Oetjens, Freiburg: Seite 439 oben
Peter Schickert, Fröndenberg: Seiten 314, 399
Werner Schmidt, Ganderkesee: Seiten 406, 430, 548, 641
Seaworld, San Diego: 297
Philipp Spanger, Berlin: Seiten 644, 653
Heinz Staffelbach, CH-Winterthur: Seiten 22 (2), 23 unten, 337, 338
Steffen Synnatschke, Dresden, Titelfoto auf U1 (www.synnatschke.de)
Jörg Vaas, Murr:
Seiten 15, 19, 335, 384, 386, 407, 414, 425, 462, 465, 466, 472, 493, 510, 602
Alfred Vollmer, München: Seite 479
Alle anderen Fotos sind vom Autor

Touristisches Kurzlexikon Amerikanisch – Deutsch

Die folgenden Begriffe und Abkürzungen, von denen viele schon im vorstehenden Text benutzt und teilweise erläutert wurden, gehören zum »touristischen Alltag« der USA. Ein Großteil von ihnen wird dem Leser unterwegs »begegnen«, dennoch ist mancher Begriff selbst in explizit amerikanisch-deutschen Lexika kaum zu finden, noch viel weniger in den englisch-deutschen Versionen.

Im Flugzeug und auf dem Airport

Airfare	Flugpreis
Airport Pick-up	Flughafen-Abholservice
Airport Shuttle (Service)	Transport zwischen Flughafen und Hoteletc.
Aisle	Gang zwischen den Sitzen
Arrival/Arrivals	Ankunft/Ankunfts-Bereich im Airport
Baggage Cart	Gepäckwagen
Baggage Claim	Gepäckausgabe
Boarding Pass	Einsteigekarte
Cabin	Innenraum des Flugzeugs
Cancellation/cancelled	(Flug-)Annullierung, annulliert
Carrier	"Beförderer": Fluggesellschaft
Carry-on Luggage	Handgepäck
Center Seat	Mittelplatz
Check-in	"Einchecken", Abfertigungsschalter
Coach Class	Touristenklasse
Commuter Airline	Regionalfluglinie/Zubringer
Concourse	Flugsteig/Flügel des Abfertigungsgebäudes
Connecting Flight	Anschlußflug
Counter	Schalter
Customs	Zoll
Deadline	letzter Termin
Delay/delayed	Verspätung/verspätet
Departure/Departures	Abflug/Abflugbereich im Airport
Destination	Zielort
Domestic Flight	Inlandsflug
Economy Class	Touristenklasse
Fare	Tarif
Flight Attendant	Flugbegleiter(in)
Gate	Ausgang zum Flugzeug
Hub	Knotenpunktflughafen
Immigration	Paßkontrolle
Locker	Schließfach
Lost Baggage	Schalter für verlorengegangenes Gepäck
Night Coach	Abendflugzeug (nach 21 Uhr)
Non-resident	Wohnhaft außerhalb der USA
Nothing to declare	Nichts zu verzollen
Onward-Flight	Anschlußflug
Overbooking	Mehr Plätze reserviert als vorhanden
Overhead Bin/Compartment	Gepäckablage über den Sitzen
Round Trip	Hin- und Rückflug
Runway	Start-/Landebahn
Safety	Sicherheit
Schedule/Scheduled Flight	Flugplan/planmäßiger Flug
Seat Belts	Sicherheitsgurte
Terminal	Flughafen-/Abfertigungsgebäude
Timetable	Flugplan
Time Zone	Zeitzone

Motel/Hotel und andere Unterkünfte

Air-Condition	Klimaanlage
Bed & Breakfast	Zimmer mit Frühstück
Check-in	Anmeldung
Check-out	bezahlen und verlassen des Hotels
College Dormitory	Studentenwohnheim
Continental Breakfast	Frühstück, nur Kaffee/Tee und Gebäck
Country Inn	ländlicher Gasthof/Hotel
Deposit	Sicherheitsleistung/Pfand
Dormitory	Schlafraum/-saal
Double Occupancy	Belegung eines Zimmers mit 2 Personen
Efficiency	Appartment/Zimmer mit Kleinküche
Hotel Pick-up	Abholung im Hotel
Key Deposit	Schlüsselpfand
Kingsize (Bed)	Doppelbett (ca. 1,90 m breit)
Late Check-out	spätes Räumen eines Zimmers
Motor Inn	Hotel an Ausfallstraßen
No Vacancy	alles besetzt
Non-Smoking Room	Nichtraucher-Zimmer (Hotel)
Queensize (Bed)	Französisches Bett (ca. 1,50 m breit)
Reception Office/Desk	Rezeption
Reservation	Reservierung
Room Maid	Zimmermädchen
Single Occupancy	Einzelbelegung
Twin Bedroom	Hotelzimmer mit zwei (Doppel-)Betten
University Residence	Universitätswohnung
Vacancy	Zimmer frei
Valet Service	Zu bezahlender Hotelservice (z.B. Parken des Autos und Waschen/Bügeln durch Hotelpersonal)
Waterslide	Wasserrutsche
Weekend-Special	Wochenendtarif

Restaurant, Supermarkt und Einkauf

All-you-can-eat	unbegrenzt viele Portionen
Bacon	Speck
Bagel	(jüdisches) Sauerteig-Brötchen mit »Loch«
Bakery	Bäckerei
Barbecue	Grillveranstaltung
Beef	Rindfleisch
Beverages	Getränke (ohne Alkohol)
Boiled Egg	gekochtes Ei
Brunch	Mittelding aus Breakfast und Lunch
Bulk food	Lose Lebensmittel aus Containern
Bun	weiches Brötchen
Candy	Süßigkeiten
Cashier	Kassierer
Casual (Wear)	Freizeitkleidung
Cereal	(Sammelbegriff für Cornflakes bis Müsli)
Check	Rechnung
Chicken	Hähnchen (fleisch)
Cocktail Lounge	Bar/Thekenraum
Complimentary ...	Gratis.../Zugabe
Convenience Store	kleiner Lebensmittel- und Gemischtwarenladen
Cookies	Kekse
Corn	Mais
Coupon	Gutschein

Cover Charge	Eintritt
Cream	Kaffeesahne
Credit Card Slip	Kreditkartenbeleg
Dairy Products	Milchprodukte
Danish (Pastry)	Blätterteiggebäck
Department Store	Kaufhaus
Dessert	Nachtisch
Din(n)er	abendliche Hauptmahlzeit
Donuts (doughnuts)	Berlinerähnliches Gebäck mit »Loch«
Eatery	Synonym für Fast Food Restaurants/Imbiß
Entree	Hauptgericht im Restaurant
Expiration Date	Verfallsdatum
Express Lane	Kasse für Kunden mit wenigen Artikeln (*Items*)
Family Shopping	Familieneinkauf(stag)
Food Mart	Lebensmittelmarkt/Supermarkt
Formal Wear	Abendkleidung/Anzug
French Fries	Pommes Frites
Garlic	Knoblauch
General Store	Gemischtwarenladen (auf dem Lande)
Generic Food	Lebensmittel ohne Markenbezeichnung
Give-Away	Gratis-/preiswerter Artikel
Gratuity	Trinkgeld (»feiner« als *tip*)
Ham	Schinken
Hardware Store	Eisen- und Haushaltswarengeschäft
Hash Browns	Gebratene Reibekartoffeln (werden mit Spiegel-/ Rührei zum Frühstück serviert)
Health Food	Gesundheitskost
Homo(genized) Milk	Vollmilch
Host/Hostess	Platzzuweiser(in) im Restaurant
Hot	heiß, auch scharf
Ice(d)Tea	Eistee
Icecream	Speiseeis
Item	Artikel, Anzahl der ..., siehe *Express Lane*
Jam/Jelly	Marmelade/Gelee
Juice	Fruchtsaft
Kaiser Rolls	Brötchen
Ladies Room	Damentoilette
Lamb	Lamm
Licensed Restaurant	Restaurant mit Alkoholausschank
Liqueur	Likör
Liquor (Store)	Alkohol/Schnaps (-laden)
Lobster	Hummer
Low-fat Milk	fettarme Milch
Lunch	Mittagessen
Mall	überdachtes Einkaufszentrum
Maple Syrup	Ahornsirup
Meat	Fleisch
Medium	»halb durch« beim Steak
Men's Room	Herrentoilette
Menu	Speisekarte
Minimart	andere Bezeichnung für *Convenience Store*
Muffin	runder, süßer Kuchen;
News Shop	Zeitschriftenladen
On Sale	Sonderangebot
Oysters	Austern
Package Store	Laden für Alkoholika (syn. für *Liquor Store*)
Pancakes	Pfannkuchen, meist mit Sirup serviert
Pharmacy	Apotheke

Pie	Torte
Produce (Betonung 1. Silbe)	Obst und Gemüse
Pork	Schweinefleisch
Refill (Free refill)	gratis Nachschenken mit Softdrinks, Kaffee etc
Restroom (Bathroom)	Toilette
Root Beer	braunes Limonadengetränk (pure Chemie)
Sales Tax	Umsatzsteuer
Salmon	Lachs
Scrambled Eggs	Rühreier
Seafood	Fisch-/Muschelgerichte
Seat yourself	im Restaurant: sich selber einen Platz suchen
Shopping Mall	überdachtes Einkaufszentrum
Shrimps	Krabben
Sirloin Steak	Lendensteak, zartes Rumpsteak
Sixpack	Sechserpack (Bier/Cola etc.)
(Sam Sixpack	amerik. »Otto Normalverbraucher«)
Slice	Scheibe, Stück
Soda Pop	Softgetränke (Coca Cola, Sprite etc.)
Sunny Side up	Spiegelei
Supervisor	Aufsichtführender, vorgesetzer Beamter
Supper	(leichtes) Abendessen
Sweets	Süßigkeiten
Tip	Trinkgeld
Tuna	Thunfisch
Turkey	Pute
Veal	Kalbfleisch
Wait in Line	Schlangestehen
Wait to be Seated	am Eingang des Restaurants warten, bis man einen Platz zugewiesen bekommt
Waiter/Waitress	Kellner(in)
Well done	durchgebraten (Steak)

Camping und Wandern

Backcountry	unerschlossenes Hinterland
Backpacking	Rucksack-Wanderungen unternehmen
Boardwalk	Holzplankenweg
Campground	Campingplatz
Campsite	Stellplatz auf dem Campground
Dump(ing) Station	Ent-/Versorgungsstelle auf Campingplätzen
Fee	Gebühr
Firewood	Feuerholz
Flashlight	Taschenlampe
Full-Hook-up	Strom-, Wasser- und Abwasseranschluß
Hiking Trail	Wanderweg
Kitchen Shelter	Küchenhäuschen auf Campingplätzen
Loop Trail	Rundwanderweg
Map	Landkarte
National Forest	Nationalforst
Nature Trail	kurzer Wanderweg, Naturlehrpfad
No Trespassing	Durchgang verboten
Outdoor Recreation	Freizeitvergnügen »draußen in der Natur«
Park Ranger	Aufsichtsperson im National oder State Park etc.
Permit	schriftliche Genehmigung fürs Zelten im *Backcountry*, für offenes Feuer o.ä.
Picnic Area	Picknickplatz
Plug	Stecker/Steckdose
Private Property	Privateigentum

Recreation Area	Erholungsgebiet
RV	*Recreational Vehicle* (Wohnmobil)
RV-Park	Campingplatz für Campmobile,
Self Registration	Selbstanmeldung auf Campingplätzen
Sewer	Abwasserabfluß
Shower	Dusche
Tent	Zelt
Trail	Wanderweg
Trailhead	Startpunkt eines Wanderwegs
Visitor Center	Besucherzentrum/Parkinformation,
Walk-in-Campground	nur zu Fuß erreichbarer Zeltplatz
Woodyard	Sammelstelle für Feuerholz

Rund ums Auto

AAA	American Automobile Assocation
Axle	Achse
Backroad	Einsame Nebenstraße
Brake	Bremse
Bumper	Stoßstange
Car Drop-off	Leihwagen-Rückgabe
Carpool	Gemeinschaftliche Autonutzung
Collision Damage Waiver	Vollkaskoversicherung (CDW)
Compact Car	Pkw Größe VW Golf/Ford Escort
Convertible (Car)	Cabriolet
Damage Claim	Schadenersatzanspruch
Dashboard	Armaturenbrett
Driver's license	Führerschein
Drop-off Charge	Zusatzgebühr für Einweg-Automiete
Engine	Motor
Exhaust	Auspuff
First Aid Box	Erste Hilfe-Kasten/Verbandskasten
Full Service	Bedienung an der Tankstelle
Gallon	Gallone (3,8 Liter)
Garage	Werkstatt
Gas Mileage	Benzinverbrauch (Meilen pro Gallone)
Gas(oline) Station	Tankstelle
Headlight	Scheinwerfer
High (Low) Beam	Fernlicht (Abblendlicht
Hood	Motorhaube
Leaded	verbleit (Benzin)
Lead-free/unleaded	bleifrei
Liability Insurance	Haftpflichtversicherung
License Plate	Nummernschild
Limousine	Großraum-Pkw (verlängerte Karosserie)
Loss Damage Waiver	Vollkaskoversicherung (LDW)
Lube Service	Abschmierdienst
Minivan	Kleinbus
Mobil Home	transportables Wohnhaus
Motorhome	größeres Campingfahrzeug
One-way Fee	Einweggebühr (bei Automiete)
Pick-up (-truck)	Kleinlastwagen
Power Breaks	Servobremsen
Power Steering	Servolenkung
Premium Unleaded	unverbleites Superbenzin
Quick Lube	Abschmier-Schnelldienst
Radiator	Kühler
Recreation Vehicle	Wohnmobil (RV)

Registration	Fahrzeugschein
Rental-Car-Return	Mietwagen-Rückgabestelle
Seat (auch: Safety) Belt	Sicherheitsgurt
Sedan	geschlossener Pkw
Shock Absorber	Stoßdämpfer
Spare Tire	Reservereifen
Spark Plug	Zündkerze
Station Wagon	Kombi
Steering Wheel	Lenkrad
Tire Pressure	Reifendruck
Title	Fahrzeugbrief
Transmission	Getriebe
Trailer	Anhänger, auch: Wohnwagen
Trunk	Kofferraum
Unleaded	bleifrei
Van	Lieferwagen, kleines Campmobil
Windshield	Windschutzscheibe
Wiper	Scheibenwischer

Strassenverkehr

Buckle up	sich anschnallen
Bump	Bodenschwelle
Byway	Nebenstrecke
Carpool-Lane	Schnellspur für Carpool-Autos
Cop	Umgangssprachlich: Polizist
County Road (CR)	Kreisstraße
Dead End	Sackgasse
Detour	Umleitung
Dip	Bodensenke
Dirt Road	unbefestigte Straße
Divided Highway	Durch Mittelstreifen getrennte Fahrspuren
Do not enter/pass	Einfahrt/Überholen verboten
Entrance	Einfahrt
Emergency (Road Service)	Notfall/Straßendienst
Exit	(Autobahn-) Ausfahrt
Flagman	»Flaggenmann« zur Verkehrsregelung
Forest Road	Straße im National Forest (FR)
Freeway	Autobahn
Frontage Road (auch: Business Loop)	Geschäftsstraße (Tankstellen, Fast-Food etc.) parallel zur Autobahn
Grade Crossing	Bahnübergang
Gravel Road	Schotterstraße
Highway	Straße (nicht Autobahn)
Improved Road	Befestigte Straße = Schotterstraße
Intersection	Einmündung oder Kreuzung
Interstate (Freeway)	Autobahn des bundesweiten Netzes
Junction	Straßenkreuzung, Abzweigung
Lane Ends	Fahrspur endet
Maximum Speed	Höchstgeschwindigkeit
Men Working	Baustelle (»Männer bei der Arbeit«)
Merge	einordnen
No Parking any Time	absolutes Halteverbot
No Right Turn on Red	Rechtsabbiegen bei Rot verboten
One Way	Einbahnstraße
Paved	geteert (an sich: gepflastert)
Pedestrian	Fußgänger
Pilot Car	Baustelle: vorwegfahrendes Konvoi-Fahrzeug

Ramp	Autobahnauffahrt/-abfahrt
Rest Area	Rastplatz
Road Construction	Baustelle
Rush Hour	Zeit des Berufsverkehrs
Shortcut	Abkürzung
Slippery when wet	Rutschgefahr bei Nässe
Speed Limit	Geschwindigkeitsgrenze
Speed Zone Ahead	Geschwindigkeitsbegrenzung voraus
State Route (SR)	Staatsstraße
Streetcar	Straßenbahn
Toll (Road)	Gebühr (mautpflichtige Straße)
Tow Away Zone	Abschleppzone
Traffic Light	Verkehrsampel
Unimproved Road	unbefestigte Straße
Unlimited Mileage	unbegrenzte Meilen (Automiete)
Unpaved Road	nicht asphaltierte Straße
U-Turn	Wenden
Wrong Way	falsche Fahrtrichtung
Yield (Right of Way)	Achtung Vorfahrt

Unterwegs von Bedeutung

Bleach	Bleiche (Zusatz beim Wäschewaschen)
Boardwalk	(Holz-)Promenade/Holzsteg
Cab	Taxi
Capital	Hauptstadt
Capitol	Regierungsgebäude
Dentist	Zahnarzt
Detergent	Waschmittel
Directory	Adressbuch/Telefonbuch
Doctors Office	Arztpraxis
Emergency Number	Notfall-Telefonnummer (911)
Fare	Fahrpreis
first-come-first-served	Bedienung in Reihenfolge der Ankunft
General Delivery	postlagernd
Highway Map	Straßenkarte
Hitchhiking	Trampen, per Anhalter reisen
Identification (ID)	Identifikation (Führerschein oder Reisepass)
Laundry/Laundromat	Münzwaschsalon
Medical Doctor	Arzt
Officer	Beamter: Anrede für Polizisten, Parkranger etc
Outlet Mall	Ladencenter für Direktverkauf ab Fabrik
Park Ranger	Aufsichtbeamter in National und StateParks
Physician	Arzt
Platform	Bahnsteig
Prescription	Rezept
Ranger	siehe Park Ranger
Road Map	Straßenkarte
Round Trip Ticket	Hin- und Rückfahrkarte
Subway	Untergrundbahn
Token	Wertmarke (U-Bahn/Spielkasino)
Toll free	gebührenfrei
Tour Book	Regionalführer des Automobilklubs AAA
Tour Guide	Reiseleiter
Trailhead	Ausgangspunkt eines Wanderweges
Van Service	Kleinbus-linie/-Hotelservice
View (Vista) Point	Aussichtspunkt
Voucher	Gutschein (Hotel/Mietwagen)

Zahlung und Geld

ATM	Automatic Teller Machine (Bargeldautomat)
Buck	umgangssprachlich für Dollar
Cash a Travelers Check	Reisescheck einlösen
Cash or Credit	Barzahlung oder Zahlung per Kreditkarte
Cashing	Per Kreditkarte Bargeld abheben
Change	Wechselgeld
Charge	zahlen mit Kreditkarte; auch »berechnen«
Dime	10 Cents
Dollar Bill/Greenback	Dollarnote
Nickel	5 Cents
Prepay	im voraus bezahlen
Quarter	25 Cents

Post und Telefon

Air Mail	Luftpost
Answering machine	Anrufbeantworter
Area Code	Vorwahl
Busy	am Telefon: besetzt
Call	anrufen, Anruf
Calling/Phone Card	Telefonkarte
Collect Call	R-Gespräch
Country Code	Vorwahl eines Landes
Local Call	Ortsgespräch
Long Distance Call	Ferngespräch
Operator	Telefonvermittlung
Parcel	Paket
Pay Phone	Münztelefon
Stamp	Briefmarke
Toll-free Number	gebührenfreie Telefonnummer
Yellow Pages	Gelbe Seiten
Zip Code	Postleitzahl

Wichtige Abkürzungen und Kurzformen

AAA	American Automobile Association
A/SLI	Additional/Supplement Liability Insurance
AYH	American Youth Hostel (Jugendherberge)
CDW/LDW	Collision/Loss Damage Waver (»Vollkasko«)
ID	Identification (Personalpapier/Führerschein)
PAI	Personal Accident Insurance (Insassenvers.)
PEP	Personal Effects Protection (Gepäckvers.)
RV	Recreation Vehicle (Campmobil)
YM/WCA	Young Mens/Womens Christian Association
4 sale	for sale (zu verkaufen)
Mart	market (Markt)
Nite	night (Nacht)
PedXing	Pedestrian Crossing (Fußgängerkreuzung)
Room 4 rent	Room for Rent - Zimmer zu vermieten
U-Pick	You pick (Zum Selbstpflücken)
Xmas	Christmas (Weihnachten)
XP	Extra Person

Kurzformen bei Straßen und Adressen

Ave	Avenue	Fwy	Freeway	Rd	Road
Blvd	Boulevard	Pkwy	Parkway	Sq	Square
Dr	Drive	Pl	Plaza	St	Street

\# Zeichen für Nummer statt Nr./No. I-84 Interstate Freeway #84 mi Meile

Know-How auf einen Blick

Sylt
Syrien

Taiwan
Tansania, Sansibar
Teneriffa
Thailand
Thailand – Tauch- und Strandführer
Thailands Süden
Thüringer Wald
Tokyo
Toscana
Transsib
Trinidad und Tobago
Tschechien
Tunesien
Tunesiens Küste

Uganda, Ruanda
Umbrien
USA/Canada
USA, Gastschüler
USA, Nordosten
USA – der Westen
USA – der Süden
USA – Südwesten, Natur u. Wandern
USA SW, Kalifornien, Baja California
Usedom

Venedig
Venezuela
Vereinigte Arabische Emirate
Vietnam

Westafrika – Sahel
Westafrika – Küste
Wien
Wo es keinen Arzt gibt

Edition RKH

Abenteuer Anden
Burma – Land der Pagoden
Durchgedreht
Finca auf Mallorca
Geschichten/Mallorca
Goldene Insel
Mallorca, Leib u. Seele
Mallorquinische Reise
Please wait to be seated!
Salzkarawane, Die
Schönen Urlaub!
Südwärts Lateinamerika
Traumstr. Panamerikana
Unlimited Mileage

Praxis

Aktiv Algarve
Aktiv frz. Atlantikküste
Aktiv Gran Canaria
Aktiv Marokko
Aktiv Polen
All Inclusive?
Als Frau allein unterwegs
Bordbuch Südeuropa
Canyoning
Clever buchen/fliegen
Clever kuren
Daoismus erleben
Drogen in Reiseländern
Dschungelwandern
Essbare Früchte Asiens
Fernreisen a. eigene Faust
Fernreisen, Fahrzeug
Fliegen ohne Angst
Fun u. Sport im Schnee
Geolog. Erscheinungen
GPS f. Auto, Motorrad
GPS Outdoor
Heilige Stätten Indiens
Hinduismus erleben
Höhlen erkunden
Inline-Skaten Bodensee
Inline Skating
Internet für die Reise
Islam erleben
Kanu-Handbuch
Kommunikation unterw.
Konfuzianismus erleben
Kreuzfahrt-Handbuch
Küstensegeln
Maya-Kultur erleben
Mountain Biking
Mushing/Hundeschlitten
Orientierung mit Kompass und GPS
Paragliding-Handbuch
Pferdetrekking
Reisefotografie
Reisefotografie digital
Reisen und Schreiben
Respektvoll reisen
Richtig Karten lesen
Safari-Handbuch Afrika
Schutz v. Gewalt/Kriminalität
Schwanger reisen
Selbstdiagnose unterwegs
Sicherheit/Bärengeb.
Sicherheit/Meer
Sonne/Reisewetter
Sprachen lernen
Survival/Naturkatastrophen
Tauchen kalte Gewässer
Tauchen warme Gewässer
Transsib – Moskau-Peking
Trekking-Handbuch
Trekking/Amerika
Trekking/Asien Afrika
Tropenreisen
Unterkunft/Mietwagen
Verreisen mit Hund
Vulkane besteigen
Wandern im Watt
Wann wohin reisen?
Was kriecht u. krabbelt in den Tropen
Wein-Reiseführer Dtschl.
Wein-Reiseführer Italien
Wildnis-Ausrüstung
Wildnis-Backpacking
Wildnis-Küche
Winterwandern
Wohnmobil-Ausrüstung
Wohnmobil/Indien
Wohnmobil-Reisen
Wracktauchen weltweit

KulturSchock

Afghanistan
Ägypten
Brasilien
China, VR/Taiwan
Golf-Emirate, Oman
Indien
Iran
Islam
Japan
Jemen
Leben in fremden Kulturen
Marokko
Mexiko
Pakistan
Russland
Spanien
Thailand
Türkei
Vietnam

Seir Erscheinen 1989 jährlich neu

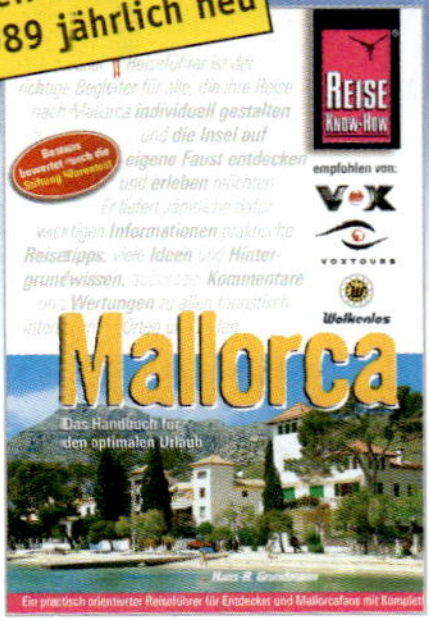

Abbildung Auflage 2006

Hans-R. Grundmann

Mallorca

Handbuch für den optimalen Urlaub

bestens beurteilt von der Stiftung Warentest

18. Auflage 6/2007

ISBN 978-3-89662-233-4 · € 19,90

476 + 48 + 48 Seiten mit 55 eigens f r dieses Buch angefertigten Farbkarten, davon 8 Wanderkarten, und ber 250 Fotos. Unterkunftsempfehlungen f r 48 Ferienorte mit aktuellen Kostenbeispielen 2005.

Separate Straßenkarte mit Stadtplan Palma und kulinarischem Lexikon. Mit 2 Beilegern - 48+60 Seiten:

- **Wandern und Natur**
- **Optimal unterkommen auf Mallorca**
- **Jedes Jahr neu**

Marc Schichor, Kirsten Elsner

Wandern auf Mallorca

Tramuntana Gebirge – Gipfel, Schluchten und Täler

Neuauflage im Herbst 2007

¥ 50 Tourenvorschl ge in der zentralen Tramuntana
¥ die meisten Wege auch in Gegenrichtung
¥ alle Routen in Kurzfassung und en Detail
¥ Vorschl ge f r mehrt gige Wanderungen
¥ Genaue Karten von alle Orten in der Wanderregion
¥ Kleines Pflanzenlexikon mit zahlreichen Fotos
¥ Unterkunftsverzeichnis von der Bergh tte bis ****Hotel

Der Clou des Buches ist die von den Autoren **für speziell diese Routen angefertigte separate Karte** mit H henlinien und -schichten im **Maßstab 1:35.000**, die keine Zweifel mehr ber den richtigen Weg aufkommen lassen360 Seiten vierfarbig mit zahlre chen exakten Karten, Skizzen und ber 400 Fotos,
2. Auflage Herbst 2005, **ISBN 3-89662-216-1; € 22,50**

Hans-R. Grundmann, Hartmut Ihnenfeldt

Auf Mallorca leben und arbeiten

Ein Ratgeber für alle, die sich auf Mallorca zu Hause fühlen wollen

Wer spielte nicht gelegentlich mit dem Gedanken, auszusteigen, Routine und allzu Bekanntes hinter sich zu lassen? Um zum Beispiel auf Mallorca ein neues anderes Leben zu beginnen? Viele erf llen sich diesen Traum, stellen aber fest, da§ auch auf einer Ferieninsel der ganz normale Alltag gemeistert sein will. Dieses Buch liefert Know-How zur Bew ltigung von Fragen und Problemen, mit denen Mallorca-Einsteiger unweigerlich konfrontiert werden. **288 Seiten, über 140 Abbildungen, 43 Themenkästen, zahlreiche Internetadressen.**

2. Auflage 2006, ISBN 3-89662-193-9 · € 17,50

Eyke Berghahn, Petrima Thomas, Hans-R. Grundmann

Teneriffa

Der richtige Begleiter f r alle, die ihre Reise individuell gestalten und Teneriffa auf eigene Faust entdecken wollen:

¥ Ausf hrlichste Ortsbeschreibungen & Ausflugsrouten
¥ 80 Themenk sten und Essays zu allen Wissensbereichen
¥ Die sch nsten Wanderungen, Picknick- und Zeltpl tze
¥ Alles zu Vulkanismus und Vegetation mit Fachglossaren.
¥ Vokabular ¨Essen&Trinken˙ und ¨Kanarisches Spanisch˙
¥ Die besten Unterk nfte f r jeden Geldbeutel
¥ Zahlreiche Internetadressen

3. Auflage 1/2006; 620 Seiten 4-farbig, 320 Fotos, 47 Karten und Grafiken **+Inselkarte+Wanderführer (48 S.)**

ISBN 3-89662-212-9; €22,50

Daniel Krasa, Hans-R. Grundmann

Ibiza

Der richtige Begleiter f r alle, die ihre Reise individuell gestalten und Ibiza auf eigene Faust erleben wollen:

¥ High Life und Altstadtnostalgie in Ibiza-Stadt
¥ Lange Sandstr nde und verschwiegene Buchten
¥ Wanderwege durch romantische Berglandschaft
¥ Geschichte und Kultur, Mandelbl te und Rotwein
¥ Alles zu Aktivurlaub und Sport, zu Nightlife und Ibiza Sound
¥ Die besten Quartiere, Restaurants, Kneipen und Discos
¥ Ausflugsrouten und viele echte ¨Geheimtipps˙

1. Auflage 3/2007; ca. 336 Seiten 4-farbig, ca. 230 Fotos, 27 Karten und Ortspl n, davon 6 Wanderkarten.

ISBN 978-3-89662-185-6; €17,50

Neuerscheinung 3/2007

Frank Ostermair, Sandra Roters

Menorca, die unentdeckte Baleareninsel

Mallorcas kleine Schwester Menorca f hrt als Reiseziel deutschsprachiger Urlauber ein erstaunliches Schattendasein. Dabei verf gt Menorca ber viele wunderbare und selten volle Str nde unterschiedlichster Charakteristik bei glasklarer Wasserqualit t, ber zwei veritable Hafenst dte, Fischerd rfer und Orte im Inselinneren mit eigenem mit Mallorca nicht vergleichbaren Gepr ge, landschaftliche und kulturelle Kleinode. Menorcas touristische Infrastruktur ist ausgezeichnet, ebenso die kulinarische Qualit t wie Ambiente vieler Restaurants.

1. Auflage 3/2006; 288 Seiten 4-farbig, ca. 180 Fotos, 31 Karten und Ortspl ne.

ISBN 3-89662-206-4; €17,50

Amerikanisch sprechen

Sprachführer der Reihe Kauderwelsch

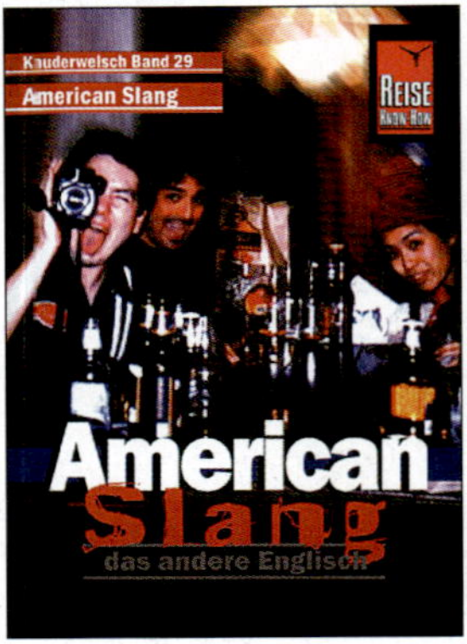

American Slang
das andere Englisch
Band 29
112 Seiten,
€ 7,90

More American Slang
mehr anderes Englisch
Band 67
96 Seiten,
€ 7,90

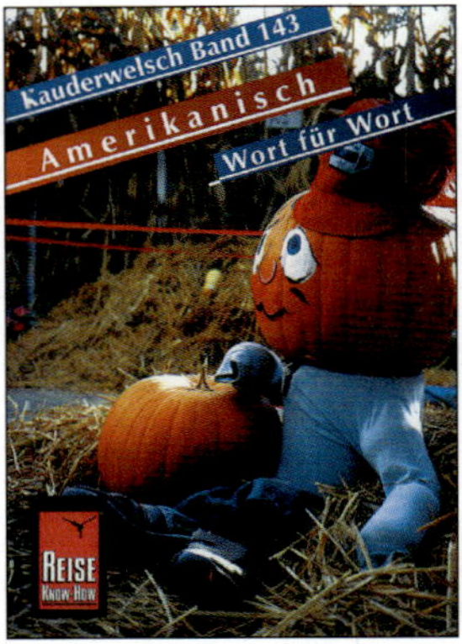

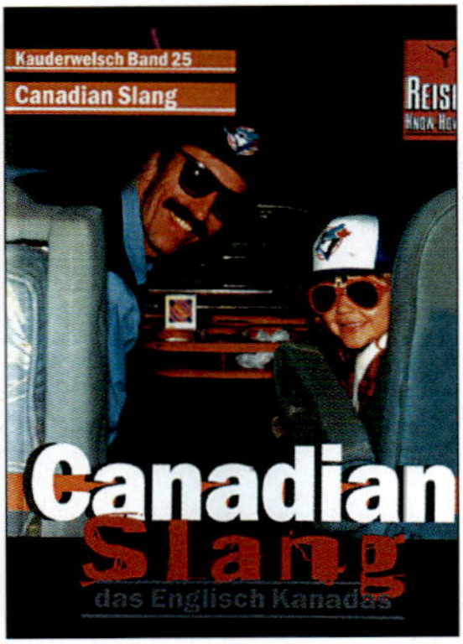

Amerikanisch
Englisch für die USA
Band 143
176 Seiten,
€ 7,90

Franko-Kanadisch (Québequois)
das Französisch Kanadas
Band 99
128 Seiten,
€ 7,90

Canadian Slang
das Englisch Kanadas
Band 25
128 Seiten,
€ 7,90

Schulenglisch ist eine Sache, was man in Amerika spricht, eine andere!

Die Slang-Bände der Kauderwelsch-Reihe vermitteln die heute gesprochene Alltagssprache, ohne ein Blatt vor den Mund zu nehmen. Wörter, Sätze und Ausdrücke, die man in Kneipen, Discos, auf der Straße oder im Bett hört und sagt. Die Sprache der Szene und des "einfachen Mannes". Umgangssprache, die man kaum im Wörterbuch findet und garantiert nicht in der Schule gelernt hat. Alle Stichworte sind erklärt, ehrlich übersetzt und praxisorientiert geordnet.

Reise Know-How Verlag Peter Rump GmbH, Bielefeld

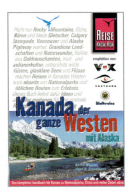

Heinz Staffelbach, Magda R egg

USA Südwesten Natur und Wandern

Ein Reiseführer für die schönsten Nationalparks zwischen Pazifik und Rocky Mountains (Arches, Bryce Canyon, Canyonlands, Grand Canyon, Grand Staircase-Escalante, Great Basin, Joshua Tree, Point Reyes, Redwoods, Rocky Mountain, Saguaro, die Weminuche Wilderness, Yosemite, Zion)

Intensivabhandlungen zu Geologie, Vegetation und Tierwelt, kologie, Biodiversit t

Jetzt neu bearbeitet und vierfarbig in zweiter Auflage 2005 mit über 200 brillanten Fotos.

528 Seiten, über 50 Karten und Höhenprofile

ISBN 3-89662-202-1 € 23,50

1. Auflage 2007

Hans.-R. Grundmann, M. Brinke, P. Kr nzle

USA, der große Süden

Ein Führer durch die klassischen Südstaaten

Die sch nsten Routen durch Virginia, die Carolinas, Tennessee, Georgia, Mississippi, Louisiana, Alabama — und dar berhinaus durch Florida. Zus tzlich gro§es City-Kapitel Washington DC mit popul ren Zielen in Maryland und Pennsylvania. Geschichte, Kultur, Landschaften.

In diesem Buch erf hrt der Leser auch alles zu Planung und Vorbereitung einer Reise auf eigene Faust durch den ganzen US-S den mit Mietwagen & Motel-/Hotelunterkunft, Mietauto & Zelt oder per Campmobil. Ausgew hlte bernachtungstipps und viele Campingempfehlungen.

696 Seiten, 70 Karten, über 300 Farbfotos, separate Karte USA-Südstaaten.

ISBN 3-89662-175-7 €23,50 (D)

Alphabetisches Register – Index

Im Register finden sich alle Ortsnamen, Sehenswürdigkeiten und geographischen Bezeichnungen ebenso wie alle wichtigen Sachbegriffe. Egal, wonach man sucht, seien es Informationen zur Automiete, zu einer Stadt oder einem Nationalpark, alles ist unterschiedslos alphabetisch eingeordnet.

Abkürzungen: **NP**=National Park; **NHP/S**=National Historic Park/Site; **NM**=National Monument; **NRA**=National Recreation Area; **SP**=State Park

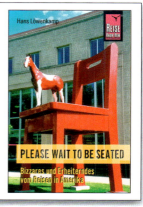

National Parks, National Monuments

und alle weiteren unter der Verwaltung des *National Park Service*` stehenden Gebiete in den US-Weststaaten. Die laufende Nummer entspricht der Kennzeichnung in der Klappenkarte rechts. Die Seitenzahl nennt die Buchseite, bei Fettdruck existiert eine eigene Karte (➤ auch Rückseite der sep. Karte)

Abkürzungen

NP	**National Park**
NM	**National Monument**
NRA	**National Recreation Area**
NHS	**National Historic Site**
NVM	**National Volcanic Monument**